D1098044

Paul Michael Lützeler (Hrsg.)
Deutsche Romane des 20. Jahrhunderts

DEUTSCHE ROMANE DES 20. JAHRHUNDERTS

NEUE INTERPRETATIONEN
HERAUSGEGEBEN VON
PAUL MICHAEL LÜTZELER

Athenäum

CIP-Kurztitelaufnahme der Deutschen Bibliothek

Deutsche Romane des 20. Jahrhunderts: neue Interpretationen /
hrsg. von Paul Michael Lützeler. –
Königstein/Ts.: Athenäum, 1983.
ISBN 3-7610-8131-6
NE: Lützeler, Paul Michael [Hrsg.]

Ohne ausdrückliche Genehmigung des Verlages ist es auch nicht gestattet, das Buch oder
Teile daraus auf fotomechanischem Wege (Fotokopie, Mikrokopie) zu vervielfältigen.
Satz: Werbe- und Composersatz-Studio Klaus Brechl, Passau
Druck und Bindung: Berckel, Grafischer Betrieb GmbH, Kevelaer
Printed in Germany
ISBN 3-7610-8131-6

5

Inhalt

6

Vorwort

Die hier behandelten Romane sind nicht viel älter oder nur wenig jünger als ihre Interpreten; sie wurden von Autoren unseres Jahrhunderts geschrieben und werden erneut für Zeitgenossen vorgestellt. Zeitgenossenschaft bringt häufig Distanzlosigkeit mit sich. Die Beiträger bemühten sich jedoch bei allem intellektuell-emotionalem Interesse um jene distanzierte Sicht, ohne die wissenschaftliches Arbeiten nicht möglich ist. Weder ging es um Apologie und Eckermännerei, noch um ein neutrales Katalogisieren, das mit seiner Computer-Mentalität jedes Betroffensein unmöglich macht. Die hier vorgestellten Werke sind nicht die einzigen deutschsprachigen Romane unserer Zeit, die zu erneuter Auseinandersetzung herausfordern, und mancher wird vielleicht ausgerechnet jene Titel vermissen, mit denen sich für ihn persönlich folgenreiche Leseerlebnisse verbinden. Entstehung, Publikationsumstände, Aussage, Intention und Wirkung der analysierten Bücher sind so unterschiedlich, daß es nicht möglich ist, die Auswahlgründe auf einen Hauptnenner zu bringen. Während der Diskussion mit den Beiträgern ergab sich eine Liste von Romanen, die keine Kanon-Ansprüche erhebt, welche aber gleichwohl repräsentativ ist für die Epik unserer Zeit. Einige Werke wurden schon bei Erscheinen stark beachtet, da sie unmittelbar die Tendenzen jener Jahre artikulierten (wie etwa die Romane Thomas Manns, Heinrich Manns, Feuchtwangers, Grass' oder Christa Wolfs); andere wiederum – z.B. die Bücher Robert Walsers, Kafkas, Musils, Brochs, Canettis oder Koeppens) wuchsen erst mit den Jahrzehnten bzw. – anders gewendet – entdeckten Zukunftsrealitäten, welche die Inkubationszeit einer Generation benötigten, um erfaßt zu werden. Der Band enthält auffallend viele Aufsätze über Früh- oder gar Erstlingswerke: *Buddenbrooks, Der Gehülfe, Malte Laurids Brigge, Die Schlafwandler, Die Blendung, Tauben im Gras, Stiller, Ehen in Philippsburg, Wo warst du, Adam?, Die Blechtrommel* – all diese Romane widerlegen die Vorstellung, daß „eine große Erzählgabe sich im allgemeinen erst in recht spätem Lebensalter" einstellt (Koskimies: *Theorie des Romans).*

Dieses Buch ist keine epochen-, sozial-, theorie-, stil-, motiv- oder ideengeschichtliche Gesamtdarstellung des deutschsprachigen Romans seit der Jahrhundertwende, sondern eine Sammlung von Interpretationen, bei denen jeweils ein einzelnes Werk im Mittelpunkt der Untersuchung steht. In einem Vorwort kann der Ertrag dieser Analysen nicht zusammenfassend referiert werden. Das würde nur zu Reduktionen und Deformationen führen, zu Klischees auch, die gerade durch die detaillierte Interpretation vermieden werden sollen. Bei der Lektüre des Bandes zeichnen sich allerdings Zusammenhänge von Romanästhetik, Geschichtsphilosophie und literarischer Tradition ab, die hier skizziert werden können. Mit Recht stellte Reinhard Baumgart in seinen *Aussichten des Romans* fest, daß es „ahnungslos museal" wäre, „heute noch reinlich Gattungsästhetik zu treiben". Wenige Jahre zuvor gab Robbe-Grillet in *Pour un nouveau roman* zu, daß er nicht wisse, was ein Roman ist oder sein soll; der sei heute nur das, was die zeitgenössischen Romanciers aus ihm machten. Das meinte auch Wayne C. Booth, der in seiner *Rheto-*

ric of Fiction hervorhebt, daß es keine Gattung gebe, die so amorph sei wie die des Romans, wobei er sich auch auf E.M. Forster berufen konnte, der schon in den zwanziger Jahren den Roman als „a formidable mass" *(Aspects of the Novel)* bezeichnet hatte. Viktor Žmegač konstatiert in seinem Theorie-Beitrag dieses Bandes, daß die Normpoetik des Romans seit dem 18. Jahrhundert rapide an Geltung verliert. Dafür lassen sich Kronzeugen wie Herder, Friedrich Schlegel und Goethe aufrufen. Nach Herder läßt diese Dichtungsform „die größesten Disparaten" zu *(Briefe zur Beförderung der Humanität. Siebente Sammlung);* Schlegel will, daß hier „die Willkür des Dichters kein Gesetz über sich leide" (116. Athenäums-Fragment), und für Goethe ist der Roman „eine subjektive Epopöe, in welcher der Verfasser sich die Erlaubnis ausbittet, die Welt nach seiner Weise zu behandeln" *(Maximen und Reflexionen).* So ist schon längst vor Beginn unseres Jahrhunderts die individuelle Werkstattpoetik der Autoren an die Stelle einer verbindlichen Ästhetik getreten. Žmegač bemerkt richtig, daß die „Modernität" des Romans unserer Zeit ein „poetologisches Phantom" ist, und daß sein einzig durchgängiges Merkmal die proteushafte Wandlungsfähigkeit sei, eine These, die durch die Einzelinterpretationen bestätigt wird. Wenn es auch nicht möglich ist, die Ästhetik des deutschsprachigen Romans unserer Zeit auf eine Formel zu bringen, so sei doch auf einige Konstanten und gemeinsame Problemkonstellationen hingewiesen. (Geschichts-)philosophische Sicht, Erzähltechnik, literarischer Kontext sowie die intendierte Funktion der Romane sind jene Aspekte, die in den Essays dieses Bandes immer wieder zur Sprache kommen, und die in ihrem komplizierten Ineinanderspiel das ausmachen, was wir unter der „Modernität" des zeitgenössischen Romans verstehen.

Keiner der Autoren — von Thomas Mann bis Thomas Bernhard —, bei dem nicht bestimmte geschichtsphilosophische Anschauungen die Romanpoetik prägten, Vorstellungen, die mit Lukács' Formeln aus der *Theorie des Romans* von der „gottverlassenen Welt" bzw. der „transzendentalen Obdachlosigkeit" zwar nicht falsch aber höchst unzulänglich gekennzeichnet werden. Auf die literarische Situation im 20. Jahrhundert trifft Lukács' allgemeine Diagnose zwar zu, daß der Roman den Verlust von Sinn und Seinstotalität zum Ausdruck bringe, aber seine These, daß der Roman gleichzeitig auch das Medium der Suche nach einer einheitlichen Kosmologie sei, gilt für die Epik vergangener Epochen nur in sehr beschränktem Maße und trifft auf den Roman unserer Zeit kaum noch zu. In der nach-kantischen Periode, in der das Denken in Weltsystemen restaurative Züge trägt, spielt der Roman als Erkenntnisinstrument gerade deshalb eine so große Rolle, weil die Systemphilosophie unglaubwürdig geworden ist. Nicht die neue Seinskosmologie, sondern eine Sicht von der Disparatheit des Seienden vermag dieses Medium zu liefern bzw. zu leisten. Nietzsches Nihilismus, Perspektivismus und Kulturpessimismus im Konnex mit Schopenhauers Willensmetaphysik beeinflussen Thomas Manns und Hermann Hesses ästhetische Auffassungen. Im Falle Kafkas bildet der geistesgeschichtliche Kontext der negativen Theologie die Folie, auf der das Sinnlos-Gewordensein transzendenter Gebote deutlich wird, das der *Prozeß*-Roman vor Augen führt. Bei Feuchtwanger gehen Nietzsches skeptische Geschichtsphilosophie, Theodor Lessings Sinngebung des Sinnlosen und des Autors eigene Fortschrittsgläubigkeit eine (problematische und widersprüchliche) Synthese ein. Hermann Broch gelangt erst über die Geschichtsphilosophie zur Literatur. Da der Neopositivismus des Wiener Kreises, dem er nahesteht, sich als inkompetent für die Behandlung geschichtstheoretischer Fragen erklärt, sucht er sie im Medium des Romans anzugehen und baut in seine *Schlafwandler*-Trilogie die Essayfolge „Zerfall der Werte" ein. Musil spielt im *Mann ohne Eigenschaften* verschiedene Utopien durch und findet zur geschichtsphilosophischen Kategorie der „Möglichkeit", die er historistischer Geschichtsgläubigkeit entgegensetzt. Auch Joseph Roths *Radetzkymarsch* ist in seiner Aussage durch ein subjektives Geschichtskonzept bestimmt. Roths Geschichtsbild ist geprägt durch eine Philosophie der Sinnlosigkeit, durch einen Kulturpessimismus, der seine Nähe zu Spenglers *Untergang des Abendlandes* nicht zu leugnen vermag. Im Zentrum der um 1930 geschriebenen oder entstandenen Werke von Feuchtwanger, Broch, Musil und Roth steht die gleiche Diagnose, wie sie Karl Jaspers 1931 in seinem Buch *Die geistige Situation der Zeit* anstellte: daß die Gegenwart geprägt sei durch „das Bewußtsein von Gefahr und Verlust", durch „das Bewußtsein der radikalen Krise". Heinrich Böll, Wolfgang Koeppen, Max Frisch und Thomas Bernhard sind stark beeinflußt durch den europäischen Existentialismus der Nachkriegszeit, wobei dieser im Falle von Frisch und Bernhard eine Synthese mit Nietzsches Sicht von der Wiederkehr des Immergleichen und der Konstatierung des Todes Gottes eingeht. Die weltanschaulichen Positionen der Autoren werden hier nicht skizziert, um einer philosophischen Interpretationsmethode das Wort zu reden, bei der dann komplexe Romansachverhalte auf ein paar Abstraktionsbegriffe gebracht werden, sondern weil diese Geschichtsphilosophien von integraler Bedeutung für die Poetik des modernen Romans sind.

Die tendenziell unterschiedlichen geschichtsphilosophischen Perspektiven der Autoren zeitigen unterschiedliche Romanformen. So kann man Feuchtwangers *Erfolg* z.B. als „geschichtsphilosophischen Thesenroman" bezeichnen (nicht etwa als „historischen Tatsachenroman"). Auch bei Joseph Roths *Radetzkymarsch* handelt es sich um keinen realistischen Geschichtsroman. Auf Brochs *Schlafwandler*-Trilogie würde eine Bezeichnung wie „polyhistorischer Epochenroman" passen. Während bei Feuchtwanger und Roth die Romanhandlung eine bestimmte geschichtsphilosophische These exemplifiziert, sind Brochs geschichtstheoretische Überlegungen nur Teil eines dichterischen Versuchs, die gegenwärtigen und in die Zukunft weisenden Tendenzen der Epoche auszumachen. Da Broch zur Zeit der Niederschrift seiner Trilogie explizit ausführt, daß er der Dichtung größere Erkenntnisqualitäten als der Philosophie zutraut, kann die dichterische Darstellung nicht durch die eingestreuten philosophischen Passagen „erklärt" werden, vielmehr ordnet sich die Essayfolge „Zerfall der Werte" ein in die komplexe Gesamtstruktur des Werkes. Und um die Überlegenheit der Dichtung gegenüber Geschichtsphilosophie und -theorie zu demonstrieren, legt Broch die *Schlafwandler* gleich so an, daß sie als Satire auf die geschichtsphilosophische *Theorie des Romans* von Georg Lukács gelesen werden können. Musils Kategorie der „Möglichkeit" (Schärfung des Möglichkeits- statt des Wirklichkeitssinns wie sie auch schon in Rilkes *Malte* eine Rolle spielte) hat sich als fruchtbar und folgenreich für den modernen Roman erwiesen. Bei Autoren wie Ingeborg Bachmann, Thomas Bernhard, Dieter Kühn, Christa Wolf und Peter Handke ist das Konzept eines Widerspiels von Wirklichkeit und Möglichkeit zum wichtigen Bestandteil ihrer jeweiligen (und im einzelnen wieder sehr unterschiedlichen) Poetiken geworden. Der junge Canetti, der gleichermaßen offen war für die Einflüsse Brochs und Musils, suchte die Tendenzen einer „zunehmenden Wirklichkeit", einer „Wirklichkeit des Kommenden" herauszuarbeiten, und ihm gelang in der *Blendung* ein Blick in die bedrohliche Potentialität der folgenden Jahrzehnte. Auch Anna Seghers lag nichts an einem schematischen Realismus im Sinne der Widerspiegelungstheorie; ihr ging es ebenfalls um Potentielles. Das Prinzip Hoffnung ihrer marxistischen Ästhetik des Widerstands faßte sie so zusammen: „Wenn man schreibt, muß man so schreiben, daß man hinter der Verzweiflung die Möglichkeit und hinter dem Untergang den Ausweg spürt" („Selbstanzeige"). Wie wirksam die Musilsche Möglichkeitskategorie im Gegenwartsroman geworden ist, demonstriert Max Frischs *Stiller*. Frisch ist es nicht um die Beschreibung eines „tatsächlichen", sondern eines „möglichen" Lebens zu tun, um die Präsentation unrealisierter Lebensmöglichkeiten. Die reflexive Potenzierung der Wirklichkeit um ihrer Möglichkeitsdimensionen ist zentral auch in Christa Wolfs *Nachdenken über Christa T.* Hingegen findet Thomas Bernhards Kulturpessimismus, seine Ablehnung einer evolutionären Weltsicht und sein durch Camus' *Mythos vom Sisyphos* beeinflußter Existentialismus die ästhetische Entsprechung in den Tautologien, radikalen Argumentationen und sinnlosen Superlativen, wie wir sie von seinen Romanfiguren her kennen. Teile von Brochs und Musils Poetik scheinen in den romantheoretischen Bemerkungen Handkes zu konvergieren. Wenn Handke sich vornimmt, „die verdrängten und unterdrückten Wünsche und Befürchtungen seiner Epoche", bzw. „eine künftige Wirklichkeit" formulieren zu wollen, so wiederholt er bis in den Wortlaut hinein ein Programm, das Broch in seiner Ästhetik des „erweiterten Naturalismus" während der dreißiger Jahre entwarf. Und mit seiner Absicht, „Menschenmöglichkeit" erscheinen zu lassen, erweist Handke sich als — freilich eigenständiger und eigenwilliger — Schüler Musils.

Die vor allem durch Nietzsche und den Existentialismus geprägten Sehweisen der modernen Autoren rücken das Individuum in seiner Vereinzelung, Vereinsamung und Isolation in den Mittelpunkt. Das ist bei Thomas Mann nicht anders als bei Broch, und bei Koeppen nicht anders als bei Thomas Bernhard. Diese Sehweise hat auch Konsequenzen für die Erzählstruktur. Das allmächtige Erzählerbewußtsein, die anonyme Objektivität der Flaubert-Epoche ist längst eine Sache der Vergangenheit und feiert nur dort eine Auferstehung, wo man — wie im Falle Feuchtwangers — sich nochmals auf Illusionsbildungen (im geschichts- und erzähltheoretischen Sinne) des 19. Jahrhunderts einläßt. Die Erzählstruktur des modernen Romans ist bekanntlich viel komplizierter als die in epischen Werken früherer Jahrhunderte, wie u.a. die Untersuchungen *Transparent Minds* von Dorrit Cohn und *Theorie des Erzählens* von Franz K. Stanzel verdeutlichen. Die Romane Thomas Manns, Robert Walsers, Franz Kafkas, Döblins, Brochs, Musils, Martin Walsers, Christa Wolfs und Thomas Bernhards weisen eine komplexe, durchweg ironische Erzählstruktur mit einem Wechsel- und Ineinanderspiel von auktorialen

und personalen Erzählhaltungen auf, und ihnen allen ist gemeinsam – man könnte
es ihren durchgehend demokratischen Zug nennen –, daß sie dem Urteil des Lesers nicht vorgreifen, daß sie ihn nicht gängeln bzw. autoritär führen wollen, sondern ihn als mündigen Partner behandeln. Dabei sind diese Romane keineswegs
immer leserfreundlich, was besonders die Romane Döblins oder Brochs zeigen,
wo die Erzählstruktur durch Collagetechnik bzw. essayistische Tendenzen ver-
kompliziert wird. Die multiperspektivische, quasi kaleidoskophafte Darstellung,
die von vornherein die hybride historische „Wie-es-eigentlich-gewesen-ist"-Attitüde
des 19. Jahrhunderts unterläuft, hat Frisch im *Stiller* zur Perfektion entwickelt.
Deutlicher noch als in den zuvor genannten Werken heben die Sehweisen hier einander auf, wird demonstriert, daß die Erzählhaltung ein Reflex der philosophischen Einsicht vom Verlust unbezweifelbarer Wahrheiten ist.

So neue Wege der Roman unseres Jahrhunderts in erzählstruktureller Hinsicht
auch eingeschlagen hat, so kann er doch Einflüsse älterer epischer Traditionen
nicht leugnen. Viktor Žmegač weist auf Nachwirkungen von Naturalismus und
Symbolismus hin. In anderen Beiträgen dieses Bandes wird gesprochen von mehr
oder weniger peripheren Einflüssen etwa Paul Bourgets auf Thomas und Heinrich
Mann, Fontanes auf Thomas Mann und Broch, Dantes auf Kafka, des Bänkelge-
sangs auf Döblin, von Aristophanes auf Canetti, von Manzoni auf Anna Seghers,
von Grimmelshausen auf Grass oder von Sophie la Roche auf Christa Wolf. Wichtig ist auch der Einfluß des nicht-deutschen avantgardistischen Romans von Joyce,
Huxley, Gide, Virginia Woolf oder Dos Passos. Der Einfluß von Joyce ist besonders hervorzuheben; ihn hat Breon Mitchell in seinem Buch *James Joyce and the
German Novel 1922-1933* detailliert nachgewiesen. Ebenfalls sei die gegenseitige
Befruchtung von Film und Roman – z.B. im Fall von Döblins *Alexanderplatz*
oder Grass' *Blechtrommel* – vermerkt. Hier tut sich ein weites Feld für die Me-
dienforschung auf. Bemerkenswert ist, daß in fast jeder Studie die Auseinandersetzung der Autoren mit Werken Goethes erwähnt wird, und man kann sich des
Eindrucks nicht erwehren, als sei der *Wilhelm Meister* noch immer jenes Buch, mit
dem auch der zeitgenössische Romancier seine Lehrjahre zu verbringen habe, als
sei Goethes Dichtung eine Landkarte, ohne deren Studium auch der Weg in die
Gegenwartsliteratur unauffindbar bleibe. Goethes „Überlegenheitsgefühl" ist es,
das schon der junge Thomas Mann der *Buddenbrooks* anstrebt, und seine (Bil-
dungs-)Romane *Der Zauberberg, Lotte in Weimar* und *Doktor Faustus* sind ohne
Goethe undenkbar. Wie Goethe mit dem Werther, will Hesse sich mit dem *Steppenwolf* eine persönliche Krise vom Leibe schreiben, und so überrascht es nicht,
daß dieser Roman Parallelen zu *Faust* und *Wilhelm Meister* enthält. Auf just diese
beiden Werke geht Broch in den *Schlafwandlern* satirisch ein. Bölls *Wo warst Du,
Adam?* weist mit der Dialektik von Idylle und Katastrophe Strukturmerkmale von
Hermann und Dorothea auf. Punktuelle Ähnlichkeiten zwischen dem *Wilhelm
Meister* und Grassens *Blechtrommel* sowie Christa Wolfs *Nachdenken über Christa
T.* lassen sich unschwer nachweisen, und Thomas Bernhard – ein mephistopheli-
scher Ohlsdorf-Geist, der stets verneint – entpuppt sich als Anti-Goethe. Denn
von Natur, Idee, Liebe und Tätigkeit hielt Goethe bekanntlich viel, doch die Na-

tur haßt Bernhard, die Idee ist ihin suspekt, Liebe gebe es schon lange nicht mehr, und Tätigkeit sei – da ohne Ziel – eh zum Scheitern verurteilt.

Abschließend sei noch ein Blick auf die intendierte Funktion der hier behandelten Romane geworfen. Über ihre faktische Funktion läßt sich nur schwer etwas ausmachen. Was sagen schon Rezensionen oder Feuilletons, wissenschaftliche Arbeiten, die Anzahl von Lesebuchseiten, Verkaufsziffern oder Ausleihzahlen aus Bibliotheken über die tatsächliche Wirkung einzelner literarischer Werke? Wenig. Erlebnisse mit Kunstwerken sind individuell ganz verschieden, zeitigen in den meisten Fällen kaum erfaß- oder berechenbare Wirkungen. Autorintentionen lassen sich schon eher rekonstruieren. Am Anfang unseres Jahrhunderts steht ein Roman, der auf ähnliche Weise einen Prozeß der Entzauberung einleitete, wie es vergleichbar dem großen Vorläufer des modernen Romans dreihundert Jahre früher gelungen war: Wie nämlich Cervantes im *Don Quijote* eine Satire auf den ritterlich-feudalen Helden schrieb und ihm damit den reklamierten repräsentativen Anspruch streitig machte, so stellte Thomas Mann das bürgerliche Individuum des 19. Jahrhunderts in den *Buddenbrooks* in Frage. In beiden Fällen werden konventionelle Werthaltungen als Phantasmagorien bloßgestellt. Indem er das ästhetische Rollenspiel und die falsche Religiosität als Flucht vor dem Leben entlarvte, ermöglichte Thomas Mann es dem Leser, sich von der dargestellten bürgerlichen Welt zu lösen. So besteht denn eine engere Beziehung zwischen den *Buddenbrooks* von Thomas und dem *Untertan* von Heinrich Mann, als es auf den ersten Blick der Fall zu sein scheint. Letztlich zielen beide – mit unterschiedlichen Mitteln – ab auf eine Destruktion des Bildes vom bürgerlichen Helden wie es (fast möchte man sagen 'archetypisch') von Goethe im *Wilhelm Meister* gezeichnet worden war. Ähnliche Intentionen liegen Robert Walsers *Der Gehülfe* zugrunde, in dem es ebenfalls um den faktischen und moralischen Verfall eines bürgerlichen Hauses geht. In den meisten Romanen der folgenden Jahrzehnte wird – vom *Steppenwolf* bis *Ehen in Philippsburg* – die Krise der bürgerlichen Kultur aufgedeckt und analysiert. Am weitesten getrieben ist diese Kritik in Canettis *Blendung*, wo einem radikale Negativität entgegenschlägt und dem Leser (anders als in den meisten übrigen Büchern) überhaupt keine Identifikationsmöglichkeiten mehr bleiben. Wie in zahlreichen Romanen der Exilliteratur geht es Anna Seghers im *Siebten Kreuz* um die Bekämpfung des Faschismus, wenngleich es sich hier nicht lediglich um einen Zeitroman mit Agitationsabsichten handelt. Um Antifaschismus ist es auch Böll in seinem Erstlingsroman *Wo warst du, Adam?* und Lenz in der *Deutschstunde* zu tun, die allerdings beide, da aus der Retrospektive geschrieben, eher Mahn- und Warncharakter haben. Koeppens *Tauben im Gras* und Martin Walsers *Ehen in Philippsburg* haben die Wirklichkeit des ersten Jahrzehnts der Nachkriegszeit zum Gegenstand, sind Vorläufer der in den späten sechziger und frühen siebziger Jahren äußerst populären gesellschaftskritischen Bücher, in denen soziale Mechanismen (wie etwa das Funktionieren des Konkurrenzprinzips) aufgedeckt werden.

Eine handliche Formel für das zu finden, was die „Modernität" des Romans unseres Jahrhunderts ausmacht, ist nicht möglich. Aber die Analyse der Verschränkung von geschichtsphilosophischer Sicht, Erzählstruktur, literarischer Tradition und intendierter Funktion schärft den Blick für die Besonderheit des Romans unserer Zeit, für ein Medium, das sich in seiner spezifischen Doppelfunktion von Unterhaltungsmittel und Erkenntnisinstrument noch immer bewährt.

P.M.L.

VIKTOR ŽMEGAČ

ZUM PROBLEM DER ROMANTHEORIE

Literatur, so liest man oft, beruhe auf Übertreibung: auf der Plastizität überzeichnender Sicht wie auch auf der suggestiven Wirkung einseitiger Hervorhebung. Nun, in gewissem Maße gilt das auch für die Literaturwissenschaft. Denn was sind die methodischen Maßnahmen der Literarhistoriker, etwa die Hierarchien und Auswahlkriterien, die den Stoff überschaubar machen, anderes als eine Form von Übertreibung? Das eine wird zugunsten des anderen in den Vordergrund gerückt oder gar als absoluter Maßstab gesetzt, die Vielfalt der Erscheinungen wird reduziert, auf einen Nenner gebracht; große, komplexe Bereiche werden als eine Einheit gesehen. Prägnante Beispiele bietet die literarhistorische Periodisierung. Bereits die — sehr anfechtbare — Praxis, Stilbegriffe ohne Rücksicht auf ihr geschichtliches Umfeld in zeitlichem Sinne zu brauchen, führt das Problem vor Augen: nämlich die Vorteile und die Nachteile der Vereinfachungen, die erkennbar sind, wenn z.B. vom *Zeitalter* des Sturm und Drang und dem der Klassik die Rede ist, oder von der *Epoche* des Naturalismus, des Expressionismus usw.

Geht es darum, die Flucht der Geschichte im Hinblick auf eine bestimmte Gattung zu bewältigen, so greift man zu idealtypischen Konstruktionen. Man spricht dann vom Barockdrama, der klassizistischen Komödie, dem romantischen Roman. Sind Epochen vor dem 18. Jahrhundert gemeint, stellen sich beim Hantieren mit solchen Begriffen kaum Schwierigkeiten ein. Der mittelalterliche höfische Roman, das petrarkistische Gedicht, das barocke Trauerspiel, das sind in den meisten europäischen Literaturen relativ leicht faßbare, abgezirkelte geschichtliche Realitäten, hochschematisierte Produkte einer Normpoetik. Idealtypus und gestanzter Einzeltext sind in weitem Maße deckungsgleich. Anders verhält es sich seit dem 18. Jahrhundert, der Zeit also, in der die Normpoetik allmählich ihre Geltung verlor und Friedrich Schlegel, just an der Schwelle zum neuen Jahrhundert, in einem seiner Athenäums-Fragmente (Minor 116) verkünden konnte, „daß die Willkür des Dichters kein Gesetz über sich leide". Was ein typisches romantisches Drama oder ein typischer realistischer Roman sei, ist schon viel schwerer auszumachen. Das synthetisierende Bedürfnis des Historikers bzw. Theoretikers vermag sich nicht mehr auf die einst allgemein anerkannten poetologischen Normen zu stützen, es kann sich allenfalls auf die individuelle Werkstattpoetik einzelner Autoren oder auf die literarischen Programme und Manifeste bestimmter Gruppen (Bewegungen) berufen. Doch damit befindet sich der kritische Betrachter auf schwankendem Grund.

Wie unsicher der Boden und wie verschwimmend die Grenzen sind, wird deutlich, wenn idealtypische Vorstellungen einer abstrakten Gegenüberstellung ganzer Epochenblöcke dienen, so vor allem, wenn die Kategorie „modern" mehr oder weniger pauschal von der Stilabstraktion „traditionell" abgehoben wird. Das „moderne Drama", der „moderne Roman", und natürlich auch das „moderne Gedicht", das sind Begriffe, die man nicht ohne Unbehagen gebraucht, auch wenn man weiß, daß der vollständige (und dazu noch individuelle) Verzicht auf jegliche Abbreviaturen und Schlagwörter sicherlich ein Akt literaturkritischer Donquijoterie wäre. Woher das Unbehagen rührt, ist leicht zu sagen. Ist man nämlich gezwungen, die idealtypische Verschanzung zu verlassen und literarhistorisch Farbe zu bekennen, wird sich das Unbehagen zumeist in Verlegenheit verwandeln. Wo ist die Sonde eigentlich anzusetzen, in welcher Literatur (oder welchen Literaturen), in welchem Zeitraum, und welche Texte dürfen als paradigmatisch gelten?

Schwierigkeiten bereitet nicht zuletzt der Umstand, daß das Betrachtungsfeld in Ausdehnung und Konfiguration fortwährend Änderungen unterworfen ist. Die Auffassungen davon, wie weit die „Moderne" in die Vergangenheit zurückreicht, d.h. wo die Ansätze zu suchen sind, variieren von einer literaturkritischen Generation zur anderen oft erheblich (etwa auf Grund von „Entdeckungen" und Umwertungen), ganz zu schweigen von der Tatsache, daß die Modernismen, auch wenn man sie knapp berechnet, nahezu schon hundert Jahre alt sind, ohne daß das ihnen innewohnende Motiv, das Konkurrenzprinzip, aufgehört hätte, weiter wirksam zu sein. Das Verfahren, durch das sich künstlerische Konkurrenz ästhetisch ausdrückt, ist die Innovation. Nach Innovationen Ausschau zu halten und sie gegeneinander abzuwägen, gehört schon seit vielen Jahren zu den Aufgaben des Literarhistorikers, der sich für das eigene Jahrhundert zuständig fühlt. Doch wer die Lage überblickt, weiß, wie relativ die Modernität eines Textes sein kann, wenn das Ausmaß an Neuerungen als Kriterium angesetzt wird. Gemessen an der – zumindest partiellen – Radikalität des Dadaismus, erscheinen die meisten späteren Kunstrichtungen geradezu restaurativ.

Mit anderen Worten: Die Distanz wirkt manchmal Wunder, auch in der Literaturgeschichte. Daß zwischen dem *Nachsommer* und *Berlin Alexanderplatz,* oder zwischen *Madame Bovary* und *La modification,* ein unübersehbarer Unterschied besteht, kann nicht bezweifelt werden. Die Werke von Döblin und Butor sind „moderne" Romane, diejenigen von Stifter und Flaubert sind es nicht. Nehmen wir diese Behauptung zunächst hin. Doch wie steht es mit manchen Erzählwerken aus der zeitlichen Nachbarschaft der genannten Beispiele neuer Prosa. Ist Feuchtwangers *Erfolg* in diesem Sinn ein moderner Roman, ist es Brechts *Dreigroschenroman,* oder Joseph Roths *Radetzkymarsch?* Und was wäre, wird man wissen wollen, in dieser Hinsicht über Lenz' *Deutschstunde* zu sagen? In diesen Fragen ist das eigentliche Problem zu erkennen. Man wird sich jedenfalls darüber einigen müssen, was im einzelnen als primäres Merkmal von Modernität anzusehen ist.

Schwierig ist diese Frage nicht nur deshalb, weil es unmöglich erscheint, ausschließlich stilistische (erzähltechnische) oder ausschließlich thematische Maßstäbe anzulegen. Nicht weniger heikel ist, wie bereits angedeutet, das Problem der Abgrenzung gegenüber der Tradition. Man muß in der Bildung von Typologien schon besonders leichtfertig oder naiv verfahren, um zu übersehen, daß ja nicht wenige Züge des „modernen" Romans in verschiedenen Epochen der Vergangenheit auch schon eine Rolle spielten und daß es ebenso bedenklich ist, pauschal von einem traditionellen oder gar „klassischen" Roman zu reden. Peter von Matt hat vor einigen Jahren das Denkklischee „klassisches Drama" nicht ganz zu Unrecht ein literarisches Gespenst genannt – ein Gespenst, weil es sich nach seiner Auffassung lediglich um eine theoretische Konstruktion handelt, ein „Denkbild des großbürgerlichen 19. Jahrhunderts", das am deutlichsten in Gustav Freytags Buch über die Technik des Dramas zum Ausdruck kam. Eine authentische Produktion habe dieser Theorie niemals entsprochen, und gerade die mächtigsten deutschen Bühnenwerke bei Goethe, Schiller, Kleist, Grillparzer und Büchner, seien ein Beweis dafür, wie wenig sich die Autoren um das poetologische Phantom geschert haben. Dennoch sei dieses Denkbild anregend gewesen: der Kampf, den Autoren des 20. Jahrhunderts dem Klischee ansagten, habe zum großen Teil die Merkmale des modernen Dramas hervorgebracht.[1]

Es fragt sich, ob man im Hinblick auf den „klassischen" Roman nicht erst recht von einem Ergebnis literaturtheoretischer Geisterbeschwörung sprechen sollte. Im Bereich des Dramas gab es immerhin – was Matt nicht zu beachten scheint – Jahrhunderte hindurch eine doktrinäre Poetik, jedenfalls eine Norm, an der nicht nur Kritiker ihre Freude hatten, sondern der sich auch Autoren, darunter sehr bedeutende, mehr oder minder bereitwillig unterwarfen. Das „klassische" Drama mag es nie gegeben haben – das klassizistische dagegen sehr wohl: von Racine, über die Weimaraner, bis zu den Hebbel-Epigonen der Gründerzeit.

Im Gegensatz dazu fällt es schwer, in der Geschichte des Romans einen vergleichbaren faktischen Typus zu nennen. Jede Geschichte des Romans und romantheoretischer Betrachtung unterrichtet darüber, zumindest indirekt. Es ist nur daran zu erinnern, daß diese erzählende Großform von Anfang an ein Ort literarischer Freiheit oder genauer: Ungebundenheit war – ein Umstand übrigens, der Jahrhunderte hindurch Geringschätzung oder Mißtrauen zur Folge hatte. Jedenfalls verdankt der Roman spätestens seit dem 18. Jahrhundert nicht so sehr seine Lebensfähigkeit (die sich wohl eher auf seine als trivial eingeschätzten Züge stützt), sondern vielmehr sein seither beharrlich steigendes Ansehen, seinen Prestigegewinn, der Tatsache, daß er der Sanktionierung von Mustern und verbindlichen Vorbildern stets Widerstand leistete. Sein einziges stetiges Merkmal blieb paradoxerweise die Wandlungsfähigkeit, die Bereitschaft zur Überraschung. Der Roman als Proteus: so lautete der vor Jahrzehnten überaus beliebte Vergleich.

Wenn man versucht, nach der Art idealtypischer Begriffsbildung zu verfahren, etwa durch eine Gegenüberstellung von „klassisch" und „modern", ist daher der Widerstand der Texte auch in der literarhistorischen Sichtung sehr stark spürbar. Wo wäre etwa der „klasische" Roman zu orten? Gleich in seiner ersten großen Epoche, im 18. Jahrhundert, als das kombinatorische Erzählen, mit einem guten Schuß Cervantes, in England, Frankreich und Deutschland seine ersten Siege feierte? Aber dann müßte man auch zugeben, daß sich die Vorstellungen von „klassisch" und „modern" bedenklich nahe kommen – so daß es mehr ist als ein gefälliges Paradox, wenn man behauptet, daß der neue Roman in mancherlei Hinsicht der alte ist, oder genauer: daß eine bestimmte Spielart der Gattung im 20. Jahrhundert eine deutlich erkennbare Verwandtschaft mit maßgeblichen Erzählpraktiken aus der Epoche Fieldings und Sternes aufweist. Aus diesen Gründen erscheint es verlockend, die vage Vorstellung von einem klassichen Typus im Bereich des

sogenannten realistischen Romans im Zeitalter Balzacs, Flauberts und Tolstojs zu
verankern.

Doch auch hier befindet man sich auf schwankendem Boden. Als gemeinsame
Grundlage ergibt sich ein im wesentlichen auf gesellschaftliche Konventionen und
Prozeduren ausgerichteter literarischer Empirismus (wie man den Realismus vielleicht besser nennen sollte), eine Realitätsorientierung, die im übrigen auch einen
Großteil der Romanproduktion in unserem Jahrhundert beherrscht. Berücksichtigt
man dagegen die Gesamtheit aller Kategorien, die den Text überhaupt erst als einen Roman ausweisen, so gelingt es kaum, *den* Typus auszumachen, der sowohl
im stofflichen Zugriff, in der paradigmatischen Selektion, als auch in der Erzählweise, in der Syntagmatik, als alleinig repräsentativ (kurz: als „klassisch") gelten
könnte. Ist das die auktoriale Behandlung der gesellschaftlichen Wirklichkeit bei
Balzac, oder etwa das „polyphone Erzählen" (Bachtin) bei Dostojevskij? Die Bestrebung, die zeitgenössische bürgerliche Welt so eindringlich wie möglich darzustellen, dürfte allenfalls als das Signum einer Romanklassik angesehen werden.
Allein eine eindringliche und umfassende Sicht kann mit sehr unterschiedlichen
Wertungsakzenten versehen werden. Das Romanbild der Realität, das zum Beispiel
Dickens (und der frühe anders als der späte!) vermittelt, oder auch, mit Abstand,
Gustav Freytag, unterscheidet sich deutlich von der Art, wie Flaubert gesellschaftliche Erfahrungen interpretiert und Zola mit der Wirklichkeit seiner Zeit litera-
risch umgeht.

Je mehr man vom Allgemeinen abkommt und konkrete Beispiele mustert, desto
beständiger wird der Zweifel an der Brauchbarkeit so grobmaschiger Begriffe wie
„traditionell" (bzw. „klassisch") und „modern". Wie im Bereich des Dramas haben wir es hier mit Losungen und Abbreviaturen literarischer Kritik und Programmatik zu tun, vor allem aus dem späten 19. und dem frühen 20. Jahrhundert.
Die Wirkung solcher Schriften auf die Bewußtseinsbildung der Öffentlichkeit sollte keineswegs unterschätzt werden, wenn auch für den Roman kein so einprägsa-
mes und erfolgreiches Werk wie Freytags *Technik des Dramas* angeführt werden
kann.

Nachweisen läßt sich allerdings die Wirkung des Freytagschen Werkes in poetologischen Schriften bis über die Jahrhundertwende hinaus, und so auch in Texten
über Geschichte und Technik des Romans. So etwa anhand eines seinerzeit populären, heute längst vergessenen „Sachbuches" aus den Jahren vor dem Ersten Weltkrieg: der für ein breites Publikum bestimmten Einführung in Systematik und
Geschichte des Romans von Heinrich Keiter und Tony Kellen.[2] Das Buch ver-
dient auch schon deswegen kritische Beachtung, weil sich im primitiven Moralis-
mus der Verfasser zahlreiche hartnäckige Vorurteile aus dem Dunstkreis der „guten Stuben" des wilhelminischen Bürgertums festgeschrieben haben. Einige der
beliebtesten Gemeinplätze über die Beschaffenheit „gediegener", „mustergültiger"
und „empfehlenswerter" Lektüre geben sich hier ein Stelldichein, freilich nicht
ohne Hinweis darauf, daß der Gegenstand der Betrachtung, der Roman, im System
der Dichtung einen nicht unumstrittenen Platz einnehme und nur bedingt dem
Bereich hoher Literatur zugezählt werden könne — womit die Autoren ein beson-

ders in Deutschland langlebiges poetologisches Vorurteil gegenüber dem Roman reproduzierten.[3]

Eine Vorstellung davon, was als „klassisch" im Sinne von traditionell und erwartungsgerecht gelten konnte, gewinnt man namentlich auf Grund des zentralen theoretischen Axioms des Buches: der — sich u.a. von Hegel herleitenden — Auffassung, das dichterische Werk bilde eine in sich geschlossene, organische Einheit sinnlicher und idealler Elemente. Diesem Einklang entspricht wiederum das Zusammenspiel ästhetischer und ethischer Kräfte in der Wirkung auf den Leser. In der Ausdrucksweise von Keiter/Kellen hört sich das so an:

„Die Idee muß eine gewisse Bedeutung haben, so daß der Leser am Schluß der Geschichte sich geistig gestärkt und gehoben fühlt. Sie muß allgemeine Gültigkeit beanspruchen, so wie die Ideen, die der Philosoph oder der Historiker aus der Weltgeschichte gewinnt. Sie muß in das Reich des Schönen und damit auch in die Reiche des Wahren und Guten einführen. Das gilt selbst vom humoristischen Roman des Cervantes, Dickens, Thackeray; wenn scheinbar die Bedeutung den Geschehnissen abgeht, so steht doch immer ein schönes Bild im Hintergrund, das sich aus der poetischen Behandlung des Unbedeutenden abhebt. Ob der Leser diese Idee in Worten auszusprechen vermag, darauf kommt es nicht an, aber er muß sie irgendwie inne werden."[4]

Es versteht sich, daß diese trivialisierte Hegel-Nachfolge ohne Begriffe wie Handlung (bzw. Ideenkonflikt), Entwicklung und integrales Menschenbild (mit abgerundeten, repräsentativen Charakteren) nicht auskommt — und das sind eben die Kategorien, die von der Dramen- und Erzähltheorie des 19. Jahrhunderts als maßgeblich sanktioniert wurden, ohne Rücksicht auf die mehr oder minder gewichtigen Abweichungen der künstlerischen Praxis. Dem heutigen Leser fällt besonders die Unnachgiebigkeit der Verfasser gegenüber der sich verständigenden Reflexion im Erzähltext auf. „Alles, was sich ohne Vermittlung der Phantasie an den Verstand wendet, ist von der Poesie ausgeschlossen. *Abstrakte Ideen* als solche kann mithin der Roman nicht darstellen, er muß sie *in reale verwandeln.*"[5] Der Leser Musils, Brochs oder Gides wird heute die Naivität der beiden Populärästhetiker belächeln, ein anderer wird sich vielleicht deren Unbefangenheit nostalgisch herbeiwünschen; so oder so, irrig wäre es anzunehmen, die Ablehnung des essayistischen Diskurses gäbe viel für die Gegenüberstellung von „klassisch" und „modern" her: zu bedenken ist nur die Rolle, die der reflektierende Erzähler neben (man könnte auch sagen: über) der Romanhandlung in Werken des 18. Jahrhunderts spielt, durchaus zugunsten der Entfaltung abstrakter Ideen, vielfach auch im Gegensatz zum Prinzip des unverbrüchlichen ästhetischen Scheins. Von hier aus gesehen drängt sich der Schluß auf, daß die der — mehr oder weniger trivialen — Immanenzpoetik entsprechende Idealform des Erzählens der „geschlossene" Roman des späteren 19. Jahrhunderts, von Flaubert bis Fontane und Henry James, war, auch wenn Autoren wie Keiter/Kellen schon aus ideologischen Gründen ganz andere Erzähler empfehlen.

Nur für Kritiker oder Theoretiker, die in den Schemata stilistischer Abstraktionen denken, mag die Entwicklung, die sich in den ersten drei Jahrzehnten unse-

res Jahrhunderts in einem Teil der Romanproduktion ausprägte, als etwas radikal Neues (eben: „Modernes") erscheinen. Literaturprogrammatische Schlagwörter haben auch hier durch einseitige Akzentsetzung die Dinge eher verdun-
kelt und den Ausblick auf Zusammenhänge verstellt. Das den meisten Programmen innewohnende Pathos der Innovation bediente sich mit Vorliebe eines Me-
taphernvorrats aus dem Bereich negativer Vorstellungen, um den Bruch (oder
vielmehr vermeintlichen Bruch) mit traditionellen literarischen Verfahrensweisen und Werten zu signalisieren. Von Destruktion ist da viel die Rede, bzw. von
Zerschlagung oder Zertrümmerung der epischen Fabel, der Zeitkontinuität (be-
schädigte Uhren sind eine beliebte Metapher!), der räumlichen Ordnung, der psychologischen Gesetzmäßigkeiten. Die Krise, ja die Unmöglichkeit des alten, überlieferten Erzählens − was das immer auch bedeuten mochte − wurde verkündet.
Als Geburtsstunde des „modernen" Romans gilt daher für manche Kritiker die
Niederschrift jener lakonischen Äußerung, die Rilke in den *Aufzeichnungen des
Malte Laurids Brigge* seiner Titelgestalt anvertraut: „Daß man erzählte, wirklich
erzählte, das muß vor meiner Zeit gewesen sein. Ich habe nie jemanden erzählen
hören."[6]

Es ist für unseren Versuch, anstelle sauber präparierter Gegensätze faktische
geschichtliche Zusammenhänge aufzuzeigen, überaus wichtig, darauf hinzuweisen, daß der Angriff gegen den bequem orientierenden Typus des herkömmlichen Erzählens im Namen der „Lebenswirklichkeit" erfolgte, einer Erfahrungs-
kategorie also. Als poetologisches Zeugnis sei ein Text aus der englischen Literatur angeführt, die neben der deutschen und französischen am meisten dazu
beigetragen hat, die Gattung des Romans in Bewegung zu halten. Den Haupt-
werken von James Joyce, Virginia Woolf und Aldous Huxley ging 1919 ein Essay der Verfasserin von *Mrs. Dalloway* voraus, in dem an die künftige, neuartige
Erzählprosa folgende Forderung gestellt wird:

„Prüfe einen Augenblick ein durchschnittliches Gemüt an einem durchschnittlichen Tag. Das Gemüt empfängt eine Menge von Eindrücken − triviale, phantastische, undeutliche und andere, die wie mit der Schärfe des Stahls eingegraben werden. Von allen Seiten kommen sie, ein unaufhörlicher Schauer unzählbarer Ato-
me. [. . .] Wenn der Autor kein Sklave, sondern frei wäre [. . .], wenn er sein Werk
auf sein eigenes Gefühl und nicht auf Konventionen gründen könnte, so gäbe es
keine Handlung (plot), keine Komödie, keine Tragödie, kein Liebesinteresse oder
keine Katastrophe im herkömmlichen Sinne. Das Leben ist keine fortlaufende
Reihe strahlender Bogenlampen, die systematisch angeordnet sind, sondern ein
diffuser Lichtschein, eine durchscheinende Hülle, die uns vom Beginn unserer
Bewußtheit bis zu ihrem Ende umgibt. Ist es nicht die Aufgabe des Romanschrei-
bers, dieses sich Wandelnde, Unbekannte, Unumschreibbare wiederzugeben, wie
verwirrend und komplex es auch sei?"[7]

Wolfgang Kayser hat recht, wenn er die Grundsätze solcher Forderungen und
deren Herkunft im Naturalismus verankert sieht. In der Tat, man versteht die in
dieser Werkstattpoetik enthaltene Tendenz nicht, wenn man nicht die ästhetischen Voraussetzungen des radikalen Naturalismus in der Prosa bedenkt. Entscheidend ist darin der Entschluß, das Erzählen im Sinne eines „Berichtes" über

abgeschlossene, überschaubare (weil ohnehin erfundene!) Vorgänge aufzugeben, d.h. auf die erzählerische Distanz zu verzichten, und statt dessen gleichsam ein Protokoll zu fingieren, die Anwesenheit eines die optischen und akustischen Daten aufzeichnenden Mediums. Der Leser, dem im erzählenden „Berichtstil" zumindest virtuell noch die Rolle des Zuhörers zugedacht ist, eine Rolle also, die das Relikt eines archaischen Kommunikationsmodells darstellt, wird nun zum Augen- und Ohrenzeugen, und im Falle des Inneren Monologs sogar zum fiktiven Apparat zur Aufzeichnung von Bewußtseinsakten. Das vermittelte, überlieferte Geschehen (Modell: Boccaccios Novellen) tritt zurück zugunsten der Illusion, man sei selbst dabei, freilich mit allen Folgen, die sich allenfalls daraus ergeben und die man in Kauf nehmen muß: so zum Beispiel den Informationsmangel, der dem Verfahren in medias res innewohnt.

Im Hinblick darauf, daß der Wechsel vom allmächtigen Erzählerbewußtsein (das im 18. und 19. Jahrhundert nur selten aufgegeben wird) zur beschränkten Figurenperspektive, in extremer Form im Innerern Monolog, trotz mancher Vorwegnahmen in der Vergangenheit fraglos als ein Prozeß literarischer Innovation gesehen werden kann, müßte es als legitim erscheinen, innovative Verfahrensweisen zum Maßstab zu erklären und davon das Kriterium für „Modernität" abhängig zu machen. Das klingt überzeugend, erweist sich jedoch bei näherem Zusehen ebenfalls als fragwürdig. Ganz abgesehen von der Relativität unserer Urteile über den Grad von „Neuerungen" gilt es festzustellen, daß die von Holz/Schlaf, Schnitzler und, später, von Virginia Woolf und anderen Autoren erprobte Darstellungsweise keineswegs das Recht beanspruchen kann, als stellvertretend für den gesamten modernen Roman angesehen zu werden.

Es bestand eine Zeitlang, namentlich im ersten Jahrzehnt nach 1945, die Neigung, den „modernen" Roman fast ausnahmslos mit dem soeben beschriebenen, aus dem Naturalismus sich herleitenden Romantypus gleichzusetzen. Kayser sieht in der Entwicklung seit Flaubert, Zola und den Werken um 1900, in der sich die Sicht auf den Inneren Monolog verengt, einen „Kampf gegen den Erzähler", und damit ein „Kardinalproblem aller Erzählkunst". In diesem Kampf „wird jene 'Sicherheit' des traditionellen Romans im Zentrum getroffen, gegen die sich heutiges Lebensgefühl empört: als sei die Undurchsichtigkeit der Welt so stark und die Frage nach Sinngehalten so unlösbar, daß es unmöglich sei, von einem entfernten Standpunkt aus (eben dem des epischen Erzählers) Überblick zu gewinnen, in sich geschlossenes Geschehen wahrzunehmen, zentralen Sinnbezug aufzudecken und überhaupt schon die Sicherheit einer betrachtenden Haltung zu gewinnen."[8] Ungefähr zur gleichen Zeit bestimmte Erich von Kahler in seiner – damals ebenfalls einflußreichen – Abhandlung *Untergang und Übergang der epischen Kunstform* den Wandel der Darstellungsformen im Roman als eine Folge des Bedeutungsverlustes, den die Individualität im Zeitalter der Industrialisierung und Massengesellschaft erlitten hat. „Und was zwischen menschlichen Individuen sich begibt, ist rein privat geworden, das heißt, es kann als solches nicht mehr repräsentativ, und daher auch in der Kunst nicht mehr symbolisch sein für das wesentliche Geschehen der Zeit."[9] Die einstige souveräne Schau des Epikers weiche daher einer Vielzahl von Einzelperspektiven, Zeichen isolierter Subjektivität; gleichzeitig dringe in das Gefüge des Romans in Gestalt der Montage die statistisch oder reportagenhaft erfaßte, unvermittelt wirkende Realität ein. Eine Folge davon sei die neue epische Behandlung von Zeit und Raum: ein subjektives Zeitempfinden sprenge die lineare Kontinuität, die Simultaneität des Geschehens an mehreren Orten führe die Relativität unserer Vorstellungschemata vor Augen.[10]

So plausibel diese Beschreibung des „modernen" Romans auch erscheint, es melden sich abermals gewichtige Bedenken an. Die Beispiele, die Kahler anführt, Werke von Proust, Thomas Mann, Musil, Broch, Dos Passos, Kafka, Jünger, Elisabeth Langgässer, beweisen, daß hier so unterschiedliche Formen von Innovation und auch so unterschiedliche Arten von Realitätsverständnis am Werk sind, daß es nicht angeht, die Dinge über ein heuristisch vertretbares Maß hinaus terminologisch zu vereinfachen. Die verschiedenen Formen von Traditionsbruch, die im Roman namentlich seit 1910 wirksam sind, berechtigen keineswegs zu einer idealtypischen Vereinnahmung aller neue Wege suchenden Texte. Ginge man nämlich stets von solchen Einheitsformeln aus, so müßte man auf analoge Weise sämtliche Stilunterschiede zwischen, beispielsweise, romantischen und realistischen Romanen untergehen lassen. Die zeitliche Entfernung zwischen Novalis, Brentano oder Hoffmann und Balzac, Stendhal, Dickens ist nicht viel größer als die zeitliche Distanz zwischen Rilke, Proust, Döblins *Wang-lun* oder Einsteins *Bebuquin* einerseits und Dos Passos, Faulkner, Sartre anderseits. Mit anderen Worten: ebenso wie die Redensart vom traditionellen Roman keinen Literarhistoriker davon abhält, den Unterschied zwischen Novalis' *Heinrich von Ofterdingen* und Balzacs *Eugenie Grandet* als Verpflichtung zu einer differentiellen Diagnose zu begreifen (und damit die Leere der Einheitsformel zu erkennen), so dürfte auch die Weiterentwicklung naturalistischer und impressionistischer Tendenzen nicht dazu verführen, einem abstrakten Modernitätsbegriff zuliebe kritische, d.h. unterschiedliche Einsichten aufzugeben.

Spätestens seit den oben angeführten Abhandlungen ist es ein Gemeinplatz, die sogenannte Krise des Romans (die nicht selten mit dem Aufkommen des „modernen" Romans gleichgesetzt wird) als einen Verlust der erzählerischen Souveränität wie auch des Glaubens an die Selbstverständlichkeit und Tragfähigkeit der Fiktion zu deuten. Doch dann müßte man die Krise bereits mit Flaubert und Zola beginnen lassen, zu einem Zeitpunkt somit, als der Roman sich in den meisten Literaturen erst richtig poetologisch etabliert hatte. Die Einengung des epischen Blickfeldes auf die partielle Erfahrung einer oder vieler mehr oder minder isolierter Personen kann zudem sehr unterschiedliche Gründe haben. Konstruiert man eine einheitliche Entwicklungslinie von Proust bis Beckett, so stellt man auf Grund einiger Analogien einen Zusammenhang her, der Intention und Bedeutung der beiden Romanwerke verzerrt. Das epische Subjekt, das sich auf die Suche nach der verlorenen Zeit, der entschwundenen Vergangenheit begibt, hebt zwar in seinem Bewußtsein das einst als normal geltende erzählerische Zeitkontinuum auf, aber es bemüht sich um die geistig-sinnliche Rekonstruktion verflossenen Lebens in der Überzeugung, daß Sensibilität und „Innerlichkeit" ein unverbrüchliches menschliches Wertsystem begründen. Die Gegenwart wird zwar gleichsam gegenstandslos, sie wird zugunsten der Vergangenheit entwertet, doch sie ist immerhin der Stoff, aus dem die Erinnerung eines Tages ihre Realität webt. Der Weg nach „Innen", den Erzählung und Roman in bürgerlicher Literaturtradition zu Beginn des Jahrhunderts antreten, läßt sich nur mit Gewalt pauschal als „Realitätsschwund" interpretieren; die den literarischen Vorgängen zugrundeliegende Dialektik offenbart auch eine früher kaum geahnte Bereicherung sprachlich ausdrückbarer Nuancen, eine erstaunliche Sensibilisierung des literarischen Individuums. Die extreme Einengung des Gesichtskreises in Becketts Prosa ist zwar auch durch den Verzicht auf „Überblick" gekennzeichnet, doch entwertet diese Prosa mit dem Erleben auch den Begriff der Individualität selbst. Daher schlagen Becketts Romane — darin Kafkas Werken vergleichbar — letztlich in Parabeltexte um: eindeutiger als bei dem großen Prager treten in den Situationen und Figuren existentielle Abstraktionen in Erscheinung.

Zu beachten ist ferner, daß aus dem Naturalismus gegensätzliche Tendenzen sich ergeben haben. Einer der folgerichtigen Schritte in unserem Jahrhundert ist in der stofflichen Reduktion des Romangeschehens, der spezifischen „Welt" erkennbar: die Beschränkung auf persönliche, an die Gestalten gebundene Erfahrung mußte notwendig die Auswahl aus dem Wirklichkeitsrepertoire schrumpfen lassen, gemäß der Logik der Figurenperspektive, die eine viel strengere (weil psychologisch motivierte) Selektion fordert als die auktoriale Sicht. Wollte man einmal, nach Jahrhunderten, versuchen, die Vielfalt der Lebenswirklichkeit der Epoche ausschließlich auf Grund bestimmter literarischer Texte (die z.B. eine Katastrophe überdauerten) zu rekonstruieren, so würde sich nach der Lektüre von Proust, Thomas Mann oder Gide ein etwas sonderbares Bild der Realität ergeben: eine Welt ohne Industrie, ohne wesentliche politische Umwälzungen und Klasengegensätze, ohne ökologische Probleme (Fragen, die damals in der Öffentlichkeit durchaus schon behandelt wurden), eine Welt, die — sieht man von gelegentlichen Erwähnungen eines Autos oder Grammophons ab — sogar weitgehend ohne Technik auskommt.[11] In der Notwendigkeit, die Beschaffenheit der dargestellten Welt von der Wahl einer bestimmten Figur, eines Perzeptors abhängig zu machen, tritt eine eigentümliche Dialektik zutage: der Roman wird auf diese Weise zum Zeugnis gesellschaftlich bestimmter Bewußtseinsinhalte, aber ein Dokument nicht so sehr durch das, was er darstellt, sondern vielmehr durch das, was er verschweigt.

Dieser Konsequenz naturalistischer Logik wirkt eine Beschreibung entgegen, die man infolge ihrer stofflichen Zielrichtung ebenfalls aus dem Naturalismus herleitet. Gemeint ist die Tendenz namhafter Romane des 20. Jahrhunderts, die personale Einengung des Erfahrungshorizonts dadurch wett zu machen, daß breite Bereiche der Realität ihren Platz im Roman finden, ohne jedoch über die sprachliche Vermittlung hinaus im herkömmlichen Sinne integriert zu sein, etwa auf dem Wege psychologischer Begründung. Vergleichbar ist dieses z.B. von Joyce, Döblin und Dos Passos angewandte Verfahren gewissermaßen mit dem in Inszenierungen von Bühnenwerken in den zwanziger Jahren praktizierten Grundsatz, der dialogisch gestalteten Handlung einen „Hintergrund" an gesellschaftshistorisch wichtigen Informationen beizugeben, die etwa in Form von Photos, Statistiken usw. auf eine Bühnenwand projiziert wurden.

Die extensive und dazu auch noch montagehaft gehäufte Stoffülle in manchen großen Romanen wird zuweilen als eine Folge der Unmöglichkeit gedeutet, die Vielschichtigkeit zeitgenössischer Wirklichkeit noch selektiv, nach dem pars-pro-toto-Grundsatz, in den Griff zu bekommen. Der Zweifel an diesem Verfahren, der ja nicht, wie in Lukács' Realismus-Studien, gleich ideologisch untermauert sein muß, läßt sich etwa auf die Formel bringen: wer alles zu erfassen sucht, erfaßt letztlich nichts mehr, das literarische Äquivalent der Realität gerät konturlos. Diesem Einwand ist allerdings entgegenzuhalten, daß es naiv ist anzunehmen, durch eine gesteigerte stoffliche Extensivität werde das Auswahlprinzip (ohne daß keine literarische Sinnkonstituierung möglich ist) aufgehoben und durch Beliebigkeit ersetzt. Der von Döblin so benannte „Kinostil" kümmert sich zwar nicht um erzählerische Integration nach dem Muster des Handlungsromans aus dem 19. Jahrhundert, aber er stellt durch Kontraste und „Schnitte" überraschende Beziehungen her oder erzeugt Wirkungen durch Verfremdung, wie sie mit traditionellen Mitteln kaum machbar waren.

Genügt schon die Gegenüberstellung von Prousts Romanzyklus und Döblins *Berlin Alexanderplatz*, um die Vorstellung vom „modernen" Roman als Phantom erscheinen zu lassen, so verstärkt sich dieser Eindruck noch, wenn man eine dritte Spielart neuerer Prosa ins Auge faßt. Im Gegensatz zu den vorhin erwähnten Werken, in denen auf diese oder jene Weise naturalistische Grundsätze wirksam sind, könnte man hier von einer symbolistischen Tradition sprechen, zumindest im Hinblick auf den Gedanken „reiner Kunst", an dem sich die Poetik der gemeinten Romanform ausrichtet. Ein erstes Programm entwarf Flaubert, als er bereits 1852 schrieb: „Was mir schön erscheint und was ich machen möchte, ist ein Buch über nichts, ein Buch ohne äußere Bindung, das sich selbst durch die innere Kraft seines Stils trägt, so wie die Erde sich in der Luft hält, ohne gestützt zu werden, ein Buch, das fast kein Sujet hätte oder bei dem das Sujet zumindest fast unsichtbar wäre, wenn das möglich ist."[12] Um die Jahrhundertwende sind, bei Gide, Valéry und Rilke, Ansätze dazu schon erkennbar. Freilich auch die Grenzen. In seinen Vorlesungen über den Roman, *Aspects of the Novel* (1927), stellt Edward Morgan Forster wohl auch aus eigener Erfahrung resignierend fest, daß es ohne eine Fabel, eine Story (man könnte auch sagen: ohne die Erfassung von Veränderungen in der Realität) wahrscheinlich nicht gehe − obwohl auf diese Behauptung in einem Zug der Wunsch folgt, der Roman möge etwas anderes sein: „melody, or perception of the truth, not this low atavistic form".[13] Ein Roman also, der sich gleichsam schwebend von einem Gegenstand zum andern bewegt, ganz auf das Wie konzentriert, auf das Zusammenspiel ästhetischer Werte. In Deutschland hat Literatur dieser Art (bei der man freilich zögert, den Begriff „Roman" zu gebrauchen) Gottfried Benn bald nach 1945 mit dem *Roman des Phänotyp* und dem *Ptolemäer* vorgelegt. In beiden Werken ist der Versuch erkennbar, sämtliche Grundkategorien aus den Angeln zu heben oder vielmehr zu ignorieren: den erzählerischen Zusammenhang ebenso wie den Unterschied zwischen Figur und Erzähler, handelnder und betrachtender Instanz. Daß in dieser „absoluten" oder „synthetischen" Prosa die Achtung konventioneller Gattungsgrenzen keine Rolle mehr spielt, ist nur folgerichtig. Der artistische Ehrgeiz dieser Prosa, die weder Essay noch Erzählung ist, stellt in mancherlei Hinsicht einen Gegenpol dar zu der — allerdings erst in neuerer Zeit voll zur Entfaltung gekommenen — Bestrebung, den in der europäischen Tradition verankerten textlogischen Unterschied zwischen Fiktion und Dokument aufzugeben und eine berichtende Handlungsprosa durch die (supponierte) gesellschaftliche Bedeutung der Vorgänge und deren Authentizität zu legitimieren. Dem absoluten Subjekt der „synthetischen" Prosa steht hier das absolute Objekt, als ein Stück unkorrigierbarer Realität, gegenüber.

Bedenkt man die Unterschiedlichkeit der Versuche in den letzten acht Jahrzehnten, den Roman — gemäß seiner Überlieferung — in Bewegung zu halten, so dürfte es außer Zweifel sein, daß es längst nicht mehr möglich ist, programmatische Losungen mancher Autoren der ersten Jahrhunderthälfte kritiklos weiterzureichen und von *dem* Typus des modernen Romans zu sprechen. *Den* modernen Roman gibt es nicht — und ebensowenig eine allgemein gültige Theorie des neueren Romanschaffens. Eine methodologische Überlegung, wie sie in diesem Aufsatz angestrebt wird, darf dagegen nicht die Tatsache unbeachtet lassen, daß auch die Romanproduktion in unserem Jahrhundert mehr denn je von einem Pluralismus der Konzeptionen beherrscht wird, von einem Nebeneinander ideologisch und stilistisch konkurrierender Auffassungen. Es erscheint überflüssig, die Fülle der Texte nach solchen Gesichtspunkten ordnen zu wollen. Sinnvoll ist es jedoch, nach den Funktionen zu fragen, die den verschiedenen Spielarten des Romans und der Romantradition eingeschrieben sind.

Einzig unter dem Gesichtspunkt der Funktion (und das heißt: im Hinblick auf die künstlerischen wie auch die kommunikativen, in der implizierten Leserrolle erkennbaren Absichten des Autors) kann man die Mehrzahl jener Werke, die gewöhnlich als paradigmatisch für den „modernen" Roman angeführt werden, überhaupt annähernd als Gruppe bzw. Typus gelten lassen. So unterschiedliche Autoren wie Rilke, Proust, Joyce, Faulkner oder Döblin, später etwa auch die Vertreter des französischen Nouveau roman der fünfziger Jahre, sind darin verwandt, daß sie sich als Träger einer kompromißlosen Prosakunst eigener Prägung verstanden, als Avantgarde gleichsam, wenn auch diese Benennung in ihrem Wortschatz nicht vorkommt. Wesentlich ist jedoch ihre Überzeugung, der Roman müsse sich als eine Sprachkunst ausweisen, die keine Rücksicht zu nehmen hat, weder auf bestimmte literarische Konventionen noch auf die eingeübten Erwartungen der Leser. In diesem Sinne hat sich der Kritik für die meisten Werke aus dem genannten Umkreis der Begriff „Experiment" angeboten, ein Begriff, der u.a. auch die Tatsache ausdrückt, daß das Ansehen, das diese Werke zu Recht bei Kritikern und Literarhistorikern genießen, in keinem Verhältnis zur Lesefrequenz steht, d.h. der eigentlichen Wirkung beim Publikum. Die ihnen innewohnende poetologische Intention beruht weitgehend auf den Maximen des künstlerischen Individualismus sowie des — seit der Romantik zunehmend ausgeprägten — Innovationsdenkens. Es versteht sich jedoch, daß auch eine solche Bestimmung cum grano salis zu nehmen ist, d.h. daß durchaus differente Züge als ästhetische Neuerung auftreten können, häufig in Verbindung mit relativ konservativen Verfahrensweisen, so bei Proust und Musil, in ironischer Brechung bei Thomas Mann. Wenn man das besondere Ansehen des ästhetischen Experiments in einer Kultur bedenkt, die

seit mehreren Epochen die künstlerische Autonomie begünstigt, so überrascht es
nicht, daß Vorstöße, wie sie in manchen der erwähnten Romane erfolgten, von
der Kritik zum größten Teil als Beispiele einer spezifisch literarischen Bewältigung
der Realität bewertet wurden: als Exempla dafür, daß eine neue ästhetisch vermittelte Sicht der Wirklichkeit (oder deren phantastische Überhöhung) an sich
schon einen Wert darstellt — und damit auch eine bestimmte gesellschaftliche
Funktion erfüllt.

Ausgeschlossen von einem solchen Verständnis der Modernität bleiben gemein-
hin Werke, die einem anderen Funktionsbegriff entsprechen: Romane, die nach
Auffassung der Autoren oder der Leser ihre Aufgabe damit erfüllen, daß sie etwa
politische und sozialpädagogische Maximen vermitteln, in extremen Fällen also eine ausgesprochen ideologische Funktion übernehmen. Es versteht sich, daß erzählende Prosa dieser Art nicht daran interessiert ist, zur Entfaltung sogenannter
immanenter Werte literarischer Texte beizutragen oder gar durch neuartige Form-
strategien die Aufnahme seitens des Lesers zu erschweren. Auch der Gedanke, eine
spezifische, noch nicht konventionelle Formensprache könne Erkenntnisprozesse
auslösen und den Roman damit zu einem ganz eigentümlichen kognitiven Instrument machen (wie bei Hermann Broch), ist der Praxis des im weitesten Sinne
pragmatischen Romans fremd. Zahllose Beispiele aus dem Bereich „weltanschau-
licher" Romane, namentlich solcher mit politischer Absicht, zeigen, daß das Erzählen vorwiegend als Organon bestimmter Meinungen fungiert, gleichsam als
Transportmittel, wobei die Autoren freilich alles unterlassen, was dazu angetan
wäre, den Transport, d.h. die gedankliche Beeinflussung der Leser zu hemmen.

Zweifellos ist es bezeichnend, daß es der „engagierte" Roman — was immer man
auch von diesem Typus halten mag — fast ausnahmslos mit den meisten Kategorien aus der Überlieferung des realistischen Romans hält: mit einem mit Span-
nungsbogen arbeitenden Handlungsablauf, mit Figuren, deren Verhalten unter
moralischen bzw. politischen Aspekten zur Diskussion gestellt wird, mit orientierenden Angaben über Zeit und Raum, so daß sich der Leser nicht erst mit Hilfe
eigener Kombinatorik einen Weg durch die Welt des Geschehens zu bahnen
braucht. Wo grundsätzliche Skepsis überwiegt, oder die Auffassung, Kunst sei allenfalls sublimiertes Spiel, werden überlieferte literarische Formen eher aus den Fugen geraten als dort, wo ideologische Orientierung und damit auch die gewohnte
Art von Wahrnehmung angestrebt wird. „Wir", schreibt Musil in seinen Aufzeichnungen zum Thema Krisis des Romans, „wollen uns nichts mehr erzählen lassen
[. . .]. Das Neue erzählt uns die Zeitung, das gern Gehörte betrachten wir als
Kitsch."[14] Musils Funktionsbestimmung von Literatur, in der die Arbeitsteilung
mit der Zeitung auffällt, beruht auf einer solchen skeptischen Weltsicht, als deren
Träger das intelligible „wir" auftritt. Diesem Subjekt werden andere Literaturbe-
flissene entgegengesetzt, die aber von Erzählungen praktikable Einsichten bestimmter Art erwarten, sogenannte „Botschaften" oder „Lebenshilfe", zumeist
einfach Bestätigung ihrer Überzeugungen. „Kommunisten u[nd] Nationalisten
u[nd] Katholiken möchten sich gern etwas erzählen lassen. Das Bedürfnis ist sofort
wieder da, wo die Ideologie fest ist. Wo der Gegenstand gegeben ist."[15]

Man sollte sich freilich hüten, aus den Überlegungen zum Funktionsproblem ein simples Schema abzuleiten: hier der „moderne", ästhetisch anspruchsvolle Roman, dort der lediglich ideologisch ausgerichtete. Hermann Hesse ist ein Beispiel dafür, daß es Autoren gibt, die sich zumindest mit einem Teil ihres Schaffens einer eindeutigen Klassifizierung entziehen. Die im Vergleich mit manchen künstlerischen Abenteuern zeitgenössischer Romane bieder wirkende Erzählweise Hesses ist sicher nicht dazu angetan, dem Autor die Aura herausfordernder Modernität zu verschaffen. Allein wenn man etwa das Erkenntnispotential des *Steppenwolfs* berücksichtigt, erscheint vieles von dem, was sich seinerzeit avantgardistisch gebärdete und auch heute noch in der Geschichte innovativer Poetik hoch im Kurs steht, doch schon recht blaß. Grund genug, sich Gedanken zu machen über die Relativität des Begriffs „modern".

Zu einer weiteren – und an dieser Stelle zugleich letzten – Überlegung zum Thema Funktionsgeschichte regt der Umstand an, daß der neuzeitliche Roman von Anfang an mit dem Medium des gedruckten Textes in Buchform verbunden erschien. „Ein Roman ist ein Leben als Buch", liest man bei Novalis[16] – eine Äußerung, die sicherlich nicht nur emblematisch gemeint war. Sie weist jedenfalls auf die Tatsache hin, daß all das Neuland, das für die Literatur seit Cervantes durch den Roman erschlossen worden ist, undenkbar wäre ohne die Präsentationsform durch das Buch bzw. ohne Rezeption durch Lektüre, die auf Grund visueller Erfassung des Textes und beliebiger Wiederholbarkeit dem Leser die Kontrolle auch der kompliziertesten Zusammenhänge garantiert. Schon Romane des 18. Jahrhunderts, zum Beispiel Sternes *Tristram Shandy*, hätten anders gar nicht entstehen können, ganz zu schweigen von Werken wie Joyces *Ulysses*, der – abgesehen von allen anderen Unterschieden – erkennen läßt, wie weit sich der Roman stilistisch und erzähltechnisch vom alten, aus mündlicher Praxis hervorgegangenen Epos entfernt hat. Die neueren Erzählformen wären unvorstellbar ohne die Entwicklung, die sich im außerkünstlerischen Bereich, in den technischen Medien vollzog.[17]

War jedoch für vergangene Jahrhunderte die Frage der spezifischen ästhetischen „Leistung" des Romans mehr oder weniger eine Selbstverständlichkeit, allenfalls gestützt von der Gewißheit, daß der Roman infolge seiner Erscheinungsform zur Synthese aller literarischen und publizistischen Gattungen taugt, so wurde sie im 20. Jahrhundert erneut zum Problem. Auslösendes Moment war dabei der Wettbewerb zwischen den Medien bzw. Kunstgattungen, der nach der Anwendung neuer technischer Erfindungen um die Jahrhundertwende einsetzte und in manchen Bereichen zu einem Umdenken anregte. Es erscheint geboten, an dieser Stelle etwas auszuholen, um zu zeigen, daß bezeichnende Erwägungen zur Romanpoetik, übrigens auch in neuester Zeit, im Umfeld einer durch Medienimpulse in Bewegung geratenen Ästhetik zu sehen sind.

Eine entscheidende Wirkung ging von der Photographie oder vielmehr von der Filmkamera aus. Die Erkenntnis, daß die Photographie mit ihrer mimetischen Funktion die Malerei sowohl verdrängen als auch entlasten, d.h. zu einer Neubesinnung veranlassen werde, war bereits in der Generation der Impressionisten aktuell. Die Expressionisten zogen mit ihrer Aufkündigung der Mimesis die Konse-

28 VIKTOR ŽMEGAČ

quenzen. Und gerade im expressionistischen Jahrzehnt erfolgte eine Einschätzung der sich abzeichnenden Lage auch im Hinblick auf Literatur und Theater. In einem bisher kaum beachteten Aufsatz des Kritikers Leo Matthias, *Gespräch über das Drama*, erschienen 1919, wird die entsprechende These sehr einprägsam formuliert: „Der Film wird für die Dramatik das sein, was die Photographie für die Malerei war. [. . .] Der Film spielt im Terrarium der Menschen; in der dreidimensionalen Welt; in Häusern und Wäldern; zwischen den Schalen des Lebens; in der fertigen toten Wirklichkeit. Das Drama: in einer dimensionenlosen Welt, ohne Zeit, Milieu, in der Vorwelt des Willens. Das Drama hat seine schlechtere Hälfte verloren. Das Filmige hat sich emanzipiert. Der Film wird die Renaissance des Dramas bringen. Die Maler, die abmalten, mußten photographische Ateliers einrichten; die Dramatiker, die Filme schreiben, werden bald Kinobesitzer sein. Nur zwei Ziele für mimische Kunst wird es noch geben: der Film und das platonische Drama."[18]

Der Gedanke, das Aufkommen eines neuen Mediums und künstlerischen Idioms könne eine Umgruppierung der Funktionen auslösen und eine traditionelle Kunstgattung für andere Aufgaben freimachen, wurde wenige Jahre nach dem Erscheinen des Aufsatzes von Matthias auch auf den Roman angewandt. Als Träger der poetologischen Maxime erscheint der Schriftsteller Edouard in André Gides Roman *Les faux-monnayeurs* (1925), jene Gestalt, deren Tagebuchnotizen eine immanente Poetik des vom Autor angestrebten neuen, intellektuellen Romans darstellen. Gegen Ende des 8. Kapitels findet sich eine Eintragung Edouards, deren — sicherlich zufällige — Verwandtschaft mit den Gedankengängen des deutschen Kritikers erstaunlich ist. Der Roman, überlegt Gides intellektueller Held, müsse von allen Elementen entlastet werden, die in ihm nichts zu suchen haben, so wie vor einiger Zeit die Photographie der Malerei die Aufgabe abgenommen habe, Abbilder zu schaffen. Die Darstellung von Vorgängen, aufregenden Vorkommnissen und ähnlichen Dingen gehöre ins Kino (!), ja nicht einmal Schilderungen von Personen sollten den Romanschriftsteller beschäftigen. Der „reine" Roman, der Ideenroman, könne auf alle diese Äußerlichkeiten ebenso verzichten wie das Lesedrama.

Die Überzeugung, der Roman werde es auf eine Arbeitsteilung mit dem Film ankommen lassen und sich ganz darauf stützen, was allein der Sprache eignet, kam auch in den letzten Jahrzehnten abermals ins Gespräch — obwohl es nicht unbekannt geblieben war, daß gerade der Roman seit den zwanziger Jahren vom Film allerhand gelernt hatte, und zwar eben in dem Maße, in dem der Film seiner eigenen Ausdrucksmöglichkeiten bewußt geworden war.[19] Doch offenbar hat man es schon mit einem kunsttheoretischen Topos zu tun, wenn man in Nathalie Sarrautes Essay über das „Zeitalter des Argwohns" *(L'ère du soupçon*, 1956) liest, der Roman müsse neue Vorstöße wagen und seine einstigen Aufgaben dem Film überlassen. „So wie die Photographie das Gelände besetzt und fruchtbar macht, das die Malerei zurückgelassen hat, so liest der Film das zusammen und vervollkommnet es, was der Roman ihm übrigläßt."[20] Nämlich: fesselnde Geschichten, einprägsame Gestalten, jene unterhaltsamen Stoffe, die der neue Roman dem Leser verweigert. Allerdings gibt die Autorin zu, daß auch der Film gleichsam seine Naivität verloren habe und von einer den literarischen Tendenzen entsprechenden Unruhe befallen sei. Dennoch müsse der Literat mehr denn je dazu bereit sein, seiner „höchsten Pflicht" zu folgen: nämlich Neues zu entdecken, nicht jedoch die Erkundungen der Vorgänger zu wiederholen.

Mit einem derartig abstrakt und allgemein formulierten Innovationsgrundsatz erscheint die Frage der Funktion abermals aktualisiert, jedenfalls auch heute noch überlegenswert, und zwar ohne Rücksicht auf die ästhetische Sterilität des Nouveau roman. Fraglos lenkt gerade eine radikale Befolgung dieses Grundsatzes den Blick auf Dinge, die außerhalb des engeren literarischen Bereiches liegen. Wenn die Zukunft des Romans, um mit Nathalie Sarraute zu reden, von Innovation um jeden Preis abhängt, d.h. von einem entsprechenden Erfindungsvermögen der Autoren, so erhebt sich die Frage, ob ein literarisches Schaffen, das seine Legitimität fast ausschließlich von der Praxis künstlerischer Konkurrenz abhängig macht, nicht gerade deshalb, vermeintlich um der Literatur willen, die Literatur verfehlt.

Vielleicht ist es kein Zufall, daß das universalste Idiom in der Erzählprosa des 20. Jahrhunderts ein Autor geschaffen hat, dem mit Kategorien wie Innovation und Modernität, nimmt man sie im üblichen Sinne, nicht beizukommen ist: Franz Kafka. Angesichts der Bedeutung seines literarischen Werkes nehmen sich die genannten Begriffe fast gegenstandslos aus. Warum das so ist, läßt sich auf der Ebene romantheoretischer Erörterung gewiß nicht sagen. Die Romanpoetik weicht hier allgemeiner Kulturkritik. Zu deren Einsichten dürfte die Erkenntnis zählen, daß der „Konnex" mit der Öffentlichkeit (von dem Döblin[21] behauptete, er sei längst nicht mehr vorhanden) auch bei Literatur von Rang in besonderen Fällen erzielt werden kann. Es gehört zu den Schrecken des Jahrhunderts, daß im Echo von Kafkas Werk eine Gemeinsamkeit zwischen Literatur und Publikum erkennbar ist. Sie beruht auf der wohl am stärksten bindenden Erscheinung unserer Zeit: der Universalität der Angst.

Anmerkungen

1 Peter von Matt, „Das literarische Gespenst 'klassisches Drama' ", in: *Merkur*, 30. Jg. (1976), Heft 8.
2 *Der Roman. Theorie und Technik des Romans und der erzählenden Dichtung, nebst einer geschichtlichen Einleitung* (Essen: Fredebeul u. Koenen, 1912).
3 Vgl. dazu Viktor Žmegač, „Kunst und Ideologie in der Gattungspoetik der Jahrhundertwende", in: *Germanisch-Romanische Monatsschrift*, N.F.Bd. 30 (1980), Heft 3.
4 A.a.O., S. 108 f.
5 Ebenda, S. 109.
6 Leipzig: Insel-Verlag, 1910, Bd. II, S. 23.
7 Zit. nach Wolfgang Kayser, *Entstehung und Krise des modernen Romans* (Stuttgart: Metzler, 1955), S. 29.
8 Kayser, S. 32.

9 Erich von Kahler, *Untergang und Übergang. Essays* (München: DTV, 1970), S. 38.
10 Ebenda, S. 39f.
11 Dazu Viktor Žmegač, *Die Realität als literarisches Problem,* Klagenfurter Universitätsreden, Heft 14 (Klagenfurt: Carinthia, 1981).
12 Gustave Flaubert, *Briefe,* hrsg. und übersetzt von Helmut Scheffel (Zürich: Diogenes, 1977), S. 181.
13 Penguin Books; Harmondsworth, 1976, S. 40.
14 Robert Musil, *Gesammelte Werke in neun Bänden,* hrsg. von Adolf Frisé (Reinbek bei Hamburg: Rowohlt, 1978), Bd. 8, S. 1412.
15 Ebenda.
16 Novalis, *Gesammelte Werke,* hrsg. von Carl Seelig (Herriberg-Zürich: Bühl, 1946), Bd. 3, Fragment Nr. 1118.
17 Dazu Walter Benjamins Leskov-Essay „Der Erzähler", in: *Illuminationen. Ausgewählte Schriften,* hrsg. von Siegfried Unseld (Frankfurt/M: Suhrkamp, 1961). Ferner Arno Schirokauers Aufsatz „Bedeutungswandel des Romans" (1939), in: A. Sch., *Germanistische Studien,* ausgewählt und eingeleitet von Fritz Strich (Hamburg: Ernst Hauswedell Verlag 1957).
18 *Die Erhebung. Jahrbuch für neue Dichtung und Wertung,* hrsg. von Alfred Wolfenstein (Berlin: S. Fischer, 1919), S. 359f.
19 Dazu Adam J. Bisanz, „Linearität versus Simultaneität im narrativen Zeit-Raum-Gefüge", in: *Erzählforschung 1* (LiLi, Beiheft 4), hrsg. von Wolfgang Haubrichs (Göttingen: Vandenhoeck u. Ruprecht, 1976).
20 *Plädoyer für eine neue Literatur,* hrsg. von Kurt Neff (München: DTV, 1969), S. 93.
21 Alfred Döblin, *Aufsätze zur Literatur* (Olten/Freiburg im Br.: Walter, 1963), S. 116.

HERBERT LEHNERT

THOMAS MANN: *BUDDENBROOKS* (1901)

„Was ist das. – Was – ist das . . ."
„Je, den Düwel ook, c'est la question, ma très chère demoiselle!"[1]
Die Bedeutsamkeit dieser ersten Sätze des Romans ist oft bemerkt worden, beson-
ders seit wir wissen, daß Thomas Mann den Anfang und Schluß schon in frühen
Notizen aus der Zeit der Konzeption des Werkes festlegte.[2] Es lohnt sich dennoch,
diesen Anfang und den Schluß noch einmal genau zu betrachten. Der Leser muß
die Frage zuerst für eine konkrete halten, ihre Wiederholung macht sie dringlich.
Zielt die Frage auf irgendeine peinliche Enthüllung oder hat sie allgemeinen, metaphysischen Charakter? Die Gegenrede ruft den Teufel an und hebt dann den
Dringlichkeitscharakter der Frage hervor. Das Gemisch aus Plattdeutsch und Fran-
zösisch zeigt an, daß der Leser realistisch angesprochen werden soll. Die Sprache
deutet auf den deutschen Norden als Lokalität und auf einen Sprecher, der aus
dem 18. Jahrhundert stammt. Später stellt sich heraus, daß es sich bei der Frage
„was ist das" um eine Rezitation aus Luthers Katechismus handelt. Die Wiederholung der Frage war nicht ein Zeichen für ihre Dringlichkeit, sondern bezeichnete
das Steckenbleiben der Rezitatorin, der kleinen Tony Buddenbrook. Der Hintergrund der Szene enthüllt sich als ein realistisches Interieur, in einem Biedermeier-
Bürgerhaus im Jahre 1835 spielend. Die dringlich-metaphysische Frage entpuppt
sich als Teil der idyllischen Szene: der Großvater prüft seine Enkelin über ihre
Katechismus-Kenntnisse. Tony findet ihre Kenntnisse wieder und schnurrt den
offiziell genehmigten Wortlaut des Katechismus mechanisch herunter. Als Metapher benutzt der Erzähler aus ihrer Perspektive eine Schlittenfahrt „den Jerusa-
lemsberg" hinunter, das Mechanische dieses Rezitierens betonend, den offensichtlich religiösen Ursprung des Namens ignorierend. Der Großvater unterbricht,
als der Katechismus Gott als Schöpfer der bürgerlichen Nahrung nennt. Darüber
bricht der alte Buddenbrook in Gelächter aus. Der Erzähler suggeriert die Vermutung, der Alte habe das kleine Examen nur deshalb angestellt, um „sich über den
Katechismus mokieren zu können". Sein Sohn, der Konsul, Vater der katechisier-
ten Tony, moralisch unterstützt von den Frauen, wagt einen respektvollen Protest: „Aber Vater, Sie belustigen sich wieder einmal über das Heiligste!"[3]
Dieser Anfang stellt zwar realistisch eine bürgerliche Welt hin, durchlöchert den
Realismus aber gleichzeitig. Der Leser wird nicht ohne Grund veranlaßt, entweder
ein metaphysisches Problem oder eine peinliche Enthüllung zu erwarten. Die Frage
„was ist das" bleibt gültig für den ganzen Roman. Er erfordert einen Leser, der
sich von der dargestellten bürgerlichen Realität lösen kann, so vertraut sie ihm erscheinen mag. Der Autor hat über den Erzähler hinweg ein Signal gesetzt. Der Leser soll die gezeigte Welt in Frage stellen. Ein anderes Signal ist, daß der Autor den
ersten Artikel des Glaubensbekenntnisses: „Ich glaube an Gott, den Vater, den
Allmächtigen, Schöpfer Himmels und der Erde" gleichsam vor der Schwelle des

Romans stehen läßt, sich nur mit der vom lübeckischen Senat genehmigten, ver-
bürgerlichten, lutherischen Erläuterung beschäftigt, die noch dazu kindlich-mecha-
nisch abgehaspelt wird. Was in diesem Bürgerhaus als Christentum erscheint, ist
nicht der eigentliche Glaube. Welt und Glaube sind fraglich.[4]

Daß es der Alte ist, der ohne Christentum auskommt, während sein Sohn es
braucht und fromme Reden führt, muß den Leser realistischer Romane des 19.
Jahrhunderts überraschen. Ist es doch sonst so, daß die Alten fromm sind und die
Jungen nicht. Das Christentum des Sohnes ist nicht ererbt, sondern angenommen,
eine Weltanschauung. Viel später erklärt der Erzähler, daß in dem Konsul Buddenbrook „die schwärmerische Ehrfurcht seiner Generation vor menschlichen Gefühlen" mit seinem „nüchternen und praktischen Geschäftssinn" sich gestritten habe.[5] Diese Empfindlichkeit für Gefühle lenkt Johann Buddenbrook in einen
Schein-Glauben ab, mit dem er sich selbst täuscht, den er allerdings abschalten
kann, wenn sein Vorteil es erfordert. Seine Frömmigkeit wird immer wieder
durch den Kontext widerlegt. Auch gehen die frommen Wünsche, die durch den
Roman hindurch auf die gedeihliche Entwicklung der Familie gerichtet werden,
nicht in Erfüllung, einschließlich der Wünsche der Lehrerin Sesemi Weichbrodt.
Wenn sie zum Schluß, im Streit mit ihrer eigenen Rationalität, die verbürgerlichte
Pseudo-Theologie des persönlichen Weiterlebens nach dem Tode behauptet, so
hat der Roman diese Pseudo-Gewißheit so unterminiert, daß der Leser über Sesemis Streitbarkeit nur lächeln kann.

Die falsche Christlichkeit dient einem bürgerlichen Sicherheitsbedürfnis, schon
Gottholds Geldforderungen am Anfang sind schein-christlich begründet. Eines der
deutlichsten Signale für das Sicherheitsbedürfnis sind die beiden nebeneinander
stehenden Sätze, die der Konsul anläßlich der Geburt seiner Tochter Clara in die
Familienpapiere schreibt:

> Ich habe meiner jüngsten Tochter eine Police von 150 Kuranttalern ausge-
> schrieben. Führe du sie, ach Herr! auf deinen Wegen . . .[6]

Die Handlung widerlegt diesen frommen Wunsch. Sie führt Clara in eine unsym-
pathisch harte Frömmigkeit, macht sie unfruchtbar und läßt sie noch nach ihrem
Tode zum Anlaß eines bösen Familienstreites werden.

Der verlogene Bankrotteur Grünlich hat die Sympathie der Eltern Tonys, weil er
Pastorssohn ist und Frömmigkeit heuchelt. Um Tonys Widerstand zu brechen,
wird sogar die Predigt des Pastors eingesetzt.[7] Die „christliche Überzeugung" des
Konsuls verlangt Respekt für die Gefühle des scheinbar vielversprechenden Kauf-
manns, soll aber Tony von ihrer wirklichen Liebe abbringen.[8] Als Grünlichs Bankrott da ist, glaubt der Konsul „vor Gott nicht schuldig zu sein",[9] denn er hat Er-
kundigungen eingezogen. Wenn der Konsul am Ende der Grünlich-Episode diesen
fallen läßt und ihm rät: „Fassen Sie sich. *Beten* Sie",[10] dann wird der Leser aufgefordert, über beide zu lächeln. Gerade hat der verlogene Grünlich seiner Frau seine
traurige Wahrheit ins Gesicht geschleudert, da zieht der kühl rechnende Kaufmann
den frommen Schleier über seine harte Selbstrettungsaktion.

Tony selbst ist kaum religiös, auch wenn sie manchmal von Gottes Willen spricht. Sie glaubt an die Familie, ein Glaube, den ihr Vater ihr in demselben Brief nahegelegt hat, in dem er von seiner „christlichen Überzeugung" schrieb.[11] Der Glaube an die Familie, der Tony hochmütig macht, ist wie des Konsuls Christentum eine Ersatzreligion. Sie bringt Tony nur Unglück. Ihr Schlußwort im Roman, das den komischen Protest Sesemis auslöst, ist: „Das Leben . . . läßt so manchen Glauben zuschanden werden."[12]

Ihr Bruder, der Senator, ersetzt den falschen Kirchenglauben durch Ästhetizismus. Seine „Sympathie für die päpstliche Kirche"[13] ist ästhetischer Natur. Thomas, willens, im Gleichnis zu leben,[14] den guten Bürger zu spielen, bleibt doch der Bruder Christians. Wie dieser kann er keine Orientierung festhalten.[15] Weder seine gemäßigte Fortschrittlichkeit im Stil Napoleons III.[16] noch sein späterer Konservativismus, den er ästhetisch begründet,[17] gehen aus Überzeugungen hervor; diese Haltungen bezeichnen vielmehr nur den jeweiligen Grad seiner Willensstärke. Das Glück, das er vorübergehend in Schopenhauers Gedanken von der „Unzerstörbarkeit unseres Wesens" empfängt, hält nicht stand. Das Kapitel, in dem es beschrieben wird, berichtet von dauernd wechselnden philosophisch-religiösen Ansichten. Stärker als diese Ansichten ist seine „Furcht vor einer wunderlichen und lächerlichen Rolle".[18] Der Versuch, aus dem Rollenspiel, aus dem ästhetischen Nihilismus, auszubrechen, mißlingt. Ohnehin war seine optimistische Verschönerung von Schopenhauers Lehre eine Verfälschung.

Dagegen führt der Autor dem Leser die Grenzen eines großbürgerlich-ästhetischen Rollenspiels vor Augen. An den Anfang des Kapitels, das das Ende des Senators einleitet, stellt er eine Beschreibung von Fischen, die auf dem Markt zum Verkauf stehen. Dieses Bild konfrontiert den Leser mit der Härte des Daseinskampfes. Die Fische „lagen mit fürchterlich glotzenden Augen und arbeitenden Kiemen, zählebig und qualvoll auf ihrem Brett und schlugen hart und verzweifelt mit dem Schwanze, bis man sie endlich packte und ein spitzes, blutiges Messer ihnen mit Knirschen die Kehle zerschnitt." Der Erzähler produziert ein neues Bild mit bitterem Humor und lenkt so den Leser in die Position der Überlegenheit über das Geschehen zurück:

> Manchmal zog ein starker Butt sich krampfhaft zusammen und schnellte sich in seiner tollen Angst weit vom Brette fort auf das schlüpfrige, von Abfällen verunreinigte Pflaster, so daß seine Besitzerin ihm nachlaufen und ihn unter harten Worten der Mißbilligung seiner Pflicht wieder zuführen mußte . . .[19]

Seine Pflicht ist Leiden, Verkauft- und Gegessen-Werden wie beim Festessen der Buddenbrooks (wo Tom und Tony „keinen Fisch essen mochten"[20]). Der Senator wird, wenig später, wie der Butt in den Schmutz des Pflasters fallen. Das Entsetzen seiner Frau über dieses Ende im Schmutz unterstreicht die Lebenslüge seiner ästhetischen, scheinbürgerlichen Existenz.[21]

Flucht vor dem harten Lebenskampf ist auch Hanno Buddenbrooks dilettantische Liebe zur Musik. Weil er *Lohengrin* hören darf, muß er die banalen Schular-

beiten beiseite schieben und kommt so in die Lage, von dem falschen lieben Gott,
dem Schuldirektor, erniedrigt zu werden. Seine Wagner-ähnliche Phantasie am Kla-
vier, bei zugezogenem Vorhang gespielt, ersetzt ihm die Sexualität.[22] Seine artistische Sensibilität stärkt ihn nicht, sie erzeugt höchstens einen „Widerwillen", wenn
er den Betrug in der Schule durchschaut, den seine Mitschüler als gegeben hinneh-
men.[23] Dieser „Widerwille" lockt ihn in den Tod. Der „Verfall einer Familie" ist
die Geschichte dieses Widerwillens gegen den Betrug der Welt, gegen die grausame
Wirklichkeit. Hannos Dekadenz ist die passive Herauslösung aus der sozialen Realität.[24]
Der Autor stellt jedoch mit seinem Freund Kai Graf Mölln einen Kontrast hin.
Hanno selbst vergleicht sich mit Kai:

> Du hast mehr Mut. Du gehst hier herum und lachst über das Ganze und hast
> ihnen etwas entgegenzuhalten. Du willst schreiben, willst den Leuten Schö-
> nes und Merkwürdiges erzählen, gut, das ist etwas. Und du wirst sicher be-
> rühmt werden, du bist so geschickt. Woran liegt es? Du bist lustiger.[25]

Kais beginnendes Künstlertum ist produktiv. Seine Skepsis gegen den Betrug der
Welt, die er mit Hanno teilt, treibt ihn nicht in die Flucht, nicht in falsche Religion, nicht in Schauspielerei, sondern zu bedeutsamer Verwandlung der Wirklichkeit. Von seinen Geschichten sagt der Erzähler, „daß sie nicht gänzlich in der Luft
standen, sondern von der Wirklichkeit ausgingen und diese in ein seltsames und geheimnisvolles Licht rückten."[26] Eine der Geschichten, von denen der Leser um-
rißhaft erfährt, ist ein Märchen, das symbolisch auf die ideale Wirkung des Romans *Buddenbrooks* im Leser hinweist.
Der Name Buddenbrook hat als bedeutungsschweren Bestandteil das niederdeut-
sche Wort für Bruch, Sumpf. Kai als Märchenerzähler will „einen schlüpfrigen und
unermeßlich tiefen Abhang hinabgeglitten" sein, dort habe er ein „Sumpfgewäs-
ser" gefunden, aus dem Blasen stiegen. Eine davon habe er „nach langen, gefahr-
vollen Bemühungen" erhascht, worauf sie sich in einen glatten und festen Ring
verwandelte. Der Sumpf des Verfalls wird in glatte und feste Kunst, in ein geschlossenes Werk transformiert. Kai will mit diesem Ring wieder den Abhang hin-
aufgelangt sein. Oben habe er ein „schwarzes, totenstilles und ungeheuerlich be-
wachtes Schloß" gefunden, in dem ihm mit Hilfe des Ringes „die dankenswerte-
sten Entzauberungen und Erlösungen" gelungen seien.[27] Der Dichter Kai mußte
also den Sumpf wieder verlassen. Vielleicht bedeutet das Schloß das Rätsel des Daseins, vielleicht ist es nur der Märchenschauplatz von Erlösungen wie in *Jorinde
und Joringel* der Brüder Grimm, jedenfalls ist deutlich, daß das Märchen die Mühe
betont, die nötig ist, aus dem Sumpf des Verfalls den Zauberring des Werkes hervor-
zuholen, eine Mühe, die belohnt wird. Daran ändert nicht, daß der Erzähler das
Märchen mit Humor behandelt, zum Beispiel in dem Superlativ „dankenswertest".
Wenn der Leser über die symbolisierten Wunschträume des angehenden Dichters
lächelt, so entwertet das nicht den Symbolismus. Der Humor der Sprache, der den
Leser zum lächelnden Darüberstehen verlockt, ist immer wieder mit bedeutsamen
Szenen und Bildern in diesem Roman verbunden.

Der Autor der *Buddenbrooks* und sein Leser, wenn er ihm folgt, entspricht der Charakteristik, die Hanno von seinem Freund gibt. Er hat dem „Ganzen" etwas entgegenzuhalten, die humorvolle Überlegenheit. Sie hängt mit seiner Fähigkeit zusammen, seine Welt in Symbole umzusetzen. Als Schüler setzt Kai seine Versuche im Stil eines romantischen Kunstmärchens fort, „in dem die Urgewalten der Natur und der Seele auf eine sonderbare Art vermischt, gewandt, gewandelt und geläutert wurden . . ."[28] Dichterische Produktivität ist ein Gegengewicht gegen den Betrug und die Sinnlosigkeit der Welt.

Dagegen sind die Märchenmotive, die in der Beschreibung von Hannos Klavierphantasie auftauchen, durch den Kontext als Symptome seiner Morbidität charakterisiert. Zwar ist die Wiederkehr seines Themas „gleichwie wenn ein Vorhang zerrisse, Tore aufsprängen, Dornenhecken sich erschlössen, Flammenmauern in sich zusammensänken . . .", aber in dem „Kultus . . . dieses Stücks Melodie" war „etwas zynisch Verzweifeltes, etwas wie Wille zu Wonne und Untergang in der Gier . . ."[29]

Die Darstellung des „Verfalls einer Familie" hat einige Züge aus dem naturwissenschaftlichen Naturalismus übernommen.[30] Anlaß für den Schlaganfall Thomas Buddenbrooks war eine Zahnoperation. Seine unschönen Zähne, „klein und gelblich", werden ganz am Anfang erwähnt,[31] mit sechzehn Jahren sind sie „ziemlich mangelhaft."[32] Auch Hanno leidet früh an schlechten Zähnen.[33] Offensichtlich soll das Motiv der schlechten Zähne auf zunehmende Unfähigkeit deuten, mit dem rohen Leben fertig zu werden. Kai dagegen beißt einmal den Widersacher Hannos „mit allen Zähnen ins Bein".[34] Das Motiv der schlechten Zähne hat also in erster Linie symbolische Bedeutung. Dennoch müssen die Verfallsbilder auch nach ihrer Bedeutung innerhalb des realistisch gezeigten Handlungszusammenhangs befragt werden. Liegt ihnen eine fatalistische Weltanschauung zugrunde? Einen fatalistischen Determinismus sieht der zweite Buddenbrook, der Konsul, in dem Untergang der Familie und der Firma Dietrich Ratenkamps, des Vorbesitzers des Hauses.[35] Aber das ist nur seine Meinung, die sein Vater sofort relativiert, als eine von den „idées" des Sohnes, die er nicht teilt. Der Fatalismus des Konsuls schränkt nicht nur seine christliche Hoffnung ein, er ist ein Motiv, das in Hannos Hoffnungslosigkeit wiederkehrt.[36] Das Motiv trägt zum Pessimismus der Verfallshandlung bei. Jedoch läßt der Autor diesen Fatalismus nicht ausschließlich gelten. Unter den Krankheiten der Buddenbrooks-Familie, die sich als Zeichen des Verfalls durch den Roman ziehen, sind einige offensichtlich neurotischen Ursprungs. Der Leser kann sie als schicksalhafte Anlage nehmen, aber auch als Bestandteil ihrer bewußten Persönlichkeit. Das ist so im Falle von Christians Leiden und bei den Ermüdungserscheinungen des Senators. Selbst Tonys Magenleiden ist nervöser Natur.[37]

Hannos früher Tod am Typhus ist nicht einfach ein blindes Schicksal, sondern wird als seine Entscheidung dargestellt.[38] Natürlich ist sein Mangel an Lebenswillen wiederum ein Zeichen des Verfalls. Die Mitglieder der verfallenden Familie sind mit ihren Entscheidungen an dem Verfall beteiligt. Sie sind nicht bloße Opfer eines blinden Prozesses; andererseits sind Krankheiten, Verfall und der Tod als

Bedrohung präsent. Das Problem der Willensfreiheit wird ambivalent behandelt, bleibt in der Schwebe. Wenn man will, kann man das auf Schopenhauers Unterscheidung von Freiheit im „esse" und Unfreiheit im „operari" zurückführen oder auf Nietzsches ambivalentes Selbstbewußtsein gegenüber der Dekadenz, die er zu teilen meinte, während er sich dennoch kritisch von ihr löste. Für die Interpretation von *Buddenbrooks* ist wichtiger, daß die Möglichkeit der Freiheit nicht deterministisch verstellt wird, weil der Roman selbst eine Möglichkeit der Freiheit sein will. Die halben Freiheiten, sei es Religion, Neurose, Schauspielerei oder dilettantische Musikverfallenheit, führen nur tiefer in den Verfall, gefordert wird die ganze, die literarisch freie Ablösung.

Ein anderes Beispiel der Willensambivalenz ist eine Betrachtung des Arztes Grabow, die in das Einweihungsessen eingeschoben ist. Das bürgerliche Wohlleben der Kaufmannsfamilien sei an der Verkürzung ihrer Lebenserwartung schuld.[39] Der Arzt kann nur mit halben Maßnahmen helfen. Dieses realistische Motiv ist aus dem Milieu genommen, zeigt aber auch an, daß bewußte Willensentscheidungen an den biologischen Verfallsprozessen beteiligt sind. Daß realistische Motive, die manchmal an die naturalistische Praxis erinnern, symbolische Bedeutung haben, den Sinngehalt des Romans integrieren, ist kennzeichnend für *Buddenbrooks,* macht seine Bedeutung aus. Die oben zitierten Bilder vom Fischmarkt sind ein anderes Beispiel dafür. Diese Bilder zeigen die Grenzen der Freiheit an, die kreatürlichen wie die sozialen.

Eine Entscheidung für die Größe der Familie war es, als der alte Buddenbrook nach einer Liebesheirat eine reiche Heirat einging und auch seinen Sohn „auf die Tochter des reichen Kröger, die der Firma eine stattliche Mitgift zuführte", aufmerksam macht.[40] Tonys verfehlte Heiraten und die des Senators mit der frigiden, ästhetisch-mythisch schönen, aber auch reichen Gerda folgen den Konventionen der großbürgerlichen Aufstiegsfamilie, sie sind aber auch freie Entscheidungen. Tonys Erinnerungen an den Liberalismus ihres einzig geliebten Morten sind komisch, weil sie nicht in ihren Familienkonservativismus integriert sind, machen aber gerade dadurch den Leser auf die Enge dieses Familienkultes, ihrer Weltanschauungszuflucht aufmerksam und darauf, daß sie sich auch hätte anders entscheiden können. Auch der Senator hat sich gegen eine erotisch aktive Liebe entschieden. Wie zum Hohn unterstreicht die Fruchtbarkeit seiner kleinbürgerlichen, sinnlich-schönen früheren Geliebten den Kontrast zu der Unfruchtbarkeit seiner kalten Ehe. Der Verzicht auf Liebe und Erfüllung zahlt sich nicht aus. Das Recht auf erfüllte Liebe ist aber auch wieder kein Gesetz, kein Allheilmittel, keine Ideologie, wie so oft in der Literatur zur Zeit des jungen Thomas Mann. Christian Buddenbrooks späte Ehe schafft da das komische Gegengewicht, auch Gottholds bürgerliche Enge. Soziale Zwänge und freie Wahl sind an dem inneren Verfall der Familie beteiligt, auch ihr Verhältnis zueinander bleibt in der Schwebe.

Die innere Stärke, die der Senator von sich verlangt, um dem Familienkult, der Größe der Firma gerecht zu werden, fordert Lieblosigkeit. Er bringt sie zeitweise auf, so, wenn er in einer finanziellen Auseinandersetzung mit seiner Mutter feststellt, seine „Eigenschaft als Sohn" werde „zu Null", wenn er als Firmenchef spreche.[41] Die Härte gegen seinen Bruder erklärt er mit einer bewußten Entscheidung gegen dessen „Sein und Wesen". Christian kann mit Recht dem Senator vorwerfen: „Du bist so ohne Mitleid und Liebe und Demut."[42] Die Mitleidlosigkeit wird vom harten Kampf ums Dasein gefordert. Die falsche Christlichkeit, der Familienkult, die ästhetizistische Ersatzreligion, die diese Härte verstellen sollen, setzen aber nicht die Liebe frei. Die Familienszenen demonstrieren das Gegenteil. Der Familienkult, die Erwartungen, die er nicht erfüllen kann, helfen, Hanno in die Hoffnungslosigkeit zu treiben. Die abgetötete Liebe besiegelt den Verfall der Familie. Das kommt am Ende in dem betroffenen Schweigen zum Ausdruck, als von Kais Besuch an Hannos Krankenbett und von den Zeichen wahrer Liebe im Familienkreis die Rede ist.[43]

Darin liegt die Anklage gegen die bürgerliche Ordnung. Dagegen ist keine Kritik des Autors in dem Heraufkommen der Hagenströmfamilie enthalten, jedenfalls nicht als Kritik gegen den harten Bourgeois als falschen Bürger.[44] Tonys Verachtung und Haß werden sogar gelegentlich von dem Senator relativiert.[45] Sie unterstreichen nur die Enge des Familienkults. Der Erzähler beschreibt Hagenström als „frei von den hemmenden Fesseln der Tradition". Das ist eher positiv, besonders wenn der Kontext von dem „liberalen" und „toleranten" Grundzug seines Wesens spricht und die „legere und großzügige Art, mit der er Geld verdiente und verausgabte", herausstellt, die ihm Popularität einbringt.[46] Seine Traditionslosigkeit schränkt er schließlich sogar ein, wenn er das Haus der Buddenbrooks kauft. Hagenströms tatkräftige Vorurteilslosigkeit erlaubt es ihm, sich in der Härte des Wirtschaftslebens zu behaupten. Daß diese Fähigkeit den Buddenbrooks abhanden kommt, ist ein Symptom ihrer Willensschwäche. Daß sie sich Weltanschauungen anschließen, ist ein Zeichen dafür, daß sie der Wirklichkeit ihrer Welt ausweichen, was Hagenström nicht tut.

Der Verfall *einer* Familie zeigt nicht den Verfall des Bürgertums an.[47] Dessen Welt bleibt unerschüttert. Das Bürgertum wird lediglich kritisiert, soweit es sich die Wahrheit seines Wirtschaftslebens, den Kampf um die Existenz, den Kampf aller gegen alle, durch falsche Weltanschauungen zudeckt und soweit es Liebe abtötet. Seine Freiheit und damit auch Zugang zu liebendem Verständnis, durch alle falschen Rollen hindurch, erreicht der Bürger nur in der Literatur. Die Aufsteiger-Familie bietet weniger und weniger emotionale Sicherheit. Darum ist *Buddenbrooks* als Familienroman so wirksam.[48] Er stört die Erwartung des bürgerlichen Lesers, in der Familie Sicherheit zu finden, er lenkt ihn auf die Freiheit der Phantasie von bürgerlichen und ideologischen Schranken. Das Schopenhauer-Kapitel macht den Leser darauf aufmerksam. Der Roman zeigt auch die Freiheit der Phantasie als Verführung zum Nichts, zum Tod, zur Bedeutungslosigkeit: in dem Motiv des Meeres, in Hannos Wagner-Phantasie, in Christian. Erst das literarische Kunstwerk, der Roman selbst, greift in den Sumpf des Verfalls, in die durch Rücksichtslosigkeit, Lebensgier, Kampf aller gegen alle, Lieblosigkeit belastete bürgerliche Realität und bringt Gefühle und Wirklichkeit in eine kunstvolle, sinnvolle, anschauliche und damit unverlogene schöne Ordnung.

Die Buddenbrooks werden empfindlicher für Gefühle, schwächer in der Abwehr dessen, was ihren wirtschaftlichen Vorteil stört. Aber das bedeutet keine Vergeistigung, die den Leser über die negative Richtung der Entwicklung trösten könnte.[49] Zwar ist der Senator intelligent, aber seine Geschwister nicht und auch sein Sohn nicht, mögen ihm auch intuitive Einsichten zuteil werden. Christian insbesondere demonstriert, daß der Verfall der Buddenbrooks nicht eine Entwicklung zur Differenzierung ist. Er hat nur ein Imitationstalent, das ihn nicht von seinem neurotischen Narzißmus befreit. Nicht einmal die Flucht in die Halbwelt gelingt ihm; ihm bleibt Liebe versagt. Die Figur demonstriert die Gefahr, die mit einem schwachen künstlerischen Talent verbunden ist, bietet ein skeptisches Gegengewicht gegen die befreiende Kraft, die künstlerisches Gelingen haben kann und die der Roman mit seinem Humor demonstriert.

Wer den Verfall der Buddenbrooks als Prozeß der Differenzierung verstehen will, muß der Gestalt des alten Buddenbrook Unrecht tun. Zwar spricht der Erzähler einmal von der „behaglichen Oberflächlichkeit des alten Johann Buddenbrook",[50] aber zum Zweck des Vergleichs mit Thomas' metaphysischer Bedürftigkeit, die im Kontext eher fragwürdig ist. Positiv ist die „weltmännische Skepsis", die Großvater und Enkel gemeinsam haben. Wie Goethe, Heine und Nietzsche bewundert der Alte die „persönliche Großheit" Napoleons,[51] obwohl dessen Truppen sein Haus beraubten. Der Konsul dagegen muß Napoleon moralisch messen und verurteilen. Daß der Alte sich am Ende „mit einem letzten ‚Kurios!' nach der Wand kehrte",[52] kann man als Schlichtheit interpretieren. Aber er hält offensichtlich die Seltsamkeit der Welt ohne weltanschauliche und religiöse Krükke aus, und das bedeutet Stärke im Vergleich mit den anderen Buddenbrooks. Auch wenn er „das Gymnasium und die klassische Bildung" gegen praktische Schulen verteidigt,[53] erweist er sich als großzügig. Dazu paßt es, daß sein Freund Hoffstede eine italienische Reise nach Goethes Vorbild unternimmt.[54] Der alte Buddenbrook und seine Freunde sind lebensfest und aufgeklärt. Sie sind Goethes Zeitgenossen und erinnern von ferne an eine andere Möglichkeit, das Leben zu bestehen, eine andere als des Konsuls ängstliche Christlichkeit.

Wir wissen, daß Thomas Mann im Sommer 1897 Goethes Gespräche mit Eckermann bewundernd las[55] und sich Notizen daraus für die Tischgespräche beim Einweihungsfest des Hauses machte.[56] Goethe war ein Vorbild des jungen Thomas Mann für die angestrebte souveräne artistische Haltung. Sehr wahrscheinlich hat Nietzsche diese Vorbildlichkeit angeregt, zumindestens bestärkt.

Bezeichnend ist eine Notizbuch-Eintragung aus dem Sommer 1897, während der Konzeption der *Buddenbrooks*. Thomas Mann beschreibt eine Szene, in der sein Hauswirt in Palestrina mit einem Bauern verhandelt und dabei seine eigene soziale Überlegenheit mit „glückseliger Schauspielerei" darstellt. Solch sicheres Auftreten, meint der Beobachter der Szene, beruhe auf Dummheit. Bei „einem gewissen Grade von Klugheit" fehle das sichere Auftreten, das nur bei einem sehr hohen Grad an Klugheit wiederkehre.

> Der gesunde und „einfache" Mensch mit Beinen, die fest an ihrem Platze stehen, und gradeblickenden Augen, die unverwirrbar sind, wie diejenigen einer Kuh, — hat ein sicheres Auftreten, das ist ganz klar. Mit einem gewissen Grade dagegen, wie gesagt, von Bildung, Feingefühl, psychologischer Reizbarkeit und Einblick in die verwirrende Kompliziertheit, Unheimlich-

keit und peinlichen Finessen des Verkehrs zwischen Menschen ist selten genügend Nervenkraft verbunden, als daß ein „sicheres Auftreten" vorhanden sein könnte. Und es gehört, möchte ich glauben, die klare, übersehende und ordnende Geisteskraft eines Goethe dazu, um dennoch über ein sicheres Auftreten zu verfügen.[57]

Auf den ersten Blick möchte man dieses Drei-Stufen-Schema auf *Buddenbrooks* anwenden. Aber es paßt schlecht. Der älteste Buddenbrook, der Mann der „weltmännischen Skepsis", ist nicht durch Dummheit zu charakterisieren, der zweite paßt überhaupt nicht hinein, nur der dritte hat „Bildung" und „psychologische Reizbarkeit", aber das „sichere Auftreten" fehlt ihm nicht von vornherein, vielmehr ist es das, was er als Schauspieler seiner selbst täglich ausübt, allerdings kostet es ihn „Nervenkraft". Hanno hat natürlich mit Goethe nichts gemeinsam.
Es ist vielmehr so, daß dieses Schema ein Versuch Thomas Manns ist, sich selbst zu charakterisieren. Indirekt hat es dann auch mit *Buddenbrooks* zu tun. Von dem angepaßten Normalbürger setzt Thomas Mann sich ab. Er will die Rolle des angepaßten Bürgers nicht annehmen. In *Buddenbrooks* läßt er sie den Senator spielen, der dazu nicht geeignet ist, weil er eigentlich auf die zweite Stufe gehört. Die Beschreibung der zweiten Stufe hat Menschen mit nihilistischen Einsichten im Auge, die sich von den Normalbürgern abheben. Thomas Mann meint sich selber. Die „psychologische Reizbarkeit" verweist auf Nietzsche. Die Stufe der ordnenden Geisteskraft ist die des ästhetischen Ideals, das durch Goethe bezeichnet wird. Die Geschichte der *Buddenbrooks* ist die des vergeblichen Kampfes gegen die Einsicht in den Nihilismus, also die Verweigerung der zweiten Stufe. Tony gehörte, mit ihrer kindlichen Schauspielerei, auf die erste. Nur hat der ihr halb aufgezwungene Liebesverzicht sie aus der Bahn geworfen. Die Naivität des angepaßten Bürgers ist ihr versagt. Im Familienkult findet sie Trost, so daß auch sie, abgesehen von ihrem pessimistischen Schlußwort, auf der Flucht vor der nihilistischen Wahrheit ist. Die dritte Stufe der „ordnenden Geisteskraft" präsentiert der Text des Romans. Der Autor schließt die Bilder des Verfalls zu einer Struktur zusammen und lädt den Leser ein, daran teilzunehmen. Der humorvolle Abstand, den Autor und Leser zu dem Geschehen einnehmen, ist „übersehend" und wirkt „sicher", freilich nur im Fiktiven. In einem Brief aus dem Sommer 1897 bezeichnet Thomas Mann seinen Eindruck von dem Goethe in Eckermanns Gesprächen als „beschämend", das heißt erstrebenswert. Goethe nennt er „diesen großen, königlichen, sicheren und klaren Menschen".[58]
In einem Brief an denselben Empfänger, den Jugendfreund Otto Grautoff, einem Brief, der ein Dreivierteljahr vor dem italienischen Sommer 1897 geschrieben wurde, bringt Thomas Mann das angestrebte Überlegenheitsgefühl mit seinem Schreiben in Verbindung:

Ich bitte Dich, meinen Ton nicht als gemeine Frivolität aufzufassen, sondern ihn Dir aus meinem allgemeinen Überlegenheits- und Gleichgültigkeitsgefühl gegenüber der „ganzen Geschichte" zu erklären. Wenigstens ist der gute Wille zu solchen Gefühlen vorhanden, und er kann nicht wirksamer bestärkt

werden, als indem man die stilistische Federfertigkeit, die der sehr, sehr liebe Gott einem verliehen hat, dazu benutzt, sich über die „ganze Geschichte"
zu moquieren.[59]

Im Kontext spricht Thomas Mann auch von dem „überlegen Geistigen", das er in
seinem Freund habe aufrufen wollen. Schreiben soll helfen, das angestrebte Überlegenheitsgefühl zu erreichen. Dieses Gefühl wird hier mit „Gleichgültigkeitsgefühl" gleichgesetzt, was eine nihilistische Grundüberzeugung anzeigt. Andererseits
ist deutlich, daß dieser Nihilismus von „gemeiner Frivolität" abgesetzt, produktiv
umgewandelt werden soll. Wenn wir an die Notizbucheintragung aus Palestrina mit
den drei Stufen denken, so wird man auch hier das Bestreben nach innerer Sicherheit impliziert finden. Die Widersprüche der Welt, der „ganzen Geschichte", sollen
durch eine überlegene Haltung gemeistert werden, die durch Schreiben erreicht
wird und für die Goethe das Vorbild ist. Dieses Programm will keineswegs den Nihilismus „überwinden", sondern ihn produktiv machen. Eine Konsequenz dieses
Programmes ist Mißtrauen gegen Ideologien. Dieses Mißtrauen ist in *Buddenbrooks* eingegangen.

Unter konzeptionellen Aufzeichnungen zu *Buddenbrooks* in Thomas Manns Notizbuch 2, das er im Jahr 1897 benutzte, kommt dieser Einfall vor:

> Eine bestimmte Weltanschauung ist wie eine Lockenperücke. Ist sie fertig, so
> ist man sehr stolz, aber auch sehr steif: man darf den Kopf nicht wenden
> etc.[60]

Schon drei Jahre vorher hatte der neunzehnjährige Gasthörer einer Vorlesung
über Ästhetik an der Technischen Hochschule München in seiner Nachschrift den
altmodischen Professor kritisiert, weil er die Dekadenz-Ästhetik nicht kenne und
die seine dem Zwang der klassischen unterwerfe. Seine eigene Haltung charakterisierte der Student als „meine lächelnde Souveränität als Künstler".[61]

Etwa um die gleiche Zeit (Herbst 1894) begann Thomas Mann sein lebenslanges
Studium Nietzsches.[62] Eine nihilistische Philosophie hatte er schon vorher entwickelt, das ist durch den Artikel *Heinrich Heine, der 'Gute'* in der Schülerzeit-
schrift *Frühlingssturm* bezeugt.[63] Dieser Artikel richtete sich gegen eine liberale
Apologetik zugunsten Heines, weil diese den Dichter einem engen und altmodischen Maßstab unterwerfe.[64] Thomas Mann verweigerte schon damals (1893), sowohl die Bindung an Traditionen anzuerkennen, als auch sich einer Parteilichkeit
anzubequemen. Nietzsches Position als freier Geist kam ihm entgegen. Nietzsche
lehrte zwar die Entwertung aller Werte, verurteilte aber zugleich die sich nivellie-
rende Moderne als dekadent, was ihn an aristokratische Denkweisen verwies.
Nietzsche wollte der Totalität des Lebens nahekommen, durch ideologische Vorstellungen hindurch. Sein Perspektivismus ist radikal, seine irrationale Lebensvor-
stellung letztlich primitivistisch, regressiv, trotz späterer leidenschaftlicher Kritik
an Schopenhauer, dessen ahistorischer Lehre verpflichtet. Thomas Mann nahm
Nietzsches Perspektivismus auf,[65] einschließlich der Vorliebe für Ambivalenzen
und perspektivische Kontraste und Widersprüche. Die Ambivalenz von vernich-

tender Kritik an Wagner als Schauspieler und Verführer zum Quietismus und der bewundernden Faszination, wie Nietzsche sie in seinen Wagnerschriften erkennen ließ, hat Thomas Mann lebenslang beeindruckt. In etwas milderer Form teilte er sie.

In *Buddenbrooks* ist Wagners Musik sowohl strukturell wie thematisch präsent. Während der Text Motive sowohl als Erkennungssignale wie als variierendes Integrationsmittel analog zu Wagners Kompositionstechnik braucht[66] und so dem Leser hilft, die Handlung überschauend zu beherrschen, ist Wagners Musik thematisch ein Symbol von Auflösung und der lebensfeindlichen Verführung Hanno Buddenbrooks. Kunst ist Gelegenheit zur Selbstbefreiung, zur schönen Ordnung des Sinnlosen, Kunst ist auch Verlockung zur Selbstaufgabe.

Dem dominierenden Einfluß von Nietzsches Perspektivismus auf seine Denkweise hat Thomas Mann in dem Pessimismus Schopenhauers ein Gegengewicht gegeben.[67] Mehr als Nietzsche bestätigte Schopenhauers Metaphysik den Wert und die Berechtigung des ästhetischen Überlegenheitsgefühls in Thomas Mann, das allerdings auch Wurzeln in der Lektüre E.T.A. Hoffmanns und Heines hatte. Es ist leicht zu begreifen, daß Schopenhauers Lehre von der Herkunft des Leidens aus dem Willen zum Leben und die Lehre von der Kunst als Befreiung vom Willen den oft schwankenden und selbstkritischen jungen Thomas Mann gewannen, während Nietzsches steile Schwärmerei von der Vornehmheit des Starken ihn kaum überzeugen konnte. Schopenhauer pries das Genie, dessen Produktionen „keinen nützlichen Zwecken dienen".[68] Der Musik wies Schopenhauer einen besonders hohen Rang zu. Kunst zeige die Ideen, während Geschichte nur das Ephemere des wirklichen Geschehens aufzeichne. Vom Wollen losgerissen, sei die Kunst „die Blüte des Lebens", dessen „allein unschuldige" Seite.[69]

Nietzsche konnte den Pessimismus Schopenhauers bewundern. Er war für ihn dessen „entsetzter Blick in eine entgöttlichte, dumm, blind, verrückt und fragwürdig gewordene Welt".[70] Dennoch denunzierte der spätere Nietzsche seinen Lehrer als „Philosoph der décadence",[71] er sei „der alte pessimistische Falschmünzer".[72] Diese Widersprüche können Thomas Manns Interesse nur mehr gereizt haben. Mit Nietzsche wird der Rückzug der Buddenbrooks von der Härte des Daseinskampfes, ihr Verfall negativ bewertet, er ist eine Art von Schuld, weil verbunden mit Flucht in falsche Tröstungen, Ersatzreligionen und in Schauspielerei des Geistes.[73] Mit Schopenhauer bietet das Kunstwerk Befreiung von der Sinnlosigkeit der Welt. Jedoch bestärkt Nietzsches Wagnerkritik Thomas Mann wiederum darin, die ästhetische Erlösung nicht in die Welt selbst als Ersatzreligion hineinzuziehen. Die ästhetische Erlösung, das Verlangen nach Willenlosigkeit, Zeitlosigkeit, Geschichtslosigkeit ist auch Verführung zum Tod.

Auch außerhalb des Wagner-Nietzsche-Schopenhauer-Komplexes fand Thomas Mann die ästhetische Ersatzreligion als Zeitthema wieder, nämlich die Verlockung, dem modernen Nihilismus und Pluralismus durch eine Haltung artistischer Degagiertheit gerecht zu werden. Als Kritiker dieser Haltung war damals Paul Bourget berühmt, für den sich Heinrich Mann eine Zeitlang regelrecht begeisterte. Auch Thomas Mann las Bourget, auf den er nicht nur durch seinen Bruder hingewiesen wurde, sondern auch durch den Kritiker Hermann Bahr, der, aus Paris nach Berlin und Wien zurückgekehrt, *Die Überwindung des Naturalismus* (1891) verkündete. In Essays über die moderne Psychologie und in der Einleitung zu seinem programmatisch-antimodernen Roman *Le Disciple* (1889), aus dem sich Thomas Mann einen Auszug notierte,[74] suchte Bourget den modernen Dilettanten zu charakterisieren, einen artistisch inklinierten Menschen, vielleicht sogar einen leistungsfähigen Künstler, dessen Schuld darin besteht, nicht am Leben moralisch teilzunehmen, der nur spielen und genießen will. Der Roman selbst greift eher die Mängel einer durchrationalisierten positivistischen Weltanschauung an, läßt deren Vertretern aber ein Maß von menschlichem Wert, nimmt ihnen die Sympathie des Lesers nicht ganz. In dem Roman *Cosmopolis* (1893) gibt Bourget einem Schriftsteller, der wegen seiner ästhetizistischen Prinzipienlosigkeit als Dilettant bezeichnet wird, sogar autobiographische Züge. Ihm stellt er einen alten französischen Adligen gegenüber, der, würdig und skurril zugleich, im vorrevolutionären Frankreich zu Hause ist und der den Katholizismus und Monarchismus als Heilmittel gegen die moderne Krankheit preist. In der neukonservativen Zeitschrift *Das Zwanzigste Jahrhundert*, die Thomas Mann eine Zeitlang mit Kritiken belieferte, nutzte er (1896 in einer Kritik über ein ganz anderes Buch) den Gegensatz der beiden Gestalten in Bourgets Roman, um der nationalistischen Tendenz der Zeitschrift gerecht zu werden. Was in Paris „viel mehr nicht als ein neuer Décadencescherz" zu sein brauchte, sei in Deutschland echt. Durch ein Wort verrät Thomas Mann, daß ihn in Wahrheit die artistische Gegenüberstellung reizte: „Der alte Katholik und Legitimist, der dem Typus des skeptischen ästhetisierenden Genußmenschen prachtvoll gegenübersteht . . ."[75] Was die Gegenüberstellung „prachtvoll" macht, ist, daß der Leser mit beiden Gestalten Sympathien hat. Die Spätlinge und Entwurzelten, so setzt Thomas Mann den Gedankengang zur gewünschten neukonservativen Tendenz fort, gegen die der Legitimist argumentiert, hätten sich der Arbeit entzogen, die ihre Väter geleistet hätten, und so die Traditionen von Familie, Volk und Rasse gebrochen. Das klang gut für Besitzer und Leser der Zeitschrift, man muß aber bedenken, daß Thomas Mann und sein Bruder sich selbst der Arbeit an der Familienfirma entzogen hatten. Die Textstelle läßt erkennen, daß Bourget und das Problem des Modernismus an der Konzeption der *Buddenbrooks* beteiligt waren. Der Ästhet, der sich den moralischen und sozialen bürgerlichen Pflichten entzieht, das war für Thomas Mann ein hautnahes Thema. Gegenüber Bourget ist in *Buddenbrooks* die Rückkehr zu einer christlichen und konservativen Ideologie Verfallssymptom. Darin folgte Thomas Mann Nietzsche.

Eine Notizbucheintragung zu einem anderen Roman Bourgets bringt diesen mit Nietzsche zusammen:

> Nayrac in Bourgets „Terre Promise" freut sich trotz alledem darüber, daß er *gelebt hat,* daß er sein Los, *sei es gut oder schlecht,* im Spiel der Existenz gehabt hat. Ganz meine Ansicht! Eine Rolle zu spielen haben in diesem interessanten Sansara — sei sie auch nicht die dankbarste! Nicht im Nirvana „spazieren geführt" werden, um als Schauspieler mit den Schauspielern zu reden. „War *das* das Leben?" sagt Nietzsche, — „Wohlan! noch einmal." — Ganz meine Ansicht.[76]

Die Notizbucheintragung zeigt, daß Thomas Mann Bourget im Sinne Nietzsches zu sehen suchte. Bourgets Legitimismus und Provinzialismus verstand er offensichtlich als Gegengewicht gegen die vorherrschende republikanisch-liberale Tendenz im Frankreich dieser Zeit, als lebensfördernde Anti-Ideologie. Die Begriffe Sansara und Nirvana stammen vermutlich aus Schopenhauers Werk. Dennoch ist Nietzsches Lebensbejahung hier dominant. Schopenhauer schätzte das Nirwana mehr. Wie freilich das positiv bewertete Rollenspielen sich zu den „Schauspielern" verhält, die bei Nietzsche negativ bewertet werden, ist nicht ganz klar. Vielleicht ist es so zu verstehen, daß innerhalb der bürgerlichen Welt, wo jeder seine Rolle zu spielen hat, die Annahme dieser Rolle positiv zu bewerten ist. Wer also nicht als Schauspieler mit Schauspielern redete, etwa als überlegener Beobachter oder als Schriftsteller, könnte andere Wertungen haben. Wie dem auch sei, sicher ist, daß Thomas Mann Bourgets Wertungen als Spiel „prachtvoller" Gegensätze sah, nicht als vorbildliche Ideologie.

Das gilt auch für den Roman *Renée Mauperin* (1864) der Brüder Goncourt, einen Roman, den Thomas Mann mehrfach als Anregung für den seinen nennt.[77] Dieser ältere Roman, den Thomas Mann nach seiner Erinnerung 1897 in Rom las, also unmittelbar vor der Konzeption der *Buddenbrooks,* könnte in einer Hinsicht ein Gegengewicht zu Bourget liefern. Ein vorurteilsfreier Lebensdilettant spielt darin eine positive Rolle. Es war wohl nicht nur die Komposition in kleinen Kapiteln, die Thomas Mann entgegenkam, sondern die kritisch distanzierte Erzählhaltung, die nicht hinderte, daß der Autor in Dialog und durch den Erzähler liebevoll Details ausmalte. Auch der Wechsel zwischen längeren szenischen Dialogen und der Erzählerstimme selbst könnte anregend gewirkt haben. Daß in den *Buddenbrooks* wie in *Renée Mauperin* am Anfang ein Familienessen stattfindet, mag Zufall sein, wichtiger ist, daß der Zustand der im Roman kritisch dargestellten bürgerlichen Aufsteigergesellschaft die Titelfigur hindert, sich auszuleben. Denn um des Ansehens und des Geldes wegen wird wie in *Buddenbrooks* allenthalben die natürliche Liebe unterdrückt. Die emanzipatorische Tendenz streitet mit der antiliberalen, ästhetisch-aristokratischen der Goncourts.

Eine Korrektur dieser französischen Gesellschaftsromane in Richtung auf Humor, auf noch größere Neutralität in der Charakterisierung von Romanfiguren und in der Darstellung gesellschaftlicher Veränderungen muß der späte Fontane gewesen sein.[78] Der Name Buddenbrooks stammt von einer Nebenfigur in *Effi Briest.* Frühe Fontane-Lektüre ist gegen Thomas Manns spätere Erinnerung durch gleichzeitige Briefe bezeugt. Für den Humor, mit dem Autor und Leser sich von den Figuren distanzieren (das, was seit Friedrich Schlegel Ironie[79] heißt) möchte ich *Wilhelm Meisters Lehrjahre* als Vorbild nicht ausschließen. Eine frühe Lektüre ist zwar sehr wahrscheinlich, aber nicht nachweisbar.

Thomas Manns Angaben, er habe sich während der Niederschrift der *Buddenbrooks* an dem Beispiel Tolstois gestärkt, kann man ihm abnehmen, auch wenn nicht alle seine Erinnerungen zuverlässig sind. Ein Exzerpt aus *Anna Karenina* findet sich zwischen Buddenbrooks-Notizen;[80] daß er mit Tolstoi während der Niederschrift des Romans geradezu einen Kult getrieben hat, ist bezeugt.[81] Tolstois fiktive Welt enthüllt sowohl Adelshochmut als auch die begrenzten Wirkungen des Reformeifers, den Unwert gesellschaftlicher Konventionen wie die Verlassenheit des Individuums. Tolstois russischer Chauvinismus ist nicht kritiklos.[82] Lebensgläubigkeit und die religiöse Neigung einiger seiner Gestalten verhärten sich nicht zu greifbaren Ideologien, jedenfalls nicht in den großen Romanen, die Thomas Mann damals las, *Krieg und Frieden* und *Anna Karenina*. Thomas Mann nennt auch Turgenjew als frühe Lektüre, die *Buddenbrooks* beeinflußt habe.[83] Die Skepsis dieses ideologisch großzügigen liberalen Russen könnte als ein Gegengewicht gegen die antimodernen Tendenzen in Tolstoi gewirkt haben.

Thomas Mann nahm engagiert liberale Einflüsse aus der skandinavischen Literatur auf, norwegische Romane von Alexander Kielland und Jonas Lie und, als historische Quelle, Georg Brandes' *Hauptströmungen der Litteratur des neunzehnten Jahrhunderts*.[84] Auf die norwegische Verbindung macht der Romantext aufmerksam. Morten Schwarzkopf hat einen norwegischen Vornamen. Dieser Morten sollte, wie die Notizen ausweisen, ursprünglich in der Handlung bleiben, als Arzt in Lübeck sich niederlassen und so in der Lage sein, über den Verfall von Kaufmannsfamilien im allgemeinen und über den Senator im besonderen seine Kommentare abzugeben.[85] Er hätte also strukturell eine wesentlich wichtigere Rolle spielen sollen. Darauf hat der Autor verzichtet. Statt dessen hat er Tony ihre unverarbeiteten Erinnerungen an Mortens Liberalismus gegeben.[86] Man darf diesen Zug nicht unterschätzen. Zwar wirkt Mortens burschenschaftliche Parteilichkeit komisch, wenn er seinem Gerippe in seiner Göttinger Studentenbude eine Polizistenuniform angezogen hat und sein Vater das nicht erfahren darf. Diese Komik ist gegen Mortens vorsichtige Parteilichkeit gerichtet, die Unangemessenheit von Tonys Erinnerungen wiederum gegen ihren konservativen Familienkult.

Politisch führt diese Ideologiefeindschaft dazu, daß der Roman auf beiden Schultern tragen will. Die Kritik an der verpreußten und autoritären Schule gibt sich konservativ. Sie orientiert sich an dem früheren Zustand, als dort „Gutmütigkeit, Gemüt, Heiterkeit, Wohlwollen und Behagen" herrschten.[87] Wie im Falle Tonys geht die Kritik zurück auf den Entzug von Liebe. Die nationalliberalen Bürger werden dem neutralisierenden Humor des Erzählers ausgesetzt:

> Gesetzte, graubärtige und höchlichst verdiente Bürger stießen mit dem Gesichtsausdruck unerschütterlich nationalliberaler Gesinnung ihre Spazierstöcke vor sich her . . .[88]

Lächerlicher noch ist der Bismarck-Anhänger und Zeichenlehrer Drägemüller mit seinem „Haß" und seiner „Furcht" vor der Sozialdemokratie.[89]

Die Liberalität der *Buddenbrooks* ist nicht optimistisch. Der Roman zeigt, wie Konventionen der bürgerlichen Gesellschaft dazu führen können, Liebe zu unterdrücken oder in Ersatzreligionen fehlzuleiten. Wie ein großer Teil der Literatur, die unter dem Einfluß des Lebenskultes und des Symbolismus entstand, bietet das Werk sich selbst als Zugang zum vollen Leben, zur emotionalen Erfüllung des Menschseins an, warnt aber zugleich vor den halben Erfüllungen, den Ersatzreligionen, Weltanschauungen, dem Dilettantismus und dem ästhetischen Rollenspiel. Der Roman verlockt zur künstlerischen Überlegenheit und warnt vor der Kunst als Flucht und bloßem Trost.

Buddenbrooks ist das Werk eines jungen Bürgers, der aus dem produktiven Bürgertum geflohen war. Er benutzte die Umwelt seiner Herkunft, für seine Intention umgemodelt, als Material für die Darstellung dessen, was er verlassen hatte. Seine Flucht war ihm Schuld und Befreiung. Das Recht auf befreiende Überlegenheit über die lieblose soziale Welt glaubte er sich erworben zu haben durch sorgfältige Arbeit, durch die Ordnung von Motiven zu einer sinnvollen Struktur, die den Verfall einer Familie sinnfällig anschaulich macht. Der Realismus des Werkes ist seine Fähigkeit, mit dem bürgerlichen Leser zu kommunizieren, zu ihm durch seine Welt zu sprechen. Thomas Mann brachte seinen Nihilismus, den Zweifel über den Wert der bürgerlichen Gesellschaft, der er sich verweigert hatte, die Frage ·„was ist das?" in ein stimmiges Werk ein. Damit erfüllte er freilich doch eine bürgerliche Forderung, die der Produktivität, gerade die Forderung, vor der die Buddenbrooksfamilie versagt. Der große Erfolg des Werkes nahm seinen Autor in das Bürgertum zurück.

Anmerkungen

1 Thomas Mann, *Gesammelte Werke* (Frankfurt a.M.: S. Fischer, 1965/1974), I, 9. Diese Ausgabe wird von jetzt an nur mit Band und Seitenzahl zitiert.

2 Peter de Mendelssohn, *Der Zauberer: Das Leben des deutschen Schriftstellers Thomas Mann. Erster Teil 1875-1918* (Frankfurt a.M.: S. Fischer, 1975), S. 309. Vgl. Helmut Koopmann, *Die Entwicklung des 'intellektualen Romans' bei Thomas Mann* (Bonn: Bouvier, 1962), S. 85ff.; Eberhard Lämmert, „Thomas Mann − 'Buddenbrooks' ", in: Benno von Wiese (Hrsg.), *Der deutsche Roman vom Barock bis zur Gegenwart* (Düsseldorf: Bagel, 1965) II, 190-233.

3 I, 9-12. Hellmuth Petriconi, „'Verfall einer Familie' und Höllensturz eines Reiches", in: H.P., *Das Reich des Untergangs* (Hamburg: Hoffmann und Campe, 1958), S. 151f., erklärt diesen Anfang als dem Vorbild des Romans *Renée Mauperin* der Brüder Goncourt folgend. Werner Frizen, *Zaubertrank der Metaphysik* (Frankfurt a.M.: Peter D. Lang, 1980) S. 479, Anm. 7, weist auf Fontanes *Ellernklipp* als Vorbild hin. Tatsächlich mögen das Anregungen gewesen sein, aber die Stelle hat im Kontext der *Buddenbrooks* ihre ganz eigene Bedeutung.

4 Vgl. Gunter Reiss, *'Allegorisierung' und moderne Erzählkunst: Eine Studie zum Werk Thomas Manns* (München: Fink, 1970). Das Begriffsschema, in dem Reiss den ambivalenten Realismus Thomas Manns einzufangen sucht, überzeugt mich nicht.

5 I, 227.

6 I, 53f.

7 I, 115.

8 I, 148.

9 I, 218.

10 I, 232.

11 I, 148f.

12 I, 758.

13 I, 308; vgl. I, 653.
14 Vgl. I, 276f.
15 Zum Verhältnis Thomas – Christian vgl. Hans Rudolf Vaget, „Der Asket und der Komödiant: Die Brüder Buddenbrooks" *MLN*, 97, 1982, 656-670.
16 I, 358f.
17 I, 666f.
18 I, 659.
19 I, 673. – Auch der Kontext ist zu beachten. Mit dem Lebenskampf der Fische konstrastieren Menschen, die sich auf der Straße selbst darstellen, darunter Bürger „mit dem Gesichtsausdruck unerschütterlich nationalliberaler Gesinnung".
20 I, 26.
21 I, 680-681.
22 I, 747f.; vgl. I, 744.
23 I, 728-733.
24 Zum Dekadenzbegriff vgl. Wolfdietrich Rasch, „Die Darstellung des Untergangs: Zur literarischen Décadence", *Jahrbuch der Deutschen Schillergesellschaft*, 25, 1981, 414-434.
25 I, 743.
26 I, 520.
27 I, 623f. Hanno begleitet dieses Märchen mit Musik. Die Musik ist hier in eine Produktion integriert, im Gegensatz zu Hannos Phantasien, die Flucht aus dem Leben sind.
28 I, 721.
29 I, 750. Vgl. Helmut Koopmann, *Die Entwicklung des 'intellektualen Romans'* (siehe Anm. 2), S. 130f.
30 Vgl. die Kritik an dem Verfallsthema, das er ganz auf Nietzsche zurückführt, bei T.J. Reed, *Thomas Mann: The Uses of Tradition* (Oxford: Clarendon, 1974), S. 48-50. Reeds Interpretation des Romans (S. 37-85) behandelt ihn als realistischen (S. 50: „*Buddenbrooks* is in a sense a triumph of matter over mind."). Ich kann Reed zwar nicht im ganzen zustimmen, weise aber auf seine hervorragend intelligenten Beobachtungen hin.
31 I, 18.
32 I, 77.
33 I, 512.
34 I, 625.
35 I, 24f.
36 I, 744.
37 I, 241.
38 I, 754.
39 I, 37f.
40 I, 56f.
41 I, 432.
42 I, 579f.
43 I, 758.
44 Hagenströms werden als schlechte Bourgeois gesehen in der Interpretation von Georg Lukács, „Auf der Suche nach dem Bürger", in: G.L., *Thomas Mann*, (Berlin: Aufbau, 1949), Vgl. Ernest M. Wolf, „Hagenströms: The Rival Family in Thomas Mann's *Buddenbrooks, German Studies Review*, 5, 1982, 35-55.
45 Z.B.I, 599.

46 I, 409.

47 Die bequeme Gleichsetzung widerlegte Jürgen Kuczynski mit marxistisch-ökonomischen Argumenten. „Die Wahrheit, das Typische und die 'Buddenbrooks'" *Jahrbuch für Wirtschaftsgeschichte* 1963, (Berlin: Akademie Verlag, 1964), S. 11-36. Auch in: J.K., *Gestalten und Werke* (Berlin: Aufbau Verlag, 1969), S. 246-279. Seitdem gibt es differenzierte *Buddenbrooks'*-Interpretationen in der DDR. Z.B. Inge Diersen, *Thomas Mann. Episches Werk, Weltanschauung, Leben* (Berlin: Aufbau, 1975), S. 22-52; Fritz Hofmann in Klaus Hermsdorf (Hrsg.), *Das erzählerische Werk Thomas Manns* (Berlin: Aufbau, 1976), S. 9-59. Siehe auch Michael Zeller, *Bürger oder Bourgeois? Eine literatursoziologische Studie zu Thomas Manns 'Buddenbrooks' und Heinrich Manns 'Im Schlaraffenland'* (Stuttgart: Klett, 1976). Aus dieser Arbeit wie aus Zellers Dissertation *Väter und Söhne bei Thomas Mann* (Bonn: Grundmann, 1974) ergibt sich, wie unangemessen es ist, wenn man Romane an ihrer historischen oder soziologischen Stimmigkeit mißt, schon deswegen, weil weder die Soziologie noch die Geschichtsschreibung die Wirklichkeit erreichen. Historisch ist die Romanfiktion als Antwort auf historisch-soziale Herausforderungen, nicht als Wiedergabe.

48 Vgl. Helmut Koopmann „Väter und Söhne", in: H.K., *Thomas Mann: Konstanten seines literarischen Werks* (Göttingen: Vandenhoeck und Ruprecht, 1975), S. 7-22, der den Generationsgegensatz für das eigentliche Thema des Romans hält.

49 Diese Interpretation u.a. bei Helmut Koopmann, *Die Entwicklung des 'intellektualen Romans'* (siehe Anm. 2), S. 111, 129f.; Peter de Mendelssohn, „Nachbemerkungen des Herausgebers", in: Thomas Mann, *Buddenbrooks*, Frankfurter Ausgabe (Frankfurt a.M.: S. Fischer, 1981), S. 801f. – Peter Pütz, „Die Stufen des Bewußtseins bei Schopenhauer und den Buddenbrooks", in: Beda Allemann u.a. (Hrsg.), *Teilnahme und Spiegelung: Festschrift für Horst Rüdiger* (Berlin: de Gruyter, 1975), S. 443-452, übernimmt diese Deutung, setzt sie allerdings gegen das Hegel-Schema ab.

50 I, 652.

51 I, 29. Vgl. Klaus Schröter, *Thomas Mann* (Reinbek: Rowohlt, 1964), S. 49.

52 I, 73.

53 I, 30.

54 I, 31f.

55 Thomas Mann, *Briefe an Otto Grautoff 1894-1901 und Ida Boy-Ed 1903 - 1928*, hrsg. v. Peter de Mendelssohn (Frankfurt a.M.: S. Fischer, 1975), S. 96.

56 Peter de Mendelssohn, *Der Zauberer*, S. 275f. Siehe Hans Wysling, „Thomas Manns Goethe-Nachfolge", *Jahrbuch des freien deutschen Hochstifts*, 1978, 504-507.

57 Hans Wysling (siehe Anm. 56), S. 505. Mendelssohn, *Der Zauberer*, S. 275. Herbert Lehnert, *Thomas Mann: Fiktion, Mythos, Religion* (Stuttgart: Kohlhammer, 1965), S. 53f. Die Lesungen weichen voneinander ab. Text hier nach Wysling.

58 *Briefe an Grautoff* . . ., S. 96.

59 *Briefe an Grautoff* . . ., S. 76f.

60 Thomas-Mann-Archiv der E.T.H. Zürich. Notizbuch 2, S. 29.

61 Peter de Mendelssohn, *Der Zauberer*, S. 175. Die Unterscheidung von Dekadenz-Ästhetik und klassischer aus Nietzsches *Der Fall Wagner* (II, 936).

62 Siehe Hans Vaget, „Intertextualität im Frühwerk Thomas Manns", *Zeitschrift für deutsche Philologie*, 101, 1982, 207, Anm. 33.
63 XI, 711-713; siehe Herbert Lehnert, *Thomas Mann; Fiktion . . .*, S. 14-18.
64 Siehe Volkmar Hansen, *Thomas Manns Heine-Rezeption* (Hamburg: Hoffmann und Campe, 1975), S. 51-71.
65 Zur Affinität von Nietzsches Perspektivismus und Thomas Manns Werk siehe Peter Pütz, *Kunst und Künstlerexistenz bei Nietzsche und Thomas Mann: Zum Problem des ästhetischen Perspektivismus in der Moderne* (Bonn: Bouvier, 1963). Siehe auch Peter Pütz, „Thomas Mann und Nietzsche", in: Peter Pütz (Hrsg.), *Thomas Mann und die Tradition* (Frankfurt a.M. Athenäum, 1971), S. 225-249.
66 Vgl. Hans Rudolf Vaget, „Thomas Mann und Wagner: Zur Funktion des Leitmotivs in *Der Ring des Nibelungen* und *Buddenbrooks"*, in: Steven Scher (Hrsg.), *Literatur und Musik* (Berlin: Erich Schmidt, [noch nicht erschienen], Uwe Ebel, „Welthaftigkeit als Welthaltigkeit: Zum Verhältnis von mimetischem und poetischem Anspruch in Thomas Manns 'Buddenbrooks', in: *Text und Kontext*, Sonderreihe, Bd. 2, Gedenkschrift für Thomas Mann, hrsg. v. Rolf Wiecker (Kopenhagen, 1975), S. 9-52.
67 Siehe Werner Frizen, *Zaubertrank der Metaphysik: Quellenkritische Überlegungen im Umkreis der Schopenhauer-Rezeption Thomas Manns* (siehe Anm. 3), bes. S. 38-133.
68 Arthur Schopenhauer, *Sämtliche Werke*, Großherzog-Wilhelm-Ernst-Ausgabe, hrsg. v. Eduard Grisebach (Leipzig: Insel, [1905]), II, 1153.
69 Schopenhauer, I, 358.
70 Friedrich Nietzsche, *Werke in drei Bänden*, hrsg. v. Karl Schlechta (München: Hanser), II (1955), 229. Die Stelle ist in Thomas Manns Exemplar der Naumann-Ausgabe, die er 1896 anschaffte (Vermerk Thomas Manns in der Ausgabe) angestrichen. Das Exemplar ist im Thomas-Mann-Archiv Zürich.
71 Nietzsche, II, 911.
72 Nietzsche, II, 924.
73 Vgl. Nietzsche, II, 850: „Schauspieler des Geistes".
74 Notizbuch 1, S. 24 (1894); Mendelssohn, *Der Zauberer*, S. 183.
75 Mendelssohn, *Der Zauberer*, S. 218f. Aus: *Das Zwanzigste Jahrhundert*, Juni 1896.
76 Vgl. Herbert Lehnert, *Thomas Mann: Fiktion . . .*, S. 31. Mit leicht abweichender Lesung auch zitiert bei Mendelssohn, *Der Zauberer*, S. 219. Das Nietzsche-Zitat aus *Also sprach Zarathustra*, Nietzsche, II, 552.
77 Hans Wysling u. Marianne Fischer (Hrsg.), *Dichter über ihre Dichtungen: Thomas Mann* (München u. Frankfurt a.M.: Heimeran u. S. Fischer), I (1975), S. 65, 66, 70, 102 u.a. – Vgl. Klaus Matthias, „'Renée Mauperin' und 'Buddenbrooks'. Über eine literarische Beziehung im Bereich der Rezeption französischer Literatur durch die Brüder Mann", *MLN*, 90, 1975, 371-417.
78 Vgl. Peter de Mendelssohn, „Nachbemerkungen des Herausgebers", in: Thomas Mann, *Buddenbrooks*, Frankfurter Ausgabe (Frankfurt a.M.: S. Fischer, 1981), S. 804f.; Hubert Ohl, „Verantwortungslose Ungebundenheit': Thomas Mann und Fontane", in: Beatrix Bludau u.a. (Hrsg.), *Thomas Mann 1875-1975* (Frankfurt a.M.: S. Fischer, 1977), S. 331-348; Zur frühen Rezeption Fontanes siehe Hans Rudolf Vaget, „Thomas Mann und Theodor Fontane: Eine rezeptionsästhetische Studie zu 'Der kleine Herr Friedemann' ", *MLN*, 90, 1975, 448-471. Fon-

tanes Kunst epischer Integration war sicher ein Vorbild für Thomas Mann, vgl. Hermann Meyer, *Das Zitat in der Erzählkunst* (Stuttgart: Metzler, 1961), S. 155-185. Zum „Darüberstehen" bei Fontane vgl. Katharina Mommsen, *Gesellschaftskritik bei Fontane und Thomas Mann* (Heidelberg: Stiehm, 1973), S. 46-56.

79 Ich benutze den Begriff nicht, weil er durch eine ihn komplizierende Literatur belastet ist. Außerdem ist der Begriff Humor nicht mit bestimmten Absichten der Rede verbunden, wie die uneigentliche Rede der Ironie.

80 Mendelssohn, *Der Zauberer*, S. 324.

81 Ebd., S. 349 (Arthur Holitscher).

82 André Banuls, „Thomas Mann und die russische Literatur", in: Beatrix Bludau u.a. (Hrsg.), *Thomas Mann* (siehe Anm. 78), S. 403, macht auf eine Kritik Heinrich Manns von 1892 aufmerksam, die sich gegen Tolstois Chauvinismus richtete, aber trotzdem Tolstoi rühmte.

83 *Dichter über ihre Dichtungen*, I, 101 u.a.

84 Siehe Uwe Ebel, *Rezeption und Integration skandinavischer Literatur in Thomas Manns 'Buddenbrooks'* (Neumünster: Wachholtz, 1974). Ebels breite Darstellung überzeugt nicht überall gleich; es darf aber als sicher gelten, daß Thomas Mann Brandes als eine der historischen Quellen benutzte, daß er die norwegischen Romane kannte und daß sie auf *Buddenbrooks* einwirkten. Zwar ist die frühere Ausgabe der *Hauptströmungen* in Thomas Manns Besitz 1900 datiert, jedoch beweisen Erwähnungen und Lektürespuren in den frühen Notizbüchern und die Übernahme eines angeblich türkischen Sprichwortes in der Fassung der *Hauptströmungen* von 1883 (Ebel, S. 37) Benutzung der früheren Ausgabe (vielleicht von Heinrich Mann entliehen). Über Thomas Manns Brandes-Rezeption siehe Hans Joachim Sandberg, „Suggestibilität und Widerspruch: Thomas Manns Auseinandersetzung mit Brandes", *Nerthus*, 3, 1972, 119-163. Siehe dort das Thema des Rollenspiels in der Auseinandersetzung mit Brandes in einem Artikel aus dem *Zwanzigsten Jahrhundert* von 1896, S. 124-126. Dazu auch Herbert Lehnert, *Thomas Mann: Fiktion . . .*, S. 20-23. Ferner Sandberg, „Thomas Mann und Georg Brandes", in: Beatrix Bludau u.a. (Hrsg.), *Thomas Mann* (siehe Anm. 78), S. 285-306. Dieser Aufsatz behandelt im wesentlichen die Verarbeitung von Brandes in den *Betrachtungen eines Unpolitischen*. Sandberg betont die Flexibilität von Thomas Manns Positionen. Seine grundsätzlich konservativ bleibende Haltung in der Auseinandersetzung mit Brandes betont Sandbergs Vortrag „Tradition und/oder Fortschritt? Zum Problem der Wandlung Thomas Manns im Lichte der Brandes-Rezeption des Dichters", in: Hans Hertel u.a. (Hrsg.), *The Activist Critic, Orbis Litterarum*, Suppl. Nr. 5, 1980, 169-190.

85 Herbert Lehnert, *Thomas Mann: Fiktion . . .*, S. 67. Vgl. Mendelssohn, *Der Zauberer*, S. 316f.

86 U.a.I, 464f., 617.

87 I, 722; vgl. I, 68. – Die schwankenden Selbstinterpretationen Thomas Manns zu diesem Thema sind instruktiv. Siehe *Dichter über ihre Dichtungen*, I, 59 (XII, 238), I, 60f. (XII, 574); beide aus den *Betrachtungen eines Unpolitischen*. Vgl. auch *Dichter über ihre Dichtungen*, I, 63 (X, 852) und, noch 1947, XI, 554ff. (nicht in D. ü. D.).

88 I, 673.

89 I, 745f.

50

CHRISTOPH SIEGRIST

ROBERT WALSER: *DER GEHÜLFE (1907)*

„Alles in allem war es ein Bild
des zwanzigsten Jahrhunderts."[1]

Noch vor wenigen Jahren wäre, was heute selbstverständlich erscheint, undenkbar gewesen: daß *Der Gehülfe* zu dem Dutzend der bedeutendsten deutschsprachigen Romane in der ersten Hälfte des 20. Jahrhunderts gezählt und in einem Atemzuge mit den *Buddenbrooks* oder dem *Mann ohne Eigenschaften* genannt wird. Walsers Scheitern hat wesentlich mit seiner Nichtanerkennung als Romancier und der dadurch bedingten Abdrängung auf das Gebiet der kleinen Prosa zu tun gehabt. Dafür sprechen nicht nur Äußerungen des späten Walser,[2] sondern auch die Tatsache, daß er mehrmals Anläufe zur Bewältigung der repräsentativen epischen Großform unternommen hat: in seiner Berliner Zeit (1905-1913) sollen neben den veröffentlichten weitere drei Romane entstanden sein,[3] die ebenso verschollen sind wie später *Theodor*[4] und *Tobold*[5]. Schließlich legt der erst 1972 entschlüsselte mikrogrammisierte „Räuber"-Roman Zeugnis ab von Walsers stetem Bemühen um diese Gattung.

Walser debütierte als Schriftsteller 1904 mit der naiv-raffinierten Rollenprosa *Fritz Kochers Aufsätze*, die, obgleich im angesehenen Insel Verlag erschienen und mit Illustrationen seines bekannten Bruders Karl versehen, ein Mißerfolg wurde. Auf die begeisterte Befürwortung seines damaligen Lektors Christian Morgenstern verlegte darauf B. Cassirer drei in Berlin entstandene Romane: *Geschwister Tanner* (1907), *Der Gehülfe* (1908) und *Jakob von Gunten* (1909). Sie sind unter sich verbunden durch die Ähnlichkeit ihrer Hauptfiguren: junge Menschen mit Schwierigkeiten der Integration in die Gesellschaft. Den *Gehülfen* schrieb Walser auf eine Aufforderung des Scherl-Verlages zur Teilnahme an einem Wettbewerb in der unglaublich kurzen Zeit von sechs Wochen nieder — wie für ihn üblich, direkt in Reinschrift. Dennoch war Walser kein flüchtiger Schnellschreiber, sondern ein sehr kunstbewußter Autor, der offenbar seine Texte lange voraus disponierte, so daß sie im Augenblick der Niederschrift „fertig" waren; daraus auf genialische Spontaneität seines Produzierens zu schließen, wäre voreilig und unangemessen. Walser schickte sein Manuskript mit der kühnen Honorarforderung von achttausend Mark an Scherl, der es sofort retournierte, worauf es zu einer lautstarken, natürlich erfolglosen Auseinandersetzung mit dessen Direktor kam.[6] Daraufhin brachte Cassirer den Roman im Mai 1908 heraus.

Wie stets bei Walser ist Autobiographisches in hohem Ausmaß im Spiel. Dabei gilt es, sich vor einer eindimensionalen Identifizierung von Autor und Figur zu hüten, einer Gefahr, der allzuviele Interpreten erlegen sind und erliegen.

Zunächst einige Hinweise auf den autobiographischen Hintergrund:[7] Walser arbeitete 1903 ungefähr ein halbes Jahr lang als Angestellter des Maschineningenieurs Carl Dubler in Wädenswil. Die Familie, zu der vier Kinder gehörten, die die

gleichen Namen trugen wie im Roman, bewohnte die Villa „Zum Abendstern".
Dublers Erfindungen wurden mit eidgenössischen Patenten geschützt: 1902/3 eine
mit Reklameschildern versehene Uhr und ein „Verkaufsautomat für in Pakete ver-
packte Gegenstände", 1907 ein Krankenstuhl.[8] Walser verließ diese Stelle bereits
anfang 1904, weil der Konkurs Dublers unmittelbar bevorstand. Damit sind die
wesentlichen Handlungsmomente vorgegeben. Walser insistierte denn auch auf
dem Realitätsgehalt des Buches: „Der *Gehülfe* ist ein ganz und gar realistischer
Roman. Ich brauchte fast nichts zu erfinden. Das Leben hat das für mich be-
sorgt."[9] An anderer Stelle behauptet er sogar, der *Gehülfe* sei „ja eigentlich gar
kein Roman, [. . .] sondern nur ein Auszug aus dem schweizerischen täglichen
Leben."[10] Aus dieser Tatsache erwächst der Interpretation eine doppelte Aufgabe: sie hat den autobiographischen Gehalt auf seine gesellschaftliche Typik hin
zu befragen, darüber hinaus aber auch die Art und Weise seiner Darstellung, seiner erzählerischen Disposition zu analysieren; die sozialgeschichtliche Komponente muß durch eine formalanalytische ergänzt werden, soll der Text als Roman
ernstgenommen werden.

Der Roman stellt den „Verfall des Hauses"[11] des Geschäftsmannes Tobler dar,
gerafft in die Zeit von fünf Monaten, die sich vom hellen Sommer in den düstern
Winter hineinzieht in Analogie zum Geschehen, das aus der Perspektive des Angestellten Joseph Marti (Marti war der Mädchenname von Walsers Mutter) erzählt
wird. Diese Erzählperspektive unterscheidet den *Gehülfen* von der chroniaklisch-
auktorialen Erzählweise, mit der Thomas Mann den Niedergang der Familie Buddenbrook in breiter Abfolge von vier Generationen beschreibt. Eingespannt in den
Rahmen vom Antritt der Stelle an einem Hochsommertag und dem Verlassen des
Hauses am Neujahrsmorgen wird ein gut überblickbares und zeitlich begrenztes
Geschehen von episodischer Geschlossenheit entfaltet. Der Gehülfe (die Schreibweise stellt einen Helvetismus dar) ist aus einer Phase der Arbeitslosigkeit zu Tobler gekommen, wo er es sich für kurze Zeit gut gehen läßt (um welchen Preis,
wird gleich zu erörtern sein), bevor er wieder in die graue Welt sozialer Unsicherheit zurückgeworfen wird. Betrachten wir zunächst im Rahmen einer Inhaltsana-
lyse die soziale Konfiguration von Chef und Angestelltem, von Herr und Knecht,
wie sie sich im Roman darstellt.[12] Walser weiß genau, worüber er schreibt: er hat
eine kaufmännische Lehre absolviert und in häufigem Wechsel Bürostellen bekleidet. Die Welt des Commis hat er nicht nur im vorliegenden Roman, sondern
darüber hinaus in vielen Prosastücken eingehend geschildert.[13]

Zunehmende Arbeitsteilung und daraus resultierende komplexere Organisations-
strukturen bewirkten ein rasches Anwachsen des Verwaltungssektors nicht nur im
industriellen Produktionsbereich, sondern auch in den öffentlichen Institutionen.
S. Kracauer hat in seiner 1930 erschienenen Studie *Die Angestellten* diese sich
nach dem ersten Weltkrieg noch deutlicher ausprägende Tendenz mitsamt ihren
gesellschaftlichen Folgen deutlich gemacht. Walsers Erfahrungsbereich blieb allerdings gemäß dem gegenüber Deutschland zurückgebliebenen Entwicklungsstand
der Schweiz gleichsam „archaisch": der Angestellte wohnt noch im Hause des
Patrons. Mit dem späteren Typus des Angestellten teilt er zwar die ständige Angst
vor Entlassung und Deklassierung sowie die Zwischenstellung zwischen den Klas-

sen, doch unterscheidet er sich durch die persönliche Beziehung zu seinem Herrn. In den Schweizerischen Landgemeinden tradiert sich in Schwundform noch die soziale Organisationsform des „ganzen Hauses", der Einheit von Produktions- und Wohnsphäre.[14] Sie prägt insbesondere den bäuerlichen und handwerklichen Sektor und löst sich in einem allmählichen Prozeß auf, der im Verlaufe des 19. Jahrhunderts eine immer strengere Trennung von Wohnen und Arbeiten, von Privatheit und Produktion erzwingt. Die Arbeitsbedingungen im „ganzen Haus" sind weniger durch Lohnabhängigkeit als durch patriarchalische Verhältnisse gekennzeichnet: Naturalien (Wohnen, Essen, Kleidung) und Fürsorge bei Krankheit und Alter ersetzen weitgehend die Abgeltung der Arbeitsleistung durch Geld. Sowohl die familiäre wie die Produktionssphäre sind straff autoritär gegliedert, indem der „Herr des Hauses" über alle und alles bestimmt.

Solche Verhältnisse herrschen im wesentlichen noch in der Villa „Zum Abendstern" mit einer gewichtigen Ausnahme: im Hause wird nicht mehr direkt produziert; ein technisches Büro dient dem Entwerfen von Erfindungen, die als Prototypen auswärts realisiert werden. Denn um seine Erfindungen industriell zu produzieren und gewinnbringend zu verwerten, reicht die Kapitaldecke Toblers nicht aus (obgleich die Personalunion von Erfinder und Unternehmer in der Frühzeit des Kapitalismus durchaus geläufig ist). Deswegen muß er Interessenten suchen, welche bereit wären, Geld in seine Erfindungen zu investieren, und für den daraus erwachsenden Briefverkehr braucht er einen Angestellten. Dieser wird in einem hübschen Turmzimmer mit Seesicht einquartiert und genießt die stets gutbesetzte Familientafel. Auch seine Freizeit verbringt er größtenteils innerhalb des Hauses. Da Arbeits- und Wohnort identisch sind, ist eine grundsätzliche Trennung von Arbeit und Freizeit aufgehoben, Geschäftliches und Privates überschneiden sich. Sein Aufgabenbereich wird nie genau definiert: er fungiert nicht nur als Büroangestellter, sondern darüber hinaus als Hausdiener: er wird von der Hausfrau für Besorgungen verwendet, hält den Garten in Ordnung, ersetzt bei Einladungen den Kellner und hat für Kartenspiele zur Verfügung zu stehen – er war „ein richtiger Mann für alles."[15] Dieser Tatbestand wird im Roman folgendermaßen umschrieben: „Die Obliegenheiten eines Angestellten liegen in solch einem Haus weder ausdrücklich da noch ausdrücklich dort, sondern überall. Auch die Stunden der Pflichterfüllung sind keine exakt begrenzten, sondern erstrecken sich manchmal bis tief in die Nacht hinein, um bisweilen plötzlich mitten am Tag für eine Zeitlang aufzuhören."[16] Auch sonntags wird erwartet, daß er zur Verfügung stehe, und am Schluß kommt es deswegen zum Bruch, weil Marti nach einer durchzechten Silvesternacht den Neujahrsmorgen verschläft.

Daß dies keine Fiktionen Walsers sind, zeigt ein Blick auf die Sozialgeschichte: gemäß Statistik lebten in Wädenswil um 1900 noch 80-90% aller Lehrlinge in Hausgemeinschaft mit ihrem Meister. Sonntagsarbeit war die Regel, und die durchschnittliche Arbeitszeit eines Commis betrug über 15 Stunden pro Tag.[17] Aufgrund solcher Tatsachen und angesichts einer damals verbreiteten Arbeitslosigkeit verwundert es nicht weiter, daß der Gehülfe immer wieder betont, wie gut er es getroffen habe und sich immer wieder mangelnde Pflichterfüllung vorwirft. Er kennt die Kehrseite genau: „Ja, er kam aus den Tiefen der menschlichen

Gesellschaft her, aus den schattigen, schweigsamen, kargen Winkeln der Großstadt. Er hatte seit Monaten schlecht gegessen."[18] Tobler hatte bei der Einstellung betont, er brauche einen „Kopf", einen selbständig arbeitenden Angestellten; Marti dagegen begeht Fehler, ist in seinen Gedanken häufig abwesend, statt sich ganz auf die Geschäfte Toblers zu konzentrieren. Er macht sich Vorwürfe wegen seiner „Kopflosigkeit", die indes mitbedingt ist durch das Fehlen einer präzisen Aufgabenstellung. Walser spielt ein raffiniertes Spiel mit diesem Terminus der „Kopflosigkeit", der, wie stets bei ihm, in doppelter Optik gebrochen wird: er erscheint negativ konnotiert als Mangel an geschäftlichem Kalkül, andererseits positiv aufgeladen als eine Möglichkeit, den Zwängen des bürgerlichen Berufes zu entfliehen in einen Raum der Freiheit: „Und das Gedankenlose, wie notwendig! Jung sein, das irre, das müsse ohne Gedankentiefe reden und handeln, damit es ein Vorwärts gebe. Nach den Erfahrungen kämen immer noch Gedanken und Empfindungen genug, und ein langes Leben erdrücke nachher das Jugendleben."[19] Und an anderer Stelle: „[. . .] aber die Freiheit, die er, Joseph, meine, du liebe Zeit, das sei doch am Ende das Schicklichste und Schönste und enthalte unsterblichen Zauber."[20] Dennoch erreicht der Gehülfe diesen Status der Freiheit nur momentan und evasiv, er vermag seine Existenz nicht in ihrem Bereich fest zu etablieren. Andrerseits ist es ihm infolge der Verquickung von Arbeits- und Privatsphäre auch nicht möglich, in dieser die Frustrationen jener zu kompensieren. Eine Möglichkeit, den Ansprüchen seines „Kopfberufes" zu entrinnen, stellt die körperliche Arbeit dar, die ihn glücklich macht: „Nein, geistlos war er vielleicht keineswegs, das ist übrigens nicht so rasch irgendein gesundgeborener Mensch. Aber er hatte so etwas Körperbevorzugendes an sich."[21] Darunter fallen auch das Schwimmen und ganz besonders das Spazieren, die geheime Leidenschaft aller Walserschen Helden.

So weit tönt alles nach heiterer Idyllik;[22] doch bei näherem Zusehen zeigt sich ein Sprung, enthüllt sich eine Kehrseite, die dem Gehülfen selber immer deutlicher zum Bewußtsein kommt. Die Familie Tobler erscheint ihm als Wunschziel gesellschaftlicher Integration: „Wie hatte ihn das Bewußtsein, nirgends zu Hause zu sein, lähmen und innerlich würgen können. Wie schön war es, jemandem anzugehören, in Haß oder in Ungeduld, in Mißmut oder in Ergebenheit, in Liebe oder in Wehmut. Dieser Menschenzauber in solchen Heimstätten, wie war Joseph immer davon traurig entzückt gewesen! [. . .] Wie dufteten Ostern, Weihnachten oder Pfingsten oder das Neujahr zu solchen Fenstern heraus. [. . .] Dieses schöne Vorrecht der Bürgerlichen."[23] Dieses Wunschbild, das er sich wider eigentliches Wissen einredet, bleibt unerreichbar, da die Desintegration des Hauses sichtbarlich voranschreitet, da die Mittel zu seiner Aufrechterhaltung zunehmend fehlen. Das Herrschaftsverhältnis läßt sich nicht abbauen, er bleibt als Abhängiger dem guten Willen, ja den Launen seines Herrn ausgeliefert, welche ihn dieses zeitweilig vergessen lassen können, um es ihn alsbald umso schmerzlicher spüren zu lassen. Trotz aller Anpassung – und das heißt: trotz Verzichtes auf seine Identität – stellt sich kein gleichberechtigtes und persönliches Verhältnis ein, bleibt er als Angestellter Außenseiter, mehr oder weniger geduldet.

Walser verstärkt das gesellschaftliche Abhängigkeitsverhältnis durch ein psychologisches Moment: Tobler wird als Choleriker geschildert, der sich in seiner Doppel-
pelrolle als Familienvater und Unternehmer nicht wohl fühlt, weil er in beiden
versagt, sich das aber nicht eingestehen will, sondern die Schuld daran den Verhältnissen zuschiebt (woran wiederum ein Teil Wahrheit ist). Gleichzeitig entpuppt er sich jedoch als jovialer und gutmütiger Arbeitgeber und großzügiger Gast-
geber mit einer Leidenschaft für pompöse Festlichkeiten: entscheidend ist die Un-
stabilität seines Charakters, aus der dem Gehülfen immer wieder Gefahren erwachsen. All dies läßt an den Annehmlichkeiten des Hauses einen schalen Geschmack
zurück: „Aber erlauben Sie Ihrem Untergebenen, Ihnen zu sagen, daß es mir
recht peinlich ist, beständig an das gute Essen, an die prachtvolle Luft und an die
Betten und Kissen, in denen ich schlafe, erinnert zu werden. So etwas kann die
Luft, den Schlaf und das Essen beinahe vollständig verderben."[24]

Das Mißlingen der Integration hat einen weiteren Grund: Marti erhält für seine
Tätigkeit keinen Lohn (er ist ein „Lohnarbeiter ohne Lohn"[25]), was sein Gefühl
der Abhängigkeit verstärkt. Man hatte anfangs darüber nicht gesprochen, und später begann einfach das Geld zu fehlen. So bleibt es bei einem gelegentlichen Fünf-
frankenstück am Sonntag und bei einigen getragenen Kleidern Toblers. Daß der
Gehülfe trotz dieses Mangels ausharrt, hat mit seiner Sehnsucht nach Anschluß,
mit seiner Angst vor sozialer Unsicherheit und einer schwer erklärlichen Anhäng-
lichkeit an seinen Herrn zu tun. Tobler, ursprünglich selbst ein kleiner Angestellter, war durch Erbschaft in den Besitz eines Kapitals gelangt, das er dazu verwendete, sich selbständig zu machen; Voraussetzung dafür war ihm der Erwerb eines
eigenen Hauses: „Ein eigenes Heim! Dies ist der alleinige treibende Gedanke gewesen, der Tobler nach Bärenswil geführt hat. Das Heim kann stehen, wo es will,
wenn es nur ein eigenes ist. Tobler will ein freiverfügender und -bestimmender
Herr sein, und er ist es."[26] Die etwas protzige Villa „Zum Abendstern" verrät
gründerzeitliches Repräsentationsbedürfnis und Freude an feudalen Relikten. Im
Gegensatz dazu verbergen die reichen Bärenswiler sich diskret hinter alten Bäumen und schirmen ihren seit Generationen erworbenen soliden Reichtum vor
neugierigen Blicken ab. Im Gegensatz zu ihrem traditionellen Wirtschaftsethos
verkörpert Tobler den spekulativen Unternehmer der Gründerzeit, der schnell
reich werden will und etwas Parvenühaftes nicht verbergen kann; dabei bleibt er
dem kleinbürgerlichen Bewußtsein seines Herkommens verhaftet. Kein Wunder,
wird er von den Bärenswilern nicht anerkannt, und nur wenige lassen sich von
ihm einladen, bleiben aber sofort aus, als die finanziellen Schwierigkeiten sichtbar
werden.

Toblers Selbstbestimmung bezieht sich auf beide Funktionen im Haus: sie tritt
als väterliche Autorität wie als Befehlsgewalt über die Angestellten (neben dem
Gehülfen ist noch ein Hausmädchen da) auf. Innerhalb der Familie herrscht die
traditionelle Rollenteilung: während Tobler für die Geschäfte zuständig ist und
nach außen repräsentiert, führt Frau Tobler den Haushalt und erzieht die Kinder.
Beide versagen indes in ihren jeweiligen Aufgaben, weil ihre Ehe kein tragendes
Fundament dafür bietet. Nach außen hin scheinhaft funktionierend, leidet sie an
gegenseitigem Unverständnis, so daß sich beide frustriert fühlen. Auch hier ist der

Zwiespalt von Sein und Schein, die Doppelbödigkeit zu diagnostizieren, die das Toblersche Haus insgesamt prägt.

Toblers Versagen als Unternehmer darf indes nicht nur aus einem charakterlichen Mangel heraus erklärt werden als Folge von Großspurigkeit und mangelnder Realitätseinschätzung, es ist ebenso eine Folge seines Kapitalmangels. Mögen uns seine Erfindungen heute auch skurril anmuten, so hat Tobler doch die Zeichen der Zeit dahingehend erkannt, als er den Wert der Warenästhetik und die Bedeutung der Reklame in Rechnung setzt; seine Produkte sind nicht neu in dem, was sie leisten, sondern in ihrer Verbindung mit der Werbung. Ein Blick auf die Inseratenseiten damaliger Zeitungen kann rasch die Realitätsnähe auch dieses Moments erhärten.[27] Trotz dieser Zeitgemäßheit seiner Produkte gelingt es Tobler indes nicht, Geldgeber für deren Nutzung zu gewinnen, so daß sich die Tätigkeit des Gehülfen immer mehr auf das Abweisen von Gläubigern verlagert.

Je deutlicher nun Sein und Schein, „äußeres Gefüge und innerer Halt"[28] im „Abendstern" auseinanderzutreten beginnen, umso verzweifelter sucht Tobler diesen Riß zu kaschieren und seine bürgerliche Honorigkeit, an die seine Kreditwürdigkeit unmittelbar geknüpft ist, nach außen hin zu bewahren. Trotz verzweifelter finanzieller Situation läßt er das Kupferdach seines Turmes erneuern, ja sogar eine völlig nutzlose Gartengrotte errichten, die er mit einer lärmigen Festlichkeit einweiht. Aber weder gesellschaftliche Repräsentation noch hektische Aktivität vermögen die unbezahlten Rechnungen vergessen lassen. Reizbarer geworden, reagiert er auf die kleinsten Verstöße des Gehülfen: er beharrt auf Pünktlichkeit, als kaum mehr Arbeit vorliegt, auf Ordnung, als Unordnung schon längst seine Verhältnisse bestimmt: „Unordnung brauche deswegen, daß kein Geld da sei, noch lange nicht einzureißen. Das verbitte er sich."[29] Und: „Dieses Haus ist noch immer ein Haus und mein Haus, und wegen der Unsicherheit, in der er sich befindet, darf niemand mich zum Narren und Buben machen, am allerletzten mein Angestellter, dem ich Lohn auszahle, damit er zu leben hat."[30] Die sittliche Entrüstung soll von der Tatsache ablenken, daß der Ruin unabwendbar geworden ist. Damit ist auch die Legitimität seiner Autorität angeschlagen, seinem Herrschaftsanspruch der Boden entzogen. Daß sich der Gehülfe trotzdem weiterhin dieser unterwirft, hat mit der Fixierung an diese Herrschaft zu tun, mit einem Unterwerfungsbedürfnis, das aus der mißglückten Selbstrealisierung stammt.

Die Doppelbödigkeit der Toblerschen Moral erweist sich auch im Verhältnis zu Martis Vorgänger: den tüchtigen Wirsich hatte er fristlos entlassen, weil er ein Verhältnis mit dem Dienstmädchen unterhielt und sich im Rausch gegen Tobler aufgelehnt hatte. Solche Verletzung bürgerlichen Anstandes glaubte Tobler von seinem Hause fernhalten zu können durch ihre Verbannung nach „außen". (So gibt er auch dem Gehülfen augenzwinkernd den Ratschlag, wenn er gewisse Bedürfnisse verspüre – die Tabuisierung verbietet es ihm, diese beim Namen zu nennen – sie außerhalb, in der entfernten Stadt zu befriedigen.[31]) Nur mit Hilfe von Verdrängung vermag er scheinbar den Wohlstand seines Hauses zu bewahren, obgleich dieser längst ökonomisch ausgehöhlt ist. Wie sehr Tobler einer verlogenen Doppelmoral anhängt, beweist die Tatsache, daß er sich einem ähnlichen alkoholischen Exzeß hingibt, weswegen er Wirsich weggejagt hatte. In der gespannten

Atmosphäre des nahenden Untergangs verraten die Kindsmißhandlungen und die zunehmenden Streitereien zwischen den Ehepartnern das Aufbrechen der nach außen demonstrierten Harmonie.

Je stärker Tobler in Abhängigkeit gerät von Geldgebern, desto fragwürdiger wird seine Autorität. Dennoch, obgleich er das Fehlen der Legitimation bemerkt, anerkennt ihn Marti weiter als seinen Herrn. Er hat seine Rolle verinnerlicht aus einem Unterwerfungsbedürfnis heraus, dem ein masochistisches Moment eingeschrieben ist; es handelt sich insgesamt um ein ambivalentes, gar widersprüchliches Empfindungsgeflecht: „Er bemitleidete Tobler, er verachtete ihn, und er fürchtete sich gleichzeitig vor ihm. Das waren drei sehr häßliche Empfindungen, eine wie die andere natürlich, aber auch ungerecht. Was veranlaßte ihn, nun noch länger der Angestellte dieses Mannes zu bleiben? Der Gehalt-Rückstand? Ja, das auch. Aber es war noch etwas ganz anderes, etwas Wichtigeres: er liebte aus dem Grund seines Herzens diesen Menschen. Die reine Farbe dieser einen Empfindung machte die Flecken der drei andern vergessen. Und wegen dieser einen Empfindung waren auch die andern drei immer, beinahe von Anfang an, gewesen, und umso lebhafter."[32]

Von ähnlicher Widersprüchlichkeit ist Martis Verhältnis zu Frau Tobler gekennzeichnet, mit der ihn eine unterschwellig erotische Beziehung verbindet, die er jedoch von anfang an sublimierend umdeutet, indem er sie als seine unerreichbare Herrin entfernt, sich als ihren Diener erniedrigt. Und ambivalent verhält er sich auch zu den Kindern. Dieses spannungsvolle Beziehungsgeflecht, verbunden mit einem vagen Pflichtgefühl, hält den Gehülfen in dem Hause fest auch dann noch, als kaum noch Arbeit anliegt und die Atmosphäre immer gereizter wird. Da braucht es dann nur wenig, um einen Konflikt ausbrechen zu lassen: Toblers Beschimpfung am Neujahrsmorgen, als Marti nach einer mit seinem Vorgänger durchzechten Nacht zu spät im Büro auftaucht, bewirkt eine sofortige Kündigung durch Marti, der nur seine Ehre (erneut macht er sich damit etwas vor) bewahren zu können glaubt.

Der Roman endet somit genau an dem Ort, wo er begonnen: vor dem Tor der Villa „Zum Abendstern". Nur daß es jetzt statt aufwärts in die vermeintliche bürgerliche Anerkennung abwärts und zurück geht in die sozialen Niederungen des Arbeitslosendaseins in der Großstadt. Der Gehülfe befindet sich in Begleitung von Wirsich, dem er zu helfen sucht, obgleich dem Trinker nicht mehr zu helfen ist. In Walsers Romanen spielt die Solidarität der Deklassierten nur eine marginale Rolle, und sie funktioniert nur im Rahmen des persönlichen Engagements, nicht als organisierte, so daß dem Roman eine direkte politische Dimension fehlt, die ja in der Diskussion mit der ehemaligen Sozialistin Klara ausdrücklich verabschiedet wird.[33] Der Gehülfe vermag die Ursachen seiner Entfremdung nicht zu durchschauen, er faßt sie vielmehr als naturhaften, unabänderlichen Prozeß auf, gegen den er einzig ein moralisches Pflichtpostulat zu mobilisieren vermag. Daß Anfang und Ende zusammenfallen, weist auf ein weiteres Moment: die Entwicklungslosigkeit des Gehülfen. Dieser lebt in einem permanenten Provisorium, sich sehnend nach Integration und Sicherheit, diese aber zugleich als einengend fürchtend. Er vermag sich keinem konsistenten Lebensplan auszusetzen, läßt sich treiben und vermag sich selbst nicht zu verwirklichen, da seine Selbstentfremdung durch die Abhängigkeit aufrechterhalten bleibt. Das Herr-Knecht-Verhältnis entfaltet keinerlei Dynamik, beide verharren in ihren Rollen, es besteht keinerlei Aussicht auf Befreiung – die Kündigung führt nur ins Abseits. So ist der Gehülfe am Ende am selben Punkt angelangt, ohne Zuhause, ein Deklassierter, aber kein Verzweifelter – der Schluß hält sich in der Schwebe zwischen Optimismus und Pessimismus.

Mit der Beschränkung auf die Schilderung des einheitlichen Handlungszusammenhangs – Verfall des Hauses Tobler – bildet *Der Gehülfe* den einheitlichsten und realistischsten der drei Berliner Romane, der zudem am stärksten mit den Lesererwartungen an das Genre übereinstimmt. Doch sehen wir jetzt zu, wie dieses Geschehen erzählt wird. Deckt sich in *Geschwister Tanner* der Erzählerstandpunkt weitgehend mit der Perspektive der Hauptfigur Simon, so wählt Walser für den *Jakob von Gunten* die Tagebuchform, in deren Icherzählen die personale Perspektive ihr angemessenes Darstellungsmedium findet. Im *Gehülfen* dagegen fehlt eine eindeutige Erzählperspektive: zwar dominiert der Eindruck eines personalen Erzählens, das alles Geschehen aus der Sicht des Gehülfen schildert. Doch unübersehbar sind ihm Signale auktorialen Erzählens eingeschrieben: nicht nur in der Tatsache, daß Episoden erzählt werden, bei denen der Gehülfe gar nicht anwesend ist, daß Vorausdeutungen angeführt werden, in denen sich das überlegene Erzählerwissen manifestiert, auch deutlich kommentierende Passagen sind auszumachen, welche eine Anwesenheit des Erzählers markieren. Dennoch steckt im wesentlichen der Gesichtskreis des Gehülfen den Umkreis des Erzählten ab. Das Vorherrschen des personalen Erzählens äußert sich vornehmlich in den zahlreichen Reflexionen, mit denen der Gehülfe, sein Inneres preisgebend, das Geschehen begleitet. Die Formel „dachte er" ist häufig, doch gehören auch die erlebte Rede und – seltener – der innere Monolog zu ihren Kennzeichen. Daß sie aber nur scheinhaft personal, in Wirklichkeit auktorial gesteuert sind, macht den *Gehülfen* zum Roman des entfremdeten Bewußtseins. Denn die Teilnahmemöglichkeit am Bewußtsein der Hauptfigur wird immer durch den Erzähler vermittelt, sie ist nicht unmittelbar. Eine Formulierung wie: „ungefähr das waren Josephs eigene Gedanken, als er am Montagmorgen früh im Bett erwachte"[34] weist genau auf diesen Sachverhalt hin: im „ungefähr" verbirgt sich der gestaltende Anteil des Erzählers, der allerdings nie persönliche Umrisse erkennen läßt, sondern nur als Funktion deutliche Kontur annimmt. So bleibt zwischen Erzähler- und Figurenperspektive stets eine Differenz, sie stehen in einer variablen Distanz zueinander, die von identifikatorischer Annäherung umvermerkt zu auktorialer Distanzierung, ja zu kritischer Einschätzung hinüberwechselt.

Die stetige Doppelheit der Erzählperspektive macht die Besonderheit dieses Romans aus; bis in die Mikrostrukturen des Einzelsatzes hinein läßt sich das subtile Spiel gleitender Übergänge und wechselnder Distanzen und Perspektiven verfolgen, aus dem eine spezifische, schwer zu beschreibende Ironie resultiert, deren Geltungsbereich L. Rüsch folgendermaßen bestimmt: „Epische Ironie ist auf jeder Ebene der Romanstruktur denkbar: angefangen bei der Wortwahl über die syntagmatische Konstruktion, die perspektivische Gliederung bis hin zu den Beziehungen von Figuren und Motiven."[35] Sie verhindert eine Letztgültigkeit aller

Aussagen, stellt sie vielmehr wechselseitig in Frage und überläßt die Beurteilung ihres Wertes dem Leser.

Ein überlegener Erzähler rückt die Hauptfigur ins Zentrum und erzählt scheinbar aus deren Erfahrungsbereich heraus. Die übrigen Figuren werden ihr gegenüber zurückgebunden, meist aus ihrer Optik geschildert. Doch gelegentlich stattet der Erzähler auch eine von ihnen mit einer Innensicht aus, was K. Wagner in einer Analyse einer Szene mit Frau Tobler nachgewiesen hat.[36] Die dominierende Perspektive des Gehülfen herrscht andererseits nicht unangefochten, sondern wird durch den Erzähler relativiert und in Frage gestellt (Fragen bilden ebenso wie die verunsichernden „vielleicht" und das Hilfsverbum „scheinen" von Walser bevorzugte Möglichkeiten der Zurücknahme von Gesagtem), gar kritisiert. Damit soll dem Leser auch die Fragwürdigkeit des Verhaltens und der Ansichten des Gehülfen ins Bedenken gegeben werden.

Die doppelte Perspektive (die auf der formalen Ebene die Herr-Knecht-Struktur widerspiegelt: auktorial distanzierter Bericht und monologische Innensicht stehen sich in diesem Erzählen gegenüber) wird ferner am Tempusgebrauch deutlich: vorherrschend ist der Eindruck präsentischer Unmittelbarkeit, die hauptsächlich durch die häufigen direkten Reden hervorgerufen wird; auch einzelne Beschreibungen sind im Präsens gehalten, während die Handlung im üblichen epischen Präteritum erzählt wird. Aber entsprechend Walsers Technik der gleitenden Übergänge (wäre hier eine strukturelle Analogie zu ornamentalen Verfahren des Jugendstils zu sehen?) erfolgt dabei der Wechsel innerhalb kleinster Einheiten.

Diese Art des Erzählens vermeidet direkte Belehrung: Walser bietet seinem Leser ein Ensemble von Denk- und Wahrnehmungspositionen an, ohne ihm die Verbindlichkeit einer einzigen aufzuzwingen, wie er offenläßt, ob über den Gehülfen erzählt werde, oder ob dieser sich selber darstelle. Er versteht sich nicht als Besser-, geschweige denn als Alleswisser, will den Leser nicht mit der Allüre des Überlegenen demütigen, der das Richtige vor-schreibt. Vielmehr enttäuscht er immer wieder jene Lesererwartungen, die auf Eindeutigkeit ausgerichtet sind, indem er sie mit Hilfe spezifischer Verunsicherungstechniken auf ihre eigene Meinungsbildung zurückverweist. In dieser Aktivierung des Lesers durch die Verweigerung einer abschließenden Wahrheit enthüllt der Text ein Moment von Modernität, das allerdings nicht kühn und selbstbewußt auftritt, sondern sich vielmehr treuherzig-verschmitzt gibt. Die leise erzählerische Raffinesse, die sich so naiv zu geben weiß, hat bereits Albin Zollinger namhaft gemacht als die Besonderheit dieses Autors. Sie bildet wohl einen Hauptgrund für Walsers Schwierigkeit, sich bei einem größeren Lesepublikum durchzusetzen, das ungern auf die Leitung durch einen omnipotenten Erzähler verzichtet. An der Tatsache, daß Walser immer nur eine relativ kleine Zahl von Lesern zu faszinieren vermochte (diese aber gänzlich!), scheint sich auch nach seiner Promotion durch einen finanz- und werbemächtigen Verlag wenig ändern zu wollen: er eignet sich nicht zum Klassiker, bleibt im subversiven Abseits.

Die Verweigerung einer eindeutigen Lösung im offengelassenen Schluß beweist, daß Walser sich falscher Harmonisierung verschließt; der Verzicht auf ein happy end entspricht genauer der sozialen Wirklichkeit, welche die Integration, den sozialen Aufstieg eines Deklassierten nur in den seltensten Fällen zuläßt. Damit markiert *Der Gehülfe* ein Ende jenes längst schon trivialisierten Ablegers des Bildungsromans, wie er uns etwa in Gustav Freytags *Soll und Haben* entgegentritt, wo optimistisch das Gelingen sozialen Aufstiegs durch Leistung und moralische Bewährung verkündet wird, eine Botschaft, die von einer riesigen Lesergemeinde begierig aufgenommen wurde. Der offene Schluß korrespondiert mit jenem Verzicht auf autoritär vermittelte, den Leser gängelnde Ansichten; der Erzähler spricht seinen Leser als emanzipierten Partner und nicht als unmündig-passiven Konsumenten an.

Herr wie Knecht stehen am Schluß als Gescheiterte da. Obgleich die Sympathien eindeutig auf den Knecht konzentriert werden, stellt der Erzähler Tobler nicht systematisch bloß, wie das in einer Satire der Fall wäre. Und auch die Sympathie Marti gegenüber ist nicht blind, weist der Erzähler doch immer wieder auf die Fragwürdigkeit von dessen Verhalten hin. Dennoch legt er die bis in die kleinsten psychischen Wahrnehmungen und Handlungsweisen hineinreichende Abhängigkeit deutlich bloß und beschönigt die Perspektivlosigkeit des Gehülfen nicht oder doch nur in dem Maße, als dieser sich selber etwas vormacht und seine Situation verkennt. Daß diese Erzählstruktur, die auf einer Enttäuschung der gewohnten Leserrolle basiert, zu Rezeptionsschwierigkeiten und zu sehr unterschiedlichen Einschätzungen (bis hin zu völligem Verkennen) führen mußte, dürfte einleuchten. Walser appelliert nicht an das Wissenspotential des Bildungsbürgertums, er stellt vielmehr Alltagsprobleme höchst unspektakulärer Art ins Zentrum, verweigert sich allem Großen, Sensationellen, aber auch dem Tiefsinn; weder Romantisierung und Verklärung der Wirklichkeit noch deren satirisch eindeutige Kritik läßt sich seinem Text entnehmen.[37] Von allen Zeitgenossen dürfte ihm Franz Kafka am nächsten stehen, der sich (zumindest bis 1945) in einer ähnlichen Rezeptionssituation befand. Trotz geringer kritischer Resonanz und bescheidenen Auflageziffern blieb *Der Gehülfe* Walsers erfolgreichstes Buch überhaupt: Cassirer druckte 1908/9 insgesamt drei Auflagen (vermutlich à tausend Exemplare) – dabei blieb es allerdings für fast dreißig Jahre. 1936 erschien, im Zeichen der Rückbesinnung auf schweizerische Eigenständigkeit angesichts der faschistischen Bedrohung, eine Neuausgabe in St. Gallen. 1955 erfolgte ein Neudruck im Rahmen der von Carl Seelig herausgegebenen ersten Sammelausgabe, die in Lizenz vom Fischer-Taschenbuchverlag und vom Bertelsmann-Lesering übernommen wurde und in die Ära der Wiederentdeckung Walsers hineinführte. 1972 schließlich legte Jochen Greven den endgültigen Text als Band fünf der Gesamtausgabe vor.

Zum Schluß ein kurzer Blick auf die frühen Beurteilungen: Walsers Entdecker, der Berner Feuilletonredakteur Johann Viktor Widmann, stellte seiner Rezension eine Beobachtung voran, die Walter Benjamin später radikalisieren sollte: die Scheu dieses Autors vor allem Großsprecherischen, die er als bäurische Sprachscham diagnostizierte. Obgleich Widmann Ironie und Selbstironie dieses Erzählens sehr wohl wahrnahm, glaubte er dennoch das Buch als „durch und durch echten Schweizer Roman" im Sinne einer Heimatkunst an die Seite von Gottfried Kellers *Martin Salander* stellen zu dürfen.[38] Wilhelm Schäfer dagegen hebt ihn gerade von Kellers Weltläufigkeit ab[39], während Josef Hofmiller den Roman als „menschlich nichtssagend und künstlerisch fein"[40] charakterisierte, dem es insgesamt an spezifischem Gewicht fehle. Ähnlich argumentierte Hans Nordeck im *Hochland:* „Ein Kunstwerk vielleicht, aber keine Kunst [. . .] ohne Herzenswärme und innere Notwendigkeit."[41] Anläßlich der Neuausgabe von 1936 trifft Hermann Hesse (an dem Walser stets einen warmen Befürworter hatte) die Feststellung, daß von den ehemals hochgerühmten Romanen nur wenige übriggeblieben seien, die heute noch Entzücken auszulösen vermöchten, und zu ihnen zähle *Der Gehülfe.* Doch mit seiner Betonung von Zeitlosigkeit, Spiel und Märchenreichtum[42] drängt er Walser in die Ecke des verträumten Romantikers, der er nicht war. Im Gegensatz zu Hesse hebt Albin Zollinger bei gleicher Gelegenheit Walsers „Verismus" hervor, den er folgendermaßen bestimmt: „er ist kein materialistischer, kein blutnasses Seziermesser; er ist ein Wahrheitsfanatismus in den Gründen des Traumhaften",[43] und er fährt fort: „Nichts wäre nun aber verfehlter als die Vermutung, daß es sich bei Walser um einen unverbindlich daherplaudernden Lyriker handelte, der in Ermangelung von Einfällen oder der Gestaltungskraft sich anhand seiner Malereien um einen eigentlichen Inhalt herumdrückte. Der Roman schildert den langsamen Verfall einer bürgerlichen Familie."[44] Zollinger schließt seine Rezension mit einer Polemik gegen die Schweizerischen Leser, die Walser die Anerkennung versagten, „weil er kein Oeuvre von sechzig Romanbänden aufgestellt hat", obgleich in seinen Büchern mehr Poesie enthalten sei als bei „einigen Dutzend Preisträgern zusammen."[45] Die an sich geringe Zahl von Rezeptionsdokumenten vermehrt sich bis zu Walsers Tod nur geringfügig: Werner Weber rezensierte die Neuausgabe von 1955 existentialistisch als „Gleichnis für den Verfall des Daseins als eines Gehäuses",[46] während Hans Bänziger den Roman auf dem Hintergrund von Kafkas *Das Schloß* zu deuten suchte: Marti erscheint dergestalt als „negativer Held" inmitten des „Verfalls einer bürgerlichen Schein- und Schwindelwelt."[47]

Erst in den sechziger Jahren beginnt sich das literarische Interesse zögernd auf Walser auszudehnen, um dann in eine eigentliche Hausse zu münden, an der sich endlich auch die Literaturwissenschaft beteiligt.[48] In Aufsätzen, Monographien und Dissertationen werden ihre neueren Ansätze und Fragestellungen erprobt, was zu einer differenzierteren Analyse der komplexen Erzählstrukturen wie zu einer neuen Einschätzung seiner künstlerischen Bedeutung im Kontext der deutschen Literatur des 20. Jahrhunderts geführt hat.[49] Diese Revision hat allerdings das Lesepublikum noch nicht beeinflußt: Walser bleibt nach wie vor zu entdecken.

Anmerkungen

1 Sämtliche Zitate nach: Robert Walser: Der Gehülfe. Das Gesamtwerk, Band 5, hrsg. von Jochen Greven, Genf und Hamburg 1972, S. 249.
2 s. Carl Seelig. *Wanderungen mit Robert Walser,* Frankfurt 1977 (erstmals 1957) an verschiedenen Stellen.
3 a.a.O. S. 77.
4 Ein Fragment aus Theodor in: Gesamtausgabe, Band 7, S. 307-331.

5 Tobold s. Gesamtausgabe, Band 2, S. 45ff sowie 318ff.
6 Robert Mächler, *Das Leben Robert Walsers*, Genf und Hamburg 1966, S. 110.
7 a.a.O. S. 80ff. sowie Seelig, *Wanderungen* S. 99.
8 vgl. die Abbildungen in: *Robert Walser. Leben und Werk in Daten und Bildern.* Hrsg. von Elio Fröhlich und P. Hamm. Frankfurt 1980, S. 90ff.
9 Der Gehülfe S. 297,
10 Robert Walser, *Briefe.* Das Gesamtwerk, Band 12/2, S. 182.
11 S. 251.
12 s. dazu die zwei gleichzeitig, aber unabhängig voneinander entstandenen Dissertationen von Karl Wagner, *Herr und Knecht. Robert Walsers Roman „Der Gehülfe"*, Wien 1980 und Lukas Rüsch, ferner: Karl Wagner: „Das Sozialmodell des *Gehülfen"*, in: *Sprachkunst* XII (1981), S. 150-170.
13 s. Robert Walser, *Basta. Prosastücke aus dem Stehkragenprolatariat*, hrsg. von Hans G. Helms, Köln Berlin 1970.
14 s. Karl Wagner, *Herr und Knecht* S. 104ff. und „Sozialmodell", S. 152f.
15 S. 47.
16 S. 25.
17 s. Karl Wagner, „Sozialmodell", S. 153ff.
18 S. 10f.
19 S. 136.
20 S. 127.
21 S. 185.
22 s. dazu: Jens Tismar, *Gestörte Idyllen*, München 1973, S. 71ff; sowie Werner Weber Anm. 46 und Hans Bänziger, „Abseitige Idyllik", in: *Merkur*, H. 10, Nr. 104 (Oktober 1956), S. 1021-1024.
23 S. 266.
24 S. 144.
25 Lukas Rüsch, a.a.O.
26 S. 70.
27 s. Karl Wagner, „Sozialmodell", S. 162.
28 S. 101.
29 S. 175.
30 S. 289.
31 S. 45.
32 S. 281.
33 S. 130ff.
34 S. 140.
35 L. Rüsch a.a.O. Zur Ironie s. ferner: Felix Karl Strebel, *Das Ironische in Robert Walsers Prosa.* Diss. phil. Zürich 1971 und Martin Walser, *Selbstbewußtsein und Ironie*, Frankfurt 1981, bes. S. 115ff.
36 Karl Wagner, *Herr und Knecht*, S. 163ff.
37 vgl. Seelig, *Wanderungen* S. 15.
38 J.V. Widmann, „Robert Walsers Schweizerroman *Der Gehülfe"*. in: Katharina Kerr (Hrsg.), *Über Robert Walser*, Band 1, Frankfurt 1978, S. 27.
39 Kerr S. 49.
40 Kerr S. 50.
41 Hans Nordeck, „Neue Erzählungen", in: *Hochland*, VII (1909/10), Band I, S. 745.
42 Kerr S. 58ff.

43 Kerr S. 136.
44 Kerr S. 137.
45 Kerr S. 138.
46 Werner Weber, „Das unheimliche Idyll", in: *Neue Zürcher Zeitung* vom 24. Juli 1955.
47 Hans Bänziger. „Robert Walser und Franz Kafka", in: *Internationale Bodensee-Zeitschrift*, III. Jahrgang, September 1953, S. 12.
48 s. die Bibliographie von Katharina Kerr, in: *Text und Kritik* 12/12a (Robert Walser), 2. A., München 1975, S. 58ff.
49 Besonders zu erwähnen sind (neben den schon angeführten Arbeiten von K. Wagner und L. Rüsch): Hans Udo Dück, *Strukturuntersuchung von Robert Walsers Roman „Der Gehülfe"*, Diss. München 1968; Dagmar Grenz, *Die Romane Robert Walsers. Weltbezug und Wirklichkeitsdarstellung*. Diss. München 1973; Martin Jakob Keller. *Robert Walsers Roman „Der Gehülfe". Eine Interpretation;* Diss. Zürich 1975.

JUDITH RYAN

RAINER MARIA RILKE: *DIE AUFZEICHNUNGEN DES MALTE LAURIDS BRIGGE* (1910)

Auf den ersten Blick läßt sich *Malte Laurids Brigge* unschwer in die Geschichte des modernen Romans einordnen. Die konstitutiven Aspekte des *Malte:* seine fragmentarische Form, das Fehlen einer chronologischen Handlung, das Zurücktreten der äußeren Realität zugunsten eines einzelnen Bewußtseins — all das sind Eigenschaften, die für den Roman des zwanzigsten Jahrhunderts überhaupt charakteristisch sind. Nun liegt zwar der experimentelle Charakter des *Malte* auf der Hand, aber es ist fraglich, ob er in der gleichen Problematik wurzelt wie etwa Musils *Mann ohne Eigenschaften* oder Brochs *Schlafwandler.* Anders als Broch und Musil hat sich Rilke kaum zu theoretischen Fragen geäußert. Außerdem ist *Malte Laurids Brigge* der einzige Roman in einem Oeuvre, das — von den frühen Erzählungen und den kritischen Aufsätzen abgesehen — in erster Linie aus lyrischen Gedichten besteht. Es ist zu fragen, welche Stelle *Malte Laurids Brigge* in diesem Werk einnimmt. Warum schreibt Rilke 1910 einen Roman, statt an seiner lyrischen Produktion weiterzuarbeiten?

Die Antworten auf diese Fragen sind keineswegs selbstverständlich — sie haben schon Rilke selber Schwierigkeiten bereitet. Die Schaffenskrise, die er nach Beendigung des *Malte* erlebte, ist nur ein Zeichen unter anderen für sein problematisches Verhältnis zu diesem Buch. Denn mehr als alle anderen Werke Rilkes ist *Malte Laurids Brigge* mit seinem eigenen Leben eng verknüpft, und zwar auf eine Art und Weise, deren er sich selber nur teilweise bewußt war. Mit der Frage, inwiefern der Autor mit seiner Hauptgestalt zu identifizieren sei, hat sich Rilke in seinem Briefwechsel mit Freunden und Bekannten wiederholt auseinandergesetzt. Einmal schreibt er von Malte, als wäre dieser ein Teil von sich selbst oder zumindest ein Gefährte, mit dem er „in der konsequenten Verzweiflung bis hinter alles geraten" sei.[1] Zum anderen distanziert er sich aber auch von seinem Protagonisten, den er als „den armen Malte" kennzeichnet[2] und dessen Aufzeichnungen er für „mehr verführend als wohltuend" hält.[3] Die Frage, auf die es nun eigentlich ankommt, stellt er in einem Brief an Lou Andreas-Salomé:[4]

> Ob er, der ja zum Teil aus meinen Gefahren gemacht ist, darin untergeht, gewissermaßen um mir den Untergang zu ersparen, oder ob ich erst recht mit diesen Aufzeichnungen in die Strömung geraten bin, die mich wegreißt und hinübertreibt.

Im gleichen Brief behauptet er, weniger als früher an die Psychoanalyse zu denken, denn diese „ist eine zu gründliche Hilfe für mich, sie hilft ein für allemal, sie räumt auf."[5] Sein ganzes Leben sieht er als eine „lange Rekonvaleszenz",[6] den Roman *Malte Laurids Brigge* — wie auch die sich daran anschließende Krise — als

Teil eines ständigen Genesungsprozesses, der eine durchaus positive Seite hat, da
in ihm der Grund seiner dichterischen Produktivität zu suchen sei. Wenn Malte
untergeht, ist Rilke selbst „ein Überlebender":[7] sogar die Möbelstücke und Bücher, mit denen sich Rilke in Paris umgeben hat, betrachtet er als „Nachlaß des
M.L. Brigge".[8] Das Verhältnis eines Autors zu seinem Werk kann kaum problematischer sein als Rilkes Verhältnis zu *Malte Laurids Brigge*, dessen Protagonist in
seiner Funktion als *alter ego* des Autors zugleich dessen Wunschträume wie auch
dessen Selbstkritik verkörpert. Es bleibt letzten Endes unklar, ob Rilke sich mit
Malte auseinandersetzt und sich im Verlauf des Romans von ihm gleichsam „frei-
schreiben" möchte oder ob Malte für Rilke ein positives Vorbild darstellt, das er
in irgendeinem Sinne noch nachzuahmen hofft.

Daß diese Frage sich nicht leicht beantworten läßt, hat die *Malte*-Rezeption von
Anfang an gezeigt. Schon die ersten Kritiker waren sich darüber nicht einig: auf
der einen Seite sprach man vom „Evangelium Brigge"[9] und bezeichnete den Roman als einen „beispiellosen Impressionismus der Mystik",[10] auf der anderen
Seite sah man darin die Darstellung eines großen Leidens, das nicht unbedingt
eine Befreiung mit sich brachte.[11] Die heutige Literaturwissenschaft bleibt auf
ähnliche Weise gespalten. Zwischen der Meinung, daß Malte im Verlauf seiner
Aufzeichnungen eine zunehmende Objektivität gewinne,[12] und der Meinung, daß
er nach wie vor der Subjektivität verhaftet bleibt,[13] herrscht immer noch keine
Einmütigkeit. Es wird allerdings zu fragen sein, ob die den beiden Auffassungen
zugrunde liegende Annahme, man könne *Malte Laurids Brigge* mit den Maßstäben
des herkömmlichen Entwicklungsromans messen, in diesem Fall überhaupt berechtigt ist.

Um dieser Problematik näher zu kommen, lohnt es sich, den *Malte*-Roman mit
anderen quasi-autobiographischen Romanen des frühen zwanzigsten Jahrhunderts
zu vergleichen: etwa mit Joyces *Portrait of the Artist as a Young Man* oder Musils
Verwirrungen des Zöglings Törleß. In beiden Fällen lassen die Autoren keine
Zweifel über ihr Verhältnis zum jeweiligen Romanprotagonisten aufkommen.
Joyce erklärt programmatisch, daß die Struktur seines Romans mit der einer alten
Ballade zu vergleichen sei, die „in der ersten Person anfängt und in der dritten
Person endet";[14] und Musil schließt den Roman *Törleß* mit einem Blick in die
Zukunft seiner Hauptgestalt, in dem Törleß aus distanzierter Perspektive kritisch
beleuchtet wird. Sowohl das *Portrait* als auch der *Törleß* gründen in einer durch-
gängigen Ironie, die die Hauptfigur zwar als Projektion des Autors, aber gleichzeitig auch als dessen negative Kehrseite erscheinen läßt. Beide Romane stellen
die Geschichte eines Entwicklungsprozesses dar, der zur Selbsterkenntnis wie
auch zu einem neuen Verständnis der Schriftstellertätigkeit geführt hat. Bei *Malte*
fehlt nun diese klare Linie. Vor allem fehlt aber die für die anderen beiden Romane kennzeichnende ironische Einstellung des Dichters zu seiner Hauptgestalt.

Diese Schwierigkeit wird noch dadurch kompliziert, daß viele Stellen im *Malte
Laurids Brigge* zunächst als Briefpassagen entstanden sind. So zum Beispiel die
Eindrücke der Großstadt Paris, die nicht nur den Hintergrund abgeben, sondern
auch ein Hauptthema des Romans bilden:[15] die Beschreibung der Farben im
Boulevard St. Michel etwa,[16] die zunächst in einem Brief vom 18. Juli 1903 an

Lou Andreas-Salomé entworfen wurde, oder die Darstellung der Wirkung eines „kleinen Mondes",[17] die in einem Brief an Clara Rilke vom 12. Oktober 1907 niedergeschrieben und wortwörtlich in die *Aufzeichnungen* übernommen wurde. Die Gedanken über das anonyme Sterben in den großen Krankenhäusern haben genauso ihren Ursprung in den Briefen wie die Ausführungen über die „großen Liebenden" Héloise, Bettine und Gaspara Stampa.[18] Sogar ganze Episoden, wie etwa die Beschreibung der Begegnung mit dem Veitstänzer, sind bis auf einige kleinere Änderungen im Briefwechsel vorgezeichnet.[19] Es fragt sich nun, inwiefern diese Passagen im Kontext des Romans einen anderen Stellenwert erhalten. Hat Rilke im *Malte Laurids Brigge* gleichsam eine eigene, allerdings nur teilweise erfolgreiche Psychotherapie unternommen, oder beschreibt er aus etwas kritischerer Perspektive die Krankheitssymptome einer ganzen Epoche?

Rilkes Versuch, sich über diese Frage klar zu werden, zeigt sich gleich am Anfang seiner Arbeit am *Malte,* und zwar in den verschiedenen Entwürfen des Romaneingangs. Der erste Entwurf versucht, von einer Außenschau auszugehen, wobei Malte von einem Freund beschrieben wird, der eine Zeitlang mit ihm gelebt hat und der sich nur mit Mühe an ihn erinnern kann. Betont wird vor allem die Umöglichkeit, Malte zu beschreiben und zu verstehen; der zeitliche Abstand erschwert den Prozeß und die eigenen Erinnerungen an Malte kommen dem Erzähler wie Begebenheiten vor, von denen er nur in einem Buch gelesen hätte. Das Fragment schließt mit dem Entschluß, dieses Buch, das es „nicht gibt" nun endlich einmal „in diesen einsamen Tagen" zu schreiben.[20] Insofern also der scheinbar objektive Eingang in ein ausdrückliches Sich-Identifizieren mit Malte mündet, erweist sich der Status des Romans eindeutig als Projektionsversuch. Der zweite Eingang des *Malte* unternimmt eine Verdoppelung dieser Projektionstechnik, indem nun auch Maltes Freund in der dritten Person dargestellt wird. Hier erzählt Malte vor dem Kaminfeuer die eigene Geschichte, die nur ab und zu unterbrochen wird, um den Blick auf das Verhältnis zwischen den beiden Freunden zu lenken. Die eigentliche Handlung von Maltes Geschichte beginnt mit den Kindheitserlebnissen in Urnekloster, die ohne Änderung in die Schlußfassung des *Malte* übernommen worden sind.[21] Diese zögernden Versuche, sich zu objektivieren, lassen die dem Roman zugrunde liegende Problematik sehr deutlich zu Tage treten; daß Rilke letzten Endes zur Tagebuchform und zur ersten Person übergeht, zeigt zugleich die Offenheit, mit der er die weitgehende Identität zwischen sich und Malte zu erkennen gibt, und die Überreste des ursprünglichen Fiktionalisierungsversuchs, die dem Roman dessen eigentümlich schillernden Charakter verleihen.

Schon der erste Satz der endgültigen Fassung weist diese Spannung zwischen Subjektivem und Objektivem auf:[22]

> So, also hier kommen die Leute, um zu leben, ich würde eher meinen, es stürbe sich hier. (709)

Die Auffassung der „Leute" und Maltes eigene Meinung stehen nur durch ein Komma getrennt einander gegenüber. Das Wort „ich", das die drei darauffolgenden Sätze einleitet, bildet gleichsam die geheime Interpunktion des ganzen Romans:

> Ich bin ausgewesen. Ich habe gesehen: Hospitäler. Ich habe einen Menschen gesehen, welcher schwankte und umsank. *(ibid.)*

Den Gegenpol zum „Ich" bilden die Eindrücke, die Malte in seinen Aufzeichnungen wiedergibt. Aber Maltes „Sehenlernen", wie er es nennt (710, 711), erweist sich letzten Endes als alles andere denn eine objektive Sicht der Wirklichkeit. So sehr er sich darum bemüht, so wenig gelingt es ihm, die äußere Welt als das ein für alle Male „Andere" darzustellen. Je fremder sich Malte in der angsterregenden Großstadt fühlt, desto mehr versucht er, die äußeren Eindrücke seinen eigenen Gefühlen zu assimilieren und mit seiner Innenwelt zu integrieren.

Somit erhält das Wort „sehen" eine Doppeldeutigkeit, die für die Grundeinstellung des Romans kennzeichnend ist. Malte blickt zwar in die Außenwelt hinein, aber er sieht letzten Endes nur die eigene Phantasiewelt. Charakteristisch für dieses Phänomen ist die Beschreibung der abgerissenen Häuser:

> Was da war, das waren die anderen Häuser, die danebengestanden hatten, hohe Nachbarhäuser. Offenbar waren sie in Gefahr, umzufallen, seit man nebenan alles weggenommen hatte; denn ein ganzes Gerüst von langen geteerten Mastbäumen war schräg zwischen den Grund des Schuttplatzes und die bloßgelegte Mauer gerammt. [. . .] Aber es war sozusagen nicht die erste Mauer der vorhandenen Häuser (was man doch hätte annehmen müssen), sondern die letzte der früheren. Man sah ihre Innenseite. (749)

Was Malte nun beschreibt, ist weniger das, was er tatsächlich sieht, als das, was er sich vorstellt: Phantasien, die von den noch vorhandenen Teilen der abgebrochenen Häuser angeregt werden:

> Da standen die Mittage und die Krankheiten und das Ausgeatmete und der jahrealte Rauch und der Schweiß, der unter den Schultern ausbricht und die Kleider schwer macht, und das Fade aus den Munden und der Fuselgeruch gärender Füße. (750)

Malte gibt ganz offen zu, daß dies nicht objektive Beobachtungen sind: er behauptet, nicht lange vor der Mauer gestanden zu haben, sondern gleich weggelaufen zu sein. Daß er die Häuser dennoch zu beschreiben wagt, erklärt er dadurch, daß er eine Identität zwischen sich und der Außenwelt festzustellen meint: „Ich erkenne das alles hier, und darum geht es so ohne weiteres in mich ein: es ist zu Hause in mir" (751). Später beschreibt Malte einen blinden Zeitungsverkäufer, der aufgrund seiner Blindheit gleichsam auf einem leeren Fleck der Wirklichkeit existiert. Da der Zeitungsverkäufer sich der eigenen Existenz nicht durch die eigenen Augen vergewissern kann, unternimmt Malte nun den Versuch, selbst das Dasein des Mannes zu bestätigen. Das erfolgt aber sonderbarerweise nicht etwa dadurch, daß Malte ihn beobachtet und objektiv beschreibt, sondern dadurch, daß Malte sich ihn vorstellt:

> Denn ich mußte ihn machen wie man einen Toten macht, für den keine Beweise mehr da sind, keine Bestandteile; der ganz und gar innen zu leisten ist. (900)

Er weiß aber auch, daß diese Vorstellung sehr prekär ist, und nach einer Weile entschließt er sich, „die zunehmende Fertigkeit meiner Einbildung durch die auswärtige Tatsache einzuschüchtern und aufzuheben" *(ibid.)*. Er geht auf der Suche nach dem Zeitungsverkäufer hinaus, und als er ihn findet, stellt er fest, „daß meine Vorstellung wertlos war" (902). Es folgt eine Beschreibung des sonderbaren Sonntagsanzugs dieses Mannes, vor allem der gelb und violett gemusterten Halsbinde und des neuen Strohhutes mit grünem Band; aber auch diese Beschreibung, so objektiv sie auf den ersten Blick erscheinen mag, wird durch Maltes eigenartige Phantasien gesteuert. So stellt sich Malte vor, daß die Innenseite seiner Augenlider ihn fortwährend mit Entsetzen erfülle (902), und er stellt Vermutungen an über die Erinnerungen des Zeitungsverkäufers:

> Möglicherweise hatte er Erinnerungen; jetzt aber kam nie mehr etwas zu seiner Seele hinzu als täglich das amorphe Gefühl des Steinrands hinter ihm, an dem seine Hand sich abnutzte. *(ibid.)*

Hier wird noch einmal deutlich, wie sehr sich Malte in andere Gestalten einfühlt: er kann ja in Wirklichkeit nicht wissen, welche Gefühle und Eindrücke den Zeitungsverkäufer während seiner täglichen Runde bewegen.

Im Verlauf des Romans fängt Malte nun an, nicht nur von seinen eigenen Erlebnissen zu berichten, sondern auch historische Begebenheiten nachzuerzählen. Dabei fühlt er sich insofern gehindert, als er meint, man könne heutzutage nicht mehr richtig erzählen. Als Musterbeispiel für das ideale Erzählen nennt er seinen Großvater Brahe, dem Vergangenheit, Gegenwart und Zukunft gleichwertig waren und der also alles gleichsam aus einer zeitlosen Perspektive sehen konnte.[23] Graf Brahe lebt fast ganz in einer Welt, die durchweg durch seine eigene Innensicht bestimmt wird: seine Kindheitserinnerungen und die Gespenstererscheinungen im Schloß sind ihm genauso gegenwärtig wie das tägliche Familienleben, an dem der kleine Malte teilnimmt. Kennzeichnend ist nun, daß dieses Erzählmodell alles andere ist als das bekannte Modell des chronologischen Erzählens, von dem Musil im *Mann ohne Eigenschaften* behauptet, es lasse sich heute nicht mehr verwirklichen. Denn das chronologische Erzählen setzt einen bestimmten Standort voraus, ein historisch gesehenes Selbst, das auf die Vergangenheit zurückblickt und sie in geordneter Form wiedergibt. Malte hat jedoch — wie zu zeigen sein wird — kein so klar konturiertes Ich, als daß er auf diese Weise erzählen könnte. Da ihm aber auch die Simultansicht des Großvaters fehlt, muß er nun nach einem dritten Modell suchen.

In dem Abschnitt über Ibsen entwickelt Malte seine Vorstellung dieser neuen
Möglichkeit:

> Da gingst du an die beispiellose Gewalttat deines Werkes, das immer unge-
> duldiger, immer verzweifelter unter dem Sichtbaren nach den Äquivalenten
> suchte für das innen Gesehene. (785)

Maltes Erzähltechnik wird immer mehr zu einer Suche nach Äquivalenten für das
innen Gesehene: man denke etwa an die Einhornteppiche, mit denen er seine Erinnerungen an die geliebte Tante Abelone verknüpft. Diese Stelle, mit der das erste Buch des Romans schließt,[24] wird als imaginärer Appell an Abelone strukturiert:

> Es gibt Teppiche hier, Abelone, Wandteppiche. Ich bilde mir ein, du bist da,
> sechs Teppiche sinds, komm, laß uns langsam vorübergehen. (826)

Nicht nur scheint Abelone da zu sein, die Teppiche selbst fungieren gleichsam als
Äquivalent für das Verhältnis zwischen Malte und seiner Tante; genauer gesagt:
das, was Malte unbewußt von Abelone gelernt hat, findet er in den Teppichen
wieder. Im letzten Teppich wird das Einhorn von einer Jungfrau gefangen genommen: „Es ist ein Spiegel, was sie hält. Siehst du: sie zeigt dem Einhorn sein Bild."
(829). Durch diese Einführung des Spiegelmotivs wird das Verhältnis zwischen
Einhorn und Jungfrau zu einer Metapher für die Einbildungskraft, und die Stelle
schließt folgerichtig mit den Worten: „Abelone, ich bilde mir ein, du bist da. Be-
greifst du, Abelone? Ich denke, du mußt begreifen." (829) Daß Abelone hier nur
in Maltes Einbildung zugegen ist, wird deutlich gemacht durch die wiederholte
Wendung: „ich bilde mir ein". Gegen Ende des Romans erscheint Abelone dagegen fast als Wirklichkeit, diesmal in der Gestalt einer italienischen Sängerin, die
Malte nach Abreise der ganzen Touristen im herbstlichen Venedig erlebt:

> Einmal noch, Abelone, in den letzten Jahren fühlte ich dich und sah dich
> ein, unerwartet, nachdem ich lange nicht an dich gedacht hatte. (931)

In Maltes Phantasie wird die Sängerin fast identisch mit Abelone: sie stellt das
äußere Äquivalent dar für das Bild Abelones, das noch in seinen Erinnerungen am
Leben ist.

Aber solche erlebten Äquivalenten sind nicht die einzigen von Malte verwendeten objektiven Korrelate. Im Verlauf seiner Aufzeichnungen spielen historische
Gestalten eine immer wichtigere Rolle für ihn: nach und nach fängt er an, weniger
von sich selbst und mehr von der historischen Vergangenheit zu erzählen. Hier
scheint er zwar stellenweise chronologisch zu erzählen, aber es wird allmählich
deutlich, daß die historischen Gestalten — etwa Grischa Otrepjow oder Karl der
Kühne — nicht um ihrer selbst willen heraufbeschworen werden, sondern daß sie
gleichsam Teile von Maltes eigenem Ich verkörpern. Anstatt daß Malte also die
Vergangenheit aus historischer, d.h. aus objektiver Perspektive sieht, benutzt er

Geschichten aus der historischen Vergangenheit als Projektionsflächen für seine eigenen Probleme. Malte betont auch ausdrücklich, daß seine Version dieser Geschichten nur hypothetisch sein kann:[25]

> Ich kann natürlich nicht dafür einstehen, wie weit das alles in jener Geschichte berücksichtigt war. Dies, scheint mir, wäre zu erzählen gewesen. (883)

Die beiden Geschichten beleuchten in Wirklichkeit zwei Aspekte von Maltes eigener Problematik. Der junge Dichter, der sich am Anfang seiner Aufzeichnungen als ein „Nichts" gekennzeichnet hat (726), sieht in den beiden Gestalten zwei andere Aspekte der Identitätsproblematik: der Zar Grischa Otrepjow hat jahrelang gleichsam eine Maske getragen, während Karl der Kühne in der Festigkeit seiner Person das genaue Gegenteil Otrepjows darstellt. Auch die anderen historischen Persönlichkeiten, von denen Malte erzählt, fungieren als Projektionen von Malte selbst.

Bei seinem Versuch also, immer objektiver zu erzählen, verwandelt er in Wirklichkeit alles Äußere in ein Äquivalent für das Innere. Beethoven, Ibsen, Eleanore Duse und schließlich auch der Verlorene Sohn werden alle Bezugspunkte für Malte: sie stellen eine gesteigerte Parallele zu seiner eigenen Situation dar und zeigen, daß man sich dem ersehnten Ideal nur annähern, es aber nicht erreichen kann. Bei der Schlußerzählung vom Verlorenen Sohn[26] häufen sich solche Hypothesen, die im Grunde nur beweisen, daß diese Geschichte nicht mehr erzählbar ist. Malte entwirft eine ganze Reihe von Möglichkeiten, teilweise in Form von Fragen, ohne sich für die eine oder andere Variante zu entscheiden. Dabei macht er auch gleichzeitig deutlich, daß die Geschichte des Verlorenen Sohns keine feststehende Legende, sondern eine noch auszudenkende Geschichte ist:

> Oder soll ich ihn denken zu Orange, an das ländliche Triumphtor geruht? Soll ich ihn sehen im seelengewohnten Schatten der Allyscamps, wie sein Blick zwischen den Gräbern, die offen sind wie die Gräber Auferstandener, eine Libelle verfolgt? (943)

Genau wie Malte fühlt sich der so fingierte Verlorene Sohn gestört durch die Versuche anderer Menschen, seine Identität festzulegen. So wird auch diese Geschichte, wie alle vorhergegangenen, zu einem weiteren Einfühlungsversuch Maltes.

In diesem Sinne sind Maltes Phantasiekonstruktionen also nur eine weitere Ausprägung seiner Tendenz, die Außenwelt seiner eigenen Subjektivität zu assimilieren. Es fragt sich nun, worin diese Subjektivität besteht. Das ist keineswegs so eindeutig, wie man bisher angenommen hat. Denn die hier entfaltete Vorstellung des Ichs ist eine durchaus schillernde.[27] Rilke scheint hier nämlich zwischen zwei verschiedenen Möglichkeiten gespalten zu sein: zwischen der Ansicht, daß alles im Grunde nur durch die Linse eines einzelnen Bewußtseins gesehen werden kann und der Ansicht, daß es letzten Endes keine Trennung gibt zwischen Subjektivem und Objektivem. Der Roman bleibt in der Schwebe zwischen diesen beiden Sehweisen.

Um diese These zu verdeutlichen, müssen wir erst das bekannte Spiegelmotiv im *Malte Laurids Brigge* noch einmal betrachten. Eine bezeichnende Stelle ist die Episode mit dem Medizinstudenten, dessen Augenlid — wie Malte sich das vorstellt — beim Zufallen immer wieder den Laut eines fallenden Büchsendeckels macht. Nachdem der Student sein Zimmer verlassen hat, versucht Malte sich die Büchse vorzustellen, die er einmal in der Wohnung seines Nachbarn gesehen zu haben meint. Die Büchse steht, so vermutet er, auf dem Kamin, und zwar vor einem Spiegel. Der Deckel der Büchse liegt so auf dem unteren Teil, daß die beiden zusammen „den Begriff Büchse [darstellen], genau ausgedrückt, einen einfachen, sehr bekannten Begriff" (876). Diese Formulierung ist an sich etwas sonderbar: die beiden Teile bilden keine „Büchse", sondern „den Begriff Büchse". Einen Gegenstand so zu betrachten, daß dessen konkrete Wirklichkeit weniger wichtig ist als die Kategorie, der es angehört, ist nicht die übliche Art und Weise, die Welt zu sehen. Maltes Formulierung wird noch sonderbarer, wenn man bedenkt, daß er ständig behauptet, „sehen zu lernen". Bald wendet er sich aber vom abstrakten „Begriff Büchse" ab zu seinen Erinnerungen an die Büchse auf dem Kamin. Büchse und Deckel stehen so auf dem Kamin, „daß dahinter noch eine Büchse entsteht, eine täuschend ähnliche, imaginäre. Eine Büchse, auf die wir gar keinen Wert legen, nach der aber zum Beispiel ein Affe greifen würde. Richtig, es würden sogar zwei Affen danach greifen, denn auch der Affe wäre doppelt, sobald er auf dem Kaminrand ankäme." (876) Auf den ersten Blick scheint hier das Wort „imaginär" mit Maltes Interesse für das Schöpferische oder zumindest mit dem zentralen Motiv der Einbildung zusammenzuhängen. Aber Maltes Vorstellung eines Affen, der nach der Büchse greifen würde, für den also die Büchse im Spiegel genauso wirklich ist wie die Büchse auf dem Kaminrand, scheint dagegen zu sprechen. Denn er weist ausdrücklich darauf hin, daß die Handlung des Affen lächerlich ist. Andererseits scheint er an der gleichen Stelle selbst wie der Affe zu denken, insofern er behauptet, es würden „zwei Affen" nach der Büchse greifen, ohne zwischen dem wirklichen Affen und dessen Spiegelbild zu unterscheiden. Maltes Formulierungen in diesen Sätzen schweben zwischen der 'vernünftigen' Auffassung des Spiegelbildes als Täuschung und einer Sehweise, nach der das Spiegelbild die gleiche Valenz erhält wie der Affe selbst. Die Frage, welches von beiden für Malte wichtiger sei, wird nie beantwortet; stattdessen wendet sich Malte dem Gegenstand selbst zu, den er sich nun allerdings als etwas Animiertes vorstellt: „Nun also, es ist der Deckel dieser Büchse, der es auf mich abgesehen hat" *(ibid)*.

Malte weist in diesem Abschnitt auf einen Aspekt des Spiegelbilds hin, über den man normalerweise nicht reflektiert. Inwiefern legitimiert hier Malte die Sehweise des Affen, für den Gegenstand und Spiegelbild die gleiche Valenz haben? In den darauffolgenden Absätzen scheint sich Malte auf den subjektiven Aspekt der sogenannten Außenwelt zu konzentrieren, indem er behauptet, das stille Dasein der Dinge sei durch den Umgang mit Menschen gleichsam korrumpiert worden:

> Es ist kein Wunder, wenn sie verdorben sind, wenn sie den Geschmack verlieren an ihrem natürlichen, stillen Zweck und das Dasein so ausnutzen möchten, wie sie es rings um sich ausgenutzt sehen. (877)

In diesem Sinne kooperieren die Dinge gleichsam mit unserer subjektiven Sicht und werden zu dem, was unsere Wahrnehmung und unser Bewußtsein aus ihnen machen. Trotzdem, fährt Malte fort, entziehen sie sich manchmal unserem Bewußtsein und binden sich zu einer Art Verschwörung gegen den Menschen zusammen. Diese an das Kafkasche Motiv der „Empörung der Dinge" erinnernde Vorstellung deutet an, daß Malte nicht einfach der Meinung ist, alles sei im Grunde subjektiv. Aber das Verhältnis zwischen Innen- und Außenwelt ist in seinen Augen ein sehr tückisches, ein Verhältnis, das er immer wieder neu darzustellen und zu begreifen sucht.

Ein wesentlicher Teil von Maltes Aufzeichnungen beschäftigt sich mit dieser Fragestellung. Sein Interesse für Gespenstererscheinungen, Halluzinationen und Phantasien läßt sich in diesem Zusammenhang verstehen. Die Geschichte des Medizinstudenten bietet wieder einmal ein gutes Beispiel dafür. Malte erzählt im Grunde zwei Versionen, die das sonderbare Klappergeräusch jeweils anders erklären. Handelt es sich wirklich um das Augenlid des Studenten, das beim stundenlangen Lernen immer wieder zufällt, oder rührt das Geräusch tatsächlich von einem Büchsendeckel her, den der Student in seiner Wut und Verzweiflung immer wieder auf den Boden wirft? Die beiden Thesen werden im gleichen neutralen Ton entwickelt, wobei Malte keinen Versuch unternimmt, sich für die eine oder andere zu entscheiden. An der Stelle aber, wo der sonderbare Laut aufhört, scheint Malte sich gar nicht mehr nach der Ursache der plötzlichen Stille zu fragen:

> Lieber Gott, dachte ich, seine Mutter ist da. Sie saß neben dem Licht, sie redete ihm zu, vielleicht hatte er den Kopf ein wenig gegen ihre Schulter gelegt. Gleich würde sie ihn zu Bett bringen. Nun begriff ich das leise Gehen draußen auf dem Gang. (875)

An dieser Passage fällt vor allem die sonderbare Kombination von Gewißheit und Vermutung auf, die durch die Mischung von positiven Aussagen („ist", „saß", „redete") mit Vermutungen („vielleicht", „würde") wiedergegeben wird. Gewißheit und Spekulation haben hier den gleichen Stellenwert: Malte geht ohne weiteres von einer Darstellung der Ankunft der Mutter als Wirklichkeit zu einer Formulierung über, die diese als bloße Vermutung entlarvt, und wieder zurück zu einem scheinbar naiven Glauben an seine spekulative Annahme.

Durch den ganzen Roman hindurch spielt Malte mit ähnlichen Gedankengängen, bei denen das Mögliche und das Wirkliche den gleichen Stellenwert haben. Am Anfang der Aufzeichnungen bezeichnet sich Malte als ein „Nichts" („Ich sitze hier und bin nichts", 726), aber zugleich als ein „Nichts", das zu denken anfängt („dieses Nichts fängt an zu denken", *ibid.*). Während für Descartes das Denken den Beweis seiner Existenz darstellte, spricht es für Malte keineswegs gegen sein Gefühl der Nichtexistenz. Die Gedanken, die er nun in aller Ausführlichkeit entwickelt, bilden die bekannte Spekulationsreihe: „Ist es möglich? [. . .]" (726-728). Diese Gedanken Maltes lassen viele Hauptthemen des Romans anklingen — die sogenannte 'Sprachkrise', das Verhältnis von Vergangenheit, Gegenwart und Zukunft,

die Erkenntnis- und Bewußtseinsproblematik. Die Frage, auf die es jedoch hier in
erster Linie ankommt, ist die nach dem Verhältnis des Möglichen zum Wirklichen.
Dies wird durch verschiedene Bilder hervorgehoben: vergangene Jahrtausende
werden mit einer „Schulpause" verglichen, das Leben fremder Leute mit einer
„Uhr in einem leeren Zimmer". Paradoxerweise sind die „Möglichkeiten", die
Malte hier skizziert, eigentlich Wirklichkeiten: die Oberflächlichkeit des modernen Lebens, das verdorbene Verhältnis der Menschen zur Geschichte, die Inkon-
gruenz zwischen Sammelbegriff und Einzelfall. Die Passage schließt mit einem
verzweifelten Ausruf:

> Wenn aber dieses alles möglich ist, auch nur einen Schein von Möglichkeit
> hat, – dann muß ja, um alles in der Welt, etwas geschehen. [. . .] Dieser jun-
> ge, belanglose Ausländer, Brigge, wird sich fünf Treppen hoch hinsetzen
> müssen und schreiben, Tag und Nacht, ja er wird schreiben müssen, das wird
> das Ende sein. (728)

Mit seinem Schreiben will Malte nun dieses komplizierte Verhältnis zwischen
dem Möglichen und dem Wirklichen untersuchen.
So erklärt sich seine Beschäftigung mit Erinnerungen aus der Kindheit, vor allem
aus der Zeit, wo er mit seinem Großvater Brahe in Urnekloster wohnte. Mit ihren
kennzeichnenden Lücken und Deformationen sind diese Erinnerungen eine weitere Version des Möglichen, dessen Verhältnis zur Wirklichkeit zu präzisieren ist.
Das Haus seines Großvaters ist „ganz aufgeteilt" in Malte (729), genauer: „Es ist,
als wäre das Bild dieses Hauses aus unendlicher Höhe in mich hineingestürzt und
auf meinem Grund zerschlagen" (729). Diese Beschreibung der Erinnerungen als
frei schwebende Partikel gründet in einer empiristischen Sicht der Welt, die in diesem Roman gegenüber den konventionelleren Vorstellungen der Wirklichkeitsap-
perzeption eine vorrangige Stellung einnimmt.
Diese Perspektive, aus der Gedanken und Phantasien den gleichen Status wie
Dinge zu haben scheinen, bestimmt viele Stellen des Romans, die zunächst nur als
Versubjektivierung der Außenwelt erscheinen. Typisch dafür ist die Szene, wo
Malte und seine Mutter sich mit alter Spitze beschäftigen. Malte benutzt eine ganze Reihe von Metaphern, um die kostbaren Handarbeiten zu beschreiben. Zu-
nächst scheint die Spitze die Blicke der Betrachter zu „vergittern", „als ob wir
Klöster wären oder Gefängnisse" (835); bald klärt sich aber der Blick, und Mutter
und Sohn scheinen in phantastische Gärten und Gartenhäuser hineinzuschauen.
Bemerkenswert ist hier die Austauschbarkeit von Subjekt und Objekt: Malte sagt
nicht etwa, daß die Spitzenstücke wie Klöster oder Gefängnisse aussehen, sondern
daß die Betrachter sich so fühlen, als wären sie selbst Klöster oder Gefängnisse.
Als Malte dann das Bild der Spitzenstücke als Gärten entwickelt, hat es den Anschein, als wäre die Spitze nicht mehr Gegenstand ihrer Betrachtungen, sondern
eine Umgebung, in der sie sich befinden und in der sie sich frei bewegen können.
Im Verlauf der Beschreibung wird die imaginierte Szene immer mehr zu einer
wirklichen; auf jeden Fall erleben die beiden die Spitzen-Landschaft so, als wäre
sie Wirklichkeit:

Und man drängte sich durch das verschneite Gebüsch der Binche und kam an Plätze, wo noch keiner gegangen war; die Zweige hingen so merkwürdig abwärts, es konnte wohl ein Grab darunter sein, aber das verbargen wir voreinander. *(ibid.)*

Die eingebettete Vermutung über das verborgene Grab läßt die sonstige Beschreibung als wirklich erscheinen, und am Ende tun Malte und seine Mutter so, als würden sie tatsächlich in einem winterlichen Park spazieren gehen. Wenn seine Mutter schließlich behauptet, sie werden „Eisblumen an den Augen" bekommen, kommentiert Malte: „und so war es denn auch" *(ibid.)*. Hier wird nicht nur das Äußere subjektiviert, das Subjektive wird als äußere Wirklichkeit behandelt.

Diese Gleichwertigkeit des tatsächlich Vorhandenen und des nur Gedachten erklärt sich durch Maltes Gefühl, es bestehe keine Grenze zwischen sich und der Außenwelt: „mein Gott, ich habe kein Dach über mir, und es regnet mir in die Augen" (747). Dieser Satz ist nicht nur, wie so oft behauptet, ein Ausdruck seiner existentiellen Unsicherheit. Er ist ebenfalls kein Ausdruck der „Ent-Ichung" im normalen Sinne des Wortes.[28] Er ist die Folge einer Sehweise, nach der Ich und Welt keine fest voneinander abgegrenzten Einheiten sind, sondern wo alles nur aus frei schwebenden Partikeln besteht. Etwas später findet Malte ein geeignetes Bild für diese Vorstellung:

und wenn es draußen steigt, so füllt es sich auch in dir [. . .]: im Kapillaren nimmt es zu, röhrig aufwärts gesaugt in die äußersten Verästelungen deines zahlloszweigigen Daseins. (777)

Malte und die Außenwelt sind wie zwei Röhren, in denen die Flüssigkeit bis zur gleichen Höhe steigt. Kurz zuvor hat er sich außerdem noch als Behältnis für einen chemischen Vorgang gesehen, an dem Welt und Ich gleichermaßen teilnehmen:

Du atmest es [=das Entsetzliche] ein mit Durchsichtigem; in dir aber schlägt es sich nieder, wird hart, nimmt spitze, geometrische Formen an zwischen den Organen. (776)

Hier wird das Unsichtbare („das Entsetzliche") sichtbar, die Außenwelt schlägt sich als Teil der Innenwelt nieder, das Mögliche wird zum Wirklichen. Der Vorgang ist aber nur deswegen möglich, weil Ich und Welt in einem reziproken Verhältnis zueinander stehen, in dem nicht mehr die gewohnte Dialektik zwischen Subjekt und Objekt besteht, sondern beides Teil eines einzigen Kontinuums bildet.

So ist denn auch die Episode zu verstehen, in der Malte die Rolle der von der Mutter gewünschten Tochter Sophie spielt. Daß diese Rolle mehr ist als bloß ein Spiel, läßt sich daran erkennen, daß der älter gewordene, nunmehr als Malte fixierte Junge zwar über Sophie „keine Auskunft" geben kann (801), dennoch aber bestreitet, daß Sophie tot sei. Im Grunde lehnt er immer noch die Festlegung der Persönlichkeit, die Unterscheidung zwischen dem Ich und dem anderen ab.

Noch wichtiger in diesem Zusammenhang ist die Stelle, wo Malte sich in alten, auf dem Dachboden aufbewahrten Kostümen verkleidet. Hier wird die Austauschbarkeit des Möglichen und des Wirklichen noch deutlicher. Malte verkleidet sich nämlich ohne Rücksicht darauf, was sein Kostüm darstellen soll; erst der Blick im Spiegel soll darüber entscheiden. Obgleich sein Aussehen „überzeugend" ist, (806) erscheint es noch nicht ganz wirklich: er muß den Wirklichkeitsgrad der von ihm dargestellten Person auf die Probe stellen, indem er einige passende Gesten macht. Dabei fällt ein kleiner Tisch um, und eine Flasche Parfüm macht einen häßlichen Fleck auf dem Boden. Da Malte die eigenen Hände durch die Maske nicht sehen kann, muß er sich an seinem Spiegelbild orientieren, um das Parfüm abzuwischen. Durch die laterale Inversion verwirrt, fühlt sich Malte plötzlich unfähig, diese kleine Aufgabe zu erfüllen; in seiner Hilflosigkeit kommt es ihm nun vor, als wäre das Spiegelbild Wirklichkeit, er selbst nur der verschwommene Widerschein:

> [der Spiegel] diktierte mir ein Bild, nein, eine Wirklichkeit, eine fremde, unbegreifliche monströse Wirklichkeit, mit der ich jetzt durchtränkt wurde gegen meinen Willen: denn jetzt war er der Stärkere, und ich war der Spiegel. (808)

Als er entsetzt davonläuft, hat er das Gefühl, als laufe nicht er, sondern sein Spiegelbild; und als er schließlich vor der höchst amüsierten Dienerschaft zitternd niedersinkt, stellt er fest, daß er die Stimme verloren hat; am Ende verliert er sogar das Bewußtsein. Diese Szene stellt auf sehr anschauliche Weise die Konsequenzen seines Glaubens an das Mögliche dar: indem man das Mögliche als Wirklichkeit betrachtet, verliert die Wirklichkeit ihren besonderen Status und kann sich nicht mehr unabhängig behaupten. Am Ende der Szene liegt Malte auf dem Boden wie ein Ding: „rein wie ein Stück" (809). Die Austauschbarkeit von Gedachtem und von Wirklichem wird hier bis in die letzten Konsequenzen ausgeführt.

Obgleich diese empiristische Sicht nur ansatzweise vorhanden ist, gibt sie den Ton an und erklärt zu einem großen Teil das Befremden des Lesers, der sich zum ersten Mal an den Roman heranwagt. Aber neben der empirischen Vorstellung einer Gleichwertigkeit des Wirklichen und des Gedachten bleibt zugleich die für den modernen Roman charakteristische Vorstellung der Subjektivität alles Erlebens weiter bestehen. Dieser innere Widerspruch erklärt nun, warum der Roman so unterschiedlich gedeutet worden ist. Vor allem erscheint in diesem Zusammenhang die Frage nach Maltes dichterischer Entwicklung in einem anderen Licht. Hier bleibt die Forschung nach wie vor geteilter Meinung: auf der einen Seite hat man in Maltes Aufzeichnungen einen fortschreitenden und letzten Endes erfolgreichen Prozeß der schöpferischen Gestaltung gesehen; auf der anderen Seite hat man darin ein immer intensiver werdendes Assimilieren der Außenwelt an das erlebende Subjekt erblickt.[29] Diese Fragestellung ist jedoch nur insofern relevant, als es sich überhaupt um eine Subjektivität im traditionellen Sinne handelt. Da an vielen der kritischen Stellen im Roman Welt und Ich dagegen ein einziges fließendes Kontinuum bilden, kann weder vom Gestalten der Erlebnisse noch von deren Subjektivierung die Rede sein. Allerdings steht fest, daß der empiristische Aspekt des Romans die Erfüllung des Totalitätsanspruchs des großväterlichen Erzählens für Malte eindeutig außer Frage stellt.

Außerdem erklärt der − wohlbemerkt unbewußte! − Empirismus des *Malte Laurids Brigge* dessen eigentümliche gattungsmäßige Position zwischen Roman und Prosagedicht. Denn in dem Moment, wo das Ich sich auflöst, kann keine fortschreitende Entwicklung, keine Handlung im herkömmlichen Sinne zustande kommen. Die grundsätzliche Austauschbarkeit von Ich und Welt im *Malte* schließt die für eine solche Entwicklung unerläßliche Dialektik zwischen dem Einzelnen und seiner Umgebung aus.[30] Somit wird deutlich, daß Interpretationsweisen, die von einer Polarität − sei es von Vergangenheit und Gegenwart, von „Teil und Gegenteil",[31] vom Inneren und Äußeren, Kunstverherrlichung und Zweifel an der Kunst,[32] oder auch ganz abstrakt von der „Lust des reinen Widerspruchs"[33] − ausgehen, den eigentümlichen Charakter dieses experimentellen Werkes verfehlen. Die Auflösung einer solchen Dialektik und das Fehlen einer feststehenden Subjektivität erklären aber auch, warum Rilke hier die Romanform wählte, statt weiterhin eine Lyrik im Stil etwa der sonst motivverwandten *Neuen Gedichte* zu schreiben. Leider war Rilke zuwenig Philosoph, um sich der radikalen Problematik seines Romans in allen Implikationen bewußt zu werden; davon zeugen die „Nach-*Malte*-Krise" und die damit einhergehenden widersprüchlichen Mahnungen an Freunde und Bekannte, wie man das Buch zu lesen habe. So ist wohl auch die sonst schwer verständliche Stelle zu deuten, in der Malte von der „Zeit der anderen Auslegung" schreibt:

> Noch eine Weile kann ich das alles aufschreiben und sagen. Aber es wird ein Tag kommen, da meine Hand weit von mir sein wird, und wenn ich sie schreiben heißen werde, wird sie Worte schreiben, die ich nicht meine. Die Zeit der anderen Auslegung wird anbrechen, und es wird kein Wort auf dem anderen bleiben, und jeder Sinn wird wie Wolken sich auflösen und wie Wasser niedergehen. (756)

Ich möchte die These wagen, daß diese „Zeit der anderen Auslegung" eine Zeit ist, wo die Begriffe Ich und Welt nicht mehr gelten. Das hat, wie diese Stelle deutlich macht, eine durchaus angsterregende Seite, nicht zuletzt, weil die Auflösung dieser grundlegenden Polarität Denken und Schreiben so gut wie unmöglich machen würde. Eine pragmatische Lösung dieses Problems zu finden, wie es Ernst Mach und William James vorschlagen,[34] war Rilke wegen seiner Unkenntnis der zeitgenössischen Philosophie unmöglich. So bleibt der Roman ständig in der Schwebe zwischen der Furcht vor der „Zeit der anderen Auslegung" und der nie bestätigten Hoffnung: „Nur ein Schritt, und mein tiefes Elend würde Seligkeit sein" (756). Dafür, daß *Malte Laurids Brigge* ein typisches Dokument des frühen zwanzigsten Jahrhunderts ist, gibt es kaum einen besseren Beweis als eben diesen grundlegenden Zwiespalt.

Anmerkungen

1 *Materialien zu Rainer Maria Rilke, 'Die Aufzeichnungen des Malte Laurids Brigge',* hrsg. Hartmut Engelhardt (Frankfurt/M.: Suhrkamp, 1974), S. 84. Dieser Band wird unten als *Materialien* zitiert.
2 Ebda., S. 100
3 Ebda., S. 98
4 Ebda., S. 88
5 Ebda., S. 90
6 Ebda.
7 Ebda., S. 87
8 Ebda., S. 108
9 Julius Bab, „Das Evangelium Brigge", in: *Die Schaubühne* 6 (1910), nachgedruckt in: *Materialien,* hrsg. Engelhardt, S. 143-144.
10 Berthold Viertel, „Rilkes Buch", in: Karl Kraus, *Die Fackel* 12 (1910/11), nachgedruckt in: *Materialien,* hrsg. Engelhardt, S. 148.
11 Ellen Key, „Ein Gottsucher", in: *Seelen und Werke* (Berlin 1911), nachgedruckt in: *Materialien,* hrsg. Engelhardt, S. 151.
12 Vgl. Ulrich Fülleborn, „Form und Sinn der Aufzeichnungen des Malte Laurids Brigge. Rilkes Prosabuch und der moderne Roman", in: *Unterscheidung und Bewahrung. Festschrift für Hermann Kunisch zum 60. Geburtstag* (Berlin: de Gruyter, 1961), S. 147-169; Theodore Ziolkowski, „Rainer Maria Rilke. The Notebooks of Malte Laurids Brigge", in: *Dimensions of the Modern Novel* (Princeton: Princeton University Press, 1969), S. 3-36; Ernst Fedor Hoffmann, „Zum dichterischen Verfahren in Rilkes Aufzeichnungen des Malte Laurids Brigge", in: *DVjs* 42 (1968), S. 202-230.
13 Vgl. Judith Ryan, „'Hypothetisches Erzählen'. Zur Funktion von Phantasie und Einbildung in Rilkes Malte Laurids Brigge", in: *Jahrbuch der Deutschen Schiller-Gesellschaft* 15 (1971), S. 341-374; Anthony R. Stephens, *Rilkes Malte Laurids Brigge. Strukturanalyse des erzählerischen Bewußtseins* (Bern: Lang, 1974).
14 James Joyce, *A Portrait of the Artist as a Young Man* (Aylesbury: Penguin, 1960), S. 214.
15 Zu den gesellschaftlichen Aspekten des Romans, siehe Brigitte L. Bradley, „Die Aufzeichnungen des Malte Laurids Brigge: Thematisierte Krise des literarischen Selbstverständnisses", in: *Zu Rilkes Malte Laurids Brigge* (Bern: Francke, 1980), S. 35-62.
16 Vgl. *Materialien,* hrsg. Engelhardt, S. 27.
17 Vgl. ebda., S. 37-38.
18 Ebda., S. 24,51.
19 Ebda., S. 27-29.
20 *Materialien,* hrsg. Engelhardt, S. 56.
21 *Ebda.,* S. 58-62, 63-66.
22 *Malte Laurids Brigge* wird zitiert nach: Rainer Maria Rilke, *Sämtliche Werke,* Bd. 6, hrsg. Ernst Zinn (Frankfurt/M.: Insel, 1966). Die in Klammern angeführten Seitenangaben beziehen sich auf diese Ausgabe.
23 Vgl. Judith Ryan, „Hypothetisches Erzählen", a.a.O.
24 Auf die Einteilung in zwei Bücher sollte man nicht zuviel Gewicht legen, da dies aus drucktechnischen Gründen erfolgt ist.

25 Vgl. Judith Ryan, „Hypothetisches Erzählen", a.a.O.

26 Zum Motiv des Verlorenen Sohnes siehe Gertrud Höhler, *Niemandes Sohn. Zur Poetologie Rainer Maria Rilkes* (München: Fink, 1979), bes. Kapitel 12 und 13, S. 227-305.

27 Diese Komplexität war mir nicht bewußt, als ich meinen Aufsatz „Hypothetisches Erzählen" (a.a.O.) verfaßte.

28 Zur Vorstellung der „Ent-Ichung" im *Malte Laurids Brigge* vgl. Walter H. Sokel, „Zwischen Existenz und Weltinnenraum. Zum Prozeß der Ent-Ichung im Malte Laurids Brigge", in: *Rilke heute*, hrsg. I.H. Solbrig und J.W. Storck (Frankfurt/ M.: Suhrkamp, 1975), S. 105-129.

29 Vgl. oben, Anm. 12 und 13.

30 Eine vergleichbare Gattungsschwierigkeit wird – aus ähnlichen Gründen – durch Virginia Woolfs Roman *The Waves* dargeboten.

31 Anthony R. Stephens, a.a.O., S. 234.

32 Hartmut Engelhardt, „Nachwort", *Materialien*, a.a.O., S. 317.

33 Vgl. Dieter Saalmann, *Rainer Maria Rilkes „Die Aufzeichnungen des Malte Laurids Brigge"* Bonn, Bouvier, 1975), S. 78.

34 Mach, *Analyse der Empfindungen* (Jena: G. Fischer: 5. Ausgabe, 1906), bes. S. 9; James, „Is Radical Empiricism Solipsistic?" (1905), in: *Essays in Radical Empiricism* (London: Longmans Green, 1912), S. 234-243.

ANDRÉ BANULS

HEINRICH MANN: *DER UNTERTAN (1914 - 1918)*

Ein waghalsiges Unternehmen, die Fahrt Peking-Paris im Automobil, brachte im Anfang dieses Jahrhunderts einige Franzosen in Berührung mit deutschen Menschen, Landschaften und Städten. Es ist wohl anzunehmen, daß die Leute, die den Reise-Pionieren einen begeisterten Empfang bereiteten,[1] zu den zwei Dritteln der Nation gehörten, welche laut Heinrich Mann die chauvinistische Kraftmeierei seines „Untertans", des Anti-Helden Diederich Heßling, ablehnten.[2] Von den anderen hatten sie eben „die Ehre, nicht gegrüßt zu werden".[3] Mit dem im Manuskript vorgesehenen Untertitel „Geschichte der öffentlichen Seele unter Wilhelm II." wollte der Autor allerdings betonen, daß dieses „Drittel" damals die nationale Bühne immer mehr beherrsche. Später, 1940, bei seiner letzten europäischen Mahlzeit, in einem Marseiller Restaurant, dachte er an jene Zeit „vor der Zeitenwende" zurück und bestellte einen 1912er Burgunder, der gewachsen und gekeltert war, „als es das alte Europa noch gab"[4] – und „Diederich Heßling" entstand.

Entstehung und Rezeption

Heinrich Mann erzählte später, die Idee seines Buches sei ihm 1906 in einem Café, Unter den Linden, gekommen, als er die Leute sich drängen sah, um dem vorbeireitenden Kaiser zuzuschauen. Weniger der Kaiser, mit der „Haltung eines bequemen Triumphators", als die Menge, die er „laut ohne Würde" und feige nennt, mißfiel ihm.[5] Diese Szene findet sich, in eine dramatisch-groteske Streikkundgebung verwandelt, die auf einem wirklichen Vorfall im Jahr 1892 fußt, im *Untertan* wieder.[6]

Im Jahr 1907 entstand bereits die Novelle *Gretchen*, in der zum erstenmal ein gewisser Heßling auftaucht, den man auf diese Weise zunächst in seinem Alter als Vater einer mediokren kleinen Bovary, als Verehrer Wilhelms II. und Fürsprecher von „Deutschlands Weltmacht" kennenlernte. Der Roman wurde im Juli 1914 abgeschlossen. Einzelne Kapitel waren 1912 und 1913 im 'Simplizissimus' und anderen Zeitschriften erschienen, und am 1. Januar 1914 hatte 'Zeit im Bild' mit dem Vorabdruck begonnen. Im August 1914 mußte die Serie abgebrochen werden, weil, wie die Redaktion bemerkte, „im gegenwärtigen Moment nicht in satirischer Form an den deutschen Verhältnissen Kritik geübt werden" könne.[7] Immerhin hatten über fünf Neuntel des Textes, alle wesentlichen Teile, in ihrer endgültigen Form[8] vom deutschen Publikum gelesen werden können. Er wurde im November 1918 als Buch veröffentlicht, mit großem Erfolg, vielleicht aber auch mit verminderter Brisanz, denn es konnten die einen nichts als eine durch das Schicksal des Vaterlandes unerträglich gewordene Übertreibung und 'Nestbeschmutzung' darin erblicken, während die anderen nur noch das trübe Vergnügen genießen konnten, einen besiegten Gegner zu belachen und eine dornige Gegenwart zu bewältigen.

Nach 1945 erschien das Buch wieder in Ost (zuerst) und West;[9] von 1964 bis 1982 sind im Deutschen-Taschenbuch-Verlag 510 000 Exemplare verkauft worden.[10]

Kaiser und Untertan

Laut Rousseau ist jeder Mensch in der Gesellschaft zugleich Bürger (citoyen) als Mitglied des souveränen Volks („le Souverain") und Untertan (sujet), weil er den Gesetzen unterworfen ist.[11] Wenn Heinrich Mann also von der „bürgerlichen Wüste dieses Landes" spricht,[12] meint er im Grunde eben den Zustand, in dem nur noch ein verantwortungsloses Unterordnungsverhältnis übrigbleibt; dann droht das Ganze zu einem anarchisch-autoritären Gefüge zu entarten, in dem jeder zugleich Unterdrücker und Unterdrückter wird. Ein solcher ist der 'Held' der Geschichte, von seinem Schöpfer extrem stiefmütterlich behandelt, unter den Tartüffen, Rastignacs und Duroys der Weltliteratur wohl einer der Unbehaglichsten, vielleicht weil ihm die undankbare Aufgabe zufiel, der Inbegriff übler Kräfte in einer Gesellschaft und – unerhoffte Bestätigung – auch noch Symbol für spätere Diktaturen zu sein.

Ein feiger, bornierter, aber geschickter, machthungriger Schwächling (er war „ein weiches Kind" gewesen[13]), Fanatiker des Hinwegfegens,[14] Unhold par excellence, um jeden Preis auf 'Profilierung' erpicht, obwohl er eigentlich kein Gesicht hat, nur ein Un-Gesicht, in Staudtes Film hat ihm Werner Peters endgültig perfekt seins geliehen – dieser Heßling, der in wenigen Ausnahmefällen seinem Naturell untreu, d.h. beinah ein guter, sensibler Mensch wird (oder ist er gerade in solchen Momenten „der eigentliche Diederich, der, der er hätte sein sollen?"[15]), dieser Bösewicht, dem – von der Psycho-Logik der Dichtung her nicht weniger erstaunlich – ehrliche Leute oft ihr Vertrauen schenken, dieser Heßling tyrannisiert seine Zeitgenossen in der kleinen Stadt Netzig und wird durch Chauvinismus, Aufschneiderei und Anpassung vom bescheidenen Papierfabrikanten zum politisch einflußreichsten Mann. Er diffamiert und diskreditiert die Besten (an ihrer Spitze den „alten Buck", einen intelligenten und generösen Achtundvierziger Liberalen), umschmeichelt den 'Junker' Wulckow, der Regierungspräsident ist, intrigiert mit Jadassohn, einem antisemitischen jüdischen Anwalt, paktiert mit Napoleon Fischer, seinem Maschinenmeister, dem ehrgeizigen Vertreter der Sozialdemokratie . . . Zum Schluß hält er eine triumphale Rede zur Einweihung eines Denkmals Kaiser Wilhelms I.; ein Sturm unterbricht, recht symbolisch, seine nationalistischen Banalitäten. Daß in dem Buch (hauptsächlich in diesem Kleinstadtdebakel) der Krieg als „nahe und unausweichlich" erscheine, wie es in Heinrich Manns Memoiren heißt,[16] ist fraglich, denn gewisse Stellen des Romans zeigen, daß der Autor wohl nicht an ihn glaubte. Der junge Buck, Heßlings Gegenspieler, erklärt: „Die einzige reale Macht ist heute der Friede. Spielt euch die Komödie der Gewalt vor! Prahlt gegen eingebildete Feinde draußen und im Innern! Taten, glücklicherweise, sind euch nicht erlaubt!"[17] In einer Privatnotiz aus dem Jahr 1915 bat der Autor „demüthig" seinen Helden um Entschuldigung: dieser sei doch der Stärkere gewesen, „nur der Autor, nicht der Held, war in dem Irrthum befangen, dieser 2. August werde nicht kommen"; „sein Verhältnis zur Macht war mehr als Schauspielerei".[18]

Die Satire richtet sich nicht nur gegen den fiktiven Diederich, sondern auch gegen die Person des Kaisers und gegen die 'neue Zeit' im allgemeinen. Wilhelm II. erscheint zwar kaum im Roman, ist aber von Anfang bis Ende durch die Mimikry seines Untertanen gegenwärtig: die drohende Maske mit Schnurrbart und Blitz in den Augen, die Zeitungsphrase von der „Impulsivität", die Manie des Flottenbaus (Diederich kauft unnötigerweise neue Maschinen), die Herrschsucht, alles, bis ins Detail, zielt direkt oder indirekt auf den Kaiser – sogar Heßlings Frau heißt Guste . . . Die Geschichte um das Denkmal für den alten Kaiser soll z.B. keineswegs eine satirische Spitze gegen ihn selbst sein, sondern gegen diejenigen, die sein Gedächtnis und seinen Mythos mißbrauchen. Auch das Epitheton „Der Große" ist eine Pointe gegen den Enkel, der es einzuführen versuchte.[19]

Obwohl sie unter Umständen für den Schriftsteller Reklame machten, waren Majestätsbeleidigungsprozesse nicht sonderlich begehrt; 1912 mußte Heinrich Mann einen über sich ergehen lassen, wahrscheinlich wegen des Vorabdrucks eines Kapitels aus dem *Untertan*. Mit seiner Satire stand er keineswegs allein. Die Kritik am 'Neuen Kurs' nahm in allen Schichten rechts und links an Schärfe zu. Vom Pamphlet Ludwig Quiddes, *Caligula. Studie über römischen Caesarenwahnsinn* waren 500 000 Exemplare abgesetzt worden, und „der Zug der Nörgler", der dem entlassenen Bismarck auf einer *Kladderadatsch*-Zeichnung folgte, wuchs ständig.

Manns kühner Kunstgriff bestand – höchste List in der allerhöchsten Beleidigung – darin, in den Mund eines Narren Aussprüche des Monarchen zu legen;[20] Heßling lernt eifrig seine Kaiser-Litaneien, erfindet sogar welche; das Buch bietet eine unübertreffliche Anthologie des Bramarbasierens, eine geschickte Montage von Gemeinplätzen und Sentenzen, teils authentisch kaiserlich, teils mit Flaubert'scher Verliebtheit in menschliche Dummheit anderswo aufgelesen. Der Grundtenor ist hinlänglich bekannt, ein Sammelsurium des Pathos, der Intoleranz und der Aggressivität: Schicksal, Stolz, diese harte Zeit, viel Feind, viel Ehr, England feiges Krämervolk, falsche Humanität, Gottes Finger, christliche Kanonen, der Kaiser als Gottes Werkzeug (einstimmig angenommen), usw.

Ideologische Vorstufen. Bismarck.

In den neunziger Jahren war Heinrich Mann Mitarbeiter und (eine Zeitlang) Herausgeber der antisemitischen, nationalistischen Zeitschrift *Das Zwanzigste Jahrhundert* gewesen.[21] Sie kämpfte gegen den 'Neuen Kurs' des jungen Kaisers und trauerte dem „Heldengreis von Friedrichsruh", dem von Wilhelm II. 1890 entlassenen Bismarck nach, zu dem sich Heinrich Mann noch in seinem hohen Alter bekannte (er sprach in dieser Beziehung sogar von „Religion").[22]

Der *Untertan* verdankt dem *Zwanzigsten Jahrhundert* viel: das nun Verleugnete, den Chauvinismus, aber auch, weiterhin gültig, die Abneigung gegen den Kaiser, seinen 'Kurs', sein Wesen, sein Gerede, die neue Gesellschaft. In einer (indirekt wiedergegebenen) Ansprache Diederichs findet sich eine Stelle, die angeblich das Frankreich des zweiten Kaiserreichs charakterisieren will:

> Der in leerer Religiosität versteckte krasse Materialismus hatte den unbe-denklichsten Geschäftssinn großgezogen, Mißachtung des Geistes schloß ihr natürliches Bündnis mit niederer Genußgier. Der Nerv der Öffentlichkeit war Reklamesucht, und jeden Augenblick schlug sie um in Verfolgungssucht. Im Äußeren nur auf das Prestige gestellt, im Innern nur auf die Polizei, ohne an-deren Glauben als die Gewalt, trachtete man nach nichts als nach Theater-wirkung, trieb ruhmredigen Pomp mit der vergangenen Heldenepoche, und der einzige Gipfel, den man wirklich erreichte, war der des Chauvinismus.

„Von all dem wissen wir nichts!" ruft Diederich.[23]

Was Bismarck betrifft, dessen Karikatur der grobe Junker Wulckow trotz Dog-genbegleitung nicht sein kann, so erscheint sein Name (etwa 7mal) im Roman: we-der Kult noch Kritik, eher eine historische Relativierung: „Aber seid ihr eurem Bismarck etwa gefolgt", sagt der junge Buck, ein Demokrat, „solange er im Recht war? Ihr habt euch zerren lassen, ihr habt mit ihm im Konflikt gelebt" — Worte, die sich u.a. an den gegen Bismarck opponierenden Adel selbst richten könnten; „erst jetzt", fährt Buck fort, „da ihr über ihn hinaus sein solltet, hängt ihr euch an seinen kraftlosen Schatten! Denn euer nationaler Stoffwechsel ist entmutigend langsam. Bis ihr begriffen habt, daß ein großer Mann da ist, hat er schon aufge-hört, groß zu sein".[24]

Bismarck wird immer noch, wie im *Zwanzigsten Jahrhundert,* gegen Wilhelm II. ausgespielt: genau wie dieser den Kanzler, entläßt Heßling den treuen Mitarbeiter seines Vaters, Sötbier, mit quasi kaiserechten Worten: „Ich bin mein eigner Ge-schäftsführer". Für diejenigen aber, die naiv meinen könnten, ein großer Staats-mann hätte da den anderen abgelöst, läßt der Autor den Skeptiker Wolfgang Buck präzisieren: bei seinem Talent hätte er, Buck, ein Bismarck oder ein Lassalle wer-den können; in der heutigen Dekadenzzeit, in der alle nur „spielen", gebe es je-doch keine großen Männer mehr — eine gemilderte Version der letzten Erkennt-nis des Autors seit einigen Jahren: des grassierenden Vulgär-Nietzscheanismus überdrüssig, proklamiert er, ein großer Mann sei eine Kalamität, und, wie es z.B. im Zola-Essay heißt: „eine soziale Gefahr", „ein Ungeheuer, das Entsetzen der Kleinen".[25]

Gehörte etwa auch Bismarck zeitweilig doch zu den „Ungeheuern"? In den *Be-trachtungen eines Unpolitischen* zitiert Thomas Mann eine Stelle, die er für ein „Porträt" von Bismarck hält („Es steht nicht 'Bismarck' darunter, man vergißt vor 'Leidenschaft' nicht alle Vorsicht; doch ist ein Zweifel nicht möglich", sagt er):

Dies ist der Machtmensch, der Herr schlechthin, und ganz unnütz, wenn er
nicht Herr sein darf. Die zwecklose Wucht der massiven Schultern! – bei einem gestürzten Machthaber, der auf seine Rückkehr wartet und nur wartet,
ohne geistige Interessen, ohne eine Tätigkeit außer der Macht und zu allem
bereit, damit er sie wieder ausüben darf, bereit zur Verleugnung seiner ganzen Vergangenheit, ja, käme es darauf an, zum Spiel mit dem Leben seines
Fürsten, – denn der war immer nur der Vorwand für den Machttrieb seines
treuesten Dieners.[26]

Diese Zeilen aus Heinrichs Zola-Essay hat Thomas Mann in dem Heft der 'Weißen Blätter', wo sie 1915 zuerst erschienen, mit einer Randbemerkung versehen:
„Bismarck!".[27] Wörtlich genommen beziehen sie sich auf eine Romanfigur bei
Zola, den (nicht genannten) Eugène Rougon. Man ist überrascht, zu erfahren, daß
darüber hinaus Heinrich Mann, der sonst ohne „Vorsicht" den lebenden Herrscher
lächerlich machte und mitten im Krieg „la débacle" offen herbeiwünschte, hier einen bei ihm sonst unbekannten Haß auf den seit 15 Jahren verstorbenen Kanzler
versteckt ausgedrückt hätte. Thomas Mann mag freilich für diese Behauptung Anhaltspunkte gehabt haben, Gespräche, heute verschollene Briefe; andere Stellen
von ihm erwähnten die „offene Feindseligkeit, die in der Sphäre eines gewissen
literarisch-humanitären Radikalismus gegen Goethe so gut wie gegen Bismarck
lebendig" sei.[28]

Gleich nach dem Ersten Weltkrieg warf Heinrich Mann der preußischen Monarchie vor, deren „Umsichgreifen" Rußland unterstützt habe, „die Knechtung unseres freien Landes" vollzogen zu haben.[29] Was auch unter „freies Land" gemeint
sein mag (Lübeck etwa, oder die nicht preußischen deutschen Monarchien?) – er
scheint eine Zeitlang der Bismarckschen Politik seine Zustimmung entzogen zu
haben.

Bürgertum

Ein Leitmotiv des *Zwanzigsten Jahrhunderts* war die Apologie des 'Mittelstandes'
gewesen, den es gegen Neureichtum und wilden Kapitalismus verteidigte. Für
Mann waren das dereinst bewitzelte Lübeck und die wiederentdeckte patrizische
Familientradition nun zum Inbegriff der Unbescholtenheit, des durch redliche
Arbeit erreichten Wohlstandes geworden. Der 'kleine Rentner', der er nunmehr
war und der (bis 1914) meist in Italien lebte, hatte bei Paul Bourget das Lob der
„vaillante et solide bourgeoisie" gelesen, und er pries in seiner Zeitschrift die
„Klasse der ehrenhaften Großkaufleute". Davon ist in seinem ersten Roman, *In
einer Familie*, viel die Rede, und die Satire des *Schlaraffenlandes*, 1900 erschie-
nen, geißelt in dieser Perspektive (und noch mit antisemitischen Akzenten), die
Welt der Berliner Börsenpiraten und Pseudo-Literaten, die „Pöbelherrschaft des
Geldes."

Im Jahre 1904 publizierte Mann seinen Essay über Flaubert und George Sand;
er zeigt, wie wichtig die geistig-politische Auseinandersetzung zwischen beiden

Autoren für ihn gewesen ist. In einem (von ihm m.W. nicht zitierten) Brief George Sands an Flaubert war bereits die ganze politische Konstellation des *Untertans* präfiguriert; es ging um das Bürgertum, das wahre, alte: wie können wir uns, wenn wir Bürger sind, vor den Söhnen der Unterdrücker unserer Väter beugen? Machtlosigkeit und Verderben wird es uns bringen.[30] Auch der alte Buck sagt im Roman „Wir Bürger" und meint: „Es geht um das Volk, dazu gehören alle, nur die Herren nicht. Wir müssen zusammenhalten."[31]

Der Adel war im *Schlaraffenland* blutarm und dekadent, jetzt regiert brutal der Präsident von Wulckow, durch Heßling (eine andere, provinzielle Form des 'neuen' Bürgertums) unterstützt. Ein kurzer Text von 1911, 'Reichstag' betitelt, schilderte in virtuoser Polemik das parlamentarische Leben: die „Herren" schmunzeln wulstig, während am Rednerpult die „Bürgerlichen" gegen die Sozialdemokratie wettern. „Empörend" findet der Dichter seine Mit-Bürger, weil sie sich dem Adel unterwerfen; und er ruft ihnen zu:

> Habt ihr kein Blut? Steigt es euch nicht in die Stirn beim Anblick der frechen Feindseligkeit einer Kaste, die es noch wagt, sich zu zeigen, noch wagt, befehlen zu wollen, mitten im Sammelpunkt eurer bürgerlichen Anstrengungen, in der Schöpfung eurer Väter, im Reichstag?

In einem anderen Passus wird sogar der persönliche Bezug sichtbar, die Bitterkeit des Wahlitalieners, welcher in der Fremde Vorteilhafteres über sein Vaterland und über sich selbst berichten möchte:

> Niedergehalten in eurer öffentlichen Selbstbestimmung, ausgeschlossen vom Staat, von Macht und Ehren, von der Vertretung der Leistungen und Werte, die nur die euren sind, der Welt gegenüber: ist das nicht genug? Ist es nicht genug, ein Leben lang von Fremden, die über ihren Willen und ihre Sprache selbst verfügen, gefragt zu werden: „Was sagt euer Kaiser? Was will eure Regierung?" Und wenn ihr einen anständigen Kopf habt, gefragt zu werden: „Sie gehören wohl zur Aristokratie Ihres Landes?" — da in einem unterdrückten Arbeitsvolk niemand die Gesichter der höchsten europäischen Kulturschicht sucht. Letzter Hohn eines deutschen Schicksals: verwechselt werden mit dem von Dreckwitz, mit dieser Elite des Stalls und der Nachtlokale, mit dieser Edelzucht von Zirkusdirektor und Schieber![32]

Ein Satz aus dem Essay über Laclos (1905) bezeichnete genau, mutatis mutandis, diese zwiespältige Haltung dem Bürgertum gegenüber: „Seine enttäuschte Begierde richtet sich feindselig gegen die Klasse, in der er so gern triumphiert hätte." In der Gegenwart sieht jedoch Mann keine Hoffnung, Warnen ist nutzlos; auch das steht in 'Reichstag':

> Die Geschlechter müssen vorübergehen, der Typus, den ihr darstellt, muß sich abnutzen: dieser widerwärtig interessante Typus des imperialistischen Untertanen, des Chauvinisten ohne Mitverantwortung, des in der Masse verschwindenden Machtanbeters, des Autoritätsgläubigen wider besseres Wissen und politischen Selbstkasteiers.

Auch auf die damals im Entstehen begriffene Gestalt Heßlings beziehen sich diese letzten Wörter: das „bessere Wissen" kommt gelegentlich selbst bei ihm zum Vorschein, Anwandlungen von Rebellion, und in solchen Augenblicken spricht gerade er paradoxerweise die Meinung des Autors aus; er denkt, weil Wulckow ihn verächtlich behandelt:

> 'Wer bin ich, daß ich mir das bieten lassen muß? Mein letzter Maschinenschmierer läßt sich das von mir nicht bieten. Ich bin Doktor. Ich bin Stadtverordneter! Dieser ungebildete Flegel hat mich nötiger als ich ihn! [...] Diese Kommißköpfe und adligen Puten [...] Und wer bezahlt die frechen Hungerleider? Wir! [...] Menschenschinder! Säbelraßler! Hochnäsiges Pack ... Wenn wir mal Schluß machen mit der ganzen Bande !' Die Fäuste ballten sich ihm von selbst, in einem Anfall stummer Raserei sah er alles niedergeworfen, zerstoben: die Herren des Staates, Heer, Beamtentum, alle Machtverbände und sie selbst, die Macht! Die Macht, die über uns hingeht und deren Hufe wir küssen! Gegen die wir nichts können, weil wir alle sie lieben! Die wir im Blut haben, weil wir die Unterwerfung darin haben! Ein Atom sind wir von ihr, ein verschwindendes Molekül von etwas, das sie ausgespuckt hat! ... Von der Wand dort [...] sah eisern hernieder ihr bleiches Gesicht, eisern, gesträubt, blitzend: Diederich aber, in wüster Selbstvergessenheit, hob die Faust.[33]

Ebenso droht er mit dem „Umsturz", weil Leutnant von Brietzen, der „freche Junker", sich weigert, seine Schwester zu heiraten.[34] Dies sind aber nur „Anfälle." Ansonsten fügt er sich, wird zum Untertan, dies sogar mit einer Begeisterung, an die er selbst glaubt, weil er durch sie wenigstens indirekt der Autorität teilhaftig wird, ehe er am Ende, trotz der Gewitter-Szene, siegt (selbst Wulckow wankt).

Die „Logenbrüder" und die Ideale von 1789

In 'Reichstag' empfahl Heinrich Mann dem Bürgertum (etwa im Sinne George Sands), sich mit den Sozialdemokraten zu verbinden, die ganz ungefährlich geworden seien, „maßvolle kleine Bürger", welche nichts wollen, „als Kindern und Enkeln ein spießiges Wohlleben verschaffen", und große Angst vor dem Generalstreik haben.[35] Die Sozialdemokratische Partei selbst, symbolisch und ungerecht vertreten durch Napoleon Fischer, kommt allerdings im Roman nicht besonders gut weg: viel geändert hat sich nicht, seit Heinrich Mann im *Zwanzigsten Jahrhundert,* Nietzsche wiederholend, den Sozialismus als „den jüngeren Bruder des alten Absolutismus" bezeichnete; und der junge Buck hat für die Doktrin, die er „mechanistisch" nennt, wenig übrig.[36]

„Daß wir den Arbeitern niemals ihr Recht geben wollten", sagt noch der alte Buck, der die Sozialgesetzgebung des Kaiserreichs wohl vergißt, „das hat den Herren die Macht verschafft, auch uns das andere zu nehmen".[37] Mit wem verbündet sich aber Napoleon Fischer? Mit dem ihm verhaßten Heßling selbst (und indirekt mit dem Adel) gegen das echte, alte Bürgertum, dessen Vertreter, welche die Hoffnung und die Zukunft symbolisieren, im Roman mehr und mehr zum Untergang verurteilt scheinen. (Schon 1889 hatte Mann die Broschüre *Der Kronprinz und die deutsche Kaiserkrone* gelesen, in der Gustav Freytag der Befürchtung Ausdruck gab, der Tod Friedrichs III., der übrigens auch Freimaurer war, würde eine ganze Generation, gerade diejenige, die noch im Geist von 1848 gelebt habe, um Einfluß und Wirkung bringen). Trotzdem: die gewollte Verzerrung, die satirisch warnende Intention, welche Heßling strukturell in den Mittelpunkt des Romans stellt und immer mächtiger werden läßt, darf die Tatsache nicht verbergen, daß die 'Guten', Buck, Fabrikant Lauer, der seine Arbeiter am Gewinn beteiligt (aber auch Heßling baut Arbeiterhäuser), daß der sogenannte 'Freisinn', daß die Netziger Freimaurer, kurz alle Leute, die Diederich meint, wenn er von der „bürgerlichen" oder (in derselben Szene) von der „demokratischen Korruption" spricht, von ihm und seinen Kumpanen noch als die „herrschende Partei" bezeichnet werden[38] — wo man doch weiß, daß Wulckow der eigentliche Herr ist. Verständlicher, wenn auch widersprüchlich heißt es anderswo, daß sie sich versteigen (sagt Diederich, der es mit Empörung beobachtet), für das Bürgertum, das tatsächlich alle Leistungen liefere, auch die „Führung im Staate zu verlangen".[39] Dies alles relativiert etwas den von Boonstras[40] präzisen Bemerkungen und Vergleichen bestätigten Vorwurf Thomas Manns, der seinen Bruder den „größten aller radikalen Narren" nannte, weil er „Unternehmer schilderte, die es nicht gibt, Arbeiter, die es nicht gibt, soziale 'Zustände', die es allenfalls ums Jahr 1850 in England gegeben haben mag."[41]

Der 1907 erschienene Roman *Zwischen den Rassen* enthält ein Bekenntnis zu einem historischen Ereignis, das seit einigen Jahren Manns politische Wertvorstellungen beherrschte, die Französische Revolution.[42] Vom satirischen Konservatismus der *Göttinnen* hatte er sich abgewandt, stand unter dem Einfluß von Rousseau und Michelet und war wohl einer (höchstwahrscheinlich italienischen) Loge beigetreten — eine wichtige, nicht leicht zu untersuchende Frage; jedenfalls ist im Roman immer wieder, diskret aber unüberhörbar, von der Netziger Loge die Rede.[43]

Der introvertierte Künstler, „Romantiker im Herzen" (wie er Flaubert nannte), sehnte sich entgegen der nationalen Selbstzufriedenheit nach dem von ihm als „arkadisches Verbrüderungsfest" bezeichneten Ereignis von 1789 zurück. Der Misanthrop Flaubert ist das Symbol seiner vorherigen Persönlichkeit, seiner jetzigen auch, soweit beide Einsamen ihre zeitgenössische Gesellschaft ablehnen und — so klingt die düstere Mahnung des *Untertans,* beim sterbenden alten Buck erscheint Diederich wie die Gestalt des „Teufels" — wenig Hoffnung haben. George Sand entspricht seiner neuen, demokratischen, revolutionären Einstellung: dies ist der Grundtenor des langen Essays von 1904 über die beiden französischen Autoren. Er rühmt die „vom Gefühl gelenkte Revolution" von 1848, in der George Sand sich „heimisch" gefühlt habe.[44] Gefühl und Glaube sind ihm das Wichtigste: es hat einmal genügt, „an die irdische Vervollkommnung des Menschengeschlechtes zu glauben [. . .]. Die glücklichen Menschen des achtzehnten Jahrhunderts glaubten. Das Jahr 1789 war ihr Lohn".[45] (In Bismarckscher Perspektive übrigens eine ungeheuerliche Schwärmerei, Heinrich Mann mußte es wissen, daher wohl auch die vorher erwähnte Distanzierung).

Es fiel der in Italien lebenden kosmopolitischen Heldin von *Zwischen den Rassen* relativ leicht, eine Verbindung herzustellen zwischen der Gegenwart und dem über hundert Jahre alten Ereignis, welches sich außerdem in den kurzen Pamphleten um 1910 gegen die Realität des industriellen Deutschland glänzend ausspielen ließ. Wenn man aber den Anspruch erhob, die neue deutsche Gesellschaft in einem realistisch konzipierten Roman darzustellen, gab es bei dem Vergleich einige Schwierigkeiten. Der Landadel hatte zwar noch politische Macht, focht aber in Wirklichkeit seinen „ökonomischen Todeskampf" aus.[46] Weit entfernt davon, dekadent oder vollständig „untertan" zu sein, strebte 'das' Bürgertum dem Gipfel seiner wirtschaftlichen Macht zu, und es bedurfte keiner 'bürgerlichen' Revolution mehr. Die Verschiedenheit der politischen Kontexte erlaubte es kaum, die Heilslehre, das subjektiv Rettende, zum objektiven Heilmittel zu machen. Deshalb findet sich im tristen Netzig kaum noch etwas von den Enthusiasmen der italienischen 'Kleinen Stadt' (in dem vorigen Roman gleichen Namens). Deshalb wohl spricht der junge Buck — einmal — im Präteritum von der französischen Trikolore, welche „damals" die „allgemeine Morgenröte" bedeutet habe und deren Farben (auf einem alten Gemälde im Rathaus) verblichen seien.[47]

„Geistesführer"

Wer aber sollte den angeblich (trotz allem) allmächtigen Adel und seinen immer protzigeren Untertan besiegen? Welche Kraft sollte die Gesellschaft verbessern, Netzig in Arkadien verwandeln? Die Antwort steht nicht im Roman, sondern in manchen anderen Texten, vor allem in gleichzeitigen. Sie lautet: der „Geist"[48], genauer gesagt: der „Geistige", oder, wie es vom Zola-Essay ab heißen wird, der „Intellektuelle" — „der Mensch des Geistes, der Literat"; Heinrich Mann spricht auch gern von „den Denkenden".[49] Zwar soll im Prinzip „das Volk" „herrschen": „vox populi vox Dei" war die Devise von Michelet. Was ist aber das Volk? Der alte Buck behauptet: „dazu gehören alle, nur die Herren nicht".[50] Was bleibt nun übrig, wenn man außerdem die „Untertanen", die Besiegten, die Absterbenden, die belustigten oder betrübten Skeptiker abrechnet? Sind es etwa die Arbeiter des Romans, die armen Unterdrückten der Papierfabrik, selten vorbeihuschende Schatten? Oder jene Anhänger der Sozialdemokratie, an deren Doktrin Heinrich Mann nicht glaubt und die er herablassend einem selbstbewußten Bürgertum als ungefährliche Verbündete empfehlen würde, weil sie sich nur ein „spießiges Wohlleben" wünschten?[51]

Hauptsache bleibt (als einziges Positive): das Volk sollte der wahren „Elite" folgen, „auf dem Wege, den der Geist befiehlt". Herrschaft der „Wissenden": in der Weltgeschichte ein seit Platon oft variierter Gedanke: „le gouvernement d'un pays doit être une section de l'Institut et la dernière de toutes", hatte Flaubert, die Schwierigkeiten etwas unterschätzend, an George Sand geschrieben, Heinrich Mann kannte den Satz.[52] Er kannte vor allem Renans *Dialogues philosophiques* und ihren unerbittlichen Geistesaristokratismus[53] (wohl aber nicht des Erasmus gegenteilige Ansichten).[54] Beispielhaft erscheint ihm die Geschichte Frankreichs, er beneidet die französischen Schriftsteller um die Folgsamkeit ihres Volkes: „Die Geistesführer Frankreichs, von Rousseau bis Zola, hatten es leicht, sie hatten Soldaten".[55] Daher auch die jetzt nicht mehr lediglich literarische Bewunderung dieses Landes: es hatte vor der Revolution sogar einen aufgeklärten Adel (der Chevalier d'Angelot in *Madame Legros!*) gegeben, und in der III. Republik siegte Zola über die Raison d'Etat.

Die Erlösung,[56] die da über den politischen Führungsanspruch hinaus ein 'homo religiosus' für die Menschheit sucht, bringt kein Priester, sondern der Künstler: „Wie ein König", hieß es im Roman *Die kleine Stadt*, soll er dank seiner Gaben über das „Volk" herrschen, es erziehen und beglücken. Und dies ist die Erinnerung des alten Mannes an sein frühes Nietzsche-Erlebnis:

> Er stellte an die Spitze seiner geforderten Gesellschaft den stolzen Geist, – warum nicht uns selbst? Nach uns der König, die Adligen und die Krieger, dann lange nichts. Welcher Zwanzigjährige läßt sich das zweimal sagen?[57]

Dilettantismus und Überzeugung

Solcher Geistesaristokratismus mag außerdem für den Einsamen ein Mittel gewesen sein, um eine Komponente seines Wesens, die schöpferische Unentschlossenheit und Vielseitigkeit des Künstlertums, die „Krankheit des Willens",[58] den sogenannten Dilletantismus zu überwinden – Probleme, die im Jugendwerk zum Ausdruck kamen. Die Hauptfigur des ersten Romans, *In einer Familie,* wurde als ein „Dilettant" beschrieben, und die Erklärung dieses Wortes hat man im Vorwort des Buchs von Paul Bourget *Le Disciple* zu suchen: so wurde da der Dekadent genannt, der 'Spätgeborene', der keiner 'Überzeugung' mehr fähige Mensch, welcher nur noch Rollen spiele, verschiedene Persönlichkeiten mime, statt eine zu sein, etc. (eine Haltung, die Nietzsche hingegen positiv bewertet hatte; die einzige Art, „mit großen Aufgaben fertig zu werden", sei eben das Spiel).[59]

Der junge Buck, Heßlings Widerpart, ihm verhaßt, weil er so viel „Geist" hat und gute Aufsätze schrieb, Rechtsanwalt Buck war eine Zeitlang Schauspieler: 'Komödiant' ist etwa seit der Novelle *Pippo Spano* (1904) der neue Ausdruck für 'Dilettant'. In Buck stellt Heinrich Mann ein auch ihm verwandtes Wesen dar; und gerade diese wichtige Figur sieht in dem verhöhnten Kaiser ein nicht minder verwandtes Wesen, das das Glück habe, über das wunderbarste Spielzeug zu verfügen.

> Wenn einem solche Unmenge Macht in den Schoß gefallen ist, wäre es auch wirklich Selbstmord, sich nicht zu überschätzen.[60] Worauf es für jeden persönlich ankommt, ist nicht, daß wir in der Welt wirklich viel verändern, sondern daß wir uns ein Lebensgefühl schaffen, als täten wir es. Dazu ist nur Talent nötig, und das hat er.[61]

Buck versichert, er empfinde keinerlei Abneigung gegen den Kaiser, sondern im Gegenteil „Zärtlichkeit", „eine Art feindlicher Zärtlichkeit", weil er „seine eigenen Fehler" in ihm wiederfinde:[62] „er ist mir wahrhaftig nicht unsympathischer als ich mir selbst bin".[63] Im Essay über Flaubert und George Sand stand schon der Satz: „In Satiren ist Neid oder Ekel, aber immer ein gehässiges Gemeinschaftsgefühl".[64]

Die zwiespältige Ironie des Verfassers scheint den Monarchen zu schonen, dafür wird sein Nachahmer Heßling abgelehnt; Buck sagt:

> Das ästhetische Niveau unseres öffentlichen Lebens, das vom Auftreten Wilhelms des Zweiten eine so ruhmreiche Erhöhung erfahren hat, kann durch Kräfte wie den Zeugen Heßling nur verlieren.[65]

Immerhin ist Heßling, mit seinen im Grunde opportunistischen „Überzeugungen", bei aller kompensierenden Aggressivität auch ein „Dilettant", seine Kraftmeierei ist komödiantischer Art; der Verfasser schildert im spießigen Tyrannen einen inferioren Bruder des „dilettantischen" Künstlers, als der er sich einmal empfand. (Solche Perspektiven erscheinen bei Thomas Mann, in mehr oder weniger ironischer Form, bis zuletzt: 'Bruder Hitler', Felix Krull).

Mann neigte, als er sein Buch schrieb, freilich wenig dazu, sich solcher „feindlichen Zärtlichkeit" hinzugeben. Da er den „Wirkungen des Enthusiasmus" im politischen Leben eine entscheidende Bedeutung beimaß, mußte er die Gefahr erkennen, die von einem kaiserlichen „Dilettanten" und seinen Nacheiferern ausging, denn „mehr Veränderung als alle Wirtschaftsgesetze erzeugt in der Welt das Beispiel eines großen Mannes",[66] was auch für schlechtes Beispiel gilt.

Was aber den jungen Buck betrifft, so ist seine Persönlichkeit noch komplexer. Selbst Spiel und Skepsis sind für ihn im Grunde nur eine Pose, faute de mieux. Lieber würde er glauben – wenn er noch hoffen könnte. Nicht zufällig befindet sich genau in der Mitte des Buches die Szene des Majestätsbeleidigungsprozesses (genialer Einfall übrigens: der Autor beschreibt den Prozeß, den er wegen des Buches riskiert) und Bucks Plädoyer gipfelt in dem Ausruf: „Das Erwachen des Bürgers!", „Die wahrhaft nationale Gesinnung!".[67] In einem Gespräch mit Diederich weint er sogar bei der Betrachtung der „französischen Trikolore auf einem Gemälde: „Die Farben sind verblichen." (siehe oben). Vorher hatte er gesagt: „Ich bin überzeugt, daß die Rokokowillkür von denen, die ihr unterlagen, für überwindbar gehalten wurde, sonst hätten sie nicht die Revolution gemacht."[68]

Ausblick

Als der Kaiser abgetreten und der Krieg vorbei war, bemühte sich Heinrich Mann, nunmehr in Deutschland ansässig, und – obwohl er sagte: „Politik ist Angelegenheit des Geistes"[69] – mit keinem politischen Amte bekleidet, ein praeceptor Germaniae zu sein; und so wirkte er weiter in jener chaotischen Zeit als beratender und kritisierender „Geistesführer", bald radikal, bald tolerant und milde, die Republik bald verhimmelnd, bald verdammend, bis ein gewisser Oberösterreicher ihr den Garaus machte, den sein liebster Mitarbeiter, Albert Speer, rückblickend als

„Dilettanten" bezeichnen wird . . . Heinrich Mann sprach vom „Einfluß der Schrift-steller": „Sie folgen auf den früheren Adel, der Dialekt sprach und mit seinen Bauern jagte. Er war unwissend, dafür verstand er sich mit dem Volk wohl besser als die Fachmänner" (rückblickend wird Wulckow einigermaßen rehabilitiert). „Der neue Vertraute eines umgeschichteten Volkes ist jetzt manchmal der Schrift-steller".[70] Ziel dieser Entwicklung, Zweck der „richtig verstandenen Demokratie" soll sein, „den neuen Adel" zu formen, „denn seinen Adel braucht jeder Staat."[71]

Heinrich Mann nannte sich gern einen „geistigen Arbeiter", glaubte aber festzu-stellen, daß die Industriearbeiter und ihre Vertretung immer mehr zu einem Machtfaktor im politischen Kräftespiel geworden waren, der den „Geistigen" au-ßer acht ließ. Die Inflation von 1923 brachte ihn um die Früchte des großen Nach-kriegserfolgs, den *Der Untertan* verursacht hatte. Nun könnte er glauben, Heßling und Napoleon Fischer wieder an einem Tisch sitzen zu sehen (und das wäre eine nachträgliche Erklärung für dieses frei erfundene Bündnis; die Intuition von da-mals wird zum Alptraum):

> Erhöhte Löhne, steigender Profit, alles stimmt. Ruin des Mittelstandes, Elend und Sterben der geistig Schaffenden gehört ins Bild und wird hinge-nommen.[72]

Später im Exil wurde das Gefühl der Isolierung noch qualvoller. Der ohnmächtig Einsame suchte, da er als „Geistiger", als „Künstler" doch kein „König" war, nach Königen, die er als Geistige deklarieren konnte, denn nur dann gelten wohl „große Männer" nicht als „Ungeheuer". Um an sie zu glauben, mußte er den Führungsan-spruch des Geistigen auf sie übertragen, seine Geistigkeit gleichsam delegieren; er mußte sie zu „Geistesführern" ernennen, sozial gesehen zu Repräsentanten und Beschützern nicht nur der Arbeiter (was waren überhaupt 1944 für Heinrich Mann „Arbeiter", und was „Bürger"?), sondern auch des Super-Proletariers, als der er sich fühlte, zu Vertretern und Vollendern von Zukunftsidealen. Der ferne Stalin bot sich an, revolutionär und autoritär, Bolschewik und Marschall, ein „Intellek-tueller", der „Berufene" – Bezeichnungen, denen viele damals in der Welt, Jüng-linge und Staatsmänner, zugestimmt hätten – und wurde in einem Atem mit Henri IV, Lassalle und Bismarck genannt.

Der alte Mann in Los Angeles fühlte sich „falsch entdeckt", als politischer Ro-mancier „festgelegt", und wollte nicht als „Verfasser eines romanhaften Leitarti-kels" weiterleben („es scheint, um seinetwillen erschien auch der Autor hienie-den"[73]). Es ist wohl sein Schicksal: die historische und ideologische Problematik läßt oft, wie hier, das Ästhetische zu kurz kommen.[74] Seinem „Biographen" Karl Lemke riet er von zuviel „Enthusiasmus" ab.[75] Die Kunst sei (so in den Memoi-ren) „um ihrer selbst willen ernst zu nehmen", „Kampf allein tut es nicht. Was bleibt denn von den Kämpfen. Fortzuleben verdienen die schönen Werke"[76] – die Schönheit der Werke: im Fall des *Untertans* vor allem die fast überall spürbare, ungebrochene vis comica dieser großen Satire, – gleichviel ob man das Buch histo-risch oder zeitlos auffaßt, nicht umsonst trägt es einen Titel, der letzteres sugge-riert und an illustre Werke erinnert, an Heautontimorumenos, an L'Avare oder Le

Malade imaginaire . . . Der Autor hat es gewußt: „Meine Schriften sind alle heiter.
Die traurigste von ihnen nach ihrem Gegenstand, *Der Untertan,* ist im Geiste die
heiterste."[77] „Als ich es schrieb, konnte ich über diese Welt noch lachen. Das erklärt den anhaltenden Erfolg. Ein bitterer Roman wäre jetzt vergessen"[78] — Erfolg, wohl weil man noch heute „lacht", während damals beim Schreiben oft der
Zorn das Lachen überwogen haben mag.

Anmerkungen

1 Vgl. Jean de Taillis: *Pékin-Paris Automobile en quatre-vingt jours* (Paris: Juven,
   1907). Einige (übersetzte) Zitate: „Ich trinke auf die Verständigung zwischen
   Frankreich und Deutschland auf dem Gebiet des Automobils in der Hoffnung,
   daß diese Verständigung in anderen Bereichen Früchte tragen wird", sagt der
   Präsident des Kaiserlichen Automobil-Clubs in Berlin. Überall werden sie akkla-
   miert, „Vive la France!". Anmutige Felder, komfortable Häuser bewundern die
   Automobilisten aus Frankreich. Manöver finden statt und „überall wird die
   Trikolore von den Offizieren der vorbeiziehenden Kolonnen begrüßt, wir waren
   sehr stolz"; Kürassiere werfen ihre Helme mit Begeisterung in die Luft und rufen: „Hurrah! Hurrah!"
   Unter den zeitgenössischen französischen Reiseberichten seien die ausführli-
   chen Bücher von Victor Cambon: *L'Allemagne au travail* und *Les derniers pro-
   grès de l'Allemagne* (Paris, o.J. [etwa 1913], 273 Seiten) erwähnt. Der Autor
   bewundert sehr das moderne Deutschland und beklagt die Café-du-Commerce-
   Passivität seiner Heimat. Was die Außenpolitik betrifft: „la majorité du peuple
   allemand ne désire guère les complications extérieures, qui sont même, pour
   lui, un véritable cauchemar [. . .]. Dans certains milieux on aurait volontiers
   tendance à [. . .] se démilitariser. Le gouvernement et les pangermanistes le sa-
   vent et veillent. [. . .] Les discours enflammés de l'empereur, non moins que
   toutes les cérémonies patriotiques, sont des sonneries de clairons pour qu'on
   ne s'endorme pas" (S. 9). Dazu auch die „Sozialgeschichtliche Einleitung.
   Deutschland 1871-1914" in: W. Emmerich: *H.M. „Der Untertan"* (München:
   Fink, 1980, UTB 974), S. 9-26.
2 H.M., *Der Untertan* [hier abgekürzt: U], (Berlin: Aufbau 1951), S. 227. Umgekehrt heißt es in einem später mit gedruckten 'Vorwort. Anleitung zum Lesen', „daß in einem wirklich monarchischen Volk" — das deutsche war es also
   wohl nicht — „zwei Drittel den wesentlichen Zug mit dem Fabrikanten Diederich Heßling theilen" (zitiert durch W. Emmerich, a.a.O., S. 29).
3 U 114 (Buck senior über den Präsidenten Wulckow).
4 Alfred Kantorowicz: Deutsches Tagebuch II, S. 71f., München 1959.
5 H.M., *Ein Zeitalter wird besichtigt* (Berlin: Aufbau 1947), S. 239. Zur Entstehung: E. Kirsch/H. Schmidt, „Zur Entstehung von H.M.s 'Untertan'", in: *Weimarer Beiträge,* 1960, S. 112-131; Hartmut Eggert, „Das persönliche Regiment.
   Zur Quellen- und Entstehungsgeschichte von H.M.s 'Untertan'", in: *Neophilologus,* LV, 1, 1971, S. 298-316.
6 U 53-59.
7 Brief an H.M. (Schiller-National-Museum, Marbach).

8 Einen Fall von Selbstzensur (gegenüber dem Manuskript) führt Emmerich an (a.a.O., S. 32f.).

9 Bd. IV der *Ausgewählten Werke* (Hrg. Alfred Kantorowicz), Aufbau-Verlag, Berlin, 1951ff.; Claassen-Verlag, Hamburg, 1958; dtv, München, 1964; Werkauswahl in 10 Bänden, Claassen-Verlag, Düsseldorf, 1976; Gesammelte Werke Bd. 7, Berlin: Aufbau 1965.

10 Zur Rezeption s. Renate Werner (Hg.), *Heinrich Mann. Texte zu seiner Wirkungsgeschichte in Deutschland* (Tübingen: Niemeyer, dtv, 1977), S. 90-116 und 78.

11 *Contrat Social*, I, VI.

12 In: „Reichstag" (1911).

13 Die bisher aktuellste (psychoanalytische und soziologische) Interpretation der ersten Seiten des Romans gibt Emmerich ('Die Soziogenese des autoritären Charakters'), a.a.O., S. 44-50.

14 „Dem Geschwür die Maske herunterreißen und es mit eisernem Besen auskehren!" (U 389).

15 U 72.

16 *Ein Zeitalter* . . . , S. 201.

17 U 306.

18 Vgl. Vf., *Heinrich Mann* (Stuttgart: Kohlhammer, 1970), S. 107.

19 Er hatte sogar selbst eine Komposition verfertigt, mit Germania, Lohengrin, Ritter und Lorbeerhain. – „Reizvoller Wand- und Zimmerschmuck für jedes deutsche Haus. Die neue Zeichnung Sr. Majestät Kaiser Wilhelm II. 'Dem Andenken Kaiser Wilhelms des Großen'". In seiner Kritik stimmte übrigens H.M. mit dem entlassenen Bismarck überein, der gegen „das Dekorative in der Politik" war, gegen „die neue Mode der Eroberungs- und Renommierpolitik", für welche „der Deutsche überhaupt nicht berechnet sei", gegen die „großen Paradeschiffe, die nur zur Markierung des Prestiges dienen" etc.: vgl. Werner Richter, *Bismarck* (Frankfurt, Fischer: 1977), S. 619.

20 Dazu Helmut Arntzen, „Die Reden Wilhelms II. und Diederich Heßling. Historisches Dokument und Heinrich Manns Romansatire", in: *Literatur für Leser* (Hft. 1980/1).

21 Artikel von H.M. in: Jg. V/2 (Apr.-Sept. 95), VI/1 (Okt. 95-März 96), VII (Okt.-Dez. 96, Ende der Zeitschrift). Dazu die diesbezügliche Forschung.

22 *Ein Zeitalter* . . . , S. 193.

23 U 449.

24 U 305.

25 H.M. *Essays* (Ausg. Werke), Bd. I, (Berlin: Aufbau 1954), S. 199.

26 Ebda, S. 187. Zitiert von T.M. in: *Betrachtungen eines Unpolitischen* (Gesammelte Werke, Frankfurt/M: Fischer, 1974, Bd. XII, S. 553), Hervorhebung von T.M.

27 Auskunft von Hans Wysling.

28 *Goethe und Tolstoi*. In: Gesammelte Werke, Bd. IX, S. 135. Vgl. auch: *Betrachtungen*, Ebda, Bd. XII, S. 61 und 287f.

29 *Kaiserreich und Republik*. In: *Macht und Mensch* (München: Kurt Wolff, 1919) S. 214.

30 Brief an Flaubert, 14. Sept. 1871. Zum Essay s. Renate Werner, *Heinrich Mann. „Eine Freundschaft. Gustave Flaubert und George Sand". Text. Materialien. Kommentar* (München: Hanser, 1976).

31 U 391.
32 Zitate aus „Reichstag" (1912). In Ausg. W., Essays, II, S. 7-11. Zu den zwei verschiedenen Fassungen dieses Textes s. Theo Meier-Ewert: „Zu Heinrich Manns 'Reichstag'", in: *Arbeitskreis Heinrich Mann, Mitteilungsblatt*, Nr. 7, S. 11-15.
Max Weber hatte bereits 1895 in seiner Freiburger Antrittsvorlesung diese Situation in wissenschaftlicher Weise beschrieben: dieselbe Kräftekonstellation, nur daß er außerdem die Schwächen des Landadels genau sah, seinen „ökonomischen Todeskampf" – „gefährlich und auf die Dauer mit dem Interesse der Nation unvereinbar ist es, wenn eine ökonomisch sinkende Klasse die politische Herrschaft in Händen hat" (cf. Golo Mann, *Deutsche Geschichte des 19. und 20. Jahrhunderts*, Frankfurt: Fischer, 1958, S. 404-409). Was den „Reichstag" betrifft, vgl. Golo Mann (S. 411): „Die Konservativen sind wesentlich preußisch. Im Abgeordnetenhaus und Herrenhaus können sie das große Wort führen, im Reichstag aber nicht."
33 U 316f.
34 U 383.
35 George Sand schrieb: „Bourgeoisie, si nous voulons nous relever et redevenir une classe, nous n'avons qu'une chose à faire, nous proclamer peuple et lutter jusqu'à la mort contre ceux qui se prétendent supérieurs de droit divin". (Brief an Flaubert, 14.9.1871).
36 Zu all dem s. Vf. *H.M.* (Paris: Klincksieck, 1966), S. 236f., 80 u. 142f.
37 U 391.
38 U 126. Vgl. auch „bis jetzt [. . .] überwogen auch dort [im Kriegerverein] die leidigen Demokraten" (142); „In Netzig", meint Diederich, „hatte der kaiserliche Kampfruf bisher nur zu wenig Widerhall gefunden! Hier verschloß man Augen und Ohren vor der Gefahr, man verharrte in den veralteten Anschauungen einer spießbürgerlichen Demokratie und Humanität, die den vaterlandslosen Feinden der göttlichen Weltordnung den Weg ebneten" (220).
39 U 139.
40 P.E. Boonstra: *Heinrich Mann als politischer Schriftsteller* (Utrecht: Kemink en soon, 1945); dazu auch Helmut Arntzen, a.a.O.
41 *Betrachtungen eines Unpolitischen* (Berlin: Fischer, 1919), S. 584f. (auch 582f.). Victor Cambon beschrieb (a.a.O., S. 189-194) ausführlich und mit großer Bewunderung Leben und Arbeitsbedingungen der deutschen Arbeiter: „Bien logés, bien nourris, bien habillés, hors de leur travail ils ont plutôt l' aspect aujourd'hui de petits bourgeois que de prolétaires" (S. 193). Das sagte übrigens H.M. selbst indirekt in 'Reichstag' (s. oben).
42 Dazu auch Elke Emrich, *Macht und Geist im Werk Heinrich Manns: Eine Überwindung Nietzsches aus dem Geist Voltaires* (Berlin: De Gruyter, 1981), S. 208.
43 U 129, 132f., 133, 223, 204 (Buck, „wie ein Geist des Lichts"). Zu H.M. und Freimaurerei s. Vf., a.a.O. (Stuttgart), S. 88f. Meine Informanten fanden keine Spur von H.M. in einer deutschen Loge.
44 *Essays* (a.a.O.), Bd. I, S. 108.
45 *Zwischen den Rassen*, Ausg. Werke (Berlin: Aufbau, 1954), S. 145.
46 S. Anm. 32.
47 U 305.
48 Zum Thema 'Geist', s. die Analysen von Elke Emrich, a.a.O.

49 Im Volksfront-Programm H.M.s stehen, die Erziehung im künftigen deutschen „Volksstaat" betreffend, die Sätze: „Die Schulbücher sollen, vor allem über die Geschichte der Deutschen, die reine Wahrheit enthalten. Die Lehrer sind für den Dienst an der Wahrheit heranzubilden" etc. Zitiert in: Wilhelm Jasper, *Heinrich Mann und die Volksfrontdiskussion* (Diss. Berlin, 1982) Masch. S. 147.

50 U 391.

51 Als „ein Teil des Volkes" werden 1937 ausdrücklich auch „rechtsbürgerliche" Kreise (also die 'guten' Bürger im *Untertan*, bzw. die es sein könnten, falls sie „erwachen" würden?) von H.M. betrachtet, mit denen die angestrebte Volksfront (wohl im Namen der im Roman beschworenen „wahrhaft nationalen Gesinnung"? s. unten) zu paktieren bereit sei. Auf diesen Passus in kurzen Notizen H.M.s hat Wilhelm Jasper aufmerksam gemacht (a.a.O., S. 153f.).

52 Dazu Vf., a.a.O. (Stuttgart), S. 119.

53 Dazu: Ekkehard Blattmann, *Henri Quatre Salvator. Studien und Quellen zu Heinrich Manns 'Henri Quatre'* (Freiburg i.B.: Universitätsverlag Becks), 1972, Bd. I, S. 24ff.

54 „Et post haec celebratur, si Diis placet, praeclara illa Platonis sententia, beatas fore res publicas, si aut imperent philosophi, aut philosophentur Imperatores. Imo si consules historicos, reperies, nimirum, nullos rei publicae pestilentiores fuisse Principes, quam si quando in philosophastrum aliquem aut litteris addictum inciderit imperium." *(Laus Stultitiae, 24).*
Nicht ganz so streng urteilte Kant: „Daß Könige philosophieren, die Philosophen Könige würden, ist nicht zu erwarten, aber auch nicht zu wünschen; weil der Besitz der Gewalt das freie Urteil der Vernunft unvermeidlich verdirbt. Daß aber Könige oder königliche (sich selbst nach Gleichheitsgesetzen beherrschende) Völker die Klasse der Philosophen nicht schwinden oder verstummen, sondern öffentlich sprechen lassen, ist beiden zu Beleuchtung ihres Geschäfts unentbehrlich." *(Zum Ewigen Frieden.* Zitiert durch Blattmann, a.a.O., I, S. 63).

55 H.M., *Geist und Tat* (1910).

56 Dazu E. Blattmann, a.a.O., Bd. I.

57 Heinrich Mann, „Nietzsche" [Essay], 1939.

58 Heinrich Mann übersetzt Bourget („maladie de la volonté"). Nietzsche sprach auch von „Erkrankung des Willens" *(Die Fröhliche Wissenschaft,* § 347).

59 Nietzsche, *Werke in drei Bänden,* (München: Hanser, 1956), Bd. II, S. 1097, ('Ecce homo'). Dazu u.a. Vf.: a.a.O., (Stuttgart), S. 104ff. In seiner neuesten Darstellung führt Klaus Schröter den Typus sogar auf Stendhals Julien Sorel zurück *(H.M. 'Untertan', 'Zeitalter'. Wirkung. Drei Aufsätze,* Stuttgart: Metzler, 1971, S. 25ff.). Zum Dilettantismus s. auch Bengt Algot Sørensen: „Der 'Dilettantismus' des Fin de siècle und der junge H.M.", in: *Orbis Litterarum* (24, 1969), S. 305ff.

60 U 76.

61 U 195.

62 U 75.

63 U 195.

64 H.M., *Gustave Flaubert und George Sand.* In: *Essays* (a.a.O.) I, S. 106.

65 U 228.

66 U 229.

67 U 230.

68 U 305, 304.
69 H.M., *Noch ein Krieg mit Frankreich.* In: *Die Tragödie von 1923* (IV).
70 H.M., *Schmutz und Schund* (1926).
71 H.M., *Der tiefere Sinn der Republik* (1927).
72 H.M., *Die Tragödie von 1923; I. Das Sterben der geistigen Schicht* (April 1923).
73 H.M., *Briefe an Karl Lemke. 1917-1949* (Berlin: Aufbau, 1963), Briefe vom 10.12.1948 und 25.12.49.
74 F.C. Scheibe, „Rolle und Wahrheit in H.M.s 'Der Untertan'", in: *Literaturwiss. Jb.* N.F. 7 (1966), S. 209-227; Karl Riha: „Dem Bürger fliegt vom spitzen Kopf der Hut. Zur Struktur des satirischen Romans bei H.M.", in: H.L. Arnold, *Text + Kritik, Sonderband H.M.*, S. 48-57; Ulrich Weisstein: „Satire und Parodie in H.M.s Roman 'Der Untertan'" [1971], in: K. Matthias (Hg.): *H.M. 1871/ 1971. Bestandsaufnahme und Untersuchung. Ergebnisse der H.M-Tagung in Lübeck* (München: Fink, 1973); Petra Süßenbach, *Formen der Satire in H.M.s Roman 'Der Untertan'* (Diss. Köln 1972); Rainer Nägele, „Theater und kein gutes. Rollenpsychologie und Theatersymbolik in H.M.s Roman 'Der Untertan'", in: *Colloquia Germanica*, 1973, S. 28-49; Gisela Brude-Firnau, „'Gazetten sollen nicht geniert werden'. Zur Verarbeitung der Zeitungskarikatur in H.M.s Untertan", in: *Neophilologus*, 1976, S. 560-569. *U.a.m.*
75 H.M., Brief an Lemke (a.a.O.), 31.1.48.
76 *Ein Zeitalter* . . . S. 251 und 260.
77 Heinrich Mann, (Aufsatz in:) *The German American,* März 1944, Nr. 11.
78 Heinrich Mann an den Aufbau-Verlag, 8.1.1950 (In: *Briefe an Karl Lemke,* a.a.O., S. 190).

ULRICH KARTHAUS

THOMAS MANN: *DER ZAUBERBERG* (1924)

Die „etwas ausgedehnte short story"[1] wurde Thomas Manns größter, ein „fast turbulenter Erfolg" (XIII, 175): in den ersten vier Jahren lagen hundert deutsche Auflagen vor und Übersetzungen in mehr als zwölf Sprachen.[2] Als ihm am 12. November 1929 der Nobelpreis für Literatur zuerkannt wurde, war dies nur möglich aufgrund des *Zauberberg*, obwohl die Ehrung ausdrücklich dem Autor der *Buddenbrooks* galt.[3]

Das Interesse richtete sich zunächst auf das Milieu, in dem der Roman spielt; zahlreiche medizinische Abhandlungen befaßten sich in Zeitungen und Fachzeitschriften damit.[4] Thomas Mann sah sich bereits 1925 veranlaßt, dieses Leseinteresse zurückzuweisen. Immerhin war das Mißverständnis so wirksam, daß noch 1980 der Besitzer der „Schatzalp" in Davos sein Haus für die Verfilmung des Romans verweigerte, indem er Thomas Mann für das Ende der Lungensanatorien im Höhenkurort verantwortlich machte.[5] Spätestens aber mit dem Buch von Hermann J. Weigand,[6] das 1933 erschien, beginnt die literaturwissenschaftliche Erforschung des Romans. Seitdem ist die Literatur zum *Zauberberg* zu einer nahezu unübersehbaren Fülle von Monographien, Dissertationen, Aufsätzen, Glossen und Miszellen angewachsen, die sich mit allen denkbaren Themen befassen.

Der *Zauberberg* ist in mehrfacher Hinsicht ein ironischer Roman. Zunächst war er als Travestie des *Tod in Venedig* geplant.[7] Die Parallelen zwischen der tragischen homoerotischen Liebesgeschichte des alternden Poeten Gustav von Aschenbach und der Geschichte des jungen Hamburger Bürgers Hans Castorp sind offenkundig: beide werden aus ihrem arbeitsamen Leben in eine exklusive Kur- und Hotelgesellschaft versetzt, beide verfallen einer verbotenen Liebe und damit zugleich dem verführerischen Zauber des Todes, so daß am Ende ihre Lebenskultur vernichtet oder doch aufgehoben ist.[8] Beide geraten in der neuen Sphäre, in die sie versetzt sind, in die Auseinandersetzung zwischen konkurrierenden Oppositionen: v. Aschenbachs Schicksal entscheidet sich zwischen apollinischem Klassizismus und dionysischer Ausschweifung; Hans Castorps Weg führt aus der „Welt der Arbeit und des praktischen Genies" (85) zur „Verneinung des abendländischen Aktivitätskommandos" (898). Zwei Mentoren begleiten ihn auf diesem Wege: der italienische Literat Ludovico Settembrini und die Russin Clawdia Chauchat. Settembrini ist ein Vertreter der westlichen Zivilisation, der Literatur, der Politik und Rhetorik, seine intellektuelle Existenz wurzelt in der europäischen Aufklärung, deren Fortschrittspathos er teilt. Seine Kontrahentin ist zunächst wortlos. Ihre Wirkung liegt in ihrer Körperlichkeit, ihrem „eigentümlich schleichend(en)" Gang (110), in der Lässigkeit, mit der sie die Tür hinter sich zufallen läßt. Ihre Rolle entspricht der des schönen Knaben Tadzio im *'Tod in Venedig'*; wie dieser den würdigen Dichter in den Tod geleitet, so verleitet sie Hans Castorp zum Verweilen im Sanatorium, so daß aus den zunächst geplanten drei Ferienwochen sieben Jahre werden, die er auf ihr stummes Geheiß dort verbringt.

Wie das Satyrspiel das hohe Pathos der Tragödien in die Sphären niederer sinnlicher Komik zieht, so verwandelt der Roman die Tragödie Gustav von Aschenbachs in die humoristische Geschichte des „petit bonhomme convenable" (475). Und wie das Satyrspiel das Personal der Tragödien beibehält, es aber mit einem Chor von Satyrn umgibt, so behält der *Zauberberg* das Handlungsmuster des *Tod in Venedig* in seinem ersten Teil, dem ersten bis fünften Kapitel, bei, erweitert aber die Personenkonstellation und das Motivgefüge zum breit angelegten Roman.

Darf diese Transponierung der Geschichte Gustav v. Aschenbachs ironisch genannt werden, so ist darüber hinaus in einem engeren Sinne Ironie ein Kompositionsprinzip des Romans. Ironie bedeutet ursprünglich Verstellung. Harald Weinrich definiert: „Der Ironiker ist in der Moralistik und Sophistik sowie in der Komödie ein negativ bewerteter Charakter, der sich zum Geringen hin verstellt („Tiefstapler"). Er hat eine Fuchsnatur und unterscheidet sich einerseits vom Ehrlichen und Aufrichtigen, andererseits von demjenigen, der sich zum Höheren hin verstellt („Hochstapler")[9]. Die Figur des Romanhelden steht in dieser Tradition, Thomas Mann nennt ihn „verschmitzt" (XI; 610), Settembrini „Schalk" (u.a. 275, 548), Madame Chauchat „verschlagen" (830). Wirkt er in solcher Weise auf andere als Ironiker, so ist das keine Rolle, die er ihnen vorspielt. Man kann ihn, wenn man das Paradox nicht scheut, einen aufrichtigen Ironiker nennen, denn er praktiziert Ironie im Umgang mit sich selbst. Als Joachim Ziemßen gestorben ist, heißt es: „Dann stand auch er und weinte, ließ über seine Wangen die Tränen laufen, die den englischen Marineoffizier dort so gebrannt hatten, — dies klare Naß, so reichlich-bitterlich fließend überall in der Welt und zu jeder Stunde, daß man das Tal der Erden poetisch nach ihm benannt hat; dies alkalischsalzige Drüsenprodukt, das die Nervenerschütterung durchdringenden Schmerzes, physischen wie seelischen Schmerzes, unserem Körper entpreßt. Er wußte, es sei auch etwas Muzin und Eiweiß darin." (743f.)

Diese Koexistenz mehrerer Bewußtseinslagen ist Hans Castorps Schalkhaftigkeit, seine Ironie: er empfindet unbezweifelbaren Schmerz, der ihm Tränen in die Augen treibt. Zugleich erinnert er sich eines vergangenen Umstandes, der zu seiner gegenwärtigen Gemütsverfassung eine Analogie bildet.[10] Und abermals gleichzeitig ist ihm gegenwärtig, was er sich in seinen medizinisch-biologischen Studien angelesen hat. Ironie ist hier kein Mangel an Aufrichtigkeit, keine gewollte Verstellung, wie sie es dem Pädagogen und Rhetor ist, sondern die Komplexität mehrerer möglicher Verhaltensweisen gegenüber demselben Phänomen. Der Ironiker ist zugleich „poetisch" und wissenschaftlich, er empfindet „mähnschlich" (z.B. 824, 828) und weiß positivistisch, ohne daß eine dieser Gemütsverfassungen über die andere dominierte. Und ebensowenig wie der sich verstellende Sokrates der platonischen Dialoge stets heiter ist oder Heiterkeit erregt, muß Ironie notwendig heiter sein; andererseits ist der Humor nicht unbedingt und stets ironisch.

Ist Hans Castorp Ironiker, so ist es in womöglich noch höherem Grade der Erzähler, und zwar sowohl in den Kleinstrukturen, also im einzelnen Satz und in der Wortwahl, wie im Gesamtgefüge des Werkes. Artikulationsinstrument dieser Ironie und ihres deutschen Bruders, des Humors, ist vor allem das Adjektiv. Wenn Settembrini ausruft: „Virgil verfügt über Beiwörter, wie kein Moderner sie hat ..." (90), so lassen sich die drei Punkte ergänzen durch den Hinweis auf Thomas Mann. Bei ihm findet man, wie auch bei den poetischen Realisten des neunzehnten Jahrhunderts, verhältnismäßig wenige Metaphern und Vergleiche, eine im Verhältnis zur Romantik und zum Symbolismus eher spärliche Bildersprache. Die Stärke seines Stils sind die adjektivischen Attribute. Ironisch sind solche Attribute, weil sie oft einander aufheben oder ergänzen, so daß die scheinbar exakte Charakteristik zu einer zwischen den Gegensätzen balancierenden Ambivalenz wird.[11]

Derartige Ambivalenz findet sich auch in den größeren Strukturen des Werkes, indem, als parodistischer Kontrast ernster Gegenstände, komische Motive oder Personen eingeführt werden. Komisch ist z.B. Frau Stöhr; ihre Bildungsschnitzer, ihre ordinäre Sprechweise stehen in groteskem[12] Gegensatz zu den Gegenständen, die verhandelt werden und die man gewohnt ist, ernst zu nehmen.[13] In anderer Weise komische Züge trägt Hofrat Behrens, er wird aber im Niveau von Settembrini überboten: die Bildung des Humanisten gestattet ihm ein heiteres Spiel mit mythologischen und literarischen Anspielungen. Indes enthüllt die Figur in tieferen Schichten noch weitergehende Ironie: er ist persönlich mittellos, zeigt sich aber als Wortführer einer bourgeoisen, kapitalistischen Gesellschafts- und Wirtschaftsordnung. Er stellt die „Vernunft gegen die Mächte der Finsternis und der Häßlichkeit" (897), verkörpert aber in seinem Erscheinen andere Gestalten und Gewalten: bei seinem ersten Auftritt erinnert er fatal an den Wanderer vor der Aussegnungshalle im *Tod in Venedig* (VIII, 445). Man kann ihn als Inkarnation des Todes sehen, wenn man sich an Lessings Abhandlung *Wie die Alten den Tod gebildet* erinnert, man kann ihn auch als Teufel sehen, wenn man an die Kapitelüberschrift 'Satana' denkt: wodurch aber nichts klarer wird, denn es gibt zwei verschiedene Teufel, einen, der in Settembrinis Heimat als „ribellione", als „forza vindice de la ragione" besungen wird, und einen anderen, „von dem es heißt, daß man ihm nicht den kleinen Finger reichen soll" (86). Einmal also ist der Teufel der Geist der Erkenntnis, wie ihn Nietzsche beschrieben hat: „Christlich ausgedrückt: so ist der Teufel der Regent der Welt und der Meister der Erfolge und des Fortschritts; er ist in allen historischen Mächten die eigentliche Macht, und dabei wird es im wesentlichen bleiben."[14] Andererseits ist der Teufel aber auch das mittelalterlich konservative Prinzip der Beharrung, der Versucher zu Sünde und Ausschweifung. Ist Settembrini also zweideutig, so ist er es noch deutlicher durch seine Beziehungen zur Hermesgestalt.[15] Sein Stock, die gekreuzten Füße, mit denen er im Kapitel 'Satana' vor den Vettern steht, weisen in diese Richtung.[16]

Diese die Motive ineinander verschränkende Ironie geht noch weiter. Konkurrent Settembrinis im Einfluß auf Hans Castorp ist Madame Chauchat, und deshalb ist die Beziehung Settembrinis zu ihr gespannt (834f.). In einer tieferen Strukturschicht des Romans aber kommunizieren die Figuren miteinander, denn auch Clawdia Chauchat unterhält Beziehungen zur Hermesfigur. Zunächst durch ihre erotische Attraktivität, die sie auf Hans Castorp ausübt; sie ist Frau Venus,

die den jungen Mann im Hörselberg festhält,[17] also die lateinisch-mittelalterlich
benannte Aphrodite. Sodann, indem sie des Hermes Türhüterfunktion ausübt:
akustisch wahrnehmbar, bevor er sie sieht, wird sie für Hans Castorp durch die
hinter ihr zufallende Glastür; sie sitzt, als die Vettern zur Röntgenuntersuchung
gehen, „bei der Tür zum Laboratorium" (296), und sie steht in der Tür des Ge-
sellschaftsraumes, als sie Hans Castorp mit den Worten „N'oubliez pas de me ren-
dre mon crayon" (478) in das innerste Geheimnis der Liebe lockt.

Endlich ist von Ironie zu sprechen nicht nur im Blick auf die Struktur einzelner
Romanfiguren, sondern im Blick auf die Struktur des ganzen Werkes. Im Princeton-Vortrag spricht Thomas Mann vom „Leitmotiv", der „vor- und zurückdeuten-
de(n) magische(n) Formel, die das Mittel ist, seiner inneren Gesamtheit in jedem
Augenblick Präsenz zu verleihen" (XI, 603). Er beruft sich dabei auf Wagner. Eine
Bestätigung dieses Ironiebegriffs findet sich in den Tagebüchern Cosima Wagners;
es heißt am 5. Juli 1870: „Im Wagen spricht R. [ichard] von der Zusammensetzung
mehrerer Themen in der Musik; das Ohr vernimmt nur eines, aber die Beifügung
der andren als Begleitung schärft und erhöht den Eindruck dieser einen gehörten
Melodie ungeheuer. In der Dichtkunst gäbe es keine ähnliche Wirkung, außer vielleicht durch die Äquivoke, den Humor, die Ironie [. . .]. Allein in der Dichtkunst
erreicht man den Zweck durch das, was verschwiegen wird, in der Musik durch
Positives."[18]

So ist der *Zauberberg* komponiert. Er ist auch als musikalische Partitur zu lesen.
Thomas Mann spricht von der „dialektischen Symphonik" (XI, 577) des Romans,
und es gibt kaum ein Ereignis oder Motiv, das nicht wiederholt würde, das damit
nicht die Erinnerung an sein erstes Auftreten weckte, das nicht bei der im Princeton-Vortrag geforderten zweiten Lektüre (XI, 610f.) die Erwartung seiner Wiederholung weckte. Je besser der Leser den Roman kennt, desto mehr Beispiele
wird er finden, es ist unmöglich, sie alle aufzuzählen.[19] Ist diese quasi musikalische Kompositions- oder Spieltechnik eine besondere Eigentümlichkeit Thomas
Manns, die er in Anlehnung an Wagners musikalische Kompositionstechnik als literarischen Stil entwickelt hat, so ist mit dieser Erkenntnis noch nichts über den
Sinn solchen Strukturprinzips gesagt. Die Frage, weshalb er so schreibe, wird von
Thomas Mann im Zusammenhang mit der Zeitproblematik beantwortet, die im
ideellen Gefüge des Romans eine bedeutende Rolle spielt, so daß ihr schon 1938
eine Monographie gewidmet wurde.[20] Ich habe dem Problem ebenfalls einen Aufsatz gewidmet.[21] Dort habe ich u.a. dargelegt, daß die Aufhebung der Zeit, Nietzsches Wiederkehr des Gleichen, nur im Augenblick erfahren werden könne. Andererseits aber ist die Zeit im Roman auch wirklich: immer wieder wird von Veränderungen gesprochen, es heißt in der Reflexion über die Zeit zu Beginn des sechsten Kapitels: „Die Zeit ist tätig, sie hat verbale Beschaffenheit, sie 'zeitigt' (. . .)
Veränderung!" (479), und der Erzähler mag sich noch so sehr bemühen, die Da-
tierbarkeit des einzelnen Ereignisses zu verwischen: der aufmerksame Leser ist
prinzipiell stets in der Lage, es zeitlich zu lokalisieren. Die Zeit hat, auch dies ein
Leitmotiv des Romans, dialektischen Charakter: sie wird vom Knaben in des
Großvaters Haus als „Empfindung eines zugleich Ziehenden und Stehenden, eines wechselnden Bleibens", als „Wiederkehr und schwindelige Einerleiheit"

(37f.) erfahren, und besonders die Zeit der Abgeschiedenen, der tatsächlich Toten wie der metaphorisch toten Sanatoriumspatienten, hat diesen dialektischen Charakter: sie ist „Eilende Weile" oder „Weilende Eile" (920).

Mit diesem Charakter der Zeit ist zugleich etwas über die Wirklichkeit ausgesagt. Das deutsche, aus der Mystik des 13. Jahrhunderts stammende Wort „wirklich" meint immer mehr als das jeweils Faktische.[22] Es ist ein Adjektiv zum Verbum wirken und hatte ursprünglich die Bedeutung „handelnd, tätig, durch Handeln geschehend, in einem Tun bestehend." Was „wirklich" ist, geht nie in der Tatsächlichkeit des momentanen Zustandes auf. Dieser ist nur der zufällig erstarrte Kristallisationspunkt einer prinzipiell als unendlich zu denkenden Entwicklung. Wirklichkeit hat stets eine Vergangenheit, die sie bestimmt, und eine Zukunft, die als Möglichkeit in ihr liegt. Das ist eine Erkenntnis, die Heidegger in *Sein und Zeit* 1927, in Anlehnung an Husserls *Vorlesungen zur Phänomenologie des inneren Zeitbewußtseins* von 1905 entwickelt hat. Heideggers Begriff der „Zeitlichkeit" faßt den Augenblick als eine komplexe Struktur, in der Zukunft qua Möglichkeit, Vergangenheit qua „Gewesendheit" und „Gegenwart" zusammenfallen. Was der *Zauberberg* ästhetisch, vermöge seiner Leitmotivtechnik, realisiert, ist der Sache nach nichts anderes als das nur in der Zeit erfahrbare Wesen der Wirklichkeit, die bis zur Identität verschränkte Erinnerung an das zuvor Gewesene mit der Erwartung des zukünftig Wirklichen, im Augenblick Möglichen und der durch den Anblick verifizierten Aktualität.

Thomas Manns Kompositionstechnik, die er im *Zauberberg* erstmals vollendet handhabt, hat hier ihren objektiven Sinn: sie ermöglicht die Darstellung der Wirklichkeit als einer Struktur, die immer mehr ist als das aktuell Faktische — ein Problem, vor dem auch andere Poeten des zwanzigsten Jahrhunderts stehen angesichts der zunehmend sich aufdrängenden Erkenntnis, daß das Faktische das Wirkliche nicht erschöpft, daß die photographierbare Außenseite der Dinge nicht ihr Wesen zeigt.[23] Auf dem Weg über die Leitmotivtechnik steht hier die Behandlung der Zeit — als Thema des Romans wie als strukturbildendes Moment — in Beziehung zur Ironie: sie ist ihrem Wesen nach ambivalent, sie läßt sich nicht auf das momentan Faktische fixieren, sie ist ein poetischer Reflexionsprozeß, in dem alles mit allem konfrontiert, alles mit allem gespiegelt, alles mit allem in Beziehung gesetzt wird. Sie ist, wie die Zeit, unendlich, denn sie gelangt zu keiner Entscheidung. Sie ist, wie der Augenblick, stets offen für alles Mögliche und Zukünftige im Bewußtsein des Vergangenen und Gewesenen. Die ironische Kunst des *Zauberbergs* ist ein Spiel, wiewohl ein „sehr ernste(s) Spiel" (XI, 608). Der Vorwurf liegt nahe, solches „Spiel" sei ein Rückzug in die Innerlichkeit, eine Flucht vor den Aufgaben des Lebens. Thomas Mann hat diesen Vorwurf ausdrücklich zurückgewiesen, gerade im Blick auf den *Zauberberg* (XIII, 172).

Und in der Tat hat dieses Spiel mit dem Ernst außerhalb seiner, mit der geschichtlichen Welt, von der der Veranstalter des Spiels, der Autor, ein Teil ist, mancherlei zu schaffen. Die Frage ist unabweisbar, worauf es in diesem Werk hinausläuft, was sein Sinn und Ziel ist.

Die Antworten auf diese Frage sind so verschieden und widersprüchlich, wie es der Struktur des Werkes entspricht: es provoziert stets neue Interpretationen, weckt neue Assoziationen und erweist sich so als „Kontinuum der Reflexion."[24] Am meisten verbreitet ist die Auffassung, im 'Schnee'-Kapitel gehe Hans Castorp der Sinn seines Bildungsganges auf; sie kann sich auf Thomas Mann berufen, der den Princeton-Vortrag mit dem Hinweis auf dieses Kapitel beschließt (XI, 617). Die Einsicht Hans Castorps wird als einziger Satz des Romans durch Kursivdruck hervorgehoben: „Der Mensch soll um der Güte und Liebe willen dem Tode keine Herrschaft einräumen über seine Gedanken." (686) Ähnlich wie Gustav v. Aschenbachs Traum kurz vor seinem Ende die orgiastisch-dionysische Auflösung seiner Lebenskultur besiegelt, erlebt Hans Castorp im 'Schnee'-Traum eine Summe seiner hermetischen Bildungserfahrungen. Führte der Traum Aschenbachs zum Tode, so der Hans Castorps zum Leben. Kompositorische Indizien können die Auffassung stützen, der Erzähler lasse seinen Helden hier zum Ziele gelangen. Zunächst ist der Weg zum Heuschober, wo Hans Castorp zu seinem Traume niedersinkt, ein „Umkommen", ein „im Kreise" Herumkommen (674). Das Motiv der ewigen Wiederkehr des Gleichen wird damit angesprochen; eine wesentliche Erfahrung Hans Castorps ist ja der wiederkehrende Augenblick, da die Zeit als in sich kreisend erfahren wird. Indem bei solchem „Herumkommen" das Wesen lebensfreundlicher Humanität sich enthüllt, wird, durchaus in Anlehnung an Nietzsche wie in Abkehr von seiner Lehre der ewigen Wiederkehr des Gleichen,[25] die Nähe des Wiederkehr-Gedankens zur Lebensbejahung angedeutet. Todesnähe und Zeitvergessenheit führen dorthin. Eine Wahnidee leitet Hans Castorp im Kreise und damit zur Erkenntnis. Er erreicht im Schnee eine besondere, gesteigerte Station seines hermetischen Bildungsganges. Die Stellung des 'Schnee'-Kapitels in der Romankomposition unterstützt die Annahme, hier sei das Eigentliche gesagt: in den voraufgehenden Teilen des sechsten Kapitels ist die Gegenposition zu Settembrinis Fortschrittspathos, aufgeklärtem Humanismus und demokratischem Freiheitsbegriff, die im ersten Teil des Romans durch Clawdia Chauchat bis an die Schwelle der 'Walpurgisnacht' wortlos vertreten worden war, durch Naphta artikuliert worden, so daß nun der kompositorisch gerechtfertigte Ort erreicht scheint, aus diesen Erfahrungen die Summe zu ziehen. Die Erkenntnis der Wahrheit, das ist selbst eine alte Erkenntnis, ist an den besonderen und herausgehobenen Augenblick gebunden.[26] Anders aber als der weisheitliebende Wahrheitsucher in Platos Siebentem Brief verliert Hans Castorp die einmal — und scheinbar für allemal — gewonnene Erkenntnis wieder. Man hat zu Recht darauf hingewiesen, daß die ironische Struktur des Romans eine Fixierung der sie überwindenden Erkenntnis in eine Wahrheit verbiete; eine endgültige Einsicht Hans Castorps würde den Roman beenden.[27] Deshalb hat man, legitimiert durch Thomas Manns Eingeständnis, der Autor sei keineswegs „der beste Kenner und Kommentator seines eigenen Werkes" (XI, 614), das ideelle Zentrum des Werkes noch anderwärts gesucht. Zwei mögliche Fundorte vor allem bieten sich an: der Abschnitt 'Walpurgisnacht', der den ersten Band der zweibändigen Erstausgabe beschließt, und 'Fülle des Wohllauts', wo zum letzten Male die Summe der wichtigsten Motive gezogen wird. Beide Interpretationsvorschläge sind, wenn denn schon nach einem Schwerpunkt der Motivkonstruktion gesucht wird, plausibel.

Die 'Walpurgisnacht' wird von Hans Robert Jauss mit der „Engführung einer musikalischen Fuge" verglichen.[28] Denn hier werden alle bisher im Roman angesprochenen Motive in kunstvoller Verknüpfung wieder aufgerufen.

In der Interpretation des *Zauberberg* ist bislang wenig beachtet worden, daß er neben vielem anderen auch eine Liebesgeschichte ist. Die Liebesgeschichten im Werk Thomas Manns erzählen, mit Ausnahme von *Königliche Hoheit* und den *Bekenntnissen des Hochstaplers Felix Krull*, für den es Verbote und Unglück nicht gibt, von aussichtsloser Liebe *(Tonio Kröger, Der kleine Herr Friedemann, Der Bajazzo, Tristan, Die Betrogene)* oder von verbotener Liebe (dazu gehören die Beziehungen Hanno Buddenbrooks zu Kai Graf Mölln, Adrian Leverkühns zu seinem Neffen Echo, *Wälsungenblut, Der Tod in Venedig*, die Liebe Mut-em-Enets zu Joseph, *Der Erwählte*). Um einleuchtend zu machen, daß auch Hans Castorps Liebe zu Clawdia Chauchat verboten ist, bedarf es besonderer Vorkehrungen. Thomas Mann greift zu zwei Mitteln: einmal ist die Liebe Hansens eine Wiederholung der Knabenliebe, die ihn als Schüler zu Pribislav Hippe zog. Das homoerotische Motiv wird nun in die Liebe zu einer nur wenig älteren Frau verwandelt. So wird das Thema des *Tod in Venedig* travestiert: aus der tragischen Leidenschaft des alternden Künstlers wird eine gesellschaftlich kaum verbotene Liebe, die sogar von einer Tischgenossin Hans Castorps kupplerisch begleitet werden kann, so daß sie in die Nähe der Lustspieltradition gezogen würde, bliebe es bei dieser Motivkonstellation. Diese wird aber erweitert, da die Liebe zu Madame Chauchat aus anderem Grunde verboten ist: denn in ihr ist all das verkörpert, was, durch die Stimme Settembrinis, die Traditionen des aufgeklärten Bürgertums, was das Arbeitsethos seiner hanseatischen Heimat dem jungen Mann verwehren müssen. Daß Hans Castorp diesen Geboten längst nicht mehr untertan ist, wird durch die Tatsache bestätigt, daß er, obwohl anfangs nur leicht krank, später gar nicht mehr krank, im Sanatorium bleibt, festgehalten allein durch den „Genius des Ortes, den er in schlimmer, in ausschreitungsvoll süßer Stunde, auf die kein friedliches kleines Lied des Flachlandes paßte, erkannt und besessen hatte" (486). Die Liebe zu Madame Chauchat also ist verboten, weil sie die Wiederholung einer Knabenliebe ist, weil sie die Liebe zu Krankheit und zum Tod ist. Hans Castorp bleibt dieser Liebe treu, nicht nur, weil seit seinen frühen Kindheitstagen das Erlebnis des Todes bestimmend für ihn ist, sondern weil er von Madame Chauchat etwas lernt, was ihn weder Settembrini noch Naphta lehren können.

Im Gespräch über die Moral, das er mit der Russin führt, sagt sie: „Il nous semble qu'il est plus moral de se perdre et même de se laisser dépérir que de se conserver." (473) Das ist ein Gedanke von geistesgeschichtlicher Dignität, zunächst eine Säkularisationsform des Jesus-Wortes „Wer sein Leben erhalten will, der wird's verlieren; wer aber sein Leben verliert um meinetwillen, der wird's finden."[29] Wären Thomas Mann diese Worte nicht geläufig gewesen — er hätte doch Goethes Gedicht 'Selige Sehnsucht' im Ohr gehabt, das das 'Buch des Sängers' im *West-Östlichen Divan* beschließt: „Und solang du das nicht hast, / Dieses: Stirb und werde! / Bist du nur ein trüber Gast / Auf der dunklen Erde."

Wie die Zeiterfahrung Hans Castorps ein Leitwahn ist, dem sein Autor ihn folgen läßt, in erzieherischer Absicht, so ist seine Hingabe an den Genius des Zauberbergs, an die Krankheit und den Tod, eine sittliche Notwendigkeit für ihn. Daß sie es ist, kann er nur von Clawdia erfahren. Settembrini ist unfähig dazu, wie Hans Castorp später seinem Vetter bedeutet: „Meinst du, daß er Mut genug hat, de se perdre ou même de se laisser dépérir?" (535) Die Erkenntnis des 'Schnee'-Kapitels wird rasch wieder vergessen, die Lehre der Walpurgisnacht aber wird beibehalten. Hans Castorp realisiert sie, indem er sieben Jahre auf dem Zauberberg verweilt, und später spricht er auch aus, daß er der Maxime Clawdia Chauchats gefolgt ist; nach ihrer Rückkehr erinnert er sie daran: „Wir haben ein Lied in unserem Volksliederbuch, worin es heißt: 'Ich bin der Welt abhanden gekommen'. So steht es mit mir." (823) Er hat sich in der Tat verloren; 'perdre' hat auch die lexikalische Bedeutung 'abhanden kommen'.[30] Es ist zunächst nicht ohne Ironie, daß Hans Castorp dieses Gedicht zitiert, nachdem er von Madame Chauchat um eine Briefmarke gebeten worden ist; es ist weiterhin nicht ohne Ironie, daß es sich um ein Gedicht handelt, das Gustav Mahler 1901 vertont hat. Daß er es in „unserem Volksliederbuch" lokalisiert, ist ein leicht erklärlicher Irrtum, der auf der Verwechslung der Mahler-Vertonung von Liedern aus *Des Knaben Wunderhorn* mit den Rückert-Liedern beruht. Mahler aber hat, wie man weiß, auch Pate gestanden bei der Konzeption des 'Schnee'-Traums.[31]

Liest man in der hier vorgeschlagenen Weise die quasi klassische Walpurgisnacht im 'Schnee'-Kapitel als Ergänzung der 'Walpurgisnacht' am Ende des fünften Kapitels, so ist die Frage bereits beantwortet, ob nicht der Abschnitt 'Fülle des Wohllauts' im siebenten Kapitel die Idee des Romans ausspreche.[32] Denn auch hier wird eine Summe gezogen aus den intellektuellen Erfahrungen des Romanhelden. In fünffacher Spiegelung werden seine Geschichte und sein Bildungsgang im wesentlich wortlosen Medium der Musik wiederholt. Die Schlußszene aus *Aida,* in der Radames mit Aida zusammen den Tod im Grabe erwartet, ist eine Parabel, in der das Schicksal des hermetisch der Welt entzogenen Liebenden und der geliebten Frau vorgezeichnet ist. Zugleich evoziert sie die Erinnerung an Naphtas Definition des Grabes als „Inbegriff aller Hermetik", „die wohlverwahrte Kristallretorte, worin der Stoff seiner letzten Wandlung und Läuterung entgegengezwängt wird." (706) Damit ist ein zentrales Leitmotiv des Romans, das der Steigerung, in Erinnerung gerufen. Claude Debussys *Prélude a l'après-midi d'un faune* ist ein Bild der gottähnlichen Existenz in vollkommener Glückseligkeit und Zeitlosigkeit. Die Geschichte Josés aus Bizets Oper *Carmen* ist die Geschichte der Verführung aus einer gesicherten und respektablen Existenz in die Asozialität durch eine leidenschaftliche Liebe. In Valentins Gebet aus Charles Gounods Oper *Margarete* wird das Schicksal Joachims heraufbeschworen, in dem sich die Vergeblichkeit des Gehorsams gegenüber den Moralgeboten der Welt manifestiert. Und im *Lindenbaum* endlich wird die deutsche Romantik mit ihrer Todessehnsucht berufen: das Ende des Romans wird vorweggenommen, da Hans Castorp im Ersten Weltkrieg seiner Liebe zum Tode folgt — was während seiner hermetischen Abgeschiedenheit ein Bildungserlebnis war, wird am Ende des Romans tödliche Realität. Die Technik der musikalischen Reproduktion hat sich in die Technik des modernen Krieges verwandelt. Die romantische Liebe zum Tode wird mit zeitgemäßen Mitteln realisiert. Der Leser erinnert sich der reklamehaften Anpreisungen des Musikapparates durch den Hofrat, als Hans Castorp, das Schubert-Lied auf den Lippen, in den Tod stürmt: „Wir machen das mit Abstand am besten. Das treusinnig Musikalische in neuzeitlich-mechanischer Gestalt. Die deutsche Seele up to date." (885)

Über die Bedeutung für Hans Castorps Schicksal hinaus hat die moralische Maxime Madame Chauchats eine intellektuelle und politische Bedeutung, sie ist ein variiertes Zitat aus der Rede 'Von deutscher Republik', die Thomas Mann am 15. Oktober 1922 im Berliner Beethovensaal vortrug. Dort heißt es: „Unter uns Deutschen scheint Grundgesetz, daß, wer sich verliert, sich bewahren wird, wer sich aber zu bewahren trachtet, sich verlieren, das heißt der Barbarei oder biederer Unbeträchtlichkeit anheimfallen wird." (XI, 814) Hier unternimmt Thomas Mann den gewagten Versuch, Novalis zum Kronzeugen für republikanisches Denken und für die Sympathie zur Weimarer Republik zu machen. Thomas Mann stellt den Dichter, Gerhart Hauptmann, zu Ehren von dessen 60. Geburtstag die Rede gehalten wird, an den Platz der ehemals repräsentierenden Fürsten, Er nennt Hauptmann „König der Republik" (XI, 812), der Roman greift die Formulierung auf, wenn Mynheer Peeperkorn „königlich" (768, 779) genannt wird. Zugleich geht es um die Absage an ehemals bestimmende Züge der politisch-dynastischen Vorkriegszeit, damit um das Bekenntnis zur neuen, noch weithin ungeliebten Staatsform, die sich als Ergebnis des verlorenen Krieges darstellt. Nur der Verzicht auf Chauvinismus und Imperialismus, so sieht es im Rückblick auf die Weimarer Republik aus, hätte diesen Staat bewahren können. Und diese von Thomas Mann im Herbst 1922 ausgesprochene politische Erkenntnis ist die Einsicht, die Hans Castorp biographisch durchspielt, indem er auf seine frühere Existenz verzichtet und sich der Krankheit, der Liebe, dem Tode anheimgibt. Wie er im Kreise herumkommt, umkommt, um zu erfahren, daß der Mensch dem Tode keine Herrschaft einräumen dürfe über seine Gedanken, so ist ihm aufgegeben, sich zu verlieren, der Welt abhanden zu kommen, um sich selbst zu gewinnen.

Beide Erkenntnisse: die moralische Maxime Clawdia Chauchats, die in der 'Walpurgisnacht' artikuliert wird, und das Ergebnis des 'Schnee'-Traumes, gewissermaßen der klassischen Walpurgisnacht, die das Bild der Humanität, an der Antike orientiert, in klassisch-mythologischen Bildern zeigt, ergänzen sich. Es wäre müßig zu streiten, wo das Schwergewicht liegt. In einem ironischen Roman wäre es unmöglich, daß Wahrheit und Erkenntnis nur auf einer Seite der komplexen und vielfältigen Wirklichkeit lägen. Es ist möglich, schreibt Quintilian im XI. Buch der *Institutio Oratoria*, daß „sogar ein gesamtes Leben Ironie zu enthalten scheint".[33]

In diesem Sinne ist Hans Castorps Bildungsgang „ironisch": nicht im Sinne Quintilians, der das Leben des Sokrates ironisch nennt, „weil er den Unwissenden spielt und Bewunderer anderer vermeintlicher Weiser", sondern weil er zwischen den beiden Prinzipien hin- und herschwankt, sich für keines von beiden definitiv entscheidet. Was in der ursprünglichen Konzeption des Romans 1912 - 13 ein psychologisches Problem für Thomas Mann gewesen sein mag, weitet sich unter dem Eindruck des Ersten Weltkrieges, der Niederlage von 1918 und der ersten Jahre der

Weimarer Republik zu einem grundsätzlichen, politischen Problem: das Schwanken Hans Castorps zwischen Naphta und Settembrini ist Metapher für das Problem der deutschen Nation, die zwischen konträren politischen Optionen zu wählen hat. Hans Castorps Unentschiedenheit ist kein charakterlicher Mangel, sondern er erfüllt damit eine wesentliche Aufgabe, die Thomas Mann 1926 formuliert: „(. . .) ist nicht deutsches Wesen die Mitte, das Mittlere und Vermittelnde und der Deutsche der mittlere Mensch im großen Stile?" (XI, 396).

Die politischen Konflikte der Nachkriegsjahre hatten Thomas Mann keineswegs unberührt gelassen, einige herausragende Ereignisse hatten sich buchstäblich vor seiner Haustür zugetragen; wie die 1979 erschienenen Tagebücher der Jahre 1918 bis 1921 belegen, hat er sie mit beobachtender Teilnahme verfolgt. Am 21.II. 1919 war der bayrische Ministerpräsident Kurt Eisner ermordet worden, am 13. IV. war die Räterepublik ausgerufen worden, am 2.V. mußte sie nach blutigen Kämpfen kapitulieren. Der Putsch Hitlers und Ludendorffs vom 9.XI. 1923 scheiterte – das waren Münchener Ereignisse von mehr als lokalhistorischer Bedeutung. Es schien nun, nachdem durch das Gesetz zur Einführung der Rentenmark am 17.X. 1923 auch wirtschaftliche Stabilität erreicht war, eine gewisse Konsolidierung sichtbar, die einer Diskussion über die intellektuellen Grundlagen der jungen Republik Raum gab. Es ist keineswegs unstatthaft, den 1924 erschienenen *Zauberberg* als Beitrag dazu zu lesen. Dies, obschon der ironische Charakter des Romans, seine hermetische Grundstruktur, das zu verbieten scheint. Thomas Manns Verständnis poetischer Ironie widerlegt den Einwand.[34] Zwei maßgebliche Äußerungen im Umkreis des *Zauberberg,* am Ende der *Betrachtungen eines Unpolitischen* von 1918 und am Ende des Essays 'Goethe und Tolstoi' von 1921/22 definieren sie nicht nur als poetisches Verfahren, sondern als umfassende, ja sittlich gebotene Haltung. Es ist fast, als beurteile der Verfasser der *Betrachtungen* die Dispute zwischen Naphta und Settembrini, wenn er unter der Überschrift 'Ironie und Radikalismus' schreibt: „Für den Radikalen ist das Leben kein Argument. Fiat justitia oder veritas oder libertas, fiat spiritus – pereat mundus et vita! So spricht aller Radikalismus. 'Ist denn die Wahrheit ein Argument, – wenn es das Leben gilt?' Diese Frage ist die Formel der Ironie". (XII, 568) Die Äußerung ist kennzeichnend, weil sie auch den Liberalen, den Vorkämpfer politischer Freiheit, zu den „Radikalisten" zählt. Im Hintergrund steht die französische Republik, die, aus der Revolution von 1789 hervorgegangen, trotz ihren Grundsätzen der Freiheit, Gleichheit und Brüderlichkeit als radikal erscheint, was sie unter dem Eindruck der Jahre 1914 bis 1918 für den deutschen Betrachter vielleicht tatsächlich war. Allen in derart weitem Sinne einseitigen Positionen wird Ironie als „Eros" gegenübergestellt: „Ironie ist Erotik". Thomas Mann nennt sie im selben Atemzug auch „konservativ" (XII, 568). Noch einmal wird an den seit der Jahrhundertwende immer wieder berufenen Gegensatz von „Geist" und „Leben" erinnert, Aufgabe der Kunst sei, zu beiden „gleich gute Beziehungen" (XII, 571) zu unterhalten. Sie sei „zugleich konservativ und radikal", darin beruhe ihre „Mittel- und Mittlerstellung zwischen Geist und Leben." (XII, 571) Wenn Kunst ironisch, wenn Ironie konservativ ist, dann muß es ihr schwerfallen, zugleich zwischen „Radikalismus" und „Ironie" zu vermitteln, da sie ja zur einen Seite gehört – hier liegt zweifellos ein logischer Widerspruch.[35] Deutlicher und mit geringerer terminologischer Verfänglichkeit belastet ist die spätere Äußerung unter der Überschrift „Ein letztes Fragment", das den Essay von 1921/22 beschließt: „Schön ist Entschlossenheit. Aber das eigentlich fruchtbare, das produktive und also das künstlerische Prinzip nennen wir den Vorbehalt. (. . .) Wir lieben ihn im Geistigen als Ironie – jene nach beiden Seiten gerichtete Ironie, welche verschlagen und unverbindlich, wenn auch nicht ohne Herzlichkeit, zwischen den Gegensätzen spielt und es mit Parteinahme und Entscheidung nicht sonderlich eilig hat: voll der Vermutung, daß in großen Dingen, in Dingen des Menschen, jede Entscheidung als vorschnell und vorgültig sich erweisen möchte, daß nicht Entscheidung das Ziel ist, sondern der Einklang." (IX, 170f.) Die Äußerung dokumentiert, daß die Arbeit am Roman fortschreitet, sie liest sich wie eine Rechtfertigung Hans Castorps.[36]

Wendet man diese Gedanken aus dem literarischen Zusammenhang, in dem sie in den *Betrachtungen* wie im Essay entwickelt werden, ins Politische, so ist Hans Castorps Schalkhaftigkeit als Metapher verständlich. Sie weist in jene Richtung, wo, innen- wie außenpolitisch, die Aufgaben Deutschlands nach dem verlorenen Ersten Weltkrieg zu suchen sind: keine imperialistische Expansion, kein militärischer Chauvinismus, der sie ermöglichen könnte, sind an der Zeit, sondern Ausgleich und Vermittlung zwischen Ost und West, zwischen den liberalen Demokratien und dem soeben entstandenen Sowjetstaat. Hans Castorps Position ist die des wahren Humanismus, eine Position der Duldsamkeit und Freundlichkeit, die sowohl die alkoholischen Exzesse Mynheer Peeperkorns wie die verbohrten Manien seiner Mitpatienten rechtfertigen kann. Die Vermutung ist erlaubt, daß diese Position, wäre sie stärker gewesen, die deutsche Geschichte in den Jahren 1918 bis 1933 in andere Bahnen hätte lenken können.[37]

Es mag eine solche politische Interpretation des *Zauberberg* befremden; sie erscheint einseitig und unangemessen, da sie über den Bezügen zur Zeitgenossenschaft seines Verfassers die literarischen Traditionen zu übersehen scheint, in denen der Roman steht. Denn *Der Zauberberg* ist ein Bildungsroman. Seine Tradition geht auf Goethes *Wilhelm Meisters Lehrjahre* zurück. Der 1795/96 erschienene Roman wurde von Friedrich Schlegel schon 1798 in seinem geschichtlichen Rang bestimmt: „Die Französische Revolution, Fichtes Wissenschaftslehre, und Goethes Meister sind die größten Tendenzen des Zeitalters."[38] Die Äußerung wird von Thomas Mann 1948 in der „Phantasie über Goethe" beifällig zitiert. Er sieht mit Goethes *Wilhelm Meister* eine Tradition begründet, die „über Stifter und Keller bis zum 'Zauberberg'" reiche (IX, 748). Neben dem in solcher Äußerung durchscheinenden Anspruch ist der ihnen zugrundeliegende Bildungsbegriff wichtig: Bildung ist nicht verwendbare Ausbildung,[39] sondern, in Wilhelm Meisters Worten: „Daß ich dirs mit *einem* Worte sage: mich selbst, ganz wie ich da bin, auszubilden, das war dunkel von Jugend auf mein Wunsch und meine Absicht."[40] Damit wird Bildung als allseitige Entwicklung der individuellen Möglichkeiten verstanden, nicht als ihre Verwirklichung, das Format zu allseitiger Realisierung ihrer Möglichkeiten haben in der Regel eher die Autoren als die Helden von Bildungsromanen. Das Ziel der Bildung ist nicht in einer einzelnen Formulierung faßbar oder in einem Katalog von Kenntnissen und Fertigkeiten beschreibbar, sondern in den Erfahrungen und Schicksalen des Romanhelden erzählbar. Wenn Hans Castorp am Ende aus seiner hermetischen Pädagogik vom Erzähler in den Schlachtenlärm des Weltkrieges geschickt wird, dann ist damit nicht gesagt, er habe eine seinen Fähigkeiten angemessene Tätigkeit ergriffen – im Gegenteil: der krasse Widerspruch zwischen dem erreichten persönlichen Niveau und der unmenschlichen Situation signalisiert, daß die Struktur des im Roman erzählten Bildungsweges den Gedanken an eine Anwendung geradezu verbietet: weshalb denn auch alle Reden Settembrinis von Menschheitsfortschritt und Nützlichkeit lächerlich sind.

Und Bildung ist auch nicht identisch mit der Überzeugung von der Richtigkeit irgendwelcher Erkenntnisse oder Doktrinen. Daher denn die Figur des Jesuiten Naphta zugleich ein Vertreter des kommunistischen Terrors sein kann – zwischen dem politischen Terror, wie er im Sowjetstaat praktiziert wird und dem gegenreformatorischen Totalitätsanspruch, den die Väter der Societas Jesu erheben, gibt es keinen wesentlichen Unterschied. Eine Äußerung aus dem Vortrag 'Meine Zeit' von 1950 kann zum Verständnis der Figur Naphtas beitragen: „Der heilige Schrecken, die neue Kirche, der neue universelle Bindung bietende Glaube, welcher zu all seinen anderen Verheißungen Befreiung von der Freiheit verheißt, ist gefunden: das byzantinische Rußland, wo es bürgerliche Demokratie nie gegeben hat und Despotie gewohnte Lebensluft ist, schuf ihn." (XI, 318)[41]

Wenn Bildungsziele also weder verbalisierbar noch realisierbar sind, muß der unartikulierten Persönlichkeit Mynheer Peeperkorn die Aufgabe zufallen, das transintellektuelle Wesen von Bildung zu demonstrieren.[42] Daß man in der Gestalt ein Porträt Gerhart Hauptmanns erkannt hat, dem Thomas Mann im Oktober 1923 in Bozen begegnete, ist weniger wichtig als der Umstand, daß die Figur „notwendig und kompositionell längst vorgesehen war" (XI, 597; IX, 814).

Die intellektuelle Diskussion zwischen Naphta und Settembrini, die naturwissenschaftlichen Studien Hans Castorps, seine Erfahrungen von Krankheit und Tod können den vom Bildungsroman geforderten Bildungsbegriff nicht erfüllen; zu ihm gehört das Erlebnis der Liebe in voller Wirklichkeit ebenso wie die Begegnung mit einer „Persönlichkeit", deren Bedeutung nicht gemindert, sondern noch erhöht wird durch die Tatsache, daß sie „eine 'verwischte Persönlichkeit'" ist, ein „undeutlicher Mann" (765). Die Gestalten eines Bildungsromans sind „nicht Puppen und Doktrinen", „sondern Arten zu sein" (XI, 35): das gilt insbesondere von Peeperkorn. Bildung ist, theologisch gesprochen, esse, nicht operari.

Fast überflüssig zu sagen, daß selbstverständlich Mynheer Peeperkorn, ebenso wie die von ihm zur Unbedeutendheit verkleinerten Kontrahenten des intellektuellen Disputes eine Parodie sind, das Porträt Hauptmanns „ein Stück skurriler Dichtung" (IX, 812), wie ja überhaupt der Zauberberg eine Parodie ist, eine Erneuerung des Bildungsromans „auf wunderliche, ironische und fast parodistische Weise" (XI, 394) und demgemäß auch das Erlebnis der Persönlichkeit, das Hans Castorp zuteil wird, das Erlebnis einer „innerlich wirklichkeitsfremden Riesenpuppe" (XI, 598).

In der ambivalenten Ironie aber dieses Bildungserlebnisses, in der Wortlosigkeit der Persönlichkeit, die den Gang von Hans Castorps Steigerung und Läuterung gleichsam überwölbt, zeigt sich an, daß der Zauberberg in der Tat die Geschichte des Bildungsromans „parodierend abschließt" (XIII, 147): er steht am Ende des bürgerlichen neunzehnten Jahrhunderts, das am 14. Juli 1789 begann und am 1. August 1914 endete. Er zieht das Fazit der Epoche seiner ursprünglichen Konzeption, die er erweitert, um in eine neue Epoche hinüberzudeuten, wie es sein Verfasser im Jahre 1940 sah: „Der 'Zauberberg' ist weitgehend noch ein romantisches Buch, ein Buch der Sympathie mit dem Tode. Und doch ist er der Weg hinaus aus einer individuellen Schmerzenswelt in eine Welt neuer sozialer und menschlicher Moralität" (XIII, 152).

Anmerkungen

1 Thomas Mann wird nach den *'Gesammelten Werke in dreizehn Bänden'*, Frankfurt/M. 1960 u.ö. mit römischer (=Band-) und arabischer (=Seitenzahl) zitiert. Zitate aus dem *'Zauberberg'* werden mit eingeklammerter Seitenzahl nach dem 3. Band dieser Ausgabe belegt. Hier: XIII, 150.
2 Vgl. James F. White: *The Yale Zauberberg-Manuscript. Rejected Sheets Once Part of Thomas Mann's Novel.* Bern, München 1980 (Thomas Mann – Studien, Bd. IV) S. VII.
3 Thomas Mann: *Briefe 1889 - 1936*, Frankfurt/M. 1961, S. 298.
4 Vgl. H. Sauereßig: *Die Entstehung des Romans 'Der Zauberberg'*, Biberach a.d. Riss 1965, S. 25 - 34.
5 „Der hat unsere Therapie lächerlich gemacht, das hat meine Familie mehrere Millionen Franken gekostet." (Ursula von Kardorff: Drei Tage auf dem Zauberberg. – In: *Zeit-Magazin* Nr. 32, 31.VII. 1981).
6 *Thomas Mann's Novel 'Der Zauberberg'*. A Study, New-York, London 1933, 183 S.
7 *Thomas Mann an Ernst Bertram. Briefe aus den Jahren 1910 - 1955*, Pfullingen 1960, S. 18.
8 Vgl. J.T. Reed: 'Der Zauberberg'. Zeitwandel und Bedeutungswandel 1912 - 1914. – In: Heinz Sauereßig (Hrsg.): *Besichtigung des Zauberbergs*, Biberach an der Riss 1974, S. 81 - 139.
9 Harald Weinrich: (Art.) „Ironie." – In: Joachim Ritter, Karlfried Gründer (Hrsg.): *Historisches Wörterbuch der Philosophie*, Basel, Darmstadt, Bd. IV, 1976, S. 577 - 582.
10 Vgl. zur Deutung dieser Stelle auch: Eckhard Heftrich: *Zauberbergmusik. Über Thomas Mann*, Frankfurt/M. 1975, S. 132, 353.
11 Nicht erst die Leitmotivtechnik, die „eine autonome 'Überperspektive' konstituiert", verleiht dem 'Zauberberg' seine „Dualität und Doppeldeutigkeit", wie Børge Kristiansen in seinem Buch *'Unform – Form – Überform. Thomas Manns 'Zauberberg' und Schopenhauers Metaphysik*, Kopenhagen 1978, S. XX zutreffend sagt, sondern bereits das einzelne Wort.
12 Vgl. Wolfgang Kayser: *Das Groteske. Seine Gestaltung in Malerei und Dichtung*, Oldenburg 1957, S. 169-173.
13 Heftrich, a.a.O., S. 51 formuliert die Einsicht, „daß die gräßliche Frau die wichtige Funktion hat, alle Grundthemen der 'Zauberberg'-Komposition auf der niedersten Ebene zu travestieren."

14 Friedrich Nietzsche: *Werke in drei Bänden,* hrsg. von Karl Schlechta, München ²1960, I, 274.

15 Vgl. Weigand, a.a.O., S. 11.

16 Hans Bernhard Moeller: „Thomas Manns venezianische Götterkunde. Plastik und Zeitlosigkeit". – In: *DVjs.* 40, 1966, S. 184 - 205.

17 Vgl. Heftrich, a.a.O., S. 69, 237ff.

18 Cosima Wagner: *Die Tagebücher,* Bd. I. 1869 - 1877, hrsg. von Martin Gregor-Dellin und Dietrich Mack, München, Zürich 1976, S. 254.

19 Francis Bulhof hat neuerdings einen Wortindex zum 'Zauberberg' erstellt, der als Grundlage eines Kommentars dienen könnte. *(Wortindex zu Thomas Mann: Der Zauberberg.* Programmiert von Barry Gold. In Zusammenarbeit mit dem Computation Center of the University of Texas at Austin, Ann Arbor, Michigan, Xerox University Microfilms, 1976).

20 Richard Thieberger: *Der Begriff der Zeit bei Thomas Mann. Vom Zauberberg zum Joseph.* Das Buch konnte erst 1952 erscheinen. Vgl. dazu die Kritik bei Helmut Koopmann: *Die Entwicklung des 'intellektualen Romans' bei Thomas Mann,* 1962, S. 138f.

21 Ulrich Karthaus: „'Der Zauberberg' – ein Zeitroman (Zeit, Geschichte, Mythos)". – In: *DVjs.* 44, 1970, S. 269 - 305.

22 Friedrich Kluge: *Etymologisches Wörterbuch der deutschen Sprache,* Berlin ¹⁸1960, S. 864f.

23 In anderer Absicht und anderem Zusammenhang schreibt Brecht im 'Dreigroschenprozeß': „Die Lage wird dadurch so kompliziert, daß weniger denn je eine einfache 'Wiedergabe der Realität' etwas über die Realität aussagt." *(Gesammelte Werke,* Frankfurt 1967, Bd. XVIII, S. 160). Erinnert sei, als an eine wiederum anders orientierte Beschreibung des Problems, an Musils Erkenntnis: „im Abstrakten ereignet sich heute das Wesentlichere, und das Belanglosere im Wirklichen." *(Werke,* ed. Adolf Frisé. Reinbek 1978, Bd. I, S. 69).

24 Vgl. Wilhelm Emrich: „Das Problem der Wertung und Rangordnung literarischer Werke." – In: W.E.: *Geist und Widergeist. Wahrheit und Lüge der Literatur. Studien* 1965, S. 9 - 29.

25 Nietzsche, a.a.O., II, S. 556f.

26 „Läßt es sich doch in keiner Weise, wie andere Kenntnisse, in Worte fassen, sondern, indem es, vermöge der langen Beschäftigung mit dem Gegenstand und dem Sichhineinleben, wie ein durch einen abspringenden Feuerfunken plötzlich entzündetes Licht in der Seele sich erzeugt und dann durch sich selbst Nahrung erhält." (Platon: *Sämtliche Werke,* Hamburg 1957, Bd. I, S. 317. Vgl. auch: M. Theunissen: (Art.) „Augenblick". – In: *Historisches Wörterbuch der Philosophie,* Darmstadt, Basel, Bd. I, 1971, S. 649f.

27 Vgl. Wilhelm Emrich: Die Erzählkunst des 20. Jahrhunderts und ihr geschichtlicher Sinn. – In: W. Kayser (Hrsg.): *Deutsche Literatur in unserer Zeit,* 1959, S. 58 - 79.

28 Hans Robert Jauss: *Zeit und Erinnerung in Marcel Prousts 'A la recherche du temps perdu.' Ein Beitrag zur Theorie des Romans.* Heidelberger Forschungen 3, 1955, S. 41.

29 Das Jesus-Wort gehört zu den von allen Evangelisten überlieferten: Matthäus 16, 25; Markus 8, 35; Lukas 9, 24 und 17, 33 sowie Johannes 12, 25.

30 Es handelt sich in der Tat um ein Gedicht von Friedrich Rückert: „Ich bin der Welt abhanden gekommen,/ Mit der ich sonst viele Zeit verdorben./ Sie hat so-

lange von mir nichts vernommen,/ Sie mag wohl glauben, ich sei gestorben.// Es ist mir gar nichts daran gelegen,/ Ob sie mich für gestorben hält./ Ich kann auch gar nichts sagen dagegen,/ Denn wirklich bin ich gestorben der Welt.// Ich bin gestorben dem Weltgewimmel,/ Und ruh in einem stillen Gebiet./ Ich leb in mir und meinem Himmel,/ In meinem Lieben, in meinem Lied." (Friedrich Rückert: *Gesammelte Werke*, Bd. I, Frankfurt/M. 1882, S. 567)

31 Vgl. Michael Mann: „Eine unbekannte 'Quelle' zu Thomas Manns 'Zauberberg'". – In: *GRM* 46, NF. 12, 1965, S. 409 - 413.

32 S. Winfried Kudszus: Understanding Media: Zur Kritik dualistischer Humanität im 'Zauberberg'. – In: Sauereßig, Anm. 14, S. 55 - 80, hier S. 69. Noch entschiedener Heftrich, a.a.O., S. 240.

33 Marcus Fabius Quintilianus: *Institutionis Oratoriae Libri XII. Ausbildung des Redners. Zwölf Bücher.* Hrsg. u. übers. v. Helmut Rahn, 2. Teil, Darmstadt 1975, S. 288. Weinrich, a.a.O., S. 578 übersetzt m.E. unkorrekt: „da auch das ganze Leben I. zu haben scheint, wie es die Ansicht des Sokrates ist".

34 Vgl. Erwin Koppen: Nationalität und Internationalität im *Zauberberg*. – In: Beatrix Bludau, Eckhard Heftrich, Helmut Koopmann (Hrsgg.): *Thomas Mann 1875 - 1975. Vorträge in München-Zürich-Lübeck*, Frankfurt/M. 1977, S. 120 - 134: „Der 'Zauberberg' ist kein Mikrokosmos der zeitgenössischen Wirklichkeit, aber dennoch ist diese Wirklichkeit in mannigfacher Brechung, Spiegelung und Chiffrierung in den Roman eingegangen." (S. 131)

35 Auf ihn macht, soweit ich sehe, erst Hermann Kurzke aufmerksam: *Auf der Suche nach der verlorenen Irrationalität*, 1980.

36 Der Essay 'Goethe und Tolstoi' unterhält auch anderweitige Beziehungen zum *Zauberberg*. Vgl. 361ff. und IX, 148f.

37 Diese Interpretation kann sich auf den Politologen Kurt Sontheimer berufen; er zählt Thomas Mann neben Troeltsch, Meinecke, Curtius zu den Vertretern einer „kämpferischen Mitte" und nennt den *Zauberberg* einen „repräsentativon Roman der Weimarer Republik." *(Antidemokratisches Denken in der Weimarer Republik. Die politischen Ideen des deutschen Nationalsozialismus zwischen 1918 und 1933*, 1962, S. 395) Ähnlich Roy Pascal: „In this period Mann (. . .) proclaimed his belief in the republic (. . .) This is the theme of 'The Magic Mountain', but only in a concealed, non political form." (*The German Novel. Studies*, 1956, S. 77).

38 Athenäum, Fragment 216, Kritische Ausgabe, Bd. II, Hrsg. von Hans Eichner, München, Paderborn, Wien 1967, S. 198.

39 Vgl. hierzu E. Lichtenstein: (Art.) Bildung. – In: Hist. Wb. d. Philosophie, a.a.O., Bd. I, Sp. 921 - 937.

40 Fünftes Buch. Drittes Kapitel.

41 Man darf hier sogar Musils Ironie-Definition erfüllt sehen: „Ironie ist: einen Klerikalen so darstellen, daß neben ihm auch ein Bolschewik getroffen ist." *(Der Mann ohne Eigenschaften*, Hamburg 1952, S. 1645).

42 Heftrich bemerkt völlig zutreffend: „Das Verständnis der Interpreten für Peeperkorn bietet ein zutreffendes Maß für jeden Deutungsversuch des Romans." (a.a.O., S. 346) Raumgründe verbieten mir den Nachweis, daß dieser Aufsatz dem gerecht wird. Es wäre zu zeigen, wie in der Figur die Grundthemen des Romans 'aufgehoben' sind: bewahrt und doch verwischt, vorhanden und verhüllt.

WALTER H. SOKEL

FRANZ KAFKA: *DER PROZESS* (1925)

Im *Prozeß*[1] besteht eine subtile Divergenz der Perspektiven von Erzähler und Hauptgestalt, für die ich den Ausdruck Zweisinnigkeit gebrauchen möchte. Zweisinnigkeit ist Einsinnigkeit, die sich spaltet.[2] Ein Teil der Perspektive bleibt ganz dem Protagonisten „verhaftet", ist so „verhaftet", wie er selbst. Aber aus der sprachlichen Formulierung entsteht eine zweite Sehweise, die sich von der Sicht des Protagonisten distanziert und dem Leser Gelegenheit gibt, seine Sicht, gewissermaßen von einer höheren Warte aus, zu beurteilen.[3] Die beiden Perspektiven sind aber so dicht verwoben, daß es äußert schwer fällt, sie auseinanderzuhalten.

Am auffälligsten wohl ist der Aspekt der Zweisinnigkeit, der als Ironie erscheint.[4] Ein ironisierender Ton durchzieht das Werk und Ironie, die gegen den Perspektiventräger gerichtet ist, kann ihrem Wesen nach nicht einsinnig sein.[5] Ein Beispiel möge zeigen, wie der Erzähler des *Prozesses* K.s Perspektive subtil ironisiert und damit unterminiert.

Am Morgen der Verhaftung, als K. in seinem Zimmer zu warten gezwungen ist, leert er ein Gläschen Schnaps und bestimmt

> ein zweites Gläschen dazu [. . .] sich Mut zu machen, das letztere nur für den unwahrscheinlichen Fall, daß es nötig sein sollte. Da erschreckte ihn ein Zuruf aus dem Nebenzimmer derartig, daß er mit den Zähnen ans Glas schlug (P. 18).[6]

Hier gesellt sich zu K.s Perspektive eine zweite hinzu, die sie ironisch in Frage stellt. Denn die extreme Reaktion von K.s Nerven macht sehr deutlich, daß das, was er eben als „unwahrscheinlichen Fall" vorausgesetzt hat, doch eintrifft. Wer solche Angst zeigt, hat höchstwahrscheinlich Mut nötig. K.s Körper nimmt die Verhafung wichtiger, als sich das Bewußtsein den Anschein gibt. Indirekt hat uns K. aber ja schon vor dem „Zuruf" merken lassen, daß er vor den Sendboten des Gerichts bedeutend größere Angst hat als er zugesteht. Sonst hätte er es ja gar nicht „nötig gefunden", „sich Mut zu machen". Er schwächt aber dieses indirekte „Geständnis" gleich wieder ab, indem er seine Furcht als „unwahrscheinliche" Möglichkeit hinstellt. Seine spontane Reaktion auf den „Zuruf" aber widerlegt dann wiederum, was er eben behauptet hat. Indem der Erzähler die Widerlegung so unmittelbar auf die Behauptung folgen läßt, ironisiert er die letztere. Vielmehr läßt er K. sich selbst ironisieren. Diese Selbstironisierung wird aber von K. nicht zur Kenntnis genommen, sie wird von ihm nicht reflektiert. Die Reflektion wird dem Leser überlassen.

Während also die Sicht der Szene ausschließlich von K. ausgeht, läßt ihre sprachliche Darstellung eine Sehweise zu, die K. entlarvt.[7] Diese Ironie ist nur möglich durch eine Erzählperspektive, die sich von der K.s deutlich abhebt, die mehr von

K. sieht als er selbst zu sehen scheint, bzw. zu sehen zugibt. In diesem Mehrsehen des Lesers, das ihm der Erzähler gestattet, liegt die Ironie des Werkes verankert. Die Erzählperspektive des *Prozesses* spaltet sich also in zwei Teile: Die vom Protagonisten reflektierte Sicht und die Sicht, die von ihm nicht reflektiert wird.

Auch Wahrnehmungen K.s, die berichtet, aber von ihm nicht reflektiert werden, können dem Leser selbstverständlich offenbar sein. Zum Beispiel deutet der Text eine geheimnisvolle Verbindung zwischen K.s Innerem und dem Gericht an. In einer Weise, die auf Grund empirischer Erfahrung nicht verständlich ist, scheint das Gericht der Mitwisser von K.s geheimen Gedanken zu sein. Bei der telephonischen Vorladung zum Verhör hat das Gericht weder den genauen Ort noch die Stunde angegeben, zu der sich K. einfinden soll. Ohne das Gericht es wissen zu lassen, entscheidet sich K. für neun Uhr morgens. Er erscheint mit einstündiger Verspätung im Gerichtssaal. Sofort „zog [der Untersuchungsrichter] seine Uhr und sah schnell nach K. hin: 'Sie hätten vor einer Stunde und fünf Minuten erscheinen sollen' sagte er." (P. 52). Diese jeder empirischen Erfahrung spottende Übereinstimmung von K.s geheimem Entschluß und dem Wissen des Richters weist auf einen rätselhaften Zusammenhang des Gerichts mit K.s Innerem hin, was dem Leser auffällt, aber von K. überhaupt nicht zur Kenntnis genommen zu werden scheint. Im Gegenteil, im darauf folgenden Verhör verhält er sich so, als ob das Gericht etwas ihm völlig Fremdes, Äußerliches, wahrscheinlich eine verbrecherische Organisation sei, die nichts mit ihm zu tun habe, als ihn erpressen zu wollen. Schlüsse, die der Text auf der Basis von K.s Wahrnehmungen nahelegt, werden von K. nicht gezogen. Die Erzählironie ist der Widerspruch zwischen den reflektierten und den unreflektierten Teilen von K.s Wahrnehmungen. Der Erzähler identifiziert sich scheinbar völlig mit K.s Bewußtsein, desavouiert es aber gleichzeitig, indem er den Leser sehen läßt, daß dieses Bewußtsein vieles ignoriert, was es eigentlich bedenken müßte. Auf dieses Nichtsehenwollen bezieht sich der Ausruf des Gefängniskaplans: „Siehst du denn nicht zwei Schritte weit?" (P. 254).

Der Text stellt allerdings die Anforderungen an den Leser, sich von K.s Perspektive nicht täuschen zu lassen und sich nicht ausschließlich mit ihr zu identifizieren.[8] Ein zu emotionales Lesen, das sich „übereilt" mit K.s reflektierter Sehweise und expliziter Deutung des fiktiven Geschehens vereinigt, von K. „verhaften" läßt, würde der Komplexität von Kafkas Roman nicht gerecht werden.[9]

Die Gefahr des Lesers, sich von der Perspektive der Romanfigur täuschen zu lassen, wird im Roman selbst ausgedrückt, und zwar in Bezug auf K., den der Gefängnisplan warnt, sich „in dem Gericht" nicht zu täuschen.[10] Als Beispiel dieser Täuschung erzählt er K. die Parabel vom Türhüter. Sofort zeigt K., daß er ein hastiger und vorschneller Hörer, bzw. Leser des Textes ist. Er bringt eine Deutung vor, die sich völlig mit der Perspektive der Hauptfigur, des Mannes vom Lande, identifiziert.[11] Er sieht keine Selbsttäuschung im Protagonisten, sondern sieht ihn als Opfer der Täuschung eines Anderen, des Türhüters.[12] Darauf entgegnet ihm der Geistliche:

> Sei nicht übereilt, übernimm nicht die fremde Meinung ungeprüft. Ich habe
> dir die Geschichte im Wortlaut der Schrift erzählt. Von Täuschung steht
> darin nichts (P. 257f.)

Und kurz danach warnt er K. wieder:

> Du hast nicht genug Achtung vor der Schrift und veränderst die Geschichte
> (P. 258).

Daß K. als Rezipient einer Kommunikation, d.h. als „Leser" und Deuter eines
Textes angesprochen wird, zeigt, daß es im *Prozeß* um das hermeneutische Grund-
problem geht, nämlich um „richtiges Auffassen", Verstehen und „Mißverstehen"
(P. 259), wie es der Geistliche formuliert.[13]

Kehren wir zur hermeneutischen Warnung des Geistlichen zurück. Worauf kann
sich die „fremde Meinung" beziehen, die K. „ungeprüft" übernommen haben soll?
Wir haben ja noch gar keine Meinung, sondern nur den Text selbst gehört. Es kann
damit nur die Erzählperspektive gemeint sein, die die des Mannes vom Lande ist.
Mit ihr hat sich K. „übereilt" identifiziert. Der Mann vom Lande sieht in dem Türhüter das einzige Hindernis, das sich seinem Eingang ins ersehnte Gesetz entgegen-
stellt. Aber schon einer der ersten Rezensenten des 1925 von Max Brod herausgegebenen Romans hat erkannt,[14] daß es ja der Mann selbst ist, der ungezwungen
auf den Eintritt verzichtet, den ihm der Türhüter „lachend" freigestellt hat.

> 'Wenn es dich so lockt, versuche es doch trotz meinem Verbot hineinzuge-
> hen. Merke aber: Ich bin mächtig. Und ich bin nur der unterste Türhüter
> (P. 256).'

Der Text macht klar, daß sich der Mann entscheidet „zu warten, bis er die Erlaubnis bekommt" (P. 256). Da aber die Erzählperspektive der Parabel, die die des
Mannes vom Lande ist, diesen Umstand nicht weiter reflektiert, wird die scherzen-
de Aufforderung des Türhüters an den Mut des Mannes vom „übereilten" Zuhörer
ausgeklammert.

Was der Mann vom Lande für K., ist K. für den Leser des Romantextes.[15] In beiden Fällen ist die Perspektive des Protagonisten eine Täuschung des Textrezipien-
ten und daher eine „fremde Meinung", da sie den wahren, d.h. den ganzen Text
verschleiert. Was der Geistliche als explizitester Vertreter des Gerichts für K., das
ist der Erzähler des Romans für den Leser.[16] Er zeigt dem „prüfenden" Leser, daß
K.s Perspektive nicht „die volle Wahrheit" sagt.[17]

Der Rat des Geistlichen geht dahin, den „Wortlaut der Schrift" genau zu beachten und von der „ungeprüften fremden Meinung" deutlich abzugrenzen. Die Erzählironie, die dem *Prozeß* zugrundeliegt, gipfelt in der Diskrepanz zwischen der
wörtlichen und der vom Perspektivenbewußtsein reflektierten Sinnebene des Geschehens.[18] Das erste Erscheinen des Gerichts in der Person des Wächters Franz
macht diese Diskrepanz besonders deutlich. K. hat geläutet und als Antwort tritt
„ein Mann" ein, „den er in dieser Wohnung noch nie gesehen hatte" (P. 9). Im

buchstäblichen aufgefaßten Sinn des Geschehens hat K. selbst herbeigerufen, was sich seinem Bewußtsein als völlig rätselhafte Invasion darbietet.[19] Auf K.s erstauntes „Wer sind Sie?" ist die Antwort des „Fremden": „Sie haben geläutet?" Immer wird auch im Folgenden K. vom Gericht auf sich selbst verwiesen.

Freilich was K. mit seinem Läuten beabsichtigt hatte, war das so lange verzögerte Frühstück zu bekommen. Ein auffälliger Widerspruch klafft also zwischen Intention und Resultat seines Handelns. Es besteht hier eine Parallele zur Struktur des Traumes bei Freud. Das vom Bewußtsein reflektierte Geschehen entspricht dem manifesten, das buchstäbliche dem latenten Inhalt des Traums. Im sprachlich-rhetorischen Kontext aber drückt K.s buchstäbliche Selbstverhaftung die Ironie des Erzählers aus, der zwei Sinnebenen gleichzeitig intendiert. Er ironisiert das Bewußtsein, den Willen des Ichs, indem er zeigt, daß dessen Voraussetzung, die Beherrschung des eigenen Körpers, ein Wahn ist, den der Körper – K.s läutende Hand – demaskiert. Die Analogie zu Zarathustras Unterscheidung zwischen dem Ich und dem Selbst, das der Leib ist,[20] ist von Kafkas Nietzsche-Rezeption her der biographisch wohl relevanteste zeitgeschichtliche Zusammenhang.[21] Die Parallele zwischen Körper und Gericht wird von K. selbst angedeutet, wenn er sich die Frage stellt, ob „etwa sein Körper revolutionieren und ihm einen neuen Prozeß bereiten [wollte], da er den alten so mühelos ertrug?" (P. 92).[22]

Es ist „der genaue Wortlaut der Schrift", der buchstäbliche Sinn des Erzähltextes, der diese Rebellion des Körpers durch K.s „Fehlläuten" zum Ausdruck bringt, während er gleichzeitig dasselbe Geschehen aus der „befremdeten" Perspektive von K.s reflektierendem Bewußtsein als Einbruch eines „Fremden" zeigt. Wie in der „Verwandlung" wird also Selbstentfremdung als buchstäblicher Vorgang dargestellt.[23] Daß K. einen über Leben und Tod entscheidenden Prozeß für ein ausbleibendes Frühstück substituiert, stellt im Text das erste Beispiel jener fundamentalen Ironie dar, die ihn trägt.

Die Tatsache, daß K. selbst sein Gericht zu sich ruft, illustriert das Wesen des Gerichts, wie es der Wächter Willem K. erklärt.

> Unsere Behörde sucht doch nicht etwa die Schuld in der Bevölkerung, sondern wird, wie es im Gesetz heißt, von der Schuld angezogen und muß uns Wächter ausschicken. Das ist Gesetz (P. 15).

Das Gericht ist also nicht mimetisch-empirisch konzipiert als äußere, eigenmotivierte und selbständige Machtorganisation. (Daher alle politisch-gesellschaftlichen Deutungen des Gerichts, die eine solche mimetische Eigenständigkeit voraussetzen, verfehlt sein müssen).[24] Andererseits ist das Gericht aber auch nicht bloßes Traumbild, reine Halluzination.[25] Es hat nur das Eine mit dem Traum gemein, daß es nichts als Funktion dessen ist, dem es erscheint.[26] Denn die „Schuld", die das Gericht „anzieht", liegt ja im Zustand oder im ganzen Dasein dessen beschlossen, der „verhaftet" wird. Verhaftung im wörtlichen Sinne bedeutet ja ein von etwas Nicht-Loskommen oder über etwas Nicht-Hinwegkommen-Können. Das Hindernis, über das der „Verhaftete" nicht hinwegkommen kann, ist sein eigenes Leben. Denn daß seine Verhaftung keine äußere, sondern eine innere ist, wird ja schon damit gezeigt, daß er sein gewohntes Leben in Freiheit fortsetzen kann.

> Sie sind verhaftet, gewiß [sagt der Aufseher], aber das soll Sie nicht hindern, Ihren Beruf zu erfüllen. Sie sollen auch in Ihrer gewöhnlichen Lebensweise nicht gehindert sein." „Dann ist das Verhaftetsein nicht sehr schlimm," sagte K. (P. 24).

Die Verhaftung hat also die Funktion der Bewußtmachung.[27] Sie soll dem Verhafteten bewußt machen, daß seinem Dasein etwas anhaftet, was gerichtet zu werden verlangt. Das ist die „Schuld", die das Gericht „anziehen" muß. So formuliert es der Aufseher, wenn er zu K. sagt: „Sie sind nur verhaftet, nichts weiter. Das hatte ich Ihnen mitzuteilen [. . .]" (P. 24).

Was aber die Schuld ist, wird nie gesagt. Also zwingt die Verhaftung den Verhafteten, zu seiner Verhaftung Stellung zu nehmen. Er könnte ja, da er in physischer Freiheit belassen wird, das ganze „Verfahren" ablehnen; er könnte aber auch nach seiner Schuld suchen. Da aber die Schuld seinem Zustand innewohnt, ja sein ganzes Dasein umfassen mag, fordert ihn der Prozeß auf, sein Leben „von allen Seiten" zu überprüfen (P. 155), es zu „verhören", und sich selbst damit zu erforschen und zu entdecken. Er wird aufgefordert, sein Dasein unter dem Aspekt möglicher Schuld zu lesen und zu deuten.

Daß dies seine Aufgabe sei, wird K. im Lauf des Prozesses bewußt. Er sieht, daß er eine „Eingabe" verfertigen müßte, die eine Autobiographie vom moralischen Standpunkt, die Darstellung und Beurteilung seines ganzen Lebens sein müßte — sein Leben „in den kleinsten Handlungen und Ereignissen in die Erinnerung zurückgebracht, dargestellt und von allen Seiten überprüft [. . .]" (P. 155). Mit dieser parodierenden Anspielung auf Kafkas eigenes Schreiben wird auch klargemacht, daß Lesen als Deuten-, Verstehen-, Urteilenwollen nur als „Darstellen", als Schreiben, und somit letzten Endes nur als Aktivität, möglich ist. Da die Schuld K.s nie bezeichnet wird, ist der Prozeß eine Aufforderung zur Deutung, die kein passives Erkennen eines Vorgegebenen sein kann, sondern das Suchenmüssen nach einem Sinn, den sich der Suchende selbst geben muß.

Das Gericht vorenthält K. die Angabe der Räumlichkeit, in der es zu finden ist. Die Methode seines Suchens enthüllt den Sinn, den er selbst seinem Gericht zu geben sich entscheidet. Daß er sich damit seine Schuld selbst bestimmt, wird buchstäblich gezeigt in dem „spielerischen" Gedanken K.s, mit dem er die Treppe wählt, die ihn zum Gericht führen soll.

> [Er] spielte in Gedanken mit einer Erinnerung an den Ausspruch des Wächters Willem, daß das Gericht von der Schuld angezogen werde, woraus eigentlich folgte, daß das Untersuchungszimmer an der Treppe liegen mußte, die K. zufällig wählte (P. 49).

K. wählt den Namen Lanz als Schlüssel zu seinem Gericht (P. 49). In der geheimnisvollen Weise, mit der sich das Gericht als Dimension von K.s Innerem kundtut, lädt ihn nun auf die bloße Nennung dieses Namens eine Frau in den nebenan liegenden Gerichtssaal ein.

Hauptmann Lanz aber war es gewesen, der K.s Annäherungsversuch an Fräulein Bürstner, Ziel des ihm durch die Verhaftung bewußt gewordenen erotischen und menschlichen Verlangens, verhindert hatte.[28] Die Wahl des Namens zeigt, wie sich K. selbst die Funktion seines Gerichts deutet. K. wählt nämlich als seine Richtstätte einen Ort, der mit der Unterbindung seines sich anbahnenden erotischen Lebens verquickt ist. Durch diese Entscheidung K.s wird das Gericht eine Mahnung zur Askese, zum Verzicht auf jenen „Hunger" nach Leben, der schon als Hunger nach dem Frühstück in der Intention seines Läutens vorhanden war. Das bedeutet, daß seine weiteren erotischen Abenteuer, mit denen er im Grunde entweder das Gericht angreifen oder aber ihm näherzukommen sucht, gegen sein eigenes „inneres Gesetz" verstoßen und tatsächlich oder potentiell Instrument seiner Bestrafung werden.[29]

Daß die Verurteilung des Lebens der selbstgewählte Sinn seines Prozesses ist, bestätigt das Endkapitel. Fräulein Bürstner oder eine ihr sehr ähnliche junge Dame bringt ihm „die Wertlosigkeit seines Widerstandes" gegen seine Mörder „gleich zum Bewußtsein" (P. 268). Er läßt „das Fräulein" die Wegrichtung zu seiner Hinrichtung bestimmen „um die Mahnung, die sie für ihn bedeutete, nicht zu vergessen." Was diese „Mahnung" ist, spricht sich K. selbst aus:

Ich wollte immer mit zwanzig Händen in die Welt hineinfahren und überdies zu einem nicht zu billigenden Zweck. Das war unrichtig (P. 269).

Wieder macht der buchstäblich gesehene Geschehenszusammenhang, den K.s Perspektive dem Leser verdeckt, weil er ihn unreflektiert läßt, klar, daß es K. selbst ist, der sich den Sinn seines Prozesses so deutet und damit erst, was ihm „Schuld" ist, bestimmt. Gerade damit aber zeigt der Erzähler, daß *der* Sinn des Prozesses nicht vorgegeben ist, sondern von der Deutung des Beschuldigten abhängt.

Die Verhaftung gewinnt aber damit eine zweite Funktion, die ebenso vom Aufseher ausgedrückt wird.[30] „Sie sind verhaftet, nichts weiter. Das hatte ich Ihnen mitzuteilen, habe es getan und habe auch gesehen, wie Sie es aufgenommen haben." (P. 24). Die Verhaftung gibt also Gelegenheit, die Stellungnahme des Angeklagten zu seinem Prozeß, zu beobachten und zu beurteilen. Diese Gelegenheit verkörpert das Gericht.[31] Es ist K.s erster Leser, welcher K.s Verhalten „wahrscheinlich nach Art von Studierenden zu besprechen [beginnt]" (P. 63). Der Leser des Romans ist somit nicht nur K.s Verlängerung in die außerfiktive Wirklichkeit, sondern auch diejenige des Gerichts als der urteilenden Funktion von K.s Deutungen und Verhalten.

K. erscheint also in zwei Aspekten — einerseits als Leser, dem es aufgegeben ist, sich selbst zu lesen und zu deuten, andererseits als Gelesener, der sich durch Stellungnahmen und Verhalten enthüllt. Als Leser müßte er sich entdecken, als Gelesener muß er sich einem Urteil stellen.

Als Versuch der Selbstbeurteilung wurde der Roman auch im biographischen Zusammenhang intendiert. Er sollte Antwort sein auf das Fiasko von Kafkas kurzer Verlobung mit Felice Bauer.[32] Den autobiographischen Anlaß des Romans hat Kafka im Roman selbst vor allem mit der Zerlegung seines eigenen Namens in K. und Franz ausgedrückt, mit dem er auf die Vereinigung von Angeklagtem und Gericht in sich selbst anspielte.[33] Als „Gerichteter und Zuschauer" hat er sich Gustav Janouch gegenüber selbst bezeichnet.[34]

Dieser Umstand führt weit über das Biographische hinaus, da er als Zeichen steht für das Verhältnis des Erzählers zum Erzählten, wie es *Der Prozeß* darstellt und worum es ihm geht. Wie wir festgestellt haben, spaltet sich ja die Erzählperspektive in die offensichtliche K.s und die verdecktere eines Erzählers, der zwar intim mit K. verquickt ist, aber ihn gleichzeitig ironisiert und damit über ihn urteilt. Die Verkörperung dieser Seite der Erzählperspektive ist das Gericht. Es fungiert als die prüfende Beurteilung des Lebens, der sich das Leben zu stellen hat, und zugleich als die ironisierende Schreibperspektive, der sich die Fragwürdigkeit von K.s Bewußtsein enthüllt. Das Gericht entspricht dem „Prozeß" des Schreibens selbst, mit dem Franz (Kafka) die Untersuchung von K. (Kafka) unternimmt. Im Text ist das Gericht immer mit Schreiben engstens verbunden. „Und er schreibt soviel Berichte [. . .]" heißt es von K.s Untersuchungsrichter (P. 70). Den Verhören liegen Schriften zugrunde. Die Anklage, heißt es, ist in einer Schrift enthalten (P. 141). Es ist also ein Schreiben, – das Schreiben –, das den Prozeß überhaupt hervorruft.[35]

Den beiden Aspekten K.s als Lesensollender und als Gelesener entsprechen zwei unterschiedliche Strukturprinzipien im Roman.[36] Dem Lesensollen K.s – nicht zufällig ist ein Buch das erste, was er an seinem Wächter Willem erblickt (P. 10) – entsprechen Züge des Reise- und Entdeckungsromans, die K.s Fahrten zum Gericht oder zu den dem Prozeß zugehörigen Figuren, wie Huld und Titorelli, anhaften.[37] Selbstverständlich entspricht ihm auch die parabolisch-anagogische Zeigestruktur. Die Prüglerszene in der Rumpelkammer von K.s Bank oder Kaufmann Blocks Erniedrigung zum „Hund des Advokaten" (P. 233) sind beispielhafte Schauspiele, die K. zum Überdenken angeboten werden.[38] Sie gipfeln in der Parabel des Geistlichen. K.s Gelesenwerden aber entspricht die an „Jedermann", Mysterienspiel und Barockdrama erinnernde theatralische Struktur, in der K., wie auf einer Bühne stehend, die er im Podium des Sitzungssaals tatsächlich innehat, zu Entscheidungen aufgerufen wird, wobei er sichtbaren und unsichtbaren Zuschauern durch sein Verhalten sich selbst enthüllt.[39] Noch im Sterben ist K. Gegenstand der Beobachtung für seine Schlächter.

Mit brechenden Augen sah noch K., wie die Herren, nahe vor seinem Gesicht, Wange an Wange aneinandergelehnt, die Entscheidung beobachteten (P. 272).[40]

Beide Aspekte aber sind durch die szenische Komposition des ganzen Erzählwerks verbunden.

Die Frage ist öfters gestellt worden, was mit dem Schlußsatz des Romans gemeint ist und worauf sich die „Scham" bezieht, die K. scheinbar „überleben sollte"? (P. 272).[41] Dazu müssen wir etwas zurückgreifen.

Daß sich K. trotz Beteuerung seiner Unschuld so verhält, als ob er etwas zu verbergen hätte, deutet sein Bestreben an, den Prozeß geheim zu halten. Ja, seine Abneigung beobachtet zu werden, geht sogar dem Erscheinen des Wächters Franz unmittelbar voraus.[42] Während K. auf sein Frühstück wartet, sieht er „von seinem Kopfkissen aus die alte Frau, die ihm gegenüber wohnte und die ihn mit einer an ihr ganz ungewöhnlichen Neugierde beobachtete" (P. 9), und er ist „befremdet". Aus diesem Befremdetsein heraus läutet er den „Fremden" – Franz – zu sich. Auf der buchstäblichen Sinnebene weist also das Nicht-Erspähtsein-Wollen, das ja das Kennzeichen der Scham ist, zusammen mit dem Hunger, auf seine Verhaftung hin.[43]

Nun wird dieser wörtliche Sinn, über den der Leser hinwegliest, ein dominierendes Element im Verlauf des Prozesses, der ja ein Prozeß der – allerdings unvollkommenen – Bewußtwerdung ist. Das letzte Substantiv des Romantextes ist das Wort „Scham", und es ist mit dem Bild des Hundes verkoppelt. „'Wie ein Hund!' sagte er, es war, als sollte die Scham ihn überleben" (P 272). Nun kommt diese Verbindung von Scham und Hund schon im Prüglerkapitel vor. Aus Angst, daß sein Prozeß in seiner Bank bekannt werden könnte, hat K. den geprügelten und in seinem Schmerz aufschreienden Franz zu Boden gedrückt und hastig die Tür der Rumpelkammer zugeworfen, um das Prügeln, das da in K.s Sache vor sich geht, vor herbeieilenden Zeugen zu verbergen. „Um die Diener nicht herankommen zu lassen, rief er: 'Ich bin es'" und fügt die Lüge hinzu: „[. . .] es schreit nur ein Hund auf dem Hof" (P. 108).

Aus mehreren Gründen ist diese Szene zentral für den Prozeß. Es besteht zunächst kein Zweifel, daß sich K. hier selbst im Sinne konventioneller Moral schuldig macht und daß es seine Scham ist, die ihn schuldig werden läßt. Denn um sein Ansehen in der Bank zu wahren, das ein Ertapptwerden bei „Unterhandlungen mit der Gesellschaft in der Rumpelkammer" (P. 109) ernstlich gefährden würde, beteiligt er sich an der Unterdrückung seines Mitmenschen, lügt und überläßt ihn, den die Enthüllung der Wahrheit befreien könnte, seiner Qual. Die bildlich- buchstäblich vorgeführte Unterdrückung – K. stößt Franz zu Boden – führt zur verheimlichenden Lüge, und mit der Lüge macht K. seinen Mitmenschen zum Hund. Denn er gibt ja den Schrei eines Menschen als den Schrei eines Hundes aus. In ironischer Umkehrung der Rollen ist es aber er selbst, der sich hier im umgangssprachlichen Sinn „wie ein Hund", das heißt, wie ein schurkischer Mensch, verhält. Wenn er nun am Ende „wie ein Hund" verendet, fällt die frappierende Analogie zu Dantes „Inferno" auf, wo die Strafe sich ebenso als die Wiederholung und Verewigung der Schuld vollzieht. K., der den Menschen zum „Hund" erniedrigt, und sich damit selbst zum „Hund" gemacht hat, wird „wie ein Hund" abgeschlachtet.

Damit wird die Scham zum endgültigen Fazit, zum Wesen seines Daseins. Denn es war ja die Scham, die Angst vor dem Verlust des Scheins von Respektabilität,

die K. dazu trieb, den Menschen, und in ihm die Menschheit, zu verraten, anstatt
ihn durch die Aktion menschlicher Solidarität, verkörpert durch die auf den Mar-
terschrei sogleich antwortenden Diener, zu befreien. Die Scham ist also nicht nur
das *Zeichen* der Schuld, wie sie dies ja auch im Buche *Genesis* ist, das Kafka intensiv beschäftigte; sie ist auch der *Grund* der Schuld.

Nun ist aber K.s Scham nicht nur Verleugnung des Menschen im Anderen, sondern auch Selbstverleugnung. Mit dem schreienden Franz unterdrückt K. zugleich
seinen eigenen hilfsbereiten Impuls, sein wahres Ich, das seine ethische Möglichkeit ist. Mit seinem Ausruf: „Ich bin es!" gesteht er buchstäblich ein, daß eigentlich er selbst es ist, der hinter sorgsam verschlossener Tür gemartert wird und ge-
schrien hat. Wenn er aber dann hinzufügt: „Nein, nein, es schreit nur ein Hund
auf dem Hof", ist es er selbst, der sich mit seiner Lüge buchstäblich zum Hund
reduziert und damit sein als schmachvoll erlebtes Ende vorwegnimmt. Die tiefe
Ironie dieser Verknüpfung der beiden Stellen, an denen das Bild des Hundes erscheint, liegt darin, daß K. gerade mit seinem Ruf: „Ich bin es!" sein Ich verrät.
Er zeigt damit, daß sein „Ich" eine Lüge ist, mit der er seine ihn in leidenschaft-
lichen Anspruch nehmende Situation, die in diesem Augenblick sein „wahres
Ich" darstellt, ableugnet.

Die Prüglerszene ist paradigmatisch für den *Prozeß*. In drastischerer Weise als alle
anderen Szenen des Romans zeigt sie, wie K. die Gelegenheit gegeben wird, sich
zu entscheiden zwischen verschiedenen Deutungs- und Handlungsmöglichkeiten
und sich damit zu erkennen zu geben als das, was er ist.

Zwei Alternativen fallen K. ein, die er statt seines hündischen Verhaltens hätte
wählen können. Er hätte einerseits mit dem Herbeieilen der Zeugen die Gelegenheit gehabt, mit seiner Anklage gegen „die Organisation", die, wie er behauptet,
an allem „schuldig" ist, Ernst zu machen und das „Treiben" der „hohen Richter"
den Behörden des Rechtsstaats, in dem er lebt (P. 12), anzuzeigen.[44] Freilich aber
hätte er sich damit selbst bloßstellen müssen. „Diese Aufopferung konnte wirklich
niemand von K. verlangen" (P. 109) — als er selbst, dem sie eingefallen war.

Die andere Alternative wäre der ersten entgegengesetzt, aber „fast" noch „einfacher" gewesen. Sie bestünde in der stellvertretenden Selbstopferung K.s, der „sich
selbst ausgezogen und dem Prügler als Ersatz für die Wächter angeboten" hätte
(P. 109). Die Lüge erlaubt ihm, der Entscheidung zwischen diesen Alternativen,
zu deren jeder „die Kraft" eines Mutes gehört hätte, die ihm „versagt" ist (P.
271), aus dem Weg zu gehen.

Diese beiden Alternativen stellen die beiden uns am Ende des Romans wieder be-
gegnenden Grundmöglichkeiten ungelogenen Menschseins dar, wie sie Kafka immer vorschwebten. Die eine ist der Drang zur Selbstbestrafung, Selbstopferung
und Befreiung vom fleischlichen Dasein. Die andere ist das durch sich selbst gerechtfertigte Leben im Irdischen — „dans le vrai".[45] Wir sehen den Konflikt zwischen ihnen in dem von K. unreflektierten Widerspruch, der in seiner Einstellung
zum Schuldbegriff liegt. K., der einerseits von dem gottähnlichen „hohen Gericht" den „wirklichen Freispruch" von aller Schuld zu erzwingen sucht, leugnet
andererseits mit der durchaus logischen Konsequenz eines transzendenzlosen Humanismus die Berechtigung der Schuldidee überhaupt ab. „Wie kann denn ein

Mensch überhaupt schuldig sein. Wir sind hier doch alle Menschen, einer wie der andere" (P. 253), ist die durchaus ernstzunehmende Position der Emanzipation des Menschen von Schuld und Über-Ich. Wo alle absoluten Maßstäbe, die ja nur von jenseits der Menschheit kommen könnten, zu fehlen scheinen, darf „hier" kein Mensch sich zu einer Autorität aufspielen, die einen anderen Menschen ausserhalb kodifizierter Satzungen für schuldig erklären kann. Die Entgegnung des Geistlichen: „So sprechen alle Schuldigen", die die Ablehnung des Schuldbegriffs zum Zeichen von Schuld macht, ist ja nur *ein* Standpunkt, dem keineswegs mehr Wert beizumessen ist als dem Standpunkt K.s.[46] Das Wesentliche hier ist der unreflektierte Widerspruch in K. Trotz seiner theoretischen Ableugnung von Schuld als Möglichkeit besteht er in seinem eigenen Fall auf Freispruch von Schuld. Mit der Forderung, „vollständig unschuldig" (P. 179) befunden zu werden, gibt er die Berechtigung des Schuldbegriffs zu – denn nur durch die Möglichkeit von Schuld empfängt „Unschuld" ihren Sinn – und verlangt das Urteil eines Gerichts, das er theoretisch als ungültig erklärt.

Was hier als unreflektierter logischer Widerspruch erscheint, enthüllt sich am Ende des Romans als K.s Ambivalenz zur Deutung, die er selbst seinem Prozeß zuerst unbewußt und schließlich bewußt, gegeben hat. Wir haben K.s Gebrauch des Namens Lanz als Mittel der „Entschlüsselung" dessen, was das Gericht für ihn bedeutet, bereits als den unreflektierten Sinn gesehen, den K. seinem Prozeß erteilt. Dieser Sinn ist der Verzicht auf das Leben, zunächst in seiner Manifestation als Eros und schließlich als physisches Dasein überhaupt.[47] Am Ende tritt K. dieser Sinn bewußt entgegen als die von ihm „genau" erkannte „Pflicht", „das Messer [. . .] selbst zu fassen und sich einzubohren" (P. 271). Aber gleich, nachdem er diese „Pflicht" erkannt hat, denkt K. an „Einwände", die gegen sie zu erheben wären.

> Gewiß gab es solche. Die Logik ist zwar unerschütterlich, aber einem Menschen, der leben will, widersteht sie nicht (P. 272).

K.s. Unentschiedenheit zwischen dem mystischen Gebot der Selbstvernichtung und dem natürlichen Lebenstrieb bildet im Roman einen unauflösbaren Knoten, den nur „das Messer" der „Herren" durchschneiden kann.[48]

Schon am Morgen seiner Verhaftung kommt ihm völlig unvermittelt und unmotiviert der Gedanke an den Selbstmord.

> es wunderte K., wenigstens aus dem Gedankengang der Wächter wunderte es ihn, daß sie ihn in das Zimmer getrieben und ihn hier allein gelassen hatten, wo er doch zehnfache Möglichkeit hatte, sich umzubringen (P. 17).

Typisch für die Struktur des *Prozesses* ist es, daß das, was am Ende als „genau" gewußte „Pflicht" erkannt wird, am Anfang als unerklärliche, gewissermaßen „spielerische" Möglichkeit aufblitzt. Am Ende überläßt K. den Behörden „die Arbeit", seine von ihm erkannte Pflicht auszuführen. Aber bereits am Anfang verwendet er das Gericht in der Person der Wächter, der ersten Boten, die es ihm gesandt hat, als die Perspektive, mit der er sich selbst zum Tod verurteilt. Denn es ist „aus dem Gedankengang der Wächter", daß er „die zehnfache Möglichkeit" sieht, „sich umzubringen". Es ist also klar, wie Ingeborg Henel gezeigt hat, daß K. das Gericht als seine „Motivation" benutzt.[49] Das heißt, er überläßt dem Gericht die „Arbeit", seine eigene Erkenntnis, die „Pflicht" der Selbstzerstörung als Tat zu verwirklichen. Was er selbst tun sollte, läßt er sich von anderen zufügen. Dieses dem Anderen die Verantwortung für das eigene Gesetz zuschieben trägt, wie oft gesehen worden ist,[50] zu K.s Einsicht bei, daß er „wie ein Hund" stirbt.

Jede Deutung des *Prozesses* aber, die die „Motivationen" für das innere Gebot des Selbstmords als alleinigen „Sinn" des „Prozesses" herausstellt, unterschätzt das kolossale Gewicht, das der „Sinnlosigkeit" dieses Gebots zufällt.

Der Gedanke seiner Sinnlosigkeit taucht ja in K. zugleich mit dem Gedanken an den Selbstmord auf. Während K. die „zehnfache Möglichkeit sich umzubringen", aus der Perspektive der Wächter zieht, kommt ihm die Einsicht in deren Sinnlosigkeit „aus seinem [eigenen] Gedankengang."

> Gleichzeitig allerdings fragte er sich, diesmal aus seinem Gedankengang, was für einen Grund er haben könnte, es zu tun. [. . .] Es wäre so sinnlos gewesen, sich umzubringen, daß er, selbst wenn er es hätte tun wollen, infolge der Sinnlosigkeit dazu nicht imstande gewesen wäre (P. 17).

Nirgends im Verlauf seines Prozesses entdeckt K., und nirgends entdeckt der Leser, einen „Grund" warum, und eine Sache wofür K. sein Leben hingeben soll. Nur einmal, in der Prüglerszene, taucht in K. ganz flüchtig, wie wir gesehen haben, der Gedanke der Selbstaufopferung auf, aber in der Todesszene kehrt er nicht wieder. Ganz im Gegensatz zu Kafkas früheren Helden, Georg Bendemann und Gregor Samsa,[51] erblickt K. nichts, was er sühnen oder wofür er sich opfern sollte. Er sieht zwar die Pflicht, aber keinen Grund zu sterben. Die Todespflicht ist leere Form geworden. Sie besitzt zwar ihre „unerschütterliche Logik" (P. 272), aber keinen erkennbaren Sinn. Mit der Selbstverurteilung seines „immer mit zwanzig Händen in die Welt Hineinfahrens" (P. 269), versucht er ihr zwar einen Sinn zu geben, aber dieser Sinn überzeugt weder K. noch den Leser.[52] Typisch dafür ist es, daß K. im letzten Augenblick gar nicht mehr an diesen „Sinn" denkt. Sein letzter Satz, „Wie ein Hund!", ist Zusammenfassung der Sinnlosigkeit.

K. schämt sich daher seines Prozesses, wie er sich schämt, eine Eingabe verfertigen zu müssen, mit der er sich selbst in Frage zu stellen und zu überprüfen hätte (P. 153). Wenn auch in diesem Falle der Wille, als „unschuldig" anerkannt zu werden, über die Scham siegt (P. 154), kann er das Gebot der Selbstvernichtung nicht einwandlos und endgültig annehmen. Vor seinem agnostisch-humanistischen Verstand und rationalen Lebenswillen, den Josef K. in seinen klarsten Momenten, wie zum Beispiel am Anfang des Gesprächs im Dom, zu vertreten scheint, kann ein solch abwegiges „Gesetz" nicht bestehen.

Der Prozeß zeigt das Sinnlos-Gewordensein eines Gebots, das nur aus der Transzendenz her, von einem Ort „außerhalb der sinnlichen Welt",[53] seinen Sinn empfangen kann. Da es für K.s Bewußtsein eine solche Welt nicht gibt, kann er seinen

Tod letzten Endes nicht als richtig empfinden.[54] Aber der Anspruch, der aus dem Unbekannten, aus K.s unerklärlichen Todesgedanken, und letzten Endes von K.s Schöpfer, Kafka, kommt,[55] übt noch eine solche Macht über ihn aus, daß K. dem als sinnlos Gesehenen hoffnungslos verhaftet bleibt und es ihm nicht gelingt, „ausserhalb des Prozesses leben" zu können (P. 254). Von der Sterbepflicht geht der uneingestandene Sog aus, der K.s Prozeß als den „Prozeß" einer zunehmenden Zerrüttung und Entwaffnung des Selbsterhaltungswillens erweist,[56] gegen den K.s. rationales Ich sich machtlos zeigt. Die Macht, die K. von innen her zerstört, zeigt sich aber freilich nur mehr negativ als ein Nicht-Loskommen-Können, als ein dauerndes – zuerst völlig uneingestandenes, dann eingestandenes – Kapitulierenmüssen.

Wie in der mit der Veröffentlichung des *Prozesses* zeitgeschichtlich aufs engste verbundenen „negativen Theologie"[57] zeigt die Transzendenz im *Prozeß* ein rein negatives Antlitz. Sie zeigt ihre Wirkung nur durch das Verhaftetsein des Menschen an, durch den alleinigen Umstand, daß jemand, der sich ihr entrückt wähnte, ohne sie nicht leben kann. Denn es ist ja K., der ohne vorgeladen zu werden, das Gericht aufsucht und dadurch zeigt, wie sehr er es braucht.

In diesem Sinne bildet die Transzendenz in Kafkas *Prozeß* das genaue Analogon zur Rolle, die Kafka der Kunst zuspricht in einem Aphorismus, der mit besonderer Prägnanz auf den Roman Josef K.s anwendbar ist.

Unsere Kunst ist ein von der Wahrheit Geblendetsein: Das Licht auf dem zurückweichenden Fratzengesicht ist wahr, sonst nichts.[58]

Josef K.s Verhalten stellt den „Prozeß" eines solchen „Zurückweichens" dar. Die Beschreibung dieses Prozesses, die die Ironisierung und Zunichtemachung der Strategien und Positionen von K.s Bewußtsein ist, ist das Licht, das auf K.s Prozeß fällt. Das bedeutet keineswegs, daß „die Wahrheit" in K.s Verurteilung liegen muß. Denn „nichts ist wahr", sagt uns Kafkas Aphorismus, als eben jenes Licht, das auf das Zurückweichen fällt und es als solches kenntlich macht. Die „Quelle" dieses Lichts aber bleibt unsichtbar, da Kunst für Kafka ja ein „Geblendetsein" und keineswegs die Illumination der Wahrheit ist. K.s im letzten Augenblick ausgesprochene Weigerung, das Recht „eines Menschen, der leben will", aufzugeben, bezeichnet die Grenze seines Zurückweichens und damit auch die Grenzen der Macht des todfordernden „Gesetzes" an.

Was in K. als totale Ambivalenz sich kundtut, wird dem Leser zum hermeneutischen Dilemma, zum Zwang zu wählen zwischen Deutungen, die einander ausschließen, von denen jede aber Anwendung auf die eigene Existenz zu fordern scheint. Die Forderung, die die Textstruktur an den Protagonisten stellt, sich zwischen möglichen Deutungen seiner Situation zu entscheiden und sie bestimmend für sein Verhalten zu machen, geht auf den Leser über.

Mit dem Unterschied: Der Leser hat Geschriebenes vor sich und nicht sein Leben zu bestimmen. Er kann daher mit den im Text angedeuteten „Existenzmöglichkeiten" spielen anstatt sich für eine von ihnen zu entscheiden. Was Kafka den „Trost des Schreibens" nannte, war dieses „Hinausspringen aus der Totschlägerreihe"[59] der Existenz, in dem einander ausschließende Entscheidungen verlangt werden. Für die Figur hingegen, die ja bei Kafka trotz aller abstrahierenden Züge noch immer die mimetische Fiktion einer menschlichen Existenz darstellt, gibt es ein solches Spiel nicht. Für sie muß jede Deutung „nie wieder gutzumachende" Entscheidung über ihr Dasein werden. Dieser existenzielle Ernst kommt besonders deutlich in der Türhüterlegende zum Ausdruck. Sollte der Mann vom Lande es wagen, trotz des Verbots in das Gesetz einzutreten, wie es der Türhüter „lachend" vorschlägt, müßte er es riskieren für die vage Möglichkeit sein Leben zu erfüllen, dieses Leben selbst zu verlieren.[60]

Am Anfang des Romangeschehens kommt K. selbst der Gedanke, seine Verhaftung als „Spiel" zu deuten und sich damit gewissermaßen zur Position des Lesers zu erheben. Er spielt mit der Möglichkeit, seine Verhaftung als „Spaß", als „Komödie", als Geburtstagsscherz, also als etwas bloß Dargestelltes, aufzufassen und sich demgemäß zu verhalten (P. 12f.). Er entschließt sich aber, das nicht zu tun, sich nicht „unvorsichtig" zu benehmen und „dafür durch das Ergebnis gestraft zu werden". „Entschlossen, nicht den geringsten Vorteil, den er vielleicht diesen Leuten gegenüber besaß, aus der Hand zu geben," (P. 13), wählt er den Kampf statt des Spiels. Er entscheidet sich also in diesem Augenblick für eine Deutung seines Prozesses, die die ihm selbst vorschwebende Möglichkeit ausschließt, den Prozeß nicht als Wirklichkeit, als Existenzkampf, zu verstehen, in dem Entscheidungen verlangt werden, sondern als „Literatur", eben als „Hinausspringen aus der Totschlägerreihe. [. . .] vielleicht", so denkt er, „brauchte er nur den Wächtern ins Gesicht zu lachen und sie würden mitlachen". Wir erinnern uns dabei, daß der Türhüter dem Mann von Lande nur „lachend" die einmalige Chance anbietet, ins Gesetz einzutreten, und daß Kafka selbst, wie Max Brod berichtet, beim Vorlesen des ersten Kapitels „so sehr lachte", „daß er weilchenweise nicht weiterlesen konnte."[61] Von diesem „Humor" des Romans, den Brod auch sonst in Kafkas Leben und Werk feststellte, ist die Ironie, von der wir ausgegangen sind, ja nur ein Teil.

Zur Grundironie des Schicksals, das im *Prozeß* beschrieben wird, gehört K.s Entschlossenheit, den Prozeß eben nicht als Spiel aufzufassen, selbst wenn es eines sein sollte. „War es eine Komödie, so wollte er mitspielen" (P. 13), nämlich so, daß die Maskerade nicht zu durchschauen wäre, daß sie wie Ernst, wie Wirklichkeit, erscheinen müßte. Gerade dadurch aber wird der „Ernst" der Lüge, zu jenem „unernsten Ernst", den Jean-Paul Sartre „mauvaise foi" nennt. Indem sich K. unter allen Umständen weigert, ein Spiel, in dem seine Rolle offenbar wäre, als Spiel anzuerkennen, macht er sein Leben zu einer geheimen Rolle[62] und das „Verfahren" zu einem Kampf, in dem es ihm darum geht, „die Überlegenheit" zu wahren (P. 16) und somit „jeden Gedanken an eine mögliche Schuld von vornherein abzulehnen" (P. 152). Damit wird auch klar, daß K.s Kampf gegen das Gericht nur die andere Seite seiner Scham ist. In beiden Fällen wird die Fassade, das Ansehen, der Schein zum Absoluten. Anstatt den Versuch zu wagen, die Wirklichkeit als Schein zu durchschauen, besteht K. darauf, den Schein als Wirklichkeit durchzusetzen. Obwohl er in einem solchen Verhalten, das „keinen Spaß" zu verstehen scheint, nur „eine ganz geringe Gefahr" (P. 13) sieht, scheint ihm gerade daraus die Fatalität zu erwachsen, der er zum Opfer fällt. Sein Bestreben, ein mögliches Spiel nur als wirklichen Kampf „zu spielen", was ihn zum Vorläufer des Landvermessers im *Schloß*-Roman macht, wird am Ende ironisch erfüllt. In den scheinbaren „Schauspielern", „die man um [ihn]" „schickt" (P. 266), muß er seine wirklichen Mörder erkennen, und ein Spiel von „widerlichen" Zeremonien ergibt seine Hinrichtung.

Wiederum sehen wir K.s Versuch, seinem Prozeß einen Sinn zu geben, wobei er aber nur sich selbst bestimmt. Seine Deutungen enthüllen ihm und uns nichts vom Wesen des Gerichts, sie enthüllen nur das Wesen K.s. Seine Einstellung zum Gericht bestimmt, was er ist, und was er ist, bestimmt, was ihm widerfährt. Beides aber wird determiniert durch den hermeneutischen Akt, durch K.s Interpretationen dessen, was sein Prozeß bedeuten soll.

Anmerkungen

1 Was die Entstehung, Probleme der Textgestaltung, Edition und Kapitelfolge betrifft, sei der Leser verwiesen auf Beda Allemann, „Kafka. Der Prozeß" in *Der deutsche Roman. Vom Barock bis zur Gegenwart.* Hrsg. von Benno von Wiese. Bd. 2. Düsseldorf 1963, 234-290, bes. 234f., und Hartmut Binder, *Kafka-Kommentar zu den Romanen, Rezensionen, Aphorismen und zum Brief an den Vater.* München 1976, 160-194.

2 Zum Begriff der „Einsinnigkeit" bei Kafka, cf. Friedrich Beissner, *Der Erzähler Franz Kafka. Ein Vortrag.* Stuttgart 1952. [1958]. Zum parallelen Begriff der „Kongruenz" der Perspektiven von Erzähler und Hauptfigur, cf. Martin Walser, *Beschreibung einer Form. Versuch über Franz Kafka.* München 1961. (Diss. 1951). Zur Modifikation und Kritik des Beissnerschen Begriffs der Einsinnigkeit, cf. Keith Leopold, „Breaks in Perspective in Franz Kafkas Der Prozeß", The *German Quarterly* XXXV (1963) /1, 31-38; Winfried Kudszus, „Erzählhaltung und Zeitverschiebung in Kafkas 'Prozeß' und 'Schloss'", *Deutsche Vierteljahrsschrift für Literaturwissenschaft und Geistesgeschichte* XXXVIII (1964) / 2, 192-207; ders., „Erzählperspektive und Erzählgeschehen in Kafkas 'Prozeß'" *DVLG* 44 (1970) / 2, 306-317; Walter H. Sokel, „Das Verhältnis der Erzählperspektive und Erzählgeschehen und Sinngehalt in 'Vor dem Gesetz', 'Schakale und Araber', und 'Der Prozeß'", *Zeitschrift für Deutsche Philologie* 86 (1967) / 2, 267-300. „Zweisinnigkeit" entspricht sowohl dem Prinzip der „Doppelung" (cf. Allemann, 251, 261) als auch dem der „Ichspaltung" (cf. Walter H. Sokel, Franz Kafka. Tragik und Ironie. München-Wien 1964). Zu den Modifikationen der Beissnerschen Einsinnigkeitsthese, die sich auf die hier unternommene Differenzierung zubewegen, cf. Allemann, 236-241, und Kudszus 1964, 193 - 196.

3 Cf. Kudszus, 1964, 193-196 und ders. 1970, 306ff. Vgl. auch Eric Marson, *Kafka's Trial. The Case Against Josef K.* St. Lucia, Queensland 1975, 21.

4 Auf die Ironie im Roman haben vor allem Marson, 48, und Henry Sussman, *Franz Kafka. Geometrician of Metaphor.* Madison Wisconsin 1979, 87, hingewiesen. Sussman sieht sehr richtig die Verbindung von Ironie und Theatralik. Auf die letztere werden wir noch zu sprechen kommen.

5　Zum Verhältnis von Ironie und erlebter Rede, cf. Dorrit Cohn, *Transparent Minds. Narrative Modes for Presenting Consciousness in Fiction.* Princeton, New Jersey 1978, bes. 117. Cohn sieht die erlebte Rede, die ja der stilistisch geeigneteste Ausdruck der Einsinnigkeit ist, nach zwei Polen hin tendieren. Der eine Pol ist „Ironie", der andere „Sympathie". Dieser Hervorhebung der Zweipoligkeit der erlebten Rede verdankt der hier gebrauchte Begriff der „Zweisinnigkeit" wesentliche Anregungen. Allerdings sieht Cohn in Kafkas *Prozeß* nur den Pol der „Sympathie", nicht aber den der „Ironie" (122-124).

6　Der im Text angeführte Buchstabe mit folgender Seitenzahl bezieht sich immer auf Franz Kafka, *Der Prozeß. Roman.* Gesammelte Werke. Hrsg. von Max Brod. Fünfte Ausgabe. New York 1946.

7　Eine subtil differenzierende Analyse von Kafkas „Sehweise", besonders im Frühwerk, stellt die Dissertation Peter U. Beickens dar. *(Perspektive und Sehweise bei Kafka.* Stanford University Dissertation 1971 [Masch].) Beickens Dissertation enthält eine überzeugende Kritik von Jürgen Kobs extremer Weiterführung der Beissnerschen These. Cf. Jürgen Kobs, Kafka. Untersuchungen zu Bewußtsein und Sprache seiner Gestalten. Hrsg. von Ursula Brech. Bad Homburg 1970.

8　Cf. dazu Ingeborg Henel, „Die Deutbarkeit von Kafkas Werken" *ZFdPh* 86 (1967) /2, 250-266, 253. Zur theoretischen Grundlegung des hier und im Folgenden behandelten Problems, cf. Wolfgang Iser, *Die Appellstruktur der Texte. Unbestimmtheit als Wirkungsbedingung literarischer Prosa.* Konstanz 1970, und besonders ders., *Der implizite Leser.* München 1972.

9　Cf. Marson, 20f.

10 Cf. Allemann, 243f., 249-257.

11 Allerdings ist die Perspektive des Mannes vom Lande keineswegs so dominierend in der „Legende" wie die Perspektive Josef K.s im Roman. In der Türhüterlegende ist die Tendenz zur „Objektivität" eines „allwissenden Erzählers" zum Teil vorhanden. Cf. Sokel 1967, 272ff.

12 Cf. dazu und auch zum Folgenden, Sokel 1967, 297f.

13 Cf. Theo Elm, „Der Prozeß" in *Kafka-Handbuch in zwei Bänden.* Hrsg. von Hartmut Binder. Bd. 2: *Das Werk und seine Wirkung.* Stuttgart 1979, 420-441, bes. 427-430.

14 Kafkas Freund Felix Weltsch, „Freiheit und Schuld in Franz Kafkas Roman 'Der Prozeß'", *Jüdischer Almanach auf das Jahr 5687.* Prag 1926/27, 115-121.

15 Cf. Elm, loc. cit.

16 Sussman 104, 110, sieht völlig richtig, daß der Geistliche nur die Kulmination einer Reihe von „Textvermittlern" ist. Zu ihnen gehören Huld, Titorelli, Block. Die wahrscheinlich erste, jedenfalls wichtigste Anregung zu dieser Interpretationslinie des „Prozesses" stammt von Heinz Politzers Begriff der „Auskunftserteiler", die er als strukturell von entscheidender Bedeutung für den „Prozeß" sieht. *(Franz Kafka. Der Künstler.* [Frankfurt] 1965, 293-308. [Amerikanische Originalausgabe, *Franz Kafka. Parable and Paradox.* Ithaca, New York, 1962.]

17 Franz Kafka, „Das Urteil. Eine Geschichte" in *Erzählungen und kleine Prosa.* Gesammelte Schriften. Hrsg. von Max Brod. Bd. I. Zweite Ausgabe. New York 1946 [1935], 59.

18 Zur Buchstäblichkeit, mit der Kafkas Prosa die in der Sprache vergrabenen Metaphern als fiktives Geschehen dynamisiert, cf. Günther Anders, *Franz Kafka – pro und contra. Die Prozeß-Unterlagen.* München 1951, und Walter H. Sokel,

Franz Kafka. Columbia Essay on Modern Writers, 19. New York-London 1966, 4-7.

19 Cf. Marson, 47, 70.

20 „Von den Verächtern des Leibes" in „Die Reden Zarathustras".

21 Zur Nietzsche-Rezeption Kafkas, cf. Peter Heller, „Kafka and Nietzsche", *Proceedings of the Comparative Literature Symposium, „Franz Kafka. His Place in World Literature"*, Lubbock, Texas 1974, 71, 94; Patrick Bridgewater, *Kafka und Nietzsche.* Bonn 1974; Reinhold Grimm, „Comparing Kafka and Nietzsche", *The German Quarterly* 52 (1979), 339-350.

22 Daraus aber zu folgern, wie es Norbert Fürst getan hat, *(Die offenen Geheimtüren Franz Kafkas.* Heidelberg 1956) daß K.s Prozeß die Allegorie von Kafkas Lungenkrankheit sei, ist nicht nur aus biographischen Gründen falsch – Kafkas Tuberkulose wurde erst drei Jahre nach dem Schreiben des *Prozesses* festgestellt –, sondern verwechselt vor allem Kafkas „andeutungsweise" verfahrende, vieldeutige Sprache mit einem eindeutigen „vergleichsweise" vorgehenden Allegorisieren. Cf. dazu den für Kafkas Poetologie äußerst bezeichnenden Aphorismus: „Die Sprache kann für alles außerhalb der sinnlichen Welt nur andeutungsweise, aber niemals auch nur annähernd vergleichsweise gebraucht werden [. . .]" *Hochzeitsvorbereitungen auf dem Lande und andere Prosa aus dem Nachlaß.* Gesammelte Werke. Hrsg. von Max Brod. New York 1953, 45. (Dieser Band wird von nun an als H angeführt.)

23 Wilhelm Emrich hat die Selbstentfremdung als das zentrale Geschehen in Kafkas Werken, vor allem in „Verwandlung" und *Prozeß*, gesehen. (Franz Kafka. Bonn 1958, 265). Das Gericht ist für Emrich das „seelische Spiegelbild K.s", der „Ausdruck seines eigenen inneren Zustandes", der „ihm seither selbst fremd war und [den] er daher auch wie ein ihm Fremdes nun plötzlich erschreckt erblickt."

24 Ein sehr interessantes Beispiel dafür liefert J.P. Stern, „The Law of Kafka's *The Trial"* in *On Kafka. Semi Centenary Perspectives.* Hrsg. von Franz Kuna. London 1976, 22-41.

25 Cf. Emrichs überzeugende Kritik (270) an dieser von Friedrich Beissner vertretenen Auffassung (Beissner, 39ff).

26 I. Henel (1967, 254) sieht diesen „Funktionalismus" als kennzeichnend für Kafkas Gesamtwerk.

27 Cf. Walter H. Sokel, „Oedipal and Existential Meanings of *The Trial"* in *On Kafka*, op. cit., 1-21, 3f. Dieser Aufsatz wird von nun an als Sokel 1976 angeführt.

28 Cf. Sokel 1964, 152.

29 Cf. Sokel 1964, 8. Kapitel, „Der Machtkampf Josef K.s" 151-175, und 186f.

30 Cf. Sokel 1976, 7.

31 Cf. Gerhart Kaiser, „Franz Kafkas 'Prozeß'. Versuch einer Interpretation", *Euphorion* L II (1958)/ 1, 23-49, 33.

32 Cf. Elias Canetti, *Der andere Prozeß. Kafkas Briefe an Felice.* München 1969, und John Winkelman, „Felice Bauer and *The Trial"* in *The Kafka Debate. New Perspectives for Our Time.* Hrsg. von Angel Flores. New York 1977, 311-334.

33 Cf. Sussmann, III: Die Reduktion des Familiennamens auf K. zeigt, daß die Existenz zum Schreib- und Lesestoff kontrahiert wird. Cf. auch Michel Carrouges, *Kafka contre Kafka.* Paris 1962.

34 Gustav Janouch, *Gespräche mit Kafka. Aufzeichnungen und Erinnerungen.* Erw. Ausg. Frankfurt 1968, 52. Cf. dazu auch Allemann, 261.

35 Sussman, 94 sieht im Schreibprozeß des Angeklagten einziges Mittel, das Urteil auf so lange Frist wie möglich zu verschieben. Er sieht nicht, daß das Gericht das „Geschriebenwerden" des Angeklagten bewerkstelligt.

36 Sokel 1976, 7f.

37 Sokel 1976, 4.

38 Sokel 1976, 10.

39 Cf. auch James Rolleston, *Kafka's Narrative Theater.* University Park and London 1974, 86f. „The traditional topos of the world as a stage is taken literally by Kafka . . . The reader is simultaneously in the audience and in the mind of the principal actor."

40 Cf. dazu auch Allemann 260f., der diese Stelle ebenfalls, wenn auch aus anderer Sicht, zitiert.

41 So von Heinz Politzer, 315, Kudszus 1964, 303, u.a.

42 Allemann sieht in K.s Beobachtet werden „nur Gegenstück der Selbstbeobachtung" (261). Allemann sieht also K.s „Befremden", wenn er sich beobachtet weiß, nicht verknüpft mit der Scham.

43 Cf. dazu und zum Folgenden auch Sokel 1967, 290.

44 Cf. Sokel, 1964, 289.

45 Zu dieser grundlegenden Ambivalenz cf. Walter H. Sokel, „Language and Truth in the Two Worlds of Franz Kafka", *The German Quarterly* LII (1979)/3, 364-384, bes. 373-377, und ders., „Freud and the Magic of Kafka's Writing" in *The World of Franz Kafka.* Hrsg. von J.P. Stern. London 1980, 145-158, bes. 145-149. Zur systematischen Erhellung der einen — geistig-antisinnlichen — Seite bei gleichzeitiger Vernachlässigung der naturalistisch-humanistischen Komponente in Kafka, cf. Peter A. Foulkes, *The Reluctant Pessimist. A Study of Franz Kafka.* Den Haag-Paris 1967, und besonders Gerhard Kurz, Traum-Schrecken. Kafkas literarische Existenzanalyse. Stuttgart 1980. In dem einzigen klaren Hinweis auf die Intentionen seines *Prozeß*-Romans kommt Kafka selbst einer psychoanalytischen Sicht nahe. Bezeichnenderweise befindet sich dieser Hinweis im „Brief an den Vater". „Ich hatte vor Dir das Selbstvertrauen verloren, dafür ein grenzenloses Schuldbewußtsein eingetauscht. (In Erinnerung an diese Grenzenlosigkeit schrieb ich von jemandem einmal richtig: 'Er fürchtet, die Scham werde ihn noch überleben')" (H 196). Im „Brief an den Vater" gebraucht er auch das Wort „Prozeß", um den Konflikt zwischen ihm und Ottla einerseits und dem Vater andrerseits zu kennzeichnen, „diesen schrecklichen Prozeß, der zwischen uns und Dir schwebt", (H 193).

46 Cf. Sokel 1964, 295.

47 Cf. Adrian Jaffe, *The Process of Kafka's Trial.* Michigan State University 1967, 139.

48 Cf. Sokel, 1964, 289f., 296.

49 „Die Türhüterlegende und ihre Bedeutung für Kafkas ‚Prozeß'", *DVLG* (1963) XXXVII, 50 - 70.

50 Cf. besonders Henel 1964 und auch Theodore Ziolkowski, *Dimensions of the Modern Novel. German Texts and European Contexts.* Princeton, New Jersey 1969, 52f., 56. (Die deutsche Fassung: *Strukturen des modernen Romans.* München 1972).

51 Cf. Sokel 1964, 293, und Sokel, 1966, 30ff.

52 So z.B. Politzer, 256.
53 H 45.
54 Cf. Sokel 1964, 289f.
55 „Vollständig konnte er sich nicht bewähren, alle Arbeit den Behörden nicht abnehmen, die Verantwortung für diesen letzten Fehler trug der, der ihm den
   Rest der dazu nötigen Kraft versagt hatte" (P. 271). Es ist wahrscheinlich, daß
   der Erzähler K. hier auf dessen Schöpfer, den Autor – Kafka – hinweisen läßt.
56 Cf. dazu Sokel 1964, 18. Kapitel „Zerstreutes und konzentriertes Ich", 299 -
   310.
57 Cf. John Kelly „'The Trial' and the Theology of Crisis" in *The Kafka Problem.*
   Hrsg. von Angel Flores. New York 1963, 1975 [1946], 159-179. Kellys Aufsatz
   stellt den Höhepunkt in der anfänglich dominierenden Tendenz der *Prozeß*-Re-
   zeption dar, die mit Brod einsetzt. Cf. bes. Margarete Sussman, „Das Hiob Problem bei Franz Kafka" *Der Morgen* V (1929) /1, abgedruckt in *Franz Kafka.*
   Hrsg. von Heinz Politzer. Wege der Forschung CCCXII. Darmstadt 1973, 48-68,
   und Hans Joachim Schoeps, „Die geistige Gestalt Kafkas", *Die Christliche Welt*
   1929: 16/17, 761-771; ders., „The Tragedy of Faithlessness" in *The Kafka
   Problem.* Hrsg. von Angel Flores. New York 1963, 1975 [1946], 303-313, bes.
   306ff., ders., „Theologische Motive in der Dichtung Franz Kafkas", *Die Neue
   Rundschau* 62 (1951), 21-37.
58 H 46.
59 *Tagebücher. 1910-1923.* Gesammelte Werke. Hrsg. von Max Brod. New York
   1948 und 1949, 563.
60 Cf. Jürgen Born, „Kafka's Parable 'Before the Law': Reflections toward a Positive Interpretation" *Mosaic* Juli 1970, 153-162, Sokel 1976, 16, und ders.,
   „Kafka's Law and its Renunciation: A Comparison of the Function of the Law
   in 'Before the Law' and 'The New Advocate'" in *Probleme der Komparatistik
   und Interpretation. Festschrift für André von Gronicka zum 65. Geburtstag am
   25.5.1977.* Hrsg. von Walter H. Sokel, Albert A. Kipa, Hans Ternes. Bonn 1978,
   S. 193-215, 201f.
61 Max Brod, *Über Franz Kafka: Franz Kafka. Eine Biographie. Franz Kafkas
   Glauben und Lehre. Verzweiflung und Erlösung im Werke Franz Kafkas.*
   Frankfurt/Hamburg 1966, 156.
62 Cf. Rolleston, 72. Auch Emrich (272f.) hat das Element der „Komödie" im
   Prozeß gesehen, aber nur im negativen Sinn, nicht als die Möglichkeit von
   Befreiung, die sich zunächst darin kundtut.

128

EGON SCHWARZ

HERMANN HESSE: *DER STEPPENWOLF* (1927)

I. Zur Intention

Als erfahrener Beobachter des literarischen Lebens und Rezensent tausender Bücher wußte Hermann Hesse, daß „Dichtungen [. . .] auf manche Arten verstanden werden" können. Auch zeugt es von distanzierter Objektivität, wenn er zugibt, daß „der Verfasser nicht die Instanz" sei, darüber zu entscheiden, wer recht habe in dem ewigen Meinungsstreit zwischen Dichtern, Kritikern und Lesern. Ja, er geht in der Feststellung dieser rezeptionstheoretischen Axiome noch einen Schritt weiter, indem er behauptet, es habe „schon mancher Autor [. . .] Leser gefunden, denen sein Werk durchsichtiger war als ihm selbst."

Dennoch sind das „Nachwort zum 'Steppenwolf'"[1], dem alle diese Äußerungen entstammen, und andere Belege, vor allem Hesses Privatbriefe, voll des Ärgers und der Enttäuschung über das „Mißverständnis"[2], das gerade dieser Roman hervorgerufen habe. Hesse wird nicht müde, sich über die Mehrzahl seiner Freunde zu beschweren, die in dem Buch höchstens ein „Kuriosum" zu sehen vermochten, und über die Zeitungen, die zum *Steppenwolf* nichts „Kluges oder wenigstens etwas Ehrliches" zu sagen hatten.[3] Sein Mißmut steigert sich zu Invektiven auf die „saudummen Zeitungsartikel"[4], auf das deutsche Volk, das „ernste Lektüre nicht liebt", auf die „üblen Prinzessinnenromane", die ihren Verfassern große Summen einbringen, „während ein Buch wie mein Steppenwolf im ganzen Reich keine Stelle fand, wo ein Vorabdruck möglich gewesen wäre"[5], und keinen „berühmten Mann", der ihn „unter die lesenswerten Bücher des Jahres gezählt"[6] hätte; auf die bürgerliche Presse, die „dieses Buch als böse und unanständig", und die sozialistische, die „es als hoffnungslos individualistisch [. . .] ablehnt"[7]; auf „gerissene Journalisten und schmachtende Tanten", die ihm „kollegial auf die Schulter klopfen."[8] Es wurmt ihn, daß „weder für den Inhalt noch für die Form, die beide nicht alltäglich sind, eine Spur von Verständnis"[9] vorhanden sei. Angesichts dieser Klagen ist es schon als eine Anwandlung von Zufriedenheit zu werten, wenn Hesse von dem „*freundlichen* Mißverständnis"[10] spricht, das die Presse seinem Werk entgegenbringe.

Alle diese Lamentationen, diese wiederholt geäußerten Gefühle deuten, was immer sich sonst hinter ihnen verbergen mag, mindestens auf *eine* Gewißheit, nämlich daß Hesse bestimmte Intentionen mit seinem Werk verbunden hat. Und wenn man seine schriftlich festgehaltenen Bemerkungen daraufhin untersucht, dann lassen sich einige davon in der Tat rekonstruieren. Unter diesen Aussagen befindet sich ein besonders interessanter Brief an den Vater eines Selbstmörders, der dem Autor offenbar vorgeworfen hat, sein Buch trüge Mitschuld am Tod seines Sohnes:

Sehr geehrter Herr,
Sie haben das begreifliche Bedürfnis gehabt, Ihren väterlichen Schuld-Anteil

am Schicksal Ihres Sohnes auf einen anderen abzuwälzen, und haben das in einem weder artigen noch klugen Brief an mich getan.

Von ebenso gesinnten Lesern und Vätern hat einst Goethe, mit dem ich mich sonst nicht von ferne vergleichen darf, ganz ähnliche Briefe über seinen „Werther" bekommen. Es war eine problematische, etwas dekadente Jugend vorhanden, in welcher Selbstmorde vorkamen, und die Väter suchten nicht bei sich oder ihren Söhnen die Dekadenz, sondern in dem verfluchten „Werther", welcher Dinge auszusprechen gewagt hatte, die man nach ihrer Meinung totschweigen oder weglügen sollte. Sie müssen die Verantwortung für meine Bücher (die unter Opfern entstanden sind, von denen Sie nichts zu ahnen vermögen) mir selbst überlassen, ich bin Ihrer Vorschriften nicht bedürftig. Hätten Sie die Sorgfalt aufgebracht, den „Steppenwolf" wirklich zu lesen und zu verstehen, so hätten Sie gesehen, daß er nicht die Geschichte eines Untergangs, sondern die einer Krise und Heilung, und daß der „Steppenwolf" kein Dekadenter, sondern ein Lebensfähiger ist.11

Die Ausdrücke „Krise" und „Heilung" muß man festhalten, weil sie immer wieder auftauchen. Man kann in ihnen das Zentrum von Hesses Selbstauslegung sehen. Beide Begriffe kommen auch in dem bereits herangezogenen „Nachwort" vor, und zwar in dem maßgeblichen Schlußparagraphen, wo der Autor seine Interpretation des Romans noch einmal zusammenfaßt und der sogar wirkungsvoll in dem Wort „Heilung" ausklingt:

Ich kann und mag natürlich den Lesern nicht vorschreiben, wie sie meine Erzählung zu verstehen haben. Möge jeder aus ihr machen, was ihm entspricht und dienlich ist! Aber es wäre mir doch lieb, wenn viele von ihnen merken würden, daß die Geschichte des Steppenwolfes zwar eine Krankheit und Krise darstellt, aber nicht eine, die zum Tode führt, nicht einen Untergang, sondern das Gegenteil: eine Heilung12

Die Stellen widersprechen nachdrücklich allen jenen Interpreten, die auf dem Scheitern Harry Hallers bestehen.13 Der Vergleich mit *Werther* eröffnet ein weites Feld für Spekulationen über die dem *Steppenwolf* zugrundeliegenden auktorialen Absichten. Unter anderem legt er nahe, daß Hesse sich mit dem Roman eine persönliche Krise vom Leibe schreiben wollte, der er aber gleichzeitig eine historische und damit gesellschaftsbedingte Bedeutung beimaß. Manche Äußerungen Hesses bestätigen eine solche Vermutung. So beteuerte er zum Beispiel am 14. Oktober 1926, also mitten in der Abfassungszeit des *Steppenwolf,* der im Januar 1927 beendet wurde,14 er schreibe „keine Dichtung, sondern [. . .] Bekenntnis"15, behauptete aber auch an anderem Ort, „daß die persönliche unheilbare, doch notdürftig bemeisterte Neurose eines geistigen Menschen zugleich Symptom ist für die Zeitseele."16 Zu den übelsten Zeittendenzen rechnete Hesse Geld, Maschine, Chauvinismus und die Kulmination dieser Triade, den Krieg, auf den er die Zeitgenossenschaft neuerlich zusteuern sah. Noch im Sommer 1943 vermerkt er nicht ohne Bitterkeit, daß der *Steppenwolf* von den meisten Lesern „belächelt" wurde „als die private Geschichte eines Herrn Haller, der sich zu wichtig nimmt.

Selten merkt man, daß das Buch außerdem von dem Krieg handelt, den es 16 Jahre vorher mit jedem Jahr näher kommen sah."[17]

Doch auch darin erschöpfen sich noch nicht die vielfältigen Aussagekräfte, die der Autor seinem Werk eingeflößt zu haben glaubte. Von größter Wichtigkeit war ihm, wie er immer wieder betont, die Darstellung einer der empirischen Wirklichkeit überlagerten zeitlosen Sphäre, denn „der Inhalt und das Ziel des 'Steppenwolf' sind nicht Zeitkritik und persönliche Nervositäten, sondern Mozart und die Unsterblichen."[18] Erst mit dieser unerläßlichen Ergänzung sind alle bedeutsamen Elemente der über die Jahre verstreuten Äußerungen Hesses zu seinem Roman beisammen. Mit ihrer Hilfe könnte man darangehen, den ganzen Intentionskomplex zusammenzufassen. Dieser Aufgabe ist man aber überhoben, weil Hesse selbst sich ihr mit aller wünschbaren Deutlichkeit und Vollständigkeit in einem Brief an P.A. Riebe, nachdem der lauteste Streit um das kontroverse Buch verklungen war, im Jahre 1931 oder 32 unterzogen hat. Es lohnt sich, die betreffende Passage hierherzusetzen:

> Aufgabe des Steppenwolf war: Unter Wahrung einiger für mich „ewiger" Glaubenssätze die Ungeistigkeit unserer Zeittendenzen und ihre zerstörerische Wirkung auch auf den höherstehenden Geist und Charakter zu zeigen. Ich verzichtete auf Maskeraden und gab mich selbst preis, um den Schauplatz des Buches wirklich ganz und schonungslos echt geben zu können, die Seele eines weit über Durchschnitt Begabten und Gebildeten, der an der Zeit schwer leidet, der aber an überzeitliche Werte glaubt.[19]

Diesem Zeugnis wäre höchstens noch die ästhetische Komponente hinzuzufügen, auf die Hesse gelegentlich Bezug nahm. Er bestand darauf, das Werk „mit mehr Bewußtsein und Kunst gebaut" zu haben, als seine Kritiker ahnen."[20], nämlich als strengen Kanon, als Fuge[21] oder, wie er öfters sagt, als Sonate.[22]

Mit dieser Rekonstruktion der Ziele, die Hesse mit dem *Steppenwolf* verfolgte, ist zweifellos einiges für das Verständnis gewonnen, zum Beispiel ein Ausgangspunkt für den Vergleich zwischen dem Gewollten und dem Erreichten, aber sie erübrigt natürlich nicht die eigene Beschäftigung mit dem Werk. Auch hierin darf man sich getrost dem Verfasser anvertrauen, der einem Leser folgenden guten Rat erteilt hat:

> Meine Meinung zu Ihrer Steppenwolffrage ist die: Sie sollten, glaube ich, sich rein an das Buch halten, und nicht an Äußerungen, die der Autor darüber später gelegentlich getan hat.[23]

II. Interpretation

1. Formales

Von Thomas Mann stammt die Äußerung, „daß der 'Steppenwolf' ein Romanwerk ist, das an experimenteller Gewagtheit dem 'Ulysses', den 'Faux Monnayeurs' nicht nachsteht."[24] Es ist wohl kein Zufall, daß dieser Bemerkung keine genauere Analyse folgt, denn wer die bahnbrechenden Romane von James Joyce und André Gide wirklich kennt, kann das Aperçu allenfalls als freundschaftliche Übertreibung, aber nicht als ernsthaften literarischen Vergleich gelten lassen. Ein andermal wurde in einem wegen der Brillanz seiner Ausführung zurecht gerühmten Essay — den oben zitierten Hinweis Hesses aufgreifend — der Beweis angetreten, es handle sich beim *Steppenwolf* um ein in der komplizierten Sonatenform komponiertes Werk.[25] Doch auch dieser Versuch überzeugt nicht recht, und es dauerte nicht lange, da wurde Hesses Behauptung mit nicht geringerer philologischer Akribie widerlegt, bzw. gezeigt, daß musikalische Muster in der Dichtung kaum andere als gleichnishafte Funktionen haben können.[26] Einleuchtender ist möglicherweise die Bezeichnung „Kanon", die der Autor ebenfalls für die Struktur seines Romans in Vorschlag gebracht hat.[27] Es werden nämlich darin in der Tat immer wieder neu ansetzend, wenn auch jedesmal aus verschiedener Perspektive, drei aufeinander abgestimmte Anläufe gemacht, die Persönlichkeit der Zentralgestalt Harry Haller zu erfassen und in den Sinn seiner Erlebnisse einzudringen: im Vorwort des Herausgebers, des Neffen der Vermieterin, der die zurückgelassenen Papiere des Verschwundenen findet; in den größtenteils[28] in Ich-Form abgefaßten Aufzeichnungen Hallers, wo er eine krisenhafte Phase seines eigenen Lebens zur Darstellung bringt; und schließlich in dem „Traktat vom *Steppenwolf*", der das gleiche Phänomen aus abstrakter Distanz, sozusagen in sozio-psychologischer Sicht behandelt. Aber auch die Vorstellung eines „Kanons" kann nicht mehr als metaphorische Bedeutung beanspruchen, als eine Art Aufforderung an den Leser, den Parallelismus der Ansätze zu erkennen und zu seinem Verständnis zu nutzen. Weiter kommt man vielleicht, wenn man die Sphären abgrenzt, aus denen Hesse das Idearium und die Bildlichkeit des Werkes gewonnen hat.

2. Autobiographisches

Es ist keine leere Phrase, wenn Hermann Hesse betont, er habe sich in diesem Buch schonungslos preisgegeben.[29] Autobiographisches gibt es wohl in jedem Roman. Daß bei Gestalt und Schöpfer die allgemeine geistig-psychische Situation ähnlich ist, daß ihre Einstellung zu Kultur und Gesellschaft, Staat und Zeitalter, ihre Geschmacksrichtung in Kunstsachen übereinstimmen, ist eher Regel als Ausnahme. Aber die Identität zwischen Hermann Hesse und Harry Haller, bei aller ontologischen Differenz, die natürlich lebenden Autor von fiktiver Person trennt,[30] geht viel weiter, kann schwerlich vollkommener gemacht werden als im *Steppenwolf*, weil sie sich bis in die Intimsphäre unverwechselbarer, nachprüfbarer Einzelheiten fortsetzt. Sie beginnt bei den Namen mit den alliterierenden Anfangsbuchstaben und dem gleichen zweisilbig-trochäischen Tonfall und verstärkt sich von Seite zu Seite durch die Anhäufung immer neuer Angaben: Beide, der Verfasser wie der Held, wurden von frommen, strengen Eltern aufgezogen, haben die gleichen Vorbilder, haben fernöstlichem Gedankengut Einlaß in ihren geistigen Haushalt gewährt. Beide sind Schriftsteller und malen Aquarelle. Beide sind von ihren geistesgestörten Frauen verlassen worden, sind im Krieg Pazifisten gewesen und

dafür von der chauvinistischen Presse als Sauhunde, Drückeberger und Vaterlands-
verräter usw. gebrandmarkt worden[31]; dennoch ist es ihnen nicht gleichgültig,
daß „die ganze Welt mit vollen Segeln und schmetternder Musik auf den nächsten
Krieg los segelt."[32] Beide haben die Gicht.[33] Sogar den wohlfrisierten Geheimrat
Goethe haben sie gemeinsam.[34] Beide sind in eine tief aufwühlende Krise geraten,
weil sie zu sehr aufs Geistige trainiert wurden, eine Einseitigkeit, der sie durch den
Ankauf eines Grammophons[35] und das Erlernen des „Fox" und „Onestep" entgehen wollen, durch den Versuch, sich „ganz naiv und kindlich dem Leben und
Tun der Allerweltsmenschen anzuschließen."[36] Beide nehmen sich vor, Selbst-
mord zu begehen, wenn sie 50 werden, und beiden verleiht dieser Entschluß die
Fähigkeit, ihre Leiden leichter zu ertragen. Diesen Details könnten leicht weitere
hinzugefügt werden. Sie rufen den Leser geradezu auf, jedes Wort, jede Begeben-
heit im Buch mit Hermann Hesses privatem Leben in Verbindung zu bringen. Diese stillschweigende Aufforderung verfolgt freilich einen erzählstrategischen Zweck.
Dadurch, daß das Buch die Gleichungen aufstellt: Hesse=Haller; Hallers Krise=
Zeitkrise, wird dem Leser mit ungewöhnlicher Dringlichkeit zugerufen: Tua res
agitur.

3. Philosophische und literarische Anklänge

Hesse war ein ungewöhnlich belesener Schriftsteller, ein poeta doctus. Die über
sechstausend Rezensionen, die er in seinem Leben veröffentlicht hat, repräsentieren bloß den am deutlichsten sichtbaren Teil seines Buchwissens. Seine philosophische und literarische Belesenheit ist überwältigend und es darf nicht wunderneh-
men, daß sie viele erkennbare Spuren auch im *Steppenwolf* hinterlassen hat. Es
wäre ebensowenig möglich wie förderlich, alle diese Einflüsse nachzuweisen. Nur
dort, wo sie strukturierende Kraft entfalten, hat es Sinn, auf sie hinzuweisen.
Große Bedeutung kommen zum Beispiel den platonisch-christlich-romantischen
Ideen in dem Buch zu. Platonisch ist die Aufspaltung der Welt in eine scheinhafte
der Sinneswahrnehmungen und eine geistige, die zwar die echte und wirkliche ist,
deren Vorhandensein aber selbst dem gebildeten Menschen nur in Träumen, in
seltenen, gehobenen Wahrnehmungszuständen zum Bewußtsein kommt, als „goldene göttliche Spur", die, „fast immer tief im Kot und Staub" des gewöhnlichen
Lebens „verschüttet", zuweilen aufglänzt, um sich gleich darauf wieder zu verlieren.[37] Platonisch ist auch die zentrale Lehre, die Mozart am Ende Harry Haller
erteilt, ein Erlebnis, das man in Anklang an Platons Höhlengleichnis das „Radiogleichnis" nennen könnte.

> In der Tat spuckte [. . .] der teuflische Blechtrichter nun alsbald jene Mi-
> schung von Bronchialschleim und zerkautem Gummi aus, welchen die Be-
> sitzer von Grammophonen und Abonnenten des Radios übereingekommen
> sind, Musik zu nennen.

Aber Mozart weist den protestierenden Harry[38] barsch zurecht.

Hören Sie gut zu, Männlein, es tut Ihnen not! [. . .] Sie hören ja nicht bloß
einen durch das Radio vergewaltigten Händel. [. . .] Sie hören und sehen,
Wertester, zugleich ein vortreffliches Gleichnis alles Lebens. Wenn Sie dem
Radio zuhören, so hören und sehen Sie den Urkampf zwischen Idee und Erscheinung, zwischen Ewigkeit und Zeit, zwischen Göttlichem und Menschlichem (281).

Andere wichtige Vorstellungen muten wieder Schopenhauerisch an, der Gedanke
vom „Schuldgefühl der Individuation", das nur durch Auflösung, durch den
Schritt „zurück zur Mutter, zurück zu Gott, zurück ins All" („Tractat vom Steppenwolf", S. 10. Der „Tractat" folgt auf S. 64) gesühnt werden kann. Denn „jede
Geburt bedeutet Trennung vom All, bedeutet Umgrenzung, Absonderung von
Gott" („Tractat", S. 31). Verbunden wird dieser Gedanke des Strebens nach In-
tegration und Totalität mit dem eigentlichen Anliegen des Romans durch das
Postulat, daß die „Rückkehr ins All", die „Aufhebung der leidvollen Individuation" nur durch die Erweiterung der „Seele" erreicht werden kann, so „daß sie
das All wieder zu umfassen vermag" (ebenda).
    Der Philosoph, der Hesse am meisten beeinflußt hat, ist freilich Nietzsche. Ohne
Nietzsches Kulturpessimismus, Nietzschesche Entlarvungspsychologie, Nietzsches
Gesellschaftskritik ist Hesse nicht denkbar. Daher läßt sich dieses Denken gar
nicht von der Substanz des Werkes loslösen. Vier von Nietzsches Gedankenkom-
plexen sind aber so grundlegend für den Steppenwolf, daß sie hier angeführt werden müssen: Der das ganze Werk durchziehende Unterschied zwischen dem genia-
len Ausnahmemenschen und den Dutzend- oder Herdenmenschen, der mittelmäßigen Masse; die Kritik an der Askese, der rein geistigen, dem Körperlich-Sinnli-
chen feindseligen Richtung des Christentums; die Idee, daß der Mensch kein stati-
sches Wesen, sondern ein im Werden begriffenes ist. „Der Mensch ist keine feste
und dauernde Gestaltung [. . .], er ist vielmehr ein Versuch und Übergang, er ist
nichts anderes als die schmale, gefährliche Brücke zwischen Natur und Geist" (27);
und die Philosophie eines über aller Erdenmisere schwebenden Humors, der den
Menschen befähigt, seine Leiden leicht zu nehmen und über seine eigene Verzweiflung zu lachen.[39]
    Lang ist die Liste der dichterischen Vorbilder, die man für den Steppenwolf gel-
tend machen könnte. Eines, mit dem er im Detail verglichen wurde, ist das Gilga-
mesch-Epos, das Hesse seit 1915 kannte.[40] Enkidus anfängliche Beschreibung als
wildes Tier, dessen Menschwerdung einer Kurtisane zu verdanken ist, seine sexuelle Erweckung, die Verfeinerung seiner Sitten beim Essen, in der Körperpflege und
Kleidung: dieser Prozeß seiner Zivilisation ergibt eine Motivreihe, die in ihrer An-
wendbarkeit auf den Steppenwolf für sich selbst spricht. Andere Parallelen lassen
sich zu Rainer Maria Rilke ziehen, und zwar nicht nur zu Malte Laurids Brigge,
der ebenso wie Harry Haller einer überholten kulturellen Elite angehört und sich
nun in der modernen Großstadt mit ihrer halb banalen, halb heruntergekomme-
nen Massengesellschaft qualvoll zurechtfinden muß. Überraschenderweise erstrek-
ken sich die Übereinstimmungen auch auf die Duineser Elegien. Haller ist der Meinung, daß das menschliche Leben besonders dann zur „Hölle" werde, wenn „zwei

Zeiten, zwei Kulturen und Religionen einander überschneiden," (37) ja es gebe
Epochen, „wo eine ganze Generation so zwischen zwei Zeiten, zwischen zwei Le-
bensstile hineingerät, daß ihr jede Selbstverständlichkeit, jede Sitte, jede Geborgenheit und Unschuld verlorengeht" (38). Den gleichen Gedanken spricht eine
berühmte Doppelzeile der Siebenten Elegie in äußerster poetischer Verkürzung
aus:

> Jede dumpfe Umkehr der Welt hat solche Enterbte, denen das Frühere nicht
> und noch nicht das Nächste gehört.

Aber die Analogie geht weiter. Dort, wo Rilke noch mit konservativem Pathos
zum Widerstand aufruft: „*Uns* soll dies nicht verwirren; es stärke in uns die Bewahrung der noch erkannten Gestalt" (Siebente Elegie, Rilkes Unterstreichung),
läßt sich Harry Haller skeptischer vernehmen: „Waren wir alten Kenner und Verehrer des einstigen Europas, der einstigen echten Musik, der ehemaligen echten
Dichtung, waren wir bloß eine kleine dumme Minorität von komplizierten Neuro-
tikern, die morgen vergessen und verlacht würden?" (61). Aber die Ähnlichkeit
des Weltverständnisses ist nicht zu verkennen: Die alte elitäre Kultur, die nur noch
von einer gebildeten Minderheit hochgehalten wird, erscheint beiden als zutiefst
bedroht durch die neuzeitliche kapitalistische Industriegesellschaft. Auch der von
Hesse an vielen Stellen des Romans diagnostizierte „Amerikanismus" der Nach-
kriegszeit findet, stärker ins Antipathische verschoben, Entsprechungen bei Rilke.
Selbst die Symbole der Bewahrung sind bei beiden Dichtern die gleichen. Harry
Haller stellt sich in seiner Furcht vor der alles vernichtenden Pietätlosigkeit des
Zeitalters die melancholische Frage: „Wer gedachte noch jener kleinen, zähen
Zypresse hoch am Berge über Gubbio [. . .]?" (57), während Rilke in der Ersten
Elegie, wieder karger und positiver als Hesse, aber zweifellos in der gleichen Bildersprache verkündet: „Es bleibt uns vielleicht irgendein Baum am Abhang, daß
wir ihn täglich wiedersähen". (Auch die Formulierung: Hast du [. . .] denn genügend gedacht [. . .]?" kommt in der Ersten Elegie vor). Hesse teilt mit Rilke nicht
nur die Trauer über das Verlorene, sondern auch die Schmähung auf das, was
sich an dessen Stelle breitmacht. Bei Hesse ist es die „zerstörte, von Aktiengesell-
schaften ausgesogene Erde", „die sogenannte Kultur in ihrem verlogenen und ge-
meinen blechernen Jahrmarktsglanz" (42), bei Rilke ein „Jahrmarkt" mit einer
„Schießstatt, wo es zappelt vor Glück und sich blechern benimmt", und mit seinen werbenden, trommelnd plärrenden „Buden", in deren einer „zu sehn" ist,
„wie das Geld sich vermehrt, anatomisch" (Zehnte Elegie). Sogar die Anwandlung zur gewalttätigen Zerstörung dieser Scheinkultur, die man Hesse so übelge-
nommen hat, seine „Wut auf dies abgetönte, flache, normierte und sterilisierte
Leben", seine „rasende Lust, irgend etwas kaputt zu schlagen, etwa ein Waren-
haus oder eine Kathedrale" (44) hat ihre Entsprechung in der Zehnten Elegie:
„O, wie spurlos zerträte ein Engel ihnen den Trostmarkt, den die Kirche begrenzt,
ihre fertig gekaufte," Anklänge, die bis zur Synonymik, ja bis zur Wortgleichheit
reichen.[41]

Man könnte leicht fortfahren und die beträchtlichen Gemeinsamkeiten Harry Hallers mit Tonio Kröger und seinem ambivalenten Stand zwischen Bürgertum und Kunst oder mit dem verspäteten Durchbruch einer zurückgedrängten Sinnlichkeit beim alternden Schriftsteller Gustav Aschenbach hervorheben. Es ist jetzt aber nötig, sich der wichtigsten Persönlichkeit zu erinnern, die beim Steppenwolf Pate gestanden hat: Goethes.[42] Es ist natürlich alles andere als willkürlich, wenn man den *Steppenwolf* mit Goethe in Beziehung setzt. Zunächst erwähnt Harry Haller Goethe unter seinen Lieblingsautoren, und, was schwerer wiegt, sein entscheidender, zur endgültigen Entfremdung führender Zwist mit der bürgerlichen Welt entzündet sich an einem kommerziell verflachten Porträt Goethes, das zum Sinnbild für Hallers abweichendes Wertsystem wird. Ferner muß gesagt werden, daß die erbitterte Feindschaft zwischen der Bestie und dem Menschen, der Kampf des Steppenwolfs mit seinem zivilisierten Genossen auf Goethes „Zwei Seelen wohnen, ach, in meiner Brust" beruht. Dieses bekannte Wort Goethes wird von Hesse ganz bewußt dem Konflikt unterlegt, und trotz aller Abwandlungen, denen er es unterwirft, ja der Ironie, mit der er es behandelt, bleibt es doch der Angelpunkt des Buches („Tractat", S. 26). Und schließlich erscheint Goethe selbst als handelnde Person in dem Roman, in einem Traum der Zentralgestalt allerdings, was jedoch in der traumhaften Atmosphäre des Ganzen seinem Auftreten umso größere Bedeutsamkeit verleiht. Mitten in der Krise, die Harry Haller erleidet, hat bloß ein Bezirk seine Gültigkeit bewahrt, der Bereich zeitloser, geistiger Leistung, bewohnt von Heroen des Schöpferischen, genannt „die Unsterblichen." Zwei von ihnen werden vom Autor auserkoren, in persönliche Berührung mit dem Anti-Helden der Phantasmagorie zu treten, um ihm ihre Lektionen zu erteilen, die es ihm ermöglichen sollen, sein Leben sinnvoller zu gestalten. Der eine, Mozart, erscheint ihm am Ende der magischen Periode in einer rauschhaften Vision, der andere, Goethe, zu ihrem Beginn. Alles das legt es nahe, sich in seinen Werken nach möglichen Modellen für den Roman umzusehen.

Als erstes kommt zweifellos *Faust* in den Sinn, das Gedicht, dem das Motto von den zwei Seelen entnommen ist. Der Parallelen sind so viele und weitreichende, daß man mit Fug den *Steppenwolf* Hesses *Faust* nennen könnte. Haller ist zu Anfang der Handlung gleich Faust ein alternder Mann, der die gesamte intellektuelle Bildung der Zeit in sich aufgenommen hat. Beide sind aber von dem Erreichten tief enttäuscht, denn der eine, Faust, weiß nicht, „was die Welt im Innersten zusammenhält", der andere, Haller, hat trotz aller seiner „Bücher, Manuskripte, Gedanken" (46) die Bindung „ans lebendige Herz der Welt" (48) verloren. Bei beiden ist die Folge davon bitterster Ekel am Leben, dem sie durch Selbstmord ein Ende zu bereiten gewillt sind. Sie werden aber vor der Selbstvernichtung durch das Eingreifen eines übernatürlichen Wesens bewahrt, mit dem sie ein das Verbotene bedenklich streifendes Abkommen treffen, einen an die abendländische Überlieferung gemahnenden Teufelspakt. Hermine, wie die mephistophelische Gestalt bei Hesse heißt, bezeichnet sich selbst als „Kind des Teufels" (155). Beide, Faust wie Haller, erleben es, daß sie von ihrem neuen Gefährten in jene Gebiete der menschlichen Existenz eingeführt werden, deren Kenntnis sie bislang zu ihrem Schaden vernachlässigt haben. Es handelt sich um die verwandten Sphären der täglichen Lebensbewältigung, der Liebe und der Sinnlichkeit. Um zu dieser Lehre besser tauglich zu sein, müssen sich beide einer sexuellen Verjüngungskur unterziehen. Hermine wird Harry lehren, „zu tanzen und zu spielen und zu lächeln und doch nicht zufrieden zu sein" (154/155), und Faust gelobt: „Dem Taumel weih ich mich, dem schmerzlichsten Genuß", und will es doch so einrichten, daß er sich dabei nicht in Zufriedenheit verliert. Für Faust ist ein Höhepunkt der Ausschweifung die Walpurgisnacht, für Harry Haller ein zur Walpurgisnacht stilisierter Maskenball, wo er seine Mephistopheline in einer als „Hölle" ausstaffierten Bar trifft (212). Zu allem Überfluß hat Hesse noch eine seiner erzählerischen Schlüsselstrategien, die innere Identität aller agierenden Personen, dem Goetheschen Werk entlehnt und einen unmißverständlichen Hinweis auf die Quelle seiner Inspiration gegeben:

> In unserer modernen Welt gibt es Dichtungen, in denen hinter dem Schleier des Personen- und Charakterspiels [. . .] eine Seelenvielfalt darzustellen versucht wird. [. . .] Wer etwa den Faust auf diese Weise betrachtet, für den wird aus Faust, Mephisto, Wagner und allen andern eine Einheit, eine Überperson, und erst in dieser höhern Einheit, nicht in den Einzelfiguren ist etwas vom wahren Wesen der Seele angedeutet (25/26).

Es wäre reizvoll, diesen Übereinstimmungen im einzelnen nachzugehen. Es muß aber hier genügen, das Zusammenfallen der großen Linien zu zeigen, zumal sich noch der Vergleich mit einem weiteren Werk Goethes empfiehlt, der dazu verhelfen soll, neue Schichten des *Steppenwolf* zu erschließen: *Wilhelm Meister*.[43] Von einem Entwicklungsroman im herkömmlichen Sinn kann natürlich keine Rede sein. Schon ein flüchtiger Überblick überzeugt von dieser Unmöglichkeit. Der gleiche Blick enthüllt aber auch das Vorhandensein von vertrauten Zügen, deren vielfaches Zusammenwirken im Gesamtplan des *Steppenwolf* mehr auf Absicht als auf Zufall schließen läßt. Mit dem Auftauchen der Lichtreklame des Magischen Theaters hört es im *Steppenwolf* auf, „mit rechten Dingen" zuzugehen. Was ist das „Magische Theater"? Gibt es im *Wilhelm Meister* etwas, was ihm irgendwie entspricht, was geeignet wäre, Licht in sein geheimnisvolles Wesen zu werfen? In der Tat findet sich in Goethes Roman geradezu das Vorbild für dieses Theater, dessen Boten wohltätig in Harrys verfahrenes Leben eingreifen und ihm behilflich sind, seinen Karren wieder in ein fahrbares Geleise zu bringen, um ihn dann wieder sich selbst zu überlassen, nicht etwa vollständig geheilt, aber doch ausgestattet mit einer neuen Erfahrung, einem Hoffnungsschimmer, wo ehedem nichts als Verzweiflung und Selbstmordgedanken waren. Es handelt sich um die Turmgesellschaft, der im *Wilhelm Meister* eine ähnliche Funktion zufällt wie im *Steppenwolf* dem Magischen Theater. In beiden Romanen vertritt die Geheimgesellschaft eine Art überirdischer Ordnung oder wenigstens eine höhere, jenseits des beschränkten Einzellebens existierende Instanz. Wie im *Wilhelm Meister* wirkt auch im *Steppenwolf* eine mysteriöse Gemeinde von Personen, die ein wachsames Auge auf den im Dunkeln tappenden Helden haben. Auf unerforschliche Weise sind sie von seinen

Nöten und Bedürfnissen unterrichtet, und wenn Verlassenheit und Ratlosigkeit aufs höchste gestiegen sind, dann schicken sie ihre Sendboten aus und lenken seine Schritte in eine günstigere Richtung. „Sollten zufällige Ereignisse einen Zusammenhang haben?"[44] fragt sich Wilhelm Meister staunend in der Stunde der Einweihung. Die Mitglieder des Geheimbundes besitzen unerklärliche Einsichten in die verstecktesten Winkel des Herzens. „Nicht vor Irrtum bewahren, ist die Pflicht des Menschenerziehers sondern den Irrenden zu leiten, ja ihn seinen Irrtum aus vollen Bechern ausschlürfen zu lassen, das ist die Weisheit der Lehrer"[45] sagt der Abbé, der auch einst Wilhelm in leichter Verkleidung begegnet war. Es gibt keinen Grund, warum nicht Pablo vom Magischen Theater diese Worte in einem seiner beschwingteren Momente hätte zu Harry sagen können. Dem Abbé, dem Fremden im Wirtshaus, dem Offizier entsprechen im *Steppenwolf* außer Pablo noch der Trauergast, den Harry auf dem Friedhof anspricht und von dem er zum *Schwarzen Adler* gewiesen wird, wo Hermine schon auf ihn wartet, der kleine rot und gelbe Teufel vom Maskenball, der ihm statt einer Garderobenummer eine Botschaft überreicht, und der Plakatträger, von dem er den eigenartigen, so tief in sein Leben hineinleuchtenden „Traktat vom Steppenwolf" bekommt. Und dieser wieder hat offenbar in Wilhelms „Lehrbrief" sein Gegenstück, wo ja auch die Summe eines Lebens gezogen wird. Vor allem aber gehört Hermine dazu. Daß sie im Einverständnis mit dem Magischen Theater steht, geht ja aus dem Ende eindeutig hervor, aber schon vorher hat sie anzüglicherweise Harry das Versprechen gegeben: „Ich zeige dir mein kleines Theater" (153), Worte auf die er wohl zunächst nicht achtet, die aber später ihre ganze Bedeutung enthüllen werden. Und daß sie sehr gut über die Natur und die Herkunft des geheimnisvollen Traktats Bescheid weiß, geht gerade aus ihren ausweichenden Antworten und ihrer Anstrengung hervor, ganz besonders unbefangen zu sein, als er sie danach fragt (136 und 137/138).

Beide Sphären, die der Turmgesellschaft und die des Magischen Theaters, stellen eine höhere Warte vor als diejenige, auf welcher sich das manifeste Geschehen abspielt. Von ihr aus gesehen ergibt sich eine neue Perspektive auf das tastende, irrende, richtungslose Suchen der Zentralgestalten. Ohne sie wäre deren Leben bedeutungslos, ja wahrhaft widersinnig, dank ihr ordnen sich aber sogar ihre Fehler in das Schema einer höheren Entwicklung. Der Begriff Entwicklung rührt jedoch an ein Problem. Denn gerade der mit diesem Begriff verbundene Gedanke scheint in jedem der beiden Werke ganz verschieden zu sein. Schließlich ist der wichtigste Zug in einem Entwicklungsroman die allmähliche Entfaltung eines ungeweckten Jünglings, der sich, anfangs ein Spielball der Umstände, zu einem reifen erprobten Menschen wandelt, indem er den Einflüssen der Epoche ausgesetzt wird und aus ihnen, dem Gesetz seines Wachstums gehorchend, nur die ihm zuträglichen Elemente aufnimmt. Sobald man aber die Idee des Entwicklungs- oder Bildungsromans so formuliert, wird deutlich, daß der *Steppenwolf* das vorgeschriebene Schema zwar nicht gradlinig erfüllt, aber dennoch in einer starken Beziehung dazu steht. Es läßt sich nämlich ohne weiteres sagen, der *Steppenwolf* sei freilich ein Entwicklungsroman, aber ein auf den Kopf gestellter. Es darf nicht außer acht gelassen werden, daß die bürgerliche Welt mit ihrer Begrenztheit und ihren Bestre-

bungen von zentraler Bedeutung für die beiden Romane ist, welche hier verglichen
werden, bloß daß derjenige Goethes den Beginn, der Hesses das Ende der bürgerlichen Epoche bezeichnet. In Goethes Werk ist der Adel noch eine Gesellschafts-
sphäre, in die der bürgerliche Held aufrücken und in der er jenen Schliff und jene
Freiheit des Geistes finden kann, deren er zur allseitigen Ausbildung seiner Persönlichkeit bedarf. Nichts dergleichen steht mehr im *Steppenwolf* zur Verfügung, wodurch das Bürgertum in seiner Verfahrenheit überwunden werden könnte. Die von
ihm erschaffene Kultur wird als zutiefst fragwürdig dargestellt, da sich aber nirgends eine Alternative zeigt, nach der es sich streben ließe, ist die Folge entmuti-
gende Enttäuschung und ins Pathologische führende Verbitterung. Ein „frühes"
und ein „spätes" Romanwerk stehen sich gegenüber. Nicht mehr kann der Held
ein hoffnungsvoller Jüngling sein, der zwar unerfahren ist, aber dank seiner Gaben
einer erfüllten Zukunft entgegensehen darf. Nein, viel treffender ist es, ihn als alternden Mann zu gestalten, dessen Gicht die perfekte äußere Entsprechung für sein
ungesundes, halb gehemmtes, halb gelähmtes Innenleben darstellt. Seine Aufgabe
kann es nicht gut sein, eine nach der anderen die bildenden Kräfte seines Zeitalters
zu erproben und in sich aufzunehmen. Dies hat er alles längst hinter sich. Mit einem passenden Ausdruck Ortega y Gassets kann man sagen, er befinde sich bereits
„a la altura de los tiempos", auf der Höhe der Zeit. Was die Kultur zu bieten hat,
ist sein Besitz geworden. Kunst und Wissenschaft sind sein Eigentum, ja er selbst
hat zu ihrer Bereicherung beigetragen. Die Erfahrungen, die auf Wilhelms Meister
einen so verwandelnden Einfluß ausüben, Liebe, Werbung und Ehe, liegen schon
hinter Harry Haller, sind aller Bedeutung entleert, zerstört, mißglückt. Niemand
gibt sich darüber klarere Rechenschaft als er selbst, der sich fragt: „Lieber Gott,
wie war es möglich? Wie hatte es mit mir dahin kommen können, mit mir, dem
Dichter, dem Freund der Musen, dem Weltwanderer, dem glühenden Idealisten?
Wie war das so langsam und schleichend über mich gekommen, diese Lähmung,
dieser Haß gegen mich und alle, diese Verstopftheit aller Gefühle, diese tiefe böse
Verdrossenheit, diese Dreckhölle der Herzensleere und Verzweiflung?" (77/78).
Und so muß er umlernen, eins ums andere die Dinge abstreifen und vergessen, wenigstens zeitweise, die ihn sein Leben, die ihn umgebende Kultur gelehrt haben,
sich von den Giftstoffen befreien, die er in sich angesammelt hat. Dadurch soll
sich seine im Grunde gesunde Natur erholen, wieder jung und sinnenfreudig werden und das Versäumte, das leichte, erotische Leben nachholen. Er muß eine
Rück-Bildung, eine Entwicklung in umgekehrter Richtung durchmachen.

4. Psychoanalytisches[46]

Die Stätte der Heilung ist das Magische Theater, die Bühne – daran wird kein
Zweifel gelassen – Harry Hallers eigene Seele. Die Schauspieler sind personifizierte Abspaltungen seiner Psyche, das Spiel ein mit Hilfe der Jungschen Psychoanalyse inszeniertes Lehrstück, der Zweck die Reintegration einer gestörten Persönlichkeit. Der aufrührerische Charakter der Dramentechnik wird dadurch kund-
getan, daß das vordem nicht vorhandene Tor zu Harrys intimem Theater plötzlich
an einer Mauer aufscheint, die eine Kirche und ein Hospital verbindet: zwei abge-

wirtschaftete Institutionen einer Kultur, die mit ihrer Zerstückelung des Individuums in separat zu behandelnde Segmente, Geist und Leib, jene Verrücktheit, manchmal auch Neurose oder Schizophrenie genannt, erst erzeugt hat, die Vorbedingung für den Eintritt ist.[47] Was dem Verständnis dieses Spiels abträglich war, ist seine Doppelnatur. Auf der einen Seite wird Sorge getragen, daß alle Ereignisse rationaler Erklärung zugänglich sind. Glaubwürdig hat Hesse eine naturalistische Szenerie aufgebaut, mit bürgerlichen Wohnhäusern, Weinkellern, Hotelterrassen, Jazzmusik und Maskenbällen, bevölkert von Wirtinnen, Vermietern, Barmusikanten, Mädchen leichten Lebenswandels. Demselben Zweck dienen die vielen alkoholischen und opiatischen Rauschzustände Harrys, auf deren Rechnung man die tolleren Geschehnisse stets buchen kann. Unterstrichen wird dieser Realismus noch dadurch, daß sich Hesse einer aus alten Erzähltraditionen stammenden Praxis bedient und einen konventionellen Herausgeber einführt, der angeblich die nachgelassenen Papiere seines Mieters der Öffentlichkeit übergibt.

Auf der anderen Seite ist dieser Alltag durchsetzt mit geheimnisvollen, scheinbar zauberhaften und unheimlichen, auf jeden Fall symbolischen Geschehnissen. Leider haben sich viele Leser, auch literaturhistorisch geschulte, von Hesses geschickt tarnender Abwertung des bürgerlichen Editors irreleiten lassen. Sonst hätte man in seinem Vorwort, das keineswegs so naiv und engstirnig ist, wie uns weisgemacht wird, den Satz gefunden, der einen wichtigen Schlüssel zum Verständnis enthält. Aus ihm geht nämlich hervor, daß Harrys Aufzeichnungen mehr Dichtung als Wahrheit sind oder, wie es wörtlich heißt, „ein Ausdrucksversuch, der seelische Vorgänge im Kleide sichtbarer Ereignisse darstellt" (34). Nimmt man das ernst, und man darf es ernstnehmen, dann erübrigen sich die so oft gestellten Fragen nach dem Sinn des Magischen Theaters, nach der Beschaffenheit seiner Darsteller und ihren Darbietungen, nach der Autorschaft des Traktats und dergleichen mehr. Es sind aus einer doppelten, oft dreifachen Optik interpretierbare Phänomene teils realistisch-autobiographischen, teils zeitgeschichtlich-gesellschaftlichen, teils neurotisch-psychologischen Ursprungs.

Es ist bekannt, daß Hesse seit dem ersten Weltkrieg in psychoanalytischer Behandlung war, daß er dem durch diese Methode eröffneten Weltverständnis den Durchbruch zum modernistischen Schriftsteller von Weltbedeutung verdankt. Noch zur Zeit der Abfassung des *Steppenwolf* besuchte er seinen Analytiker, einen Schüler C.G. Jungs, allabendlich. Es ist also keinesfalls abwegig und hat zu wertvollen Einsichten geführt, daß man das Jungsche Ideenrepertoire zur Erklärung des Romans heranzog. So wurde Hermine mit der Anima, Pablo als Animus, als Schatten, ja als Repräsentation des kollektiven Unbewußten identifiziert. Für alle diese Möglichkeiten lassen sich mehr oder minder plausible Stellen aus Jungs Lehre anführen. Auch ohne Kenntnis von dessen analytischer Methode wird dem Leser klar, daß Hermine, Pablo und Maria zusammen die primitiven, sensuellen Aspekte des Lebens spiegeln, sei es des Individuums oder der Gesellschaft, die Harry Haller in seiner verzerrten, allein den Intellekt pflegenden Ausbildung und seiner ausschließlichen Orientierung auf die Hochkultur unterdrückt hat.

Am ausführlichsten ist von diesen Gestalten Hermine entwickelt. Sie wird in der Tat Hallers „Seele" genannt und auf vielfache Weise als Teil seines Innenlebens kenntlich. Bezeichnend ist schon ihr Name, das weibliche Gegenstück zu Hermann, dem angeblichen „Jugendfreund" Harrys, weswegen sie auch zwischen femininer und maskuliner Verkörperung unbestimmt oszilliert. Von ihr geht ein „herm-aphrodisischer" Zauber aus, sie stammt aus Harrys Kindheit, jenen Jahren „vor der Geschlechtsreife, in der das jugendliche Liebesvermögen nicht nur beide Geschlechter, sondern alles und jedes umfaßt, Sinnliches und Geistiges" (214). Ein engmaschiges Netz schließt sie und Harry zusammen. Sie weiß intuitiv alles von ihm, versteht trotz des großen Bildungsgefälles jeden seiner Gedanken; er hingegen errät ihren Namen, erkennt sich in ihr, wird ihr völlig hörig. Sie will ihn die leichten, oberflächlichen Künste des Lebens lehren, er sie die schweren, tiefen. Sie schließen einen Pakt, demzufolge sie einander lieben und voneinander sterben lernen sollen. Durch Erotik will sie ihn, den selbstmörderischen Neurotiker, auf seinen natürlichen Tod vorbereiten, er soll ihr den ihren geben. Da sie auf der realistischen Ebene eine Dame der Halbwelt ist, die von den Männern lebt, fällt die sexuelle Metaphorik nicht auf, die alles beherrscht. Vielfach ist von den geschlechtlichen Beziehungen die Rede, die Hermine und Maria, Maria und Pablo, Pablo und Hermine und Harry mit allen dreien verbinden. Einmal wird sogar eine Orgie zu dritt vorgeschlagen. Mit all dem soll die Integration der verschiedenen Persönlichkeitsteile Harrys und die Heilung seiner durch Lieblosigkeit kranken Psyche symbolisiert werden. „Sein ganzes Leben [. . . war] ein Beispiel dafür, daß ohne Liebe zu sich selbst [. . .] die Nächstenliebe unmöglich ist, daß der Selbsthaß genau dasselbe ist und am Ende genau dieselbe grausige Isoliertheit und Verzweiflung erzeugt wie der grelle Egoismus" (21). Die Erziehung, durch die Hermine Harry nun führt, hat zum Ziel, ihn in sie „verliebt" zu machen, sein sinnliches Ich zu entwickeln, mit dem Kern seiner Persönlichkeit zu verschmelzen. Er muß erfahren, daß die Zweiteilung in Mensch und Steppenwolf, in der er sich bisher gesehen hat, viel zu simplistisch war, daß die Psyche aus Hunderten und Aberhunderten Wesenheiten besteht, deren jede ihre berechtigten Ansprüche macht. Gegen Ende wird der ganze Prozeß noch einmal in einem Bild veranschaulicht. Harry hat gerade durch den Schachspieler einen tiefen Einblick in die vielfältige Zusammensetzung seiner Persönlichkeit bekommen. Die mannigfachen Züge seines Wesens, erfährt er, seien wie Schachfiguren, mit denen er sein geistiges Leben immer wieder neu aufbauen kann. Von einer unwiderstehlichen Gewalt gezogen, gelangt er jetzt in ein Gemach, wo er Hermine mit Pablo überrascht. Einem eifersüchtigen Impuls gehorchend, stößt er ihr einen Dolch ins Herz. Da verwandelt Pablo, offenbar der Direktor des Magischen Theaters, die leblose Hermine in eine der vielen dem Leser nun schon bekannten Schachfiguren und läßt sie in seiner Tasche verschwinden. „Mit dieser Figur hast Du leider nicht umzugehen verstanden" (288), sind die zweideutigen Worte, mit denen er diese Handlung begleitet. Die Ambivalenz rührt daher, daß in diesem Augenblick die beiden Perspektiven, die symbolische sowie die konkrete, zusammenfallen und von jeder aus dieser Mord notgedrungen eine andere Bewertung erfährt.

Zusammenfassend läßt sich sagen: Durch geistige Hypertrophie entfremdet sich der Intellektuelle Harry Haller immer mehr von seinem angestammten Bürgertum, ohne sich ganz von ihm lösen zu können. Schließlich macht er eine „mid-life crisis" durch, die ihn in die Nähe des Selbstmords treibt. In seiner Schizophrenie bezeichnet er die ungezähmten, unentwickelten Impulse in ihm den „Steppenwolf", dessen Konflikte mit seinem zivilisierten Selbst die eigentliche Krankheit ausmachen. Da erwächst ihm therapeutische Hilfe aus zwei Quellen, aus der Bekanntschaft mit der leichtlebigen Halbwelt der Großstadt, in der er vereinsamt lebt, und aus einer Psychoanalyse, in der sich ihm seine tiefere Problematik offenbart. Ziel ist das Erlernen von Humor, das heißt der Fähigkeit, sich und die Welt komisch statt tragisch zu sehen. Experten in dieser Kunst sind die von ihm bewunderten Kulturschöpfer, allen voran Goethe und Mozart, in deren eisigem Lachen sich die erstrebte Synthese kundgibt: im Lachen vibriert die befreite Sinnlichkeit, in der Kälte manifestiert sich der strenge, unbestechliche Geist. Um im Bilde zu bleiben, kann man sagen, daß Harry am Ende aus dieser zwiefachen Heilanstalt zwar nicht genesen, aber gebessert entlassen wird.

5. Zeitgeschichtlich-weltanschauliche Aspekte

Wer dem Buch gerecht werden will, muß auf die gesellschaftlichen Verflechtungen eingehen, auf die Hesse wiederholt hingewiesen hat. Die Krise, die er beschreibt, ist, wie er mit Nachdruck erklärt, nicht bloß die eines Einzelgängers, sondern einer ganzen Kultur, nicht bloß „die pathologischen Phantasien [. . .] eines armen Geisteskranken", sondern „die Krankheit der Zeit selbst" (36). Einschränkend muß allerdings hinzugefügt werden, daß der Blickwinkel eine einzige Klasse umfaßt: das mittlere Bürgertum. Die Aristokratie, die „haute bourgeoisie", die kleinen Geschäftsleute, Handwerker und Angestellten treten ebensowenig in den Gesichtskreis wie die Fabrikarbeiter. Ein Blick fällt auf eine unbürgerliche Randschicht, aber auch da nicht auf die lichtlose Sphäre der Prostituierten, Zuhälter oder kriminellen Elemente, sondern auf eine vom Bürgertum abhängige Halb- und Lebewelt, repräsentiert von kultivierten „call girls" und Jazzmusikern.

Die Perspektive ist die eines Außenseiters, der die Bourgeoisie einer scharfen Ideologiekritik unterwirft, ohne sich jedoch emotional ganz von ihr gelöst zu haben. Auf der einen Seite hegt er ein unverlierbares Attachement an die peinliche Ordnung, die makellose Sauberkeit und sichere Routine des bürgerlichen Lebens. Hallers Mietshaus und seine Bewohner sind symptomatisch für diese sekundären Tugenden. Der Professor und seine Frau repräsentieren die andere Seite. Hier herrschen Chauvinismus, Antisemitismus und borniertter Kommunistenhaß. Hier wird eine militaristische, kriegshetzerische Zeitung nicht nur gelesen, sondern auch geglaubt, hier wird „das klassische Erbe", das Haller über alles verehrt, sentimental angehimmelt und dadurch trivialisiert. Eine „eitle und selbstgefällige" Radierung Goethes, die den Dichter als „hofmännisch übertünchten", „genial frisierten Greis" mit einem „etwas professoralen oder auch schauspielerischen Zug" darstellt (85), enthüllt die ganze Verlogenheit dieser Welt.

Die Distanz des in der Anomie lebenden Künstlers und Intellektuellen, der weder an die Familie noch an die Religion oder das Vaterland glauben kann, ermöglicht eine unerbittliche Analyse dieser den Staat beherrschenden Schicht. Er lei-

det an den Schweinereien in Politik und Wirtschaft (43), die Herrschaft des Geldes verachtet er (143), Pfarrer und Angestellte von Begräbnisanstalten sind für
ihn Aasgeier (75). Am verhaßtesten aber sind ihm die Generäle, Großindustriellen, Politiker und Journalisten (141), weil sie den nächsten Krieg vorbereiten.
Da er Antimaterialist ist, Technik verabscheut und den Fortschritt verspottet,
könnte man seine Haltung auf die Formel „Antikapitalismus von rechts" bringen.[48] Er hat aber genug Einsicht, zu erkennen, daß seine Ablehnung dieser Mächte nicht ganz konsequent ist. Er wohnt nicht in Palästen oder Proletarierhäusern
(45), sondern immer in respektablen bürgerlichen Behausungen, kleidet sich anständig, hat Geld auf der Bank („Tractat", S. 13) und besitzt, obwohl er Gegner
der Ausbeutung ist, Wertpapiere von industriellen Unternehmungen, deren Zinsen
er verzehrt (160). In einem Augenblick der Selbstironie erkennt er, daß er sich
„zwar wundervoll als Idealist und Weltverächter, als wehmütiger Einsiedler und
als grollender Prophet verkleidet" hat, „im Grunde aber [. . .] ein Bourgeois" geblieben ist (160).

Was geschieht also? Es zeigt sich aus allem Bisherigen, daß ebenso wie in anderen Büchern Hesses auch im *Steppenwolf* die Welt eine dualistische ist. Die Er-
kenntnisschemata sind die gleichen wie immer: Geist und Materie, Jenseits und
Diesseits, Kultur und Natur, Mensch und Bestie, Bürger und Künstler, Genie und
Durchschnittsmensch, Hochkultur und Subkultur, mütterliches und väterliches
Prinzip und so fort ad infinitum. Diese Polaritäten sind aber im Gegensatz zu früheren Werken bloße Ausgangspunkte für den Versuch einer Synthese, eine, wenn
auch noch so zage, Neuorientierung.

Als einschneidendes Ereignis steht, ohne daß dies aufdringlich gesagt würde, der
erste Weltkrieg im Hintergrund, eine Katastrophe, an der Haller dem eigenen Vaterland die Mitschuld gibt, für die er das ganze technokratisch-kapitalistische System verantwortlich macht, durch die er zum Pazifisten geworden ist. Die Bekanntschaft mit Pablo, Maria und Hermine stellt nun eine weitere Herausforderung an sein Wertsystem dar, lehrt ihn Toleranz auf anderen Lebensgebieten,
Großzügigkeit in Bezug auf freie, ja käufliche Liebe, Bisexualität, Drogengebrauch.
Seine Berührung mit dieser Sphäre und ihrem moralischen Pluralismus hat eine
„demokratisierende" Wirkung auf ihn, die zwar nur in der Hinneigung zu einem
bisher verachteten Lebensstil, zur populären Kultur der Zeit besteht, aber auch
politische Implikationen besitzt, denn es geht, um es rundheraus zu sagen, um
„Weimar". Wie Thomas Mann und viele andere ehedem konservative Künstler
macht auch Hesse in der Nachkriegszeit eine Wandlung durch, die eine Absage
an das alte Deutschland einschließt und sich in folgenden Überlegungen des ihm
so nahestehenden Harry Haller niederschlägt:

> Wir Geistigen alle waren in der Wirklichkeit nicht zu Hause, waren ihr fremd
> und feind, darum war auch in unserer deutschen Wirklichkeit, in unsrer Ge-
> schichte, unserer Politik, unsrer öffentlichen Meinung die Rolle des Geistes
> eine so klägliche (168).

Diese Gedanken erwecken in ihm „zuweilen eine heftige Sehnsucht [. . .], einmal

Wirklichkeit mit zu gestalten, einmal ernsthaft und verantwortlich tätig zu sein, statt immer bloß Ästhetik zu treiben" (168/69).

Es braucht nicht eigens auseinandergesetzt zu werden, daß solche Ideen den Auffassungen der Vorkriegsbourgeoisie diametral zuwiderlaufen. Interessant ist es auch, zu beobachten, wie eine solche Umwertung, wenn sie einmal in Gang gekommen ist, das gesamte Denken erfaßt, auch das über Kunst.[49]

> Maria erzählte mir [. . .] von einem amerikanischen *song*, [. . .] und sie sprach davon mit einer Hingerissenheit, Bewunderung und Liebe, die mich rührte und ergriff weit mehr als die Ekstasen irgendeines Hochgebildeten über ausgesucht vornehme Kunstgenüsse. Ich war bereit mitzuschwärmen, sei der *song*, wie er wolle. Marias liebevolle Worte, ihr sehnsüchtig aufblühender Blick riß breite Breschen in meine Ästhetik, wohl gab es einiges Schöne, einiges wenige auserlesene Schöne, das mir über jeden Streit und Zweifel erhaben erschien, obenan Mozart, aber wo war die Grenze? Hatten wir Kenner und Kritiker nicht alle als Jünglinge Kunstwerke und Künstler glühend geliebt, die uns heute zweifelhaft und fatal erschienen? [. . .] War nicht Marias blühende Kinderrührung über den *song* aus Amerika ein ebenso reines, schönes, über jeden Zweifel erhabenes Kunsterlebnis wie die Ergriffenheit irgendeines Studienrats über den Tristan? (173/174).

Hier bahnt sich ein Kunstverständnis an, dessen umstürzlerische Sprengkraft noch heute, fast ein halbes Jahrhundert später, zu spüren ist. Harrys Auflehnung gegen veraltete Anschauungen führt zu radikalen, beinahe prophetisch anmutenden Einsichten, die geholfen haben, Hesses Aktualität bis in unsere Gegenwart zu gewährleisten. Sie drücken sich in der Aufforderung aus, „endlich die Fabriken anzuzünden, und die geschändete Erde ein wenig auszuräumen und zu entvölkern, damit wieder Gras wachsen, wieder aus der verstaubten Zementwelt etwas wie Wald, Wiese, Heide, Bach und Moor werden könne" (233/234), in der Klage, „einem Staat anzugehören, Soldat zu sein, zu töten, Steuern für Rüstungen zu bezahlen" (242), oder in der Feststellung, daß „jetzt, wo jeder nicht bloß Luft atmen, sondern auch ein Auto haben will," „die Menschheit [werde] lernen müssen, ihre Vermehrung durch vernünftige Mittel im Zaum zu halten" (245).

Es zeigt sich also, daß der Prozeß von Harrys „Menschwerdung" ein konkretes Interesse an höchst irdischen, materiellen Problemen mit sich bringt. Freilich schwankt er immer wieder und hat seine Rückfälle, so daß von einer gradlinigen Fortentwicklung nicht die Rede sein kann. In einer Hinsicht jedenfalls bleibt er unerschütterlicher Platoniker und Idealist, in seinem Postulat einer zeitlosen Geisterwelt[50], von wo aus die großen Künstler der Menschengeschichte, „die Unsterblichen", ihr eisiges Gelächter über die Erdenmisere der restlichen Menschheit anstimmen.

III. Zur Rezeption

Die nunmehr beinahe fünfzigjährige Geschichte dieses Buches besteht aus einem derartigen Auf und Ab, einer wahren Kakophonie von Stimmen und Meinungen,

Gruppeninteressen und ideologischen Reaktionen, beschreibt eine durch Ort und Zeit so komplizierte Zick-Zack-Kurve[51], daß ich mich hier auf eine schematisierte Typologie beschränken muß.

Manche Leser fühlten sich abgestoßen von den pazifistischen, antinationalistischen Tendenzen des Romans, andere bedauerten seine populären, bzw. vulgären Einschläge, verabscheuten die darin zur Darstellung gebrachte Halbwelt mit ihrem Jazz, ihrer unverhüllten Sexualität und ihren Drogen. Wieder andere fühlten sich angezogen von seinem Platonismus (Radiogleichnis, die Unsterblichen), von Harrys Geschmack in Musik und Literatur (Mozart, Goethe, Novalis etc.), von dem Vorhandensein einer höheren Ordnung, dem Bereich ewiger Werte, der über dieser Erde schwebt und an dem der Ausnahmemensch Anteil hat. Diese Leser trösteten sich über die fragwürdigen Partien des Buches mit der klassisch-romantischen Sprache Hesses. Noch andere priesen den *Steppenwolf* wegen seiner Kritik am Bürgertum, seiner klarsichtigen Vorhersage des zweiten Weltkriegs, und lobten besonders jene Teile des Buches, wo Geschäftemacher und Waffenfabrikanten angegriffen und Akademikern nationalistischer Observanz die Leviten gelesen werden. Solche Leser neigen dazu, das ganze Werk als antikapitalistische Darstellung einer Zeitkrise anzusehen, in der es eben ein rechtschaffener Intellektueller schwer hat, sich zurechtzufinden. Natürlich hat der *Steppenwolf* auch wegen seiner psychoanalytischen Bilderwelt sowohl Freunde wie Gegner gefunden.

Eine sonderbare Phase der Rezeption — eine, die Hesse zu seinen Lebzeiten nie vorausgesehen hätte, weil er den Amerikanern kein solches Interesse an seinen Werken zutraute — zeitigte die Hochschätzung des Romans durch die amerikanische Jugendbewegung der sechziger und siebziger Jahre, die sich in der Verbreitung von Hunterttausenden Exemplaren niederschlug. Sei es, daß die kritische Ablehnung der „normalen" Welt oder das als psychedelischer Rausch mißverstandene Magische Theater die Ursache davon waren[52], die von Amerika in viele andere Länder hinübergetragene Welle machte den *Steppenwolf* zum Lieblingsbuch einer weltweiten Bewegung und Hesse zum meistgelesenen Autor der deutschen, ja wahrscheinlich der Weltliteratur.

Anmerkungen

1 Erstdruck in der Lizenzausgabe der Büchergilde Gutenberg, 1942. Hier zitiert nach *Materialien zu Hermann Hesses „Der Steppenwolf"*, hrsg. von Volker Michels (suhrkamp taschenbuch 53) (Frankfurt a.M.: Suhrkamp, 1972), S. 159. Zitate aus dieser Sammlung sind von nun an durch den Buchstaben M, gefolgt von der Seitenzahl, gekennzeichnet.
2 M 122, Brief an Hilde Jung-Neugeboren, Juli 1927; M 144, Brief an Martin Buber, Januar 1932; M 159, „Nachwort".
3 M 119, Brief an Heinrich Wiegand, 15.6.1927.
4 M 122, Brief an Otto Hartmann, 5,8.1927.
5 MM 122, Brief an Carl Seelig, 29.8.1927.
6 M 126, „Über allerlei neue Bücher", 1928; Brief an Felix Braun, Januar 1929.

7 M 126.

8 M 121, Brief an Felix Braun, 8.7.1927.

9 M 122, Brief an Hilde Jung-Neugeboren, Juli 1927.

10 Ebenda. Meine Unterstreichung.

11 Hermann Hesse-R.J. Humm. Briefwechsel, hrsg. von Ursula und Volker Michels (Frankfurt a.M.: Suhrkamp, 1977), S. 239/240.

12 M 160.

13 Arbeiten, die einen solchen Ausgang des Romans postulieren sind z.B. die von Lynn Dhority, „Toward a Revaluation of Structure and Style in Hesses Steppenwolf," in: *Theorie und Kritik. Zur vergleichenden und neueren deutschen Literatur*, hrsg. von Stefan Grunwald (Bern und München: Francke, 1974) und Dorrit Cohn, „Narrative Consciousness in *Der Steppenwolf*", in: *The Germanic Review* XLIV (1969) 2.

14 M stellt eine Chronik der Entstehungsjahre zur Verfügung (S. 29-37).

15 M 97. Brief an Heinrich Wiegand vom 14.10.1926.

16 Ebenda, Brief an Hugo Ball vom 13.10.1926.

17 M 152. Brief an Dr. Lewandowski, Sommer 1943.

18 M 147. Brief an P.A. Riebe, 1931 oder 1932.

19 Ebenda.

20 M 126. Aus „Über allerlei neue Bücher", 1928.

21 M 148. Brief vom Oktober 1932 an E.K.

22 M 121. Brief an Felix Braun, 8.7.1927.

23 M 153. 1947 an Horst Dieter Kreidler.

24 „Hermann Hesse, Einleitung zu einer amerikanischen Demian-Ausgabe," in: *Neue Rundschau*, LVIII (1947), S. 248.

25 Theodore Ziolkowski, „Hermann Hesse's *Steppenwolf*. A sonata in prose," in: *Modern Language Quarterly* 19 (1958) 2. Deutsch von Ursula Michels-Wenz in M 353-377.

26 Lynn Dhority (siehe Anm. 13) erklärt, daß man sich „unrettbar verstrickt", „sobald man versucht, die musikalische Analyse halbwegs genau durchzuführen", S. 152. Meine Übersetzung aus dem Englischen.

27 Siehe Anm. 21 oben.

28 Darauf, daß Harry Haller manchmal auch in der 3. Person von sich erzählt, macht Dorrit Cohn in ihrem ausgezeichneten Aufsatz (siehe Anm. 13) aufmerksam. Ich übersetze aus ihrem englischen Text: „In gewissen zentralen Szenen des Romans ist der schizoide Haller seinem Selbst dermaßen entfremdet, daß er sich sieht, als wäre er ein Fremder. Und wenn er daran geht, sein entfremdetes Selbst zu analysieren, verlagert er unvermeidlicherweise die Grammatik in die 3. Person", S. 125/130.

29 Siehe Anm. 19.

30 Eindringlich warnt z.B. Ralph Freedmann vor einer simplistischen Gleichsetzung der beiden. Vgl. seinen Aufsatz „*Person* and *Persona;* The Mirrors of *Steppenwolf*", in: *Hesse. A Collection of Critical Essays*, hrsg. von Theodore Ziolkowski (Englewood Cliffs, N.J.: Prentice-Hall, 1973), S. 153-179. Den Hauptunterschied, außer in der künstlerischen Verwandlung, die ja selbstverständlich ist, sehe ich in der Stilisierung Harry Hallers in Richtung auf einen philosophischen und analytischen Denker, der Hesse jeder Evidenz und manchen seiner eigenen Aussagen nach nicht war.

31 M 69. Brief an Ludwig Finckh, Mitte März 1926. In dieser und in den folgen-

den Anmerkungen gebe ich nur die Stellen an, wo Hermann Hesse aus eigener Erfahrung heraus spricht. Jeder Leser des *Steppenwolf* wird mit Leichtigkeit die Stellen finden, wo Harry Haller völlig Analoges von sich selbst erzählt.

32 M 77. Brief an Helene Welti, 13.7.1926.

33 M 62. Brief an Alice Leuthold, Februar 1926.

34 M 74. Brief an Richard Wilhelm, 4.6.1926.

35 M 77. Brief an Frau Julia Laubi-Honegger, 19.6.1926.

36 M 62, siehe Anm. 33.

37 *Der Steppenwolf* (Berlin: S. Fischer, 1927), S. 48. Künftige Seitenangaben im Text.

38 Wegen dieser Radioszene wurde Hesse scharf angegriffen, nicht nur in der Zeitschrift *Der deutsche Rundfunk* vom 21. August 1927 (S. 2317-2319), sondern vor kurzem von wissenschaftlicher Seite: „Einige von uns mögen in der Tat ein Grauen vor der Technik empfinden, das demjenigen Hesses oberflächlich verwandt ist, so daß wir an der Autojagd des magischen Theaters eine gewisse Befriedigung verspüren. Aber es ist die Fähigkeit der Technik, sich zu vervollkommnen, ihre Autonomie und der daran geknüpfte menschliche Glaube, was uns Sorge bereitet, nicht ihre Unzulänglichkeiten und die Verzerrungen ihrer Absichten. Die Radioszene enthüllt ein tiefes Mißverständnis der Technologie und ihrer Dynamik. Binnen weniger als zehn Jahren sollte die Klage über den Bronchialschleim und den zerkauten Gummi gänzlich hinfällig werden, und im Zeitalter von 'high fidelity' erscheint sie vollends lächerlich und altmodisch. Hesse sieht das Radio absolut undynamisch, sieht in ihm bloß einen starren Gegenstand, ein bösartiges Spielzeug, das Abfallprodukt einer Pseudokultur, ohne Gespür für die daraus hervorgehende Möglichkeit erweiterter Horizonte, die in den Anfangszeiten der Technik, zurecht oder zu unrecht, viele Menschen und besonders junge fasziniert hat." Jeffrey Sammons, „Hermann Hesse and the Over-Thirty Germanist" in: *Critical Essays* (siehe Anm. 30), S. 126, meine Übersetzung. Diese Vorwürfe sind bedenkenswert, aber nicht ganz gerecht. Hesse läßt Haller von einem „*vorerst* noch grauenhaft unvollkommenen Empfänger und Sender" (121) sprechen, er ist sich bewußt, daß es sich um die bloßen „*Anfänge* des Radios" handelte, daß der gewohnte „Ton von Erbitterung und Hohn gegen die Zeit und *die Technik*" (ebenda, meine Unterstreichungen) ein Symptom von Hallers Krankheit ist, die es zu heilen gilt.

39 Andere Nietzsche entlehnte Motive, die aber im Gefüge des Romans eine geringere Rolle spielen, sind „der Adel des Leidens" (28) und die „Hegemonie der Musik" in der deutschen Kultur (168).

40 Vgl. Kenneth Hughes, „Hesse's Use of *Gilgamesh*-Motifs in the Humanization of Siddhartha and Harry Haller", in: *Seminar*, 5. Jg. (1969), S. 129-140.

41 Die Idee, daß die Tiere „richtiger" (137) sind als die Menschen, wird auch von Rilke in der Achten Elegie ausführlich behandelt.

42 Die folgenden Ausführungen beruhen auf meinem Aufsatz „Zur Erklärung von Hesses 'Steppenwolf'", in: *Monatshefte*, 53. Jg. (1961), S. 191-198.

43 Ein Vergleich mit der Novelle „Der Mann von fünfzig Jahren" ergibt trotz des vielversprechenden Titels nichts Erhellendes für den *Steppenwolf*.

44 *Wilhelm Meisters Lehrjahre* in *Goethes Werke* (Hamburg: Christian Wegner, 1950), Bd. VII, S. 494.

45 Ebenda, S. 494/495.

46 Die Literatur über den *Steppenwolf* ist zu groß, der Einzeluntersuchungen gibt

es zu viele, als daß ich die Autoren, denen ich verpflichtet bin, namentlich nennen könnte. Mögen sie in dem folgenden ihre Beiträge wiedererkennen und meiner Dankbarkeit versichert sein.

47 Die Inschrift lautet: Magisches Theater. Eintritt nicht für jedermann. Nur für Verrückte" (52/53). Diese drei Etiketten kehren immer wieder und sind wichtige Bindeglieder für sonst disparate Ereignisse oder Gedanken.

48 Hesse selbst hielt sich allerdings eher für einen „Linken": „Ich . . . bin seit 1914 und 1918 statt des winzigen Schrittes nach links, den die Gesinnung der Völker getan hat, um viele Meilen nach links getrieben worden." Hermann Hesse-Thomas Mann: *Briefwechsel* (Suhrkamp-S. Fischer, 1968), S. 18.

49 Vgl. auch Egon Schwarz, „Hermann Hesses Buchbesprechungen: Reaktionen auf ihre Form, Ästhetik und Geschichtlichkeit", in: *Hermann Hesse heute*, hrsg. von Adrian Hsia (Bonn: Bouvier, 1980).

50 Für nicht ganz zutreffend halte ich in diesem Zusammenhang den Vorwurf des Elitismus, der gegen Hesse erhoben wurde, die Behauptung, daß dieses postchristliche, ästhetizistische Paradies der „Unsterblichen" den deutschen Bildungsbürgern vorbehalten sei. Es ist klar, daß auch Hermine mit ihrem Glauben an die Heiligen wenigstens in einem anschließenden, aber jedenfalls gleichwertigen Saal Aufnahme finden würde. Vgl. ihre lange Rede auf S. 194/195, wo diese Zuversicht geäußert wird: „Was ich vorher die 'Ewigkeit' genannt habe, . . . ist das Reich jenseits der Zeit und des Scheins . . . Dort findest du deinen Goethe wieder und deinen Novalis und den Mozart, und ich meine Heiligen, den Christoffer, den Philipp von Neri und alle".

51 Die umfassendste Darstellung der Rezeptionsgeschichte des Romans ist: Egon Schwarz, *Hermann Hesses Steppenwolf. In wirkungsgeschichtlichen Zeugnissen* (Königsstein/Ts.: Athenäum, 1980).

52 Vgl. Egon Schwarz, „Hermann Hesse, die amerikanische Jugendbewegung und das Problem der literarischen Wertung," in: *Basis. Jahrbuch für deutsche Gegenwartsliteratur*, Bd. I (1970), S. 116-1933.

HANS–PETER BAYERDÖRFER

ALFRED DÖBLIN: *BERLIN ALEXANDERPLATZ* (1929)

I

Die Geschichte der Wirkung von *Berlin Alexanderplatz* weist einen Superlativ auf. Döblins Werk galt die längste Serie des deutschen Fernsehens, wenn man sie an Werken mit literarischem Anspruch mißt. Mehr war von Franz Biberkopf zu sehen als von Effi Briest und von den Buddenbrooks. Döblin, der sich lebenslang im Schatten Thomas Manns gefühlt und noch in den letzten Lebensjahren – sehr zum eigenen Nachteil – den 'Rivalen' auf wenig glückliche Weise abgekanzelt hat, könnte sich 'endlich' mit diesem gleichgestellt sehen.

Sofern die Wiedergabe auf der Leinwand für die künstlerische Wirkung eines literarischen Werkes eine Höhenmarke anzeigt, hätte sich Döblin freilich kurz nach Erscheinen von *Berlin Alexanderplatz* hinreichend bestätigt fühlen können. Ein Jahr nach der Auslieferung des Buches konnte er nicht nur (mit Max Bing und Hugo Döblin) an einer Hörspiel-Fassung sondern auch bereits (mit Hans Wilhelm) an einem Drehbuch arbeiten. Und schon in den meisten Rezensionen des Jahres 1929/30 wird die besondere Nähe der Darstellung zum filmischen Sehen betont, wird das Angebot, welches der Text von sich aus der Leinwand macht, besonders hervorgehoben: „Außerordentlich ist die optische Beobachtungskraft Döblins. Hätten wir eine unternehmungslustige Filmindustie, sie müßte sich um dieses Buch reißen", schreibt Axel Eggebrecht in der Weltbühne.[1] Noch prägnanter urteilt Félix Bertaux in der Nouvelle Revue Française: „Le grouillement d' Alexanderplatz [. . .] y est rendu comme dans un film sonore enregistrant non une mélodie mais la polyphonie des quartiers ouvriers; cela finit par avoir une massive puissance d'évocation."[2] Döblins Werk scheint für die Verfilmung vorherbestimmt, und zwar für eine moderne Technik, in welcher Montage und Großstadt-Collage zur Grundlage der Gestaltung werden.[3]

Umso größer war für eine Reihe von Kritikern die Enttäuschung, als der von Döblin mitverantwortete Film des Jahres 1931 statt des vielfarbigen Stadtpanoramas lediglich die durch urbanes Milieu dekorierte Lebensgeschichte des Helden bot. Der herkömmliche Handlungsfilm, mit auf Heinrich George zugeschnittener Star-Rolle, scheint dem Erzählwerk den Rang abgelaufen zu haben.[4] Fast könnte man Ähnliches auch bei Rainer Werner Fassbinders großem Unternehmen argwöhnen, wenn man über die lebenslange Beschäftigung des Regisseurs mit Döblins Helden liest: „Der Name Franz Biberkopf wurde ihm zur zweiten Haut, war ihm fast lieber als sein eigener".[5] Sicherlich legt der Film von dieser intensiven Auseinandersetzung beredt Zeugnis ab. Dennoch bleibt zu fragen, ob nicht auch in dieser Umsetzung – bei unvergleichlich höherer künstlerischer Leistung als in dem 'Streifen' von 1931 – das Werk auf jene individualistische und psychologisierende Romanform zurückgestuft wird, die der Autor zeit seines Lebens als unzureichend empfand und die er vornehmlich in Thomas Mann verkörpert sah.

Wie dem auch sei – *Berlin Alexanderplatz* hat einem solchen Verständnis Vorschub geleistet, nicht nur der Untertitel, der laut Verfasser auf Drängen des Verlags zustandekam.[6] Insgesamt zeichneten sich von Anfang an polare Verstehensmöglichkeiten ab. Dabei standen sich in der Frühzeit das inidividualisierende Verstehensmuster 'Lebensbild aus den Slums von Berlin', mit deutlicher Anlehnung an die in der Weimarer Republik verbreitete Reportage-Literatur aus dem Bereich des Verbrechens, und das kollektive Muster 'im Dickicht der Großstadt' gegenüber. In der späteren literaturwissenschaftlichen Forschung spiegelt sich die Polarität in der Beurteilung, die das Collage-Verfahren und die auktorialen Erzähler-Eingriffe hinsichtlich des Lebensschicksals des Helden erfahren. Für Volker Klotz etwa ist Biberkopf eine „Sonde", mittels derer der eigentliche Gegenstand des Romans, Berlin, untersucht wird – für Klaus Müller-Salget hingegen steht das Collage-Material „stets in spiegelbildlichem oder ironischem Verhältnis zur Biberkopf-Fabel" – wobei beide Interpreten natürlich von ihrem Standpunkt aus das Werk in seiner Ganzheit zu erfassen suchen.[7] Zu fragen ist also, ob es sich letztlich um einen erzählerischen Zwitter handelt, in dem sich eher verschiedene Richtungen der literarischen Entwicklung brechen, als daß eine künstlerische Synthese geleistet wäre. Wie die Forschungshinweise bereits zeigen, ist diese Frage nicht diskutierbar ohne Analyse der Erzählform, gerade wenn das inhaltliche Problem, wie die moderne Stadt oder das Schicksal eines ihrer Bewohner überhaupt zu beurteilen sind, im Zentrum steht. Das Dilemma der Vermittlung zwischen der modernen Welt und dem literarisch-sprachlichen Werk läßt sich unter der Doppelfrage betrachten: erzählt sich Berlin sozusagen von alleine, so daß lediglich eine arrangierende Hand nötig ist, welche die Beobachtungsfunde aus Kaschemme, Presse, Unterhaltungsindustrie zusammensetzt, oder wird von einem souverän disponierenden Erzählzentrum aus das vorgefundene Material funktional zur Erhellung eines Einzelschicksals eingesetzt? Die bisherigen Antworten sind vielfach durch Döblins eigene Stellungnahmen zu Fragen der Kunst, des Erzählens, zu *Berlin Alexanderplatz* selbst, vorgeprägt. Die Entwicklung seines Welt- und Literaturverständnisses, die gerade zwischen 1924/25 und 1938/40 stürmische Umschwünge aufweist, hat für das Verständnis kontroverse Präjudizien geschaffen. Dabei sollte nicht aus dem Auge verloren werden, daß Döblins theoretische Formulierungen ihrerseits Antworten auf Herausforderungen und Fragen seiner Zeit darstellen. Grundlegend für die Einschätzung der Erzählprobleme und ihrer Lösung sind daher die Bedingungen literarischer Kommunikation, welche die Weimarer Republik Ende der zwanziger Jahre vorgibt, und die Forderungen, welche die gesellschaftliche und politische Situation an den Roman speziell stellt. Aber wenden wir uns zunächst der 'Geschichte vom Franz Biberkopf' zu, um zu sehen, wie weit sie zum 'Alexanderplatz' hin- oder von ihm wegführt, um zum Schluß auf die Frage des Filmischen – inwieweit der Film die Struktur des Werkes beeinflußt hat und welche Konsequenzen sich für eine 'Verfilmung' ergeben – zurückzukommen.

II

Das Verhältnis des Erzählers zu seinem 'Helden' läßt sich unkompliziert an. Vorreden und Kapitelüberschriften geben eine überlegene Erzählregie zu erkennen. Mit didaktischem Gestus wird die 'Geschichte' des Helden dargestellt, wird dem Leser bedeutet, in welchem Stadium der Darstellung er sich gerade befindet. Der Tonfall der Moritat, der in wechselnder Dosierung die Vorreden einfärbt, ist offenbar sujetbedingt; Verbrecher-Geschichten mit belehrendem Ende sind für die Gattung bezeichnend. Auch daß der Tod in persona auftritt, gehört zum Stilprinzip. Überraschend einfach erscheint so die Biberkopf-Fabel, vor allem, wenn man den roten Faden des Lebenslaufes, unbeschadet dessen, daß er sich über weite Strecken in der Fülle des Erzählten verliert, herauspräpariert. Mittels seines didaktischen Kalküls läßt der Erzähler seinen 'Verbrecher' Schritt für Schritt zum 'gewöhnlichen Menschen' werden, mit dem sich der Leser, trotz Zuhälterei und Totschlag, von Du zu Du verständigen kann. Schließlich wird dieser Mensch, wie eh und je in Totentanz- und Jedermann-Fabeln, zum exemplarischen Fall. Grundsituationen und allgemeine Moral stehen zur Debatte, ein fabula docet ist zu gewärtigen. Schauereffekte und melodramatische Szenen, auf welche das Erscheinen des Todes hinweist, gehören ebenfalls zum Genre. Überschaubare Linienführung ist die Folge, sowie eine präzise Themenstellung. Der Konflikt entsteht daraus, daß der Held seine Straftat zwar in der Haft abgebüßt, nicht aber innerlich verarbeitet, nichts aus ihr gelernt hat, und daher mit ungebrochenem Willen zur Bemächtigung und Durchsetzung seiner alten Umwelt entgegentritt. Nachdem der aus Tegel Entlassene in das Berliner Leben zurückgefunden hat, wobei ihm der Anfang durch die Beispiel-Erzählung der Juden, durch sexuelle Selbstvergewisserung und durch die Hilfe alter Bekannter erleichtert wird, ergibt sich ein Geschehensablauf in drei gleichgerichteten, aber sich steigernden Phasen. Dreimal unternimmt Franz einen Anlauf, Berlin zu erobern (Bücher II/IV/VI), dreimal wird er – unbelehrbar und im moralischen Sinne unbußfertig – zurückgeschlagen (III/V/VII). Vom härtesten Schlag scheint er sich nicht mehr zu erholen (VIII), die radikale Lebenskrise erst führt in der Begegnung mit dem Tod zum Wandel, welcher das Ziel der Erzählung darstellt (IX).[8]

Im einzelnen erbringt der – hier schematisierte – Erzählverlauf freilich eine Fülle von individualisierenden, begründenden wie erläuternden Momenten. Zu Recht erwartet der Leser, der die literarische Entwicklung der Weimarer Republik zur Kenntnis genommen hat, bei Verbrecher-Sujets eine psychologische und soziologische Auseinandersetzung mit Gründen und Zusammenhängen des Geschehens. Schon die Schilderung des Entlassungsschocks (I) bestätigt diese Erwartung. Die Tatsache, daß „die Strafe erst beginnt", weil der Entlassene seinen Totschlag weder seelisch noch moralisch verarbeitet hat, zeichnet sich in dessen Orientierungslosigkeit in der 'normalen' Umwelt ab. Orientierung als Ordnungsbedürfnis und die Flucht in Selbstbestätigung nach chauvinistischem Muster („Die Wacht am Rhein") lassen sozialpsychologische wie individuelle Momente der Begründung erkennen. Die Notwendigkeit für den Helden, sich agonal, im Zweikampf, zu behaupten und zu bestätigen, deutet sich etwa in der Vergewaltigung Minnas an, in der zugleich die emotionale Anlage, die zum Gewaltverbrechen führt, erkennbar wird. Von daher bleibt Biberkopf weiterhin gefährdet.[9] Hinzu kommt eine weitere Gefahr. Biberkopf hat wegen der Tat an Ida keineswegs den Stimmen der Erinnyen sein Ohr geliehen; daher hat er sein Verhältnis zur sozialen Wirklichkeit nicht neu bestimmt. Sein Vorsatz, nicht rückfällig zu werden und anständig zu bleiben, steht deshalb auf schwachen Beinen, weil er diesen allein schon für eine Basis zu einem neuen Leben hält. Ein Gutteil Verblendung steckt darin; denn daß weder das eigene Renommier- und Bestätigungsbedürfnis, noch die Reaktionen der Umwelt, ausreichend bedacht sind, liegt auf der Hand. Schon der eher harmlose Betrug von Lüders genügt daher, um Franz aus der Bahn zu werfen. Depressiver Rückzug ist seinerseits Reaktion auf Mißerfolge.[10] Die Konstellation verschärft sich daher, nachdem Biberkopf sich wieder aufgerafft hat. Im zweiten Anlauf läßt er sich auf seinen Freund-Feind, d.h. den Gegentyp Reinhold, ein, zu dem er ein homoerotisch getöntes Verhältnis hat. Auch jetzt ist der Versuch, Orientierung zu finden und in 'ordentliche Verhältnisse' zu kommen, bestimmend, trägt ihm aber erneut Mißerfolg ein. Sein uneingestandenes Rivalitätsbedürfnis führt nun zu 'erzieherischen Absichten', mit denen er Reinhold aus dem 'schwunghaften Mädchenhandel' in solidere Beziehungen bringen will. Daß er ihm auch intellektuell nicht gewachsen ist und sich in die Machenschaften der Pums-Bande verstricken läßt, führt zum weiteren Rückschlag. Der von Franz herausgeforderte und düpierte Reinhold, der sich zudem auf der Flucht verhöhnt glaubt, rächt sich. Wie schon im ersten Falle ist Franz nicht in der Lage, seine Verstrickung in das, was ihm widerfährt, zu durchschauen, und schreibt sein Scheitern einem 'Schicksal' zu. Eine ganze Motivkette ist damit verbunden. Schicksalstopoi und Anspielungen auf Tragik und Tragödie durchziehen das gesamte Werk,[11] werden aber zunehmend parodiert und entleert. Am Ende steht nicht die Anerkennung eines Schicksals, sondern – so will es der didaktische Erzähler – die Einsicht in Schuld und falsches Handeln. Ironische Vergleiche zwischen Biberkopf und Orest aus Anlaß der Erinnyen (S. 117)[12] deuten diese Zielrichtung an; nicht weniger die Parodie des Gyges-Stoffes (S. 364ff.), in der Hebbels Tragödien-Motiv in Zusammenhang mit Biberkopfs lächerlicher Renommiersucht die tragischen Implikationen verliert und der demonstrativen Erzählerintention zugeordnet wird.[13] Der Held hat einen dritten Anlauf genommen; im Zusammenleben mit Mieze hat er sich auf sein altes 'professionelles' Gebiet als Zuhälter begeben, ohnehin hat er nun den Vorsatz zur 'anständigen' Lebensführung preisgegeben und von sich aus den Wiederanschluß an die Pums-Bande gesucht. Das nach wie vor ungestillte Rivalitätsbedürfnis zu Reinhold führt jetzt zur endgültigen Niederlage. Die Benutzung von Mieze zur prahlerischen Selbstdarstellung gegenüber dem Gegner-Freund provoziert diesen erneut – abgesehen davon, daß Biberkopf in seine alte emotionale Totschlag-Verfassung zurückfällt und beinahe ein zweites Kapitalverbrechen begeht. Reinhold vollzieht mit dem Mord an Mieze nur endgültig, was Biberkopf unbeherrscht und in einer Bedrängnis, die er sich selbst zuzuschreiben hat, fast selbst getan hätte. Das erzählerische Konzept der Wiederholung – Franz ist wieder da, wo er mit Ida v o r Erzählbeginn, vor der 'Strafe', war – widerlegt den Versuch, die drei Phasen im Sinne der antiken Tragödie zu interpretieren.[14] Das

Prinzip der linearen Steigerung widerspricht dem von schicksalhaftem Omen, Peripetie und Fall. Das Problem des Schicksals ist auf Motiv-Basis, nicht auf Handlungsbasis in „Berlin Alexanderplatz" eingegliedert. Der Wende-, zugleich der Endpunkt, ist nicht durch die tragische Katastrophe, sondern durch die Jedermann-Fabel vorgezeichnet, durch die im Gewissen stattfindende Begegnung mit dem Tod. Nur in diesem Sinne wird Biberkopf 'exemplarisch'. Der Gedanke von Schicksal gehört zu seiner Verblendung; in der Todesbegegnung wird dieser auch für ihn aufgehoben und durch das Prinzip von Erkenntnis und menschlicher Verantwortlichkeit ersetzt.

III

Es fragt sich freilich, welche Bedeutung diese 'Lösung' für das Ganze des Werkes hat und welche Verbindlichkeit ihr in diesem Rahmen zukommt. Schon im Hinblick auf den Helden und seine Lebensführung bleibt unklar, was Umkehr und Erkenntnis letztlich bedeuten. Die Schlußkapitel geben eher verwirrende als klare Antworten, wenn man wissen möchte, welchen Status Biberkopf im Verhältnis zu Mitmensch und Gesellschaft erreicht hat. Noch weniger wird ersichtlich, welche Bedeutung das 'neue Prinzip' hat, angesichts des in riesigen Ausmaßen beschworenen Stadt-Kosmos Berlin, angesichts der vielbezüglichen mythologischen, biblischen, apokalyptischen Motiv-Reihen, die das Buch durchziehen. Die Einsicht drängt sich auf, daß sich mit der Änderung Biberkopfs für den gesamten Lebensraum in der Tat nichts verändert, wie Leo Kreutzer festgestellt hat.[15] Indessen verengt die Reduktion des Buches auf die Biberkopf-Geschichte den Verständnis-Horizont in einer Weise, daß das Problematische des Schlusses besonders kraß hervortritt.[16] Im bisherigen Analyserahmen vereinfacht sich die Darstellung auf das subjektive Verhalten von Biberkopf, letztlich auf einen personalen Konflikt zwischen zwei Verbrechern. Ihre psychisch gegensätzlich begründete, aber gleichgerichtete Bereitschaft zur gewaltsamen Durchsetzung würde das Roman-Sujet ausmachen. Unklar bleibt dabei, wie diese Konstellation zu dem Lebensbereich, der im Titel genannt ist, steht. Denn daß damit nur nach alter realistischer Erzähltradition der lokale Rahmen bezeichnet wäre, will wenig einleuchten, angesichts der Breitwand-Darstellung des städtischen Lebens und seiner Perspektiven, von denen die mit dem symbolischen Stichwort „Babylon" bezeichnete historische und eschatologische Blickrichtung ja wiederum nur einen Ausschnitt darstellt.

Außerdem ergeben sich erzähltheoretische Einwände. Die 'Kurzfassung' des Lebenslaufes erweckt den Anschein einer zielgerichteten Einlinigkeit, die in Döblins Erzählweise keineswegs vorgegeben ist. Biberkopfs Tun und Lassen wird hier ständig ein- und ausgeblendet, in Partikel aufgelöst, verkleinert, entschwindet dem Blick, um dann wieder überdimensional vergrößert vor Augen gerückt zu werden. Nicht die scharfe Kontur der Lebenslinie — wie die des Hochstaplers Felix Krull — bildet das Aufbauprinzip von Berlin Alexanderplatz, sondern die Schichtung unterschiedlicher Materialien und Erzählkomplexe. Die Lebenslinie gewinnt nur aus großer Entfernung – kompositorisch gesehen: in Vorreden und Überschriften – feste Konturen.

Dieser 'Entfernung' eignet aber die Abstraktheit des Modells. Die Fülle der montierten Details ist nicht widerspruchsfrei einem Hauptstrang des Geschehens einzugliedern. Das alte Schema des Erzählens, das dem personalen Helden den auktorialen Erzähler gegenüberstellt, wird der neuen Erzählform nicht gerecht, so sehr auch der Autor in seinem Vortrag *Der Bau des epischen Werks* (1928) gerade dieses Konzept zu stützen scheint. Döblins zweifellos bedeutende literaturtheoretische Gedanken haben ihren Schwerpunkt nicht in der Wiederbelebung des auktorialen Erzählers, sondern in der Neubegründung des epischen Erzählwerks gegenüber dem, wie er meint, geschichtlich überlebten Roman. Bezogen auf *Berlin Alexanderplatz* spiegelt der Vortrag überdies nicht das Gesamtwerk, sondern stärker die letzte Gestaltungsphase, die sich im Verhältnis zwischen dem sogenannten 'Marbacher Manuskript' und der Druckfassung zeigt, die Phase also, in der Döblin die starken Konturen der Erzählergestalt, wie sie in Vorreden, eingeklammerten Anreden und Überschriften hervortreten, eingetragen hat.[17] Bezeichnenderweise ist im Vorspann zu Buch VI die programmatische Formulierung zu finden, die direkt der Universitätsrede entspricht: „Ich habe versprochen, obwohl es nicht üblich ist, zu dieser Geschichte nicht stille zu sein" (S. 237). Nicht, daß damit die genannten kompositorischen Elemente als Fremdkörper aufzufassen wären – sie sind in inhaltlich legitimer Weise aus dem Material extrapoliert und aus dessen Motiv-Komplexen weiterentwickelt. Aber sie dürfen nicht als universaler Schlüssel, sondern müssen als zu interpretierende Momente des Werkganzen verstanden werden. Gerade an diesem Punkte sind die literarischen Bedingungen der Entstehung des Werkes direkt ablesbar. Der sich stellenweise allwissend gebende Erzähler hat in ironischer Weise seine Rolle stilisiert und relativiert. Der didaktische Impetus selbst ist ironisch gebrochen – ein Reflex der 'literarischen Situation' Ende der 20iger Jahre. Von Beginn der Weimarer Republik an besteht die grundsätzliche Forderung nach einer demokratischen Öffnung und Verantwortlichkeit der Literatur. In vielen Programmen der 'neuen Sachlichkeit' wird später dieses grundsätzliche Postulat verengt zu Maximen des 'Gebrauchswerts', der Nützlichkeit. Auch die neu entstandene Reportage-Literatur steht a priori unter einer vergleichsweise eng gefaßten Maxime von Belehrung und Anweisung. Döblin reagiert mit seinem Erzähler-Konzept auf diese Sachlage. Es trägt der Forderung nach einer sprachlich-künstlerischen und sozialdidaktischen Öffnung der Literatur Rechnung, versagt sich jedoch die Verengung auf direkte Zweckbestimmungen. Dies geschieht im Rückgriff auf ein literarisches Modell, das seit 1919 Schule gemacht hat: das vor allem von Walter Mehring, dann von Klabund und Brecht – im Anschluß an Wedekind – erneuerte Modell von Bänkelsang und Moritat. Es erlaubt didaktische Haltung unter Beibehaltung der Ironie, womit Festlegung auf den Buchstaben der lehrhaften Inhalte ausgeschlossen wird. Insbesondere versagt sich Döblin mit diesem Rückgriff den gegen Ende des Jahrzehnts immer stärker werdenden Forderungen nach einer parteilichen, agitatorischen Didaktik – nicht weniger aber einer zum Allgemeinplatz gewordenen und deshalb politisch wirkungslosen Pauschalanklage als lehrhafter ultima ratio:

Franz Biberkopf hat das [Anständigsein] geschworen, und da sind gleich
manche von Euch, die da hoffen, jetzt kommt die längst fällige Anklage gegen die Gesellschaft und den Staat. Der Mann wird nicht anständig bleiben
und die Gesellschaft hat mal wieder gezeigt, wie hilflos sie ist, wie schlecht
sie ist, und das ist endlich mal von dem Autor ein gutes soziales Buch. Das
tut uns bitter Not, davon kann es nicht genug geben und der Autor hat endlich einmal seine Pflicht gegen die Gesellschaft erfüllt und sich von seinen
überspannten Ideen losgemacht, die ja letzten Endes faules bourgeoises Zeug
sind.
Der Autor, als wie Icke, erzählt weiter, wie es dem Franz Biberkopf geht
...18

Dieses Paralipomenon belegt nur besonders deutlich, was die entsprechenden
Passagen der Vorreden ebenfalls zu erkennen geben: wie sehr sich der Erzähler als
moralische oder politische Instanz selbst relativiert. Aber auch in seiner rein erzählerischen Funktion stellt er sich in Frage. Der locus classicus ist die Parodie erzählerischer Allwissenheit im Falle des Lebens von Max Rüst – der Berichterstatter
wird zum Propheten und blickt gleich mehrere Jahrzehnte in die Zukunft (S. 54).
Auf anderer Ebene greift die Selbstparodie noch tiefer in die Erzählstruktur des
Werkes ein. Man vergleiche etwa das Ende des Kapitels IV, 4. Biberkopf hat nach
der Enttäuschung durch Lüders den Juden, welche die ermunternden Geschichten
erzählt haben, 'den Marsch geblasen'; daran schließt ein Bibelzitat von der Ver-
sucherschlange im Paradies an, sowie eine doppelte Reminiszenz an Tegel und an
die Vergewaltigung von Minna, desweiteren unter dem Motto „was geht mich die
an" eine Zitat-Collage, welche in die Nonsens-Zeile mündet: „Und die ganze Kom-
panie macht Kikeriki". Aber damit nicht genug. Zwei weitere Passagen sind 'ange-
klebt': die Mythen-Parodie vom Hahnrei Menelaos, der „Kikeriki" sagt, während
seine göttergleiche Helena aus ihren Gemächern hervortritt, dann ein Lehrbuch-
Auszug über verschiedene Sorten von Hühnern, der in ornithologischer Beflissen-
heit bei dem aus dem indischen Himalaya stammenden Glanzfasan endet: „Jedoch" – so die ironische Schluß-Pointe – „spielt sich das alles sehr entfernt ab
zwischen Sikkam und Bhutan in Indien, es ist für Berlin eine ziemlich unfruchtba-
re Bibliotheksweisheit" (S. 145). Solche Eskapaden sprechen eine deutliche Sprache. Der Erzählfaden hat sich verloren; nur mit Mühe läßt sich die ganze Folge auf
Biberkopfs erotische Verstrickungen und deren psychische Stabilisierungsfunktion
beziehen. Der ironische Ruf zur Ordnung, den der Erzähler am Ende an sich selbst
richtet, zeigt an, wie wenig zwingend diejenige Lesart ist, die alle Einzelteile an der
Darstellung der Hauptfigur funktional festmacht; er indiziert umgekehrt das Er-
zählprinzip universaler 'Resonanz',[19] welches Biberkopf und den indischen Glanzfasan in ein Verhältnis kreatürlicher Entsprechung setzt und welches – so wäre zu
ergänzen – Analogerscheinungen in allen Bereichen der Welt, vom 'Alexanderplatz' zur Milchstraße, und auf allen Stufen des Seins, vom Anorganischen bis zum
menschlichen Bewußtsein aufzuspüren und darzustellen gestattet.

IV

Der Gebrochenheit der Erzählerrolle entspricht die des Helden. Die mutmaßliche Keimzelle des Sujets von *Berlin Alexanderplatz*, die Döblin bereits 1923 notiert hat, ist bezeichnend.[20] Es handelt sich um die Szene des singenden Biberkopf, der seiner Orientierungslosigkeit durch die „Wacht am Rhein" zu begegnen versucht. Sie zeigt, in welchem Maße das Individuum durch die ideologischen und kollektiven Bedingungen seiner Sozialisation festgelegt ist. Das Kollektiv-Soziale wie auch das Kreatürlich-Physische schlägt in der Gestalt durch, nicht nur allgemein im Verhalten, sondern bis in Einzelheiten der mentalen Verfassung, wie sie im inneren Monolog und der erlebten Rede ungefiltert zu Tage tritt. Nicht daß Biberkopf der Individualität ermangelte. Aber er läßt sich nicht im alten Sinne als Person verstehen, die in einem Bildungsgang eine keimhafte Anlage zu ihrer ureigenen Möglichkeit entfaltet hat. Trotz tragender individueller Züge bleibt Biberkopf bis in die letzten Phasen der Erzählung zugleich 'Mikrobe' im Strome der großstädtischen Kollektive, und daher auch durchsichtiges Medium für deren soziale und sozialpsychologische Verfassung. Die Grenzen zwischen Individuum und Kollektiv sind fließend, wie es im Erzählduktus die Übergänge von innerem Monolog zu erlebter Rede, zu Erzähler-Kommentar, montierter Einblendung, oder zum einfachen Bericht sind. Erst in der Schlußphase wird von Gnaden des Erzählers die Trennung, die individuelle Absonderung Biberkopfs vollzogen, aber im Modus des Postulats und nicht mehr erzählerisch wirklich ausgeführt.

Der Unterschied zu einer im Vollsinne individuierten Romangestalt wird deutlich, wenn man Lebenslauf und Wandlung mit einem anderen Werk vergleicht, das für die Biberkopf-Vita wohl auch Pate gestanden hat. Durch eine versteckte Namensgebung erinnert Döblin an jenen anderen Verbrecher, dessen Mord- und Totschlag-Delikt, dessen Unfähigkeit zur bereuenden Einsicht, dessen wenn nicht 'päpstliche', so 'übermenschliche' Selbstrechtfertigung dargestellt, ehe in einem knappen Schlußkapitel auch ihm die Möglichkeit der Erneuerung eingeräumt wird. Mit Raskolnikow verbindet Biberkopf zwar nicht das intellektuelle Format, aber Verbrechen, totale Selbstbefangenheit, schließlich die Wandlung durch die Hilfe einer Lebensgefährtin, die in der Gosse der Gesellschaft dem Menschlichen viel näher lebt als alle anderen und die Sonja heißt bzw. (von Eva) so genannt wird,[21] schließlich die Tatsache, daß der neue menschliche Status nur formal angedeutet, nicht inhaltlich ausgeführt wird. Bei allem Vergleichbaren – der Schilderung der 'Welt' durch die Brechung in der 'Gegenwelt' von Verbrechen und Außenseitertum und der Einsicht, wie unscharf die Grenze zwischen 'kriminell' und 'nicht-kriminell' ist – springt der Unterschied ins Auge. Mit der minutiösen Seelen- und Bewußtseinsgeschichte des Raskolnikow ist die Biberkopf-Fabel nicht vergleichbar; sie bleibt bruchstückhaft, pointillistisch zerfasert – von Biberkopfs Vorleben, Kindheit, Jugend etc. weiß man so gut wie nichts – und verliert sich über weite Passagen im 'Lebensgrund' rund um den Alexanderplatz. Während Raskolnikow in der extremen Individualität seines Intellekts dem Lebensraum Petersburg gegenübertritt und nur *kraft seines Geschiedenseins* diesen Raum repräsentiert, bleibt Biberkopf Teil und Medium der Kollektivsphäre, der er entstammt. Dies bedeutet aber, daß er gerade *nicht* als Individuum die Gesamtheit repräsentiert. Daher bedeutet seine Wandlung in der Endphase auch nicht die Klärung und die verbindliche Lösung des Ganzen, zumal das neue Verhältnis von Individuum zu Gemeinschaft äußerst problematisch bleibt.

Damit steht der Schluß der scheinbar so einlinigen didaktischen Fabel erneut zur Debatte. Feststellbar bleibt zunächst nur eine Ambivalenz der Einsichten und Forderungen: der individuelle Vorbehalt einer kritischen Prüfung aller Ansprüche von Gemeinschaft und Kollektiv, das ist Biberkopfs *eine* zentrale Einsicht, — die *andere* hingegen die Forderung, sich mit den Mitmenschen zu solidarisieren, gerade um den falschen Ansprüchen und ideologischen Übergriffen entgegentreten zu können.[22] Daß die Formalität dieser Einsicht befremdet, angesichts der Konkretheit der vorausgehenden Darstellung, steht wohl außer Frage. Unbestreitbar ist auch Kreutzers Erläuterung, daß sich „hinter Biberkopfs Mißtrauen gegen eine als Partei organisierte Solidarität" das Mißtrauen des Verfassers gegen „einen klassenmässig organisierten Sozialismus" verbirgt;[23] entsprechende Angriffe aus der 'Linkskurve', dem BPRS, hat Döblin in *Wissen und Verändern* mit theoretischen Darlegungen und persönlichen Stellungnahmen aufzufangen versucht. Zum Schluß von *Berlin Alexanderplatz* hat er außerdem selbst, gegenüber Julius Petersen, brieflich Stellung genommen und das verwirrende 'Gegeneinander' des zum Wissenden gewordenen Biberkopf und der Kriegs- und Freiheitsposaunen damit erklärt, daß sich eigentlich um eine Überleitung zu einem zweiten Band gehandelt habe. Döblins Eingeständnis, daß „der Dualismus [. . .] nicht aufzuheben" war,[24] ist für den Verfasser aufschlußreich, das literarische Problem des Finales von *Berlin Alexanderplatz* löst es nicht. Sinnvoll ist nur das Verständnis als „offener Schluß".[25] Zum einen kann der 'Held', welcher den Weltausschnitt Berlin nur teilweise verkörpert, keine verbindliche Gesamtlösung herbeiführen; der Leser muß die als exemplarisch gekennzeichnete Wandlung selbständig auf die Welt und ihre geschichtliche Lage umdenken. Zum anderen macht es die 'gebrochene Didaktik' der Erzählerrolle aus, daß ein hieb- und stichfester *positiver* Inhalt der Lehre verweigert wird. Das Unbehagen an der vermeintlich dürftigen oder konfusen Lehre des Schlusses resultiert u.a. aus der Erwartung, das Buch erstrebe Lehrstück-Charakter, wie er von anderen Autoren gegen Ende der Weimarer Republik konzipiert worden ist — ohne daß man zur Kenntnis nimmt, daß das Erzählerkonzept eine ideologische Belehrung von Anfang an ausschließt.

Dieser Vorbehalt gilt auch für die Konstellation des Schlusses, in die Erzähler und 'Held' zueinander treten und deren springender Punkt der Tod als figürliche Erscheinung ist. Biberkopf wird nur bedingt zu einer Art Jedermann, dessen innere Wandlung überzeugend dargestellt wird und dem daher eine allgemeine menschliche Bedeutung zuwächst. Denn es macht sich auch auf dieser Gestaltungsebene bemerkbar, daß es sich um ein literarisches, aus dem Geist der Moritat erneuertes Schema handelt. Dieses kann keineswegs den umfassenden Komplex von ethischen und sozialen, letztlich metaphysischen Werten und Verhaltensnormen mitvermitteln, der den Jedermann- und Totentanz-Themen einmal zugeordnet war. Biberkopfs Jedermann-Figurine ist ebenso wenig der Gestalt des 16. Jahrhunderts vergleichbar wie die entsprechende des Todes, und ebensowenig ist es die zwischen Tod und Biberkopf ausgehandelte Moral. Um in diesem Zusammenhang noch einmal auf die Apologie des Individuellen, wie Döblin sie in *Der Bau des epischen Werks* und anderswo vorgelegt hat, zurückzukommen, so ist es richtig, daß die weltanschauliche Orientierung des Autors Veränderungen von großer Tragweite erfahren hat und daß der Umschlagpunkt in das Jahr 1924 gelegt werden kann.[26] Die Betonung der Individuation gegenüber dem Kollektiv, des Intellekts gegenüber der Natur, des Ich gegenüber der Kreatur, ist ohne Zweifel bedeutsam; die weiteren naturphilosophischen, ästhetischen und literaturtheoretischen Essays belegen es. Aber der Prozeß der Umorientierung ist langwierig und – im Hinblick auf die literarischen Konsequenzen – keinesfalls einlinig. Schon Ernst Ribbat hat darauf hingewisen, daß die Revision des alten Konzepts vom epischen Werk nur partiell und langsam erfolgt.[27] Im Hinblick auf Erzähler und Held ist die Problemlage angedeutet worden. Sie läßt sich bei der Gestalt des Todes analog formulieren. Diese ist weiträumiger angelegt als die formale Erzählerrolle der Vorreden, Überschriften und Klammersätze – was sich schon darin zeigt, daß die anonymen Fragen, welche anfangs an den Helden gerichtet werden, im Laufe der Erzählung immer klarer als Stimme des Todes identifizierbar werden. Diese Gestalt vereint in sich verschiedene Schichten der weltanschaulichen Entwicklung des Verfassers. Zum einen verkörpert sie den Tod des Frühwerks, einen kosmisch-universalen Tod, der den Abgrund der Vernichtung und zugleich den Urgrund der Erneuerung darstellt, dem das Individuum wenig gilt angesichts der kosmischen, anonymen Bewegung des Lebens. Zum anderen verkörpert er die soteriologische Gestalt, die jedem Einzelnen als Heilsbringer gegenübertritt, die einen Jedermann zur Bußbank bringt und ihm die Begegnungen seines Lebens, in Verfehlung und Unterlassung, noch einmal personal vor Augen führt. Die Ambivalenz dieses Todes, der sowohl 'Sämann' als auch 'Mähmann' als auch persönlicher Retter ist, setzt sich in den zugeordneten Motiv- und Bildketten von Schlachtung, Mord und Opfer fort. Zweifellos ist es richtig, daß die Tierschlachtung der großen Schlachthof-Kapitel und die bewußte Selbstpreisgabe bzw. das Opfer der Hiobs- und Isaak-Paraphrasen nicht gleichgesetzt werden dürfen.[28] Soweit Gewalt im Spiele ist, ist die Symbolkette der 'Hure Babylon' und des Krieges den Todes-Motiven vorgeschaltet:[29] insofern lassen sich die Bild- und Personenreihen der Schlächter und gewaltsamen Eroberer, allen voran Reinhold, und der Helfer- und Opfer-Figuren, allen voran Mieze, durchaus unterscheiden; Biberkopf selbst läßt sich in allen Phasen dazwischen einordnen. Dennoch wird an entscheidender Stelle das Unterschiedene wieder zusammengeführt. Im Totentanz-Kapitel des letzten Buches betrifft dies ausgerechnet den Bereich der Geschichte. Der Tod vereint alle einschlägigen Attribute „Opferer, Trommler und Beilschwinger" auf sich, führt die Motivreihen ineinander, spricht über alles sein affirmatives "Ja ja" und bleibt als Trommler selbst in den allerletzten Passagen noch vernehmbar, in denjenigen Kriegsparolen, denen der gewandelte Biberkopf skeptisch gegenüberstehen müßte. Damit beglaubigt die Stimme des Todes aber ein agonales Prinzip, welches der Welt, für deren moderne Verfassung die Großstadt sozusagen emblematisch einsteht, zugrundeliegt und unabhängig von dem befriedeten Biberkopf seine Geltung behauptet.[30] Jenseits dessen, was sich in Biberkopfs Lebenslauf als mitverschuldetes 'Schicksal' entlarven läßt, bleibt ein Rest von agonalem Verhängnis, spürbar etwa in jenem Satz des Erzählers, der anläßlich des auf Hingabe und Liebe folgenden Todes von Mieze eingefügt wird: „Schwer zu denken" (S. 417). Dieser Überschuß an Kampf und Gewalt, der sich nicht im Rahmen der Lebensläufe nach Selbstbehauptung und Schuld verrechnen läßt, ist im großstädtischen Dickicht als Grundtönung vorhanden — nicht im Sinne des einfachen Chaos, sondern des Widersprüchlichen in allen Erscheinungen.

V

Das mit „Alexanderplatz" benannte Zentrum ist weder der pittoreske Mittelpunkt einer Milieu-Skizze noch einfache faktische Gegebenheit, sondern der konkret ansprechbare Schnittpunkt der agonalen Grundspannungen der modernen Welt. Selbst in rapider Bauveränderung begriffen, ist der Alexanderplatz der nominalistische, d.h. vom Erzählkonzept her dazu bestimmte Bezugspunkt, an dem alle Gegensätze simultan Gestalt gewinnen. Sozial wie individuell gesehen spielen sich hier die Kämpfe um Lebenserwartung und Lebensrealität, Versprechen und Enttäuschung, Ausgleich und Entzweiung ab. Arbeiterschaft und Kleinbürgertum, Bürgertum und Ganovensphäre, Monde und Demi-Monde geben sich Rendezvous und setzen sich auseinander. Die zahlreichen eingestreuten Lebensgeschichten oder Momentaufnahmen erweitern das Bild des agonalen Daseins, gleichgültig ob man die von Bornemann, Karl Rüst, von dem Mädchen aus Mariendorf oder dem glatzköpfigen Herren auf homoerotischen Abwegen liest. Auch die 'simultane' Beschreibung des Mietshauses, in der Art von Ferdinand Bruckners *Verbrechern* oder Toller/Piscators *Hoppla, wir leben*, in der mit Röntgenaugen die Lebensläufe der Bewohner durchleuchtet werden, läuft auf das Prinzip des Widerspruchs hinaus. Gegensatz, Irreleitung, und Auseinandersetzung zeichnet sich auch in der Montage jener Elemente ab, die aus Presse, Werbung und Konsumwelt, der Mode- und der Unterhaltungsindustrie in Fülle eingestreut sind. Hinzu kommen zahllose Zitate sprachlicher Fertigware, die im Kontext der Montage erkennen lassen, welcher Widerspruch zwischen Anspruch und Verbrauch, genuiner Bedeutung und trivialisierter Rezeption besteht. Sprachlich-literarisches Kulturgut oder Unterhaltungsgut von der deutschen Klassik bis zum alten Volkslied — etwa vom „Schnitter Tod" — vom chauvinistischen Lied aus vorrepublikanischer Tradition bis zum kessen Schlager, vom Heilsarmee-Lied bis zur Operetten-Schnulze — auch diese Bestände des kollektiven Bewußten spiegeln Widersprüche, geben ideologisch verhüllte Macht- und Durchsetzungsinteressen zu erkennen. Bürokratie und Statistik — bis zum Viehauftrieb auf dem Schlachthof, der seinerseits das Gewaltmoment symbolisiert — repräsentieren die verwaltete Welt der Moderne. Presserundschau, Kinoreklame etc. deuten den globalen Horizont an. Dimensionen in Lichtjahren oder erdgeschichtlichen Epochen (S. 89) geben die astronomischen bzw. paläontologischen Koordinaten eines universalen Nebeneinanders um den 'Alexanderplatz'.

Die historische und geistesgeschichtliche Dimension kommt in der Polarität von Mythos und Wissenschaft ins Spiel – ein Aspekt, unter dem Döblins Werk in einer Reihe zu sehen ist mit anderen Formen gattungsgeschichtlicher Erneuerung der Weimarer Republik. Nach der einen Seite liegt die ideologiegeschichtliche Bedeutung im impliziten oder ausdrücklichen Widerspruch gegen eine Aufwertung des Mythos mit allen sozialen und politischen Konsequenzen, wie sie in jenen Jahren nicht nur vom Nationalsozialismus vertreten worden ist. Nach der anderen Seite liegt die gattungsgeschichtliche Bedeutung darin, daß die Vielschichtigkeit der Sinn- und Verweisstrukturen durch die mythische Anspielungsebene erhöht wird; dies bedeutet „immer auch die Stellungnahme gegen eine einsträngige politische oder journalistische Authentizität" und spiegelt „das Bemühen den Charakter der Wirklichkeit selbst der Reflexion zu unterwerfen . . .".[31] Die Motivketten aus Bibel und antiker Mythologie, erweitert um Engel- und Totengespräche, die, teils paraphrasiert, teils parodiert, die Darstellung durchziehen, bilden eigene Verweisungsnetze; sie demonstrieren im Verhältnis zu den sozialen und individuellen Geschehnissen nicht nur die Geschichte, d.h. die Tradition der Vorstellungsbereiche, sondern geistige und moralische Kraftfelder der Orientierung, mögen diese auch zur Revision anstehen, wie die Schicksals-Vorstellungen, oder kaum mehr wirklich im Bewußtsein nachwirken. In schroffem Gegensatz zu diesen, herkömmliche Werte versinnbildlichenden Motivkomplexen, stehen die positivistisch naturwissenschaftlichen 'Exkurse', in denen ein Schlag mit Todesfolge nach den Naturgesetzen von Geschwindigkeit und Kraft 'erklärt' oder eine Vergewaltigung als neurophysiologischer Vorgang beschrieben wird. Mythos und Wissenschaft stehen sich also nicht einfach wie negativ und positiv gegenüber. Die wissenschaftliche Welt ist die verwissenschaftlichte, und die Handbuch-Zitate aus Medizin oder Sexualwissenschaft verweisen indirekt auf die Relevanz der Fragestellungen, die sich aus Mythos und Religion herleiten. Dem entspricht, daß der Naturwissenschaft mythisch-poetische Naturbilder zur Seite treten; die „Fülle der elementaren Natur",[32] die eine immer noch aktuelle Erfahrungsweise des menschlichen Lebensbereiches darstellt, wird in den Motiven von Licht und Wind, Wasser, Bäumen, etc. bis hin zu den 'Sturmgewaltigen' zu einem zentralen Symbolfeld der Erzählung. Die Antinomien, die zwischen Bewußtsein und Erlebnisweisen des modernen Menschen nach wie vor gegeben sind, werden gleichsam in Zitatform beschworen.

Das Verhältnis des fingierten Erzählers zu diesem universalen Material- und Motivfundus der modernen Welt ist durch die Montage, welche nach Ernst Bloch als eigentlicher Ausdruck des modernen Wertrelativismus anzusehen wäre, bezeichnet. Diese wahrt den Anspruch auf Totalität, indem sie dennoch den unversöhnbaren Teilaspekten Rechnung trägt; sie bringt zudem im Spiel mit den Versatzstücken deren sprachlichen Charakter in einer durchweg sprachkritischen Weise zu Bewußtsein. Walter Benjamin hat in seiner scharfsinnigen Analyse von Döblins Universitätsrede im Zusammenhang mit *Berlin Alexanderplatz* diese Aspekte hervorgehoben. Er betonte vor allem die Erneuerung genuin epischen Erzählens, durch welches die Krise des konventionellen Romans offenbar wird. „Echte Montage beruht auf dem Dokument" – und sofern solche Dokumente, nicht nur der

„kleinbürgerlichen Drucksorten", sondern auch des gesprochenen Berlinischen und der übrigen Gebrauchssprachen Berlins in den Roman Eingang finden, erneuert sich ursprüngliches episches Fabulieren, gegenüber dem Schreibstil des Romans als Buch.[33]

Nach einhelliger Meinung der Forschung ist Döblins Montage-Technik aus Wurzeln des Dadaismus und Futurismus entstanden.[34] Ihr springender Punkt ist die Ästhetik des, wie man später sagte, objet trouvé. Sie verbürgt die Authentizität der 'zitierten' Welt gegenüber allen literarischen, von der Fiktion her entworfenen Linien. Dies zeigt sich in der Makrostruktur des Werkes wie in allen Details. Vorreden und Überschriften, aber auch die im Erzähltext ausgelegten Spuren erzählerischer Kontinuität vermögen die Fülle und Eigenständigkeit der eingeschalteten Material- und Motivkomplexe nicht zu überformen. Damit ist nicht gesagt, daß das erzählerische und sprachliche Chaos herrsche. Auch die Großstadt selbst ist nicht einfach chaotisch, und schon gar nicht lediglich apokalyptisch-negativ im Sinne der Hure Babylon. Dennoch bleibt dem objet trouvé – samt seiner dokumentarischen Bedeutung – ein Moment des Zufälligen. Das Aleatorische ist nicht auszuschalten, weil es selbst in der Montage dialektisch wird. Aus dem scheinbar Wahllosen ergeben sich – kraft der Technik der Wiederholung – Zuordnungsmuster, freilich von komplexer Gestalt. Das Montage-Prinzip von *Berlin Alexanderplatz*, demzufolge die Einzelelemente ohne ausdrückliche Motivation in der jeweiligen Szene ineinandergeschoben werden,[35] läßt es zwar zu, daß sich Sinnbezüge im Direktkontakt ergeben; die wichtigsten Bedeutungsrelationen erschöpfen sich aber nicht darin. Eine Multivalenz der Bedeutungszuordnung ist die Folge. Die kaum überschaubaren, den geschichtlich-sozialen Raum Berlin repräsentierenden Elemente lassen sich daher nicht einsinnig funktional auf eine Situation oder den Lebenslauf des Helden ausrichten. Sie müssen vielmehr in einem mehrpoligen simultanen Bedeutungssystem verstanden werden.

Wenn dennoch in langen Passagen eine lineare Abfolge kompositorisch eine Rolle spielt, so folgt sie weniger dem traditionellen Roman nach Handlungsführung und psychologischer Motivation. Ausschlaggebend ist dann das aus der literarischen Entwicklung und besonders aus dem neuen Medium Rundfunk sich herleitende Prinzip der Reportage. Ihre wichtigste mediale wie ästhetische Qualität ist das Tempo, welches dem Leser oder Hörer als Ziel nicht das Verständnis sondern die Fiktion der Augenzeugenschaft vermittelt. Die bis ins Pedantische reichende Chronologie, derer sich Döblin befleißigt und die dem aleatorischen Prinzip der Montage widerspricht, stellt u.a. die Parodie der Reportage dar.[36] Zahlreiche belanglose Daten, Wetterangaben etc. vervollständigen die Angaben nach der Seite des Nebensächlichen, um den Eindruck der Lückenlosigkeit zu erwecken. Sofern der Erzähler selbst stellenweise in die Manie des 'rasenden Reporters' verfällt, wird Döblins Reaktion auf den mondänen Zeitstil besonders markant, unbeschadet dessen, daß er selbst der Reportage-Literatur vielerlei technische Kunstgriffe verdankt. Grundsätzlich bleibt die genuine Montage aber übergeordnet, welche der Authentizität des Zitats gegenüber der Schein-Universalität der Reportage Vorrang gibt. Diesen Weg aus verengenden Konzepten der 'neuen Sachlichkeit' zu neuer epischer Qualität hat schon Benjamin genau gesehen: „Die Bibelverse, Statistiken, Schlagertexte, sind es, kraft deren Döblin dem epischen Vorgang Autorität verleiht. Sie entsprechen den formelhaften Versen der alten Epik."[37] Man könnte hinzufügen, daß die Bibel-Motive, mit ihrem Gewicht, das ja nicht zuletzt die Polarität von Hure Babylon und Tod plausibel macht, jenen epischen Rückhalt abgeben, den bei James Joyce die Odyssee ausmacht.[38] Die Art der Einfügung kennzeichnet freilich die geschichtliche Situation, in welcher diese Erneuerung epischen Redens unternommen wird. Die sprachliche und bedeutungsmäßige Archaik der Bibelzitate, der ihr metaphysisches Gewicht entspricht, wird abgefangen durch die übrigen Zitat-Felder, vor allem durch die Stilzüge der Reportage, die von ihrer Entstehung her ganz andere Wirkungsabsichten verfolgt. Die ironische und stellenweise banale Tonart von Moritat und Bänkel, welche in den Erzähler-Einschüben vernehmbar wird, hat dieselbe Funktion der Balance. Dank ihrer Wirkung wird die Motivschicht aus *Genesis, Hiob, Prediger, Propheten* und *Apokalypse* ihrer religiösen Buchstäblichkeit entkleidet und – dem Prinzip nach – den übrigen großen Motivbereichen gleichgestellt. Döblins Aussage, in *Berlin Alexanderplatz* werde lediglich Manas, der mythische Held seines Versepos von 1924, aus dem indischen Pantheon in die Großstadt verpflanzt,[39] wird dem Werk nicht gerecht. Das schillernde Motiv-Kaleidoskop des Berlin-Epos erlaubt zwar, die Frage nach dem Sinn des Lebens auch mit Hilfe der religiösen Tradition aufzuwerfen und zu präzisieren, es verwehrt jedoch die Erhebung des Helden zum Halbgott, selbst wenn er einer Todesfigur mit göttlicher Aura begegnet.

VI

Die Voraussetzung für diese sprachliche Leistung ist der Verzicht auf eine durchgehende literarische Stilisierung. Von der „Produktivkraft Sprache" handelt Döblin in der Rede vom *Bau des epischen Werks,* und damit ist die gesprochene Sprache in der Vielfalt ihrer dialektalen und sozialen, situativen und funktionalen Bezüge gemeint. Entscheidend ist jedoch die Spannung zwischen der Schriftsprache und dem Berlinischen, letzterem sowohl als Mundart wie in seiner soziokulturellen Funktion als Großstadtjargon. Dieser ständig durchgehaltene Kontrast stellt die sprachliche Umsetzung des Weltprinzips vom Widerspruch dar. Die Sterilität eines hoch- und literatursprachlichen Sonderbereichs ist damit aufgehoben, ohne daß lediglich Charakterisierung, etwa im Sinne des Naturalismus oder gar der Dialekt- und Heimatliteratur gemeint wäre. Die Bedeutung von Döblins Kontrastprinzip reicht weiter: das Gegeneinander der Sprachebenen besagt immanente Sprachkritik; die soziale Realität der gesprochenen Sprache wird mit dèm stilistisch-literarischen Anspruch der Stilgeschichte konfrontiert. Hinzu kommt die Möglichkeit, die soziale Realität der Sprache bis in die sprachlichen Regungen des Einzelnen zu verfolgen; was andere im beschreibenden Nacheinander andeuten, leistet Döblins Technik simultan:[40] Transparenz des individuellen für das kollektive Sprechen, ohne daß die Individuation hypostasiert, aber auch ohne daß sie geleugnet würde; darstellbar wird der Prozeß, wie sich die individuelle Rede aus dem Sprach-

Magma der Umwelt personal und situativ herauskristallisiert. Damit wird die Sprachgestalt von *Berlin Alexanderplatz* zur poetischen Nachbildung des fundamentalen Gegensatzes von Norm und Spontaneität in der Sprache.

Aber auch darin ist die Tragweite dieses Sprachprinzipes noch nicht erschöpft. Ein historischer Gesichtspunkt ist zu berücksichtigen. Döblin führt konsequent weiter, was viele Autoren der Weimarer Republik, die sich auf die neuen sprach- und literaturpolitischen Forderungen einstellten, geleistet haben — allen voran Mehring, Tucholsky und Brecht: die Ablösung einer hochsprachlichen durch eine gemeinsprachliche Literatursprache. Die sogenannte Sprachkrise der Jahrhundertwende, die sich als Dauerkrise entpuppte, hatte zu Bewußtsein gebracht, in welch hohem Maße die klassische Literatursprache — vor allem wegen bildungsbürgerlicher Abnutzung und kulturpolitischer Vereinnahmung — erstarrt war und sich der gesprochenen Sprache entfremdet hatte. Bekanntlich ist Döblin früh mit der Sprach- und Literaturkritik von Fritz Mauthner in Kontakt gekommen. Die sprachkritischen und -konstruktiven Prinzipien des Futurismus bilden dann für ihn, wie für Mehring, den methodischen Ansatz für eine neue Vermittlung von gesprochener und literarischer Sprache. Die 'sprachpolitische' Wirkung des Jahres 1918/19 leitet für ihn eine neue Phase ein, ohne daß das Montage-Prinzip zugunsten einer einfachen Kopie der gesprochenen Sprache preisgegeben worden wäre. Unter diesen Voraussetzungen wird *Berlin Alexanderplatz* zum ersten deutschen Erzählwerk, welches in großem Maßstab realisiert, was Mehring und Brecht in den Kleinformen der Lyrik, Horváth im Drama erreicht haben: dank der katalysatorischen Wirkung des Berlinischen entsteht eine neue literatursprachliche Koinē, weder mundartlich begrenzt, noch schriftsprachlich steril, noch hochsprachlich stilisiert, vielmehr gemeinsprachlich und universal sprachkritisch.

VII

Döblins virtuoses Montage-Verfahren, dazu die als Zwischentexte und Untertitel lesbaren Kapitelüberschriften, weisen, um auf die Frage des Anfangs zurückzukommen, unbestreitbare Affinität zur Entwicklung des Films auf, wie die zeitgenössischen Rezensenten bereits bemerkt haben. Neuerdings hat E. Kaemmerling Döblins „filmische Schreibweise" untersucht und nachgewiesen, daß der Verfasser den Blickwechsel durch Kamera-Einstellung, unterschiedliche Einstellungsgröße oder Überblendung sprachlich nachbildet, daß er analog zu Zeitlupe, Zeitraffer, Vor- und Rücklauf — bis hin zur Parodie — arbeitet. Und wenn man weitere Linien ziehen will, so lassen sich Entsprechungen zum Montage-Modell Pudowkins aus der Frühzeit des Films feststellen.[41] Döblins Reaktion auf die Filmgeschichte ist aber literarisch vorbereitet; alle Formen der Schreibtechnik, die in *Berlin Alexanderplatz* eine Rolle spielen, sind schon im Frühwerk entwickelt, bevor sie als Technik von Schnittwechsel, Einstellungsgröße, Tempoveränderung auch dezidiert 'filmisch' erscheinen können. Insofern erfassen die Hinweise auf die Nachbildung filmischer Verfahren zwar wesentliche Gestaltungszüge des Werkes, nicht aber den ästhetischen Gesamtcharakter. Döblins Sprachprinzip weist über das Filmprinzip hinaus. Wenn 'filmische Schreibweise' besagt, die ästhetische Erfahrung in *Berlin Alexanderplatz* ergebe sich aus der „Rekonstruktion des Filmes im Text",[42] so ist das nur bedingt gültig, zum einen, weil das Montage-Prinzip die Sprachlichkeit des Montierens selbst immer zu Bewußtsein bringt, zum anderen, weil es sich in gleicher Weise auf Äußeres, visuell oder akustisch Vorstellbares, wie auf Inneres bezieht und damit Abstraktion und Metaphorisierung verlangt. Erlebte Rede und innerer Monolog, die Döblin sehr früh bei Arthur Schnitzler kennenlernte, sind ihrerseits auf Montage angewiesen, da das Bewußtsein der Personen, denen sich der Erzähler in äußerster Selbstentäußerung nähert, u.a. durch sprachliche Vorgaben der Umwelt geprägt ist. Das besagt aber, daß auch filmische Wahrnehmungsmuster im Text auf die Sprachlichkeit der Vermittlung zurückverweisen. Der ästhetische Eindruck ergibt sich als 'Rekonstruktion des sprachlichen Vorgangs', welcher das Vorstellungsvermögen zum visuellen Bild oder Geschehen anregt. Döblins Montage, im ständigen Übergang vom äußeren Eindruck zum inneren Geschehen, von Wahrnehmung zu Reflexion oder Traum, von Reizandrang der Metropole bis zu den Regungen des Unbewußten, schärft das Bewußtsein von der grundsätzlichen Sprachlichkeit aller menschlichen Erfahrung. In diesen Zitat- und Verweisungszusammenhang sind auch die filmischen Sichtweisen eingebettet.

Im Hinblick auf diese sprachflexive Grundlage ist bemerkenswert, daß auch Fassbinders Filmversion von 1980 stärker auf die „Geschichte vom Franz Biberkopf", bzw. die zwischen Franz und Reinhold, zurückgreift als auf die sprachlich-visuelle Totalität der Alexanderplatz-Welt — möglicherweise weil fünfzig Jahre nach der Entstehung des Buches filmische Großstadt-Collagen zu abgenutzt sind, als daß sie dem ursprünglichen Impuls noch gerecht werden könnten. Jedenfalls verläßt sich Fassbinder auf das magisch beleuchtete Innen, nicht auf das pulsierende, simultane Draußen, auf die im Flackerlicht changierende Großaufnahme, nicht die Überblendung, die Döblin im Sinne gehabt haben mag, als er über das Gesicht Biberkopfs den Schnellzug Hamburg-Berlin rasen ließ (S. 39). Letztlich dominiert die akustische, nicht die optische Collage, und die langen im Off gesprochenen Texte bilden ein starkes Gegengewicht zu der visuellen Direktheit. Der Regisseur dankt auch diese Möglichkeit dem Autor, der die moderne Welt, in ihrem ganzen optischen und akustischen Übermaß, sprachlich abgefangen und zum Zitat- und Anspielungskosmos umgebildet hat. So könnte die Film-Version Fassbinders ihrerseits dazu beitragen, daß die umfassendste Bestandsaufnahme, welche die deutsche Gegenwartssprache in einem epischen Werk der ersten Jahrhunderthälfte erfahren hat, auch nach der anderen Seite hin neues Interesse gewänne: als Sprach-Kunstwerk — nicht im Sinne eines ästhetizistisch verengten Werkbegriffes, sondern eines genuinen Verständnisses von 'episch', welches besagt, daß im erzählerischen Konstrukt ein Auffangnetz entworfen wird, in dem sich eine historisch-gesellschaftliche Welt *ihrer sprachlichen Totalität nach* ablagert. Döblin selbst hat für ein solches erneutes Interesse an einer versteckten Stelle von *Berlin Alexanderplatz* ein Stichwort geliefert. Einer berühmten Besucherin aus dem Ausland ist anläßlich des Empfangsinterviews ein Satz in den Mund gelegt, der modische Jargon-Floskeln zitiert, der aber auch das gespannte, fast überspannte Interesse für die moderne Welt ausdrückt, das Döblin von seinem Leser erwartet: „Ich bin wahnsinnig neugierig auf Berlin" (S. 233).

Anmerkungen

1 *Die Weltbühne* 26, 1 (1929/30). In: Ingrid Schuster/Ingrid Bode (Hrsg.), *Alfred Döblin im Spiegel der zeitgenössischen Kritik* (Bern/München: Francke, 1973), S. 244.
2 *La Nouvelle Revue Française* Bd. 35 (1930), S. 130/131. In: Schuster/Bode (s. Anmk. 1), S. 254.
3 Auf die multi-medialen Theater-Experimente Piscators verweisen etwa Herbert Ihering und Bertha Badt-Strauß (*Berliner Börsen-Courier* vom 19.12.1929 und *Jüdische Rundschau* 35/1930. In: Schuster/Bode, S. 226f./248f.).
4 Vgl. Herbert Ihering, „Der 'Alexanderplatz'-Film." *Berliner Börsen-Courier*, 9.10.1931. In: Matthias Prangel (Hrsg.), *Materialien zu Alfred Döblin 'Berlin Alexanderplatz'* (Frankfurt/M.: Suhrkamp, 1975/ =st 268), S. 241-43.
5 Kurt Raab/Karsten Peters, *Die Sehnsucht des Rainer Werner Fassbinder* (München: Bertelsmann, 1982), S. 28f.
6 Alfred Döblin, „Epilog". In: ders., *Aufsätze zur Literatur*. (Olten/Freiburg i. B.: Walter, 1963), S. 390.
7 Volker Klotz, *Die erzählte Stadt*. Ein Sujet als Herausforderung des Romans von Lesage bis Döblin (München: Hanser, 1969) S. 410. Und Klaus Müller-Salget, *Alfred Döblin. Werk und Entwicklung* (Bonn: Bouvier/H. Grundmann 1972 / =Bonner Arbeiten zur deutschen Literatur Bd. 22), S. 298.
8 Zu den Verlaufsschemata vgl. Müller-Salget (s. Anmk. 7), S. 304-318, Theodore Ziolkowski, *Strukturen des modernen Romans* (München: List 1972), S. 94-126 und Otto Keller, *Döblins Montageroman als Epos der Moderne* (München: Fink, 1980), S. 140-196.
9 Ziolkowski (s. Anmk. 8) hat Döblins Gestaltung der Hauptfigur – wie auch Reinholds – aus der Charakterologie von Ernst Kretschmer (Körperbau und Charakter, 1921) erläutert. Der Typus des zyklotymen Pyknikers, verkörpert in Biberkopf, läßt nach damaliger Auffassung der Kriminologie zwar Verbrechen aus emotionaler Unkontrolliertheit als wahrscheinlich erscheinen, nicht aber aus kaltem Kalkül und prinzipiengeleiteter Lebenshaltung. Diese gegenteilige Ausrichtung wäre bei dem schizotymen Typ Reinhold zu beobachten (S. 108-110).
10 Laut Kretschmer (s. Anmk. 9) ist sie ebenfalls charakteristisch für den zyklotymen Pykniker.
11 Vgl. Ziolkowski (Anmk. 8), S. 111ff.
12 Die in Klammern eingesetzten Seitenzahlen beziehen sich auf die Edition von *Berlin Alexanderplatz* in der Werkausgabe in Einzelbänden (Olten/Freiburg i. B.: Walter, 1961).
13 Vgl. dazu Joris Duytschaever, „Eine Hebbelsatire in Döblins 'Berlin Alexanderplatz'". In: *Etudes Germaniques*. 24/1969, S. 536-552.
14 Ziolkowskis Vorschlag (s. Anmk. 8, S. 113ff.) ist bereits von Müller-Salget (s. Anmk. 8, S. 304) zurückgewiesen worden.

15 Leo Kreutzer, *Alfred Döblin. Seine Werke bis 1933.* (Stuttgart/Berlin/Köln/ Mainz: Kohlhammer, 1970), S. 123.

16 Gegen eine solche Festlegung argumentiert bereits Albrecht Schöne, „Berlin Alexanderplatz". In: Benno v. Wiese (Hrsg.), *Der deutsche Roman.* Bd. 2 (Düsseldorf: Bagel, 1963), S. 291-325 und jüngst Otto Keller (s. Anmk. 8, S. 213ff.) Volker Klotz (s. Anmk. 7, S. 418) geht von einer Balance zwischen Individualgeschichte und Großstadt-Epos aus, die aber am Ende durch das Übergewicht der Stadt aufgehoben wird.

17 Klaus Müller-Salget, „Zur Entstehung von Döblins 'Berlin Alexanderplatz'". In: Prangel (s. Anmk. 4, S. 117-135), hier: S. 124 (Aus Vorfassungen des Romans. Nicht verwendete Entwürfe des Prologs).

18 Prangel (s. Anmk. 4), S. 25.

19 Schöne (s. Anmk. 16), hat den aus Döblins naturphilosophischen Schriften stammenden Begriff zum Schlüssel seiner Interpretation gemacht.

20 Prangel (s. Anmk. 4), S. 121.

21 Vgl. Keller (s. Anmk. 8), S. 174.

22 Vgl. Müller-Salget (s. Anmk. 7), S. 345-48. – Außerdem den Essay des Verfassers, „Der Wissende und die Gewalt. Alfred Döblins Theorie des epischen Werkes und der Schluß von 'Berlin Alexanderplatz'" (In: *DVjs* Jg. 44, 1970 u.a. S. 350-53), sowie Otto Kellers Erwiderung in *Brecht und der moderne Roman. Auseinandersetzung Brechts mit den Strukturen der Romane Döblins und Kafkas* (Bern/München: Francke, 1975), S. 16ff.

23 Kreutzer (s. Anmk. 15), S. 119.

24 Brief an Julius Petersen vom 18.9.1931. In: Alfred Döblin: *Briefe.* (Olten/Freiburg i.B.: Walter, 1970), S. 165f.

25 Otto F. Best hat die These vom offenen Schluß aus anderem Blickwinkel durch den Einfluß spinozistischen Denkens auf Döblin (vor allem im Hinblick auf das Verhältnis von Denken und Tat) bestätigt („Zwischen Orient und Okzident. Döblin und Spinoza. Einige Anmerkungen zur Problematik des offenen Schlusses von 'Berlin Alexanderplatz'". In: *Colloquia Germanica* 12/1979. S. 94-105).

26 Vgl. Müller-Salget (s. Anmk. 7), S. 12-15.

27 Ernst Ribbat, *Die Wahrheit des Lebens im frühen Werk Alfred Döblins.* (Münster: Aschendorff, 1970), S. 210-213.

28 Keller (s. Anmk. 22, S. 7-35 „Schlächter und Opfer") hat unter kritischer Sichtung der gesamten Forschung diesen Motivkomplex minutiös untersucht.

29 So verbindet das Motiv den 'Privatkrieg' zwischen Franz und Reinhold mit den Eroberungs- und Kriegszügen von Babylon bis zum Rußlandfeldzug Napoleons und Langemarck.

30 „Die gegenständliche Folie der Stadt, ihre multiplen Bewegungen und Gegenbewegungen, das erzählerische Aufgebot ihres faßbaren Bestands, der weder tieferen Sinn noch höhere Botschaft kennt, siegt endlich über die lehrhafte Parabel" (Klotz, s. Anmk. 7, S. 418).

31 Jost Hermand/Frank Trommler, *Die Kultur der Weimarer Republik.* (München: Nymphenburger Verlagsbuchhandlung, 1978), S. 156f.

32 Keller (s. Anmk. 8), S. 243.

33 Walter Benjamin: Krisis des Romans. Zu Döblins „Berlin Alexandersplatz" (in: *Die Gesellschaft* 7/1930). In: Schuster/Bode (s. Anmk. 1), S. 251. – Benjamins Sympathie kommt nicht von ungefähr; die Zitat-Montage als ästhetische

Grundlage der Darstellung der großstädtischen Zivilisation haben „Alexanderplatz" und „Passagenwerk" gemein.

34 Daß Grundgedanken zur Ästhetik bereits in *Kalypso* ausformuliert waren und damit dem Futurismus vorausgehen, wie vor allem Heidi Thomann Tewarson nachgewiesen hat (*Alfred Döblin. Grundlagen seiner Ästhetik und ihrer Entwicklung 1900-1933*, Bern/Frankfurt M./Las Vegas: Lang, 1979 = Europäische Hochschulschriften I/286; besonders S. 32-46) ist in Rechnung zu stellen; dies ändert jedoch nichts daran, daß erst mit dem Futurismus Döblins Position Prägnanz gewonnen und Anschluß an die internationale Entwicklung gefunden hat.

35 Werner Stauffacher, „Die Bibel als poetisches Bezugssystem. Zu Alfred Döblins 'Berlin Alexanderplatz'". In: *Sprachkunst* 8/1977 (S. 35-40), S. 35f.

36 Zur Chronologie, wie auch zu den Schnitzern, vor allem in VII, vgl. Drago Grah, „Das Zeitgerüst in Döblins Roman 'Berlin Alexanderplatz'". In: *Acta Neophilologica* 11/1978. S. 15-28, sowie Müller-Salget (s. Anmk. 7), S. 308f., Anm. 68.

37 Benjamin (s. Anmk. 33), S. 251.

38 Stauffacher (s. Anmk. 35), S. 40.

39 „Nachwort zu einem Neudruck" (1955). In: *Berlin Alexanderplatz* (s. Anmk. 12), S. 507.

40 Vgl. unter diesem Aspekt besonders die Analyse von A. Schöne (s. Anmk. 16).

41 Ekkehard Kaemmerling, „Die filmische Schreibweise. Am Beispiel Alfred Döblin: Berlin Alexanderplatz." In: *Jahrbuch für internationale Germanistik*, Jg. 5, 1973, H. 1, S. 45-61, sowie (überarbeitet) in Prangel (s. Anmk. 4), S. 185-198.

42 Kaemmerling (s. Anmk. 41), in: Jahrbuch für internationale Germanistik. S. 61.

HANS–HARALD MÜLLER

LION FEUCHTWANGER: *ERFOLG* (1930)

Die seit knapp einem Jahrzehnt anhaltende Feuchtwanger-Renaissance in der Bundesrepublik hat nicht nur zu einer steigenden Verbreitung der Romane, sondern auch zu einer intensiveren wissenschaftlichen Auseinandersetzung mit dem Werk Lion Feuchtwangers geführt. Das wissenschaftliche Interesse ist vor allem seinem unbestritten besten Roman *Erfolg* und der *Wartesaal*-Trilogie[1] im ganzen zugute gekommen; Feuchtwangers Frühwerk ist kaum, das Romanwerk nach 1945 vergleichsweise wenig erforscht.

In der folgenden Interpretation des Romans *Erfolg* kann ich es, schon aus Gründen des Umfangs, nicht mit den vorliegenden detaillierten und textnahen monographischen Untersuchungen[2] des Romans aufnehmen. Ich werde mich bei der Interpretation auf einige grundlegende Probleme konzentrieren, die, wie mir scheint, in den vorliegenden Einzeluntersuchungen zu wenig beachtet wurden: ist *Erfolg*, wie vor allem Clason und Brückener/Modick unterstellen, ein historisch-dokumentarischer Schlüsselroman, der die bayerische Geschichte der Jahre 1921 bis 1924 zum Gegenstand hat, oder ist er, wie Thomas Mann schrieb, ein „satirischer Roman", ein Beispiel für „komische Kunst",[3] der Geschichte eher Stoff denn Gegenstand der Erkenntnis ist? Diese Frage zielt auf die Konzeption des modernen, von der skeptizistischen Geschichtsphilosophie seit Nietzsche beeinflußten historischen Romans und seine Realisierung in Feuchtwangers *Erfolg*. Vornehmlich auf diese Frage werde ich in der folgenden Interpretation eingehen; ihr Ziel ist es, die Bedeutung herauszuarbeiten, die Feuchtwanger mit der Konzeption des zwischen 1927 und 1930 entstandenen Romans *Erfolg* intendierte.[4]

Bei einem Rückblick auf sein umfangreiches Frühwerk glaubt Feuchtwanger 1926 „trotz aller scheinbaren Differenz doch immer nur ein Buch geschrieben zu haben: das Buch von dem Menschen, gestellt zwischen Tun und Nichttun, zwischen Macht und Erkenntnis."[5] Daß im Zentrum des Feuchtwangerschen Frühwerks und der historischen Romane weniger historische als systematische Fragen stehen – vor allem das Verhältnis von Geist und Macht,[6] Tun und Nichttun,[7] Handeln und Betrachten – kann durch die bisherige Feuchtwanger-Forschung und zahlreiche Selbstzeugnisse des Autors als erwiesen gelten. Die Verpflichtung des Schriftstellers auf die Position des Betrachtenden, die für Feuchtwanger seit dem Drama „*Warren Hastings*" (1916) verbindlich ist, stellt eine Reaktion des pazifistischen Intellektuellen auf den ersten Weltkrieg dar; sie ist im Zusammenhang zu sehen mit dem seit der Jahrhundertwende stetig ansteigenden Interesse deutscher Schriftsteller an der Kultur und Literatur Indiens und vor allem am Buddhismus. Der Konflikt „Tatmensch und geistiger Mensch, Büßer und Soldat, Buddha und Nietzsche"[8] prägt Feuchtwangers Dramen „*Warren Hastings*" und „*Jud Süß*" ebenso wie den 'dramatischen Roman' aus der deutschen Revolution „*Thomas*

Wendt",[9] an den, wie Ulrich Weisstein gezeigt hat,[10] der Roman „*Erfolg*" in der Problemstellung unmittelbar anknüpft.

Wie weitgehend Feuchtwanger in der Konzeption des historischen Romans von Alfred Döblin abhängig ist, kann ich im vorliegenden Zusammenhang nur andeuten — Feuchtwanger selbst bekannte 1926, Döblin habe seine „epische Form" verändert.[11] Bereits 1916 hatte Döblins Roman „*Die drei Sprünge des Wang-lun*" Feuchtwanger in seiner Auffassung bestärkt, daß „die Welt erobern wollen durch Handeln mißlingt".[12] Noch stärker fasziniert war Feuchtwanger von Döblins „*Wallenstein*", den er 1921 in der „Weltbühne" als das „erste Epos der Deutschen" seit Klopstocks „*Messias*" bezeichnete.[13] Feuchtwanger folgt in der Grundkonzeption dem geschichtsphilosophisch skeptizistischen historischen Roman Döblins, wenngleich er im Gegensatz zu Döblin an einem transzendentalen Sinn der Geschichte festhält. Von Döblin hat er gelernt, den Geist-Macht-Konflikt nicht nur an einzelnen historischen Exempla abzuhandeln, sondern die im Roman gestaltete Geschichte selbst als Argument für den Typus des kontemplativen Schriftstellers anzuführen. Das geschieht erstmalig im Roman *Erfolg*.

1. „Der historische Roman ist erstens Roman und zweitens keine Historie"[14]

Die Fabel von Feuchtwangers Roman *Erfolg* besteht aus drei miteinander verknüpften stofflichen Komponenten: zum einen dem juristischen Fall des Mannes Krüger, einem Stoff, den Feuchtwanger in ähnlicher Konzeption schon in seinem Drama „Wird Hill amnestiert?" (1923) behandelt hatte; zum anderen der politischen Geschichte des Landes Bayern von 1921 bis zum Zusammenbruch des Kutzner-Putsches und zum dritten der künstlerischen Produktion einer Vielzahl von Malern und Schriftstellern, die angeführt wird vom Protagonisten Jacques Tüverlin.

Die Fabelführung[15] beruht, trotz aller erzählerischen Ramifikationen, auf einer einfachen dramatischen Grundkonstruktion. Nachdem der Justizfall Krüger durch eine politisch motivierte Rechtsbeugung entschieden ist und die für bzw. gegen Krüger agierenden vielköpfigen Parteien vorgestellt sind, läßt Feuchtwanger die Sache der für Krüger kämpfenden Partei auf eine Katastrophe zusteuern: Johanna Krains vielseitige Bemühungen bleiben erfolglos, die Minister Klenk und Messerschmitt, die einer Begnadigung Krügers zuneigen, werden entlassen, der gegen die Begnadigung opponierende Flaucher wird Ministerpräsident, die von der Großindustrie unterstützte Bewegung der 'Wahrhaft Deutschen' steht vor einem Triumph. Die Wende zum Besseren ist allerdings zuvor schon eingetreten, und zwar durch die märchenhaft gefügte Verbindung des Schriftstellers Tüverlin mit dem amerikanischen Finanzmagnaten Daniel W. Potter. Zwar kann die von Tüverlin über Potter erwirkte Begnadigung Krügers wegen dessen Ableben nicht vollzogen werden, aber die für Krüger kämpfende Partei bekommt Oberwasser: Flaucher erreicht seine größte Größe im Moment des Scheiterns, Kutzner seine wahre Größe im grotesk-kläglichen Debakel seines Putsches, und Jacques Tüverlin bringt mit Johanna

Krain den toten Krüger zum Sprechen: der Krüger-Film und das „Buch Bayern" werden fertiggestellt.

In der wissenschaftlichen Rezeption nach dem zweiten Weltkrieg wurde *Erfolg* in der Regel als „Schlüsselroman" in historisch-dokumentarischer Absicht interpretiert und meist als „erschütternde Anklage und Warnung vor den ungeheuerlichen Folgen der Hitler-Bewegung"[16] gedeutet. Gegen diese Lesart hat Wolfgang Müller-Funk 1981 in seiner Monographie über die *Wartesaal* -Trilogie eine Reihe systematischer Bedenken erhoben,[17] die ich teile und zu der These verschärfen möchte, daß die Deutung von *Erfolg* als verschlüsselter historischer Tatsachenroman keinen relevanten Beitrag zur Interpretation des Romans darstellt.

Unbestritten ist in der Forschung, daß Feuchtwanger in *Erfolg* empirische Personen nicht in einem getreuen Abbildungsverhältnis wiedergeben wollte; in der „Information" des Autors zum zweiten Band heißt es dazu: „Um die bildnishafte Wahrheit des Typus zu erreichen, mußte der Autor die photographische Realität des Einzelgesichts tilgen. Das Buch *Erfolg* gibt nicht 'wirkliche', sondern 'historische' Menschen" (II, 7). Über das Verfahren der Typisierung gibt überdies der Tüverlin des Romans Auskunft, der auf den Unterschied verweist, den der Schriftsteller zwischen „gerichtsnotorischer Wirklichkeit und historischer Wahrheit" (II, 31) machen müsse. Daß diese Unterscheidung eine Reihe komplizierter theoretischer Probleme beinhaltet, wurde in der Forschung kaum gesehen. Zumeist behalf sie sich mit der Vermutung, Feuchtwanger habe bei der Typisierung lediglich von dem unproblematischen Kunstmittel Gebrauch gemacht, in einer Romanfigur Eigenschaften mehrerer 'wirklicher' Personen zusammenzufassen, unwesentliche Züge 'wirklicher' Personen auszulassen, interessante 'historische' Züge hinzuzufügen usw. Gegen diese Vermutung lassen sich zwei Einwände erheben. Der erste zielt darauf ab, daß Feuchtwanger dieses Verfahren im Roman sehr inkonsistent durchgeführt hat: einige historische Figuren erscheinen mit ihrem 'wirklichen' Eigennamen, für andere lassen sich 'wirkliche' Vorbilder nicht einmal denken, so z.B. für das „kalifornische Mammut" Potter, der sowohl für die bayrische Geschichte als auch für das Schicksal Krügers eine entscheidende Bedeutung hat. Der zweite, grundsätzlichere, Einwand besagt, daß Feuchtwangers Typen nicht nur aus Zügen mehrerer 'wirklicher' Personen frei kombiniert sind, sondern daß sie durch und durch deutungsgesättigt sind mit Ideen, die nicht der im Roman behandelten bayrischen Geschichte entstammen, sondern den weltanschaulichen Überzeugungen Feuchtwangers. So verkörpert die 'historische' Romanfigur Flauchner nicht nur den 'wirklichen' Ministerpräsidenten von Kahr, sondern, im Moment seines Scheiterns, zugleich Feuchtwangers Auffassung, daß im Nichttun Größe liegt[18] (II, 283). Kaspar Pröckl enthält im Roman nicht nur Züge des 'wirklichen' Bert Brecht, sondern er verkörpert   d e n   Kommunisten und zugleich den nach Feuchtwangers Auffassung von vornherein zur Erfolglosigkeit verurteilten aktivistischen Literaten — Brecht beschwerte sich übrigens beim Autor über die „scheußlichen Karikaturen", die *Erfolg* auf „Hitler und mich enthält".[19] Dr. Geyer schließlich ist nicht nur eine Kontamination aus mehreren 'wirklichen' Personen, nicht nur eine Personifikation   d e r   Sozialdemokratie, sondern auch der kontemplative (I, 67) 'in die Politik verschlagene Literat' sowie der Repräsentant der nach Feuchtwanger notwendig erfolglosen wissenschaftlich-dokumentarischen Schreibweise (I, 85).

Wie kann nun aber *Erfolg* ein historischer Roman über die empirische Geschichte Bayerns von 1921 bis 1924 sein, wenn schon die Romanfiguren entscheidend nach typischen Merkmalen konzipiert sind, die der Geschichte nicht angehören? Die Anhänger der Auffassung, *Erfolg* sei ein historischer Tatsachenroman, scheinen der Überzeugung, die Historizität des Romans beruhe darauf, daß er 'wahre Thesen' über die bayrische Geschichte enthalte, d.h. Erklärungen für den empirischen Geschichtsverlauf biete.[20] Müller-Funk hat, vermutlich um Feuchtwangers Anspruch auf „historische Wahrheit" zu überprüfen, die Darstellung der Geschichte Bayerns im Roman mit modernen Darstellungen aus der Geschichtswissenschaft verglichen und dabei eine Reihe beträchtlicher Defizite in *Erfolg* festgestellt. Von ihnen seien hier nur erwähnt: (1) Feuchtwangers „tendenzielle Ineinssetzung von Bajuwarismus und völkischem Nationalismus"[21] – „in Berlin gingen die Mißvergnügten zu den Kommunisten; in München flüchteten sie sich zum Hakenkreuz" (II, 68); (2) Feuchtwangers Darstellung des völkischen Nationalismus als „Barbarentum" (II, 125), als „das letzte Zucken des Urwaldmenschen" (II, 130) unterschätzt die 'modernen' dynamischen Elemente des Nationalsozialismus;[22] (3) die Darstellung der jeweiligen Minister als „Strohpuppen" (II, 190) der Industriellen und Financiers (II, 163) stellt ein vulgärmaterialistisches Erklärungsschema politischer Vorgänge dar,[23] das Georg Lukács 1955 als „Ökonomismus" kritisierte[24] – Brecht hatte es bereits 1937 präzise in Feuchtwangers gänzlich unmaterialistischem Kosmos geortet: „Und wie oft haben Ihre Frau und ich Ihnen auseinandergesetzt, daß das Goethesche 'Am Gelde hängt, zum Gelde drängt doch alles' noch nicht reiner Marxismus ist! Ich sage das nicht ohne leisen Vorwurf!"[25]

Was besagt nun die 'Entschlüsselung' bestimmter Romanfiguren, was die in der Forschung so beliebte Konfrontation von facts und fiction? Soll der Anspruch des Romans *Erfolg* auf „historische Wahrheit" zurückgewiesen werden – oder gilt der von Döblin 1921 formulierte Grundsatz: „der Autor hat die Pflicht, sich gegen jedes – lobende oder tadelnde – Konfrontieren mit der Realität zu verwahren?"[26] Die bisherigen Anstrengungen, *Erfolg* als einen Roman zu lesen, der die empirische Geschichte Bayerns abbildet oder erklärt, führen in theoretische Aporien, für die Lösungen nicht zu erkennen sind.

Ich möchte im folgenden zeigen, daß diese Aporien sich im Rahmen einer Interpretation des Romans vermeiden lassen, die die Intentionen Feuchtwangers bei der Konzeption des Romans berücksichtigt. In seinem Artikel „Historische Gegenwart" (1928) hat Feuchtwanger diese Intentionen unmißverständlich formuliert. Er stellt zunächst klar, daß nicht Johanna Krain die Heldin des Romans ist „und keiner von den Menschen um sie herum". Feuchtwanger fährt fort:

> „Und nicht die politisierte Justiz von heute ist das Grundthema, auch nicht das Problem 'Erfolg', nach dem der Roman betitelt ist, *und nicht die Politik des Landes Bayern, der er den Stoff entnimmt.* Vielmehr wird dieses Buch, trotzdem seine Handlung in dem Bayern von heute oder genauer, in dem

Bayern von 1922/23 spielt, kein aktueller Roman sein und kein politischer, sondern ein historischer.

War ich in meinen Büchern bisher bemüht, Historie in Gegenwart zu verwandeln, so versuche ich jetzt umgekehrt, die Gegenwart historisch zu formen. Um das kleine, großspurige Bayern der Inflation und des Hitler-Putsches herum will ich eine Historie unseres Jahrzehnts schreiben. Die Schicksale von fünfzig oder sechzig bayrischen Menschen versuche ich einzuspannen in den größeren Rahmen des deutschen und den großen des Weltgeschehens. Bemüht, das Bayern der jüngsten Vergangenheit aus großer Distanz zu betrachten, [. . .] versuche ich, in dem Wirbel vieler kleiner bewegter Einzelschicksale das gemeinsame Gesetz zu finden, nach dem diese Schicksale ablaufen.

Ich glaube sagen zu dürfen, daß ich an dem Roman ohne Haß schreibe. Nicht aber ohne Tendenz. Meine Tendenz ist, das bunt tragische, komische, sensationelle Schicksal des Bayern einzureihen in die historische Notwendigkeit."[27]

Die Politik des Landes Bayern

Die Politik des Landes Bayern ist für Feuchtwanger lediglich „Stoff" seines historischen Romans; dessen Ziel ist es, die Geschichte Bayerns einzuordnen in die „historische Notwendigkeit". Was unter diesem Begriff zu verstehen ist, erläutert der Schriftsteller Tüverlin nach dem Scheitern des Kutzner-Putsches in einem „Zufall und Notwendigkeit" betitelten Abschnitt des Romans:

„Erschüttert geradezu erkannte Jacques Tüverlin die Zusammenhänge. Es schien historische Notwendigkeit, daß die Industrialisierung Mitteleuropas in nicht allzu schnellem Tempo vor sich gehe. In diesem Sinne war das Land Bayern ein guter Hemmschuh. In diesem Sinn hatte der historische Prozeß eine Gruppe der besonders Zurückgebliebenen hochgeschwemmt, den Kutzner und seine Leute. Als aber der Bremsklotz gar zu kräftig in Erscheinung trat, mußte er weggeräumt werden. Wiederum war es gut und ersparte weitere Katastrophen, wiederum war es historische Notwendigkeit, daß die Erledigung nicht etwa durch einen Fortgeschrittenen geschah, sondern durch einen, der sich selber nach Kräften gegen die Industrialisierung wehrte. So zeigte sich, daß sogar solche Zufälle wie die Führung dieses läppischen Putsches durch den armseligen Kutzner und sein Zusammenbruch durch den armseligen Flaucher einer gewissen Auslese unterlagen. Beider Männer Tun erwies sich, von oben gesehen, als ein Segen für das Land Bayern." (II, 302)

In welcher Weise Feuchtwanger in seinem Roman die „historische Notwendigkeit" mit dem 'gemeinsamen Gesetz' verknüpft, das die vielen Einzelschicksale bewegt, und welches der Anspruch auf „historische Wahrheit" ist, den Feuchtwanger für einen Roman erhebt, dem Geschichte lediglich als Stoff dient, werde ich im Zusammenhang mit Feuchtwangers Geschichtsphilosophie und seiner Theorie des historischen Romans zu klären versuchen.

2. *Skeptizismus, Fortschrittsgläubigkeit und die „Sinngebung des Sinnlosen"*

Lion Feuchtwanger hat sich bereits als Student nicht nur mit der Historiographie, sondern auch mit Geschichtsphilosophie beschäftigt; sein Aufsatz über Leopold von Ranke aus dem Jahre 1914 zeigt ihn als Kenner nicht nur Rankes, sondern auch der skeptizistischen Geschichtsphilosophie Nietzsches,[28] die ihn zeit seines Lebens ebenso stark prägte wie Theodor Lessings in der Nietzsche-Tradition stehendes Werk *Geschichte als Sinngebung des Sinnlosen*. Die materialistische Geschichtsphilosophie spielt hingegen in Feuchtwangers Werk kaum eine Rolle. Ich kann im folgenden Feuchtwangers Geschichtsphilosophie und Theorie des historischen Romans nur thesenförmig skizzieren und zugleich zeigen, wie diese Theorie in *Erfolg* umgesetzt ist.

(1) Mit Nietzsche und Theodor Lessing geht Feuchtwanger davon aus, daß es keinen Sinn i n der Geschichte gibt.[29] Aktives Handeln ist sinnlos, weil es nicht notwendig zum Erfolg führt, der Sinn einer Epoche kann nicht aus zahllosen sinnlosen Handlungen agglomeriert werden.

Die Überzeugung von der Zufälligkeit des Erfolgs, der intentionalem Handeln beschieden ist, stützt etwa seit 1915 Feuchtwangers These, daß Betrachten besser als Handeln ist. Diese Überzeugung bildet, wie Feuchtwanger 1931 formuliert, zugleich den „Kernpunkt" des Romans *Erfolg*: „Nun ist der Kernpunkt der Geschichte, abgesehen von ihrem Wert als rein objektives Bild Bayerns im Jahre 1922, der, daß alles, was die Frau [scil. Johanna Krain], in ihrem Bestreben, den Mann [scil. Krüger] zu retten, unternimmt, vollkommen irrelevant ist."[30] Zu dieser Einsicht gelangt auch die Johanna Krain des Romans *Erfolg* (I, 496/97; II, 226); sie formuliert Feuchtwangers Überzeugung sogar thesenartig: „Jede Tat, ob heiß oder lau, ob gegen die Natur oder aus ihr, ist blind, ist eine der sechsunddreißig Nummern der Roulette. Es ist undurchschaubar, ob sie gesegnet ist oder nicht" (II, 259). Die Maxime von der Zufälligkeit des Erfolgs intentionalen Handelns gilt indes nicht nur für die Krüger-Handlung des Romans, sondern auch für den Bereich der politischen Geschichte Bayerns: keine der handelnden Personen — Klenk, Flaucher, Kutzner und all die kleineren Chargen — erringt einen Erfolg. In beinah didaktischer Absicht werden Willkür oder Zufälligkeit des Erfolgs behandelt in der parabelhaften Erzählung „Polfahrt" des fünften Buchs.

(2) Im Unterschied zu Nietzsche und Theodor Lessing glaubt Feuchtwanger jedoch an einen Sinn d e r Geschichte. Welchen Sinn die Geschichte Bayerns im Roman *Erfolg* hat, geht aus dem oben angeführten Zitat Tüverlins hervor (II, 302). Die Auffassung, daß trotz der Sinnlosigkeit i n der Geschichte der Geschichtsprozeß als ganzer sinnvoll ist und unaufhaltsam auf eine höhere Vernunft zusteuert, ist für sämtliche historischen Romane Feuchtwangers charakteristisch, von *Erfolg* bis *Die Füchse im Weinberg* — im letzteren ist der „Fortschritt" sogar „der Held des Buches".[31] Kritisiert wurde Feuchtwangers Konzeption des historischen Fortschritts, der sich hinter dem Rücken der handelnden Subjekte vollzieht, sowohl von der marxistischen[32] als auch von der skeptizistischen Geschichtsphilosophie;[33] es fragt sich in der Tat, ob diese Geschichtskonzeption Feuchtwangers wesentliche Vorzüge besitzt vor den von Tüverlin abgelehnten

„guten Ratschlägen der Herren Hegel und Marx" (II, 262) oder auch nur vor dem „rosenroten Optimismus" des „populären Dichters" Pfisterer (I, 204). „Zuletzt, von oben gesehen", schreibt Feuchtwanger am Ende des Romans *Der falsche Nero*, „dient jeder Einzelwahn der Vernunft, welche die Zeit ordnet und weitertreibt"[34] — es scheint, als sei Feuchtwangers Geschichtsphilosophie ein problematischer Kompromiß aus Fortschrittsgläubigkeit und Skeptizismus.

(3) Handlungen i n der Geschichte sind sinnlos; ein Sinn kann ihnen verliehen werden nur durch die Historiographen oder Schriftsteller, die Sinnstifter des Sinnlosen. Diese Überzeugung akzentuiert Feuchtwanger in *Erfolg*, als er Tüverlin, einen der „repräsentativen Schriftsteller der Epoche" (II, 261), sich anschicken läßt, aus dem scheinbar sinnlosen Geschehen um den Mann Krüger eine sinnvolle Geschichte zu schreiben:

> „Alle Schicksale waren berufen, mitzuwirken an der Höherführung der Art; aber auserlesen waren nur diejenigen, die andere zwangen, sie weiterzuleben, sie aufzubewahren für die Kommenden. Ob ein Schicksal für die Art fruchtbar wurde, hing nicht ab von seiner Größe und Bedeutung, auch nicht von seinem Träger, sondern nur von seinem Betrachter, seinem Dichter. Indem das Schicksal Martin Krügers von Jacques Tüverlin Besitz ergriff, bekam das Martyrium dieses toten Mannes Sinn, bekam Jacques eigene und Johannas Entbehrung Sinn. Es trieb ihn, den Mann Krüger zu dichten." (II, 371)

In Anknüpfung an einige Passagen aus Nietzsches *Vom Nutzen und Nachteil der Historie für das Leben* und Theodor Lessings *Geschichte als Sinngebung des Sinnlosen* postuliert Feuchtwanger, die Kunst sei der wissenschaftlichen Historiographie in bezug auf eine wirkungsträchtige Geschichtsschreibung überlegen. In seinem in Moskau publizierten Aufsatz „Vom Sinn und Unsinn des historischen Romans" schreibt er: „Eine gute Legende, ein guter historischer Roman ist in den meisten Fällen glaubwürdiger, bildhaft wahrer, folgenreicher, wirksamer, lebendiger als eine saubere, exakte Darstellung der historischen Fakten",[35] und schon 1931 erhebt der „anmaßende Autor" den „Anspruch, daß sein subjektives Bild [scil. der Geschichte] schließlich der objektiven Realität an Dauer und Intensität überlegen ist."[36] Dieser — eher auf Theodor Lessing als auf Nietzsche zurückgehende — kategorische Überlegenheitsanspruch der ästhetischen über die wissenschaftliche Geschichtsschreibung spielt auch in *Erfolg* eine Rolle: zum einen in der Abwertung der wissenschaftlich-dokumentarischen Schreibweise des Rechtsanwalts Dr. Geyer (I, 85; I, 379/80), zum anderen in der Ablehnung des rein auf „theoretischer Erkenntnis" basierenden Krüger-Essays von Tüverlin (II, 32/33; II, 366). „Wahrheit" ist kein Prädikat von Wissenschaft, behauptet Tüverlin, sondern von Kunst:

> „Kam es darauf an, ob Jesus von Nazareth aktenmäßig gelebt hatte? Ein Bild von ihm existierte, das der Welt einleuchtete. Durch dieses Bild war, nur durch dieses Bild, Wahrheit entstanden. Es kam darauf an, daß Jacques Tüverlin ein Bild Martin Krügers erlebte, das er der Welt als wahr aufzwingen konnte." (II, 372)

(4) Für den der „historischen Wahrheit" verpflichteten Autor historischer Romane spielen weder die realientreue Abbildung noch die wissenschaftliche Erklärung
empirischer Fakten eine Rolle; Feuchtwanger schreibt dazu 1935: „Im Gegensatz
zum Wissenschaftler hat, scheint mir, der Autor historischer Romane das Recht,
eine illusionsfördernde Lüge einer illusionsstörenden Wahrheit vorzuziehen."[37]
1931 erklärt Feuchtwanger im *Berliner Tageblatt*: „Das Historische an einem Roman ist also nur eine Einkleidung, ein Mittel, nicht Selbstzweck."[38] Da Geschichte nur „Kostüm", nur „Stilisierungsmittel" ist, kann Feuchtwanger Stücke mit
identischem Problemgehalt in völlig verschiedenen historischen Zeiten — in
Feuchtwangers Terminologie: „Tapeten" — spielen lassen.[39] Da es keinen Sinn
i n   der Geschichte gibt, gerinnt der historische Ablauf auf der Ebene des 'Einzelwahns' zur „ewigen Wiederkehr des Gleichen" — sie ist die Grundmelodie in Tüverlins „Buch Bayern" (II, 350/51; II, 358; II, 365).

Weshalb der moderne historische Romancier keine schlichten Legenden mehr
schreiben kann, sondern einer detaillierten Kenntnis der historischen „Tapeten"
bedarf, erläutert Feuchtwanger 1932:

> „Der Autor von heute muß damit rechnen, daß seine Leser aus eigener An-
> schauung oder durch Film und Rundfunk die äußere Struktur der Welt
> ziemlich genau kennen. Er muß, will er die Illusion nicht empfindlich ge-
> fährden, im Leser den Eindruck erwecken, daß er selber die Dinge kennt,
> von denen er spricht."[40]

Da die „sachliche Darstellung" kein Wert an sich, sondern nur ein Mittel der Il-
lusionsförderung ist, sieht Feuchtwanger auch in der „Neuen Sachlichkeit" der
zwanziger Jahre „lediglich ein Darstellungsmittel", nicht aber „den Zweck des
heutigen Prosaepos."[41]
(5) Das Ziel des Romans ist es nach Feuchtwanger, auf die „Gefühle" des Lesers
zu wirken:

> „Wer verkündet, der heutige Roman strebe an, den Leser über äußere Tatbe-
> stände, soziologische oder psychologische Fragen zu informieren, der ist ein
> Schwindler. Der heutige Roman überläßt das mit der gleichen Seelenruhe
> wie der frühere der Wissenschaft und dem Bericht des guten Reporters. Er
> will nicht auf die Wißbegierde, sondern auf die Gefühle des Lesers wirken,
> allerdings ohne mit der Logik und dem Wissen des Lesers in Konflikt zu
> kommen. Sein Ziel ist, was von jeher das Ziel der Kunst war, dem Empfan-
> genden das Lebensgefühl des Autors zu vermitteln."[42]

Aus diesem Zitat geht hervor, daß Feuchtwanger eine emotional-persuasive Literaturkonzeption verfolgt und nicht, wie sein zeitweiliger Mitarbeiter Brecht, eine
kognitiv-diskursive.[43] Die Auffassung, daß der „wahre Schriftsteller" bei „aller
Kälte der Erkenntnis nicht leben kann, ohne an seinen Gegenstand Haß und Liebe
zu wenden" (II, 126), vertritt Feuchtwanger auch in „Erfolg": Liebe zu Bayern
empfindet der Schriftsteller Tüverlin schon lange (I, 375/76), erst als der — er-

kennbar mehr poetologisch denn moralisch motivierte – „Haß" Tüverlin über-
kommt (II, 350/51; II, 355), ist er reif für die „Vision" des 'Buches Bayern'.
(6) Wer aber steht letztlich ein für die „historische Wahrheit" des historischen Romans, wer für seinen Überlegenheitsanspruch über die wissenschaftliche Historiographie? Nach Feuchtwanger ist es allein der Autor: „Die Legitimation eines historischen Romans ist nicht die Exaktheit seines Materials, sondern einzig und allein
die dichterische Persönlichkeit seines Autors."[44] Feuchtwangers historische Romane argumentieren nicht für seine Geschichtsphilosophie, sie illustrieren sie lediglich; sie sind, wenn man so will, geschichtsphilosophische Thesenromane, man-
nigfaltige Variationen auf die „ewige Wiederkehr des Gleichen", die gleichwohl
den Sieg der Vernunft verbürgen soll.

3. 'Erklärungen oder Maschinengewehre' – Gerechtigkeit oder Erfolg?

Die vorstehenden Ausführungen zu Feuchtwangers Geschichtsphilosophie und
Theorie des Romans – mitsamt der Applikation auf *Erfolg* – liefern zu einer Interpretation selbstverständlich nur einen Grundriß. Ich möchte abschließend zumindest noch skizzieren, welche aufschließende Kraft dieser Grundriß für die Interpretation, die ästhetische Konzeption und die Kritik des Romans besitzt.
Feuchtwanger zeigt in *Erfolg*, daß praktisches Handeln der Ebene des unkalkulier-
baren 'Einzelwahns' zugehört und stützt damit zumindest implizit seine These
von der Überlegenheit des Betrachtens über das Handeln. Keiner der Politiker erreicht sein Ziel, siegreich aus den politischen Kämpfen geht mit 'historischer Notwendigkeit' die Vernunft hervor. Ihren Sieg verdankt die historische Vernunft
freilich nicht nur den Vorgängen der 'wirklichen' Geschichte Bayerns, sondern
auch fingierten Ereignissen, in deren Gestaltung Feuchtwanger sein „Überlegen-
heitsgelächter über die Fakta" (Nietzsche) anstimmt. „Die ganze bayrische Politik" wird „herumgeworfen" durch die „damische Nierengeschichte", die sich der
Minister Klenk beim außerehelichen Verkehr mit der schwindsüchtigen russischen
Tänzerin Insarowa zugezogen hat (I, 467); der Frühjahrsputsch des Rupert Kutzner fällt ins Wasser, weil des Führers Nerven durch das „Geflenn" seiner Mutter
ruiniert sind (II, 210-212); der Minister Flaucher vermag die Versammlungen der
'Wahrhaft Deutschen' zu verbieten, weil nicht allein „Gott", sondern, weit wichtiger, das „kalifornische Mammut" mit einem Dollarkredit hinter ihm steht (II,
214) – aus solchen ironischen Einzelzügen der politischen Haupt- und Staatsak-
tion folgerte Thomas Mann vermutlich, *Erfolg* sei ein satirischer Roman.
    Die im Roman vieldiskutierte und an einem ganzen Spektrum von Künstlern
verschiedener Berufszweige illustrierte 'Kunstproblematik' sowie die „Spiegelung
des Romangeschehens im Roman selbst" mag letztlich ein Indiz des „ästhetischen
Krisenbewußtseins im modernen Roman"[45] sein – in *Erfolg* versucht Feuchtwanger, wie mir scheint, recht unmittelbar auch den Schriftsteller auf die Rolle des
Betrachtenden zu verpflichten, wie er es bereits in *Warren Hastings* und *Thomas
Wendt* getan hatte. Interpretiert man die 'Kunstdebatten' unter diesem sowohl

von der Werkgeschichte als auch von der Geschichtsphilosophie Feuchtwangers
nahegelegten Aspekt, so wird auch verständlich, warum diese Debatten einen so
geringen kognitiven Gehalt haben, die einen Bezug zu den programmatischen Literaturdebatten der zwanziger Jahre allenfalls im geläufigen Zitieren, nicht aber
in der Argumentation aufweisen: die Gespräche sind 'von oben' arrangiert, Jacques Tüverlin bleibt mit 'historischer Notwendigkeit' erster Sieger. Weder die wissenschaftlich-dokumentarische Schreibweise Dr. Geyers noch die aktivistische
Literaturkonzeption Kaspar Pröckls erhalten − in Theorie und Praxis − die Chance einer Bewährung. Geyer scheitert, als Politiker und Schriftsteller, nicht aus politischen oder literarischen, sondern aus Gründen, die in seiner Person liegen.
Nicht viel besser ergeht es Kaspar Pröckl, der vom Autor gleichfalls nicht mit politischen oder literaturprogrammatischen Argumenten, sondern mit psychologischen Deutungen geschlagen wird (I, 422; I, 405; II, 266), die übrigens nicht nur
von Romanfiguren, sondern auch vom auktorialen Erzähler stammen (II, 138).
Pröckls schließliche Flucht „gen Osten" (II, 333-338) ist gleichfalls psychologisch
motiviert. Durch die Begegnung mit seinem 'Doppelgänger' (I, 566), dem Maler
Fritz Eugen Brendel, den sein Wahrheitsfanatismus in die Schizophrenie getrieben
hat, 'lernt' Pröckl eine Überzeugung Feuchtwangers, daß nämlich die „reine absolute Wahrheit" auch in der Kunst „unerträglich, nicht erstrebenswert, unmensch-
lich, nicht wissenswert"[46] ist. Pröckl gibt seine Kunst auf (II, 142), und für ihn,
„wollte er nicht wie der Maler Landholzer in Schizophrenie verfallen", bleibt deshalb „einziger Halt ein Leben inmitten eines praktischen, realisierten Marxismus",
den es „nur in Rußland" (II, 336) gab. Bei einer derart nach Ideen Feuchtwangers
arrangierten Konzeption der 'Kunstproblematik', ihrer Repräsentanten und ihrer
Umsetzung in Handlung werden nur intellektuell weniger anspruchsvolle Antimar-
xisten ungetrübte Freude an dem Triumph der Romanfiguren über die 'armselige,
verlogene Talmiwissenschaftlichkeit' (I, 423) und „finstere Intoleranz" (II, 260)
des Marxismus empfinden − die zuletzt zitierte Stelle der Erstausgabe wird den
Lesern der Neuausgaben in der DDR und in der Bundesrepublik bis heute vorenthalten.

Die Interpretation von *Erfolg* als eines letztlich geschichtsphilosophischen Thesen-
romans hat eine aufschließende Kraft auch für die ästhetische Konzeption des Romans. Sie vermag zu erklären, weshalb in einer so verwickelt dargebotenen viel-
strängigen Romanhandlung, in der verschiedene Erzählweisen und -perspektiven
kombiniert, individuelles Geschehen mit globalen historischen Informationen
durchsetzt wird, letztlich stets die Interpretation des Autors regiert, die „a priori
vorausgesetzt" ist und „nicht aus dem ästhetischen Prozeß selbst"[47] entfaltet
wird. Feuchtwanger hat die Modernisierung der Sujets und Erzähltechniken im
Roman in einen Zusammenhang mit der „Neuen Sachlichkeit" gebracht, zugleich
jedoch festgestellt, daß diese Modernisierung der „Einheit" der dichterischen
„Grundvision" zu dienen habe:

„Der heutige Mensch ist durch den Film rascher in der Auffassung geworden, wendiger in der Aufnahme schnellwechselnder Bilder und Situationen.
Das heutige Prosaepos macht sich das zunutze. Es hat vom Film gelernt. Es

wagt mit Erfolg, eine viel größere Fülle von Gesichten zwischen zwei Buch-
deckel zusammenzupressen als der frühere. Der heutige Roman wagt sich
daran, die endlose Vielfalt der Welt in ihrer Gleichzeitigkeit darzustellen. Er
gibt oft nicht eine oder zwei oder drei Handlungen, sondern zwanzig oder
fünfzig, ohne doch die Einheitlichkeit seiner Grundvision zu gefährden."[48]

Wolfgang Müller-Funk hat in einer überzeugenden Untersuchung gezeigt, daß
Feuchtwanger systematisch alle Stilmittel, die Brecht für den Verfremdungs-Ef-
fekt einsetzte, um Einfühlung und Illusion zu zerstören – dokumentarische Ein-
schübe, statistische Materialien, filmische Techniken usw. – zur Perfektionierung
von Einfühlung und Illusionsbildung umfunktioniert hat. In der Tat verliert der
Leser von Erfolg niemals den Eindruck, 'geführt' zu werden: er wird auch in dem
kontinuierlichen Wechsel der Figurenperspektive kaum vor unvereinbare Deutungen gestellt und kann sich darauf verlassen, in mit der Handlung nicht zusam-
menhängenden Parabeln wie „Polfahrt" nicht vom Thema abgeführt zu werden,
sondern dessen 'harten Kern', die Erfolgsproblematik, vorgeführt zu bekommen.
Erfolg ist denn auch einer der großen Triumphe des 'olympisch' arrangierenden
Erzählers im zwanzigsten Jahrhundert über immense Stoffmengen; ein Roman,
der die Elemente einer fragmentierten Realität noch einmal zusammenfaßt zur
„Einheitlichkeit" einer ästhetischen Grundvision, die freilich schon recht formali-
stische Züge trägt. Von der „Geist-Macht"-Problematik her gehört Erfolg in die
Vorkriegs- oder Kriegszeit, in der Adaption avancierterer Erzähltechniken behauptet er sich in der „Neuen Sachlichkeit", in der Rückbindung dieser Techniken an
die traditionelle Illusionsbildung freilich bleibt Feuchtwanger mit seinem Roman
hinter seinen Vorbildern Brecht und Döblin zurück, denen er eine „eigenbrötleri-
sche Bastelei" an „Formproblemen"[49] vorwarf.
     Der skizzierte Grundriß einer Interpretation von Erfolg gibt schließlich einige
Hinweise zu einer Kritik des Romans, die Feuchtwangers Intentionen berücksichtigt und nicht so desinteressiert über sie hinweggeht wie die Kritik von Georg
Lukács, der den historischen Skeptizismus von Schopenhauer bis zur Gegenwart
als subjektivistische Verblendung bürgerlicher Geschichtsphilosophen ablehnt.
Eine Kritik an Erfolg kann kaum ansetzen an Feuchtwangers – durch die Geschichte korrigierter – Annahme, im Roman auf eine überwundene Krisenperiode
der deutschen Geschichte zurückblicken zu können, nicht an seiner Vermutung,
der Nationalsozialismus sei überwunden, Hitler sei erledigt: „Im Angriff war der
eitle Mann von ungeheurem Elan: einmal ausgerutscht aber, langte er schwerlich
zum zweitenmal an die gleiche Sache" (II, 172). Fehlprognosen solcher Art können Feuchtwanger umso weniger zum Vorwurf gemacht werden, als uns der Mar-
xist Joseph Pischel – und die Geschichte – darüber belehrt, daß 1928 „nicht einmal organisierte Kommunisten, die den Klassencharakter des Faschismus durch-
schauten und wissenschaftlich analysierten",[50] vorauszusehen vermochten, wozu
der Faschismus in der Lage war.
     Den Ansatzpunkt für die Kritik an Feuchtwangers Roman Erfolg sehe ich viel-
mehr in einer Geschichtsphilosophie, die alles praktische Handeln dem unkalku-

lierbaren 'Einzelwahn' überläßt, gleichwohl jedoch einen historischen Fortschritt postuliert. Eine solche Geschichtsphilosophie bleibt theoretisch folgenlos, weil sie universell anwendbar ist und jede historische Erfahrung sich ihr bruchlos subsumieren läßt – Feuchtwangers weitere Entwicklung als historischer Romancier zeigt das recht deutlich. Eine derartige Geschichtsphilosophie eignet sich kaum als Grundlage für eine Theorie des historischen Romans, die sich einen Überlegenheitsanspruch über die wissenschaftliche Geschichtsschreibung vindiziert, zumal wenn dieser Überlegenheitsanspruch sich allein auf die dichterische Vision eines Individuums gründet, das doch dem 'Einzelwahn' prinzipiell auch unterliegt. Feuchtwangers Geschichtsphilosophie bleibt auch praktisch folgenlos: da die Folgen und Erfolge des Handelns und des Nichthandelns gleichermaßen unkalkulierbar sind, läßt sich aus ihr nicht einmal eine Präferenz für den kontemplativen Quietismus gegenüber dem Aktivismus ableiten. Feuchtwangers persönliche Präferenz für das Betrachten gegenüber dem Handeln verfehlt ironischerweise gerade die Pointe der Historismus-Kritik Nietzsches, die dem Handelnden sein gutes Gewissen zurückzugeben trachtete – auch und gerade vor der Übermacht der historischen Erfahrung: im Unterschied zur „Historie" sollte gerade die 'zum Kunstwerk umgebildete Historie' als „reines Kunstgebilde" die „Instinkte erhalten oder sogar wecken".[51]

Feuchtwangers Geschichtsphilosophie bleibt schließlich ethisch folgenlos, weil keine Normen für vernünftiges Handeln aufgestellt werden können, wenn dem Handeln die Möglichkeit der Vernunft a priori bestritten wird. Konsequent folgert Johanna Krain: „Kampf, selbst für eine gute Sache [. . .] macht schlecht" (II, 196). Die Auffassung, daß es für Recht und Ethik in der Welt des 'Einzelwahns' keine Begründungen gibt, stellt nicht nur die Basis von Tüverlins weltanschaulichem Relativismus (I, 305) dar, sondern auch die Basis für die Übereinstimmung Tüverlins mit seinem Widersacher Klenk. Mit dem Kant-Wort, „Recht und Ethik stünden außerhalb jeden Verhältnisses" (II, 33), das Tüverlin seinem Krüger-Essay als Motto beigibt, begründet Klenk seine Ersetzung des Begriffs „Ethik" durch „Boden" und „Volk", sein politisches Handeln nach der Maxime: „auf den Erfolg kommt es an, auf sonst nichts" (II, 78/79). Der Quietismus Tüverlins und der Aktivismus Klenks haben mehr Gemeinsamkeiten, als in den bisherigen Interpretationen des Romans herausgearbeitet wurde: Tüverlin vermag der machiavellistischen Erfolgsethik Klenks keine Ethik gegenüberzustellen (vgl. I, 190 und I, 210), seine 'Mißbilligung' (II, 304) der terroristischen Unrechtspraxis des bayrischen Justizministers ist eher privater Natur, prinzipiell stimmt er mit Klenk überein in der Auffassung, „immer sei die gerechte Sache identisch mit der erfolgreichen" (II, 169) – eine Maxime, die er auch noch nach dem gescheiterten Kutzner-Putsch vertritt: „Ein Staatsstreich, der mißglückte, war Hochverrat, ein Staatsstreich, der glückte, war Recht, wirkte Recht und machte die bisherigen Rechtsinhaber zu Hochverrätern" (II, 315).

Nicht nur für Tüverlin ist der reaktionäre Justizminister „ein ungewöhnlich sympathischer Mann" (I, 212), der ihm trotz vorsätzlicher Rechtsbeugung „das Herz wärmte" (II, 304), selbst der auktoriale Erzähler sieht in dem „riesenhaften bayrischen Mann eine Anmut" verkörpert, „die auch seine Feinde spürten" (II, 170).

Westermanns Monatshefte

Lernen Sie jetzt die neueste Ausgabe von Deutschlands großem Kultur-Magazin in seiner neuen Konzeption kennen. Ein kostenloses Probeheft ist für Sie reserviert.

Nur wenn Westermanns Monatshefte Sie überzeugen und Sie nicht abschreiben, erhalten Sie Monat für Monat das große Kulturmagazin mit rund 20 % Preisvorteil, also für nur 8,80 DM pro Heft plus Porto statt 12,– DM Einzelpreis.

Gutschein

für ein kostenloses Probeheft.

JA, bitte senden Sie mir die neueste Ausgabe von Westermanns Monatsheften zum Kennenlernen und Behalten. Ich werde das Heft kritisch prüfen und Sie innerhalb von 10 Tagen benachrichtigen, falls ich keine weitere Ausgabe lesen möchte. Sollten Sie nichts von mir hören, erhalte ich Westermanns Monatshefte – zunächst für ein Jahr und dann bis auf Widerruf – monatlich zum günstigen Abo-Preis von 8,80 DM plus Porto.

_____

Name

_____

Straße

_____

PLZ/Ort

_____

Datum/Unterschrift

Vertrauens-Garantie: Ich weiß, daß ich diese Bestellung innerhalb von 10 Tagen rückgängig machen kann und bestätige dies durch meine 2. Unterschrift. Zur Wahrung der Frist genügt die rechtzeitige Absendung.

_____

Unterschrift

Westermanns Monatshefte

Bitte abtrennen und ausgefüllt absenden an:

Westermanns Monatshefte
Leser-Service
Postfach 3320,
3300 Braunschwieg

✂

Bitte mit
60 Pfennig
freimachen

**Westermanns
Monatshefte**

Leser-Service
Postfach 3320
3300 Braunschweig

Tüverlins Achtung vor Klenk geht bis zur Zuneigung (II, 304), bis zum Neid auf ihn (II, 305); seine Vorbehalte gegen Klenk reduzieren sich auf den Vorwurf, dieser habe die „Fairneß" verletzt – ein Vorwurf, den Klenk nur allzu leicht als „Luxus" zurückweisen kann (II, 305). Zwischen einer skeptisch abgelehnten Weltanschauungsethik – „Ethos und Sozialgefühl" (II, 33) – und einer für praktisches Handeln verbindlichen Moral gibt es für Tüverlin keine Brücke – seine „Fairneß" ist eine eher privatistische Ethik (II, 33). In Tüverlins Achtung vor Klenk spiegelt sich nicht nur die skeptizistische Resignation des 'Geistigen' vor der 'Macht', sondern auch Feuchtwangers – im ganzen Frühwerk virulente – Bewunderung für den „Tätigen und Mächtigen", dem nach Nietzsche „die Geschichte gehört."[52] Diese Art Skeptizismus folgt indessen weder aus Nietzsche noch aus Theodor Lessing notwendig – gerade der letztere verfocht beharrlich die These, daß „Erfolg kein gesetzmäßiges Verhältnis zum Wert hat."[53]

Nach so viel Übereinstimmung zwischen Tüverlin und Klenk ist des ersteren „Empörung gegen die Justiz der Zeit" nicht nur ein „neuer Klang" (II, 373) in Tüverlins „Buch Bayern", sondern auch ein kaum überzeugend motivierter in Feuchtwangers Roman *Erfolg*. Daß der Roman den Leser, wie Joseph Pischel schreibt, zu einer eindeutigen Parteinahme" gegen „den Faschismus, gegen die Klassenjustiz, für die Vernunft, für den gesellschaftlichen Fortschritt usf."[54] einnimmt, dürfte, wenn die Feststellung richtig ist, eher eine Leistung des Rezipienten als die Leistung eines geschichtsphilosophischen Romans sein, der die Ebene des politischen Handelns den Mächtigen überläßt.

Blickt man von dieser Konzeption des historischen Romans bei Feuchtwanger, die in *Erfolg* von Tüverlin vertreten wird, auf die ästhetischen Kontroversen im Roman zurück, so scheinen die Position Tüverlins, seine 'Entwicklung' vom Hedonisten zum Empörer wider die bayrische Justiz, sein 'Sieg' über die wissenschaftlich-dokumentarische Literaturkonzeption Dr. Geyers und die aktivistische Kaspar Pröckls eher auf die List des arrangierenden Erzählers als auf argumentativ überzeugende Motivationen zurückzuführen. Tüverlins gegen die elfte Feuerbachthese von Marx gerichteter Anspruch, „das einzige Mittel", die Welt „zu ändern", sei, „sie zu erklären", erscheint genauso wenig begründet wie sein Credo zwingend: „Ich glaube an gutbeschriebenes Papier mehr als an Maschinengewehre" (II, 358/59).

Feuchtwangers *Erfolg* ist, wie mir scheint, ein Roman, dessen Qualitäten weder in der Erklärung der Welt noch in seiner geschichtsphilosophischen Konzeption liegen, sondern in einer ironisch auf die Geschichte anspielenden fiktionalen Gestaltung von „Drei Jahre Geschichte einer Provinz."

Anmerkungen

1 Da die Romane *Erfolg, Geschwister Oppenheim* und *Exil* von Feuchtwanger erst nach dem Abschluß von *Exil* zu einer Trilogie verknüpft wurden, bleibt der Zusammenhang der drei Romane im folgenden unberücksichtigt.

2 Vgl. vor allem: Joseph Pischel, *Lion Feuchtwangers „Wartesaal"-Trilogie. Zur Entwicklung des deutschen bürgerlich-kritischen Romans in den Jahren 1918-1945.* Diss. phil. Rostock [Typoskript] 1966; Synnöve Clason, *Die Welt erklären. Geschichte und Fiktion in Lion Feuchtwangers Roman Erfolg.* Stockholm (1975) = Stockholmer germanistische Forschungen 19; Egon Brückener/Klaus Modick, *Lion Feuchtwangers Roman Erfolg.* Kronberg/Ts. 1978 (=Monographien Literaturwissenschaft 42); Wolfgang Müller-Funk, *Literatur als geschichtliches Argument. Zur ästhetischen Konzeption und Geschichtsverarbeitung in Lion Feuchtwangers Romantrilogie 'Der Wartesaal'.* Frankfurt/M., Bern (1981) (= Europäische Hochschulschriften, Reihe I, Band 415). – In die Konzeption des historischen Romans bei Feuchtwanger führt am genauesten die letztgenannte Arbeit ein, der ich wichtige Anregungen verdanke.

3 Thomas Mann, „Freund Feuchtwanger" (1954). In: Hans Lamm (Hg.), *Von Juden in München.* München 1958, S. 212-214, S. 212.

4 Zur theoretischen Fundierung der Interpretation als Rekonstruktion der Autorintention vgl. Eric Donald Hirsch, Jr., *Prinzipien der Interpretation.* München (1972) [Validity in Interpretation, 1967] und Lutz Danneberg/Hans-Harald Müller, „Probleme der Textinterpretation. Analytische Rekonstruktion und Versuch einer konzeptionellen Lösung." In: *Kodikas/Code* 3 (1981) S. 133-168.

5 Feuchtwanger, „Versuch einer Selbstbiographie." In: L.F., *Centum Opuscula. Eine Auswahl.* Rudolstadt (1958) S. 363. – Der Band wird im folgenden abgekürzt zitiert unter der Sigle CO.

6 Vgl. dazu: Horst Hartmann, „Die Antithetik 'Macht und Geist' im Werk Lion Feuchtwangers." In: *Weimarer Beiträge* 7 (1961) S. 667-693.

7 Vgl. dazu: Wolfgang Brauer, „Tun und Nichttun. Zu Lion Feuchtwangers Geschichtsbild." In: *Neue deutsche Literatur* Jg. 7, Nr. 6 (Juni 1959) S. 113-122.

8 Feuchtwanger, „Warren Hastings. Selbstanzeige" (1916). In: *CO* S. 386.

9 Zur Selbstinterpretation von *Thomas Wendt* (1920) vgl. Feuchtwanger, „Selbstdarstellung" (1933). In: *CO* S. 369.

10 Vgl. Ulrich Weisstein, „Clio, The Muse: An Analysis of Lion Feuchtwanger's 'Erfolg'". In: John M. Spalek (Ed.), *Lion Feuchtwanger. The Man, his Ideas, his Work.* Los Angeles 1972, S. 157-186, S. 160.

11 Feuchtwanger, „Versuch einer Selbstbiographie" (1926). In: *CO* S. 364.

12 Feuchtwanger, „Alfred Döblins Roman [*Die drei Sprünge des Wang-lun*]" (1916). In: *CO* S. 338.

13 Feuchtwanger, „Wallenstein". In: *Die Weltbühne* Jg. 17, Nr. 21 (26.5.1921) S. 573-575, S. 575.

14 Alfred Döblin, „Der historische Roman und wir." In: A.D., *Aufsätze zur Literatur.* Olten und Freiburg im Breisgau (1963) S. 163-186, S. 167.

15 Vgl. dazu Müller-Funk, S. 108/09.

16 *Lion Feuchtwanger.* Herausgegeben vom Kollektiv für Literaturgeschichte im volkseigenen Verlag Volk und Wissen. Berlin 1961, S. 50; vgl. Brückener/Modick S. 102, 159.

17 Vgl. Müller-Funk, S. 142/43 u. S. 163-206.

18 Gut herausgearbeitet bei Clason, S. 105/06 u. S. 115.

19 Bertolt Brecht, *Briefe.* Herausgegeben und kommentiert von Günter Glaeser. (Frankfurt am Main 1981), S. 326 (Mai 1937).

20 Brückener/Modick, S. 15 glauben sogar, daß Feuchtwangers Erklärungen des

politischen Geschehens „heute im wesentlichen als von empirischer Wissenschaft verifizierte Analysen begriffen werden können."

21 Müller-Funk, S. 174.
22 Vgl. ibd. S. 179.
23 Vgl. Pischel, S. 269; Müller-Funk, S. 185/86.
24 Georg Lukács, *Der historische Roman.* Berlin 1955, S. 319.
25 Bertold Brecht, *Briefe,* S. 327 (Juni 1937).
26 Alfred Döblin, „Der Epiker, sein Stoff und die Kritik". In: A.D., *Aufsätze zur Literatur,* S. 335-344, S. 339.
27 Feuchtwanger, „Historische Gegenwart." In: *Berliner Tageblatt* Nr. 265, 1. Beiblatt (7.6.1928). Hervorhebung von mir.
28 Feuchtwanger, „Leopold von Ranke." In: *Das literarische Echo* Jg. 16, Heft 19 (1. Juli 1914) Sp. 1309-1313.
29 Feuchtwanger, „Vom Sinn und Unsinn des historischen Romans" (1935). In: *CO* S. 514.
30 Feuchtwanger, „Mein Roman 'Erfolg'." In: *CO* S. 398.
31 Feuchtwanger, Zu meinem Roman 'Waffen für Amerika' (1954). In *CO* S. 410.
32 Vgl. Lukács, *Der historische Roman,* S. 298/99 u.ä.
33 Vgl. Uwe Karl Faulhaber, „Lion Feuchtwanger's Theory of the Historical Novel." In: John M. Spalek (Ed.), *Lion Feuchtwanger. The Man, his Ideas, his Work.* Los Angeles 1972, S. 67-82, S. 72 und Müller-Funk, S. 329, 335. – Eine gute Zusammenstellung und Auswertung von Feuchtwangers Äußerungen zum historischen Roman findet sich im übrigen bei Keith Herbert Morehouse, Lion Feuchtwanger: *The Theory and Practice of Historical 'Fabulation'.* Ph. D. Boston College 1977 (University Microfilms).
34 Feuchtwanger, *Der falsche Nero.* Roman. Berlin 1949, S. 410.
35 Feuchtwanger, „Vom Sinn und Unsinn des historischen Romans" (1935). In: *CO* S. 513.
36 Feuchtwanger, „Historischer Roman – Roman von heute!" In: *Berliner Tageblatt* Nr. 540, 1. Beiblatt (15.11.1931).
37 Feuchtwanger, „Vom Sinn und Unsinn des historischen Romans", S. 512.
38 Siehe Anm. 55; dasselbe ausführlicher in: „Vom Sinn und Unsinn des historischen Romans", S. 510.
39 Feuchtwanger, „Zu meinem Stück 'Die Petroleuminseln'" (1927). In: *CO* S. 392.
40 Feuchtwanger, „Der Roman von heute ist international" (1932). In: *CO* S. 436.
41 Ibd.
42 Ibd. S. 436/37.
43 Vgl. dazu Müller-Funk S. 28, 324.
44 Siehe Anm. 55; vgl. auch Feuchtwanger, „Der Roman von heute ist international" (1932). In: *CO* S. 437.
45 Müller Funk, S. 112/13, vgl. auch S. 322.
46 Näher ausgeführt ist diese These im zweiten Band von Feuchtwangers „Josephus"-Trilogie, Vgl. Feuchtwanger, *Die Söhne.* Roman. Berlin und Weimar 1974 (= Lion Feuchtwanger, Gesammelte Werke in Einzelausgaben. Band 3) S. 435-437.
47 Müller-Funk, S. 116.

48 Feuchtwanger, „Der Roman von heute ist international" (1932). In: *CO* S. 435/36.
49 Feuchtwanger, Die Konstellation der Literatur (1927). In: *CO* S. 420.
50 Pischel, S. 251.
51 Friedrich Nietzsche, „Vom Nutzen und Nachteil der Historie für das Leben." In: F.N., *Werke in drei Bänden* (Herausgegeben von Karl Schlechta). Erster Band. München [8]1977, S. 252.
52 Ibd. S. 219.
53 Theodor Lessing, *Geschichte als Sinngebung des Sinnlosen.* München 1919 [[1]1916] S. 130.
54 Pischel, S. 375.

FRITZ HACKERT

JOSEPH ROTH: *RADETZKYMARSCH* (1932)

„Lassen S' die Geschicht'!"

Als am Sonntag, dem 17. April 1932, in der *Frankfurter Zeitung* der Vorabdruck
von Roths Familiensaga *Der Radetzkymarsch* [!] begann, lagen nach dem Zeugnis
der Briefe fast anderthalb Jahre mühseligster Arbeit an dem „altösterreichischen
Roman"[1] zurück, und das Manuskript war noch keineswegs abgeschlossen. Bereits
am Anfang macht sich im Zeitungstext des Romans das Kompositionsgeschäft bemerkbar: „Die Trottas waren ein junges Geschlecht. Der Großvater Carl Josephs
(von dem wir auf diesen Blättern erzählen wollen) hatte den Adel bekommen."
Vom Enkel ist nun im folgenden Erzählverlauf überhaupt nicht mehr die Rede, so
daß sich die Erwähnung der Generationentrias hier als voreilig und die Blickrichtung auf Carl Joseph als irritierend erweist. Perspektivisch bereinigt lautet der
zweite Satz denn auch in der Buchfassung: „Ihr Ahnherr hatte nach der Schlacht
bei Solferino den Adel bekommen." (11)[2]
Den Charaktertypus seiner Generationsvertreter, deren Frauen übrigens ausgespart blieben, brachte Roth in dem Vorwort, das er dem Zeitungsabdruck voraus-
schickte, auf die Formel der „Spartaner unter den Österreichern." Und er glaubt,
„an ihrem Aufstieg, an ihrem Untergang [. . .] den Willen jener unheimlichen
Macht erkennen zu dürfen, die am Schicksal eines Geschlechts" das eines Volkes
und Reichs vor Augen führt. Beiläufig und in Klammern, wie häufig in seinem
Werk, tut sich dabei das historische Konzept für seinen Geschichtsroman auf: „Die
Völker vergehn, die Reiche verwehn. (Aus den vergehenden besteht die Geschichte.)" (IV, 406)
Keine der zeitgenössischen Rezensionen konnte bestreiten, daß Roth diese Ge-
schichtsauffassung in gelungene literarische Stimmungsbilder umgesetzt hatte. Ja,
gelegentlich protestierte die Kritik gegen das Übermaß von Melancholie und berief
sich auf die Wahrheit der Realgeschichte: „Soviel Untergangsstimmung, als die
Schilderung Roths aushaucht, war nie vorhanden."[3] Auch in der Übersetzung
blieb die deprimierende Wirkung des österreichischen Dämmerszenariums erhalten, so daß Gabriel Marcel beim Erscheinen der französischen Ausgabe zusammen-
faßte: „S'il y a une épithète qui caractérise mieux qu'une autre le chef-d'oeuvre
de Roth, c'est celle de *crépusculaire.*"[4] Von den gleichzeitigen Gestaltungsbeispie-
len der untergegangenen k. u. k. Monarchie erhält Robert Musils erster Band des
Manns ohne Eigenschaften als das „eigentliche Buch über Österreich", in dem sich
,ein geniehafter Mensch an der Arbeit" zeigt, den Vorzug vor dem *Radetzkymarsch.*[5] Und aus Roths Freundeskreis, wo man um die gegenseitige Abneigung
beider Schriftsteller wußte, ist Musils eigenes Verdikt bekannt, das Rothsche
Opus sei „ein sehr hübsch geschriebener Kasernenroman."[6]
Unter ideologischen Gesichtspunkten rücken selbstverständlich höchst verschiedene Passagen des Romans ins Zentrum des Interesses und der Wertung. So bildet

für die CV-Zeitung, das „Organ des Central-Vereins deutscher Staatsbürger jüdischen Glaubens", die „Mitte" des Buches „das Todesgespräch, das der jüdische Regimentsarzt Max Demant" mit dem Enkel des Helden von Solferino führt. Die Klischees von Biologismus und Stammesdenken stempeln auch hier den Kritiker zum Kind seiner Zeit, wenn er über die angestrebte Medizinerkarriere bemerkt, „Max Demant trieb das Blut in die Studierstuben", und für dessen Freund parallel dazu formuliert: „Carl Joseph treibt es zur Scholle". Im Hinblick auf die Jahreswende zu Hitlers Machtergreifung wirkt an der Buchbesprechung jedoch besonders bedrückend, daß der *Radetzkymarsch* die Verleumdung Roths als „Kulturbolschewist" widerlegen soll und – eine vergebliche Geste präventiver Selbstempfehlung – des Autors „konservativer Geist einmal wieder beweist, wie oberflächlich diese Schematisierung 'jüdischen' Schrifttums ist."[7]

Einem Verfechter völkischen Ideenguts Verständnis für die Werkintention zu entlocken, war von vornherein ein hoffnungsloses Unterfangen. Wo das Gestaltungsziel, wie beim *Radetzkymarsch*, ausdrücklich zugegeben wurde, da brauchte die Ablehnung bloß nachzuformulieren. Karl Kutzbach, der dazu *Die Neue Literatur* von Will Vesper benutzte, bereitete seine negative Sicht von „Geschichte [. : .] als Vergehen und Verwehen" mit der Beanstandung vor, daß in dem Roman „so wenig wie ein kraftvoll zielbewußter Wille wahrhaft mütterliche und mädchenfrische Gestalten vorkommen, die auf Werdendes hoffen lassen;"[8] – eine Mängelrüge, die sich samt ihrer ideologischen Basis in der Roth-Forschung erhalten hat.[9] Gegen den heroischen Optimismus und seine Projektionen, die neben der Frau als Mutter den Mann als Soldaten propagierten, machte Ludwig Marcuse mit dem *Radetzkymarsch* Front. Dem „Typ der lauten Kommandeure, die man heute wieder Helden nennt", sieht er in Carl Joseph von Trotta „eine heroische Unaktivität" gegenübergestellt, in der sich nicht weniger als im kriegerischen Helden „ein säkularer europäischer Typ" manifestiert. Ihn finde man nicht nur als „eine Inkarnation des späten Vorkriegs-Österreich. Er existiert seit mehr als hundert Jahren im Osten und im Westen, im Norden und im Süden unter vielen Namen." So hat der Weltschmerz sich „hier im untergehenden Österreich" lediglich den passendsten Stoff gesucht und hat „die Melancholie des Einzelnen [. . .] ihr tausendfaches Echo in der Melancholie eines Weltreichs" gefunden. Der Roman bietet gerade „keine Erforschung einer Epoche, eines gesellschaftlichen Zustandes" aus der Geschichte, sondern lebt nach Marcuse, wie Roths Gegenwartsschilderungen, aus dem „Brennpunkt dieser Zeit".[10]

Auf den Nenner von „Dekadenz und Heroismus" gebracht, untersuchte Rolf Geissler die ideologische Antithetik, auf welche sich Marcuse bezog, am Beispiel der Beurteilung von Dekadenzromanen durch die völkisch-nationalsozialistische Literaturkritik. Sein etwas diffuser Begriff des Zeitromans, nämlich daß jener „auf eine konkrete Zeitwirklichkeit" ausgerichtet sei,[11] erlaubt ihm auch die Behandlung des *Radetzkymarschs* – zugegebenermaßen ein Werk, in dem „das Dekadenzproblem stärker auf der Seite der Geschichte" akzentuiert ist.[12] In dem Dilemma, aus dem sich diese Modifikation herauszuwinden versucht, steckt offensichtlich jene Streitfrage, die Marcuse aufgeworfen hatte, als er den gewählten Geschichtsstoff zum angemessensten Ausdrucksmittel für die Aktualitätsproblematik des Autors erklärte. Obwohl Geissler sich ihr zugunsten seiner Analyse von Dekadenzdarstellung entzieht, stellt er mit seiner Bemerkung über den Romanschluß wie Marcuse den Gegentyp zum antiquierten militärischen Heros heraus und bezeichnet Carl Josephs Handeln als „frei vom heldischen Anspruch und ohne Vergleich zur Tat seines Großvaters," ihn selbst als „namenlosen 'Helden' des neuen Massenkrieges."[13] Doch seine humanitäre Regung „einem neuen Ethos der demokratischen Massengesellschaft" zuzuschreiben, greift über den Horizont dieser literarischen Figur weit hinaus. Geschichte in ihrer Entwicklung und ihren Neuerungen bleibt dem Bewußtsein Carl Josephs fremd. Er opferte sich für keinerlei historisch verständliches Ziel, denn längst war ihm die „Sinnerfahrung geschichtlichen Daseins überhaupt" verlorengegangen.[14]

Was im *Radetzkymarsch* als „geschichtliche Tatsächlichkeit" erscheint, „ist ganz von der subjektiven Erfahrung aufgesogen."[15] Insofern bietet sich „Österreich als eine geglaubte Ordnung dar, abhängig von der Perspektive des einzelnen."[16] Und weil den Trottas, angefangen bei dem zur Legende gewordenen Helden von Solferino, Generation für Generation die persönliche Identifikation mit Österreich zerstört wird, gewinnt Geschichte die „Struktur der 'Fiktion'" und handelt der Roman von einem „'Traum-Österreich', das mehr als Stil denn als eine geschichtliche Analyse zu uns spricht."[17]

Wenn es sich hier um ein Beispiel aus der Tradition des „Habsburgischen Mythos in der Österreichischen Literatur" handelt,[18] das − „aus dem Jahre 1932" stammend − sein historisches Fernweh und die Intensität seiner Projektion dem „Schock des Aufstiegs und der Drohung des Nazismus" verdankt, dann müßten eigentlich Bedenken dagegen auftauchen, daß diese „mythologische Beschwörung der habsburgischen Welt" einfach deren „ganzen, im Ton unaufhaltsamen Niedergangs enthaltenen Geist" zu erkennen geben soll.[19]

Abgesehen von einem kurzen Blick auf die Gattungsproblematik der Rothschen Geschichtsromane,[20] widmete sich die Forschung erst mit Hansjürgen Bönings Monographie detaillierter dem *Radetzkymarsch*.[21] An der minuziösen Formanalyse, welcher eine Liste der Übersetzungen bis zum Jahr 1961 und im Anhang eine Sammlung von Textparallelen aus der stoff- und motivgleichen Literatur beigegeben ist, hatte die germanistische Konkurrenz zwar das allzu positivistische Verfahren auszusetzen; doch konnte den Strukturbeobachtungen die Anerkennung nicht versagt bleiben.[22] Innerhalb seiner Ausführungen zur Zeitgestaltung schlüsselt Böning das historische Orientierungsgerüst am genauesten mit der im Roman sich wiederholenden Antithese von „Heute − Damals"[23] auf, die ebenso ein immer wieder vernehmbarer auktorialer Erzähler wie auch fast jede Erzählfigur für sich in Anspruch nimmt. Daraus ergibt sich eine Stetigkeit und Penetranz der Retrospektive, die jedem Gegenwartsgeschehen seine Geltung bestreitet. Schon die Gründungstat des Adelsgeschlechts ist dieser Art von Relativierung unterworfen, wenn der Vater des Helden von Solferino seinen zum Hauptmann beförderten Sohn in der üblichen Phraseologie der Altersegozentrik begrüßt: „'Gratuliere, gratuliere!' [. . .] 'Zu meiner Zeit ist es nie so schnell gegangen! Zu meiner Zeit hat uns noch der Radetzky gezwiebelt!'" (15) Von ihm, der die verlorene Schlacht und die Verwundung des Kaisers nicht mehr erleben mußte, ist schon für den er-

sten der Trottas von Sipolje bloß noch Marschmusik übriggeblieben, klanggeworde-
ne Geschichtslegende, wie sie auch die historische Tat von Solferino aufsaugen
und mit ihren romantischen Schablonen als geschichtliche Realität auslöschen
wird.

Keine Erfolgsgeschichte des Hauses Trotta nimmt hier also ihren Ausgang, vielmehr bindet die Adelsverleihung den Helden an die zerfallende habsburgische Monarchie und verurteilt seine Nachkommen dazu, mit ihr unterzugehen. Sie alle
suchen ihr Heil in irgendeiner Art von Flucht, aber „Willenlosigkeit und Schwäche
des Repräsentanten des Fin de siècle, wie ihn der Dichter um 1932 sieht, haben
sich gleichsam potenziert"[24] und radikalisiert. Zwar ist von der Gegenwart voller
Kapitalismus, Sozialrevolution, Technik und Chauvinismus, wie zahlreiche Ro-
manstellen belegen, die Kunstwelt Altösterreichs liebevoll abgesetzt, aber nicht
als existenzfähige Alternative. Die Personen „empfinden sie in schmerzlicher Weise als Welt des Nicht-mehr"[25], als 'weichende Zeit' sozusagen, ein Gefühl historischer Bodenlosigkeit, dem die hier zitierte Arbeit aus der Staiger-Schule umso besser auf den Grund kam als deren poetologische Tradition selbst in die Entstehungszeit des Romans zurückreicht: sie enthält die in den zwanziger Jahren kon-
zipierte existentialistische Regression und baut mit dem damaligen konservativen
Kulturpessimismus auf die Gegenwelt einer idealisierten Klassik.[26]

Daß 'Weimars Ende'[27] aus dem Ende der k. u. k. -Monarchie im *Radetzkymarsch* vernehmbar ist, zeigen Vermutungen und stereotype Hinweise in der
Roth-Literatur immer wieder an. Curt Sanger bemerkte zu den passiven Figuren
und Antihelden, die den Rückzug in eine private Naturverbundenheit wählen,
daß sie „more often than not had been conditioned in a Spenglerian sense by
their proximity to the soil."[28] Und einer der zahlreichen Interpreten von Roths
Erzähltechnik, für den der stimmungsfreudige Leser „an der Hand des Erzählers
die gute alte Zeit" durchwandert, muß sich nach der Besinnung darauf, daß der
Radetzkymarsch 1932 erschien, „in dem Jahr, in dem sich die politische Entwicklung zum Hitlerdeutschland klar abzuzeichnen begann",[29] doch wesentlich korrigieren: „Ein spezifisch Roth'scher und beileibe nicht historischer Kaiser Franz
Joseph" tritt da auf;[30] deutlich identifiziert sich der Erzähler mit der „verlorenen Enkelgeneration",[31] weil er selbst „jener wurzellosen und entwurzelten Generation angehört",[32] die er schon in seinen Gesellschaftsromanen über die Nachkriegszeit beschrieben hatte; so bietet „auch die Welt vor dem Krieg, die Welt des
Radetzkymarsch, mit ihrer sozialen Struktur keine Sicherheit",[33] nur hat sich
„Europa nach dem Krieg" gleichsam in ein „Irrenhaus" verwandelt.[34]

Die Zeitgeschichte setzt sich nach Hartmut Scheible, der bewundernswürdig den
Subtilitäten von Roths Erzählstil nachspürte, sogar symptomatisch im Wortge-
brauch des *Radetzkymarsch* durch. Im Zusammenhang mit seiner Sprachkritik,
die in der Beanstandung feuilletonistischer Darstellungsreste die Einwände der ersten Kritiker wieder aufnimmt,[35] vermutet er, daß die mechanische und hyper-
trophe Verwendung des 'man', die kaum eine Roth-Interpretation zu ignorieren vermag, „nicht bloß dem Bestreben des Autors zuzuschreiben sei, die Ich-
schwäche seiner Gestalten deutlich werden zu lassen, sondern auch ein Reflex
zeitgenössischer Philosopheme sei, deren Erfolg wiederum aus ihrer Zeitgemäß-

heit herzuleiten wäre; immerhin hatte Heidegger [. . .] in seinem fünf Jahre vor dem *Radetzkymarsch* erschienenen Hauptwerk *Sein und Zeit* (1927) dem 'Man' solche Wichtigkeit beigelegt, daß er es als 'Existential' institutionalisierte". Scheible, der die philosophische Gegnerschaft der 'Frankfurter Schule' und ihr Haltungsmuster nicht verleugnet,[36] ist der Überzeugung, „daß das, was im Werk als ästhetischer Fehler sich niederschlägt, nicht selten auf außerästhetische Gründe zurückzuführen ist."[37] Hatten Roths Zeitgenossen die Romanfiguren als Projektionen seines Weltschmerzes angesprochen, so bestätigt sich werkanalytisch diese Behauptung in dem Nachweis, daß der Erzähler „dem Kreis seiner Gestalten sich eingegliedert" hat.[38] Weil er die retrospektive Einstellung mit ihnen teilt, die Böning als beherrschende Zeitstruktur erkannte, enthüllt der Rückblick gar keine konkrete Vergangenheit, sondern führt lediglich einen „Gestus des 'Damals'" aus. Das „'Damals' wird zur *Gebärde*, die allen Gestalten zur Verfügung steht wie das 'Da kann man nix machen'".[39] Nicht genug, daß im Bewußtsein der Trottas die „Idee der erfüllten Tradition von Generation zu Generation zurückweicht",[40] auch der Kaiser − „von allen Romangestalten [. . .] allein dem Erzähler überlegen"[41] − streicht mit seinen letzten Worten „'Wär' ich nur bei Solferino gefallen!' [. . .] sein Leben nachträglich durch."[42] Zweifellos wird im *Radetzkymarsch* Historie auf diese Weise zu subjektiven Mythen transformiert, nicht zuletzt zum Großvater-Mythos, den Carl Joseph und Max Demant teilen,[43] und Kaiserbild wie Porträt des Helden von Solferino haben die zentrale Funktion, die ins Bild entrückte leblose Geschichte zu symbolisieren. Indessen haben die Romanpersonen keine Chance, sich ihr zu entziehen und eine irgendwie geartete Lebenserfüllung und Identität zu erlangen. Denn die Vorwelt derer von Trotta, die „bäuerlichen slawischen Vorfahren" (16), deren Existenzform Sinn zu haben schien, hat ihrerseits per definitionem keine Geschichte, sondern verkörpert geradezu die „Anonymität des Mythos"[44]. Bis auf die „reflektierenden Exkurse, die nicht oder nur notdürftig mit der Handlung verknüpft sind",[45] entledigt sich der Roman ästhetisch jeder historischen Verbindlichkeit, so daß man ihm sogar seine Gattungszugehörigkeit absprechen und erklären kann: „Der 'Radetzkymarsch' ist kein historischer Roman."[46]

Roth selbst scheint dafür noch die Bestätigung zu liefern, denn er bemerkt während seiner Arbeit an den *Hundert Tagen* in einem Brief an Carl Seelig (11. Nov. 1934): „Ich schreibe übrigens zum ersten Mal einen historischen Roman [. . .]".[47] Seine Begründung der Genre-Wahl − „weil ich im Stoff ein Mittel gefunden habe, mich *direkt* auszudrücken [. . .] und 'privat' zu werden"[48] − läßt jedoch erkennen, weshalb der *Radetzkymarsch* keinen Anlaß zu Klagen über Gattungsprobleme bot. In jenen Geschichtsstoff nämlich reichte die Privatexistenz des Autors noch unmittelbar hinein, wogegen der subjektive Zugriff beim Napoleon-Roman damit nicht legitimiert werden konnte, vielmehr mit dem Widerstand fundierter Deutungstraditionen zu rechnen hatte. Nähe oder Ferne des Autors zu seinem historischen Stoff konstituieren aber nicht die Gattungsaspekte seines Erzählens. Sie gehen aus der technischen Konvention, der Erzählgestik hervor, die sich mit ihren Bedeutungssignalen in einem Lesepublikum festgesetzt hat.[49] Selbstverständlich signalisieren im *Radetzkymarsch* „die Momente der beginnenden und sich immer deutlicher abzeichnenden Auflösung" eine geschichtliche Bewegung und ihre Richtung: im Erzähler steckt „der Historiker als der 'rückwärts gewandte Prophet' ebenso wie der aus der Distanz von zwei bis drei Jahrzehnten erzählende Romancier."[50] Nur fällt es offenbar schwer, zu begreifen und zu akzeptieren, daß in diesem Geschichtsroman eine Entwicklung mißbilligt wird, obwohl sie als unaufhaltsam darzustellen, weil ja im Erzählzeitpunkt längst vollzogen war. Die Zeichen der Zeit, die im *Radetzkymarsch* vom Untergang der Monarchie künden, sind ja keine sozialkritischen Erkenntnisleistungen des Autors und besitzen schon gar nicht seine Zustimmung, wie das Beispiel des Nationalismus am unzweideutigsten zeigt. Dieser stand 1932 in faschistischem Gewand vor größeren Triumphen denn je, wie auch die Unruhe unter den Borstenarbeitern gegenüber den Streiks in der Weimarer Republik lediglich eine Tendenz-Andeutung bildet, so daß in der Tat hier „die politisch-soziale Anklage mehr Beiwerk zur Darstellung der Konfliktsituation des Leutnants von Trotta" ist.[51] Weder die nationalistische, noch die sozialistische Perspektive besitzen für den Autor Zukunftswert, der in einem seiner vorhergehenden Romane, der *Flucht ohne Ende* (1927), die romantische Überhebung seines Helden und seinen Schritt in die Fiktion[52] als Ausweg empfahl: „Es scheint mir, daß zwischen der Qual, diese Wirklichkeit, diese unwahren Kategorien, seelenlosen Begriffe, ausgehöhlten Schemata zu ertragen, und der Lust, in einer Unwirklichkeit zu leben, die sich selbst bekennt, keine Wahl mehr sein kann." (I, 417) Welche Wertvorstellungen auf dieser Position übrig blieben und im Stadium der „Rückwendung zur Vergangenheit" noch sichtbar sind, ist eine Frage, die in der Forschung immer wieder handfeste Antworten provozierte. Ideologiekritisch versuchte in das Gemenge konservativer Affekte und Ideen der Vorschlag Ordnung zu bringen, daß die regressiven und hierarchischen Elemente des mythisierenden Erzählens starke Affinitäten zu „völkisch-nationalistischen Wertbegriffen"[53] aufzuweisen hätten. Doch den „Kaiser von Gottesgnaden" in Parallele zur Führerfigur und die Sozialbindung „in der Geschlechterkette" auf dem Hintergrund des rassistischen Ahnenkults zu verstehen, setzt das Werk von Roth in krassen und unverständlichen Widerspruch zu seinem expliziten politischen Standpunkt. Ihn hat man bei den Veröffentlichungen im 'Christlichen Ständestaat' immerhin eine Zeit lang auf der Seite des Austrofaschismus und dessen bürgerlich-konservativer Diktatur zu suchen. Schlicht eine „rückwärts gewandte Utopie", einen „'unpolitischen' Roman, wie ein Neujahrs-Festkonzert konsumierbar",[54] hatte Roth mit dem *Radetzkymarsch* gewiß nicht im Sinn, denn – so bleibt diese Auslegung in Selbstwidersprüchen stecken – „die 'Kontrastwelt' zur Weimarer Republik, die Zeit des österreichischen Kaiserreichs [. . .] ist für Roth hier nicht einfach die 'gute alte Zeit'".[55] Nicht daß bei ihm dieses Geschichtsmodell fehlen würde. Aus „unfruchtbarer Nostalgie das Bild einer politischen Utopie"[56] entwirft er sicher in einem andern Erzähltext, der „Büste des Kaisers", den Hartmut Scheible als Beleg für „Joseph Roths Flucht aus der Geschichte" heranzieht. Erneut gelingt Scheible aufgrund der Strukturgleichheit seiner theoretischen Basis mit Roths Kulturpessimismus[57] die präzise Unterscheidung verschiedener Modalitäten, die Roths Geschichtskonzept in seinen Werken annimmt, und er resümiert für den *Radetzkymarsch* gewissermaßen Roths 'romantischen' Entschluß, „die alte

Zeit, wenn es sein mußte, durch einen Akt der Willkür wieder zu installieren."[58]
Daß dem Resultat seine Irrealität anhaftet, die ihrerseits eine verzweifelte Kompensation aktueller Bedrohtheit bildet, führt Scheible näher aus: „reale Tage waren es nicht, die dieser Autor enthüllte, eher: Denkmale von Tagen. Wie auch die Welt, die er bei allem scheinbaren Realismus zeichnete, keine Wirklichkeit beanspruchen kann, es sei denn die eines Monuments, aufgerichtet gegen das in politische Agonie sinkende Europa. Unmittelbar deutlich wird das an der Entstehungsgeschichte des *Radetzkymarsches.* Am 23. Oktober 1930 schreibt Roth an Stefan Zweig: 'Sie haben Recht, Europa begeht Selbstmord, und die langsame und grausame Art dieses Selbstmordes kommt daher, daß es eine Leiche ist, die Selbstmord begeht.'"[59] Bilder, Metaphern, Motive und Szenen von Tod und Untergang durchziehen den Roman in einer unaufhörlichen Kette: „das große, schwarze Gesetz, das die Leichensteine heranrollte [. . .]". (101) Er beginnt mit den Sterbenden in den Schlachtreihen von Solferino und endet mit dem Begräbnis des Bezirkshauptmanns. Das Schema von Aufstieg und Fall eines Geschlechts, mit dem Roth in seiner Ankündigung ein Erwartungsmuster aktiviert, kommt dadurch überhaupt nicht zur Entfaltung. Der soziale Aufstieg beruht im übrigen auch nicht auf den geschichtlichen Verdiensten einer Familie um das Herrscherhaus, sondern auf einem puren Zufall gleich dem, der den Friseur des Kaisers beim Manöver trifft. Wörtlich knüpft der tragikomische Vorgang an das Entfremdungserlebnis des Helden von Solferino beim Besuch seines Vaters an (vgl. 15) und parodiert damit ausdrücklich das heroische Schicksal:

> „So, so! Schon Korporal? Zu meiner Zeit", sagte der Kaiser, wie etwa ein Veteran gesagt hätte, „ist's nie so fix gegangen! Aber, Sie sind auch ein ganz fescher Soldat. Wollen S' beim Militär bleiben?" – Der Friseur Hartenstein besaß Weib und Kind und einen guten Laden in Olmütz und hatte schon ein paarmal versucht, einen Gelenkrheumatismus zu simulieren, um recht bald entlassen zu werden. Aber er konnte dem Kaiser nicht nein sagen. „Jawohl, Majestät", sagte er und wußte in diesem Augenblick, daß er sein ganzes Leben verpatzt hatte. – „Na, dann is gut. Dann sind Sie Feldwebel! Aber sind S' nicht so nervös!"
> So. Jetzt hatte der Kaiser einen glücklich gemacht. Er freute sich. (218)

Geschichte in ihrem höchsten Repräsentanten bemächtigt sich hier mechanisch einer Existenz, um ihr eine sinnlose Wende zu geben, und offenbart dadurch ihre eigene Sinnlosigkeit. Eben darin besteht die Eigentümlichkeit dieses Geschichtsromans, daß sein repräsentierendes Material nicht den ehemals lebendigen Vollzug von Geschichte fingiert, sondern sie als eine Sammlung disparater Versatzstücke darbietet – ungeachtet der eingestreuten Hinweise des Autors auf die Ordnungskonventionen der 'Alten Zeit'. Eben sie nämlich üben auf die ihnen unterworfenen historischen Personen die fatalste Wirkung aus, fallen demnach als Funktionen aus ihrem Sinnzusammenhang und existieren gleichermaßen nur noch als Klischees.
Um den Eindruck von geschichtlicher Authentizität hat sich Roth aber durch-

aus bemüht. „Er studierte das habsburgische Hofzeremoniell, sammelte Bilder der k. u. k. Armee, verschaffte sich ein dickes Buch mit Abbildungen von Regimentsuniformen und Rangabzeichen und machte sich mit dem Kanzleideutsch der alten Monarchie vertraut."[60] Höchst wahrscheinlich benutzte er die Kaiserbiographie seines Freundes Karl Tschuppik (Franz Joseph I., Hellerau 1928)[61]; beim „apokalyptischen Regimentsfest [. . .] da die Nachricht vom Mord am gefürchteten Thronfolger einlangt" haben „die Schlußszenen der *Letzten Tage der Menschheit*" von Karl Kraus „ersichtlich und grausig vorgeschwebt"[62]; und von den „formelhaft erstarrten Wendungen, mit denen Trotta [. . .] die Bereitschaft, für den Kaiser zu sterben, beteuert", ist zum Beispiel der „unsäglich läppische Reim: 'Mit einem Worte, an jedem Orte.' [. . .] ohne daß der Erzähler es zu erkennen gibt, wörtlich dem Fahneneid der k. u. k. Armee entnommen!"[63] Aufmerksam wurde man auch darauf, „daß ein berühmter Höhepunkt des Romans, die Beschreibung der Fronleichnamsprozession, bis in sprachliche Details hinein einem früher sehr bekannten Roman nachgebildet ist, der fast gleichzeitig mit Roths Roman veröffentlicht wurde: Bruno Brehms *Apis und Este*" (1931)[64]. Und noch die Zusammenarbeit mit Blanche Gidon bei der französischen Übersetzung bezeugt, daß mit der Behandlung der „Austriazismen"[65] das Problem der atmosphärischen Stimmigkeit zur Debatte stand. „Vor der Drucklegung ließ Gustav Kiepenheuer Alexander Lernet-Holenia, einen seiner Autoren, die im Manuskript vorkommenden militärischen Einzelheiten überprüfen"[66] – eine Maßnahme, auf die wohl entsprechende, am Romanbeginn schon registrierbare Differenzen zwischen dem Zeitungs- und dem Buchdruck zurückgehen. Waren es zuerst „die dunkelblauen Rücken seiner Soldaten"[67], die der Held von Solferino vor sich sah, so heißt es danach in der Buchfassung: „die weißen Rücken" (11). An dem Brief, den er auf seine Einwände gegen die Darstellung der Tat im Lesebuch erhält (vgl. 19), wurde moniert, daß die „Realien [. .] für den Kenner der k. u. k. wie der k.k. Vergangenheit mancherlei zu wünschen übrig [lassen]. Kein Unterrichtsminister hätte einem Hauptmann je etwas 'respektabelst' mitgeteilt, während wieder auf den Kaiser bezügliche Gegenstände als 'Allerhöchst', nicht als 'höchst' (noch dazu kleingeschrieben) bezeichnet wurden. Und im Jahre 1840 ergingen nicht Erlasse, sondern Hofkanzleidekrete. Der Minister für Kultus und Unterricht wurde abgekürzt Unterrichtsminister (und nicht Kultusminister) genannt. Ebendiese Excellenz hätte den Hauptmann von Trotta niemals 'respektvollst' um Abstand von einer Beschwerde ersucht, sondern höchstens 'sich der Erwartung hingegeben', daß der 'in die Kenntnis gesetzte' durch die 'diesseitigen Aufklärungen befriedigt sei'!"[68] Freilich erinnern gerade solche Reklamationen an „den Obersten Festetics und den Rittmeister Zschoch", beschäftigt mit ihren Einladungsbriefen und dabei ausholend zu „heftigen Diskussionen über stilistische Fragen. So hielt zum Beispiel der Oberst die Wendung 'Und erlaubt sich das Regiment untertänigst' für gestattet, während der Rittmeister der Ansicht war, daß sowohl das 'und' falsch sei als auch das 'untertänigst' nicht ganz zulässig." (278)

„Niemals war der Respekt vor dem 'Stoff' größer, naiver, kurzsichtiger." (IV, 247) – so verabschiedete sich Roth 1930 von der Neuen Sachlichkeit. Gerade im Geschichtsroman läßt sich, wie Scheible gezeigt hat, „der eklatante Verstoß gegen die historische Wahrheit" als Erhärtung von Roths Plädoyer gegen die dokumentarische Verifikation und für das ästhetische Ziel unter Beweis stellen. Objektiv falsch nämlich ist in der Beschreibung der Fronleichnamsprozession die Bezeichnung Franz Josephs als „Römischer Kaiser Deutscher Nation" (192), doch „die euphorische Begeisterung des Leutnants (und vielleicht auch des Erzählers)" gelangte mit dieser „Beschwörung der Tradition" zu ihrem adäquaten Gipfel.[69] Der *Radetzkymarsch* enthält Geschichte nicht als realistischen Vorgang, sondern zitiert ein topisch fixiertes k. u. k. Österreich — bei den Figuren den Typus des Dieners, des Leutnants, des Bezirkshauptmanns, des Kaisers. Wie im Zeitroman nicht das Gegenwartsgeschehen konkret in Schilderung übersetzt ist, sperrt sich auch Roths Geschichtsroman gegen die Zumutung der Faktographie, gegen das Verlangen nach Wiedererkennung einer Epoche durch den Leser. „In meinem Roman [. . .]", so widersetzt sich Roth diesem Verlangen, „findet er eine andere oder gar keine." Und rigoros wird der Stoff zugunsten der sprachlichen Gestaltung abgewertet: „Das Rohmaterial sinkt also in meinen Büchern zur Bedeutungslosigkeit einer Illustration." (IV, 242) Die Geringschätzung der stofflichen Vorlage macht sich im Fall des historischen Romans besonders in den *Hundert Tagen* bemerkbar, wo der Napoleon-Biographie auf befremdliche Weise der Verlauf einer Heiligen-Vita eingeschrieben ist und die geschichtlichen Tatsachen in den Hintergrund gedrängt oder einfach vernachlässigt sind: „Waterloo wird vertuscht, die Rollen werden mehr oder weniger willkürlich zweitrangigen Personen zugeteilt, Fouché bleibt in dem klischeehaften Bild des düsteren Schurken verhaftet. Es ist ein Geschichtsbild, wo um 1815 in den Pariser Cafés Akkordeon gespielt wird, und in dem Roth ahnungslos die Königin Hortense zur Tochter Napoleons macht."[70] So hätte man es offenbar auch hier wieder mit keinem Exemplar der Gattung Geschichtsroman zu tun, es sei denn das Konzept des Genres hätte sich von seiner historischen Konvention gelöst.

Zum Realismus, wie ihn Roth von „der realistischen Epik seit der Mitte des 19. Jahrhunderts bis zu Proust und André Gide" (IV, 241) die Literatur beherrschen sieht, geht er ausdrücklich auf Distanz. Und auch für den Geschichtsroman hat er nicht das positivistische Modell im Auge, sondern eine jüngere Ausprägung der Gattung. Seine Gratulation unter den Glückwunschadressen zu Lion Feuchtwangers 50. Geburtstag deutet auf das Vorbild: „Meiner Ansicht nach ist er der wirkliche Erneuerer des historischen Romans deutscher Sprache."[71] Feuchtwanger hatte nach Überwindung verlagsbedingter Schwierigkeiten dem neuartigen Typ mit seinem *Jud Süß* (1925) zu ungeheurem Erfolg verholfen, und er nahm zu seiner Verwendung des Geschichtsmaterials für diesen Roman auch Stellung: „Vor Jahren [. . .] lag mir einmal daran, den Weg eines Mannes zu zeigen vom Tun zum Nichttun, von der Aktion zur Betrachtung, von europäischer zu indischer Weltanschauung. Es lag nahe, diese Idee zur Entwicklung eines Mannes aus der Zeitgeschichte zu gestalten: Walter Rathenaus. Ich versuchte es: es mißlang. Ich legte den Stoff zwei Jahrhunderte zurück und versuchte, den Weg des Juden Süß Oppenheimer darzustellen: ich kam meinem Ziel näher."[72] Vom Tun zum Nichttun — von Macht und Anmaßung zu innerer Einkehr und Demut, wie die Formel für Napoleons Wandlung in Roths *Hundert Tagen* lautet: der legendarische Entwurf ergreift Besitz vom historischen Stoff, ein Zeugnis für den Geschichtsrelativismus und die Historismus-Krise der zwanziger Jahre.

Am Feuchtwangerschen Beispiel bereits bewahrheitet sich, was dann im Geschichtsroman der Exilliteratur nicht mehr zu übersehen war: „Er ist [. . .] als historischer Roman in *spezifischem* Sinne Gegenwartsroman: Man versucht sich in historischen Modellkonstruktionen, die Analogieschlüsse auf die eigene Gegenwart und Zukunftsprognosen gestatten sollen; man gestaltet geschichtliche Panoramen, in die solche Bedeutungsarrangements, solche Sinn- und Wertorientierungen einfließen, die Erklärungsmöglichkeiten des Zeitgeschehens anbieten und als Standortbestimmungen des Autors erkennbar gemacht werden."[73] Für den Entwicklungsverlauf innerhalb der Gattung bis zu dieser neuen Konzeption fehlt bisher eine Gesamtuntersuchung.[74] Keine Frage dürfte sein, daß das historistische Modell außer Kraft gesetzt ist, deshalb Anachronismen zum Beispiel keinen Einwand gegen die Darstellung mehr bilden können, denn verhandelt wird eben nicht die Vergangenheit. Dennoch bricht die Tradition des Genres keineswegs ab, sondern setzt sich – abgesehen von der Stoffgrundlage – in augenfälligen Form- und Inhaltskonventionen der Geschichtsdichtung fort, die beim *Radetzkymarsch* auch in längst trivialisierte Muster hineinreichen: „Ich bin der letzte Trotta!" (156)[75]

Formgeschichtliche Gründe waren es wohl, die außer der sozialhistorischen Analyse dem Roman seine erstaunlich positive Rezension durch Georg Lukács eintrugen. Denn gerade seine zentralen Bauformen entsprechen dem von Lukács zum Paradigma des Realismus erhobenen und im 19. Jahrhundert weidlich popularisierten 'Typus Scott'.[76] Dessen Grundformel besagt, daß sich in den Reaktionen einer Hauptperson aus sozialer Mittellage die Historie gleichzeitig in der Unmittelbarkeit subjektiver Erfahrung erzeugen und in der Objektivität erlittener Verhältnisse darstellen läßt.[77] So glänzend nun Roth an seinen „mittelmäßigen Beamten und Offizieren"[78] den Zerfall der Monarchie exekutiert, gibt sich Lukács doch keiner Täuschung über das nach seinen Maßstäben defizitäre Geschichtsbild im *Radetzkymarsch* hin: daß „die unterdrückten Klassen nicht mehr nach der alten Art leben wollen, darauf weist Roth überhaupt nicht hin"[79]; auf „die wirtschaftliche Notwendigkeit, die historisch das Entstehen der österreich-ungarischen Monarchie bedingte, darauf geht er gar nicht ein. Ebensowenig rühren den Autor auch die sozialen Tendenzen, die unvermeidlich zum Sturz führten." Für seine „Psychologie der Untergangsperiode"[80] dienen Roth diese Faktoren „bestenfalls als Hintergrund"[81], geben also keine geschichtliche Perspektivierung ab. Der Geschichtsprozeß läuft mit dem Ende der Monarchie aus, und was dann kommt, erscheint dem Grafen Chojnicki nur noch als Irrenhaus. „Chojnicki (und zusammen mit ihm auch Roth) nimmt an, daß danach das Chaos folgt, Untergang der Kultur, Herrschaft der Barbarei."[82]

Bei Carl Joseph, dem Enkel, flackert zwar im Gefühl vom „Untergang der Welt" das Bewußtsein einer Zeitenwende auf, er sieht „die Zeiten wie zwei Felsen gegeneinanderrollen, und er selbst, der Leutnant, ward zwischen beiden zertrümmert." (206) Aber der Bezirkshauptmann „sah nur den Untergang der Welt!" (163) Denn „die Welt war nicht mehr die alte Welt. Sie ging unter. Und es war in der Ordnung, daß eine Stunde vor ihrem Untergang die Täler recht behielten ge-

gen die Berge, die Jungen gegen die Alten, die Dummköpfe gegen die Vernünftigen." (228) Und noch einmal, als er die Mitteilung erhält, daß sein Sohn die Armee verlassen will: „Alles, alles in der Welt schien seinen Sinn verloren zu haben.
Der Untergang der Welt schien angebrochen!" (232) Pauschal wie ein Schlagwort
kündigt die Untergangsparole, leitmotivisch mit der Todesmetaphorik abwechselnd, dem geschichtlichen Kontinuum auf und klingt damit wie ein Echo der
wirkungsvollsten philosophischen Manifestationen deutschen Zeitgeistes nach
dem Ersten Weltkrieg, „Spenglers *Untergang des Abendlandes* und Heideggers
Sein und Zeit."[83] Dem „Eindruck eines zwangsläufigen Auflösungsprozesses"[84],
des Niedergangs und Geschichtsschwunds unterlagen auch ideologisch für uns un-
verdächtigere Zeugen. Karl Jaspers, der 1931 'Die geistige Situation der Zeit'
diagnostizierte, vertraute eben noch dem Entwurf als letztem Zukunftsschimmer:
„Auf die Frage, was denn heute noch sei, ist zu antworten: das *Bewußtsein von
Gefahr und Verlust* als das Bewußtsein der radikalen Krise. Es ist heute nur Möglichkeit, nicht Besitz und Garantie."[85] „In geradezu frappierender Übereinstimmung wurde die Krise als Ergebnis einer langen Entwicklung, nicht als Einbruch
von etwas Neuem gewertet."[86] Gefühle „der Abgehobenheit, Heimatlosigkeit"[87]
und „Tragik"[88] herrschten vor, die „Erfahrung eines Geschichtsbuchs"[89] wurde
zum großen Thema, und es kam zu dem „seltsamen Phänomen, daß ein Großteil
der Krisen-'Bewältigung' eine Wiederbelebung früherer Entwürfe und Erfahrungen
darstellte"[90], ein „Brückenschlag nach rückwärts", der „nicht nur für die aktions-
orientierte, sondern auch für die resignierte und introspektive Haltung"[91] Kom-
pensationsbedeutung erlangte.

   Nicht verwunderlich in diesem geistesgeschichtlichen Kontext ist die 'konservative Wende' eines Autors, dessen kulturelle Sozialisation selbst auf einer Tradition
beruht, die in ihrem Geschichtspessimismus Zuflucht im überhistorischen Kanon
oder in „prälogisch-prähistorischer Urtümlichkeit"[92] gesucht hatte. Regressions-
mythen waren es vor allem, die — zu fungiblen Schlagwörtern entleert — auf brei-
tester ideologischer Front die Wiederherstellung von Sinn und Ordnung, sowie die
Erlösung vom Druck der krisenhaften geschichtlichen Umwälzung versprachen.[93]
Ob es Max Demant in die Studierstube treibt, wie der eingangs erwähnte jüdische
Kritiker formulierte, oder Carl Joseph im *Radetzkymarsch* an seine „Ahnen" ge-
mahnt, „das Blut" weist den Weg zur erfüllten Existenz, wenn auch zunächst nur
von der Kavallerie zur Infanterie, weil die Vorfahren eben „keine Reiter gewesen"
(64) waren. Das Ziel und den Reinzustand existentieller Unmittelbarkeit gibt die
Romanstelle gleich darauf mit automatischer Konsequenz für ein Lesepublikum
am Ende der Zwanziger Jahre an, dem Blut folgt der Boden: „Die kämmende
Egge in den harten Händen, hatten sie Schritt vor Schritt auf die Erde gesetzt. Sie
stießen den furchenden Pflug in die saftigen Schollen des Ackers [. . .]" (ebd.) Und
wie zur Bekräftigung, daß hier die Sphäre faßbarer Historie verlassen ist, verschwimmen Carl Joseph die genealogischen Daten. „Der Vater des Großvaters
noch war ein Bauer gewesen" (65), so glaubt er sich nostalgisch zu erinnern. Richtig ist, daß der Vater des Helden von Solferino „Rechnungsunteroffizier, später
Gendarmeriewachtmeister im südlichen Grenzgebiet der Monarchie" war (13).
Den Schollenmythos, der die Ahnenfolge überspielt, für ein perspektivisch relati-

vierbares Motiv zu halten, verbieten nicht nur die regressiven Reaktionen sämtlicher anderer Trottas – selbst der spätere Bezirkshauptmann „sah sich auf dem Gut um, verspürte eines Tages Lust, es zu verwalten und von der juristischen Karriere zu lassen." (26) – sondern auch Roths eindeutige publizistische Äußerungen. „Die Scholle" überschreibt er 1930 ein Feuilleton und schließt sich nach Abwehr von propagandistisch-ideologischem Mißbrauch des Worts dessen Besetzung mit psychologischer, religiöser und mythischer Bedeutung an: „Immer ist sie etwas zweifellos Heiliges, eben ein Stück Erde, ein kleiner Teil der großen Erde, auf der alle Menschen zu Hause sind, und ein kleiner Teil unserer heimatlichen Erde, auf der unser Volk zu Hause ist. In der Scholle, die wir in die Hand nehmen, ist der Duft eines ganzen Ackers enthalten, der herbe Geruch der Fruchtbarkeit, des Samens, der wahre Duft des Lebens also. [. . .] den Toten, die in fremder Erde bestattet werden, ein paar heimische Schollen ins Grab mitzugeben", ist eine Wegweisung zu jenseitiger Heimatlichkeit; und die in der Fremde Lebenden stillen „ihr Heimweh durch den Anblick der mitgenommenen Erde – oder auch sie nähren es auf dieselbe Weise –, denn das Heimweh ist eine süße Krankheit, die man nicht missen mag, wie die Sehnsucht und die Liebe." Welche literarische Funktion der Trivialmythos für Roth besitzt, enthüllt sich an diesem Punkt seiner Auslassungen. Von ihm bezieht er die Elemente des Romantizismus, in dem seine Romanfiguren befangen sind, „Menschen [. . .] unerklärbar verwurzelt", die „vor Heimweh krank werden und sterben", aber auch gesunden können, „sobald sie wieder den heimatlichen Boden berühren". (IV. 860) Denn „aus Staub gemacht" sind sie, „aus dem Staub, der ein leichtsinniger Sohn der Erde ist." (IV, 861)

Für das Adelsgeschlecht der Trottas im *Radetzkymarsch* bildet dieser Mythos das „Paradies der einfachen Gläubigkeit", dem „Tugend, Wahrheit und Recht" auch im Dienst für den „Kaiser" (21) entstammen – verhängnisvoller Weise, wie sich bereits am Helden von Solferino herausstellt. Seine Erhebung in den Adel, so erkannte man schon am Beginn der wissenschaftlichen Beschäftigung mit Roths Werk, ist nichts anderes als der Sündenfall in die zum Untergang verurteilte Geschichte.[94] Und der „Inhalt des Romans", so läßt sich zustimmend zitieren, „könnte als Kurve beschrieben werden, die [. . .] für die Familie Trotta aus einer vorhistorisch-anonymen Epoche herausführt, sich mit dem Gang der Geschichte, die ihren Repräsentanten im Kaiser hat, untrennbar verbindet und schließlich, mit dem Schwinden jener in der Geschichte gewordenen Wirklichkeit, wieder in einen unhistorischen Zustand einmündet."[95] Nur daß diese Parabel, in der „das 'einfache' (bäuerliche) Volk [. . .] jenseits der Geschichte angesiedelt" ist[96], eben einen zeittypischen Geschichtsmythos reproduziert, der den Historischen Roman in seinem Sinne modifiziert. „Das Bauerntum", so steht es in Spenglers *Untergang des Abendlandes,* „geschichtslos und 'ewig', war Volk v o r dem Anbruch der Kultur; es bleibt in sehr wesentlichen Zügen Urvolk und es überlebt die Form der Nation."[97] Spenglers Opus insbesondere sorgte dafür, daß nach dem Zweiten Weltkrieg dem deutschen Bildungsbürgertum der Fundus von Mythen des 19. Jahrhunderts gegenwärtig und mit seinen Erklärungsmustern aus der lebensphilosophischen und biologistischen Tradition geläufig war. Der „Energie des Blutes, das durch Jahrhunderte immer wieder dieselben leiblichen Züge prägt", verdanken sich die „'Familienzüge'".⁹⁸. „In der Gegenwart fühlt man das Verrinnen; in der Vergangenheit liegt die Vergänglichkeit. Hier ist die Wurzel der ewigen Angst vor dem Unwiderruflichen, Erreichten, Endgültigen, vor der Vergänglichkeit, vor der Welt selbst als dem Verwirklichten, in dem mit der Grenze der Geburt zugleich die des Todes gesetzt ist."⁹⁹ „Ich hab' Angst, ich hab' Angst, überall!" (108), bekennt Carl Joseph seinem Freund, dem Regimentsarzt, der sich darin ergibt, daß ein „nichtswürdiges, infames, dummes, eisernes, gewaltiges Gesetz [. . .] ihn [. . .] in einen dummen Tod" (109) schickt. Der dumme Tod, das jede Zielsetzung verwehrende Grenzgeschehen, ereilt auch Carl Joseph. Scheint sich mit dem Christuslob seiner Soldaten für die selbstmörderische Hilfstat ein Sinnbezirk aufzutun, gelingt ihm doch nicht mehr deren Ausführung und auch nicht die Erwiderung der religiösen Formel, so daß sein Versuch vergeblich war, in „seinen letzten Atemzügen [. . .] mit den ukrainischen Bauern den Bund anzuknüpfen und dadurch mit seinen bäuerlichen Vorfahren".¹⁰⁰ Die Mythen, die im *Radetzkymarsch* aus der Geschichte herausführen, bleiben Illusion, nähren Heimweh und Sehnsucht nach Geborgenheit. Daß diese Bedürfnisse manipuliert und mit den Klischees verflachter Traditionen abgespeist wurden, spricht weder gegen sie selbst, noch gegen die Ausgangsversuche zur Beantwortung der aufgebrochenen Existenzfragen. „Auf der Stufe der Verhunzung", bemerkte Helmuth Plessner 1938 in der Exilzeitschrift *Maß und Wert*, „begegnet heute vieles, das einer großen Anschauung entstammt."¹⁰¹ Die Romantizismen, zu denen sich Roth entschloß, während er seine Figuren zu ihnen verurteilte, kennzeichnen den *Radetzkymarsch* als historischen Roman vom Ende der Weimarer Republik und weisen ihn gattungsgeschichtlich den Anfängen einer Typenreihe zu, deren Spezifik dem Geschichtsromanschreiber unserer Tage selbstverständlich ist. Dieser „historische Roman – nicht der von FELIX DAHN [. . .] – konstruiert eine Vergangenheit, die wir nur aus der Gegenwart kennen."¹⁰²

Anmerkungen

1 Joseph Roth, *Briefe 1911-1939*, Köln/Berlin 1970, S. 187 (An Stefan Zweig, vom 20.11.1930) – Hier steht auch der Titel schon fest, und die Zeitspanne für den Roman soll die Jahre „von 1890-1914" umfassen. (S. 188)

2 Joseph Roth, Werke Bd. II, Köln/Amsterdam 1975. – Die Buchfassung des Romans wird unter Angabe der Seitenzahl aus dieser vierbändigen Ausgabe (Köln/ Amsterdam 1975/76) zitiert. Alle anderen Texte aus ihr werden mit der Bandzahl in römischen und der Seitenzahl in arabischen Ziffern belegt.

3 Emil Faktor, Radetzkymarsch (Rez.), in: *Die Literatur*, 35. Jg. 1932/33, S. 226.

4 Gabriel Marcel, 'La Marche de Radetzky', par Joseph Roth, in: *L'Europe Nouvelle*, Paris, 17 (1934), Nr. 850, S. 539.

5 Faktor (Anm. 3), S. 227.

6 Soma Morgenstern: Dichten, denken, berichten. Gespräche zwischen Roth und Musil. In: *FAZ* (1975), Nr. 79, Beil.: Bilder und Zeiten, S. 4 – abgedruckt in:

Eckert, Brita und Werner Berthold, *Joseph Roth. 1894-1939* (Ausstellungskatalog), Frankfurt a.M. 1979, S. 462 – Vgl. auch ebd. S. 149/150.

7 Hans Oppenheimer, Joseph Roths 'Radetzkymarsch', in: *CV-Zeitung. Blätter für Deutschtum und Judentum*, Berlin am 16. Dez. 1932, XI. Jg./Nr. 51, S. 517/518. – Die Wirkungslosigkeit des Beharrens auf der deutschen Gesinnungs- und Bildungsposition beschreibt: Dietz Bering, Geeinte Zwienatur. Zur Struktur politischer Perspektiven im 'Central-Verein deutscher Staatsbürger jüdischen Glaubens', in: Thomas Koebner (Hrsg.), Weimars Ende. Prognosen und Diagnosen in der deutschen Literatur und politischen Publizistik 1930-1933, Frankfurt a.M. 1982, S. 182-204.

8 Karl A. Kutzbach, Roth, Joseph: Radetzkymarsch (Rez.), In: *Die Neue Literatur*, 34. Jg. 1933, S. 143.

9 Von den Zeitgenossen teilte die Ablehnung der Rezensent für die Zeitschrift *Hochland* (Heinrich Lützeler, Neue Romane, *Hochland* 30 (1933), S. 365-369). – Diese Position vertritt in der Forschung: Rolf Eckart, *Die Kommunikationslosigkeit des Menschen im Romanwerk von Joseph Roth*, Diss. München 1959.

10 Ludwig Marcuse, Radetzkymarsch (Rez.), in: *Das Tagebuch* 13 (1932), S. 1548 bis 1550.

11 Rolf Geissler, *Dekadenz und Heroismus. Zeitroman und völkisch-nationalsozialistische Literaturkritik*, Stuttgart 1964, S. 65.

12 ebd., S. 60; 13 ebd., S. 63; 14 ebd., S. 65.

15 Frank Trommler, *Roman und Wirklichkeit. Eine Ortsbestimmung am Beispiel von Musil, Broch, Roth, Doderer und Gütersloh*, Stuttgart 1966, S. 62.

16 ebd., S. 63.

17 ebd., S. 64.

18 Claudio Magris, *Der habsburgische Mythos in der österreichischen Literatur*, Salzburg 1966.

19 ebd., S. 262/263.

20 vgl. Fritz Hackert, *Kulturpessimismus und Erzählform. Studien zu Joseph Roths Leben und Werk*, Bern 1967, S. 85ff.

21 Hansjürgen Böning, *Joseph Roths 'Radetzkymarsch'. Thematik, Struktur, Sprache*, München 1968.

22 vgl. Hartmut Scheible, Fünfzigmal Bärte. Böning verzettelt Roths 'Radetzkymarsch', in: *FAZ* vom 6.9.1968.

23 vgl. Böning (Anm. 21), S. 126/127.

24 Alfred Kurer, *Josef Roths 'Radetzkymarsch'. Interpretation. Ein Beitrag zum Phänomen des Spätzeitlichen in der österreichischen Literatur*, Diss. Zürich 1968, S. 78.

25 ebd., S. 67.

26 Das Todesmotiv wird mit Heidegger interpretiert (vgl. ebd., S. 65/66; das operettenhafte Festglück der Offiziere im *Radetzkymarsch* muß sich am „Goetheschen Glücksbegriff" (ebd., S. 111) messen lassen.

27 Auf den gleichnamigen Band (s. Anm. 7) wird noch verschiedentlich zurückzukommen sein.

28 Curt Sanger, The Figure of the Non-Hero in the Austrian Novels of Joseph Roth, in: *Modern Austrian Literature*. Vol. 2/No. 4, Winter 1969, S. 35.

29 Helmut Famira-Parcsetich, *Die Erzählsituation in den Romanen Joseph Roths*, Bern/Frankfurt 1971, S. 91.

30 ebd., S. 92; 31 ebd., S. 93; 32 ebd., S. 94; 33 ebd., S. 98; 34 ebd., S. 100.

35 vgl. Hartmut Scheible, *Joseph Roth. Mit einem Essay über Gustave Flaubert,* Stuttgart u.a. 1971, S. 70/71 – Faktor (Anm. 3, S. 227) notierte zu diesem Punkt: „Eine Anzahl von Kapiteln ist Atelierarbeit, Feuilletonismus, Stilkunst, Interpretationswillkür". Das letzte Stichwort setzt seinen Protest gegen das irreale Geschichtsbild fort: „Die Wirklichkeit, der der Roman gewidmet ist, hat für Abstriche die Komposition eines sinfonisch-einheitlichen Schwermutcharakters eingetauscht." Und insistierend nochmals am Schluß: „melancholische Auffassung unterbindet stoffliche Überlegenheit."

36 Heidegger wird beziehungsvoll die prinzipielle „Anpassungsfähigkeit ans Zeitgemäße" attestiert (Scheible, ebd., S. 108), während Adornos typische Denkfigur – strukturell übrigens eine dem 'Sein zum Tode' exakte Analogie – zur Identifikation dient: „Diese Aporie des Erzählens, deren zumindest latente Präsenz Adorno schon für die Odyssee des Homer nachweist . . ." (ebd., S. 77).

37 ebd., S. 108; 38 ebd., S. 73; 39 ebd., S. 75; 40 ebd., S. 94; 41 ebd., S. 78.

42 ebd., S. 119; 43 vgl. dazu ebd., S. 92/93; 44 ebd., S. 95; 45 ebd., S. 140.

46 ebd., S. 149.

47 Joseph Roth, Briefe (Anm. 1), S. 394.

48 ebd.

49 Darauf verläßt sich z.B. Lion Feuchtwanger, wenn er seine Zeitromane aus den zwanziger und dreißiger Jahren (*Erfolg, Exil*) als 'historische' konzipiert.

50 Werner Zimmermann, Joseph Roth: Radetzkymarsch (1932), in: ders., *Deutsche Prosadichtungen unseres Jahrhunderts. Interpretation für Lehrende und Lernende,* Band 1, 4. Auflage, Düsseldorf 1974, S. 327.

51 ebd., S. 362.

52 Auf diese Entwicklung bei Roth bezieht sich: Werner Sieg, *Zwischen Anarchismus und Fiktion. Eine Untersuchung zum Werk von Joseph Roth,* Bonn 1974.

53 Wolf R. Marchand, *Joseph Roth und völkisch-nationalistische Wertbegriffe,* Bonn 1974 – vgl. dazu die Rez. in: *GERMANISTIK,* 16. Jg. 1975, Heft 1, S. 284/285.

54 Martha Wörsching, Die rückwärts gewandte Utopie. Sozialpsychologische Anmerkungen zu Joseph Roths Roman 'Radetzkymarsch', in: *Text und Kritik,* Sonderband 'Joseph Roth', München 1974, S. 99.

55 ebd., S. 95.

56 Hartmut Scheible, Joseph Roths Flucht aus der Geschichte, in: *Text und Kritik* (Anm. 54), S. 61.

57 Vgl. ebd., S. 66, Anm. 40: „Zu untersuchen wäre, ob die früheste geschichtsphilosophische Konzeption Adornos, die einer *Logik des Zerfalls,* das philosophische Korrelat zu Roths erzählerischem Werk ist."

58 ebd., S. 57.

59 ebd.

60 David Bronsen, *Joseph Roth. Eine Biographie,* Köln 1974, S. 394 .

61 vgl. Scheible (Anm. 35), S. 120, Anm. 117.

62 Otto Forst de Battaglia, Wanderer zwischen drei Welten, in: David Bronsen (Hrsg.), *Joseph Roth und die Tradition,* Darmstadt 1975, S. 82.

63 ebd., S. 131.

64 Helmuth Nürnberger, *Joseph Roth in Selbstzeugnissen und Bilddokumenten,* Reinbek bei Hamburg 1981, S. 99.

65 Joseph Roth, *Briefe* (Anm. 1), S. 241: An Blanche Gidon, Frankfurt a.M. vom 17.11.1932.

66 Bronsen (Anm. 60), ebd.
67 Joseph Roth, Der Radetzkymarsch, *FZ* vom 17.4.1932.
68 Forst de Battaglia (Anm. 62), S. 83.
69 vgl. Scheible (Anm. 35), S. 151/152.
70 Henri Plard, Joseph Roth und das alte Österreich, in: Bronsen (Anm. 62), S. 122.
71 *Die Sammlung*, 1. Jg. Nr. 11, Juli 1934, S. 569.
72 Lion Feuchtwanger, Vom Sinn und Unsinn des historischen Romans (1935), in: ders., *Centrum opuscula*, hrsg. v. Wolfgang Berndt, Rudolstadt 1956, S. 511
73 Renate Werner, Transparente Kommentare. Überlegungen zu historischen Romanen deutscher Exilautoren, in: *Poetica*, 9. Bd. Jg. 1977, S. 326.
74 Tendenzen, die auch den Geschichtsroman betreffen, beschreibt in seiner Spezialuntersuchung: Helmut Scheuer, *Biographie, Studien zur Funktion und zum Wandel einer literarischen Gattung vom 18. Jahrhundert bis zur Gegenwart*, Stuttgart 1979.
75 Vgl. den Schluß von Goethes *Götz von Berlichingen:* „. . . ich bin der letzte." – Im Grunde handelt es sich um einen mythologisch vorgeprägten Topos der Genealogie.
76 Die Rez. ist übersetzt und abgedruckt bei Hackert (Anm. 20), S. 147-151 – Anwendung finden die Kategorien von Lukács ebd., S. 85ff.
77 Die Sozialpsychologie bedient sich zur Analyse zeittypischer Phänomene derselben Kategorie, nämlich der „Modal Personality" (vgl. Hans-Ulrich Wehler, *Geschichte als Historische Sozialwissenschaft*, Frankfurt a.M. 1973, S. 100).
78 Lukács (Anm. 76), S. 149.
79 ebd., S. 147; 80 ebd., S. 148; 81 ebd., S. 147; 82 ebd., S. 149.
83 Helmuth Plessner, Deutsches Philosophieren in der Epoche der Weltkriege, in: ders., *Zwischen Philosophie und Gesellschaft*. Ausgewählte Abhandlungen und Vorträge; Bern 1953, S. 13.
84 Thomas Koebner, Einleitung, in: ders. (Anm. 7), S. 9.
85 Karl Jaspers, *Die geistige Situation der Zeit*, zit. nach Koebner, ebd.
86 Frank Trommler, Verfall Weimars oder Verfall der Kultur? Zum Krisengefühl der Intelligenz um 1930, in: Koebner (Anm. 7), S. 42.
87 ebd., S. 36; 88 ebd., S. 43; 89 ebd., S. 49; 90 ebd., S. 43; 91 ebd., S. 48.
92 Plessner (Anm. 83), S. 25 – In Verbindung mit den 'Wiener Apokalyptikern' bringt Roths Entwicklung die Arbeit von Hackert (Anm. 20).
93 Vgl. dazu: Theodore Ziolkowski, Der Hunger nach dem Mythos. Zur seelischen Gastronomie der Deutschen in den Zwanziger Jahren, in: Reinhold Grimm und Jost Hermann (Hrsg., *Die sogenannten Zwanziger Jahre*, Bad Homburg/Berlin/ Zürich 1970, S. 169-201.
94 Vgl. Ward H. Powell, *The Problem of Primitivism in the Novels of Joseph Roth*, University of Colorado Diss. 1956, Diss. Abstr. 18 (1958), 1049.
95 Scheible (Anm. 35), S. 139 – Des Gärtners Bearbeitung der „ewigen Erde" (320) folgt am Romanschluß die ins Grab geworfene „Scholle" (323).
96 Scheible (Anm. 56), S. 64.
97 Oswald Spengler, *Der Untergang des Abendlandes. Umrisse einer Morphologie der Weltgeschichte*, II. Bd. Welthistorische Perspektiven, 31.-42. Aufl., München 1922, S. 221. Roths Beschäftigung mit Spengler erwähnt: Géza von Cziffra, *Der Heilige Trinker. Erinnerungen an Joseph Roth*, Bergisch-Gladbach 1983, S. 62 u. 69.

98 ebd., S. 149.
99 Spengler (Anm. 97), I. Bd. Gestalt und Wirklichkeit, 33.-47. Aufl., München 1923, S. 108.
100 Rosenfeld (Anm. 52), S. 15.
101 Plessner (Anm. 83), S. 24 — Auch andere Aufsätze dieses Bandes stammen aus dem Exil.
102 Peter Härtling, Das Ende der Geschichte. Über die Arbeit an einem 'historischen Roman', in: *Abhandlungen der Klasse der Literatur an der Akademie der Wissenschaften und der Literatur in Mainz,* Jg. 1968/Nr. 3, Mainz 1968, S. 45.

PAUL MICHAEL LÜTZELER

HERMANN BROCH: *DIE SCHLAFWANDLER* (1930–32)

I. Zur Intention

Hannah Arendts Charakterisierung Brochs als eines „Dichters wider Willen"[1] ist oft und mit Recht widersprochen worden. Zweifellos aber handelt es sich bei dem jungen Broch, der zwischen 1907 und 1927 in leitender Funktion die verwaltungs-mäßigen Belange seiner bei Wien gelegenen „Spinnfabrik 'Teesdorf'" wahrnimmt, um einen „Kaufmann wider Willen". Erziehung, Ausbildung und berufliche Tätig-keit sind vom Vater, dem Wiener Textilhändler Josef Broch, vorbestimmt und festgelegt worden, und sie paßten nie zu den Wünschen des Sohnes, der lieber ein humanistisches als ein Real-Gymnasium besucht hätte, der gerne Philosophie und Mathematik statt Textiltechnologie studieren wollte, der eher den Doktorgrad ei-ner Philosophischen Fakultät als den Ingenieurstitel an einer Webschule anstrebte, und der schließlich lieber philosophierender Privatgelehrter als kaufmännischer Direktor geworden wäre. Widerstrebend nur beugte sich der junge Broch den Wün-schen des Vaters, verfolgte aber gleichzeitig seine philosophisch-mathematischen Interessen. Dies führte zu einer Art von Doppelexistenz: Den Tag über erledigte Broch (darin Kafka ähnlich) seine bürokratischen Arbeiten, und während der übri-gen Zeit widmete er sich vor allem seinen philosophischen Studien und folgte — allerdings nur sehr sporadisch – seinen dichterischen Neigungen. Mathematik, Er-kenntnistheorie, Wert- und Geschichtstheorie, das sind die Hauptinteressengebiete des frühen Broch. Schon 1920[2] will er die Fabrik verkaufen, um Zeit für systema-tische Studien und eigenständige Veröffentlichungen auf diesem Gebiete zu gewin-nen. Die Eltern und der ebenfalls im Betrieb tätige Bruder sträuben sich gegen die Veräußerung der Firma, und erst 1925 gelingt es Broch, seine Familie davon zu überzeugen, daß angesichts der schlechter werdenden Wirtschaftslage der Verkauf der Spinnerei ratsam erscheint und für alle Beteiligten die beste Lösung darstellt. Die Abwicklung des Verkaufs zieht sich bis 1927 hin, aber den Bruch mit der Welt der Industrie vollzieht er schon 1925, als der Neununddreißigjährige sich als Student an der Philosophischen Fakultät der Universität Wien einschreibt. Wie früher ist auch jetzt die Literatur nur einer der vielen Nebenbereiche von Brochs weitgespannten Interessen. In den neun Semestern zwischen Herbst 1925 und Ostern 1930 belegt er keine Literaturseminare und hört keine einzige germanisti-sche Vorlesung. Sein Universitäts-„Meldungsbuch"[3] zeigt, daß er vor allem Mathe-matik (bei Kraft, Hahn, Wirtinger, Furtwängler und Menger), Philosophie (bei Schlick und Carnap) sowie nebenbei Atomphysik, Kunstgeschichte und die latei-nische Sprache studiert. 1925 will Broch Philosoph und Mathematiker werden, nicht Dichter. Hochgemut schreibt er damals an seinen Vater:

> Ich bin fest überzeugt, daß ein stetes Arbeiten um die Erkenntnis der Welt
> am Schluß des Lebens nicht verloren geht, nicht nur, weil man der Welt eine

neue Erkenntnis gebracht hat, die unverloren bleibt, sondern weil sich das Ich eine Annäherung an die Unsterblichkeit erkämpft hat. (13/1,63)[4]

Broch will allerdings kein staatsbeamteter Professor für Ideengeschichte werden. Er war schon immer auf Distanz zu der an den Universitätsinstituten gelehrten Philosophie gegangen. Bereits im Dezember 1918 heißt es in einem seiner Briefe:

> Die Philosophie ist eine Wissenschaft geworden, die vor allem wissenschaftliche Beamte braucht; sie ist ein 'Betrieb' wie jeder andere, in den man sich eigentlich nur einzuordnen hat, und selbst der Philosophiedirektor braucht eigentlich kein Geisteslicht zu sein. Wohin also mit dem Erkenntnisehrgeiz? [. . .] Was die Philosophie [. . .] hervorbringt, ist wirklich nur Akt-Erledigung. (13/1,41)

Warum aber dann das intensive Universitätsstudium zwischen 1925 und 1930? Der Autodidakt Broch war sich darüber im Klaren, daß er als philosophierender Privatier auf keinen Fall hinter das Niveau der Hochschulphilosophie zurückfallen durfte. Nach drei Jahren Studium des logischen Positivismus bei Schlick und Carnap, den beiden führenden Vertretern des Wiener Kreises, sind die anfänglichen Erwartungen in jeder Hinsicht – auf angenehme wie unangenehme Weise – enttäuscht. Weder paßten Schlick und Carnap – damals echte Revolutionäre der Philosophie – in das Brochsche Klischeebild vom beamteten Philosophieprofessor, noch konnte die hochgemute Anfangseuphorie mit ihren Unsterblichkeitsaspirationen durchgehalten werden. Brochs Stellung zu den Wiener Neopositivisten ist gespalten: Einerseits kann er sich ihren Postulaten nicht verschließen, daß die Philosophie eine exakte Wissenschaft zu werden habe, eine Disziplin, die sich auf die Gebiete der Logik und Erkenntniskritik beschränken will; aber andererseits bleiben dadurch die alten philosophischen Fragen der Ethik und Metaphysik nunmehr unbeantwortet, Fragen, die in ihrer Dringlichkeit nach wie vor bestünden. Wert- und geschichtstheoretische, ethische und metaphysische Probleme waren es ja vor allem gewesen, die Broch überhaupt zu seinen philosophischen Studien veranlaßt hatten. Nachdem die Wiener Positivisten ihre Unzuständigkeit für diese Themen erklärt hatten, suchte Broch sie auf einem Gebiet zu bewältigen, das er vorher nie recht ernst genommen hatte, das er bisher eher indirekt aus den Literatencafés kannte: dem der Dichtung, genauer des modernen Romans. Wie kam es dazu? Während der Zwischenkriegsjahre erfreute sich der Roman einer erneuten internationalen Hochschätzung. Schriftsteller wie James Joyce, John Dos Passos, André Gide, Thomas und Heinrich Mann, Franz Kafka und Robert Musil waren dabei, diese literarische Gattung erneut zu revolutionieren, zu einem respektablen Erkenntnisinstrument und einem Seismographen für die komplexen Tendenzen der Epoche zu machen. Erstmals wieder seit der Frühromantik schien der Roman jenes Medium zu werden, das dem poeta doctus die Möglichkeit gab, universale Probleme anzugehen. Da die positivistische Philosophie der Wittgensteins, Russels und Schlicks die Metaphysik aus ihrem Denkbereich verbannt hatte und die Theologie im Dogmatismus zu erstarren drohte, schien Broch im Roman plötzlich jenes Instrument gefunden zu haben, in dem die übergreifenden Fragen der Zeit anzugehen waren. Mitte 1928 vollzieht Broch die Wende von der Philosophie und Mathematik zur Dichtung. Zwar belegt er noch drei Semester lang philosophische Seminare und Vorlesungen an der Universität, doch gilt sein Hauptaugenmerk dem zeitgenössischen Roman. Er macht sich mit den Möglichkeiten dieser Gattung vertraut, indem er die oben genannten Romanautoren liest. Sein Entschluß ist gefaßt: Statt des seit vielen Jahren geplanten wert- und geschichtsphilosophischen Buches will er nun den großen deutschsprachigen zeitkritischen Epochenroman schreiben, in welchem er − vermittelt und direkt − die ihn bewegenden philosophischen Fragen behandeln wird. Aus ersten novellistischen Entwürfen heraus, bei denen er auf frühere Erfahrungen zurückgreifen kann[5], formt er allmählich zwischen 1928 und 1932 unter dem Einfluß und dem Eindruck des großen zeitgenössischen Romans und seiner Theoretiker (wie Georg Lukács) die *Schlafwandler*-Trilogie. Ende 1929 ist die erste Fassung des Werkes bereits fertig, und Broch schickt sie an den damals renommiertesten belletristischen deutschen Verlag, an S. Fischer in Berlin, der das Manuskript allerdings ablehnt. Philosoph, der er noch immer ist, fügt Broch gleich einen „Methodologischen Prospekt" bei, um seine Absichten theoretisch zu erläutern.

Will man Brochs Intentionen, die ihn bei der Niederschrift jener ersten *Schlafwandler*-Version geleitet haben, verstehen, tut man gut daran, sich diese früheste Selbstinterpretation näher anzuschauen. Gleich im ersten Satz begründet Broch seine Konversion von der Philosophie zur Romanliteratur:

> Dieser Roman hat zur Voraussetzung, daß die Literatur mit jenen menschlichen Problemen sich zu befassen hat, die einesteils von der Wissenschaft ausgeschieden werden, weil sie einer rationalen Behandlung überhaupt nicht zugänglich sind und nur mehr in einem absterbenden philosophischen Feuilletonismus ein Scheinleben führen, andererseits mit jenen Problemen, deren Erfassung die Wissenschaft in ihrem langsameren, exakteren Fortschritt noch nicht erreicht hat. (1,719)[6]

Zwei Gründe also werden angeführt, warum der Roman Aufgaben der zur Wissenschaft sich wandelnden Philosophie übernehmen soll: Erstens hat sich die zeitgenössische Philosophie, d.h. der Positivismus, für Fragen ethischer und metaphysischer Art, um die es Broch geht, unzuständig erklärt; und zweitens können im Roman jene aktuellen Probleme behandelt werden, die noch gar nicht ins Blickfeld der wissenschaftlichen Fachdisziplinen geraten sind. Einerseits also tritt der moderne Roman ein uraltes Erbe an, nichts weniger nämlich als das der abendländischen Philosophie, wie sie von Platon bis Nietzsche verstanden worden war, übernimmt Aufgaben, die vom Standpunkt des Positivismus aus betrachtet als altmodisch, überholt, unangemessen und 'unwissenschaftlich' gelten. Aber andererseits wiederum soll der Roman im Wortsinne avantgardistisch sein, hat jene noch nicht erkannten, sich aus der Gegenwart heraus in die Zukunft entwickelnden Tendenzen aufzuspüren und bewußt zu machen.

In keinem der Sätze seines „Methodologischen Prospektes" läßt Broch den Leser vergessen, daß hier ein Philosoph der Literatur einen Platz im Gebiete der Philosophie anweist. Ein nicht über die Philosophie zur Dichtung geratener Autor käme wohl niemals auf die Idee, den Kompetenzbezirk der Literatur so einzugrenzen, wie es hier geschieht. Broch schreibt: „Der Besitzstand der Literatur zwischen dem 'Nicht mehr' und dem 'Noch nicht' der Wissenschaft ist solcherart eingeschränkter, aber auch sicherer geworden." Die Grenzen von Brochs Romanästhetik sind also relativ eng gesteckt. Der Roman soll sich auf zwei — an sich philosophischen — Gebieten bewähren, indem er zum einen die alten Fragen der Metaphysik in unserer Zeit neu stellt, und indem er ferner die gesamtgesellschaftlichen (und d.h. auch ethisch-religiösen) Tendenzen erspürt und quasi prophetisch ihre zukünftige Entwicklung andeutet. Mit dieser Romanpoetologie schafft Broch sich eine äußerst fragile Basis für sein dichterisches Schaffen. Denn sollte der Roman vor diesen Aufgaben versagen, wird es für Broch kaum einen Grund geben, weiterhin dichterisch tätig zu sein. In der Tat haben Brochs spätere Abwendung von der Belletristik und seine Unlust an der literarischen Produktion ihre Ursache in eben dieser nicht mehr vorhandenen Überzeugung von den Fähigkeiten des modernen Romans. Broch ist eben kein 'geborener Dichter', kein Romancier aus Fabulierlust, kein Geschichtenerzähler aus Spaß an der literarischen Kreativität, sondern ein sich in die Literatur verirrter Philosoph, der — und das macht freilich das Ungewöhnliche an der Begabung Brochs aus — souverän in den Sprachen der Philosophie (inklusive der Politologie) und Dichtung zu schreiben vermag, und dem daher die ständigen Rollenwechsel vom Philosophen zum Dichter und umgekehrt nicht schwerfallen. Vielleicht sind die *Schlafwandler* auch deshalb das gelungenste dichterische Werk Brochs geworden, weil während der Entstehung dieser Trilogie seine philosophische Hochschätzung des Mediums Roman noch von keinen Zweifeln unterminiert war, weil hinter ihrer Produktion die ganze, ungeteilte Persönlichkeit des Autors stand, wohingegen er sich später stets von Skrupeln geplagt und mit zwiespältigen Empfindungen an seine dichterischen Arbeiten machte.

Aber zurück zu Brochs Selbstinterpretation der *Schlafwandler* von 1929. Was meinte er genauer mit dem „Besitzstand der Literatur"? Er definiert ihn als „den ganzen Bereich des irrationalen Erlebens und zwar in dem Grenzgebiet, in welchem das Irrationale als Tat in Erscheinung tritt und ausdrucksfähig und darstellbar wird." Das klingt zunächst mißverständlich. Es hört sich vielleicht so an, als predige Broch Irrationalismus. Davon kann aber keine Rede sein. Während die Philosophie sich nach Broch auf das Gebiet des Rationalen bzw. des rational Erfaßbaren zurückgezogen hat, während also der Positivismus das Systemdenken preisgegeben hat und vor der Aufgabe versagt, die rational nicht begründbaren Gebiete von Ethik und Metaphysik zu bedenken und in ihre Systeme zu integrieren, sind diese nicht-rationalen, d.h. für ihn „irrationalen" Bereiche zum Gegenstand der Dichtung geworden. Das „Irrationale" wird von Broch genauer bestimmt, wenn er fortfährt: „Es ergibt sich daraus die spezifische Aufgabe, aufzuweisen, wie das Traumhafte die Handlung bestimmt und wie das Geschehen immer wieder bereit ist, ins Traumhafte umzukippen." Die dichterische Darstellung des „Traumhaften" also soll Aufschluß geben über die metaphysische Befindlichkeit

der Gegenwart, wobei allerdings eher der Tagtraum als der Nachttraum gemeint
ist. Broch ist weniger inspiriert durch die Freudschen Analysen der Nachtträume
als durch Ernst Blochs philosophische Interpretation der Tagträume, wie wir sie
aus dem *Geist der Utopie* (1918)[7] kennen (womit freilich der allgemeine Einfluß
der modernen Psychologie auf Brochs Roman keineswegs geleugnet werden soll).
Was Broch konstatiert, ist die wachsende Durchsetzung der Alltagswelt, der Ta-
gesrealität mit dem Traumhaften. Sein Roman zeige, so heißt es weiter, daß „mit
dem Abbau alter Kulturfiktionen auch das Traumhafte immer freier wird und
daß mit je krasserem realen Geschehen es um so deutlicher und ungebundener mit
dem Irrationalen verquickt ist." Brochs kulturkritische These läßt sich so erläutern: Die christliche Kosmologie vermochte alle Bereiche des Rationalen und
Irrationalen, des weltlichen Geschehens wie des Glaubensmäßig-Metaphysischen
zu integrieren. Mit dem endgültigen Zerfall des christlichen Weltbilds in der Gegenwart finden die Bereiche des Nicht-Rationalen keine Sinndeutung, Bindung
und Zügelung mehr und beginnen auch die Bezirke des Rationalen zu überwu-
chern. Selbstverständlich befürwortet Broch den zunehmenden Irrationalismus
nicht, im Gegenteil hofft er auf seine Bindung durch eine neue Kosmologie. Broch
skizziert nun in seinem „Methodologischen Prospekt", wie er die mit dem fortschreitenden Zerfall der alten Wertvorstellungen wachsende Irrationalisierung des
Alltagslebens in seiner Trilogie schildert:

> *Die Schlafwandler* zeigen dies in drei zeitlichen und gesellschaftlichen Etap-
> pen, 1888, 1903, 1918, also in jenen Perioden, in denen der Übergang von
> der ausklingenden Romantik des späten 19. Jahrhunderts zur sogenannten
> Sachlichkeit der Nachkriegsepoche sich vollzieht. Dabei ist es wesentlich,
> daß das Problem der drei Protagonisten – ihrem Leben einen Lebenssinn zu
> geben –, das in den drei Teilen abgehandelt wird, mit der zunehmenden
> Versachlichung immer mehr ins Unbewußte gerät.

Das Grundproblem des Romans ist also für Broch identisch mit der zentralsten
Frage der Philosophie, der nach dem Sinn des Lebens, eine Frage, welche der Positivismus nicht mehr zu beantworten bereit ist. Deutschland ist nach Broch jenes
Land, in dem die allgemeine europäische Kulturkrise, die in ihr Endstadium getreten sei, am sinnfälligsten zu Tage tritt. Schon ein Jahrzehnt vor Erscheinen von
Oswald Spenglers *Untergang des Abendlandes* (1918-22) hatte Broch Überlegungen zum Ende der Kultur zu Papier gebracht[8] und sie dann zwischen 1916 und
1920 in seiner Wert- und Geschichtstheorie zu systematisieren versucht. Im Gegensatz zu Spenglers Ansatz ist der Brochs nicht morphologisch, d.h. er vergleicht
die Kultur nicht mit Organismen, die quasi naturhaft aufblühen und wieder zerfal-
len. Seine Erklärung für den Zusammenbruch der christlich-europäischen Werte ist
erkenntnistheoretischer Art und lautet – vereinfacht und zusammenfassend gesagt – dahingehend, daß eine Kultur dann zerfalle, wenn das sie bestimmende
Denken seine Plausibilität einbüße. Die drei Stufen der Endphase des Wertzerfalls
will Broch dichterisch veranschaulichen, indem er Geschichten aus der Wilhelminischen Zeit erzählt. Die Trilogieteile sind mit den Jahreszahlen 1888, 1903 und

1918 versehen, die Antritt, Mitte und Ende der Regierungszeit Wilhelms II. in
Erinnerung rufen. Warum Broch den Trilogieteilen die Titel 'Romantik', 'Anar-
chie' und 'Sachlichkeit' gibt, erläutert er wieder in seinem „Methodologischen
Prospekt":

> Innerhalb der romantischen Periode des ersten Teiles wird das Problem zwar
> vage, dennoch bewußt von dem Helden, Pasenow, aufgestellt und im Sinne
> der *herrschenden Fiktionen*, d. i. Religion, *Erotik* und eine ethisch-ästheti-
> sierende Lebenshaltung, zu lösen versucht.
> Der Held des zweiten Teils, Esch, hat die anarchische Stellung eines Men-
> schen zwischen zwei Perioden. Äußerlich bereits kommerzialisiert und
> dem Lebensstil der kommenden Sachlichkeit angenähert, ist er innerlich
> noch den traditionellen Werthaltungen verhaftet. Die Frage nach dem Le-
> benssinn, die keineswegs mehr bewußt, sondern nur mehr dunkel und
> dumpf in ihm rumort, muß also noch im Sinne der alten Schemata gelöst
> werden. Da die religiösen Formen nur mehr rudimentär vorhanden sind, teils
> verdummt, teils versandet in einem sterilen Mystizismus oder Heilsarmeege-
> triebe, verschiebt sich der Akzent der Lösung ins Erotische und gelangt dort
> in eine anarchische und mystische Resignation.
> Im dritten Teil aber wird es wieder eindeutig: der Held, Huguenau, hat mit
> der Werttradition fast nichts mehr zu tun (äußerlich ausgedrückt durch den
> Hiatus seiner Desertion von der Front); denn er ist sowohl ein vollkommen
> irreligiöser als unerotischer Mensch. [. . .] Und es ergibt sich als notwendig,
> daß der Mensch der neuen Lebensform, also Huguenau, zum Rächer an dem
> Veralteten, Absterbenden werden muß.

Ich habe mich bei dieser kurzen Darstellung von Brochs Ästhetik und Romanintention bewußt an der frühen Selbstinterpretation von 1929 orientiert. In weiteren essayistischen Erläuterungen (1,723-735) und in zahlreichen brieflichen Kom-
mentaren hat er diese Stellungnahme wiederholt, variiert und weiter ausgeführt,
ohne doch eigentlich Neues zu sagen. Es ging mir nicht um eine grundsätzliche Diskussion darüber, wie ertragreich oder unfruchtbar der Brochsche poetologische
Ansatz war. Mir war lediglich darum zu tun, das Selbstverständnis des Autors so
bündig und klar wie möglich darzulegen. Die Absichten Brochs zu kennen, ist sicherlich wichtig, aber sie dürfen uns bei der eigenen Interpretation nicht binden.
Hinzugehen und in der Einzelinterpretation nur das zu bestätigen, was der Dichter
ganz allgemein über Intention und Aufbau seines Romans gesagt hat, hieße, die
Entmündigung des Literaturwissenschaftlers zu befürworten. Bei der Lektüre der
Schlafwandler zeigt sich, daß die Reichhaltigkeit, Komplexität, Vielfalt und Ambivalenz dieses Romans so groß sind, daß sie den Rahmen der Brochschen Selbst-
deutung sprengen. Will man — wie es früher öfters geschehen ist — die Trilogie nur
als dichterische Illustration des philosophischen Traktats vom „Zerfall der Werte"
lesen, will man die Romanaussage auf das Prokrustesbett der geschichtstheoreti-
schen Systematik Brochs spannen, so tut man der Dichtung Gewalt an. Die literarische Produktion entfaltete bei Broch eine Eigendynamik und beansprucht ihr eigenes Recht. Dieses Eigenrecht hatte der Philosoph Broch der Literatur ja auch

von Anfang an zugestanden, als er von ihr erwartete, daß sie sich mit jenen Problemen befasse, die noch nicht ins Blickfeld der Philosophie geraten seien. Es ist daher auch von Brochs Poetologie her gesehen nur angemessen, sich immer wieder von neuem durch den Text der Dichtung zu Interpretationen anregen zu lassen, statt Brochs Werttheorie — sei es in affirmativer oder kritischer Absicht — im Roman nur bestätigt zu finden. So wäre zu wünschen, daß eine Deutungsmethode mehr Schule machte, die schon 1966 von Dorrit Cohn in ihrer Untersuchung über die *Schlafwandler* praktiziert wurde.[9] Dort geht es um „Elucidations", um die Aufhellung von Motivkomplexen und Problemzusammenhängen und nicht um den Versuch einer wie immer gearteten „Totalinterpretation". Vergleichbar will ich hier vorgehen, wenn ich in zwei Ansätzen einige historische und mythische Themenreihen im Roman verdeutliche, indem ich Einflüsse von Heinrich Mann[10] und Georg Lukács[11] auf Brochs Trilogie herausarbeite.

II. Interpretation

1. Heinrich Manns *Kaiserreich*-Romane und Brochs *Schlafwandler*-Trilogie

Während der ersten drei Dekaden unseres Jahrhunderts erschienen eine Reihe deutschsprachiger Romane, die sich auseinandersetzten mit dem Phänomen des Zerfalls der alten Staats-, Gesellschafts- und Wertsysteme im wilhelminischen bzw. franzisko-josephinischen Zeitalter. Erinnert sei an die epischen Epochendarstellungen Joseph Roths, Thomas Manns, Robert Musils, Heinrich Manns und Hermann Brochs. Zwei dieser Werke scheinen, zumindest auf den ersten Blick, eine frappierende Ähnlichkeit miteinander zu haben: die beiden Trilogien *Das Kaiserreich* (1914-1925)[12] von Heinrich Mann und *Die Schlafwandler* von Broch. Mann und Broch haben den gleichen historischen Zeitraum und dieselbe Gesellschaft zum Gegenstand des Epochen-Porträts gewählt, nämlich das Deutschland vom Antritt bis zur Auflösung der Regierung Wilhelms II., und Band für Band lassen die beiden Werke eine Fülle von Übereinstimmungen erkennen.

Der jeweils erste Roman (Heinrich Manns *Untertan* und Brochs *Pasenow*) spielt zu Beginn der Herrschaft des letzten Hohenzollern-Kaisers abwechselnd in der preußischen Provinz und in der Reichshauptstadt Berlin. Held ist in beiden Fällen ein jüngerer Mann, der aus Gründen seiner Ausbildung in Berlin lebt, und der dort in eine Affäre mit einer jungen Frau verwickelt wird, die sozial unter ihm steht bzw. einer Familie entstammt, welche dabei ist, gesellschaftlich abzusteigen. Krankheit und Tod des Vaters rufen ihn zurück in die Provinz, wo er den Familienbesitz übernimmt und dadurch mehrt, daß er standesgemäß heiratet. Vorher kommt es zur komplikationsreichen Auflösung des Berliner Liebesverhältnisses, wobei das Wiedertreffen eines ehemaligen Schulkameraden eine bestimmte katalysatorische Rolle spielt.

Die Erzählfabel macht deutlich, daß Diederich Heßling und Joachim von Pasenow, von denen hier die Rede ist, Sprößlinge, sozusagen natürliche und legitime Söhne des Botho von Rienäckers aus Fontanes *Irrungen, Wirrungen* sind. Die äußere Handlung ist in allen drei Fällen ähnlich, in einigen Details ist sie fast identisch. Denken wir etwa an die Schilderung des Landausflugs Bothos mit Lene zu Handels Ablage, Diederichs mit Agnes nach Mittenwalde bzw. Joachims mit Ruzena an die Havel. Diese Abstecher bedeuten jeweils gleichzeitig Erfüllung wie beginnendes Ende, Höhepunkt wie Auflösung der Liebesbeziehung; sie sind zudem mit Idyllsituationen verbunden, in denen die sozialen Barrieren momenthaft beseitigt zu sein scheinen. Was die Personenkonstellationen betrifft, so sind sich in einer Hinsicht die Romane Brochs und Fontanes verwandter[13], aber andererseits wiederum besteht eine größere Nähe zwischen den Werken Heinrich Manns und Brochs. Botho von Rienäcker und Joachim von Pasenow sind Barone, gehören dem preußischen Landadel an und verrichten in Berlin als Premierleutnants Dienst im königlichen Heer. Diederich Heßling dagegen ist Sproß einer bürgerlichen Fabrikantenfamilie aus einer brandenburgischen Kleinstadt. Ihrer Herkunft nach betrachtet, sind also die Unterschiede zwischen Brochs Joachim und Manns Diederich beträchtlich. Was aber, strukturell gesehen, das geschilderte Beziehungsgeflecht der handelnden Personen betrifft, ähneln die Romane Brochs und Manns einander wiederum sehr. Joachim und Diederich haben z.B. mit einem ehemaligen Schulkollegen zu tun, welcher im Leben der beiden Protagonisten eine vergleichbare Rolle spielt. Diese ehemaligen Jugendfreunde und nunmehrigen Antipoden (Brochs Eduard von Bertrand und Manns Wolfgang Buck) geben Karrieren auf, die ihnen vorgezeichnet schienen und haben sich zu kritischen, illusionslosen Analytikern ihrer Zeit entwickelt. Schließlich treten sie freiwillig Frauen an ihre Antagonisten Joachim und Diederich ab, Frauen (Elisabeth und Guste), die sich mehr zu Eduard und Wolfgang hingezogen fühlten. Eduard von Bertrand und Wolfgang sind Geistesverwandte, was ihre Lebenseinstellung und ihre Haltung gegenüber den herrschenden Tendenzen der Epoche betrifft. Sie decouvrieren die imperialistische Politik des wilhelminischen Reiches als „Romantik" und stoßen damit bei ihren Gesprächspartnern Joachim und Diederich auf wenig Verständnis.

Pasenow und Heßling teilen eine für die Wilhelminische Epoche bezeichnende Passion: die uneingeschränkte Verehrung der Uniform. Brochs Charakterisierung des Uniformkults im *Pasenow* fand der amerikanische Historiker Gordon A. Craig so zutreffend, daß er die entsprechende Passage zur Illustration seiner These von der Wilhelminischen Uniformberauschtheit abdruckte in seinem Standardwerk zur deutschen Geschichte zwischen 1866 und 1945.[14] Die „eigentliche Romantik dieses Zeitalters", so konstatiert Brochs Eduard von Bertrand, sei „die der Uniform" (1,23). Diederich Heßling versteht es zwar, dem unbequemen Militärdienst zu entgehen, doch auch er ist „von dem Wert der Uniform durchdrungen" (U 354). Während seiner Zeit als Korps-Student erlebt er den „Genuß der Uniform" (U 46), erfährt er die durch sie vermittelte beglückende Zugehörigkeit zum „unpersönlichen Ganzen" (U 15) und erkennt im Uniformtragen „die einzige wirkliche Ehre" (U 463).

Im zweiten Band von Heinrich Manns *Kaiserreich*- und Brochs *Schlafwandler*-Trilogie geht es nicht mehr um das späte 19. Jahrhundert, vielmehr geraten die Jahre vor Ausbruch des Ersten Weltkriegs in den Blick. Orte der Handlung sind Industriestädte im Brandenburgischen bzw. Rheinisch-Badischen. Nicht Adel und

Industrie-Bürgertum werden ausführlich dargestellt, sondern die Welt des Proleta-
riats und des Kleinbürgertums, soziale Bereiche, die allerdings in konflikthafter
Auseinandersetzung mit der Industrie gezeigt werden. Zum Inhalt: Nachdem er
ein Unrecht entdeckt, wird der aus niedriger gesellschaftlicher Schicht stammende
Held zum anarchistischen Rebellen mit Erlösungs- und Messiasphantasien. Dieser
individualistische Empörer will nichts zu tun haben mit organisierten Sozialdemokraten und Gewerkschaftlern; vielmehr nimmt er alleine seinen privaten Kampf
auf mit dem Vertreter des Großkapitals, auf den er ein Attentat auszuüben plant.
Das Entkommen aus dem Gefängnis der Alltagsmisere strebt er allerdings nicht
nur für sich an, sondern möchte vor allem eine platonisch geliebte Frau teilhaben
lassen an der neuen Freiheit. Der Rebell täuscht sich aber sowohl über die Ange-
messenheit der Mittel bei seinen Ausbruchsversuchen, als auch über die Wünsche
der von ihm verehrten Frau. Am Ende resigniert er; er kapituliert vor den bestehenden Mächten und geht eine kleinbürgerliche bzw. proletarische Ehe ein.

Die Rede ist vom entlassenen Buchhalter August Esch in Brochs *Esch* und vom
Arbeiter Karl Balrich in Heinrich Manns *Die Armen*. Esch verliert ohne eigene
Schuld seine Arbeitsstelle. Von dieser privaten Erfahrung zieht er Rückschlüsse
auf den großen „Buchungsfehler‟, den es im Weltgeschehen allgemein auszumachen und zu beseitigen gelte. Bei Balrich liegen die Dinge anders: Vor vierzig Jahren schlug der Vater des jetzigen Industriellen Diederich Heßling eine Geldsumme,
die Balrichs Onkel Gellert gehörte, dem Gründungskapital seiner Firma zu. Dieses
Geld wurde von den Heßlings nie an Balrichs Onkel zurückgezahlt. Balrich glaubt
nun die Forderung stellen zu können, Heßling habe den gesamten Firmen- und
Privatbesitz an ihn abzutreten. Esch und Balrich sind weit davon entfernt, System-
kritiker zu sein. Sie verallgemeinern höchst individuelle Erfahrungen und projizieren ihren Haß auf einzelne Personen, mit deren Beseitigung sie glauben, der Ungerechtigkeit und Unfreiheit ein Ende bereiten zu können. Objekte ihres Hasses
sind Personen, die wir bereits aus den vorhergehenden Trilogieteilen kennen,
nämlich Eduard von Bertrand und Diederich Heßling. Diese beiden Romanhelden
sind inzwischen zu Großkapitalisten avanciert. Für Esch verkörpert Eduard von
Bertrand den „Sitz des Giftes‟ (1,237), und Balrich meint, daß Heßling „der eine‟
sei, für den „alles Böse geschieht‟ (A 583). Balrichs Attentat auf Heßling schlägt
fehl, und zur Begegnung Eschs mit Bertrand kommt es nur in einer tagtraumarti-
gen Szene. Immerhin aber erstattet Esch die Anzeige gegen den Reeder beim Köl-
ner Polizeipräsidium und löst damit dessen Selbstmord aus. Das Denken der Rebellen Esch und Balrich kreist nicht um die Befreiung von Gruppen oder Klassen.
Wie im Falle ihres Hasses können sie auch die Erwartungen und Hoffnungen nur
auf Einzelmenschen projizieren: Esch ist besessen von der fixen Idee einer „Erlö-
sung‟ der Varieté-Künstlerin Ilona aus den Fängen des Messerwerfers, und Balrich
träumt von einer märchenhaften Zukunft seiner Schwester Leni. Die Wünsche und
Sehnsüchte Eschs und Balrichs finden ihren konkreten Zielpunkt in der Villa bzw.
dem Schloß des Kapitalisten. Esch wird in seinen Tagträumen nicht mehr losge-
lassen von der Vorstellung des „prächtigen Schlosses‟ mit dem „herrlichen Park‟,
in dem „Rehe äsen unter mächtigen Bäumen‟ (E 301), des Schlosses, an dessen
Fenster die „entrückte‟ Ilona „im Flimmerkleide zu sehen‟ (E 321, 334) ist. Ähn-

lich sind Balrichs „Visionen" (A 584) und „Träume" (A 542) erfüllt von Bildern der Villa Höhe, deren „süßer Garten" ihm wie das „verlorene Paradies" (A 502) erscheint. Traumhaft-halluzinatorisch sieht er „Leni, seine Schwester, in einem schleppenden Gewand aus Mondlicht die Terrasse" (A 535) der Villa herabwandeln. *Die Armen* und *Esch* sind Romane über Anarchisten. Balrich bezeichnet sich selbst als Anarchisten (A 652), und Brochs Roman trägt den Titel „Esch oder die Anarchie". Esch ist ein Anarchist weniger im politischen als im weltanschaulich-moralischen Sinne. Sein Denken und Handeln ist das Resultat einer großen Konfusion.

Auch zwischen dem jeweils letzten Trilogieband Brochs *(Huguenau)* und Heinrich Manns *(Der Kopf)* bestehen Ähnlichkeiten, wenngleich diese nicht so auffallend sind wie bei den vorangehenden Teilen. In beiden Büchern reicht die behandelte geschichtliche Zeit bis in das letzte Jahr des Ersten Weltkriegs, und in beiden geht es um den Zerfall überlieferter moralischer und politischer Ordnungen sowie um den Wirklichkeitsverlust der in ihnen lebenden Menschen. Das Thema des „Verlusts der tradierten Wertvorstellungen"[15] transponiert Heinrich Mann in die Romanhandlung, Broch gestaltet es sowohl dichterisch wie − in der Essayfolge „Zerfall der Werte" − auch philosophisch. Die Unterschiede zwischen *Kopf* und *Huguenau* sind aber nicht zu übersehen, bedenkt man Ort, Zeit und Personal der Romanhandlungen. Brochs *Huguenau* berichtet von Vorgängen in einem Moselstädtchen des Jahres 1918; im Zentrum des Geschehens bei Heinrich Mann dagegen steht das Leben in der Reichshauptstadt Berlin vom Anfang der neunziger Jahre bis etwa 1917. Protagonisten bei Broch sind zwei Kleinbürger: der Kaufmann Huguenau und der Redakteur Esch; die Großbürgersöhne Terra und Mangolf, denen es gelingt, Spitzenpositionen in Industrie und Politik zu besetzen, sind die Helden im *Kopf*.

Ein Vergleich zwischen den beiden letzten Trilogieteilen zeigt, daß sie relativ wenig Ähnlichkeit miteinander aufweisen. Trotzdem haben Heinrich Manns *Kaiserreich*-Romane die Konzeption des *Huguenau* beeinflußt, und zwar weniger mit dem *Kopf* und den *Armen* als durch den *Untertan*. Es zeigt sich nämlich, daß Diederich Heßling als Präfiguration Wilhelm Huguenaus angesehen werden kann.[16] Die kleinstädtischen Geschäftsleute Huguenau und Heßling sind mit den gleichen Charakterzügen ausgestattet: mit Erfolgssucht, Lust am Denunzieren und zur Hochstapelei sowie dem Respekt vor der Macht bei gleichzeitigem Willen, selbst Macht an sich zu reißen. Eine Fülle einzelner Motive weist darauf hin, daß Heßling Broch bei der Darstellung Huguenaus als Vorbild gedient hat. Wie Heßling versteht es Huguenau, sich dem Militärdienst zu entziehen. Heßling streitet als patriotisch-kaiserlich Gesonnener gegen die Freisinnigen und Sozialdemokraten als dem 'Umsturz', und Huguenau hält es für seine „patriotische Pflicht", dem Freidenker Esch und seinen sozialistischen Freunden das Handwerk zu legen, indem er sie als „submarine Bewegung bedenklicher subversiver Elemente" (1,411) anzeigt. Gipfelpunkte chauvinistischer Aktivität sind bei Heßling und Huguenau die Errichtung eines Standbildes. Heßling setzt als Stadtverordneter den Bau eines Denkmals Wilhelms I. durch; Huguenau einigt sich mit den Kleinstadt-Größen auf die Aufstellung des 'Eisernen Bismarcks'. Jedesmal sind Patriotismus und Wille zu geschäftlicher Ex-

pansion untrennbar miteinander verquickt. Huguenau geht es darum, seiner Druk-
kerei „Aufträge der Heeresverwaltung [zu] verschaffen" (1,548), und Heßling spe-
kuliert als Fabrikant auf „die Papierlieferungen für die Regierung" (U 337).

Abschließend seien auch die Grenzen aufgewiesen, die einem Vergleich der beiden Romane von Heinrich Mann und Broch gesetzt sind. Bei allen strukturellen,
motivlichen und zeitkritischen Parallelen dürfen wir die grundlegenden Unterschiede in den Trilogien nicht übersehen. Diese Differenzen machen sich sowohl in der
Intention wie in der Ausführung der Romane bemerkbar: Erstens sind die ge-
schichtsphilosophisch-werttheoretischen und die historisch-politischen Reihen anders gewichtet; zweitens liegt im Falle Brochs ein größerer Einfluß der Psychologie
vor; und drittens hat die Ästhetik der Avantgarde (man denke an James Joyce) einen weitaus nachhaltigeren Einfluß auf Broch als auf Heinrich Mann ausgeübt.
Dies berücksichtigt, kann man im Falle der *Schlafwandler* nicht von einer wirklichen Nachahmung Heinrich Manns sprechen, und gegen diesen Vorwurf hat Broch
sich mit Recht gewehrt.[17] Doch zählt die *Kaiserreich*-Trilogie Heinrich Manns
zweifellos zu jenen Romanen, die ihn bei der Konzeption seines Erstlingswerkes
maßgeblich beeinflußten.

2. Lukács' *Theorie des Romans* und Brochs *Schlafwandler*

1920, als Broch Georg Lukács in Wien persönlich kennenlernte[18], erschien die
während des Ersten Weltkriegs entstandene *Theorie des Romans* in Buchform,
und es ist wahrscheinlich, daß Broch damals dieses Lukácssche Werk gelesen hat.
Auf die erstaunliche Nähe der geschichtsphilosophischen Sicht, auf die Verwandtschaft in der Auffassung von dichterischer Totalität, auf die vergleichbare Gegenüberstellung von Epos und Roman sowie auf den ähnlich gesehenen Konnex von
Ethik und Ästhetik, wie sie in Lukács' *Theorie des Romans* und Brochs Schriften
zur Literatur aus den dreißiger Jahren aufscheinen, haben verschiedene Germanisten bereits hingewiesen.[19] Aus den gleichen idealistischen geschichtsphilosophischen Gründen wie Lukács setzt Broch als Ende des Epos und als Entstehungszeit
des Romans die Wende vom sechzehnten zum siebzehnten Jahrhundert an: Nach
dem Zerfall der mittelalterlichen Seinstotalität werde der Roman sowohl zum
Ausdruck des Verlusts dieser Totalität als auch zum Medium der Suche nach einer
neuen Einheit.

Aber nicht nur die geschichtsphilosophische Analyse der Gattung Roman, wie sie
im ersten Teil von Lukács' Abhandlung vorgenommen wird, scheint Broch nachhaltig beeinflußt zu haben, sondern auch die im zweiten Teil vorgenommene Roman-
Typologie. Lukács führt drei Grundtypen des Romans vor: erstens den Roman der
„Innerlichkeit der Romantik", zweitens den des „abstrakten Idealismus" und
drittens den der „Versöhnung des Individuums mit der gesellschaftlichen Wirklichkeit" (T 135-137). Bei der Beschreibung der Romantypen und der sie repräsentierenden Romanhelden geht Lukács aus von einem jeweils anders gelagerten Verhältnis zwischen „Seele und Wirklichkeit": Die Seele des innerlichen Romantikers sei
breiter, die des abstrakten Idealisten schmaler als die Außenwelt, während sich

Seele und Außenwelt beim dritten Typus in ihren Größenordnungen anglichen. Der Romantiker wird umschrieben als Typus, der seine „innerliche Wirklichkeit" für „die einzig wahre Realität, für die Essenz der Welt" (T 114) halte. Charakteristisch für ihn sei die „Tendenz zur Passivität" (T 115), seine Seelenstruktur sei „eher kontemplativ als aktiv" (T 118). Nach dem „Auseinanderfallen von Innerlichkeit und Welt" erscheine ihm die Außenwelt als „Inbegriff sinnesfremder Gesetzlichkeiten", als „ganz von der Konvention beherrscht" (T 115). Der innerlichromantische Held erscheint Lukács als typisch für den Roman des neunzehnten Jahrhunderts, und als Beispiele führt er *Niels Lyhne* von Jens Peter Jacobsen und Gontscharows *Oblomow* an. Der abstrakte Idealist dagegen wird definiert als jener Romanheld, der den „direkten, ganz geraden Weg zur Verwirklichung des Ideals einschlagen muß", der sich entsprechend durch „einen Mangel an innerer Problematik" auszeichne und ständig „an der Grenze der unfreiwilligen Komik" (T 96) stehe. Eine „übermäßige und durch nichts gehemmte Aktivität" zeichne diesen Typus aus. Im Gegensatz zum innerlichen Romantiker gerate er „mit der Außenwelt" ständig „in Konflikt", da der abstrakte Idealismus, „um überhaupt existieren zu können, sich in Handlung umsetzen" (T 114) müsse. Als Beispiele für den Typus des abstrakten Idealisten nennt Lukács Don Quijote und Marquis Posa (T 96). Im *Don Quijote* sei der „Grund aller Abenteuer die innere Sicherheit des Helden und die inadäquate Haltung der Welt gegenüber" (T 111). Der dritte repräsentative Typus des Romanhelden schließlich stehe „in der Mitte zwischen Idealismus und Romantik". Sein Ideal sei, „in den Gebilden der Gesellschaft Bindungen und Erfüllungen" (T 136) zu finden. Durch die von ihm angestrebte Versöhnung von Ideal und Wirklichkeit werde „wenigstens postulativ die Einsamkeit der Seele aufgehoben". Diese Versöhnung dürfe freilich nicht einem philiströsen „Sichabfinden" (T 137) mit der Wirklichkeit gleichgesetzt werden. Als beispielhaft für diesen dritten Typus erscheint Lukács Goethes *Wilhelm Meister*.

Welcher Kenner von Brochs Werk würde bei dieser Typologie nicht an die Helden der drei Teile der *Schlafwandler* denken? Paßt nicht die Beschreibung des innerlich-passiven Romantikers auf Pasenow; die des abstrakten aktivistischen Idealisten auf Esch und die des gesellschaftsorientierten dritten Typus in gewisser Weise auf Huguenau? Die Untertitel der Trilogie („Romantik", „Anarchie", „Sachlichkeit") scheinen die Annahme zu bestätigen, daß Broch sich bei der Anlage des Romans durch die Lukácssche Typologie inspirieren ließ. Freilich sind Lukács' Beschreibungen von Broch nicht einfach als Rezepte übernommen worden, aber als – im einzelnen variierte – Grundmuster haben sie wohl die Konzeption der Trilogie mitbestimmt.

Auf welche Weise hat Broch versucht, in den *Schlafwandlern* den Roman des innerlich-romantischen, des abstrakt-idealistischen und des konkret-gesellschaftlich orientierten Helden zu schreiben? Brochs Absicht war es, im Sinne von Lukács die Konturen einer neuen Totalitätssicht zu verdeutlichen. Da ihm, wie Joyce, Thomas Mann und Döblin, im Mythos diese Einheitssicht am deutlichsten aufscheint[20], sucht er jeder der drei Zentralgestalten der Trilogie ein dichterisch-mythisches Grundmuster zu unterlegen. Broch selbst hat einen Hinweis auf dieses Verfahren gegeben. In seinem Vortrag „Geist und Zeitgeist" von 1934 schreibt er:

Die Erzeugung eines Mythos läßt sich nicht auf Kommando bewerkstelligen; nicht einmal aus Sehnsucht. Denn die Konkretisierungen des Mythischen haben offenbar nur eine sehr geringe Variabilität, vielleicht weil eben die Grundstruktur des Humanen, das im Mythos zum Ausdruck kommt, von so großer Einfachheit ist, und es bedarf verhältnismäßig sehr großer Veränderungen der Menschheitsseele, ehe sie sich ein neues mythisches Symbol, wie es in der Gestalt des Dr. Faustus gewachsen ist, zu schaffen vermag. Und wenn ein Dichter, getrieben von jener Sehnsucht nach dem Mythos und seiner Ewigkeitsgeltung, getrieben wird, Mythisches neu zu gestalten, so ist es nicht nur Bescheidenheit, wenn er sich gezwungen sieht, mit dem schon Bestehenden vorlieb zu nehmen." (9/2, 197)

Nach diesem Grundsatz ist Broch offenbar in den *Schlafwandlern* verfahren, und es ist nicht schwer herauszufinden, daß im *Pasenow* der Faust-Mythos, im *Esch* ein Freiheitsmythos, wie er etwa mit Schillers Werk oder Amerika assoziiert wurde, und im *Huguenau* u.a. die Homersche *Odysse* als mythische Folie des Erzählten figurieren. Am transparentesten ist dabei die Faustgeschichte im *Pasenow*, denn die Figuren dieses Romanteils werden direkt mit ihren Prototypen aus Goethes *Faust* verglichen: Ruzena mit Margarete, ihr imaginierter Bruder mit Valentin, Bertrand mit Mephisto und Elisabeth mit der Erlösung verheißenden Himmelskönigin Maria. Alte Mythen erscheinen in Brochs Roman freilich in neuem Zusammenhang und in neuer Funktion. Neben dem mythischen Substrat sind die *Schlafwandler* — wie schon der Vergleich mit Heinrich Manns Romanen zeigte — auch von einem starken historischen Substrat durchsetzt, wenngleich es schwerfällt von einer Dominanz der mythischen oder der historischen Rasterelemente innerhalb des gesamten Anspielungsgeflechts von Mythos und Geschichte zu sprechen. Zudem kann von einer Huldigung an alte Mythen keine Rede sein. Broch spielt mit den Mythen, verwandelt sie, gibt ihnen — wie bereits Goethe in seinen Dichtungen — neue Bedeutungen, funktioniert sie um, wie es die dichterische Imagination erlaubt oder der zeitgeschichtliche Hintergrund erforderlich macht. Die satirische Anlage des *Pasenow* wird deutlich, wenn man sich vergegenwärtigt, daß dem innerlichen und passiven Romantiker Pasenow die Rolle des Faust zufällt, daß Margarete als Animierdame Ruzena in zwielichtigen Lokalen auftaucht, daß Mephisto als Nietzscheanisch gestimmter, international agierender Großkaufmann erscheint, daß Valentin eine Mischung aus einem nur in Pasenows Phantasie existierenden Bruder Ruzenas und aus seinem eigenen Bruder Helmuth darstellt, der wie sein Goethesches Vorbild wegen der „Ehre" im Duell tödlich getroffen wird. Wie sehr Broch mit den überlieferten Mythen bzw. mit den zeitgenössischen Auffassungen von ihnen spielt, wird hier deutlich. Oswald Spengler hatte in seinem *Untergang des Abendlandes* die wilhelminisch-gründerzeitliche Faust-Ideologie überhöht zur „faustischen Mythologie", hatte den Faust-Mythos zum Mythos des „modernen", bzw. „abendländischen" Menschen schlechthin erklärt.[21] Eine größere Diskrepanz als jene zwischen dem wilhelminisch-imperialen Ideal vom Dr. Faustus und dem innerlich-romantischen, scheuen, entschlußlosen und unselbständigen, mit einem Wort unheldischen Pasenow Junior kann man sich kaum vorstellen. Brochs *Pasenow* ist aber nicht nur eine satirische Variation des Faust-

Stoffes, sondern auch die Satire auf den innerlich-romantischen Romanhelden der Lukácsschen Typologie. Denn im Gegensatz zu diesem gleitet der kontemplativ-passive Pasenow nach metaphysisch potenzierten Seelen-Ekstasen immer wieder ab ins Banale und Konventionelle, in Bereiche, die der Typus des innerlich-romantischen Helden im Sinne Lukács' flieht.

Als ständig an der „Grenze der unfreiwilligen Komik" stehend, ist der zweite Lukácssche Typus, der abstrakte Idealist, von vornherein der Held eines zumindest potentiell satirischen Romans. Don Quijote und der Schillersche Freiheitsheld werden von Lukács als Vertreter dieses Dichtungstypus genannt, und genau sie sind es, deren Charaktereigenschaften und Eigentümlichkeiten Broch synthetisierte bei der Gestaltung des Esch, des Protagonisten seines zweiten Trilogieteils *Esch oder die Anarchie*. Broch vergleicht Esch direkt mit Don Quijote, wenn von ihm die Rede ist als einem „hageren Ritter, der mit seiner eingelegten Lanze Angriff um Angriff reiten muß zu Ehren der Rechnung, die in der Welt glatt aufgehen soll" (1,415). Im Falle des *Esch* kann — anders als im *Pasenow* — von einer eigentlichen Parodie nicht die Rede sein. Denn Cervantes' Don Quijote war selbst schon als Parodie angelegt. Wie häufig in der Literaturgeschichte wird hier die satirische Methode des Cervantes übernommen. Mit Don Quijote hat Esch eine Reihe von Wesenszügen gemeinsam: beide verstehen sich als Beschützer der Armen, Witwen und Waisen und wollen jegliches Unrecht aus der Welt schaffen, beide interpretieren die Welt entschlossen im Sinne ihres Idealismus um, und beide schaffen oft erst Mißstände, obwohl sie mit ihren Unternehmungen gerade diese beseitigen wollen. Wie Don Quijote seine Aldonza, so stilisiert Esch Ilona zur liebes- und erlösungsbedürftigen Dulcinea. „Opfer" will Esch bringen, um Ilona zu „erlösen" (1,308), will die „Zarte" den gefährlichen Händen des Messerwerfers entreißen (1,203) und sie auf ein „fernes, unerreichbares Schloß" (1,361) führen. Auch die tagtraumartige Begegnung zwischen Esch und Bertrand ist im *Don Quijote* vorgebildet: In der Höhle von Mentesinos, in die der Hidalgo auf der Suche nach geheimnisvollen Abenteuern hinabgestiegen ist, begegnet er im Traum den Helden seiner Ritterromane. Und wie Don Quijote im Kreis der Hirten mit religiöser Inbrunst das Goldene Zeitalter preist, das einst allen Menschen Glück und Frieden gebracht habe, so entwirft Esch für sich und seine Bekannten das Bild eines utopischen Freiheitsstaates, den er Amerika nennt.

Eine besondere Faszination geht für Esch vom Freiheitsdramatiker Schiller aus. In Mannheim besucht er sein Denkmal (1,343), kauft für Mutter Hentjen eine „bronzene Nachbildung des Schillerdenkmals" (1,248) und weiß von dem Mannheimer Theater zu berichten, daß darin „die Premiere [. . .] von Schillers Stück stattgefunden" (1,249) habe. Aber nicht nur eine Schillerstatuette verehrt Esch der Mutter Hentjen, sondern noch ein weiteres Symbol von Unabhängigkeit, Neubeginn und Rebellion, eine „kleine bronzene Freiheitsstatue", eine Nachbildung der Statue of Liberty aus dem New Yorker Hafen. Die Freiheitsstatue gehört zu jenem Motivkomplex, der sich um die zentrale Amerika-Metapher des *Esch* gruppiert und die wiederum sich einfügt in das übergeordnete Freiheits- und Anarchiethema dieses Trilogieteils. Dem Prinzip des Eschschen abstrakten Idealismus steht freilich das des konkreten Realismus der Mutter Hentjen entgegen, die man als eine Art weiblichen Sancho Pansa verstehen kann. Und anders als seine literarischen Vorbilder Don Quijote und die Schillerschen Freiheitshelden paßt Esch sich diesem Realitätsprinzip im Laufe der Erzählung an. „Mit Amerika war's also Essig", sieht er bald ein, „endgültig. Jetzt hieß es in Köln bleiben. Die Käfigtür war zugefallen. Man war eingesperrt. Die Fackel der Freiheit war erloschen" (1,371). So wie am Ende des Pasenow aus dem innerlichen Romantiker ein Vertreter banal-alltäglicher Konvention wird, wandelt sich auch Esch am Schluß des zweiten Trilogieteils vom abstrakten Idealisten zum angepaßten Realisten. Erneut wird deutlich, daß es Broch in diesen Romanen nicht lediglich um eine Konkretisierung der Lukácsschen Typologie geht, sondern um ihre satirische Auflösung. Wie im Pasenow wird auch im Esch die Wandlung des Helden in dem jeweils nur wenige Zeilen umfassenden Schlußkapitel lakonisch mitgeteilt. Im zweiten Trilogieteil ist dort zu lesen, daß der ehemals anarchistisch-freiheitsdurstige Esch sich entwickelt habe zu einem von „seiner Gattin bewunderten [. . .] Oberbuchhalter in einem großen Industrieunternehmen seiner luxemburgischen Heimat" (1,381).

Daß es sich bei den Protagonisten der Trilogieteile um Satiren auf die Lukácssche Typologie handelt, wird vollends deutlich, wenn wir den gesellschaftsorientierten dritten Typus Lukács' mit dem Helden des Huguenau-Romans vergleichen. Wilhelm Huguenau hat mit seinem literarischen Vorgänger Wilhelm Meister nur noch den Vornamen gemeinsam. Nach Lukács ist das Thema im Wilhelm Meister Goethes „die Versöhnung des problematischen, vom erlebten Ideal geführten Individuums mit der konkreten, gesellschaftlichen Wirklichkeit". Bei der Versöhnung handelt es sich weder um eine „von vornherein bestehende Harmonie", noch um ein „Sichabfinden"; sie sei vielmehr „in schweren Kämpfen und Irrfahrten gesucht" (T 135) worden. Mit dem Bild von der „Irrfahrt" spielt Lukács auf den mythischen Ahn des Wilhelm Meister an, auf Odysseus. Auch Broch vergleicht Wilhelm Huguenau mit dem Helden des Homerschen Epos. Huguenaus „Kriegsodyssee" bezeichnet Broch freilich – wieder in satirischer Absicht – als „schöne Ferienzeit" (1,687) und nicht etwa als eine „von schweren Kämpfen" begleitete Irrfahrt. Anders als Wilhelm Meister wird Wilhelm Huguenau auch nicht von einem „Ideal" geführt, das sich auf problem- und konfliktreiche Weise erst allmählich mit der „gesellschaftlichen Wirklichkeit" versöhnen müßte. Bei Huguenau ist tatsächlich eine „von vornherein bestehende Harmonie" mit der Gesellschaft, als deren Teil er sich versteht, festzustellen. „Die reine Innerlichkeit der Romantik" und „das Heldentum des abstrakten Idealismus" werden von Lukács als durch den gesellschaftsorientierten Typus „zu überwindende Tendenzen" (T 137) betrachtet. Während aber Wilhelm Meister auf sublime Weise in sich selbst jene idealistischen Tendenzen (etwa der schönen Seele) und die romantischen (etwa Mignons) überwindet, ist diese Überwindung bei Wilhelm Huguenau brutal nach außen gerichtet: Er ermordet den abstrakten Idealisten Esch und bedient sich des im wörtlichen Sinne ohnmächtigen innerlichen Romantikers Pasenow zur Abdeckung seiner kriegsgewinnlerischen Interessen. Huguenau ist Vertreter des „Philistertums" im Sinne Lukács', d.h. er findet sich ab mit „jeder noch so ideenlosen Ordnung" (T 137). Obgleich Deserteur, ist er ein „Angehöriger des Krieges, dessen Vorhandensein er guthieß" (1,390). Im Wilhelm Meister spielen bei der Ausbildung der Persönlichkeit des Protagonisten die verschiedenen Freundschafts- und Liebesbeziehungen eine zentrale Rolle. Die einzige erotische Zuneigung, von der wir bei Huguenau wissen, ist die zu einem toten Gegenstand, zu Eschs Druckmaschine: „Und das Übermaß seiner Liebe", so heißt es bewußt satirisch überspitzt, „zu diesem lebendigen Wesen erfüllte ihn so sehr, daß kein Ehrgeiz in ihm aufkeimen oder gar der Versuch entstehen konnte, diese unverständliche und wunderbare Maschinenfunktion je zu begreifen; bewundernd und zärtlich und fast ängstlich nahm er sie hin, wie sie war" (1,491).

Die Frage drängt sich auf, warum Broch, der zu Lukács' früher philosophisch-ästhetischer Sicht eine starke Affinität aufweist, in satirischer Absicht mit dessen Typologie aus der *Theorie des Romans* spielt. Sicherlich nicht, um diese Typologie an sich ad absurdum zu führen. Brochs Verfahren wird verständlich, wenn man in Erinnerung ruft, daß er − was Lukács ferngelegen hätte − die drei Grundtypen von Romanhelden als repräsentative Vertreter der Wilhelminischen Ära verstanden wissen wollte, was bei dem Vergleich mit Heinrich Manns *Kaiserreich*-Romanen besonders deutlich geworden ist. Broch verändert damit das thematische, temporale und lokale Bezugsfeld völlig, innerhalb dessen die Lukácsschen Typen Geltung zu haben beanspruchten. Lukács geht es um die idealtypische Charakterisierung bestimmter, in der europäischen Dichtung zwischen dem sechzehnten und dem neunzehnten Jahrhundert auftauchender Grundmuster von Romanhelden. Broch nun erweitert diese innerliterarische Typologie Lukács' um eine historisch-soziologische Dimension: Pasenow, Esch und Huguenau stehen nicht lediglich als Beispiele des romantischen, idealistischen und gesellschaftsorientierten Romanhelden im Sinne von Lukács, sondern sie symbolisieren auch Repräsentanten distinkter Phasen der preußisch-deutschen Geschichte und ihrer Gesellschaft zwischen 1888 und 1918. Es wäre ein Unding gewesen, einen romantischen Oblomow, einen idealistischen Don Quijote und einen gesellschaftsorientierten Wilhelm Meister als repräsentativ für die Epoche des Wilhelminismus anzusehen. Wollte man diese literarischen Vorfahren als Präfigurationen der drei Brochschen Romanprotagonisten wählen, blieb nur die Möglichkeit der Parodie übrig. Mit dieser Parodie auf mythische und literarische Vorbilder steht Broch in einer für die moderne Dichtung bereits typisch gewordenen Tradition[22]. Aber auch die parodistisch verfremdeten Lukácsschen Typen in Brochs Trilogie müssen sich die kritische Frage gefallen lassen, ob sie als soziologisch-historisch repräsentativ gelten können. Wären die *Schlafwandler* lediglich als zeitkritischer Roman konzipiert − wie etwa Heinrich Manns *Kaiserreich*-Trilogie −, so würde man mit Recht Zweifel an der Epochenrepräsentanz Pasenows, Eschs und Huguenaus anmelden. Die eingearbeitete Zeit- und Gesellschaftskritik in Brochs Roman ist zweifellos beachtlich[23], aber sie bildet eben nur eine der beiden Hauptkomponenten des Romanganzen, der historischen und der mythisch-religiösen. Gerade letztere aber waren Broch selbst besonders wichtig. Denn wie wir bei der Darstellung seiner Romanintention gesehen haben, ging es ihm in den *Schlafwandlern* nicht zuletzt darum, den Zerfall der alten Kosmologie zu veranschaulichen.

Anmerkungen

1 Hannah Arendt, „Einleitung" in: Hermann Broch, *Dichten und Erkennen. Essays I.* (Zürich: Rhein-Verlag, 1955), S. 5.

2 Vgl. den bisher unveröffentlichten Teil des von Broch in Briefen geführten Tagebuches für Ea von Allesch, Broch-Archiv der Yale University Library (YUL) in New Haven, Connecticut.

3 Privatbesitz von Anne Marie Meier-Graefe-Broch.

4 Zitiert wird nach der von mir zwischen 1974 und 1981 herausgegebenen und im Suhrkamp Verlag, Frankfurt am Main, erschienenen *Kommentierten Werkausgabe Hermann Broch* in dreizehn Bänden. Die Ziffern 1 bis 13 stehen für die Bandnummern, und nach dem Komma folgt die Seitenangabe.

5 Vgl. „Eine methodologische Novelle" (1918) und „Ophelia" (1920) in (6,11-36).

6 Die folgenden Zitate aus dem „Methodologischen Prospekt" finden sich sämtlich in (1,719-720).

7 Zum Einfluß Blochs vgl. mein Buch *Hermann Broch – Ethik und Politik* (München: Winkler, 1973), S. 92-106.

8 Vgl. „Kultur 1908/1909" in (10/1, 11-31).

9 Dorrit Claire Cohn, *The Sleepwalkers. Elucidations of Hermann Broch's Trilogy* (The Hague, Paris: Mouton, 1966).

10 Eine ausführlichere Darstellung dieses Themas findet sich in meinem Beitrag zu einem Heinrich-Mann-Sammelband, der in diesem Jahr, herausgegeben von Helmut Koopmann, erscheinen wird.

11 Zu den Beziehungen Brochs zu Lukács vgl. meine folgenden Aufsätze: „Hermann Broch und Georg Lukács. Zur Wirkungsgeschichte von James Joyce", in: *Etudes Germaniques* 35/3 (1980), S. 290-299. Ferner: „Broch, Lukács und die Folgen", in: *Modern Austrian Literature* (Special Hermann Broch Issue) 13/4 (1980), S. 99-120.

12 Zitiert wird in der Folge nach: Heinrich Mann, *Das Kaiserreich. Die Romane der deutschen Gesellschaft im Zeitalter Wilhelm II: Der Untertan: Roman des Bürgertums; Die Armen: Roman des Proletariers; Der Kopf: Roman der Führer* (Berlin, Wien, Leipzig: Zsolnay, 1925; Ausgabe in zwei Bänden). Abkürzungen: U (=*Untertan*), A (=*Die Armen*), K (=*Der Kopf*).

13 Broch selbst bestritt jeden Einfluß Fontanes. Vgl. (13/1, 127).

14 Gordon A. Craig, *Deutsche Geschichte 1866-1945* (München: Beck, 1980), S. 209, 696.

15 Renate Werner, *Skeptizismus, Ästhetizismus, Aktivismus. Der frühe Heinrich Mann* (Düsseldorf: Bertelsmann Universitätsverlag, 1972), S. 253.

16 Auf einige Ähnlichkeiten zwischen Heßling und Huguenau wird hingewiesen bei: Jean Paul Bier, „Hermann Broch und Heinrich Mann", in: *Hermann Broch und seine Zeit,* hrsg. v. Richard Thieberger (Bern: Peter Lang, 1980), S. 81.

17 Vgl. (13/1, 137).

18 Vgl. (13/1,44). Zitiert wird in der Folge nach: Georg Lukács, *Die Theorie des Romans* (Neuwied und Berlin: Luchterhand, [3]1965) mit der Abkürzung „T", der dann die Seitenzahl folgt.

19 Vgl. Jürgen Schramke, *Zur Theorie des Romans* (München: Beck, 1974), S. 27ff.; Manfred Durzak, *Gespräche über den Roman* (Frankfurt a.M.: Suhrkamp, 1978), S. 33f.; Rolf Peter Janz, „Zur Historizität und Aktualität der

Theorie des Romans von Georg Lukács", in: *Jahrbuch der deutschen Schillergesellschaft* XXII (1978), S. 686.

20 Vgl. dazu Jost Hermand/Frank Trommler, *Die Kultur der Weimarer Republik* (München: Nymphenburger, 1978), S. 156f.

21 Oswald Spengler, *Der Untergang des Abendlandes* (München: Beck, 1963), S. 512f.

22 Vgl. Theodore Ziolkowski, „Some Features of Religious Figuralism in Twentieth-Century Literature". In: *Literary Uses of Typology,* hrsg. v. Earl Miner (Princeton: Princeton University Press, 1977), S. 360f.

23 Vgl. meine in Anmerkung 7 genannte Arbeit; ferner: Hartmut Steinecke, „Hermann Broch: Zeitkritik zwischen Epochenanalyse und Utopie". In: *Zeitkritische Romane des 20. Jahrhunderts,* hrsg. v. Hans Wagener (Stuttgart: Reclam, 1975), S. 76-96.

DIETMAR GOLTSCHNIGG

ROBERT MUSIL: *DER MANN OHNE EIGENSCHAFTEN* (1930 ff.)

Österreich, so vieldeutig dieser Begriff auch sein mag, dient unverkennbar der fiktionalen Welt von Robert Musils Hauptwerk, dem Roman *Der Mann ohne Eigenschaften*, als sozialhistorisches Modell. Es handelt sich vordergründig um die alte k. u. k.-Monarchie, die nach dem Ersten Weltkrieg zu existieren aufhörte, in die freilich schon Erscheinungen der Ersten Republik, des Austrofaschismus, des deutschen Nationalsozialismus und sogar des Zweiten Weltkriegs eingeblendet sind. Musil hat den *Mann ohne Eigenschaften* von Anfang an bewußt als einen „aus der Vergangenheit entwickelten Gegenwartsroman" konzipiert (GW V, 1941)[1]: „Alles, was sich im Krieg und nach dem Krieg gezeigt hat, war schon vorher da [. . .] Alles muß man submarin auch schon in dem Vorkriegsroman zeigen." (T 353f.)[2] „Kakanien": dieser schillernde, konstruktiv-ironische, nostalgische und zugleich utopische Name, den Musil dem komplizierten Staatsgebilde der untergegangenen Donaumonarchie gegeben hat, ist heute in der literarischen Öffentlichkeit längst ein geflügeltes Wort und eignet sich vorzüglich als Signatur für das Spannungsfeld von Literatur und historischer Realität auch im verallgemeinernden Ausgriff auf die Zukunft: „Österr.[eich] als besonders deutlicher Fall der modernen Welt" (GW V, 1905).

I. Zur Entstehungs- und Editionsgeschichte

Musil trug sich in der Zeit von 1900 bis 1930 mit einer Reihe von Romanplänen, die unausgeführt blieben oder deren Handlungskomplexe und Figurenkonstellationen in den *Mann ohne Eigenschaften* eingemündet sind. Unmittelbare Vorstufen sind die Studien und Entwürfe zu einem Roman, der ursprünglich *Der Spion*, dann *Der Erlöser* und später *Die Zwillingsschwester* heißen sollte. Den endgültigen Titel hat Musil vermutlich erst in den Jahren 1927/28 festgelegt. *Der Mann ohne Eigenschaften* ist Fragment geblieben. Musil selber veröffentlichte 1930/31 das erste Buch (123 Kapitel) und 1932/33 den ersten Teil des zweiten Buchs (38 Kapitel) im Berliner Rowohlt-Verlag. Seine angegriffene Gesundheit, die ständige finanzielle Misere und schließlich die Emigration in die Schweiz hemmten Musils Schaffenskraft. Den letzten Versuch, eine Fortsetzung des Romans zu veröffentlichen, unternahm er 1937/38 in Zusammenarbeit mit dem Verlag Bermann-Fischer, der einen Sitz in Wien und Stockholm hatte. Zunächst wurde das erste Buch neu aufgelegt (1938); dann gab Musil zu den schon 1933 bei Rowohlt veröffentlichten 38 Kapiteln des zweiten Buches 20 weitere in Satz, die er jedoch so stark überarbeitete, daß er sie zurückziehen mußte. Bis zu seinem Tod, 1942, hat Musil kein einziges weiteres Romankapitel mehr publiziert. 1943 gab Martha Musil, die Witwe des Dichters, einen Nachlaßband heraus, der die 20 Korrekturfahnenkapitel des geplanten Fortsetzungsbandes von 1938 enthält, vermehrt um 20 weitere nachgelassene Kapitel. 1952 erschien die Ausgabe von Adolf Frisé, der sich auf das Wagnis einließ, mit sehr unterschiedlichen Texten aus dem Nachlaß eine Fortsetzung und einen Schluß des Romans zu rekonstruieren. Nach heftigen, zum Teil berechtigten Einwänden einzelner Musil-Forscher hat Frisé in seiner neuesten Ausgabe von 1978 die beanstandeten Mängel weitgehend beseitigt und gewisse Prinzipien einer historisch-kritischen Ausgabe berücksichtigt.[3]

II. Interpretation

1. Figuren – Handlung – Reflexionen

Ein Überblick über das Geschehen im *Mann ohne Eigenschaften* ist ein schwieriges Unterfangen angesichts des riesigen Romanumfangs einerseits, seines fragmentarischen Charakters andererseits. Zudem praktiziert Musil gewissermaßen eine „Erzählverweigerung".[4] Das Eingangskapitel des Romans trägt den düpierenden Titel: „Woraus bemerkenswerter Weise nichts hervorgeht"; dem entspricht eine Arbeitsnotiz des Autors (1932): „Die Geschichte dieses Romans kommt darauf hinaus, daß die Geschichte, die in ihm erzählt werden sollte, nicht erzählt wird." (GW V, 1937). Der *Mann ohne Eigenschaften* erzählt keine Geschichte im traditionellen Sinne, sondern liefert vielmehr dazu das Material und zugleich den Kommentar, die Analyse. Handlung und Figuren werden durch „übermäßig wuchernde diskursive Texte"[5] zersetzt; alles konkret Individuelle wird sogleich ins abstrakt Allgemeine gehoben. Die Definition dieses nicht unbedingt leserfreundlichen Verfahrens hat Musil im ersten, „Eine Art Einleitung" überschriebenen Abschnitt des Romans vorausgeschickt: „[. . .] im Abstrakten ereignet sich heute das Wesentlichere, und das Belanglosere im Wirklichen." (GW I, 69) Was Musil interessiert, sind nicht zufällige, vertauschbare Tatsachen, sondern „das geistig Typische", „das Gespenstische des Geschehens" (GW VII, 939).

Die Struktur des Romans ist sozialpsychologisch determiniert. Angesichts der historisch erfahrenen allgemeinen Desintegration der Vor- und Nachkriegszeit unternimmt Musil im *Mann ohne Eigenschaften* den Versuch, der „entfremdeten Wirklichkeit einen authentischen Sinn abzuringen".[6] Nach der „Auflösung des anthropozentrischen Verhaltens" ist ein überpersönlicher Systemzusammenhang entstanden, eine „Welt aus Eigenschaften ohne Mann" (GW I, 150), in der nur mehr „Seinesgleichen", das heißt Typisches und Schematisches, geschieht. Diese Erfahrungen, von der Soziologie als „Anomie" und „Entfremdung" bezeichnet, bewirken im Roman zwangsläufig einen Theorieüberhang, dessen Funktion darin besteht, die erwähnten Krisenerscheinungen innerhalb der Gesellschaft aufzudekken, neue Orientierungsmöglichkeiten zu erkunden[7] und damit – wie Musil selber erhofft – „Beiträge zur geistigen Bewältigung der Welt [zu] geben" (GW VII, 942).[8]

Das Romangeschehen spielt sich zumeist in Wien ab, ein Jahr vor dem Ausbruch des Ersten Weltkriegs. Die Hauptfigur, oder besser: „der verkörperte *Geist,* der Spiritus rector"[9], ist Ulrich, dessen Familienname „aus Rücksicht auf seinen Vater verschwiegen wird" – eine ironische Anspielung des Autors auf sich selbst. Denn Ulrich hat, ähnlich wie Musil, drei Versuche unternommen, „ein bedeutender Mann zu werden": zuerst als Offizier, dann als Ingenieur und schließlich als Mathematiker. Alle drei Versuche nehmen einen unbefriedigenden Verlauf. Ulrich macht in jedem Beruf über kurz oder lang die Erfahrung der Selbstentfremdung. Und so beschließt er, zur „Rettung der Eigenheit [. . .] ein Jahr Urlaub von seinem Leben zu nehmen, um eine angemessene Anwendung seiner Fähigkeiten zu suchen" (GW I, 47). Der Frage „des rechten Lebens" nachgehend, die allein „das Denken wirklich lohne" (GW I, 255), entwirft er vier Utopien, die jedoch nacheinander zum Scheitern gebracht werden: die „Utopie des exakten Lebens" (GW I, 244-247), die sich der mathematisch-naturwissenschaftlichen Methodik bedient, die „Utopie des Essayismus" (GW I, 247-257), die in einem „Generalsekretariat der Genauigkeit und Seele" (GW II, 583-600) institutionalisiert werden soll, die „Utopie des motivierten Lebens", welche die Kausalitäten des „Seinesgleichen" durch „Motivationen", die der „Mitte unseres Wesens" entsprechen, zu ersetzen trachtet (GW IV, 1420-1424), und die „Utopie des 'anderen Zustands'", die auf eine säkularisierte Unio mystica abzielt.[10]

Den satirischen Handlungskern des Romans bildet die sogenannte „Parallelaktion", über die Ulrich brieflich von seinem Vater in Kenntnis gesetzt wird:

> „In Deutschland soll im Jahre 1918, u. zw. in den Tagen um den 15.VI. herum, eine große, der Welt die Größe und Macht Deutschlands ins Gedächtnis prägende Feier des dann eingetretenen 30-jährigen Regierungsjubiläums Kaiser Wilhelms II. stattfinden [. . .] Nun weißt du wohl auch, daß in dem gleichen Jahre unser verehrungswürdiger Kaiser das 70-jährige Jubiläum Seiner Thronbesteigung feiert und daß dieses Datum auf den 2. Dezember fällt. Bei der Bescheidenheit, die wir Österreicher allzusehr in allen Fragen haben, die unser eigenes Vaterland betreffen, steht zu befürchten, daß wir, ich muß schon sagen, wieder einmal ein Königgrätz erleben, das heißt, daß uns die Deutschen mit ihrer auf Effekt geschulten Methodik zuvorkommen werden, so wie sie damals das Zündnadelgewehr eingeführt hatten, bevor wir an eine Überraschung dachten.
> Glücklicherweise wurde meine Befürchtung, die ich eben äußerte, von anderen patriotischen Persönlichkeiten mit guten Beziehungen schon vorweggenommen, und ich kann Dir verraten, daß in Wien eine Aktion im Gange ist, um das Eintreffen dieser Befürchtung zu verhindern und das volle Gewicht eines 70jährigen, segens- und sorgenreichen Jubiläums gegenüber einem bloß 30jährigen zur Geltung zu bringen. Da der 2. XII. natürlich durch nichts vor den 15. VI. gerückt werden könnte, ist man auf den glücklichen Gedanken verfallen, das ganze Jahr 1918 zu einem Jubiläumsjahr unseres Friedenskaisers auszugestalten." (GW I, 78f.)

Der „Friedenskaiser" Franz Joseph sollte freilich bald die fatale Kriegserklärung Österreich-Ungarns an Serbien unterzeichnen; und die beiden vorzubereitenden

Regierungsjubiläen fallen – welch „makabre geschichtliche Prophetie"[11] – genau auf jenen Zeitpunkt, der den Untergang beider Reiche markiert.

Auf Empfehlung seines Vaters schließt sich Ulrich der Parallelaktion an und wird sogar zu deren Sekretär bestellt. In ihrem Umkreis lernt er eine Reihe von Figuren kennen: zunächst Ermelinda Tuzzi, die mit ihm entfernt verwandt ist und die er wegen ihrer sentimentalen Schwärmerei nach Platons Priesterin der Liebe Diotima nennt. Verheiratet ist sie mit einem Sektionschef des Außenministeriums, einem Gentleman vom Scheitel bis zur Sohle. Der geistige Vater der Parallelaktion ist Graf Leinsdorf, in manchen Zügen ein Abbild· des greisen Monarchen Franz Joseph. Die Armee vertritt der kleine, auf den ersten Blick einfältig und harmlos wirkende General Stumm von Bordwehr. Als Regisseur des auf eine imposante Demonstration der Überlegenheit Österreichs über Deutschland angelegten Unternehmens fungiert ausgerechnet ein preußischer Finanzmagnat und „Großschriftsteller" namens Dr. Paul Arnheim, dessen Seelenfreundschaft mit Diotima der „schweigenden Begegnung zweier Berggipfel" gleicht (GW I, 182-185). Was sich in den platonischen Höhen des „ersten Stocks" abspielt, wiederholt sich handfest zu „ebener Erde" zwischen Arnheims und Diotimas Domestiken: dem Mohren Soliman und der Zofe Rachel.

In dem Komitee, das die kakanische Jubelfeier vorbereiten soll, herrscht eine totale Konfusion. Sie spiegelt sich in skurrilen Vorschlägen und Diskussionsbeiträgen der Sitzungsteilnehmer wider (GW I, 172ff.).[12] Was zunächst noch recht spaßig anmutet, kippt in einer späteren Sitzung unvermittelt in Ernst um, wenn General Stumm von Bordwehr die Parallelaktion in eine neue Richtung drängt: „es sind Stimmen laut geworden" – berichtet er geheimnisvoll –, „die es als das Einfachste bezeichnet haben, wenn man nicht mehr lang hin und her reden würde, sondern sich für ein militärisches Vorhaben entschlösse." (GW II, 585) Auch in der Rüstungspolitik sei es für Kakanien „'in gewissem Sinn [. . .] eine Bruderpflicht', schloß er 'nicht zu weit hinter Deutschland zurückzustehen. Ich bitte um Verzeihung, wenn ich paradox sein sollte, aber der Intellekt hat eben heute solche Verwicklungen!" (GW II, 588) Der General deutet damit die Absurdität der Diskussion über Pazifismus, Aufrüstung und Kriegsgefahr an, einer Diskussion, welche das weitere Geschehen rundum die Parallelaktion beherrscht und sich bisweilen wie ein ironischer Kommentar zur heutigen Rüstungspolitik und Friedensbewegung liest. Wie paradox die Argumentation anmutet, belegt allein der Dialog zwischen Sektionschef Tuzzi und Ulrich am „Großen Abend" der Parallelaktion. Die geschäftlichen Interessen des preußischen Großindustriellen Arnheim durchschauend, erklärt Tuzzi: „Pazifismus ist ein dauerndes und sicheres Rüstungsgeschäft, Krieg ein Risiko!" Was Ulrich ironisch bekräftigt: „[. . .] schließlich rüstet man heute in der ganzen Welt doch nur für den Frieden." Die größte Gefahr aber, entgegnet Tuzzi, drohe vor dem „Frieden um jeden Preis": Wenn nämlich in Kakanien „das Friedensbedürfnis und die Friedenspropaganda" steigen, dann wird „der Zar mit irgendeiner Idee zum Ewigen Frieden" hervortreten und „den Boden psychologisch vorbereitet finden". „Nichts ist in der Diplomatie so gefährlich wie das unsachliche Reden vom Frieden! Jedesmal, wenn das Bedürfnis danach eine gewisse Höhe erreicht hat und nicht mehr zu halten war, ist noch ein Krieg daraus entstanden! Das kann ich Ihnen aktenmäßig beweisen! (GW III, 10006)

Als verkörperte Metapher für die aus den Fugen geratene, dem Krieg zutreibende Welt wirkt die Gestalt des wahnsinnigen Prostituiertenmörders Moosbrugger. Sein Fall, ein „Grenzfall", der Ulrich als „verzerrter Zusammenhang unsrer eignen Elemente des Seins" erscheint (GW I, 76), beschäftigt fast alle Romanfiguren, besonders freilich die neurotische Clarisse, die von ihm fasziniert ist und in ihm, ähnlich wie in Nietzsche, eine Erlöserfigur sieht.[13] Moosbruggers und Clarissens zerrüttete Geistesverfassungen sind ferner pathologische Varianten des „anderen Zustands" der Geschwister Ulrich und Agathe.[14] „Man darf nicht glauben, daß der Wahnsinn sinnlos ist", konstatiert der Erzähler nach der Internierung Clarissens im Irrenhaus; „zuweilen war es Cl.[arisse] ganz klar, daß sie zwischen den Gesetzen einer andern, aber durchaus nicht gesetzlosen Welt lebte." (GW V, 1768f.) Ulrich mißt dem Wahnsinn Moosbruggers gar utopische Dimensionen zu: „[. . .] wenn die Menschheit als Ganzes träumen könnte, müßte Moosbrugger entstehn." (GW I, 176)

Die Figur Moosbruggers gibt den Anstoß zu einer Reihe von Gesprächen, die um das Problem der Moral, der Willensfreiheit und der Zurechnungsfähigkeit von Verbrechern kreisen. In dieser Frage läßt sich bei Musil von den *Vereinigungen* (1911) bis zum *Mann ohne Eigenschaften* eine bemerkenswerte Entwicklung verfolgen. In der Novelle *Die Vollendung der Liebe* herrscht noch jene für das fin de siècle bezeichnende Moralauffassung, derzufolge die Seele des Menschen von seinen Taten unberührt bleibe. Ein geisteskranker Sexualverbrecher (von dem nur die Initiale seines Namens G. genannt wird) fungiert gleichsam als poetische Rechtfertigungsautorität für Claudines Ehebruch.[15] Diese eigentümliche Konstellation kehrt — freilich ironisch verzeichnet — im *Mann ohne Eigenschaften* wieder, wo die Nymphomanin Bonadea ihrem außerehelich Geliebten Ulrich erklärt, daß sie Moosbrugger für ein Opfer der Justiz halte, obwohl sie dessen Tat, den Sexualmord, verabscheue. „'Du bist also' behauptete Ulrich 'jedesmal für das Opfer und gegen die Tat [. . .] Aber wenn sich dein Urteil so konsequent gegen die Tat richtet, [. . .] wie willst du dann deine Ehebrüche rechtfertigen, Bonadea?!'" (GW I, 120) Im Gegensatz zur *Vollendung der Liebe,* wo der Ehebruch Claudines mit dem Hinweis auf die unversehrte Seele des geisteskranken Sexualverbrechers G. sanktioniert wird, vermag Ulrich Bonadeas „mitleidige Parteinahme für Moosbrugger" nicht mehr mit ihren Ehebrüchen in Einklang zu bringen. Die ironische Erzählstrategie widerspricht hier jener Moral, welche Tat und Täter subtil voneinander zu trennen sucht, und zielt offenbar auf eine zunehmend ethische Selbstverantwortung des Individuums.

Die Begegnung der Geschwister Ulrich und Agathe beim Begräbnis des Vaters eröffnet das zweite Buch des Romans; ihre Gemeinschaft wird im folgenden zum dominierenden Thema, während die anderen, im ersten Romanbuch vorherrschenden Ereignisse, so auch jene im Umkreis der Parallelaktion, zurücktreten, im Hintergrund jedoch stets präsent bleiben. Die Geschwisterliebe nimmt immer stärker die Formen eines mystischen „anderen Zustands" an, dessen kontemplativer Höhepunkt in den „Atemzügen eines Sommertags" (GW IV, 1232-1239) erreicht wird. Mit diesem Kapitel, an dem Musil noch an seinem Todestag gearbeitet hat, bricht der Roman ab. Über seine Fortsetzung, soweit sie sich aus dem Nachlaß rekonstruieren läßt, bleibt man auf Mutmaßungen angewiesen.

Der ambivalente Doppeltitel des zweiten Romanbuchs „Ins Tausendjährige Reich[16] (Die Verbrecher)" verweist darauf, daß mystische Verheißung, inhumane (faschistische) Ideologie und asoziales, kriminelles Verhalten im „Abenteuer" der Geschwister von vornherein miteinander verschränkt sind.[17] Agathe fälscht das väterliche Testament, um zu verhindern, daß ihr Mann, ein pedantischer Erziehungswissenschaftler namens Hagauer, den sie verlassen hat und den sie am liebsten töten möchte, am Familienerbe partizipiert. Entsprechend der bereits am Beispiel des Moosbrugger-Komplexes beschriebenen Moralauffassung, welche die ethische Selbstverantwortung des Individuums forciert, mischt sich Ulrichs Bewunderung für Agathes gesetzwidrige Handlung mit beträchtlicher Skepsis:

> „Daß es Testamentsfälscher gibt, die über jeden Zweifel reizend sind, sollte beweisen, daß an der Unverbrüchlichkeit des Eigentums etwas nicht stimmt. Vielleicht bedarf das ja keines Beweises; aber da fängt dann die Aufgabe an: denn wir müssen uns zu jeder Art von Verbrechen entschuldigte Verbrecher als möglich denken, selbst zum Kindesmord oder was es sonst Greuliches gibt —" (GW III, 959).

Die Gesellschaft insgesamt scheut freilich nicht vor der radikalen Konsequenz dieser irrationalen, vom Unbewußten geleiteten Argumentation zurück. Am Ende des Romans wird im Weltkrieg der jeder Schuld am denkbar greulichsten Verbrechen enthobene Verbrecher zur kollektiven Wirklichkeit.[18]

Von der Testamentsfälschung führt eine direkte Linie zum Inzest der Geschwister in dem Kapitelentwurf „Die Reise ins Paradies".[19] Mit dem Überschreiten der Inzestschranke scheint die endgültige Negation der herrschenden sozialen Normen vollzogen zu sein. Da jedoch Orgasmen nur von kurzer Dauer und nicht beliebig wiederholbar sind, scheitert letztlich auch dieses Experiment: „U[lrich] — Ag[athe] ist eigentlich ein Versuch des Anarchismus in der Liebe. Der selbst da negativ endet. Das ist die tiefe Beziehung der Liebesgeschichte zum Krieg. (Auch ihr Zusammenhang mit dem M[oosbrugger]-Problem)" (GW V, 1876).[20] Zusammengefaßt erfüllt die Geschwisterliebe mit dem Inzest — an dem Musil nachweislich bis zuletzt festgehalten hat[21] — eine Reihe von Funktionen: als Verbrechen unterstreicht sie, wie die Testamentsfälschung, das asoziale Moment in dieser Beziehung;[22] als Mythos (T 847) erinnert sie an das uralte „Verlangen nach einem Doppelgänger im anderen Geschlecht", „an Pygmalion, an den Hermaphroditen oder an Isis und Osiris" (GW III, 905); als säkularisierte Mystik bedeutet sie die „ekstatische Sozietät" (GW V, 1926) von Ich und Du;[23] als anarchistische Perversion (T 847) entspricht sie der Entartung aller Humanität und weist auf den Krieg voraus, in den alle Handlungsstränge des Romans münden[24] und in dem sich die „kollektive Entfesselung des Irrationalen" vollendet.[25]

Am Ende seines Lebens schien Musil das Romankonzept zum weltpolitischen Zeitdokument ausufern zu lassen, das episch nicht mehr zu bewältigen war. So entstand der Einfall zu „Ulrichs Nach-" bzw. „Schlußwort": „Der gealterte U[l]rich] von heute, der den zweiten Krieg miterlebt, und auf Grund dieser Erfahrungen seine Geschichte, und mein Buch, epilogisiert. Es ermöglicht, [. . .] die Geschichte u.[nd] ihren Wert für die gegenwärtige Wirklichkeit u[nd] Zukunft zu betrachten." (GW V, 1943) Einem Arbeitsplan, den Musil vermutlich drei Tage vor seinem Tod entwarf, läßt sich entnehmen, daß der Schlußband des Romans „aus einer Unzahl von Ideen die Geschichte einer unpersönlichen Leidenschaft ableiten" sollte, „deren schließlicher Zusammenbruch mit dem der Kultur übereinfällt, der anno 1914 bescheiden begonnen hat und sich jetzt wohl vollenden wird, wenn nicht die Chirurgen Glück haben, und auch die Nachkur von guten Internisten übernommen werden wird. Es ist schwer, diese Geschichte gut zu erzählen und dabei weder dem Sein noch dem Sinn, nicht den Ursprüngen noch der Zukunft etwas schuldig zu bleiben."[26] Als geistiges Resümee des Romans plante Musil die Ablösung geschlossener Ideologien durch eine offene (GW V, 1887), als deren oberstes Gebot die „Utopie der induktiven Gesinnung" gelten sollte. Gemeint ist damit der „soziale Zustand" oder das „wirkliche Leben" — eine Utopie, die Musil etwas geringschätzig auch den „Geist der Notdurft" nannte. Ihre Funktion sollte darin bestehen, für „Nahrung, Kleidung, Schutz [und] Ordnung" zu sorgen (GW V, 1885). Das kakanische Prinzip des „Fortwurstelns" (GW I, 361) hätte somit einen pragmatisch-sozialen Akzent erhalten.[27]

2. Die Bedeutung der Titelformel[28]

Den endgültigen Titel seines Romans *Der Mann ohne Eigenschaften* hat Musil — wie erwähnt — vermutlich erst in den Jahren 1927/28 festgelegt, als er sich selbst einen „Mann ohne Eigenschaften" nennt, weil ihm — trotz der Teilhabe an „allen guten konventionellen Gefühlen" — „die innere Identifikation" mit sich selbst fehle.[29] Diese erste Definition besagt, daß das Ich nicht von seinen „Gefühlen", die hier synonym für Eigenschaften stehen, konstituiert wird. Wenn nun nicht die Fülle von Gefühlen bzw. Eigenschaften das Ich garantiert, dann ist die Frage berechtigt, ob nicht — umgekehrt! — das Individuum über die Eigenschaftslosigkeit seine Identität zu erlangen vermag. Dies ist, wie allein schon der Titel andeutet, das entscheidende geistige Grundmotiv des Romans. Als sich in Ulrich die Skepsis darüber verstärkt, ob das, was sich in Eigenschaften, den „fertigen Einteilungen und Formen des Lebens", im „Seinesgleichen", dem „von Geschlechtern schon Vorgebildeten" darbietet, überhaupt „die wirkliche Wirklichkeit" sei, verspürt er den Wunsch, „ein Mann ohne Eigenschaften zu sein" (GW I, 130).

Das ihm daraus erwachsende epische Dilemma, das heißt die Frage, wie eine eigenschaftlose „Hauptfigur" im Roman darzustellen sei, löst Musil dadurch, daß er dem Begriff „Eigenschaft" die Bedeutung, spezifisch *einem* Subjekt eigen zu sein, entzieht und auf die Allgemeinheit überträgt. In diesem Abstrahierungsprozeß sieht er ein charakteristisches Merkmal der Moderne überhaupt: „Die Eigenschaften werden zu Aller-schaften!" (GW VIII, 1237) Diese Auffassung stimmt mit dem psycho-physischen Positivismus Ernst Machs überein, über den Musil

1908 in Berlin bei Carl Stumpf dissertierte (*Ein Beitrag zur Beurteilung der Lehren Machs*). Nach Mach gibt es keine Eigenschaften, sondern nur Elemente, wobei die Elemente der Außenwelt mit denen des Ich identisch sind: *„Der Gegensatz zwischen Ich und Welt, Empfindung oder Erscheinung und Ding fällt dann weg, und es handelt sich lediglich um den Zusammenhang der Elemente".*[30] Ulrich macht diese Erfahrung auf der Polizeiwache, wo seine Personalien aufgenommen werden[31]: „Er glaubte, in eine Maschine geraten zu sein, die ihn in unpersönliche, allgemeine Bestandteile zergliederte"; er erlebte so „die statistische Entzauberung seiner Person", die darin besteht, daß die Eigenschaften von der Person abgezogen und in „unpersönliche, allgemeine Bestandteile" umgewandelt werden, bis von der Person „nichts übrigbleibt" (GW I, 159f.). Durch den Abzug von der Person werden diese Elemente verselbständigt, und es entsteht eine „Welt von Eigenschaften ohne Mann" (GW I, 150).

Eine zweite wichtige Begründung für Ulrichs Eigenschaftslosigkeit liegt im Begriff des „Möglichkeitssinns", der dem „Wirklichkeitssinn" als Alternative entgegengestellt wird: „Wenn es [. . .] Wirklichkeitssinn gibt, und niemand wird bezweifeln, daß er seine Daseinsberechtigung hat, dann muß es auch etwas geben, das man Möglichkeitssinn nennen kann." (GW I, 16) Jeder Teil der Wirklichkeit ist nur „ein erstarrter Einzelfall seiner Möglichkeiten" (GW V, 1509), während das Mögliche „auch die noch nicht erwachten Absichten Gottes" umfaßt, „ein Feuer, einen Flug, einen Bauwillen und bewußten Utopismus, der die Wirklichkeit nicht scheut, wohl aber als Aufgabe und Erfindung behandelt" (GW I, 16). Ulrich ist ein Mann ohne Eigenschaften, weil er — wie sein Autor in der oben zitierten Definition — zwar „alle von seiner Zeit begünstigten Fähigkeiten und Eigenschaften in sich" trägt, diese aber nur im Bereich der Möglichkeit zur Geltung bringt, während ihm im Bereich der Wirklichkeit „die Möglichkeit ihrer Anwendung [. . .] abhandengekommen" ist (GW I, 47). Der Zusammenhang der Eigenschaftslosigkeit mit dem Begriff des „Möglichkeitssinns" läßt sich ebenfalls mit Mach erklären; die von ihm vertretene „funktionale", „denkökonomische" Potentialität des Ich-Begriffs[32] findet insofern im *Mann ohne Eigenschaften* ihre Entsprechung, als Ulrich eben „der Mensch als Inbegriff seiner Möglichkeiten, der potentielle Mensch" ist (GW I, 251), wozu auch — sprachlich — seine ausgeprägte Vorliebe für den Conjunctivus potentialis paßt (GW I, 19).[33]

Ulrich, der Mann ohne Eigenschaften, lebt in Kakanien, dem Land ohne Eigenschaften, und ist sich dessen wohl bewußt; denn Kakanien ist jenes Land, in dem aus Ulrichs Perspektive — wie der Titel des zweiten Teils des ersten Romanbuchs lautet — „Seinesgleichen", das bedeutet auch Ulrichs-gleichen,[34] „geschieht": Der Erzählvorgang läuft derart ab, daß „sich draußen 'just' stets etwas ereignet, wenn es eine Parallele und Illustration zu Vorgängen in U.[lrich] ist: In dieser Welt ereignet sich grundsätzlich immer alles, was sich in einem [. . .] Menschen wie U.[lrich] mischt." (P 725)[35]

Die „konstruktiv-ironische" Konfrontation Ulrichs, in dem potentiell alle Eigenschaften seiner Zeit angelegt sind, mit den anderen Romanpersonen, die gleichsam partielle Realisierungen seiner Eigenschaften darstellen, findet eine verblüffende Analogie in Kakanien, das ebenso alle Eigenschaften der anderen Länder besitzt,

sie nur nicht so konsequent, so intensiv, so schnell, so gründlich wie diese in die
Wirklichkeit umsetzt (vgl. GW I, 32f.). Die Wirklichkeit Kakaniens wird seinen
Möglichkeiten gegenübergestellt; dadurch erfolgt eine Infragestellung, eine „Entzauberung" seiner Wirklichkeit, in der „Seinesgleichen", genau genommen *nichts*
„geschieht". Gerade der Nichtverwirklichung der potentiell angelegten Eigenschaften, dem Sinn für Möglichkeiten und der „negativen Freiheit" Ulrichs wie
Kakaniens durch das Nichtgeschehen haftet freilich etwas spezifisch Künstlerisches, schöpferisch Geniales an: „Ja, es war, trotz vielem, was dagegen spricht,
Kakanien vielleicht doch ein Land für Genies; und wahrscheinlich ist es daran
auch zugrunde gegangen." (GW I, 35)

Die Eigenschaftslosigkeit Ulrichs, die darin besteht, seine Eigenschaften nicht zu
verwirklichen und sich weder mit den eigenen noch mit den Elementen der Außenwelt zu identifizieren, führt indessen im ersten Buch des Romans nicht zur ersehnten „Rettung der Eigenheit" (GW I, 47), sondern läuft Gefahr, ins Gegenteil,
über den „Weltverlust" in „Selbstaufgabe" umzuschlagen.[36] Diese Entwicklung
zeigt sich besonders deutlich in Ulrichs sexuellen Erlebnissen, in denen sich – so
erklärt es die Psychoanalyse – seine Berührungsangst als phallisch-sadistischer
Narzißmus offenbart.[37] Während des Geschlechtsakts mit Gerda Fischel, der
„mit Liebe nicht mehr zu tun [hat] wie das Aufblinken eines Fisches" (GW II,
621) – man beachte das ironische Wortspiel –, vollzieht sich gedanklich im Mann
ohne Eigenschaften der Wechsel vom Sadismus zum Masochismus, vom „Lust-
mord" zum „Lustselbstmord":

> „Er mochte diesen Körper [Gerdas] nicht, der halb schon schlaff und halb
> noch unreif war; was er tat, kam ihm völlig sinnlos vor [. . .] er fand [. . .]
> nicht die Ergriffenheit der Liebe, wohl aber eine halb verrückte, an ein Ge-
> metzel, einen Lustmord, oder wenn es das geben kann, einen Lustselbst-
> mord erinnernde Ergriffenheit von den Dämonen der Leere, die hinter allen
> Bildern des Lebens zuhause sind." (GW II, 622)

Nach diesem peinlich mißglückten Schäferstündchen geht in Ulrich eine „seltsame Veränderung" vor. Im Gegensatz zu Kakanien, das „sich selbst nur noch mit-
machte" (GW I, 35), fühlte er, daß er „dieses Leben nicht mehr mitmachen"
kann (GW II, 631): „'Es ist ein *anderes* Verhalten; ich werde *anders* und dadurch
auch das, was mit mir in Verbindung steht!' dachte Ulrich" (GW II, 664).[38] Jetzt
ist er im Begriffe, „die Umkehrung" – so lautet der Titel dieses Romankapitels –
vorzunehmen; er überschreitet die Schwelle von seinem mehr rational bestimmten
Weltverhältnis zur mystischen Lebensform.[39] Der Eintritt des Mannes ohne Eigenschaften in diesen „anderen Zustand" wird von einem Ich- und Weltverlust
begleitet, der sich in einer Hinauswendung des isolierten Ich in eine scheinbar
nicht mehr existente Welt offenbart: Er fühlte, daß seine „Einsamkeit immer
dichter oder immer größer wurde. Sie schritt durch die Wände, sie wuchs in die
Stadt, ohne sich eigentlich auszudehnen, sie wuchs in die Welt. 'Welche Welt?'
dachte er. 'Es gibt ja gar keine!' Es kam ihm vor, daß dieser Begriff keine Bedeutung mehr hätte." (GW I, 664)

Der positivistisch, sozialgeschichtlich und tiefenpsychologisch bestimmten Eigenschaftslosigkeit im ersten Romanbuch entspricht die mystische „Weiselosigkeit" im „anderen Zustand" des zweiten Romanbuches. Zwar resultiert auch die mystische „Weiselosigkeit", deren wichtigste Komponenten die Sprachlosigkeit, die Aufhebung von Raum und Zeit, die „weiselose" Erkenntnisfähigkeit sowie die Ungültigkeit ethischer und ästhetischer Werte sind, aus der Zielvorstellung des Individuums, ein reines, autonomes Ich zu konstituieren; doch ist gerade das mystische Erlebnis durch eine ständige Ambivalenz des Ichbewußtseins in seinem Weltverhältnis gekennzeichnet. Versenkung ins eigene Ich und Hingabe an die Welt, das sind in dem für Musil so wichtigen Essay Martin Bubers *Ekstase und Bekenntnis*[40] die beiden Möglichkeiten, die die Unio mystica entzünden können. Ulrich kennt die gleichen Bewegungsrichtungen des mystischen Erlebnisses; er nennt sie „Hereinwendung der Welt und Hinauswendung des Ich" oder „Extasen der Selbstsucht und Selbstlosigkeit", auf die „das großartig flunkernde Begriffspaar 'egozentrisch und allozentrisch'" zutrifft: „Egozentrisch sein heißt fühlen, als trüge man im Mittelpunkt seiner Person den Mittelpunkt der Welt. Allozentrisch sein heißt, überhaupt keinen Mittelpunkt mehr haben. Restlos an der Welt teilnehmen und nichts für sich zurücklegen. Im höchsten Grad, einfach aufhören zu sein." (GW IV, 1407) Auch im „anderen Zustand" erfüllt sich der Zirkelschluß des ersten Romanbuches, der in der Bedrohung von Ulrichs Identität einsetzt und über die Eigenschaftslosigkeit nicht zur ersehnten Behauptung des reinen Ich, sondern zur Selbstaufgabe führt. Lediglich im Stadium der Geschwisterliebe wird dieser Zirkel vorübergehend durchbrochen. „Du bist meine Eigenliebe!" (GW III, 899) erklärt Ulrich seiner Schwester Agathe, die für ihn eine doppelte Funktion erfüllt. Sie ist zugleich sein Ich wie sein Nicht-Ich,[41] sie verkörpert die Identität in der Doppelheit,[42] oder in Ulrichs Worten: „[. . .] da ist eine Siamesische Schwester, die nicht ich noch sie ist, und geradesogut ich wie sie ist, offenbar der einzige Schnittpunkt von allem!" (GW III, 945) Ulrich liebt in seiner Schwester zugleich sich selbst und verwirklicht so sein eigenes Ich, weil seine Identifikation mit Agathe die Identifikation mit sich selbst einschließt. Der mystischen Eigenliebe ist jedoch wie dem „anderen Zustand" nur eine knappe Zeitspanne zugemessen. Der Versuch der Geschwister, erklärt Musil, „das Erlebnis zu halten, zu fixieren, schlägt fehl. Die Absolutheit ist nicht zu bewahren." (GW VII, 940) Dem Mann ohne Eigenschaften gelingt es *nur* für die beschränkte Dauer der mystischen Eigenliebe, über das Medium der „Siamesischen Zwillingsschwester", die ihm gleichsam als die personifizierte Verwirklichung seiner potentiellen Eigenschaften gegenübertritt, seine Identität zu behaupten.

Musil hat letztlich sowohl das Konzept der Eigenschaftslosigkeit wie auch die Utopie des „anderen Zustands" verworfen. Die Eigenschaftslosigkeit Ulrichs verstärkt dessen Identitätskrise; und der „andere Zustand" kommt „zu keinem praktikablen Ergebnis", er „gibt keine Vorschriften für das praktische Erleben" (GW V, 1905). Nach dem Scheitern auch dieser Utopie sollte am Ende die Utopie des „sozialen Zustands" übrig bleiben, in der Ulrichs Suche nach seiner verlorenen Identität vielleicht zu einem glücklicheren Ergebnis geführt hätte.

III. Zur literarischen Rezeptionsgeschichte

Zu seinen Lebzeiten dem großen Publikum wenig bekannt, genoß Robert Musil — wie ein Kritiker 1931 konstatiert — „höchstes Ansehen" in „Literatenkreisen."[43] Der *Mann ohne Eigenschaften* fand bei seinem Erscheinen in der literarischen Öffentlichkeit ein zwiespältiges Echo. Nicht daß der Roman von den zeitgenössischen Kritikern ignoriert worden wäre: zum ersten Buch liegen immerhin 150 Besprechungen vor, zum zweiten noch ungefähr die Hälfte.[44] Den Verkauf des Romans vermochten sie jedoch ebenso wenig zu fördern wie die wohlwollenden bis enthusiastischen Urteile z.B. Thomas Manns, Brochs, Bleis, Hesses, Bergengruens und anderer namhafter Zeitgenossen. Musil selber hat die „merkwürdige Erscheinung" beklagt, „daß man den Mann o.[hne] E.[igenschaften] imstande ist, bis aufs höchste zu loben, beinahe ohne daß dabei für den Dichter davon etwas abfällt."[45]

Den unermüdlichen Aktivitäten von Musils Witwe Martha, ihren langjährigen Verhandlungen mit etlichen Verlagen, namentlich auch mit Rowohlt,[46] ist es hauptsächlich zu verdanken, daß schließlich die Ausgabe des *Mannes ohne Eigenschaften* 1952 durch Adolf Frisé zustande kam, die erst — unbeschadet ihrer zahlreichen philologischen Mängel — den spektakulären Aufschwung der Musil-Rezeption ermöglichte. Viele lebende Autoren bis hin zum Nobelpreisträger Elias Canetti pflegen sich auf Musils Autorität zu berufen und ihn zum Ahnherrn einer für die Gegenwartsliteratur bedeutsamen geistigen Tradition hochzustilisieren. Gleichwohl dürfte die Zahl derer, die über eine fundierte Kenntnis von Musils Hauptwerk verfügen, auch heute nicht allzu groß sein. Symptomatisch dafür ist vielleicht eine Stelle in Hugo Dittberners 1974 erschienenem, autobiographisch angelegtem Roman *Das Internat,* wo der Protagonist gesteht, zwar schon öfter im *Mann ohne Eigenschaften* „herumgelesen", „ihn aber immer wieder beiseite gelegt" zu haben, „weil er so dick und wuchtig ist: die Arbeit fast eines ganzen Lebens steckt darin — und das finde ich nicht fair, so anspruchsvoll und gewichtig, irgendwie aufdringlich."[47]

An die Wirkung Kafkas oder Thomas Manns kommt jene Musils gewiß nicht heran; aber es gibt doch eine Reihe von Gegenwartsautoren, in deren Werken sich die Rezeption des *Mannes ohne Eigenschaften* produktiv niedergeschlagen hat.[48] Da sind zunächst jene Erzählexperimente zu nennen, die das Schicksal einzelner Romanfiguren weiter verfolgen. In dem von Peter Härtling herausgegebenen Sammelband *Leporello fällt aus der Rolle* (1971) erzählt Rolf Schneider den Lebenslauf Ulrichs zu Ende, indem er dessen „spätere Eigenschaften" aus verschiedenen Versatzstücken zusammenfügt, welche — abgesehen von einigen phantastischen Erfindungen — teils dem *Mann ohne Eigenschaften,* teils der Biographie Musils entstammen.[49] Als Nachklang zu diesem Fortsetzungsversuch erschien 1972 Karl Corinos Pasticcio *Clarissens Buße,* dessen Besonderheit darauf beruht, daß es nicht nur auf Musils Roman zurückgreift, sondern auch biographische Informationen über Alice Donath, das Vorbild für Clarisse, verarbeitet.[50] Jörg Mauthe widmet einen ganzen Roman der weiteren Karriere des Legationsrats Dr. Tuzzi (1974), der mit einer heroischen Tat, der „Errettung Österreichs" vor der „großen Hitze", wie seine Gat-

tin Diotima in Musils Roman (vgl. GW I, 174) einen wichtigen Beitrag zur „Ver-
österreicherung der Welt" leistet.[51] Mauthe überträgt Musils Kakanien-Kritik auf
die Zweite Republik der Ära Kreisky. Wie bei Musik die Parallelaktion so ist bei
Mauthe die „Papstwortverifikation", das heißt die vom Bundeskanzler einem Son-
derkomitee übertragene Aufgabe, aus dem Ausspruch Pauls IV.: „Österreich ist
eine Insel der Glücklichen!" eine Art Staatsdoktrin zu fabrizieren, ein Kabinett-
stück konstruktiv-ironischer Kritik an der österreichischen Staats- und Regierungs-
form. Anknüpfend an das groteske Erlebnis Stumms von Bordwehr in der Wiener
Staatsbibliothek, deren Beamte nichts mehr lesen außer „Bibliographien von Bibliographien" (vgl. GW II, 459-465), erzählt Wilhelm Muster (1981), wie der pen-
sionierte General beim aussichtslosen Unterfangen, die dreihunderttausend Bände
der Grazer Universitätsbibliothek durchzustudieren, dem Wahnsinn anheimfällt
und schließlich, bevor es ihm gelingt, die Bibliothek anzuzünden, darin elend zugrunde geht.[52]

Im Anschluß an Musils nachgelassene Notiz: „Ulrichs System ist am Ende desavouiert, aber auch das der Welt" (MoE 1578)[53], bezeichnet Adolf Muschg den
zweiten Teil des Mannes ohne Eigenschaften als „desavouierten Roman".[54] Desavouiert sei die dargestellte Gesellschaft, weil alle ihre Ideologien, einschließlich
der pazifistischen, zum Krieg führen (GW V, 1890); desavouiert sei aber auch der
Roman als Darstellungsform dieser Gesellschaft, weil sich seine Theorie, die Utopie des „anderen Zustands", als nicht tragfähig erweist (GW V, 1910), so daß daraus letztlich − wie es der Titel des Eingangskapitels vorwegnimmt − „bemerkenswerter Weise nichts hervorgeht." Indessen ist gerade vom Möglichkeitssinn und
dem daraus entwickelten Utopismus des Mannes ohne Eigenschaften eine auffallend starke literarische Wirkung ausgegangen, die vielleicht dann verständlich
wird, wenn man − mit Walter Weiss − das ganze Romankonzept über die einzelnen Teilutopien Ulrichs hinaus als Utopie begreift.[55] „Was ich im Roman gebe",
erklärt Musil, „wird immer Utopie bleiben; es ist nicht 'die Wirklichkeit von morgen'." (T I, 862) Diese Auffassung unterscheidet sich deutlich von jener in einer
zukünftigen Gesellschaft zu realisierenden „konkreten Utopie", wie sie namentlich Ernst Bloch in seinem Prinzip Hoffnung proklamiert hat.[56] Indem Musil „auf
der (dialektisch) nicht aufzuhebenden Differenz und Spannung zwischen Roman-
Utopie und Wirklichkeit" beharrt, „die gerade dadurch fruchtbarer und humaner
sein kann als der Anspruch auf eine totale bis totalitäre Realisierung", eröffnet er
„einen Ausblick auf das Prinzip 'Literatur als Utopie'", das etliche Gegenwartsautoren übernommen und produktiv weiter verarbeitet haben.[57]

Ingeborg Bachmann hat sich in einer Rundfunksendung (ca. 1953), einem Essay
(Ins Tausendjährige Reich, 1954), in der Rede zur Verleihung des Hörspielpreises
der Kriegsblinden (Die Wahrheit ist dem Menschen zumutbar, 1959) und in den
Frankfurter Poetik-Vorlesungen (1959/60) eingehend mit dem Möglichkeitssinn
und dem Utopismus des Mannes ohne Eigenschaften befaßt.[58] Musils „Richtbil-
der", erklärt sie in ihrem Essay Ins Tausendjährige Reich, „wollen uns zu nichts
verführen, nur herausführen aus einem schablonenhaften und konventionellen
Denken. Sie zwingen uns, nachzudenken, genau zu denken und mutig zu denken."[59] Ihre letzte Frankfurter Vorlesung stellte I. Bachmann unter den Titel

Literatur als Utopie und berief sich dabei ausdrücklich auf Musil.[60] Auch auf ihre
fiktionalen Texte hat sich der Utopismus des *Mannes ohne Eigenschaften* nachhaltig ausgewirkt, namentlich auf die beiden Hörspiele *Ein Geschäft mit Träumen*
und *Der gute Gott von Manhattan* sowie den Roman *Malina.*[61]
    Eine starke Ausprägung des Möglichkeitssinns unter der Patenschaft Musils fin-
det sich auch bei Thomas Bernhard. Wie das Motto zu seiner Erzählung *Gehen*
(1971)[62] programmatisch anzeigt, wird die Realität durch den fortwährenden
Einbezug aller Möglichkeiten in Frage gestellt, und die jeweilige Existenzform
des Menschen erweist sich als bloß hypothetisches Denkmodell. Ähnlich bedeutet
für Helmut Eisendle die Wirklichkeit nichts anderes als einen „Spezialfall des
Möglichen";[63] und Peter Handke erwartet von der Literatur, daß sie „eine noch
nicht gedachte, noch nicht bewußte *Möglichkeit* der Wirklichkeit bewußt
macht",[64] entsprechend der schon zitierten These Musils, daß das Mögliche „auch
die noch nicht erwachten Absichten Gottes" umfasse (GW I, 16). Doch nicht nur
österreichische Schriftsteller knüpfen an Musils Möglichkeitssinn und seine utopischen Entwürfe an, sondern auch andere Autoren aus dem übrigen deutschsprachigen Raum wie etwa Dieter Kühn und Christa Wolf.[65]
    Dieter Kühn bezeichnet seine Begegnung mit Musils *Mann ohne Eigenschaften*
im Jahre 1957 als erstes großes, für seine weitere Entwicklung entscheidendes
Lese-Erlebnis. Einige Jahre später schrieb er über Musils Roman eine Dissertation,
die dem Möglichkeitssinn und dem Utopismus der Hauptfigur besonderes Augen-
merk widmet.[66] Auf einem analogen dialektischen Spannungsverhältnis zwischen
Wirklichkeit und Möglichkeit beruht das geschichtsphilosophische Experiment,
das Kühn in seiner Erzählung *N* (1970)[67] — hinter der Initiale verbirgt sich Napoleon —[68] variationsreich durchspielt und folgendermaßen kommentiert: „rückblickend erscheint eine Biographie, erscheint Geschichte als verhältnismäßig kon-
sequenter, einliniger Ablauf. Indem man nun 'Weichen' erkennbar macht, von denen aus der 'Zug' in verschiedene Richtungen weiterfahren konnte, zeigt man, daß
Realität nur eine Auswahl, eine oft zufällige Auswahl aus einem oft weiten Spek-
trum von Möglichkeiten ist." Daraus erhellt, daß „biographische [. . .] Möglichkeiten weithin Ergebnis gesellschaftlicher Faktoren sind, die hemmend oder fördernd
wirken."[69] Diese Erkenntnis hat Kühn dann in seinem Roman *Ausflüge im Fessel-
ballon* (1971) an einem zeitgenössischen, durchschnittlichen Beispiel demonstriert: „ein Realschullehrer, unzufrieden mit seinem Beruf, vergegenwärtigt sich
andere Berufsmöglichkeiten, damit Lebensformen. Beim Durchspielen dieser beinah realisierten Möglichkeiten zeigt sich, daß verschiedene berufliche Positionen
jeweils andere Formen des gesellschaftlichen Bewußtseins bedingen." Bei Musil
hingegen diagnostiziert Kühn einen anderen Befund — „da verwirklichen sich: Möglichkeiten des Einzelnen nicht in wechselseitiger Abhängigkeit von historischen,
von sozialen Realitäten, sondern gerade in einer Loslösung von all diesen Determi-
nanten: der Mann ohne Eigenschaften in einem Schwebezustand utopischer Freiheit, in einem 'Lebensurlaub'."[70]
    Für Christa Wolf ist Musil „ein Autor von großem Interesse", wenn sie ihn auch
nicht unbedingt zu ihren literarischen Vorbildern zählen möchte.[71] Das Widerspiel zwischen Wirklichkeit und Möglichkeit, wie es leitmotivisch besonders den

Roman *Nachdenken über Christa T.* (1968) durchzieht, erinnert freilich auffallend an den *Mann ohne Eigenschaften.* Wie sich Musil nicht für die zufälligen und daher vertauschbaren Tatsachen interessiert, sondern für das „geistig Typische" (GW VII, 939) oder „die wirkliche Wirklichkeit" (GW I, 129), so werden in *Nachdenken über Christa T.* die „Tatsachen" angezweifelt, da sie „mit zuviel Zufall gemischt sind."[72] Die Erzählerin bekennt sich „zur Freiheit und zur Pflicht des Erfindens", um zu erfahren, „wie es wirklich gewesen ist".[73] Christa T. ist ein Möglichkeitsmensch wie Musils Ulrich. Sie vermag „sich über die objektiven Tatsachen hinweg[zu]setzen" und an das „Unmögliche", „die wahre Wirklichkeit, das wirkliche Leben", zu glauben."[74] Sie ist, für sich selbst, jemand mit Aussichten, mit geheimen Möglichkeiten geblieben."[75] Dabei geht es ihr weniger um konkrete Zielvorstellungen als um Veränderungen der erstarrten Realität: „Die Bewegung mehr lieben als das Ziel",[76] erklärt Christa T. – fast in wörtlichem Anklang an Musil: „Eine Utopie ist aber kein Ziel, sondern eine Richtung" (MoE 1594).

In Christa Wolfs 1976 erschienenem Roman *Kindheitsmuster* wird der *Mann ohne Eigenschaften* an exponierter Stelle genannt. Die Erzählerin unterbricht ihre Reise zurück in die Kindheit, in das faschistische Deutschland der 30er Jahre, mit der Nachricht vom Tode eines Deutschlehrers am 1. Februar 1973 in Ostberlin. Er hat gemeinsam mit seiner Freundin, der von den DDR-Behörden zum zweiten Mal die Zulassung zum Medizinstudium verweigert worden war, Selbstmord begangen. Einen Tag vorher, also an seinem letzten Lebensabend, hatte er noch der Erzählerin nach langer Zeit überraschend einen Besuch abgestattet, um ein geborgtes Buch zurückzubringen, eines seiner Lieblingsbücher: nämlich Musils *Mann ohne Eigenschaften.* Darin hatte er, wie die Erzählerin später bemerkt, folgenden Satz mit Ausrufungszeichen markiert: „Man hat nur die Wahl, diese niederträchtige Zeit mitzumachen (mit den Wölfen heulen) oder Neurotiker zu werden. Ulrich geht den zweiten Weg."[77] Musils Roman dient in Christa Wolfs *Kindheitsmuster* als literarisches Medium für eine vielschichtige Zeitkritik. Wie der *Mann ohne Eigenschaften* den auf den Ersten Weltkrieg zutreibenden chaotischen Weltzustand schildert, der in sich bereits die inhumanen Tendenzen der Nachkriegszeit birgt, so ist Christa Wolfs *Kindheitsmuster* als retrospektive Abrechnung mit dem faschistischen Deutschland der 30er und 40er Jahre angelegt, zugleich aber auch als verdeckte Kritik an der sozialen Realität der DDR in den 70er Jahren. Der Selbstmord des Lehrers und seiner Freundin erwächst der tiefen Verzweiflung über den Ungeist der Zeit; er bedeutet die letzte Konsequenz aus jener Lebensverweigerung, die auch dem asozialen Abenteuer der Geschwister Ulrich und Agathe im *Mann ohne Eigenschaften* als Motivation zugrunde liegt.

Gemäß seinem hochentwickelten Möglichkeitssinn stellt Musil der Literatur die vordringliche Aufgabe, Utopien zu entwerfen, ohne dem „gegebenen sozialen Zustand" zu entfliehen, Utopien demnach – weniger als Ziel denn als Richtung verstanden. Daran haben etliche Gegenwartsautoren produktiv angeknüpft, am nachdrücklichsten wohl Ingeborg Bachmann, wenn sie einräumt, daß es zwar „den Austritt aus der Gesellschaft nicht gibt", daß wir aber innerhalb ihrer Grenzen durch das „Widerspiel des Unmöglichen mit dem Möglichen [. . .] unsere Möglichkeiten" erweitern. Im Sinne von Musils dialektisch zwischen Wirklichkeit und

Möglichkeit pendelndem Utopie-Begriff orientiert Ingeborg Bachmann die Gegenwartsliteratur „an einem Ziel, das freilich, wenn wir uns nähern, sich noch einmal entfernt".[78]

Anmerkungen

1 GW = Robert Musil, *Gesammelte Werke in neun Bänden*. Hrsg. v. Adolf Frisé. (Reinbek bei Hamburg: Rowohlt, 1978).
2 T = Robert Musil, *Tagebücher*. Hrsg. v. Adolf Frisé. (Reinbek bei Hamburg: Rowohlt, 1976).
3 Vgl. Götz Müller, „Zur Entwicklungsgeschichte von Robert Musils Roman 'Der Mann ohne Eigenschaften'. Folgerungen aus der neuen Edition", in: *ZfdPh.* 98 (1979) S. 524-543; hier: S. 526.
4 Vgl. Dieter Kühn, „Der Mann ohne Eigenschaften" – Figur oder Konstruktion", in: *Neue Rundschau* 91 (1980) H. 4, S. 107-123; hier: S. 108.
5 Ebda, S. 122.
6 Hartmut Böhme, „Theoretische Probleme der Interpretation von Robert Musils Roman 'Der Mann ohne Eigenschaften'", in: *Musil-Forum* 2 (1976) H. 1, S. 35-70, hier: S. 39f.
7 Vgl. ebda, S. 46. Böhme übernimmt hier die Terminologie von Hans-Peter Dreitzel, *Die gesellschaftlichen Leiden und die Leiden an der Gesellschaft* (Stuttgart: 1968); vgl. auch H.B., *Anomie und Entfremdung. Literatursoziologische Untersuchungen am Essays Robert Musils und seinem Roman „Der Mann ohne Eigenschaften"* (Kronberg/Ts.: Scriptor, 1974).
8 Zum geistesgeschichtlichen Hintergrund des „Theorieüberhangs", vgl. bes. Renate von Heydebrand, *Die Reflexionen Ulrichs in Robert Musils Roman „Der Mann ohne Eigenschaften". Ihr Zusammenhang mit dem zeitgenössischen Denken.* (Münster: Aschendorff, 1966).
9 Adolf Muschg, „Musils letzter Roman" [1976], in: A.M., *Besprechungen 1961-1979* (Basel u.a.: Birkhäuser, 1980), S. 90-104; hier: S. 95.
10 Vgl. dazu bes. Hermann Wiegmann, „Musils Utopiebegriff und seine literaturtheoretischen Konsequenzen", in: *Literatur ist Utopie.* Hrsg. v. Gert Ueding. (Frankfurt/M.: Suhrkamp, 1978), S. 309-334.
11 Muschg, a.a.O., S. 92.
12 Vgl. dazu und zum folgenden bes. Helmut Arntzen, „Robert Musil und die Parallelaktionen", in: *Text + Kritik* 21/22, 2. Aufl. (1972), S. 9-22.
13 Vgl. Wolfdietrich Rasch, *Über Robert Musils Roman „Der Mann ohne Eigenschaften"* (Göttingen: Vandenhoeck, 1967), S. 111.
14 Vgl. Philip H. Beard, „Clarisse und Moosbrugger vs. Ulrich/Agathe: Der 'andere Zustand' aus neuer Sicht", in: *Modern Austrian Literature* 9 (1976) Nr. 3/4, S. 114-130.
15 Vgl. GW VI, 157, 175; mit diesem G. ist höchstwahrscheinlich der historische Marschall von Frankreich Gilles de Rais aus dem 15. Jahrhundert gemeint (vgl. Karl Corino, *Robert Musils „Vereinigungen". Studien zu einer historisch-kritischen Ausgabe* (München, Salzburg: Fink, 1974), S. 298), dessen grausame Verbrechen Musil – über Vermittlung Franz Bleis [*Erdachte Geschehnisse* (Mün-

chen, Leipzig: Langen-Müller, 1911], S. 63f.) – in dem Roman *Là-bas* von Huysmans kennengelernt haben dürfte (1891, dt. *Da unten*, 1903). Zeitgenössischen Aufzeichnungen zufolge soll Gilles, von Teufelskult und schwarzer Magie besessen, ungefähr sieben- bis achthundert Kinder in der Bretagne vergewaltigt und ermordet haben.

16 Das „Tausendjährige Reich" ist ein Begriff aus der mystischen Tradition und bezeichnet den Stillstand der Zeit bzw. die Ewigkeit im ekstatischen Vereinigungserlebnis. Die politischen, das heißt faschistischen, Konnotationen dieses Begriffs in den 30er Jahren sind freilich nicht von der Hand zu weisen.

17 Vgl. Müller, „Zur Entstehungsgeschichte", S. 530.

18 Vgl. Götz Müller, *Ideologiekritik und Metasprache in Robert Musils Roman „Der Mann ohne Eigenschaften"* (München, Salzburg: Fink, 1972), S. 82.

19 Vgl. GW V, 1841: „Der Geschwisterliebe geht das Verbrechen (Testament) vorher."

20 Vgl. auch GW V, 1903: „Letzte Zuflucht Sex.[ualität] u[nd] Krieg: aber Sex dauert 1 Nacht, der Krieg immerhin wahrscheinlich 1 Monat." A. Muschg (a.a. O., S. 100f.) fühlt sich durch die „Versuchsanordnung" der Geschwisterliebe nicht zu Unrecht an den „Kriminal-Individualismus der literarischen Décadence" erinnert, „die Adorno als Platzhalter der Utopie feiert, um dann allerdings beizufügen, ihre Position gegenüber dem trivialen Fortschritt sei abstrakt gewesen und habe sie der Lächerlichkeit ausgeliefert: 'Sie verwechselt die Partikularität des Glücks, auf die sie sich versteifen muß, mit der Utopie unmittelbar, mit der verwirklichten Menschheit, während sie selber von Unfreiheit, Vorrecht, Klassenherrschaft entstellt ist, die sie zwar einbekennt, aber glorifiziert'." (Theodor W. Adorno, *Stichworte, Kritische Modelle 2* [Frankfurt/M.: Suhrkamp, 1969], S. 39)

21 Vgl. Elisabeth Albertsen, *Ratio und „Mystik" im Werk Robert Musils* (München: Nymphenburger, 1968, S. 120); Rasch, a.a.O., S. 52ff. und Helmut Arntzen, „'Die Reise ins Paradies' (Zu dem gleichnamigen Kapitelentwurf in Musils Roman 'Der Mann ohne Eigenschaften')", in: *Text + Kritik* 21/22, 2. Aufl. (1972), S. 23-31, bes. S. 25; Karl Corino, „Reflexionen im Vakuum. Musils Schweizer Exil", in: *Die deutsche Exilliteratur 1933-1945.* Hrsg. v. Manfred Durzak (Stuttgart: Metzler, 1973), S. 253-262, bes. S. 256.

22 Vgl. Rasch, a.a.O., S. 127.

23 Werner Fuld, „Die Quellen zur Konzeption des 'anderen Zustands' in Robert Musils Roman *Der Mann ohne Eigenschaften*", in: *DVjs.* 50 (1976), S. 664-682, hat dazu Franz von Baaders säkularisierte Sozietätsphilosophie als Quelle nachgewiesen.

24 Vgl. GW V, 1851: „*Grundidee:* Krieg. Alle Linien münden in den Krieg." (1932) Schon 1926 hat Musil erklärt: „Daß Krieg wurde, werden mußte, ist die Summe aller widerstrebenden Strömungen und Einflüsse und Bewegungen, die ich zeige." (GW VII, 941)

25 Müller, „Zur Entstehungsgeschichte", S. 530; vgl. GW V, 1846: „Krieg (a[nderer] Z.[ustand] ihm untergeordnet. Beides sind 'irrationale' Liebesversuche.)"

26 Zit. nach Karl Dinklage, „Musils Definition des Mannes ohne Eigenschaften und das Ende seines Romans" in: *Robert Musil. Studien zu seinem Werk* [. . .] Hrsg. v. K.D. zusammen mit Elisabeth Albertsen und Karl Corino. (Reinbek bei Hamburg: Rowohlt, 1970), S. 112-123; hier: S. 116.

27 Vgl. Corino, „Reflexionen im Vakuum", S. 259. Wiegmann (a.a.O., S. 315)

schreibt Musils „Utopie der induktiven Gesinnung" als „methodisch selbstbe-
scheidendem, realitätsbezogenem Versuch mit nicht minder intensiver utopischer Kraft" sogar „eine eminent soziale Komponente" zu. Dagegen hätte nach
Muschg (a.a.O., S. 104) die „Utopie der induktiven Gesinnung" „in Wahrheit
nichts anderes als die Abdankung jeglicher Utopie zugunsten der erzählerischen
Empirie bedeutet, einer Art Nouveau Roman; diese Empirie hätte den Primat
der unerschöpflichen Einzelheit ('das wirkliche Leben') auf Kosten des vorläu-
fig unerreichbaren Ganzen wiederhergestellt."

28 Vgl. dazu meinen Aufsatz „Die Bedeutung der Formel 'Mann ohne Eigenschaften'", in: *Vom „Törleß" zum „Mann ohne Eigenschaften". Grazer Musil-Sym-
posion 1972.* Hrsg. v. Uwe Baur u. D.G. (München, Salzburg: Fink, 1973),
S. 325-347.

29 Zit. nach Dinklage, a.a.O., S. 112.

30 E.[rnst] Mach, *Die Analyse der Empfindungen und das Verhältnis des Physischen zum Psychischen.* 6., verm. Aufl. (Jena 1911), S. 11.

31 Vgl. Klaus Laermann, *Eigenschaftslosigkeit. Reflexionen zu Musils Roman
„Der Mann ohne Eigenschaften"* (Stuttgart: Metzler, 1970), S. 1f., der die gleiche Textstelle zitiert.

32 Vgl. Mach, a.a.O., S. 19.

33 Zur grammatischen, poetologischen und utopischen Bedeutung des Konjunktivs im *Mann ohne Eigenschaften* vgl. bes. Albrecht Schöne: „Zum Gebrauch
des Konjunktivs bei Robert Musil", in: *Deutsche Romane von Grimmelshausen bis Musil.* Hrsg. v. Jost Schillemeit. (Frankfurt/M.: Fischer, 1966), S. 290-
318.

34 Vgl. Laermann, a.a.O., S. 87.

35 P = Robert Musil, *Prosa, Dramen, späte Briefe.* Hrsg. v. Adolf Frisé. (Hamburg:
Rowohlt, 1957).

36 Vgl. Laermann, a.a.O., S. 57.

37 Vgl. ebda, S. 24, 26, 33.

38 Kursiv von mir; der Übergang Ulrichs in den „anderen Zustand" zeigt sich
schon rein verbal („anderes", „anders").

39 Vgl. Renate von Heydebrand, „Zum Thema Sprache und Mystik in Robert Musils Roman 'Der Mann ohne Eigenschaften'", in: *ZfdPh.* 82 (1963), S. 249-271;
hier: S. 264.

40 Vgl. D.G., *Mystische Tradition im Roman Robert Musils. Martin Bubers „Ekstatische Konfessionen" im „Mann ohne Eigenschaften".* (Heidelberg: Stiehm,
1974).

41 Vgl. Rasch, a.a.O., S. 128; Albertsen, a.a.O., S. 95; Heydebrand, „Zum Thema
Sprache und Mystik", S. 262.

42 Vgl. Heinz-Peter Pütz, „Robert Musil", in: *Deutsche Dichter der Moderne. Ihr
Leben und Werk.* Hrsg. v. Benno v. Wiese. (Berlin: Schmidt, 1965), S. 300-320;
hier: S. 317.

43 Zit. nach Hedwig Wieczorek-Mair, „Musils Roman *Der Mann ohne Eigenschaf-
ten* in der zeitgenössischen Kritik", in: *Robert Musil. Untersuchungen.* Hrsg. v.
Uwe Baur u. Elisabeth Castex (Königstein: Athenäum, 1980), S. 10-30; hier:
S. 16.

44 Vgl. ebda, S. 10.

45 Brief an Johannes von Allesch, 1931. Zit. nach Wilfried Berghahn, *Robert Musil in Selbstzeugnissen und Bilddokumenten* (Reinbek bei Hamburg: Rowohlt,
1963), S. 112.

46 Vgl. Renate Schröder-Werle, „Zur Vorgeschichte der Musilrezeption nach 1945. Hinweise zur Wiederentdeckung", in: *Musil-Forum 1* (1975) H. 2, S. 226-246; bes. S. 229ff., 239.

47 Hugo Dittberner, *Das Internat. Papiere vom Kaffeetisch* (Reinbek bei Hamburg: Rowohlt, 1980), S. 171.

48 Vgl. D.G., „Zur literarischen Musil-Rezeption der Gegenwart", in: *Die Andere Welt. Aspekte der österreichischen Literatur des 19. und 20. Jahrhunderts. Festschrift für Hellmuth Himmel zum 60. Geburtstag.* Hrsg. v. Kurt Bartsch, D.G., Gerhard Melzer und Wolfgang Heinz Schober (Bern, München: Francke, 1979), S. 297-310; „'Leporello fällt aus der Rolle' – Musil-Figuren weitergedacht von Jean Améry, Rolf Schneider und Karl Corino", in: *Philologie und Kritik. Klagenfurter Vorträge zur Musilforschung.* Hrsg. u. eingel. v. Wolfgang Freese (München, Salzburg: Fink, 1981), S. 261-270.

49 Rolf Schneider, „Die späteren Eigenschaften", in: *Leporello fällt aus der Rolle. Zeitgenössische Autoren erzählen das Leben von Figuren der Weltliteratur weiter.* Hrsg. v. Peter Härtling (Frankfurt/M.: Fischer, 1971), S. 198-215.

50 Karl Corino, „Clarissens Buße", in: *Almanach 86. Ergebnisse eines Preisausschreibens zu „Leporello fällt aus der Rolle"* (Frankfurt/M.: Fischer, 1972), S. 59-68.

51 Jörg Mauthe, *Die große Hitze oder Die Errettung Österreichs durch den Legationsrat Dr. Tuzzi* (Wien u.a.: Molden, 1974). Tuzzi taucht übrigens auch in Jörg Mauthes nächsten Roman auf: *Die Vielgeliebte* (Wien u.a.: Molden, 1979).

52 Wilhelm Muster, „Stumm von Bordwehr", in: W.M., *Die Hochzeit der Einhörner* (Stuttgart: Klett-Cotta, 1981), S. 76-92.

53 MoE = Robert Musil, *Der Mann ohne Eigenschaften* (Hamburg: Rowohlt, 1965[7]).

54 Muschg, a.a.O., S. 103.

55 Walter Weiss, „'Ausklang der Utopien. Das ist aber noch nicht alles.' Von Musil zur österreichischen Gegenwartsliteratur", in: *Literatur und Kritik* 16 (1981), S. 580-591.

56 Vgl. dazu auch Kurt Bartsch, „'Ein nach vorn geöffnetes Reich von ungekannten Grenzen'. Zur Bedeutung Musils für Ingeborg Bachmanns Literaturauffassung", in: *Robert Musil. Untersuchungen* (Anm. 43), S. 162-169; bes. S. 165.

57 Weiss, a.a.O., S. 583, 589.

58 Ingeborg Bachmann, *Werke.* Hrsg. v. Christine Koschel, Inge von Weidenbaum, Clemens Münster (München, Zürich: Piper, 1978), Bd. IV, S. 80-102, 24-28, 275-277, 255-271.

59 Ebda, S. 27f.

60 Vgl. Weiss, a.a.O., S. 583.

61 Vgl. Bartsch, a.a.O.

62 Thomas Bernhard, *Gehen.* 3. Aufl. (Frankfurt/M.: Suhrkamp, 1977), S. 5.

63 Zit. nach Hilde Spiel, „Die österreichische Literatur nach 1945. Eine Einführung", in: *Kindlers Literaturgeschichte der Gegenwart. Aktualisierte [Taschenbuch-] Ausgabe* (Frankfurt/M.: Fischer, 1980), Bd. 5: *Die zeitgenössische Literatur Österreichs I*, S. 126.

64 Peter Handke, „Ich bin ein Bewohner des Elfenbeinturms", in: P.H., *Prosa, Gedichte, Theaterstücke, Hörspiel, Aufsätze* (Frankfurt/M.: Suhrkamp, 1969), S. 263f. Vgl. dazu auch Weiss, a.a.O., S. 590. Handke setzt sich allerdings auch kritisch mit Musil auseinander, wenn er etwa bei der Lektüre des *Mannes ohne*

236

Eigenschaften eine ironische Menschenverachtung des Autors zu verspüren meint, so daß er „vor Ekel nicht weiterlesen" kann (vgl. das Gedicht *Leben ohne Poesie,* 1972. In: Peter Handke, *Als das Wünschen noch geholfen hat* [Frankfurt/M.: Suhrkamp, 1974], S. 13).

65 Die Dialektik von Wirklichkeit und Möglichkeit durchzieht auch leitthematisch Max Frischs Gesamtwerk, von den frühen Romanen (bes. *Mein Name sei Gantenbein)* über seine Stücke (bes. *Biografie)* bis hin zu den späten Erzählungen *Montauk* und *Blaubart.* Auch Frisch geht es – mittels Durchspielen verschiedener denkmöglicher Experimente und Rollen – um die Suche nach der „wahren" Wirklichkeit und der personalen Identität. Er setzt allerdings die Konfrontation von Wirklichkeit und Möglichkeit auch als Mittel zur Zerstörung der Illusion ein, „daß die erzählte Geschichte 'wirklich' passiert sei", und versucht somit – wie er selber eingesteht – den theatralischen „Verfremdungseffekt" Brechts gewissermaßen erzähltechnisch zur Geltung zu bringen. (Vgl. Max Frisch, *Tagebuch 1946-1949;* zit. nach M.F., *Gesammelte Werke in zeitlicher Folge.* Hrsg. v. Hans Mayer und Walter Schmitz. Bd. II/2. [Frankfurt/M.: Suhrkamp, 1976], S. 600 f.)

66 Dieter Kühn, *Analogie und Variation. Zur Analyse von Robert Musils Roman „Der Mann ohne Eigenschaften"* (Bonn: Bouvier, 1965).

67 Dieter Kühn, *N.* (Frankfurt/M.: Suhrkamp, 1970).

68 Ulrich, der Mann ohne Eigenschaften, zeigt übrigens im Zusammenhang mit seiner „Berufswahl", seinen „Versuchen, ein bedeutender Mann zu werden", ein auffallendes Interesse für Napoleon (GW I, 35).

69 *Erste Lese-Erlebnisse.* Hrsg. v. Siegfried Unseld. (Frankfurt/M.: Suhrkamp, 1975), S. 116f.

70 Ebda, S. 117f.

71 Vgl. *Christa Wolf. Materialienbuch.* Hrsg. v. Klaus Sauer. (Darmstadt, Neuwied: (Luchterhand, 1979), S. 37.

72 Christa Wolf, *Nachdenken über Christa T.* 6. Aufl. (Neuwied, Berlin: Luchterhand, 1975), S. 31.

73 Ebda, S. 57.

74 Ebda, S. 63, 67, 74.

75 Ebda, S. 171.

76 Ebda, S. 54.

77 Christa Wolf, *Kindheitsmuster. Roman.* 4. Aufl. (Darmstadt, Neuwied: Luchterhand, 1979), S. 103. Vgl. MoE 1594. Eine weitere Anspielung auf Musil ist der prononcierte Gebrauch des Begriffs „Parallelaktion" *(Kindheitsmuster,* S. 92).

78 Bachmann, *Werke.* Bd. 4, S. 276.

MARTIN BOLLACHER

ELIAS CANETTI: *DIE BLENDUNG* (1935/36)

I

„Der ungewöhnliche Roman *Die Blendung* "+ − so konstatierte Dieter Dissinger vor einem knappen Jahrzehnt im Blick auf die Canetti-Rezeption − „hat eine nicht minder ungewöhnliche Geschichte."[1] Denn dieses erste Buch des damals in Wien lebenden Autors, das Mitte Oktober 1935 im Herbert-Reichner-Verlag erschien,[2] begründete als ein großer 'Talentwurf'[3] nicht nur Canettis schriftstellerische Existenz, sondern blieb auch bis zum heutigen Tage der einzige Roman innerhalb eines Oeuvres, das so verschiedenartige Bereiche wie Drama und Prosastück, Aufzeichnungen und autobiographische Schriften, Reden, Essays und Abhandlungen − darunter die philosophischen Studien zu *Masse und Macht* − umfaßt. Canettis literarischer Erstling war bereits im Herbst 1931 vom 26jährigen Autor im Manuskript abgeschlossen worden, doch vier Jahre lang wollte sich kein Verleger für das Werk finden lassen. Seinen Wiener Freunden − Canetti selbst nennt Hermann Broch, Alban Berg, Georg Merkel und Fritz Wotruba[4] − war der Roman aber schon vor der Publikation durch Lesungen bekannt geworden, und Broch war es auch, der den noch weitgehend unbekannten Autor im Januar 1933 einem über den engeren Freundeskreis hinausreichenden Publikum − den Hörern einer Wiener Volkshochschule − als einen deutschen Dichter spanisch-jüdischer Herkunft vorstellte.[5]

Eine nachhaltige und in die Breite gehende Wirkung blieb dem Roman aber − zumindest im deutschsprachigen Bereich − bis in die sechziger Jahre hinein versagt: zunächst einmal standen die politisch-ideologischen Verhältnisse in Deutschland einer günstigen Aufnahme sowohl 1935 als auch bei der westdeutschen Neuausgabe 1948/49 im Wege. Denn mußte in der Vorkriegszeit Canettis Roman der Ächtung aller 'jüdischen' und 'entarteten' Kunst verfallen, so verhinderten die aufkeimenden Verdrängungs-und Restaurationstendenzen der Nachkriegszeit ihrerseits eine unvoreingenommene und literarhistorisch fundierte Beschäftigung der Davongekommenen mit dem verstörenden Werk: noch 1949 nahm ein Rezensent den an „gesunde und wahrhaftige Kost" gewöhnten und „normal empfindenden Leser" gegenüber Canettis Roman in Schutz, da dieses Buch − wie der Verfasser in mangelhaftem Deutsch formulierte − „keinen Deutschen mit den sehr greifbaren Problemen seines und seines Volkes Daseins [. . .] ernstlich etwas angehen"[6] könne. Wie sehr gerade die in solchen Phrasen sich verratende Begriffs- und Sprachdumpfheit des 'normal empfindenden Menschen' Thema des Romans ist, scheint dem Rezensenten über seiner Entrüstung entgangen zu sein!

Sodann war aber auch die Reaktion der literarischen Fachkritik und der Schriftsteller-Kollegen auf den merkwürdig-inkommensurablen Roman des seit 1939 im Londoner Exil lebenden Autors lange Zeit zwiespältig und oftmals von Ratlosigkeit gekennzeichnet. Eine gewisse Ambiguität der Wertschätzung prägt schon die

frühen Urteile Brochs und Thomas Manns, der sich bei Erscheinen der *Blendung*,
nachdem er früher das ihm von Canetti übersandte Manuskript ungelesen hatte zurückgehen lassen, von der „krausen Fülle" des Romans, „dem Débordierenden seiner Phantasie, der gewissen erbitterten Großartigkeit seines Wurfes, seiner dichterischen Unerschrockenheit, seiner Traurigkeit und seinem Übermut"[7] beeindruckt
zeigte. Umgekehrt wird wiederum dort, wo die Beurteilung des Romans negativ
ausfällt, etwa in Friedrich Burschells marxistisch orientierter Rezension von 1936,
dem „begabten und klugen Verfasser" Reverenz erwiesen, die *Blendung* dann aber
doch als Ausgeburt eben dieser „anerkennenswerten, aber fehlgeleiteten Begabung"[8] abgetan. Und auch später noch, nämlich anläßlich der dritten deutschen
Ausgabe der *Blendung*, bescheinigte H.M. Enzensberger dem Werk zwar Monstro-
sität, aber auch Einzigartigkeit: Canettis Roman „ist ein Knäuel mit großem
Scharfsinn entwickelter Wahnsysteme. Ihre Darstellung steht in der Literatur einzig da."[9]

Mit dieser 1963 erschienenen dritten Ausgabe der *Blendung* (München:Hanser),
auf die dann weitere Ausgaben — darunter in Taschenbuchform — folgten, war in
Deutschland der Bann des Schweigens und Mißachtens um Canetti endgültig gebrochen. Die Wirkungsgeschichte der *Blendung* im angelsächsischen und französischen Bereich (Übersetzungen unter dem Titel: *Auto da Fé*, London: J. Cape,
1946; *The Tower of Babel*, New York: A. Knopf, 1947; *La Tour de Babel*, Gre-
noble/Paris: B. Arthaud, 1949) sowie die Publikation von *Masse und Macht* (Hamburg: Claassen, 1960) dürften überdies einer günstigeren und umfassenderen Aufnahme des lange ignorierten Romans den Boden bereitet haben. Trotz der nun in
Ost und West sich verstärkenden kritisch-literarischen Auseinandersetzung mit Canettis epischem Erstlingswerk fand der Roman im deutschen Sprachraum bis in
die Gegenwart hinein jedoch nur eine vergleichsweise begrenzte Leserschaft. Breiteren Kreisen wurde der Dichter eher durch seine autobiographischen Schriften
(Die gerettete Zunge, München/Wien: Hanser, 1977 und *Die Fackel im Ohr*, Mün-
chen/Wien: Hanser, 1980) bekannt, die die Zeit bis 1931, also bis zur Entstehung
der *Blendung*, behandeln. Man könnte in dieser Art des Bekanntwerdens — Zugang
zum 'Werk' über die 'Person' des Autors — einen für die Geschichte der deutschen
Literatur untypischen und paradox anmutenden Rezeptionsvorgang sehen wollen:
aber so wie Canettis Werk überall durch die unverwechselbare Individualität seines
Autors und dessen Grunderfahrungen geprägt ist, so zeichnen auch die bislang erschienenen autobiographischen Schriften die Genese eines Dichters nach, für den
die Erfahrung der Welt mit den Formen ihrer sprachlich-künstlerischen Ausdeu-
tung zur Einheit verschmilzt. Canetti ist in seinen Schriften immer ganz anwesend,
den 'Grundeinfällen' seines schriftstellerischen Daseins beharrlich auf der Spur:
„Das Schwerste: immer wieder entdecken, was man ohnehin weiß"[10] — so lautet
eine Notiz aus dem Jahre 1945. Zu den Grundgefühlen Canettis, dem im Herbst
1981 als zehntem deutschsprachigem Autor im 20. Jahrhundert der Nobelpreis für
Literatur verliehen wurde, gehört das „Entsetzen des Schlachthauses, auf dem alles gegründet ist",[11] die bestürzende Einsicht in die mörderisch-paranoische Struktur einer machtberauschten Welt. Der Roman *Die Blendung* erzählt die Geschichte
dieser Welt.

II

Über die Entstehung der *Blendung* gibt Canetti ausführliche Nachricht. Die wichtigsten Äußerungen finden wir in dem 1974 erschienenen Bericht „Das erste Buch: Die Blendung" und in den autobiographischen Schriften, vor allem im 2. Band *(Die Fackel im Ohr,* 1980), dessen Schlußteil eine eindringliche Schilderung der Konzeption und der verschiedenen Entstehungsphasen des Romans enthält. Aber auch außerhalb dieser Hauptdokumente, in den Reden, Essays, Aufzeichnungen und Interviews, stößt der Leser auf aufschlußreiche und die Genese des Romans erhellende Ausführungen, die, zumeist auf individuell-konkreter Erfahrung beruhend, doch auch Elemente einer 'Theorie des Romans' erkennen lassen.

Canetti datiert die Entstehung der *Blendung* auf die Zeit zwischen Herbst 1929 und Herbst 1931. Nach Abschluß seines Chemiestudiums an der Wiener Universität und nach zwei längeren Besuchen in Berlin zog er sich als „freier Mann"[12] wieder in sein Arbeitszimmer in die Hagenberggasse am Lainzer Tiergarten zurück, wo für ihn endlich das „'notwendige' Leben"[13] – ein von äußeren Zwängen befreites Schriftstellerdasein – begann. Der tägliche Blick aus dieser Studierklause auf die Nervenheilanstalt Steinhof sowie der aus einem Fußballplatz aufbrandende Schrei der Masse gehören, zusammen mit den Erinnerungen an das fiebrige Berlin der Jahre 1928 und 1929, zum unmittelbaren Erlebnishintergrund des Romans. Bedrängt von den Erfahrungen einer babylonischen, von extremen Menschen bevölkerten Metropole, verstört durch die Härte eines ins Animalische und Intellektuelle zerrissenen Großstadtlebens und durch die Unvereinbarkeit der in der Masse sich verlierenden Einzelexistenzen suchte der ins stillere Wien Heimgekehrte nach einer Ausdrucksform für das bedrohliche Chaos seiner ungeschiedenen und unbewältigten Erlebnisse. Rückblickend beschreibt der Autor, wie sich aus dieser Erfahrung des 'Wirklichkeitszerfalls' die Umrisse einer wahrhaften, einer Sprache gewordenen Welt herauslösten:

> Eines Tages kam mir der Gedanke, daß die Welt nicht mehr so darzustellen war wie in früheren Romanen, sozusagen vom Standpunkt *eines* Schriftstellers aus, die Welt war *zerfallen,* und nur wenn man den Mut hatte, sie in ihrer Zerfallenheit zu zeigen, war es noch möglich, eine wahrhafte Vorstellung von ihr zu geben. Das bedeutete aber nicht, daß man sich an ein chaotisches Buch zu machen hätte, in dem nichts mehr zu verstehen war, im Gegenteil, man mußte mit strengster Konsequenz extreme Individuen erfinden, so wie die, aus denen die Welt ja auch bestand, und diese auf die Spitze getriebenen Individuen in ihrer Geschiedenheit nebeneinanderstellen.[14]

Canetti entwarf deshalb einen Romanzyklus von Balzacschen Dimensionen, eine gewaltige „Comédie Humaine an Irren", deren acht Bände um jeweils ein extremes Individuum angelegt sein sollten, um eine „Figur am Rande des Irrsinns", die „bis in ihre Sprache, bis in ihre geheimsten Gedanken hinein von allen anderen verschieden"[15] wäre. 'Figur' meint hierbei den maskenhaften, in Einseitigkeit und Isolation erstarrten und in seiner Wandlungsfähigkeit reduzierten Menschen, der

die Welt und die Dinge seiner vollkommen eigenen — und das heißt notwendig
wahnhaften — Sicht unterwirft und der in seiner rigiden Begrenzung die atomisti-
sche Aufspaltung der menschlichen Gesellschaft zum Ausdruck bringt.[16] Die Welt
ließ sich nur noch vom Rande, von ihren 'neuen Wirklichkeiten' her, erschließen,
als Scheinwerfer waren die isolierten Monaden „nach innen auf unsere Welt zu
richten, um diese mit ihnen abzuleuchten."[17] Aus dem in den Jahren 1929 und
1930 konzipierten Pandämonium an Figuren — Canetti nennt den Wahrheitsmen-
schen, den Phantasten, den religiösen Fanatiker, den Sammler, den Verschwender,
den Tod-Feind, den Schauspieler und den Büchermenschen — blieb allein der reine
Büchermensch übrig, der zur Hauptfigur der *Blendung* wurde.

Das 'Überleben' gerade dieser Gestalt erinnert an das Grundinteresse des Schriftstellers Canetti, dessen poetische Anthropologie sich an der Vereinzelung des Menschen in der modernen Massengesellschaft und den wahnhaften Denk-, Sprach-
und Handlungsformen der selbstverlorenen Figuren orientiert. Das Phänomen der
Masse gehört wie das der Macht, der Verwandlung, der Sprache und des Todes zu
den literarisch-sozialen Grunderfahrungen des Autors, die bereits in den Rustschu-
ker Kindheitsjahren anklingen. So erlebte er zum erstenmal beim Erscheinen des
Halleyschen Kometen 1910 und beim Brand eines Nachbarhauses die Macht und
Faszination der Masse; und die Erfahrung der Isolation ist bereits beim Fünfjähri-
gen mit dem Motivkomplex von Sprache, Schrift und Buch verknüpft: weil er sich
vom Besitz der Schrift — d.h. dem Schulbesuch — ausgeschlossen fühlte, hätte
Elias beinahe seine um vier Jahre ältere Kusine mit dem Beil erschlagen! Ist also
alles, was Canetti später erlebt hat, „in Rustschuk schon einmal geschehen"[18] —
die Wahnwelt des in der *Blendung* beschriebenen Büchermenschen spiegelt neben
den gleichsam mythischen Kindheitserinnerungen doch vor allem das Chaos der
zwanziger Jahre wider, die Canetti im unruhigen Frankfurt der Nachkriegszeit und
dann in seiner „eigentlichen Heimatstadt"[19] Wien verbrachte. Wieder verweist der
Autor auf ein Schlüsselerlebnis dieser Jahre — den Brand des Wiener Justizpalastes
vom 15. Juli 1927. Aus Empörung über ein arbeiterfeindliches Gerichtsurteil zün-
deten die Wiener Arbeiter den Justizpalast an. Canetti reihte sich in die Masse ein
und wurde zum Augen- und Ohrenzeugen des erregenden Geschehens:

> In einer Seitenstraße, nicht weit vom brennenden Justizpalast, aber doch
> eben abseits, sich sehr deutlich von der Masse absetzend, stand ein Mann mit
> hochgeworfenen Armen, der überm Kopf verzweifelt die Hände zusammen-
> schlug und ein übers andere Mal jammernd rief: „Die Akten verbrennen! Die
> ganzen Akten!" „Besser als Menschen!" sagte ich zu ihm, doch das interes-
> sierte ihn nicht, er hatte nur die Akten im Kopf, mir fiel ein, daß er viel-
> leicht selbst mit den Akten dort zu tun hätte, ein Archivbeamter, er war un-
> tröstlich, ich empfand ihn, sogar in dieser Situation, als komisch. Aber ich
> ärgerte mich auch. „Da haben sie doch Leute niedergeschossen!" sagte ich
> zornig, „und Sie reden von den Akten!" Er sah mich an, als wär ich nicht
> da, und wiederholte jammernd: „Die Akten verbrennen! Die ganzen Ak-
> ten!"[20]

Die Substanz des 15. Juli ging nicht nur in Canettis Massentheorie ein, sondern

auch in die Geschichte vom Büchermenschen. Der Motivkreis von Masse und Einzel-Ich, lebendigem Menschen und totem Buchstaben, Buch und Feuersbrunst, als
eine Art vorbewußten Erlebniskerns vom Autobiographen bereits den Kindheitsjahren zugeordnet, verdichtet sich im Spätjahr 1930 zum literarischen Grundeinfall – der Fabel des Romans. Die Gestaltwerdung des Büchermenschen verdankt
sich laut Canetti dabei dem unauflöslichen Zusammenspiel von experimentieren-
der Suche und schöpferischer Erleuchtung, von Phantasie und Wirklichkeit, Erfindung und Wiederentdeckung: die Obsession durch einen „schrecklichen Leib",[21]
die Freundschaft zu einem gelähmten Philosophiestudenten, die Vertauschung des
Akten-Jammerers vor dem brennenden Justizpalast mit dem Büchermenschen und
schließlich die Begegnung mit dem leibhaftigen Romanhelden in der Gestalt des
Inhabers eines Wiener Kakteen-Geschäftes – aus all diesen Erlebnisschichten baut
sich die Hauptfigur auf. Die Zeit der ausschweifenden Entwürfe zur 'Comédie
Humaine' wich im Zeichen des Büchermenschen, der zunächst Brand und später
Kant hieß, einem Jahr der asketischen Arbeitsdisziplin. Im Oktober 1931 lag der
Roman unter dem Titel *Kant fängt Feuer* fertig vor. Vier Jahre später, bei der
Publikation, änderte Canetti den Namen der Hauptfigur in Kien, und nun erst
erhielt der Roman seinen endgültigen Titel *Die Blendung.*

III

Die Fabel, die der *Blendung* zugrunde liegt, enthält die 'Beschreibung eines Kampfes', in dem alle Beteiligten einander „buchstäblich bis zum Wahnsinn" bekämpfen
und der in einzigartiger Steigerung in die Aufhebung „jeder Normalität"[22] mündet. Erzählt wird die Geschichte des Privatgelehrten Professor Peter Kien, des
größten Sinologen seiner Zeit, der in seiner 25 000 Bände umfassenden Privat-
bibliothek das Leben eines einsiedlerisch-asketischen Buchmenschen führt. Abge-
sondert von Welt und Gesellschaft, unbarmherzig gegen jedermann, gleichgültig
gegenüber den Frauen und voller Verachtung für die ungebildete Masse, haust er
in der Innenwelt seiner gigantischen Bücherhöhle, ein – so die Überschrift des
ersten Romanteils – 'Kopf ohne Welt'. Der einzige Mensch in seiner Nähe ist die
Haushälterin Therese, ein primitives, geldgieriges und lüsternes Geschöpf, das
nach Jahren des Essenkochens und Staubwischens in Kiens Geisterreich durch ein
groteskes Mißverständnis zur Ehefrau des Menschenfeinds avanciert: durch Thereses scheinbare Bücherliebe geblendet, trägt er der nur allzu Bereitwilligen die Ehe
an: „Ich werde sie heiraten! Sie ist das beste Mittel, um meine Bibliothek in Ordnung zu halten" (S. 47).
Von nun an beginnt der Niedergang, die Zerstörung und Selbstzerstörung Peter
Kiens. Denn so wie er Therese als bloßes 'Mittel' benutzt hat, so benutzt sie nun
ihn: als Mittel zur Befriedigung ihrer sexuellen Gier und, als dies mißlingt, als
Mittel zur materiellen Bereicherung. Ein gnadenloser Zweikampf entbrennt, an
dessen vorläufigem Ende Therese den am Rande des Irrsinns dahintaumelnden
Kien aus der Wohnung wirft. Die Irrfahrten des aus seinem Elfenbeinturm vertrie-
benen Odysseus zeigen ihn als Opfer eines unmenschlichen Großstadtmilieus, der

heimatlose Kopfmensch verstrickt sich als ein Geschundener unter Geschundenen in die outlaw-Gesellschaft einer 'kopflosen Welt'. Von dem buckligen Zwerg Fischerle bis aufs Hemd ausgenommen, verhaftet und wieder freigelassen, irrt der Büchernarr durch die Hölle einer einzig und allein durch Macht und die Religion des 'Privateigentums' bestimmten Menschen-Masse.

Eine Rettung des in der Welt Verlorenen scheint sich im dritten Teil des Romans mit der Ankunft seines aus Paris herbeigerufenen Bruders Georg anzubahnen. Georg/Georges, früher vielumworbener Frauenarzt, jetzt eine europäische Berühmtheit auf dem Feld der Psychiatrie, ist das Gegenbild seines Bruders, gesellig, anpassungs- und verwandlungsfähig bis zur Schauspielerei, Repräsentant einer 'Welt im Kopf', ein Arzt, der die Verrücktheit seiner Patienten bewundert und jede Heilung als eine Verarmung betrachtet. Georg befreit Peter aus der Gewalt des sadistischen Hausbesorgers, der den Gestrandeten in einem Verschlag gefangenhält, und stellt die alten Ordnungs- und Besitzverhältnisse wieder her. Er verkennt jedoch die abnorme Misogynie seines Bruders, obwohl er es ist, der Peter zu einem maßlos-wahnhaften Bekenntnis seines Frauenhasses anstiftet: „Was bedrängte ihn, ein beinahe geschlechtsloses Wesen?" (S. 451) Als Georges zu seinen Kranken nach Paris zurückfährt, wird Peter vom Wahnsinn überwältigt. Der von Georges in Peters Wahnwelt hinterlassene Stachel einer plötzlichen „Verkehrung des Sinnreichsten ins Sinnloseste" (S. 471), gesteigert zur Vision der brennenden Bibliothek, zerstört den Vereinsamten — er schichtet seine Bücher zum Turm auf und vereinigt sich lachend der Feuersbrunst im selbstgewählten Autodafé.

IV

Canetti zeichnet in der *Blendung* eine Welt, die in ihrer Ausweglosigkeit und radikalen Negativität dem Leser keine Identifikationsmöglichkeit bietet, ja ihn verwirrt und traumatisiert. Die Geschichte der wahnhaften Selbstzerstörung des Büchermenschen Peter Kien in einer inhumanen, auf den Kopf gestellten Welt wird ästhetisch nicht verklärt, durch kein der selbstgefälligen Schönheit oder Harmonie verpflichtetes Kunstgesetz geglättet und abgemildert. Wer die *Blendung* an den überkommenen Vorstellungen von 'schöner Literatur' bemißt, kann dem Roman nicht gerecht werden. In einer Aufzeichnung bemerkt der Dichter:

> Verhaßt ist mir die tadellose Schönheit bewußter Prosa [. . .] Die schöne Prosa, die sich in der Sphäre des Angelesenen bewegt, ist etwas wie eine Modeschau der Sprache, sie dreht sich immerwährend um sich selbst herum, ich kann sie nicht einmal verachten.[23]

Canettis Widerwille gegen die Schönheit, die nur Schönheit ist, wurzelt nicht im individuellen Geschmack, sondern erklärt sich aus seiner Diagnose der Zeit und seinem Begriff einer zeitgemäßen Dichtung. Um die volle Wirklichkeit seiner Zeit aufzunehmen, muß der moderne Roman auf andere Weise 'realistisch' sein als der realistische Roman des 19. Jahrhunderts, er muß — dies Canettis Forderung in seiner Rede „Realismus und neue Wirklichkeit" (1965) – die Aspekte einer *zuneh-menden* Wirklichkeit, einer *genaueren* Wirklichkeit und einer Wirklichkeit des *Kommenden* mit in seine Darstellung aufnehmen. Die ständig wachsenden und sich erweiternden Inhalte unseres Wissens und unserer Erfahrung sollten ebenso ihren Niederschlag im Zeitroman finden wie unser durch Naturwissenschaft und Technik und deren Postulate der Exaktheit und Spezialisierung geprägtes Reali-tätsverständnis; zu berücksichtigen ist aber auch die immer stärker unsere Gegen-wart überschattende Wirklichkeit des Kommenden, die, janusköpfig, als „Ver-nichtung" oder als das „gute Leben"[24] erscheinen kann. Die Vorstellung von ei-ner 'gespaltenen Zukunft', in der das Trauma der Hiroshima-Bombe nachwirkt, führt zugleich zurück zur *Blendung* und ihrer Wirklichkeitsdeutung. Denn Canetti erlebt die Obsession einer in Chaos, Tod und Irrsinn endenden Welt bereits an der Wende von den 20er zu den 30er Jahren, wo im aufflackernden Antisemitismus und Faschismus die Drohzeichen des Massenwahns und der alptraumhaften Göt-zendämmerung sichtbar wurden:

> Wer sich in der bestmöglichen aller Welten glaubte, der sollte die Augen wei-ter geschlossen halten und an blinden Entzückungen sein Genüge finden, der brauchte auch nicht zu wissen, was uns bevorstand.[25]

Um die 'Expansion' von Menschen und Dingen und ihre bedrohliche 'Potentiali-tät' darzustellen, muß der Künstler das „lebende Inventar" dieser Welt sein, nicht ein harmonisierender „Destillierer", sondern – wie Canetti in einem Beitrag zu Alfred Hrdlickas Radierungen zu *Masse und Macht* ausführt – selbst ein „Chaoti-ker": der Chaotiker „schämt sich der Welt nicht, denn sie ist zu entsetzlich; er kann sich nicht schämen, sonst verliert er von ihr zu viel."[26] Canetti ist davon überzeugt, daß sich die Oberflächen-Schönheit der reinen Form stets mit zwang-hafter Ordnung und mit der Tendenz zur Vernichtung des Nichtidentischen ver-bündet: „Es ist etwas Mörderisches in der Ordnung: nichts soll da leben, wo man es nicht erlaubt hat. Die Ordnung ist eine kleine, selbstgeschaffene Wüste."[27] Aus dem Widerstand gegen den Einheitswahn und gegen die „wildgewordene Selbster-haltung"[28] einer über sich selbst nicht aufgeklärten Instrumental-Vernunft und gegen die 'Wissen-ist-Macht'-Devise, in der Canetti einen pervertierten Aristotelis-mus am Werk sieht,[29] erwächst der Kritik-Impuls einer Poetik, in welcher sich die Wahrheit des Satzes von Karl Kraus erweist, „daß, in der totalen Gesellschaft, Kunst eher Chaos in die Ordnung zu bringen habe als das Gegenteil."[30] Die Aver-sion gegen die Schönheit artifizieller Prosa darf mit Adorno als eine „Kritik an schlechter zweiter Natur" gedeutet werden: Adorno, der den Rang Canettis schon früh erkannt hatte, würdigt im Chaotischen der Kunst wie dieser die „Absage an die Glätte der eingeschliffenen Vorstellungen vom Dasein [. . .]."[31]

Canettis 'Poetik des Widerstands',[32] das der Unverbindlichkeit der Wiener Lite-raturszene entgegengesetzte strenge Kunst-Chaos der *Blendung* mit ihrer distan-zierten, die Welt von außen ableuchtenden Schreibweise, die das Stimmen- und Figurengewirr des Romans zum Schreckensbild erstarren läßt, ist gleichwohl nicht ohne Vorbild und eigene Geschichte. In der Geschichte des Romans und seiner

Hauptfigur spiegelt sich zunächst einmal die Geschichte des Autors Canetti wider
– gesteigert ins Monströse und Groteske. Ein Vergleich zwischen Roman und Autobiographie läßt die Stoff- und Motivverwandtschaft innerhalb eines Werks hervortreten, dessen 'Wirklichkeitsgehalt' in erstaunlicher Weise durch das Medium
Buch – d.h. die individuelle Leseerfahrung des Autors – gefiltert ist. Hier wie dort
verfließt die „Grenze zwischen Geschehenem und Erlebtem",[33] so wie Grundmo-
tive der Autobiographie – der unersättliche Lesehunger und die 'Kopfexistenz'
des frühreifen „in spe poeta clarus",[34] der Haß auf die Oger-Welt des Geldes, das
von der Mutter auferlegte Tabu alles Geschlechtlich-Erotischen, das Mentor-Ver-
hältnis zum jüngeren Bruder Georg, die Furcht vor Erblindung – in verfremdeter
Form in die *Blendung* eingegangen sind. Aber auch die ihrer idée fixe verhafteten,
an Leib und Seele defekten Figuren der *Blendung* haben ihre Vorbilder in der Realität[35] – einer gedeuteten und nachgeschaffenen Realität freilich: der Chaotiker
stellt das Chaos nicht dar, „ohne es sich aus sich selber herauszuholen."[36] Viele
Porträtskizzen in den autobiographischen Schriften – man denke nur an das Kapitel „Frau Weinreb und der Henker" oder „Die Rivalen" in der *Fackel im Ohr* –
lesen sich denn auch wie Auszüge aus der *Blendung.* Man sollte sich aber davor
hüten, die autobiographischen Elemente des Romans reinlich herauszudistillieren zu
wollen. Canettis Weg zur Wirklichkeit geht über die Kunst, über Bilder und über
Bücher, und vielleicht darf man in diesem Zusammenhang an den alten Topos vom
'mundus liber' erinnern, der für den Schriftsteller den Sinn des 'liber mundus' erhält. Die Einheit von Geschehenem und Erlebtem ist unauflöslich und sollte, wie
die schöpferische Erinnerung des Autors, „intakt belassen"[37] werden.

Die *Blendung* wurzelt aber auch in einer umfassenden literarischen Tradition.
Die Reihe der von Canetti beschworenen Ahnen reicht von Aristophanes, dessen
von einem „überraschenden Grundeinfall" geprägte Komödien „bis an die Grenzen des Wahnsinns gehen",[38] über Büchner, dem im *Woyzeck* die „Entdeckung
des *Geringen"*[39] gelungen sei, und Gogol, den Autor der *Toten Seelen,* bis zu
Stendhal, an dessen kristallinem Stil sich der Dichter im Jahr der asketischen Arbeit an der *Blendung* schulte. Von den zeitgenössischen Romanciers erwähnt Canetti Isaak Babel, Robert Musil und Hermann Broch, ohne daß im einzelnen konkrete Einflüsse nachgewiesen werden könnten;[40] umgekehrt sind zahlreiche un-
ausgesprochene Leseerfahrungen in den Roman eingegangen – als Beispiel sei nur
das Eingangskapitel, „Der Spaziergang", genannt, eine subtile Travestie von Robert Walsers gleichnamiger Erzählung, oder die Ähnlichkeit mancher Romangestalten mit typischen Figuren des Volksmärchens (Therese = Hexe, Fischerle =
Zwerg). Auch bildliche Eindrücke wirken in der *Blendung* nach, so das Rem-
brandt-Gemälde *Die Blendung Simons* und die von allem 'Höheren' entblößten
Spießer-Karikaturen aus George Grosz' *Ecce-Homo*-Mappe.

Die Schriftsteller, denen Canetti am meisten verdankt, sind jedoch Franz Kafka
und Karl Kraus. Canetti stieß auf Kafkas Erzählung *Die Verwandlung,* als er das
achte Kapitel der *Blendung* beendet hatte, in ihm erkannte er den „größten Experten der Macht", der sich „von Anfang an auf die Seite der Gedemütigten gestellt"
habe und der in seiner demutvollen „Verwandlung ins Kleine"[41] den Dichtern
Chinas gleiche. Kafkas Prosa wurde in ihrer Strenge zum unerreichbaren Sprach-

muster. Der spezifische Sprach-Gestus der *Blendung,* das simultane Aneinander-vorbeireden der in ihren Privatidiomen befangenen Figuren, verweist dagegen auf die Sprachkritik des Wort-Magiers und *Fackel*-Herausgebers Karl Kraus, aus dessen geistigem Bannkreis Canetti sich erst im Sommer 1928 zu lösen begann. Dem Schriftsteller, vor allem dem Redner Kraus verdankt der Autor der *Blendung* nicht nur das „Gefühl absoluter Verantwortlichkeit" des Intellektuellen für die Probleme seiner Zeit, sondern auch die Sensibilität des distanziert-unbestechlichen Lauschers, für den es „keine größere Illusion gibt als die Meinung, Sprache sei ein Mittel der Kommunikation zwischen Menschen."[42] Die Krausche 'Schule des Widerstands', d.h. die öffentlich inszenierten Gerichtstage des vor versammeltem Publikum agitierenden Rhetors, der durch die Wörtlichkeit des Zitats — Canetti nennt es das 'akustische Zitat' — und durch sein Entsetzen die monströse Wiener Wirklichkeit entlarvt, wird für Canetti zur faszinierenden 'Schule des Hörens', aber auch zur bedrängenden 'Fackel im Ohr':[43] das durch wörtliche Wiedergabe der allgemeinsten Phraseologie und durch „Agnoszierung des Nichtssagenden"[44] gebannte Stimmen-Reservoir Wiens erfährt er als akustisches Sinnbild einer chaotischen Welt, deren Sprachgewirr die Verwirrung des Zeitalters veranschaulicht.

Die *Blendung* beschreibt die zerfallene Welt als babylonische Sprachverwirrung. Die „Quintessenz der ganzen Romanform" hat man deshalb in der „szenischen Darstellung"[45] gesehen, dem sprachartistisch-satirischen Organisationsprinzip der 'akustischen Maske', wie Canetti später die gleichbleibende, nach Tonhöhe und Geschwindigkeit, Rhythmus und Vokabular einmalig-unverkennbare Sprechweise des Menschen definiert.[46] Der Romancier als unbestechlicher 'Ohrenzeuge' erspürt hinter der 'akustischen Maske' seiner pausenlos redenden Figuren die tödliche Isolation der in der Masse Verlorenen, aber auch das drohende „Geheimnis"[47] ihrer deformierten Individualität: die Skala der Sprachmasken reicht dabei vom stereotypen „Ich bitt' Sie" Thereses über das gewalttätige Gebrüll des Hausbesorgers Pfaff, in dessen Lieblingswendung „Scheißgefrieß, dreckiges" sich das 'Wörterbuch des Unmenschen' ankündigt, die animalisch-affektive Sondersprache des autistischen Gorilla-Menschen im „Irrenhaus"-Kapitel bis zur buchgelehrten und rhetorisch-brillanten und doch inhumanen Intellektuellen-Suada Peter Kiens. Der Roman beginnt mit einem Dialog — dem 'Verhör' eines Nachbarkindes durch Kien — und endet mit einem Dialog — der von Georg provozierten wahnwitzigen Haß-tirade des Privatgelehrten auf die Frauen. Aber der Dialog ist nicht Ausdruck der Kommunikation, sondern undurchlässige Sprachmauer und Medium des Verkennens und Mißverstehens, am Anfang und Ende wie im Zwiegespräch der Jungvermählten:

> „Ich frage zum ersten- und zum letztenmal: Wer hat in meinem Schreibtisch herumgesucht?"
> „Man könnte glauben!"
> „Ich will es wissen!"
> „Bitte, hab' ich vielleicht gestohlen?"
> „Ich verlange Aufklärung!"
> „Aufklärung kann jeder."

„Was soll das heißen?"
„Das ist bei den Menschen so."
„Bei wem?"
„Kommt Zeit, kommt Rat" (S. 124).[48]

Das paradoxe, an die sprachsatirischen Traditionen Wiens anknüpfende Zwiegespräch ist dem Kapitel „Junge Liebe" entnommen, das sich, entgegen der Leser-
Erwartung, nicht auf 'Liebe' bezieht, sondern auf Thereses Gier nach dem Testament des Ehemanns und dessen perverse Absicht, sich durch das Testament die
vermeintlich „übergroße Liebe" (S. 130) seiner Frau vom Hals zu schaffen! Auch
der Leser wird also dem sprachlichen Verwirrspiel des Romans ausgesetzt, das die
psychische und moralische Desintegration der Figuren präzis widerspiegelt: „Man
spricht zum andern, aber so, daß er einen nicht versteht."[49] Das virtuose Mit- und
Gegeneinander der 'akustischen Masken' erinnert dabei an den Mythos vom babylonischen Turm wie an die Theoreme der modernen Sprachanalyse – *„Die Grenzen meiner Sprache* bedeuten die Grenzen meiner Welt"[50] –, ist jedoch auch
Resonanz auf die eigentümliche Hör-Erfahrung des Wiener 'Ohrenzeugen', der die
Romanfiguren die Sprache seiner Heimatstadt sprechen läßt. Der aus Nestroy und
den österreichischen Volksstücken vertraute Lokalton ist in der *Blendung* aber
zum Bösartigen hin verzerrt, das Geheure der wienerisch eingefärbten Alltagsphra-
se erscheint als Maske des Ungeheuren und Ungeheuerlichen: „Ich kenn' die Weiber" – biedert sich der Hausbesorger Pfaff bei Kien an –, ich „hab' Weiber ver-
haut, da hätten Sie zuschau'n müssen" (S. 116). Auch der verschlagene, von der
Schachweltmeisterschaft träumende Fischerle wählt dem als intelligent erkannten
Kien gegenüber den Ton der Kumpanei – „Spielen Se Schach?" „Ein Mensch, was
ka Schach spielt, is ka Mensch" (S. 188) –, wechselt aber bei der eigenen Frau in
den unverstellten Befehlston des egoistischen Machthabers über: „Was verstehst
du schon vom Schach? Scheckertes Kalb! Dich hab' ich g'fressen! Drah di! [. . .]"
(S. 200).
Canetti nimmt die Spießer beim Wort, die Bilder, Metaphern und Redensartlich-
keiten seiner an der 'schönen schwarzen Donau' beheimateten Figuren werden in
ihrer klanglich-sinnlichen Konkretheit erfaßt und auf ihr Geheimnis hin durchleuchtet. Nicht der Methode der psychologischen 'Erklärung' bedient sich der Autor dabei,[51] sondern der sprachlich-akustischen Selbstdarstellung der ihren „Pri-
vatmythen"[52] verhafteten Gestalten, die wie verlorene Planeten umeinander kreisen und sich im Raume stoßen. „An ihrer Polyphonie" – so bemerkt Manfred Moser – „beschwört Canetti die Totalität einer Gesellschaft, deren Mitteilungsfähig-
keit sich im Monolog erschöpft."[53] Neben der direkten Rede ist eine zwischen
innerem Monolog und erlebter Rede angesiedelte Schreibweise das häufigste Mittel der monologischen „Selbstanprangerung":[54] der Erzähler tritt als die Fäden
seiner Marionetten bewegender Puppenspieler kaum in Erscheinung, vielmehr
gleicht er sich in permanenter Verwandlung der ins Halluzinatorische auswu-
chernden Sprach- und Denkperspektive seiner Irren an. So, wenn beispielsweise
Therese die Begegnung mit einer Militärkapelle als Bestätigung ihres Traums von
Liebe und schöner Jugend erlebt:

Auf dem Weg nach Hause hört sie plötzlich eine Musik. Da kommt Militär und spielt die wertvollsten Märsche. Das ist lustig, das hat sie gern. Da kehrt sie um und gleitet auf einmal im Takte mit. Der Herr Kapellmeister schaut immer auf sie [. . .] Andere Frauen kommen dazu – sie ist die schönste von allen [. . .] Seit sie da ist, finden's alle Leute schön. Bald ist ein großes Gedränge. Das stört sie nicht. Ihr macht man Platz. Niemand vergißt sie zu sehen. Leise summt sie im Takte mit: Wie dreißig, wie dreißig, wie dreißig (S. 142).[55]

Das 'fensterlose', nur auf sich selbst fixierte Monaden-Ich wird durch die Figurenrede zur gläsernen Zelle – der Leser erkennt den Privatmythos als Ausdruck der individuellen Geschiedenheit, für deren Binnenlogik Realität und Irrealität, Kopf und Welt zusammenfallen: nach dem Verlust seiner Heimat – „Die beste Definition der Heimat ist Bibliothek" (S. 57) – trägt Kien sein ganzes Wissen im Kopf, als eine Kopfbibliothek eben, von der er sich vor dem Zubettgehen mit Hilfe Fischerles wieder befreit:

„[. . .] helfen Sie mir, bitte, beim Abladen der Bücher!" sagte Kien blindlings und staunte über die eigene Kühnheit. Um alle lästigen Fragen abzuschneiden, holte er einen Stoß aus dem Kopf hervor und reichte ihn dem Kleinen hin. Der bekam ihn mit seinen langen Armen geschickt zu fassen und sagte: „So viel! Wohin soll ich sie legen?" „Viel?" rief Kien gekränkt. „Das ist erst ein Tausendstel!" (S. 206)

Der Übergang von der Realität zur Irrealität bleibt unkommentiert, als 'Vorstellung' wird Kiens Welt vom neutralen Erzähler ebenso akzeptiert wie von dem seinen Geschäftsinteressen gehorchenden Fischerle. Dieses Darstellungsprinzip bestimmt die verschiedenen 'Teilwertsysteme' bis hinein in die Objekt- und Körperwelt. In der Machtsphäre der Personen scheinen die Dinge anzuwachsen und Leben zu gewinnen, während umgekehrt die Menschen zu 'toten Seelen' degenerieren. Seinen Vorbildern George Grosz und Gogol verpflichtet, zeichnet Canetti „mit dem kräftigen, unerbittlichen Grabstichel die ganze Tiefe kalter, zerstückelter Charaktere",[56] in grotesker Manier Lebendiges und Totes, Menschliches und Tierisches, Geistiges und Materielles miteinander vermischend.[57] So erstarrt der Kopfmensch Peter Kien, um sich seiner Frau zu entziehen, zu einem Stein; Therese verschwindet in ihrem riesigen blauen Rock wie in einer Muschel; Pfaff schwillt zur kolossalen Faust an, Fischerle besteht „aus einem Buckel, einer mächtigen Nase und zwei schwarzen, ruhigen, traurigen Augen" (S. 184).

Die Vieldeutigkeit des Seienden schrumpft im Bannkreis der geblendeten Figuren auf eine 'überschaubare', scharf umrissene Anzahl von Wirklichkeitspartikeln. Dem Andrang der Welt, die „in Wirklichkeit ein höllischer Haufe rasender Elektronen" (S. 72) ist, kann sich der Einzelne nur durch Ausblendung ihrer Massenhaftigkeit, durch Reduktion, Selektion und 'logische' Strukturierung der Dinge entziehen: „'Esse percipi' ", räsoniert Peter Kien, „Sein ist Wahrgenommenwerden, was ich nicht wahrnehme, existiert nicht" (S. 72).

Die Dinge haben Realität und Bedeutung nur für das wahrnehmende Einzel-Ich, werden zu starren Chiffren der partikularen Lebensräume. Die dem chaotischen Stoff der *Blendung* aufgezwungene strenge Konsequenz der Form äußert sich in einem Netzwerk von Symbolen und Leitmotiven, die den Machtbereich der konkurrierenden Systeme sinnfällig machen und auf die Steigerung des Kampfes aller gegen alle hinweisen. Die Symbolketten umfassen Namen, Worte und Sätze, Farben und Dinge ebenso wie Thematisches und 'Ideologisches' und verleihen dem Roman als ästhetischem Gebilde die Tiefendimensionen, gegen die sich seine deformierten Charaktere zu verschließen suchen. So sind etwa dem Namen Peter die Bedeutungsfelder 'Fels', 'Erstarrung', 'Härte des Charakters' zugeordnet, aber auch christliche Vorstellungen wie 'Petrus-Amt', 'Passion', 'Nachfolge Christi'.[58] Kiens wahnhafte Imitatio Christi wird überlagert, von seiner sektiererischen Wissenschafts-Religion, wobei das 'Chinesische' auf das Unzulängliche eines entlegenen Spezialgebietes deutet. Mit der Farbe Blau assoziiert der Buchgelehrte Kien das in 'der Frau' verkörperte Gegenprinzip zur reinen Geistigkeit – das Körperliche, Fleischliche, Sexuelle; die Farbe Rot verweist dagegen auf den Bibliotheksbrand, in dem auch 'Kien' Feuer fängt. Zu den tragenden Symbolschichten des Romans gehört – neben dem Brand-Motiv – vor allem das Wortfeld von 'Blendung' und 'Blindheit', mit dem das Thema und, im besonderen, die Sichtweise der Hauptfigur charakterisiert wird. Die Absurdität einer nur einen mikrologischen Wirklichkeitsausschnitt erfassenden Perspektive – Kien eignet sich die Wirklichkeit nach Maßgabe seines exakten und 'logischen' Wissenschaftsbegriffs an – wird nirgends greifbarer als im 'blinden' Vertrauen des Spezialisten auf das Axiom des 'Esse percipi', in dem der Leser das proton pseudos der Kienschen Kopfexistenz erkennt. Kien, der sich schwor, „sobald ihn Blindheit bedrohte, freiwillig zu sterben" (S. 21), versichert sich ständig der Leistungskraft seiner Augen: „Morgen für Morgen bewiesen ihm seine Augen, wie gut es ihnen ging" (S. 10). Gleichzeitig wendet er jedoch die Blindheit als ein Mittel an, 'schlechte Wirklichkeit' aus seinem Weltbild auszublenden – „eine natürliche Möglichkeit, von der die Sehenden leben" (S. 72). Die 'natürliche' Gleichsetzung von Sehkraft und unverblendeter Welterfahrung ist der Grundirrtum des Büchernarren. Seine eigene Blindheit vermag er nicht zu durchschauen, so wie seine Analyse des Alptraums von den brennenden Bücher-Menschen nur seine Selbsttäuschung bestätigt: „[. . .] fürs Elend hatte er nie ein Auge, auch fürs eigene nicht, das ihn jetzt betraf" (S. 41). So täuscht der Blinde auch den Bruder, dessen therapeutisch gemeinte Rede von der Orgie im Termitenstock – „[. . .] man kann das mit nichts vergleichen, ja, es ist, als ob du dich eines hellichten Tages, bei gesunden Augen und voller Vernunft, mitsamt deinen Büchern in Brand setzen würdest" (S. 471) – die Katastrophe nur noch beschleunigt. Das Licht, das Georg bei seiner Abreise in der Bibliothek einschaltet, läßt einen Geblendeten zurück, der dem eigenen Wahnbild von der brennenden Bibliothek zur furchtbaren Wirklichkeit verhilft.[59]

Die Spaltung der Welt setzt sich im Inneren der Individuen fort. In der Sprache des Romans bedeutet dies, daß die drei Schauplätze der 'Comédie Humaine an Irren' – der 'Kopf ohne Welt', die 'kopflose Welt' und die 'Welt im Kopf' – durch Figuren bevölkert sind, deren Wirklichkeitsverständnis durch einen doppelten Riß – den „Riß in der Beziehung zu [ihrer] Welt" und den „Bruch in der Beziehung zu sich selbst"[60] – gekennzeichnet ist. Die Romangestalten erfahren die Entfremdung von der Welt zugleich als Selbstentfremdung, als Aufspaltung der Person in ein bewußt oder unbewußt bekämpftes „moi haissable"[61] und in ein wahnhaft übersteigertes Wunsch-Ich: der hypertrophen Kopfexistenz Kiens entspricht seine „Verachtung für die Masse" (S. 43); Fischerle kompensiert sein underdog-Dasein durch die Wahnidee der Schachweltmeisterschaft; und auch Georges, keineswegs als der „gesunde Arzt" dem „kranken Sinologen"[62] gegenübergestellt, zieht dem „dicken Verstand" (S. 440) des Normalbürgers die mytischirrsinnigen Weltenräume seiner Kranken vor – alles, was er tat, „spielte in fremden Menschen" (S. 445). Gemeinsam ist allen Akteuren die Manie eines Mehr an Masse und an Macht, ein von der „Wollust der springenden Zahl"[63] angestachelter Wahn der Größe und Herrschaft. Kien möchte mit der vermeintlich ererbten Million seine Bibliothek auf 60 000 Bände vergrößern – „durch den Größenunterschied ist auch im einzelnen alles verschieden" (S. 145); Therese berauscht sich an den Nullen des von ihr gefälschten Testamentsbetrags, Fischerle will durch ein Millionenstipendium zum Kaiser von Amerika avancieren, Georg wird als „Volkskommissar für Irre" eine „Millionenarmee unbrauchbarer Geister" (S. 449) befehligen – das „einzige Wörtchen *Millionär*[64] ist schuld am Entstehen einer inflationären Scheinwelt: jeder in diesem Tollhaus „will *mehr* sein – keiner aber *anders.*"[65]

Für das zwischen 'Masse' und 'Vereinzelung' zerrissene Selbst fallen aber 'Mehrsein' und 'Anderssein' zusammen. Am deutlichsten spricht das der Repräsentant der 'Welt im Kopf', der Psychiater Georg, aus, der den „Lebenskampf" (S. 446) des Individuums in der Dichotomie von Ratio und Irratio, Identität und Selbstaufgabe erblickt. Irrsinn erscheint aus der Sicht des Irrenarztes als das Resultat der verdrängten und unterdrückten Triebkräfte, der 'Masse in uns': „Zahllose Menschen werden verrückt, weil die Masse in ihnen besonders stark ist und keine Befriedigung findet" (S. 447). Deshalb sucht Georg sich in anderen zu verlieren, treibt aber dabei selbst, wie der in seinem Privatmythos befangene Paranoiker, als 'verlorenes Ich', „mutterseelenallein, wie die Erde, durch seinen Weltraum" (S. 440). Über den Herrlichkeiten der ohnedies ständig von der 'Normalität' bedrohten Kopf-Welt verliert Georges, was er ohnehin wahrhaft nie besessen hat – die Fähigkeit zur sozialen Kommunikation, zur Liebe. Als listenreich fragender Odysseus, der der krankhaften Misogynie seines Bruders auf die Spur zu kommen trachtet, wird er zum Opfer seines eigenen Täuschungsmanövers und eines durch die Sprache suggerierten Einverständnisses: „Ich glaube an die Wissenschaft, täglich mehr, und täglich weniger an die Unersetzbarkeit der Liebe!" (S. 471) – so redet er Peter nach dem Munde. Georg verkennt, daß auch Peter sich der uneigentlichen Rede bedient, daß er nicht der „große Charakter" (S. 476), sondern der Verrückte ist, der dem chaotischen Sog der in ihm so lange ertöteten Massen-Energie nicht mehr widerstehen kann und sich im Feuer – für Canetti ein 'Massensymbol'[66] – laut lachend mit seinen Büchern vereint. Der Versuch der beiden feindlichen Brüder, den „Festungsgürtel des Individuums gegen die Masse" (S. 446) zu sprengen, endet in Selbstverlust und in Selbstvernichtung.[67]

Der Schluß des Romans steht im Zeichen des Entsetzens über eine Welt, in der

„das Menschenleben nicht mehr das Maß ist."[68] Die verhängnisvolle Spaltung
der 'neuen Wirklichkeit' in eine spezialistisch-wertfreie Privatratio und in die
wildgewordenen Sehnsuchtsträume des die Persönlichkeit aufsprengenden Mas-
sentriebs liegt auch dem dritten Teil des Romans zugrunde, wo Canetti erstmals
in einem geschlossenen Motivgefüge vorführt, was als 'Verwandlung' die humane
Leitkategorie seiner anthropologischen Poetik bilden wird. Die strenge Konsequenz, mit der die zerfallene Welt von außen abgeleuchtet und das Chaos der
'Comédie Humaine an Irren' zur Kunstform gebändigt wird, schließt den Umschlag der universalen Negativität ins Positive aus – eine Synthese von Kopf und
Welt in der „Freiheit zum Selbstsein"[69] stellte den Realitätsgehalt des Werks wie
die „zwingende Autorität des Ausdrucks"[70] in Frage. Wer allerdings den Roman
als Produkt „of a bitter misanthropist, misogynist and cynic"[71] begreift, spricht
dem Dichter das Recht ab, „seiner Zeit verfallen, ihr leibeigen und hörig, ihr nied-
rigster Knecht"[72] zu sein. Nur aus dem Eintauchen in die eigene Zeit kann der
Widerstand gegen sie erwachsen, nur aus der Erfahrung ihrer Macht- und Todverfallenheit nährt sich der „Widerspruch zur hergebrachten Meinung" und zur „Zeit,
die von Myriaden und Abermyriaden von Toden erfüllt ist."[73] Die Irren der *Blendung* werfen, wie Enzensberger bemerkt, „historische Riesenschatten";[74] der apo-
litische, auf sein Spezialgebiet eingeschränkte Privatgelehrte, der sich im übrigen
dem ergibt, „was gerade herrscht" (S. 68), der sadistische Schläger oder der mega-
lomane Träumer – sie alle sind bereits Kinder einer Zeit, die mit der Verbrennung
von Büchern, Häusern und schließlich Menschen ihre Selbstvernichtung vollzieht.
Die *Blendung* als Roman *dieser* Zeit ist deshalb, wie Alban Berg in einem Brief an
Canetti vom November 1935 bekannte, ein „*Epos des Hasses*", zwischen dessen
Zeilen jedoch immer wieder „das *liebende* Herz"[75] des Autors zu spüren ist.
'Verwandlung' als das Hoffnungsbild einer humanitären Utopie des 'ganzen' Menschen wird hier noch nicht wirklich.[76] Aber der Leser kann sich der Erkenntnis nicht entziehen, daß, „wenn die Welt bestehen soll", man „noch anderes finden"[77] muß. Canettis „verzweifelte Sehnsucht nach allem, was *anders* ist",[78]
rechtfertigt die erbitterte Großartigkeit der *Blendung* und macht sie zu einem Roman auch unserer Zeit.

Anmerkungen

+ Die *Blendung* wird nach der Ausgabe im Fischer Taschenbuch Verlag (Frank-
furt/M., 1982) zitiert. Nachweis der Zitate im Text durch eingeklammerte Seitenangabe.

1 „Erster Versuch einer Rezeptionsgeschichte Canettis am Beispiel seiner Werke
   'Die Blendung' und 'Masse und Macht' ", in: *Canetti lesen. Erfahrungen mit seinen Büchern*. Hg. v. Herbert G. Göpfert (München/Wien: Hanser, 1975), S. 91.
   (Im folgenden zitiert als: *Canetti lesen.)*
2 Der Band trug die Jahreszahl 1936, Verlagsorte waren Wien, Leipzig, Zürich;
   die Zeichnung auf dem Schutzumschlag (Mann inmitten brennender Bücher)
   stammt von Alfred Kubin; zuvor war Canetti nur als Übersetzer dreier Romane

von Upton Sinclair *(Leidweg der Liebe,* 1930; *Das Geld schreibt,* 1930; *Alkohol,* 1932) für den Berliner Malik-Verlag an die Öffentlichkeit getreten; das Drama *Hochzeit* wurde 1932 bei S. Fischer als Manuskript gedruckt.

3 Th. Mann schrieb in einem Brief an Canetti vom 14.11.1935 über die *Blendung:* „Es ist ein Buch, das sich, anders als die muffige Mediokrität, die heute in Deutschland gepflegt wird, sehen lassen kann neben den Talentwürfen anderer literarischer Kulturen" (zit. nach: *Canetti lesen,* S. 123).

4 Vgl. Canetti, „Das erste Buch: Die Blendung", in: *Canetti lesen,* S. 134f.

5 Vgl. Hermann Broch in: *Canetti lesen,* S. 119.

6 Zit. nach: *Canetti lesen,* S. 98f.

7 Zit. nach: *Canetti lesen,* S. 123. – Zu Broch vgl. S. 119f.

8 Friedrich Burschell, „Zwei exzentrische Romane", in: *Das Wort* (Bd. II, H. 4, 1936), S. 94f.

9 „Elias Canetti: 'Die Blendung' ", in: *Der Spiegel* (Nr. 32, 1963), S. 48.

10 *Die Provinz des Menschen. Aufzeichnungen 1942-1972* (Frankfurt/M.: Fischer, 1976), S. 69.

11 Ebenda, S. 172.

12 „Das erste Buch: Die Blendung", in: *Canetti lesen,* S. 131.

13 Canetti, *Die Fackel im Ohr. Lebensgeschichte 1921-1931* (München/Wien: Hanser, 1980), S. 349.

14 „Das erste Buch: Die Blendung", in: *Canetti lesen,* S. 131f.

15 Ebenda, S. 132.

16 Vgl. Canetti, *Masse und Macht,* Bd. 1 + 2 (München o.J.: Reihe Hanser 124 + 125), Bd. 2, S. 111ff.

17 *Die Fackel im Ohr,* S. 351.

18 Canetti, *Die gerettete Zunge. Geschichte einer Jugend* (München/Wien: Hanser, 1977), S. 11.

19 *Die Provinz des Menschen,* S. 78.

20 *Die Fackel im Ohr,* S. 275.

21 Ebenda, S. 353.

22 Enzensberger, „Elias Canetti: 'Die Blendung' ", S. 48.

23 *Die Provinz des Menschen,* S. 178.

24 „Realismus und neue Wirklichkeit", in: Canetti, *Das Gewissen der Worte. Essays* (Hamburg: Fischer, 1981). S. 75.

25 *Die Fackel im Ohr,* S. 351.

26 „Das Chaos des Fleisches. Alfred Hrdlickas Radierungen zu Masse und Macht"', in: *E. Canetti, A. Hrdlicka, K. Diemer* (Stuttgart: Galerie Valentien, o.J.), S. 20.

27 *Die Provinz des Menschen,* S. 177.

28 Th. W. Adorno in: Canetti, *Die gespaltene Zukunft. Aufsätze und Gespräche* (München: Hanser, 1972), S. 68.

29 Vgl. *Die Provinz des Menschen,* S. 38f.

30 Zit. nach: Th. W. Adorno, *Ästhetische Theorie* (Frankfurt/M.: Suhrkamp, 1970), S. 144.

31 Ebenda, S. 144f.

32 Vgl. Martin Bollacher, „*Chaos* und *Verwandlung* – Bemerkungen zu Canettis 'Poetik des Widerstands' ", in: *EUPHORION* (73, 1979), S. 169-185.

33 Peter von Haselberg, Rez. der *Blendung,* in: *Frankfurter Zeitung* (12.4.1936), S. 18, zit. nach: *Canetti lesen,* S. 92.

34 Mit dieser Formel schloß der 14jährige Elias zur Zeit der Arbeit an seinem ersten dichterischen Versuch *Junius Brutus* die wöchentlichen Briefe an die Mutter *(Die gerettete Zunge*, S. 271).
35 So war etwa das Urbild der Therese Canettis Zimmervermieterin in der Hagenberggasse (vgl. *Canetti lesen*, S. 124f.).
36 Canetti in: *E. Canetti, A. Hrdlicka, K. Diemer*, S. 20.
37 *Die Fackel im Ohr*, S. 342. – Der 'Charakter' des Spezialisten verliert auch in der Folge nicht seine Faszination für Canetti – unter den Aufzeichnungen des Jahres 1945 findet sich das 'Doppelgänger'-Porträt Peter Kiens: „Ein Spezialist: Er sucht Gelehrsamkeit ohne Bewegung [. . .] Er hat es leicht, alles zu verachten, weil niemand von seinem Gebiet etwas versteht und nichts anderes ihn wirklich interessiert [. . .] Bleibt sein Wissen tot, so fühlt er sich wohl [. . .] Eine Frau hält er sich hauptsächlich, um ihr recht fremd zu bleiben. Sie verkörpert für ihn die unbelehrbare Dummheit der Welt" *(Die Provinz des Menschen*, S. 76).
38 Ebenda, S. 64f.
39 *Das Gewissen der Worte*, S. 239.
40 Broch und Musil scheint Canetti erst nach der Fertigstellung des Romans (Manuskriptfassung) gelesen zu haben. Unverkennbar sind indes thematische Parallelen vor allem zwischen Canetti und Broch (Massenpsychologie; Problem des Intellektuellen, das Broch in dem 1933 entstandenen Roman *Die Unbekannte Größe* behandelt).
41 Canetti, *Der andere Prozeß. Kafkas Briefe an Felice* (München: Hanser, 1969), S. 86, S. 90, S. 96.
42 *Das Gewissen der Worte*, S. 48.
43 Vgl. „Karl Kraus, Schule des Widerstands", in: *Das Gewissen der Worte*, S. 42-53 und das Kap. „Die Schule des Hörens" in: *Die Fackel im Ohr*, S. 240-250.
44 Karl Kraus, *Die Sprache*, Werke Bd. 2, hg. v. Heinrich Fischer (München: Kösel, 1962), S. 227.
45 Dieter Dissinger, „Der Roman 'Die Blendung' ", in: *Text + Kritik* (H. 28, 1973), S. 30.
46 Auszüge aus dem ursprünglich dem Wiener *Sonntag* gegebenen Interview über die 'akustische Maske' (18.4.1937) in: *Canetti lesen*, S. 54f. – Zu Canettis 'magischem' Sprachverständnis vgl. Manfred Durzak, „Versuch über Elias Canetti", in: *Akzente* (17, 1970), S. 168-191.
47 „Im Gebrauch ihrer Lieblingswendungen und -worte sind die Menschen geradezu unschuldig. Sie ahnen nicht, wie sie sich verraten, wenn sie am harmlosesten daherplappern. Sie glauben, daß sie ein Geheimnis verschweigen, wenn sie von anderen Dingen reden, doch siehe da, aus den häufigsten Wendungen baut sich plötzlich ihr Geheimnis drohend und düster auf" *(Die Provinz des Menschen*, S. 14).
48 Vgl. dazu auch Mechthild Curtius, *Kritik der Verdinglichung in Canettis Roman 'Die Blendung'. Eine sozialpsychologische Literaturanalyse* (Bonn: Bouvier, 1973), bes. S. 125ff.
49 *Das Gewissen der Worte*, S. 48f.
50 Ludwig Wittgenstein, *Tractatus logico-philosophicus*, 5.6., in: *Schriften 1* (Frankfurt/M.: Suhrkamp, 1969), S. 64.
51 Für Canetti bewirken die psychologischen und psychoanalytischen Deutungsverfahren eine Reduzierung menschlicher Potentialität: „Nie haben die Men-

schen weniger von sich gewußt als in diesem 'Zeitalter der Psychologie'. Sie können nicht stillhalten. Sie fahren ihren eigenen Verwandlungen davon" *(Die Provinz des Menschen,* S. 17).

52 Zum Begriff des 'Privatmythus' vgl. „Elias Canetti/Rudolf Hartung" in: *Selbstanzeige. Schriftsteller im Gespräch,* hg. v. Werner Koch (Frankfurt/M.: Fischer, 1971), S. 33.

53 „Zu Canettis 'Blendung' " , in: *Literatur und Kritik* (5,1970), S. 597.

54 In seiner Büchner-Rede aus dem Jahre 1972 spricht Canetti von der „Selbstanprangerung" der Büchnerschen Figuren *(Das Gewissen der Worte,* S. 238).

55 Die typische Verbindung von innerem Monolog und erlebter Rede findet sich bereits in den Sinclair-Übersetzungen, die damit für Canetti nicht nur „Brotarbeit" *(Die Fackel im Ohr,* S. 349), sondern auch eine 'Schule des Schreibens' waren (vgl. z.B. Upton Sinclair, *Leidweg der Liebe.* Autorisierte Übersetzung von Elias Canetti [Berlin: Malik, 1930], S. 631).

56 Nikolai Gogol, *Die toten Seelen.* (Zürich: Diogenes, 1977), S. 188.

57 Zur Darstellungsform des Grotesken vgl. Curtius, *Kritik der Verdinglichung,* S. 133ff.

58 Vgl. dazu Dissinger, „Der Roman 'Die Blendung' ", S. 37.

59 Zum Thema 'Blendung' vgl. auch Dissinger, *Vereinzelung und Massenwahn. Elias Canettis Roman 'Die Blendung'* (Bonn: Bouvier, 1971), S. 73ff.

60 Ronald D. Laing, *Das geteilte Selbst. Eine existentielle Studie über geistige Gesundheit und Wahnsinn* (Reinbek: Rowohlt, 1976), S. 13.

61 „Le *moi* est haïssable" (Pascal, *Oeuvres complètes* [Paris: Gallimard, 1954], S. 1126). – Bei Pascal steht dieser Satz freilich im Zusammenhang mit seiner Kritik an der Eigenliebe.

62 Hans Daiber, „Elias Canetti: Die Blendung", in: *Neue Deutsche Hefte* (XI, 1964), S. 134; ähnlich Durzak („Versuch über Elias Canetti", S. 177) und Jürgen Jacobs („Elias Canetti", in: *Deutsche Literatur der Gegenwart, Bd. I,* hg. v. Dietrich Weber [Stuttgart: Kröner, 1976], S. 96). – Georg ist zwar verwandlungsfähig, gehört aber als 'charakterloser' Schauspieler zum ursprünglichen Personal der 'Comédie Humaine an Irren' und erscheint deshalb im Roman als das „negative Gegenstück" (David Robert, *Kopf und Welt. Elias Canettis Roman 'Die Blendung'* [München: Hanser, 1975], S. 118) seines Bruders Peter.

63 *Masse und Macht,* Bd. I, S. 204ff. und *Das Gewissen der Worte,* S. 189ff.

64 Gogol, *Die toten Seelen,* S. 226.

65 Jürgen P. Wallmann, „Zeitkritik im Roman – Elias Canetti: Die Blendung/ Günter Grass: Hundejahre", in: *Deutsche Rundschau* (89, 1963), S. 94.

66 „Kollektive Einheiten, die nicht aus Menschen bestehen und dennoch als Massen empfunden werden, bezeichne ich als *Massensymbole" (Masse und Macht,* Bd. I, S. 81). – Zum Massensymbol Feuer vgl. S. 83. – Daß impulsive Brandstiftungen nach Canetti von einem einzelnen begangen werden, „der wirklich isoliert ist und nicht in den Kreis einer religiösen oder politischen Überzeugung gehört" (S. 86), trifft sowohl auf Peter Kiens Autodafé als auch auf andere literarische Beispiele zu – etwa auf Fontanes Erzählung *Grete Minde* oder H. Kipphardts Roman *März* (1976).

67 Mag man mit Walter H. Sokel darüber streiten, ob Kiens Selbstverbrennung als Hingabe an den Massensog oder als Schutz gegen ihn zu verstehen ist („The ambiguity of madness: Elias Canetti's novel *Die Blendung",* in: *Views and Re-*

views of Modern German Literature. Festschrift für Adolf D. Klarmann, ed. Karl S. Weimar [München: Delp, 1974], S. 186) – als „Entsühnung" und Bekenntnis zum „Stirb und Werde" (Dissinger, *Vereinzelung und Massenwahn,* S. 171) läßt sich das Autodafé nicht deuten! Dissinger dürfte durch Broch beeinflußt sein, der Canettis Massenbegriff als religiöse Lebenseinheit interpretiert, als „Rückkehr ins Überindividuelle", als „Gnade des Meers, in das der Tropfen zurückfällt" *(Canetti lesen,* S. 119). In solch religiöser Beleuchtung erscheint der Massenbegriff aber weder in *Masse und Macht* noch in der *Blendung;* zum Gegensatz 'Massentrieb' – 'Persönlichkeitstrieb' vgl. auch *Die Fakkel im Ohr,* S. 140ff.

68 *Die Provinz des Menschen,* S. 18.

69 Durzak, „Versuch über Elias Canetti", S. 179.

70 Moser, „Zu Canettis 'Blendung' ", S. 609. – Dem Roman hat man freilich auch eine gewisse Monotonie zum Vorwurf gemacht. Mit Moser sollte man aber daran erinnern, daß die *Blendung* „zum Vorlesen geeignet" ist, „denn sie ist nach dem Gehör geschrieben. Was die Figuren begrifflich verschweigen, enthüllt sich in der Art ihres Sprechens" (S. 596). Und Annemarie Auer meint („Ein Genie und sein Sonderling – Elias Canetti und die Blendung", in: *Sinn und Form* [21, 1969], S. 979): „Die Breite von Canettis Darstellungsskala ist außerordentlich, seine Sprachvertrautheit schlechthin vollkommen."

71 Peter Russell, „The vision of man in Elias Canetti's *Die Blendung*", in: *GLL* (28, 1974/75), S. 30.

72 *Das Gewissen der Worte,* S. 12.

73 *Die Provinz des Menschen,* S. 161; *Das Gewissen der Worte,* S. 17.

74 „Elias Canetti: 'Die Blendung' ", S. 48.

75 Zit. nach: *Canetti lesen,* S. 122.

76 Vgl. dazu Bollacher, „*Chaos* und *Verwandlung* – Bemerkungen zu Canettis 'Poetik des Widerstands' ".

77 Canetti in: „Elias Canetti/Rudolf Hartung", S. 35.

78 Canetti, *Alle vergeudete Verehrung. Aufzeichnungen 1949-1960* (München: Hanser, 1970), S. 81.

PETER BEICKEN

Anna Seghers: *Das siebte Kreuz* (1942)

1. Beispiele der Wirkung

Legendär ist der Ruhm, einmütig die Bewunderung für ein Buch, das Carl Zuckmayer stellvertretend für viele ein „überragendes Denkmal, Mahnmal", das „aus dem Zeitschaffen herausragt und Bestand haben wird", genannt hat. *(Almanach,* 28) Die beispiellose Wirkung begann außerhalb Deutschlands, denn es waren Emigranten, die den Vorabdruck der ersten Kapitel in der in Moskau erscheinenden Exilzeitschrift *Internationale Literatur* (1939) „stark, ja überältigend" empfanden. (Hermlin/Mayer, 143) Diese besondere Ausstrahlungskraft bezeugen auch zwei völlig verschiedene Künstlerkollegen, der Australier James Aldridge und Marie Luise Kaschnitz, wenn beide den „unvergeßlichen" Roman loben, der bei der Erstlektüre 1948 einen einfachen lesenden Arbeiter, dessen Lieblingsbücher Abenteuerromane waren, „sehr bewegt" hat. *(Almanach,* 76, 164, 204) Zur überwältigenden, gefühlsbetonten Wirkung kommt bei der Rezeption ein geschichtliches Moment, das die amerikanische Kritik an der englischen Erstausgabe *The Seventh Cross,* 1942 in Boston erschienen, so sehr beeindruckte, nämlich das Werk als „die beste romanhafte Darstellung Nazideutschlands und bedeutendster Beitrag der deutschen Exilschriftsteller zur Weltliteratur." *(Current Biography,* 748) Diese Einschätzung setzte sich fort in der schwedischen Rezeption, die 1943 nach erfolgter Übersetzung aus dem Englischen (!) den Roman der „großen Literatur" zuordnete, als ein „Freiheitsappell für jedes Land und jede Zeit", obwohl gleichzeitig die besondere Aktualität des Buches beschworen wurde: „Mit gewaltiger Stärke spricht es von jenem Deutschland, das wir nicht vergessen dürfen." *(Almanach,* 146) Diese Thematik des 'anderen Deutschland' hat nachhaltig auf das nichtfaschistische Ausland eingewirkt. Christa Wolf hat bemerkt, daß die amerikanischen Leser mit dem *Siebten Kreuz* nach dem Kriegseintritt der USA zum ersten Mal einen Einblick darin erhielten, „daß der Faschismus sich zuerst gegen das eigene Volk richtet, zuerst im eigenen Volk Widerstand findet." („Nachwort", 418) Es bezeugt die Nachwirkung des außergewöhnlichen Buches, wenn ein Angehöriger der amerikanischen Armee nach dem Krieg Anna Seghers schreibt, bei der Rheinüberquerung in Mainz, ihr „und den Freunden vom *Siebten Kreuz* zu Ehren" den Helm abgenommen zu haben. („Nachwort", 426) Jeanne Stern, französische Bekannte der Seghers, hat für das Musterhafte und Bewunderungswürdige die Formel gefunden: „ein für alle Zeiten gültiges Abbild Hitler-Deutschlands und zugleich das Epos des deutschen Widerstandes." Ihrer Auffassung nach habe „Anna Seghers die Wirklichkeit des Dritten Reiches tiefer erfaßt und wahrer gestaltet als alle, die dabeigewesen waren." *(Almanach,* 78) Kanonisiert erscheint *Das siebte Kreuz* bei Rolf Schneider: „Der einzige große Roman eines deutschen Emigranten über Hitlers Deutschland." *(Almanach,* 250)

Gemeinsam ist den meisten Reaktionen auf „dieses weltliterarische Meisterwerk"
(Almanach, 161) die Hochschätzung einer Gesinnung und die Bewunderung für
künstlerische Größe. Das zum „heimlichen Deutschland" gehörende Buch hat jedoch eine durch die schweren Jahre geprüfte Zeitgenossin „nicht befriedigt",
weil sie in Seghers' von außen geschriebenem Werk trotz der lebendigen Wirklich-
keitsschilderung die Innenperspektive der unter dem faschistischen Terror Lebenden vermißt, wie ihr denn zu fehlen scheint, „daß dahinter die wirkliche Existenz
der Freiheit sichtbar wird." *(Almanach,* 154f.) In ihrer frühen Kritik (1946) fühlt
sich Greta Kuckhoff bestärkt im „Gefühl der Hoffnungslosigkeit", und sie bemängelt an dem Roman, daß „alles etwas ins Legendäre" gehoben erscheint. (Ebda.)
Ihre Einstufung des *Siebten Kreuzes* als „rückwärts gekurbelter Kalvarienweg, vom
Kreuz fort" *(Almanach,* 151) wirft die Frage nach Entrückung oder Realismus
auf. Erika Haas hat sogar von einem „Überhang der religiösen Tradition" bei Seghers gesprochen und behauptet: „intensiv *ideologisch* reflektiert sind die *Ziele* dieser erzählerischen Werke, in erstaunlich geringem Maße jedoch die *Mittel* ihrer
Verwirklichung." (Haas, 176f.) Sie kritisiert den „Prozeß der weltanschaulichen
Umfunktionierung tradierter Vorstellungen" und wendet ein, daß bei solchen
„Ausdrucksformen sozialistischer Überzeugung" trotz der erfolgten Verarbeitung
„ihre ursprüngliche Bedeutung noch nicht automatisch ausgelöscht" ist. (Haas,
167f.) Diese Anreicherung mit ehemals religiöser Symbolik hat schon in einer der
ersten Besprechungen der deutschsprachigen Erstausgabe des Romans im Exilver-
lag „El Libro Libre" (Mexiko, 1942) in der ebenfalls in Mexiko erscheinenden
Exilzeitschrift *Das Freie Deutschland* dazu geführt, von einem „Trostbuch" und
„Triumphlied" zu sprechen. (P. Mayer, 267) Freilich mit dem Unterschied, daß
Trost aus der humanistischen und sozialistischen Gesinnung des Buches gezogen
wird.

Anders und in zugespitzter Weise versteht Marcel Reich-Ranicki die „nicht Ra-
tionalistin, sondern Fideistin" Anna Seghers, der er eine „atheistische Religion"
zuschreibt. *(West/Ost,* 357) Er sieht in ihr die Schöpferin dessen, was er „moderne Heldensagen und atheistische Legenden, weltliche Märtyrererzählungen und
säkularisierte Passionsgeschichten" nennt. *(DDR,* 13) Das erbringt die Formel
von der „Verfasserin der Passionsgeschichte vom ungekreuzigten Georg", die ein
aktuelles Ziel verfolgt: „Denn solange es auf deutschem Boden einen totalitären
Staat gibt, sollte man sich hüten, die Geschichte der Flucht des Georg Heisler als
historischen Roman zu lesen." *(West/Ost,* 372). Reich-Ranickis politische Festlegung des Hoffnungs- und Freiheitsappells des *Siebten Kreuzes* ist deutlich genug,
wie er denn angesichts der Nachkriegsromane der Seghers und bei der Beurteilung
ihrer DDR-Werke vom „Zusammenbruch eines großen Talents" *(West/Ost,* 385)
und dem „Bankrott einer Erzählerin" *(DDR,* 17) sprechen zu müssen glaubt. Die
geschichtliche Zusammenhänge auflösende Formel *(Das siebte Kreuz* als „ein
Roman gegen die Diktatur schlechthin") verbindet sich mit der ästhetischen Wertung („dieses große literarische Kunstwerk", *Pamphlete,* 116). Herabgemindert
wird damit eine speziell historische Intention der Seghers: ihre antifaschistische
Schreibabsicht.

Das siebte Kreuz ist kein bloßer Zeitroman mit Agitationsabsichten, kein auf

Erschütterung angelegter Erlebnisbericht, kein schockierendes Lagerbuch, sondern eine künstlerisch gestaltete Auseinandersetzung mit dem deutschen Faschismus, seinen Wurzeln, seinem historischen Stellenwert und den Möglichkeiten seiner Überwindung, dargestellt an einem episch ausgeführten Gedankenexperiment „warum sich dieser eine gerettet hat". (*KWIII*, 34 „Gespräch mit Wilhelm Girnus") Die gelungene Flucht des Georg Heisler wird so zum Beispiel nicht für authentisches Entkommen aus KZs (Beimler aus Dachau, Seger aus Oranienburg), sondern aus dem belegbaren Einzelfall wird die geschichtliche Überwindungsmöglichkeit des Faschismus anvisiert als real gegebene, wenn auch noch nicht als realisierte, denn Seghers schreibt das Buch auch, um zu zeigen, „warum sich die übrigen nicht gerettet haben". (*KWIII*, 34) Was also vorliegt, ist eine umfassende und differenzierte Darstellung, deren Aufnahme ein geschichtliches Mitwissen und Mitarbeit abverlangt. Es verwundert also nicht, wenn *Das siebte Kreuz* als „Pflichtlektüre" der Nachkriegsjahre in der SBZ nicht sofort eine nachhaltige Erziehungsfunktion ausüben konnte, wie zwei so unterschiedliche Bewunderer der Seghers bezeugen, nämlich Sigrid Bock und Christa Wolf, die auf je eigene Weise Verstehen und Nichtverstehen dieses Werkes einbekennen. Für Bock ist es der „Zauber der Kunst", der „die Mauer des Unverständnisses und der Vorbehalte" durchbrach (*NDL*, 60); Christa Wolf dagegen gesteht ein, „weit davon entfernt" gewesen zu sein, „dieses Buch wirklich zu erkennen und zu verstehen". („Nachwort", 427) Die Vermutung liegt nahe, daß entscheidende Konzeptionen der Seghers wie Heimat, Volk, Vaterland, das gewöhnliche Leben und Gemeinschaftssinn noch faschistisch 'besetzt' waren, daß auch die durch die Kriegseinwirkung verheerte Alltagswirklichkeit mit ihren Überlebensnöten sich erheblich unterschied von dem vergleichsweise 'normalen' gewöhnlichen Leben, das die Seghers zu beschwören vermag.

Nach der vom 'Fehlstart Seghers-Rezeption" (Merkelbach) gekennzeichneten Phase der ideologischen Auseinandersetzungen unter dem Einfluß des kalten Krieges ist die heutige Wertschätzung des *Siebten Kreuzes* in Ost und West vor allem an den Aspekt des Antifaschismus gebunden: „Der Roman hat sich bis heute als die gültige Erzählung vom antifaschistischen Kampf und vom Leben der Deutschen unter dem Faschismus schlechthin behauptet." (*Geschichte/Literatur*, 553) Für einen maßgeblichen Erforscher der Exilliteratur, der auch gewisse Mängel des Werkes nicht übersieht, ist es trotz allem „die wahrhaftigste und künstlerisch geglückteste Darstellung des Dritten Reiches im Exilroman". (Walter, 448) Für einen neueren, didaktisch orientierten Materialienband gehört *Das siebte Kreuz* „zu den bedeutendsten literarischen Werken, die den deutschen Faschismus darstellen und kritisieren", und zugleich wird es „als eine spannende, lebendige, jeden einzelnen hier und heute berührende Lektüre" empfohlen. (U. Naumann, 4) Dieser Konstanz der Urteile, einmütig in Ost und West, entspricht die Substanz eines Werkes, das seine Eigenart enthüllt, stellt man es in den Kontext der Exilliteratur, zu dem die Betrachtung des Entwicklungsganges seiner Autorin zu treten hat.

2. Blickwinkel Exil

Die Phaseneinteilung der Exilliteratur im Hinblick auf die Entwicklung des Romans ergibt eine erste, optimistische Periode (1933-1935), gekennzeichnet von Prognosen der kurzfristigen Lebensdauer des faschistischen Regimes, gefolgt von der „Zeit der Ernüchterung" (1935-1939), die die faktische Etabliertheit des nationalsozialistischen Staates realisiert und auf eine langfristige Beseitigung hofft, während die dritte Phase (1939-1947) die Primärerfahrung Exil in Epochenzusammenhänge rückt und die Perspektive auf das nachfaschistische Deutschland lenkt. (Vgl. Hans, „Historische Skizze". Jaretzky/Taubald, „Faschismusverständnis") Verfolgt der Exilroman in der ersten Phase noch operative Ziele, nämlich die „unmittelbare Einflußnahme auf das politische Geschehen in Deutschland" mit der Absicht der „Ermutigung und Stärkung der innerdeutschen Opposition", die „Mobilisierung potentiell regimekritischer Bevölkerungsteile" nicht zuletzt durch Einschleusen illegaler Schriften und Unterstützung der illegalen Arbeit, so wird zunehmend in der folgenden Periode „die Warnung und Aufklärung des demokratischen Auslandes" zur Hauptwirkungsabsicht, abgelöst in der Schlußphase von der Aufarbeitung der Exil- oder ähnlich gelagerter Geschichtserfahrung zum Zweck des Lehrbeispiels für ein vom Faschismus demoralisiertes Volk. (Jaretzky/Taubald, 13f.)

Verständlicherweise schöpften die Werke der besagten ersten Phase aus der authentischen Erfahrung, dem unmittelbaren Erleben der Autoren, aber bei zunehmender zeitlicher Isolierung vom Heimatland ging Deutschland als Primärerfahrung verloren, traten Dokumente, Berichte, Zeugnisse, also Vermitteltes an die Stelle der eigenen Anschauung. Diesen Entzug originärer Wirklichkeitserfahrung machten viele Exilautoren, besonders die bürgerlich-humanistischen (Thomas Mann, Heinrich Mann, Alfred Döblin, Lion Feuchtwanger u.a.) wett durch die Aufnahme des historischen Romans. Marxistische oder kommunistische Autoren (Walter Schönstedt, Jan Petersen, Willi Bredel, Anna Seghers u.a.) verblieben mehr beim Deutschland-orientierten Roman, von dem sich zunehmend Darstellungen der Erfahrung Exil (Klaus Mann, Irmgard Keun, Lion Feuchtwanger, Anna Seghers u.a.) abhoben. Nachweisbar bestand für viele emigrierte Schriftsteller die Versuchung, „ein einseitig politisiertes Bild vom Leben im 'Dritten Reich' " zu entwerfen, „als sei über ganz Deutschland zur Zeit des nationalsozialistischen Regimes eine Art Ausnahmezustand verhängt worden", ein wichtiger Hinweis auf die Unterschätzung der Durchschnittlichkeit des faschistischen Alltags, der, wie Reich-Ranicki richtig bemerkt, im *Siebten Kreuz* durch die „ständige Betonung des Gewöhnlichen" die „Umwelt verdeutlicht." *(West/Ost*, 371) Wichtig an diesem „Heimatroman" ist für Reich-Ranicki seine „aus der Exilperspektive mit geschärften Sinnen wahrgenommene und zugleich hier und da unmerklich verklärte Welt". (Ebda.) Hier kommt wieder die Dialektik von Entrückung und Realismus in den Blick, auf die auch Christa Wolf hinzielt, wenn sie bemerkt, daß Seghers „ganz auf ihr inneres Auge, auf die Zuverlässigkeit ihres Gedächtnisses, auf die Untrüglichkeit ihrer Phantasie" angewiesen war. („Nachwort", 415)

Die Frage von Erfahrung und Vision stellte sich gleich nach der Machtübernahme durch die Nationalsozialisten noch anders. In Lion Feuchtwangers Roman *Die Geschwister Oppenheim* (1933), der die erschreckende Wirkung von 'Gleichschaltung' und 'Arisierung' auf eine jüdische Familie des altberlinischen Milieus zum Gegenstand hat, wird noch der Glaube zum Ausdruck gebracht, daß dieses „vergiftete, hypnotisierte Deutschland [. . .] grauenvoll langsam aus seiner Betäubung in die Wirklichkeit zurückfinden wird." (1963, 321) Diese zuversichtliche Einstellung trotz der Einsicht in den zunehmenden Terror nationalsozialistischer Gewaltherrschaft findet sich auch in einer Reihe von Widerstands- und Illegalenromanen, etwa in Walter Schönstedts *Auf der Flucht erschossen* (Basel, 1934) ein KZ-Roman, der die Wandlung eines SA-Wächters thematisiert, Willi Bredels *Die Prüfung* (London, 1934), ein Werk über Bewährung und Niederlage von KZ-Häftlingen, Heinz Liepmanns . . . *wird mit dem Tode bestraft* (Zürich, 1935), eine Erlebnisbeschreibung des illegalen Kampfes mit der charakteristischen Formulierung: „Wir arbeiten auf lange Sicht " (190), der sich Willi Bredels *Dein unbekannter Bruder* (London, 1937) zugesellt, ebenfalls eine Schilderung der Illegalität, Verfolgung und lebensgefährlicher Untergrundarbeit.

Mit der Stabilisierung des faschistischen Regimes koppelte sich die Langzeiterwartung mit Desillusionierung. Romane wie Klaus Manns *Mephisto* (Amsterdam, 1935) oder Irmgard Keuns *Nach Mitternacht* (Amsterdam, 1937) geben der Darstellung der Faszination des Faschismus auf intellektuelle Opportunisten *(Mephisto)* oder der Anpassung und des Mitläufertums kleinbürgerlicher Schichten *(Nach Mitternacht)* breiten Raum, während wirkliche oder potentielle Widerstandsfiguren am Rande bleiben. (Mann) Bei Keun flieht die Erzählerin mit ihrem Gefährten ins Exil. Beiden Werken fehlt ein weites gesellschaftliches Panorama, beiden gemeinsam ist die desillusionierende Kontrastierung faschistischer Übermacht, die optimistische Erwartungen in die Zukunft hinausschiebt, zeittypisch formuliert in Thomas Manns Glauben an den „kommenden Sieg der Demokratie". (Vgl. Walter, 447) Die progressive Isolierung von den deutschen Verhältnissen führte zunehmend zu Bestandsaufnahmen der Erfahrung Exil (Klaus Mann, *Der Vulkan. Roman unter Emigranten.* Amsterdam, 1939. Lion Feuchtwanger, *Exil.* Amsterdam, 1940. Anna Seghers, *Transit.* Mexiko, 1944) oder zu historischen Rückblicken und Epochendarstellungen (Heinrich Mann, *Die Jugend und die Vollendung des Königs Henri Quatre.* Amsterdam, 1935, 1938. Alfred Döblin, *November 1918.* Amsterdam 1938/München 1950). Döblin, der sich in seinem programmatischen Aufsatz „Der historische Roman und wir"[1] durchaus der „Notlage" der emigrierten Schriftsteller bewußt war, betonte aber zugleich, die Möglichkeit und Notwendigkeit, „historischen Parallelen" nachzugehen, in der Geschichte die Aufhebung der faschistischen Gegenwart anzudeuten, historisch zu legitimieren, was Jan Petersen 1935 auf die Volksfrontformel brachte: „Deutschland ist nicht Hitler." *(Neue Deutsche Blätter,* 1935) Aufarbeitung der Zeitgeschichte zur Durchdringung der Gegenwart und ihrer Widersprüchlichkeit war ein Merkmal der Werke Anna Seghers' vor und nach 1933. Ihre Entwicklung zum *Siebten Kreuz* hin ergibt sich als Konsequenz.

3. Schreiben als Veränderung

Auf dem Weg von der bürgerlichen zur sozialistischen Position spielten die Ereignisse der russischen Oktoberrevolution eine entscheidende Rolle für Anna Seghers' moralisches Empfinden und Sozialgefühl, denn zu einem Zeitpunkt, da sie „noch gar nichts von Politik" verstand, gewann der Begriff „Gerechtigkeit" für sie zentrale Bedeutung, so daß sie die Revolution „mit dem Verstand verstand, nicht nur mit dem Gefühl". *(KWIII, 29f.)* Obwohl sie ihre berühmte Parabelerzählung vom *Aufstand der Fischer von St. Barbara* (Potsdam, 1928) „noch sehr unkritisch, unverstandesmäßig hingeschrieben" hatte (Ebda.), gelang ihr eine beispielhafte Gestaltung der Sozialnot und Leidensverhältnisse eines symbolisch zu verstehenden Fischerdorfes irgendwo an der Atlantikküste, dessen Bewohner sich immer wieder, wie der oftzitierte Eingangsabschnitt prophezeit, dazu bereitfinden werden, im spontanen Auflehnungsversuch die drückende Ausbeutung abzuschaffen. Spontanes Durchleben von Entscheidungssituationen, das Hinfinden zur solidarisierenden Aktion zeichnen auch Seghers' Erzählungen aus dem Band *Auf dem Wege zur amerikanischen Botschaft* (Berlin, 1930) aus. Die Betonung des individuell Psychologischen, der nicht nur klassentypisch zu verstehenden Impulse, Motivationen und Handlungen wurden von Kritikern der Parteilinie bemängelt, die von einem Mitglied des Bundes proletarisch revolutionärer Schriftsteller (BPRS) Klassenkämpferisches erwarteten. Der Roman *Die Gefährten* (Berlin, 1932) versucht dieses Defizit wettzumachen durch eine Darstellung der blutigen Kämpfe der internationalen revolutionären Bewegung in den zwanziger Jahren. Dieses erzählerische Simultangeflecht gibt den Niederlagen, die eindrucksvoll beschrieben werden, den Appell zur Veränderung mit entsprechend der Devise aus Seghers' „Selbstanzeige" (1931): „Wenn man schreibt, muß man so schreiben, daß man hinter der Verzweiflung die Möglichkeit und hinter dem Untergang den Ausweg spürt." *(KWII,* 11) Diese Formel umreißt Seghers' Programm des engagierten Schreibens, ihr Prinzip Hoffnung und ihre Ästhetik des Widerstandes. Die daraus entstehenden ästhetischen Konsequenzen deuten sich an in der Mahnung: „Wir dürfen ja nicht in der Beschreibung steckenbleiben. Denn wir schreiben ja nicht, um zu beschreiben, sondern um beschreibend zu verändern." („Kleiner Bericht aus meiner Werkstatt", (1932) *KWII,* 15)

1933, nach der Verhaftung durch die Gestapo und der geglückten Flucht über die Schweiz nach Meudon bei Paris ins französische Exil, beginnt für Seghers die Zeit des realen Abgeschnittenseins vom Heimatland. Umso mehr wird das Schreiben eine Form von geschichtlichem Eingreifen: „Wer schreibt, handelt", heißt es in den von Seghers mitherausgegebenen *Neuen Deutschen Blättern*, die, in Prag erscheinend, keinen Zweifel an der eigenen Zielrichtung lassen: „mit den Mitteln des dichterischen und kritischen.Wortes den Faschismus bekämpfen [. . .] Es gibt keine Neutralität." (Zit. Neugebauer, 42) Der Kampf bedeutete zunächst die literarische Wiedereroberung dessen, was dem Faschismus anheimgefallen war: Volk und Vaterland. Noch 1933 veröffentlichte Anna Seghers ihren im Spätsommer 1932 spielenden Roman *Kopflohn* (Amsterdam), der in der Form einer Kriminal- und Dorfgeschichte die Faschisierung der Bevölkerung auf dem von der Wirtschaftskrise zermürbten Land darstellt und die Fehler und Versäumnisse mitreflektiert, die diese unheilvolle Entwicklung mitbegünstigt haben. Dem reportagehaften Episodenroman *Der Weg durch den Februar* (Paris, 1935), der die Kämpfe Wiener Kommunisten und Sozialisten gegen den Austrofaschismus des Dollfußregimes aufgrund eigener, an Ort und Stelle illegal durchgeführter Recherchen festhält, folgt 1937 *Die Rettung* (Amsterdam), ein Bergarbeiterroman und zugleich eine chronikhafte, symbolisch überhöhte Abrechnung mit der vom Faschismus ohne große Kämpfe besiegten deutschen Arbeiterschaft, deren Mangel an gemeinsamer Aktion, an Solidarität und durchschlagender Widerstandskraft auch die Fehler der politischen Führung und die fatale Spaltung der Arbeiterbewegung reflektiert.

Im Zeichen der antifaschistischen Bündnisvorstellung der Volksfront ging Seghers 1935 auf dem Internationalen Schriftstellerkongreß zur Verteidigung der Kultur in Paris daran, unter dem Motto „Vaterlandsliebe" zu erklären: „wer in unseren Fabriken gearbeitet, auf unseren Straßen demonstriert, in unserer Sprache gekämpft hat, der wäre kein Mensch, wenn er sein Land nicht liebte." (*KWI*, 65) Dem Bild des seine Heimat verteidigenden Arbeiters stellt Seghers die Passionsvorstellung vom Leiden der „Besten" zur Seite, Hölderlin, Büchner, Günderode, Kleist, Lenz, Bürger, Dichter der Krise, des Scheiterns, die dennoch „Hymnen auf ihr Land" schrieben, „an dessen gesellschaftlicher Mauer sie ihre Stirnen wundrieben." (Ebda.) Beide, kämpfender Arbeiter und scheiternder Schriftsteller, verweisen noch im Untergang auf etwas Unverlierbares. Seghers sieht in diesem Ethos, in dieser Überzeugung ein Gegenmittel zur Faszination des Faschismus, dessen Verlockungen zum Abenteuer sie so begegnet: „Einer Jugend, die der Faschismus daran gewöhnt hat, vom 'gefährlichen Leben' zu träumen, müssen wir eine von Grund auf andre Konzeption des Lebens bieten: eine Wahrheit, die weit verführerischer ist als die Lüge, das Aufsichnehmen von Gefahren für die Wahrheit." (1938, *KWI*, 68) Ein solch rigoros ethisches Programm des Antifaschismus bot moralische Selbstfindung, menschliche Identität und hatte für das Kunstprinzip und die Ästhetik Konsequenzen.

Seghers hatte in den *„Schönsten Sagen vom Räuber Woynok"* (1938) die spannungsreiche Dialektik von Individuum und Kollektiv auf eine bemerkenswerte Weise abgehandelt, die Brecht veranlaßte, in dem Einzelgänger, der sich nicht in die Gemeinschaft integrieren will und deshalb am Ende untergeht, den „Querkopf" als „tragende Figur" gestaltet zu sehen, worin er die „Befreiung der Seghers vom Auftrag" zu erkennen meinte. (Benjamin, 133) Diese künstlerische Gestaltung der jeder Doktrin zuwiderlaufenden 'sperrigen' Individualität findet ihre Entsprechung in dem Briefwechsel, den Seghers mit Georg Lukács 1938/39 auf Einladung Fritz Erpenbecks in der *Internationalen Literatur* führte als Teil der berühmten Expressionismus- bzw. Realismus-Debatte.[2] Seghers, der man nachsagt, daß ihr „das methodische und diskursive Denken [. . .] fremd" sei (Reich-Ranicki, *West/Ost*, 356f.), führt mit Geschick, Eloquenz und Stringenz die ästhetische Kategorie der „Unmittelbarkeit" ins Feld, die nicht eine einfache Verteidigung des Prinzips Inspiration darstellt, sondern in einem von Tolstoi abgeleiteten Dreistufenprozeß die Dialektik von Bewußtsein und Unmittelbarkeit, von künstlerischer Methode und Phantasie verwirklicht. Gegen Denkschablonen und schematisches Realismusverständnis sich wehrend, mokiert Seghers die flache Auffassung derjenigen sozialistisch-realistischen Autoren, die sich im „Vollbesitz der Methode des Realismus" wähnen, aber nur eine „unerlebte Welt" schildern: „Sie hatten es fertiggebracht, die Welt ganz zu entzaubern." (*KWI*, 175) Seghers' Klage richtet sich auch gegen den im Ansatz doktrinären Realismusbegriff bei Lukács, der die Ästhetik der großen Realisten des neunzehnten Jahrhunderts normativ als „Methodik des Realismus" vorschreibt. Dem stellt Seghers die nicht minder alte und zugleich aktuelle Thematik der „Krisenzeit" entgegen, damit Hauptaspekte der Ästhetik der Moderne verteidigend, die in der Expressionismusdebatte von sozialistischer Seite für erledigt erklärt worden waren.

Seghers hält fest an ästhetischen Positionen – Schlüsselnamen des Modernismus, Joyce, Dos Passos, fallen –, die sich in ihren bisherigen Werken in den Gestaltungsprinzipien der Simultantechnik, der Montage, des inneren Monologs und der filmischen Sequenzierung manifestieren. Realismus der Krisenzeit bedeutet „Richtung auf die der jeweiligen Zeit erreichbarste höchstmögliche Realität" (*KWI*, 177) und damit nicht klassische Typisierung der Wirklichkeit von einem überholten Totalitätsgedanken her, sondern „Bestandsaufnahme", die erst nachher durch die Präsenz der „wesentlichen Momente" der Realität auch das Typische freigibt. Die „Kunst der Übergangszeit" nimmt es mit dem „Handgemenge" der Lebenswelt auf und macht aus dem Kunstwerk die „einzigartige, eigentümliche gesellschaftliche Verknüpfung von subjektivem und objektivem Faktor, Umschlagstelle vom Objekt zum Subjekt und wieder zum Objekt." (*KWI*, 178ff.) Totalität ergibt sich aus der spontan erfaßten, vom Bewußtsein aber kontrollierten Gestaltung, die von vornherein den Schematismus bloßer Methode oder Typisierung unterläuft. Für Seghers kam es jetzt darauf an, Unmittelbarkeit als Kunstprinzip mit dem antifaschistischen Geschichtsverständnis zu versöhnen.

4. Komposition und Handlungsgefüge

So wie die „Verbindung von Abenteuer und Alltag" *(Geschichte/Literatur,* 554) die epische Grundvorstellung des *Siebten Kreuzes* beherrscht, damit das Genre des Abenteuerromans andeutend, erliegt die Kritik immer wieder der Verlockung, das Geschehen auf bündige, handlungsraffende Formeln zu bringen:

> Der Roman schildert die Flucht von sieben KZ-Häftlingen. Nur einem von ihnen, Georg Heisler, gelingt sie. Dem politischen Häftling – Heisler war aktiver Kommunist – widerfährt eine vierzehntägige (sic!) Odyssee, die die Verstrickungen, Hoffnungen und auch politisch-moralische Korruptheit der Normalbürger zeigen, die, vor die Forderung gestellt, den steckbrieflich Gesuchten bei sich zu beherbergen, entweder kapitulieren oder daraus neue Lebenshoffnungen gewinnen. (Blumensath/Uebach, 18)

Abgesehen von rein faktischer Unrichtigkeit – es sind sieben Fluchttage, wie ja die Zahl Sieben im Titel und bei der Kapitelanzahl schon rein äußerlich eine biblisch-mythische Symbolik zur Geltung bringt – verstellt eine solche Zusammenfassung den Blick auf die Eigenart des *Siebten Kreuzes* als Erzählung und Kunstwerk. Denn die eindeutige Rahmenkomposition wie auch die Technik erzählerischen Nebeneinanders mit Vor- und Rückgriffen fördert trotz des bei aller Simultaneität und Vielsträngigkeit chronologisch fortschreitenden Hauptkomplex des Fluchtgeschehens die breite epische Entfaltung eines weiten gesellschaftlichen Panoramas und einer wichtigen dialektischen Beziehung von Hauptgestalt und Figurenensemble -- schon die Erstausgabe (1942) hat das für Seghers' nachfolgende Werke charakteristische ausführliche „Personenverzeichnis", dem freilich noch viele Nebenfiguren hinzuzufügen sind, etwa die koboldhaften Zimthütchen, Schublädchen, Hechtschwänzchen (ein Spitzel) und Holzklötzchen alias Weigand, ein älterer Arbeiter, der wegen seiner regimekritischen Bemerkungen nach dem erfolgreichen Lagerausbruch der Häftlinge verhaftet wird. (*7K*, 16) Es fehlen auch der neue Lagerkommandant, Sommerfeld, und der für den Gärtnerlehrling Fritz Helwig und seine allmähliche, innere Wandlung nicht unwichtige Gärtner Gültscher, um nur wenige der keineswegs unbedeutenden Nebenfiguren herauszugreifen, denn sie repräsentieren für das Romanganze das je und je Verschiedene, unverwechselbar Individuelle menschlichen Verhaltens.

Seghers' experimentierende Schreibweise, dieses der „Wirklichkeit einen Steckbrief ausstellen" („Kleiner Bericht", *KWII,* 13), ein Verfahren des künstlerischen Modellaufbaus im Sinne „eines *heuristischen Modells*" (M. Naumann, 472) nimmt der Hauptgestalt unter den Flüchtigen, Georg Heisler, Nimbus und Funktion des traditionellen Helden, um an diesem gewöhnlichen Menschen, mit dem Außergewöhnliches geschieht, etwas aufzurollen, was ihn zum „Katalysator" (Ebda, 408) eines übergreifenden Gesamtgeschehens macht. Gegenüber der Unabhängigkeit und überragenden Stellung herkömmlicher Helden konzipiert Seghers den gewöhnlichen Menschen, der von den anderen gebraucht wird, selber die anderen braucht und in diesem Wechselverhältnis des Gebrauchtwerdens seine menschliche Größe und Bestimmung erfährt. Sich dem Gebrauchtwerden verschließen, ist „Verrat und Imstichlassen" (*T*, 114), wie der Roman *Transit* (1944) so eindringlich schildert, und auch Paul Röder wird im Gestapokeller beim Verhör in diese Versuchung des Verrats gebracht, Georg Heisler preiszugeben. Seiner Frau Liesel wird die Gefahr der Entwürdigung vollbewußt, denn ihr gemeinsames Leben hätte „durch ein paar Worte Geständnis aufgehört [. . .] ein Leben zu sein." (*7K*, 268) Das hypothetische Befragen und erzählerische Realisieren von Möglichem bestimmt schon Seghers' früheste fabulierende Fiktionalisierungen, „Die Toten auf der Insel Djal" (1924), auch die Erzählung „Grubetsch" (1926), die Romanparabel *Aufstand der Fischer von St. Barbara* und vor allem die Erzählung *Auf dem Wege zur amerikanischen Botschaft,* zu der es in der besagten „Selbstanzeige" hieß: „Was geht in einer Viererreihe während einer Demonstration vor? Was begibt sich mit diesen vier verschiedenen, einander völlig fremden Menschen?" (*KWII*, 11) Für *Das siebte Kreuz* gilt in der schon angeführten Frage „warum sich dieser eine gerettet hat" *(KWIII,* 34) dieselbe experimentierende, Wirklichkeit und Menschenerfahrung befragende Schreibmethode, deren Absicht auf die Durchleuchtung faschistischer Realität und antifaschistischer Gegenwelt zielt.

Die Verwendung des Wirklichkeitsmaterials im *Siebten Kreuz* läßt wiederum die entwerfende Tätigkeit der Seghers erkennen. Das authentische Material wird einer Kunstprüfung unterzogen, die mythisierende Darstellung und konkrete Geschichtsanalyse, säkularisierte Leidensgeschichte und antifaschistische Hoffnungsmöglichkeit modellhaft realisiert. Dabei wohnte dem Stoff, einem der vielen Emigrantenberichte, schon die blasphemisch-barbarische Verkehrung religiöser und humanistischer Werte inne. Die Autorin erinnert sich im Gespräch mit Girnus:

> Man hat mir oft erzählt von Vorkommnissen in Konzentrationslagern [. . .] ich war oft im Schweizer Teil des Rheingebietes, und ich habe viele Flüchtlinge gesprochen, und irgend jemand hat mir diese sonderbare Begebenheit [. . .] berichtet, nämlich diese Sache mit dem Kreuz, an das ein Häftling gebunden wird, den man wieder gefunden hat. Nach und nach hat sich in mir [. . .] das Gefühl und auch die Sicherheit herausgebildet, daß das Beste ist, wenn ich über Deutschland etwas schreiben will, als Hauptperson diesen Menschen zu nehmen, der sich gerettet hat." (*KWIII*, 34)[3]

Seghers hat aber sofort erkannt, daß dieser zeitungsnotizhafte Vorfall seine ganze Unmenschlichkeit nur durch Einbettung in den Gesamtbereich menschlicher Verhaltensmöglichkeiten voll enthüllen würde. Die Lektüre von Alessandro Manzonis *Die Verlobten* (*I promessi sposi*, 1827) zeigte ihr, wie beispielhaft „an einem Ereignis die ganze Struktur eines Volkes aufgerollt" werden kann. (*KWIII*, 34) Biblische Symbolik, Flucht als Kreuzungen von Abenteuergeschichte und Zeitroman, klassisch-romantische Vorbilder, die Schrecken erregende Gegenwartsrealität des faschistischen Deutschlands (dargestellt in Werken von Beimler, Bredel, Langhoff, Liepmann, Petersen, Seger u.a.): Seghers gelang die mehrschichtige Synthese; die Typologie und Individualität ihrer Figuren greift zurück auf archaischen Grundbestand des Erzählens verbunden mit einer Erfahrungswelt, die sie in den ihr wohlvertrauten eigenen Herkunftsraum des Rhein-Maingebietes ansiedelt, angereichert mit der konkreten Zeitgeschichte des Jahres 1937. Die Fluchtgeschichte Georg Heislers ist – für sich genommen – Wiederaufnahme des uralten mythischen Musters der Rettungsmetamorphose, denn der Fliehende beginnt nach dem gelungenen Entkommen aus dem Lager im buchstäblichen Sinne als „ein Tier, das in die Wildnis ausbricht". (*7K*, 16) In einem langen Verwandlungsprozeß, der die Mithilfe williger Menschen beansprucht, gelangt dieses getriebene „Tier" zur Freiheit des Menschseins, gleichbedeutend mit dem bevorstehenden Kampf gegen die Barbarei.

Überwindungsmöglichkeiten des faschistischen Terrors: Anna Seghers deutet sie schon in der Komposition des Rahmens an. Präsentiert werden zwei Zeitebenen, Erlebnisgegenwart der Insassen und die Erzählgegenwart, beide der dritten, voraufgehenden des Fluchtgeschehens als Verklammerung dienend. Eröffnet den Roman eine abgeschlossene Handlung, Heislers Flucht, so ist das kein untypischer Beginn für Seghers. Ähnlich beginnen *Die Gefährten*, mit dem Anfangssatz „Alles war zu Ende", und auch der *Aufstand der Fischer von St. Barbara* hebt mit der zusammengeschossenen Revolte an. Im *Siebten Kreuz* ist der siebte Tag, der Erfüllungstag der Flucht schon erreicht, denn der Erzähler, der als einer der Insassen spricht, Teil ihres Kollektivs, berichtet von den Maßnahmen des neuen Lagerkommandanten Sommerfeld, der die sieben Kreuze seines abgesetzten Vorgängers Fahrenberg, dem sein Unordnung schaffender Ehrgeiz zum Verhängnis geworden ist, „zu Kleinholz" schlagen läßt, was für die Gefangenen aber einen „Triumph" darstellt, weil das leergebliebene siebte Kreuz als Hoffnungssignal verstanden wird, daß Georg Heisler entkommen ist, obwohl noch keine positive Gewißheit besteht, reflektiert in der bangen Frage aller: „Wo mag er jetzt sein?" (*7K*, 8) Die dadurch erweckte Spannung im Leser wird dann nicht gleich auf die eigentliche Hauptgestalt Heisler gelenkt, sondern auf seinen ehemaligen Freund und Gefährten Franz Marnet, der später in die Hilfsaktion mitverwickelt wird, während er hier noch die zunächst wichtigere erzählerische Panoramaeröffnung der Schilderung von Landschaft und Geschichte, den „geschichtsphilosophischen Exkurs" (Sauer, 101) ermöglicht. Damit wird die Zeitdimension bis in die mythische Vorzeit ausgedehnt. In dieser Geschichtstiefe erscheint das Land als Aktionsraum menschlicher Tätigkeit, der kulturell aufbauenden und der kriegerisch zerstörenden, Reflexionen, die die faschistische Gegenwart als eine der vielen Durchgangsstationen des dialektisch fortschreitenden Geschichtsprozesses relativieren mit der Versicherung des Erzählers beglaubigt: „aber das Land wurde nichts von alledem und behielt doch von allem etwas." (*7K*, 10) In der gleichen Passage wird diese Gewißheit dem Schäfer Ernst deutlich am folgenden Bild:

„Brennende, johlende Stadt hinter dem Fluß! Tausend Hakenkreuzelchen, die sich im Wasser kringelten! Wie die Flämmchen darüberhexten! Als der Strom morgens hinter der Eisenbahnbrücke die Stadt zurückließ, war sein stilles bläuliches Grau doch unvermischt. Wie viele Feldzeichen hat er schon durchgespült, wie viele Fahnen." (*7K*, 11)

Im Naturbild läßt Seghers ihren Geschichtsoptimismus deutlich werden, daß im dialektischen Prozeß der Geschichte alle Kräfte, auch die negativen, aufgehoben werden. Das Land wird zum Sinnbild des Schaffenden und Geschaffenen, *natura formans* und *natura naturata*. Die Symbolik der Formen wird auch strategisch im Apfelbaumbild konzentriert, ebenfalls in Anfang und Ende verklammernder Weise. Franz Marnet, dem hier auftretenden Repräsentanten des „gewöhnlichen Lebens", dessen Hymnus der Roman darstellt, passiert noch vor dem in die Geschichte ausholenden Exkurs die fünfunddreißig Apfelbäume, die ihm als „unzählige kleine Sonnen" (*7K*, 8) erscheinen, während am Ende der „Apfelkuchen-Sonntag", der selbst die „vier Reiter der Apokalypse" zähmen würde, „um den Tisch herum [. . .] ein ganzes Volk" versammelt, also sowohl nazitreue wie „SA-Marnet" und „SS-Messer", aber auch Widerstandsfiguren wie Franz Marnet, seinen Freund Hermann und den Schäfer Ernst.

Umreißt die Geschichtsreflexion Stellenwert und Perspektive der Vorgeschichte, so ist, wie der darauf folgende eindringlichste Erzählerappell an den Leser deutlich macht, das berühmte „tua res agitur" erreicht: „Jetzt sind wir hier. Was jetzt geschieht, geschieht uns." *(7K,* 11) Es ist eine Leser und Romanfiguren solidarisierende Bedürfnisofferte – ganz im Sinne von Seghers späterer Devise: „Der Autor und der Leser sind im Bunde". *(KWII,* 17) – die zwischen den leidgeprüften Insassen und dem erwartungsvollen Leser eine Gemeinschaft stiftet, die dem angekündigten Geschehen mit Spannung entgegensieht. Da die Tatsache der Rettung Heislers nahezu gesichert erscheint, gelangt das Wie in den Blick.

Nachdem dann die gesamte Romanhandlung der sieben Tage in sieben Kapiteln – sieben Geflohene und sieben Kreuze unterstreichen die Verwendung dieser Zahl der Schöpfungsgeschichte und der Magie, die in Form und Erzählung eine symbolische Verflechtung bewirkt – abgelaufen ist, schließt der aus dem kollektiven Wir hervortretende Erzähler den Rahmen mit einem kurzen Rückgriff in die Erlebnisgegenwart derjenigen Nacht, in der die Zerschlagung der Kreuze völlige Gewißheit geworden ist, die auch dem Leser als solche gilt, so daß aus der eigentlichen Erzählgegenwart alles als ein „damals" ferngerückt werden kann, ganz so, als ob der Erzähler und die Mitinsassen schon in Freiheit wären. Die Wirkung des Heisler-Beispiels wird somit gleichsam vervielfacht und in dem unvergeßlichen Glaubenssatz eines humanistischen Selbstbewußtseins auch sprachlich realisiert:

> Wir fühlten alle, wie tief und furchtbar die äußeren Mächte in den Menschen hineingreifen können, bis in sein Innerstes, aber wir fühlten auch, daß es im Innersten etwas gab, was unangreifbar war und unverletzbar. *(7K,* 288)

Die Erzählerfigur ist Umschlagstelle zwischen der Wirklichkeit des Romans und dem Leser, zugleich aber auch Vermittler zwischen Autorin und dem Leser. Diese Kontakte, im Rahmen paradigmatisch hergestellt und auf das Ereignis von menschlicher Bewährung, Solidarität und Hoffnung abgestimmt, werden durch die gesamte Romanhandlung, durch ihre breite Auffächerung, Simultaneität und webartige Verknüpfung hindurch gewahrt in vielfältiger Weise: in der wertbestimmten Darstellung, die dem Leser durch indirekte Signale ein richtiges Erfassen der Verhältnisse ermöglicht, in der Palette erzählerischer Sehweisen, vom kommentierenden Bericht und Beschreibungen der Figuren, von szenischer Darstellung und filmischer Segmentierung über die erlebte Rede, inneren Monolog bis zum Beinahe-Bewußtseinsstrom (Wallaus Verhör), und schließlich in den meist sentenzhaft sich verdichtenden Erzählerkommentaren, die prinzipielle Fragen oder geschichtliche Situationen mit gültigen Einsichten zu beantworten suchen. Seghers schafft hier ihre eigenwillige Synthese aus traditionellem, auf eine Erzählerfigur bezogenen oder auktorialen Erzählen und moderner Erzählstrukturen, die stärker Figurenperspektive oder personale und subjektive Sehweisen repräsentieren, wie man denn gewisse Passagen aus der Perspektive der jeweiligen Mittelpunktsfigur in ihrer filmischen Eindringlichkeit mit der Technik der „subjektiven Kamera" (M. Naumann, 390) verglichen hat.

Dem Fluktuieren der Erzählerperspektive im Rahmen von der Insassenerlebnisperspektive eines „damals" zur Erzählergegenwart eines allerdings unbestimmten „später" *(7K,* 288) entspricht bei der Erzählung des Romangeschehens der Wech-

sel der verschiedenen Zeitebenen. So wechseln sich ab die mythisierende Rück-
schau des geschichtsphilosophischen Exkurses und das Handlungsgeschehen der
sieben Fluchttage der ersten Oktoberwoche (wohl des Jahres 1937). Die Zeit der
proletarischen Revolution klingt an in Wallaus innerem Monolog, als er sich beim
Verhör moralische Rückversicherung seiner eigenen Standhaftigkeit holt, angesichts des von Bachmann an ihm verübten Verrats, bei den Märtyrertoten der
Spartakuskämpfe (Karl Liebknecht, eigentümlicherweise fehlt Rosa Luxemburg
hier). Weimar klingt an bei der Erwähnung des Fichte-Lagers 1927, als Georg Heisler zur kommunistischen Bewegung stößt, aber in den Prüfungen seines „verwor-
renen, unruhigen Lebens" (7K, 50) sich als unzuverlässig erweist, bis er 1933/34
aufgrund politischer Opposition (er hat „herumgehetzt", 7K, 50) im KZ Westhofen landet, wo er in den Folterungen (ihm wird „sein schönes Gesicht ganz platt-
geschlagen", 7K, 52) die innere Stärke wiedergewinnt, die im Verein mit fünf anderen und der beispielhaften Lehrer- und Vorbildfigur Wallau zu jenem Ausbruch
führt, der von ehemaligen kommunistischen Kampfgefährten, die von den Faschi-
sten in widerstandslose Passivität gedrängt worden sind, als ermunternde, zu neuer
Widerstandsaktivität anspornende „Bresche", als „Zweifel" an der faschistischen
„Allmacht" (7K, 52) empfunden wird. Umgekehrt entspringt dem Bewußtsein einer Niederlage – Wallaus Einlieferung machte „ungefähr einen solchen Eindruck
wie der Sturz Barcelonas oder der Einzug Francos in Madrid" (7K, 115) – nicht
nur Verzweiflung, sondern angesichts der Leidenssituation wiederum Stärke und
„Gelassenheit", die der geschichtlichen Langzeiterwartung vom endgültigen Sieg
der antifaschistischen Kräfte entstammen. So ist auch die Wirkung des Untergangs
der sechs Häftlinge und das Entkommen des siebten zu verstehen. Die Gefangennahme Albert Beutlers durch wütende Wachmannschaften wird von Heisler noch
in den ersten Fluchtminuten miterlebt, ebenso Pelzers Gestelltwerden und später
Bellonis Selbstmordsturz vom Dach, um seinen Häschern durch den Tod zu entgehen. Während Wallaus Einlieferung Füllgrabe entmutigt und zur Selbstaufgabe bewegt und der Bauer Aldinger kurz vor seinem Heimatziel an Schwäche stirbt, entzieht sich Heisler diesem Schicksal, geleitet und gestärkt im Innern von der Stimme des vorbildlichen Wallau, die durchaus die „Repräsentation der Partei" symbolisiert, obwohl die Hervorhebung der „mystischen Züge" (Haas, 142) nicht die Sä-
kularisierung des ehemals Religiösen übersehen darf. Lenkt Wallaus Beispiel alle
Kräfte auf die Imitatio, die Nachahmung seiner im Martyrium sich erweisenden
Unversehrbarkeit, so erprobt Seghers am Exempel Georg Heislers die Umkehrung
der Passion in eine Rettungsmetamorphose mit befreiendem Ausgang.

5. Wildnis und gewöhnliches Leben

Seghers ist in ihrer umfunktionierenden Aktivierung antiker Mythen und biblischer Tradition recht explizit, wie die Verwendung des Kreuzessymbols – sechs-
malige Bestätigung von Passion und im siebten Kreuz die einmalige Umkehrung
des Leidenssymbols in eine Hoffnungschiffre – zeigt, aber auch, gerade im Zusammenhang von Georg Heislers Ausgangsposition als „Tier, das in die Wildnis aus-

bricht", durch die Wiederaufnahme des Daphnemythos: „Jetzt nur kein Mensch
sein, jetzt Wurzel schlagen, ein Weidenstamm unter Weidenstämmen, jetzt Rinde
bekommen und Zweige statt Arme." (*7K*, 18, vgl. Haas, 169) Die „Wildnis" ist
also nicht nur gleichzusetzen mit der von der faschistischen Barbarei überfremde-
ten, okkupierten Alltagsrealität Deutschlands im Dritten Reich, es ist, Dialektik
der Bilder bei Seghers, zugleich Naturreserve, die dem Menschen Kraft mitgibt,
sich dem geschichtlichen Chaos zu stellen, sich ihm mit Hilfe der Mitmenschen
zu entziehen, zu sich selber zu gelangen. Georg Heisler durchläuft in diesem Sinne
die positive Seite der Menschheitsentwicklung am Rande des Selbstverlustes ent-
lang. Franz Marnet als erster Repräsentant des gewöhnlichen Lebens eröffnet eine
Alltagswelt, die in gleicher Weise zweigespalten ist, nämlich faschistisch 'besetzt',
wie Georg Heisler mehrfach, vor allem auch bei der Hetzjagd auf Pelzer, erlebt, andererseits auch voller Kraftreserven humanistischer Selbstachtung, wie der wieder-
erwachende Widerstandskreis um Franz Marnet, den ehemaligen Parteifunktionär
Hermann, die Ehepaare Fiedler und Kreß beweist, wobei die letzteren aufgrund
des Gebrauchtwerdens neuen gegenseitigen Respekt erlangen und dem Flüchten-
den gegenüber eine tiefe Dankbarkeit für diese Gelegenheit der menschlichen Bewährung empfinden. (*7K*, 283) Der gleichsam das „Grundmuster der Odyssee"
durchlaufende Heisler, den nicht der göttliche Zorn eines Poseidon, sondern die
Schergenhierarchie der Fahrenberg, Bunsen, Zillich, Fischer und Overkamp verfolgt, löst, mythischem Vorbild gleich, „eine Welle von Aktionen und Reaktionen" aus (Blatt, 140f.), die faschistischen Terror, der in der Typologie vom brutalen Schläger (Zillich) bis zum Schreibtischtäter (Overkamp) auch „in der Hölle
Ordnung" schafft (*7K*, 243), und die Gegenkräfte in den verschiedensten Volks-
schichten virulent machen. An entscheidender Stelle läßt Seghers vom Blickpunkt
des „später" einen Insassen den historischen Stellenwert der „Hitlerherrschaft"
reflektieren als „das Furchtbarste, was einem Volk überhaupt geschehen kann,
das sollte jetzt uns geschehen: ein Niemandsland sollte gelegt werden zwischen
die Generationen." (*7K*, 116) Aus diesem beabsichtigten „Niemandsland" ragen
heraus die vielen namenlosen Helfer, die Heisler findet, Menschen, in denen Geschichte Gesicht findet, wie der jüdische Arzt Dr. Löwenstein, der Pfarrer Seitz,
der Georgs Häftlingskittel — im vollen Bewußtsein seiner Mithilfe — verbrennt.
Mitwirkende werden auch die Schneiderin Marelli, die ehemalige Frau Heislers,
Elli, und der Arbeiter Paul Röder, der trotz seiner weitgehenden Angepaßtheit
an das Regime nicht zum Verräter wird an seinem früheren Freund und im Verhör durch die Gestapo selber die Fragwürdigkeit des herrschenden Systems erkennt. Von besonderer Bedeutung in diesem Ensemble mitmenschlicher Helferfi-
guren, das auch durch regimekonforme Gestalten kontrastiert wird, ist der Gärtnerlehrling Fritz Helwig, der, durch den Diebstahl seiner Jacke unfreiwillig invol-
viert, einen Wandlungsprozeß durchläuft, den Seghers in der Reflexion des besagten anonymen Insassenerzählers zu folgendem Geschichtsoptimismus verdichtet:

> All diese Burschen und Mädel da draußen, wenn sie einmal die Hitlerjugend
> durchlaufen hatten und den Arbeitsdienst und das Heer, glichen den Kin-
> dern der Sage, die von Tieren aufgezogen werden, bis sie die eigene Mutter
> zerreißen." (*7K*, 116)

Prophezeiung vom Fortlauf der Geschichte. Mit märchenhafter Kraft und unverkennbarem Geschichtszauber enthüllt sich *Das siebte Kreuz* als Leidensbuch, das den „toten und lebenden Antifaschisten Deutschlands" gewidmet ist. Es holt ein die zeitgeschichtliche Notwendigkeit des „Volksfrontromans" (Schneider, 123) und erfüllt zugleich ein altes *Memento*, den Sinn alles irdischen Leidens, die Passion der Geschichte als Trost zu empfinden, dem im Glauben an die „unerschöpfliche Kraft des Volkes" Hoffnung entspringt:

Alles, was das Alleinsein aufhebt, kann einen trösten. Nicht nur was von andern gleichzeitig durchgelitten wird, kann einen trösten, sondern auch was von andern früher durchlitten wurde. *(7K, 58)*

Das siebte Kreuz als Leidensbuch ist zugleich die Parabel von der Aufhebungsmöglichkeit der Passion. Das ist seine Zukunftsperspektive, wie denn der Roman ähnlich wie *Transit* dem Motto folgt: „Denn abgeschlossen ist, was erzählt wird." *(T*, 143); geschrieben für eine Zeit danach, ein Gedenkstein, eine Ikone der Menschenwürde.

Anmerkungen

1 Alfred Döblin, „Der historische Roman und wir", in: *Das Wort* 1 (1936) H. 4, 56-71. Vgl. die Rede Lion Feuchtwangers, „Vom Sinn und Unsinn des historischen Romans", in: *Internationale Literatur* 9 (1935); jetzt in: L.F., *Centrum opuscula*. Rudolfstadt 1956. Georg Lukács, *Der historische Roman* (1938), *Probleme des Realismus III*. Neuwied/Berlin 1968. (Werke 2) Hans Dahlke, *Geschichtsroman und Literaturkritik im Exil*. Berlin/Weimar 1976. Günther Heeg, *Die Wendung zur Geschichte. Konstitutionsprobleme antifaschistischer Literatur im Exil*. Stuttgart 1977.
2 *Internationale Literatur* 9 (1939) H. 5, 97ff. u. 111ff. Auch in Georg Lukács, *Essays über Realismus*. Berlin 1948. Seghers' Briefe mit Kommentar in *KWI*, 173-185. Der Briefwechsel in Fritz Raddatz (Hg.), *Marxismus und Literatur*, Bd. 2, Reinbek bei Hamburg 1969, 110-138. Hans-Jürgen Schmitt (Hg.), *Die Expressionismusdebatte. Materialien einer marxistischen Realismuskonzeption.* Frankfurt/Main 1973 (edition suhrkamp 646) *Zur Tradition der deutschen sozialistischen Literatur*, Bd. 2, 1935-1941. Berlin/Weimar 1979, 313-691. Kritisch Kurt Batt, „Variationen über Unmittelbarkeit. Zur ästhetischen Position der Anna Seghers", in: *Sinn und Form* 21 (1969) H. 4, 943-962. Ders., „Erlebnis des Umbruchs und harmonische Gestalt. Der Dialog zwischen Anna Seghers und Georg Lukács", in: K.B., *Widerspruch und Übereinkunft. Aufsätze zur Literatur*. Leipzig 1978, 265-305. Klaus Sauer, „Verteidigung der Unmittelbarkeit. Zum Werk und zur ästhetischen Position von Anna Seghers", in: *Akzente* 20 (1973) H. 3, 254-272.
3 Für ihren Roman hat Seghers ihr Heimatgebiet, die Rhein-Main–Gegend, das Rheinhessische und den Rheingau, Worms, Oppenheim, Mainz; Höchst und Wiesbaden, ausgewählt. Zwar gibt es unweit von Worms im Norden den Ort

Westhofen, ein Konzentrationslager befand sich aber von 1933 bis 1934 in Osthofen. (Vgl. Peter Frey, „*Siebtes Kreuz* und KZ. Literarische Spurensuche", in: *Die Zeit* Nr. 16 (11.4.1980), 42f. Unter dem Titel: „Auf der Suche nach einem Nazi-KZ in Rheinhessen", in: *Neue Deutsche Literatur* 28 (1980) H. 11, 92-102.) Dieser enge landschaftliche Rahmen wird nur durch Heislers Fluchtziel – auf einem Rheinschlepper nach Holland – am Ende ausgedehnt.

Zitierte Werke:

Anna Seghers, *Werke in zehn Bänden.* Darmstadt/Neuwied 1977. (Bd. 1, *Aufstand der Fischer von St. Barbara. Die Gefährten.* Bd. 2, *Die Rettung.* Bd. 3, *Das siebte Kreuz* (Zit.: *7K*). Bd. 4, *Transit* (Zit.: *T*). Bd. 9, *Erzählungen I.* Bd. 10, *Erzählungen II.* Weitere Einzelausgaben in der Sammlung Luchterhand: *Der Kopflohn. Roman aus einem deutschen Dorf im Spätsommer 1932*, 1976 (SL 234). *Der Weg durch den Februar*, 1980. (SL 318)

Anna Seghers, *Gesammelte Werke in Einzelausgaben*, Bd. 1-8 Romane, 9-12 Erzählungen. Berlin/Weimar: Aufbau Verlag, 1975-1978.

Anna Seghers, Das siebte Kreuz. [*Teilvorabdruck in:* Internationale Literatur *(1939) H. 6, 6-34; H. 7, 49-65; H. 8, 8-25.*] *Mexiko: El Libro Libre, 1942.* The Seventh Cross. *Boston: Little, Brown, 1942.*

–, *Das siebte Kreuz. Roman.* Berlin/Weimar: Aufbau Verlag 1964. „Nachwort" von Christa Wolf, 413-428. (Zit.: „Nachwort")

Anna Seghers, *Über Kunstwerk und Wirklichkeit. Reden, Essays, Aufsätze, Notate in drei Bänden*, bearb. u. eingel. von Sigrid Bock. Berlin: Akademie-Verlag 1970, 1971. (Zit.: *KWI, II, III*)

Lion Feuchtwanger, *Die Geschwister Oppermann. Gesammelte Werke in Einzelbänden*, Bd. 11. Berlin/Weimar: Aufbau Verlag 1963.

Weitere benutzte Literatur:

Anna Seghers. *Text und Kritik*, H. 38. München 1973. Jörg Bernhard Bilke, „Auswahlbibliographie zu Anna Seghers 1924-1972", 31-45.

Über Anna Seghers. Ein Almanach zum 75. Geburtstag, hg. von Kurt Batt. Berlin/Weimar 1975. (Zit.: *Almanach)* Bibliographie, 304-410.

Anna Seghers. Materialienbuch, hg. von Peter Roos u. Friederike J. Hassauer-Roos Darmstadt/Neuwied 1977. (SL 242) Bibliographie, 173-182.

Anna Seghers. „Das siebte Kreuz. Materialien, ausgew. u. eingel. von Uwe Naumann. Stuttgart 1981. (Klett Editionen für den Literaturunterricht)

Kurt Batt, *Anna Seghers. Versuch über Entwicklung und Werke.* Frankfurt/Main 1973. (Röderberg Taschenbuch 15)

Walter Benjamin, *Versuche über Brecht.* Frankfurt/Main 1966.

Heinz Blumensath/Christel Uebach, „Anna Seghers: *Das siebte Kreuz,*" in: H.B./C.U., *Einführung in die Literaturgeschichte der DDR. Ein Unterrichtsmodell.* Stuttgart 1975, 17-24.

Sigrid Bock, „Zur Entwicklung der weltanschaulich-künstlerischen Programmatik bei Anna Seghers", in: *KWI*, 11-60.

–, „Erziehungsfunktion und Romanexperiment. Anna Seghers: *Die Toten* bleiben jung", in: S.B. (Hg.), *Erfahrung Exil. Antifaschistische Romane 1933-1945.* Berlin/Weimar 1979, 394-431.

–, „Anna Seghers 'besiegte' Thomas Mann", in: *Neue Deutsche Literatur* 28 (1980) H. 11, 57-60.

Inge Diersen, „Anna Seghers: *Das siebte Kreuz*", in: *Weimarer Beiträge* 18 (1972) H. 12, 96-120.

Geschichte der deutschen Literatur von den Anfängen bis zur Gegenwart, Bd. 10, 1917-1945, hg. von Hans Kaufmann u.a. Berlin (DDR) 1973, 550-558.

Gertraud Gutzmann, „Bei Gelegenheit der *Transit*-Lektüre. Die Erzählkonzeption der Anna Seghers", in: *Faschismuskritik und Deutschlandbild im Exilroman,* hg. von Christian Fritsch u. Lutz Winckler. Berlin 1981, 178-191. (Literatur im historischen Prozeß, N.F. 2, Argument-Sonderband 76)

Erika Haas, *Ideologie und Mythos. Studien zur Erzählstruktur und Sprache im Werk von Anna Seghers.* Stuttgart 1975.

Jan Hans, „Historische Skizze zum Exilroman", in: *Der deutsche Roman im 20. Jahrhundert,* Hg. von Manfred Brauneck. Bamberg 1976, 240-259.

Friederike J. Hassauer-Roos/Peter Roos, „Die Flucht als Angriff. Zur Gestaltung des Personals in *'Das siebte Kreuz',*" in: *Anna Seghers. Materialienbuch,* 88-102.

—, „Geschichte und Alltag. Zu Anna Seghers. Eine Annäherung", in: *Die Horen* 26 (1981) Nr. 124, 61-77.

Stephan Hermlin/Hans Mayer, „Das Werk der Anna Seghers", in: S.H./H.M., *Ansichten über einige neue Schriftsteller und Bücher,* Wiesbaden 1947, 143-147.

Reinhold Jaretzky/Helmuth Taubald, „Das Faschismusverständnis im Deutschlandroman der Exilierten. Untersucht am Beispiel von Anna Seghers: *Das siebte Kreuz,* Lion Feuchtwanger: *Die Geschwister Oppermann* und Ödön von Horvath: *Ein Kind unserer Zeit',* in: *Sammlung. Jahrbuch für antifaschistische Literatur und Kunst* 1 (1978), 12-36.

Manon Maren-Grisebach, „Anna Seghers' Roman *'Das siebte Kreuz',*" in: *Der deutsche Roman im 20. Jahrhundert,* hg. von Manfred Brauneck, Bd. 1. Bamberg 1976, 283-298.

Paul Mayer, „*Das siebte Kreuz",* in: *Freies Deutschland* 2 (1942/43) 1, 16. Jetzt in: *Alemania Libre in Mexiko,* hg. von Wolfgang Kießling, Bd. 2, *Texte und Dokumente zur Geschichte des antifaschistischen* Exils 1941-1946. Berlin (DDR) 1974, 264-267.

Valentin Merkelbach, „Fehlstart Seghers-Rezeption. Vom Kalten Krieg gegen die Autorin in der Bundesrepublik", in: *Anna Seghers Materialienbuch,* 9-25.

Tamara Motyljowa, „Unangreifbar und unverletzbar. Bemerkungen zu Anna Seghers' Roman *'Das siebte Kreuz',*" in: *Weimarer Beiträge* 17 (1971) H. 9, 153-168.

Manfred Naumann u.a. (Hg.), „Beispiel einer Rezeptionsvorgabe: Anna Seghers' Roman *Das siebte Kreuz",* in: *Gesellschaft. Literatur. Lesen. Literaturrezeption in theoretischer Sicht.* Berlin/Weimar 1973, 381-418.

Heinz Neugebauer, *Anna Seghers, Leben und Werk.* Berlin (DDR) [2]1978.

Jan Petersen, „Rede des illegalen westdeutschen Delegierten", in: *Neue Deutsche Blätter* (Prag) 2 (1935) H. 6. Jetzt in: *Zur Tradition der deutschen sozialistischen Literatur.* Bd. 1, *1926-1935.* Berlin/Weimar 1979, 865f.·

Marcel Reich-Ranicki, „Die kommunistische Erzählerin Anna Seghers", in: M.R.-R., *Deutsche Literatur in West und Ost. Prosa seit 1945.* München 1963, 354-385.

—, *Literarisches Leben in Deutschland. Kommentare und Pamphlete.* München 1965.

—, *Zur Literatur der DDR.* München 1974.

Werner Roggausch, *Das Exilwerk von Anna Seghers 1933-1939. Volksfront und antifaschistische Literatur.* München 1979.

272   PETER BEICKEN

Klaus Sauer, *Anna Seghers*. München 1978.

Dieter Schiller, „‚. . . von Grund auf anders'. Programmatik der Literatur im antifaschistischen Kampf während der dreißiger Jahre*. Berlin (DDR) 1974.

Helmut J. Schneider, „Anna Seghers", in: *Deutsche Dichter der Gegenwart*, hg.
von Benno von Wiese. Berlin 1973, 110-137.

Jürgen Serke, „Anna Seghers", in: J.S., *Frauen schreiben*. Hamburg ²1979, 56-75.

Martin Straub, „Heislers Weg in das 'gewöhnliche Leben'. Zur Wirklichkeitsauf-
nahme in Anna Seghers' Zeitgeschichtsroman *'Das siebte Kreuz'*, in: *Erzählte
Welt. Studien zur Epik des 20. Jahrhunderts*, hg. von Helmut Brandt u. Nodar
Kakabadse. Berlin/Weimar 1978, 210-233.

Frank Wagner, *Der Kurs auf die Realität. Das epische Werk von Anna Seghers
1935-1943*. Berlin (DDR) 1975.

Hans-Albert Wagner, „Das Bild Deutschlands im Exilroman", in: *Die Neue Rundschau* 77 (1966) H. 3, 437-458.

—, „Eine deutsche Chronik. Das Romanwerk von Anna Seghers aus den Jahren des
Exils", in: *Anna Seghers aus Mainz*. Mainz 1973, 13ff.

Lutz Winckler, „'Bei der Zerstörung des Faschismus mitschreiben'. Anna Seghers'
Romane *Das siebte Kreuz* und *Die Toten bleiben jung,"* in: L.W. (Hg.), Antifaschistische Literatur. Prosaformen, Bd. 3, Königstein/Ts. 1979, 172-201.

Christa Wolf, Lesen und Schreiben. Neue Sammlung. Essays, Aufsätze, Reden.
Darmstadt/Neuwied 1980. („Glauben an Irdisches, 115-143; „Bei Anna Seg-
hers", 144-150; „Fortgesetzter Versuch", 151-157) Siehe *Das siebte Kreuz*
(„Nachwort").

KLAUS JEZIORKOWSKI

Heinrich Böll: *Wo warst du, Adam?* (1951)

Dieser Roman, fast ein Drittel Jahrhundert alt, ist heute beim Wiederlesen aktuell und präsent wie an seinem ersten Tag. Wäre es nicht zu makaber, würde man jetzt von einer Gunst der Stunde für dieses Buch sprechen. Die Nachkriegszeit ist für Deutschland noch nicht zu Ende, und sie wird nach der vielerorts geäußerten Meinung Bölls auch solange nicht zu Ende sein, wie die Auswirkungen dieses zweiten Weltkriegs andauern, nicht nur in den Konstellationen der großen Weltpolitik, sondern auch im Moralischen, Persönlichen und Privaten, solange Überlebende des Holocaust allein durch ihr Schicksal anklagen, solange Emigranten noch nicht heimzukehren wagen, solange Schuldige ihre Schuld noch immer zu verbergen suchen. Während so die Vergangenheit virulent bleibt, wirft schon eine mögliche Zukunft ihre Schatten voraus, und beides, das Gewesene und das Drohend-Künftige, kreuzen sich heute beim Lesen dieses Romans: ist er schon wieder ein Vorkriegsbuch? Leben wir, wie viele befürchten, in einer neuen Vorkriegszeit, in Erwartung einer dritten – und dann wohl letzten – von Menschen gemachten Katastrophe? Zur Abwendung dieses denkbaren Verhängnisses ist das Wiederlesen dieses Buchs eine unverbrauchte, noch voll wirksame Medizin.

Zudem fällt die Wiederbegegnung mit diesem Nachkriegszeugnis heute in eine vielfältig sich äußernde Renaissance des Existentialismus nach dem vorläufigen Ende der neomarxistischen und studentischen Rebellionsbewegung, der achtundsechziger Ära und der Dominanz der Frankfurter Kritischen Theorie, sichtbar am Paradigmawechsel von Adorno zu Heidegger, von Brecht zu – Hölderlin. *Wo warst du, Adam?*, zuerst erschienen 1951, ist eines der dichtesten Zeugnisse des deutschen Nachkriegsexistentialismus, der dann in der ersten Hälfte der sechziger Jahre von der Dominanz der Kritischen Theorie abgelöst wurde, wie an Adornos *Jargon der Eigentlichkeit* (1964) und Bölls *Ansichten eines Clowns* (1963) ablesbar. Schon die erste Romanseite läßt erkennen, bis zu welcher Dichte *Wo warst du, Adam?* das Vokabular und die Perspektiven des Existentialismus in sich aufgesogen hat: Das sechste Wort des Romans heißt „tragisch", ihm folgen in dichter Nachbarschaft Wörter wie „müde", „traurig", „hoffnungslos", „Pech", „Trauer", „Mitleid", „Angst" und „Wut", alle auf der ersten Druckseite.[1] Dieser Roman ist ein Grunddokument des deutschen Nachkriegsexistentialismus. Wo spätere literarische Texte von den sechziger Jahren an sich analytisch, kritisch, „zersetzend" und aggressiv den Phänomenen nähern, da klagt dieser Roman, und er läßt den Krieg, ohne ihn auf seine historischen, gesellschaftlichen, politischen und ökonomischen Hintergründe zu analysieren, als ein Chaos banaler Absurdität, Zufälligkeit und Langeweile erscheinen, als einen Gegenstand des ennuy und der nausée, ohne daß freilich an der Ablehnung dieser wahnwitzigen Existenzform Krieg Zweifel bleiben. „Wahrscheinlich bestand der Krieg daraus, daß die Männer nichts taten und zu diesem Zweck in andere Länder fuhren, damit niemand es sah"[2] – diese stillen Gedanken der Gastwirtin an der Brücke von Berczaba prägen die Perspektive des gesamten Buchs und halten wiederum Kontakt zu den beiden Mottos, die dem Roman voranstehen und ihrerseits literarischen Dokumenten des Existentialismus entnommen wurden: als erstes die Sätze, die Theodor Haecker unter dem 31. März 1940 in seine *Tag- und Nachtbücher* eingetragen hat: „Eine Weltkatastrophe kann zu manchem dienen. Auch dazu, ein Alibi zu finden vor Gott. Wo warst du, Adam? 'Ich war im Weltkrieg' ".[3] Das andere Motto nahm Böll aus Antoine de Saint-Exupérys *Flug nach Arras,* der deutschen Übersetzung von *Pilote de Guerre:* „Früher habe ich Abenteuer erlebt: die Einrichtung von Postlinien, die Überwindung der Sahara, Südamerika — aber der Krieg ist kein richtiges Abenteuer, er ist nur Abenteuer-Ersatz. Der Krieg ist eine Krankheit. Wie der Typhus".[4] Ob hier der Krieg heruntergespielt und im Gegenzug das „Abenteuer" romantisiert wird, bleibt eine offene Frage, vielleicht auch eine Gefahr, von der allerdings Bölls Roman nicht tangiert wird, da bei ihm an der prinzipiellen Ablehnung des mörderisch-grausamen und inhumanen Geschehens kein Zweifel bestehen kann. In diesem Roman schießen, wie die Mottos andeuten, die Erfahrungen des Existentialismus der vierziger und frühen fünfziger Jahre zusammen — Erfahrungen jetzt auch über die deutschen Grenzen hinweg und hinaus, wie der Verweis auf Saint-Exupéry zeigt. Diese Konstellation war in der deutschen Literatur wohl erst ab 1950 möglich. Wie viele Indizien zeigen, kann von einer eigentlichen deutschen Nachkriegsliteratur, die allmählich den Anschluß an internationale Entwicklungen wiederfindet, erst fünf oder sechs Jahre nach Ende des zweiten Weltkrieges die Rede sein. Das Werk Wolfgang Borcherts und die frühen Erzählungen Bölls aus der zweiten Hälfte der vierziger Jahre haben vorbereitenden Charakter. *Wo warst du, Adam?* hat also mit seinem Erscheinen 1951 eine mehrfache Bedeutung: es ist einer der ersten Höhepunkte einer deutschen Nach- und Antikriegsliteratur, Dokument des Wiederanknüpfens an internationale literarische Entwicklungen und eines europäischen Existentialismus. Es ist damit auf dem Gebiet der Erzählprosa das, was auf dramatischem Feld vorher und vorbereitend Borcherts *Draußen vor der Tür* war. Nicht umsonst sind sich die beiden Titel in ihrer existentiellen Prägung so ähnlich, daß der Borchertsche wie eine Antwort auf die Frage des Böllschen gelesen werden kann. Beide verweisen auf die zeittypische Erfahrung des Ausgesetztseins oder wie man damals sagte des Geworfenseins. Daß im Böllschen Titel — wie bei Haecker — zudem Adam als der exemplarische Mensch angesprochen und gefragt wird, gibt dem Ganzen noch mehr das Existentiell-Prinzipielle des zeitlos Mythischen.

Liest man den Roman heute nach über drei Jahrzehnten wieder, so kann man wohl vordergründig irritiert sein von der — fast ließe sich sagen — Gemütlichkeit und Idyllik der damaligen Waffentechnik und Kampfsituation im Vergleich zu den heutigen äußersten Möglichkeiten der achtziger Jahre. Dominierend und erregend am heutigen Lese-Erlebnis aber ist, daß der existentielle Ernst des Romans sich für uns jetzt neu zusammenschließt mit dem wiederum existentiellen und prinzipiellen Ernst der derzeitigen Kriegs- und Friedensdiskussion, in der wiederum jene äußerste, den Menschen gleichsam ausziehende und entkleidende Frage gestellt wird: Wo bist du, Adam, und wo gehst du hin? Der prinzipielle Ernst dieser Fragen im Böllschen Titel und heute liegt in der Tatsache, daß sie auf eine Ursituation im biblischen Schöpfungsmythos verweisen: daß die beiden ersten Menschen nach dem Sündenfall, nachdem sie also vom Baum der Erkenntnis gegessen hatten, sich im Gebüsch des Garten Edens versteckten, aus Scham, weil sie sich ihrer Nacktheit bewußt geworden waren. In der Genesis, nach Luther, heißt es weiter: „Und Gott der Herr rief Adam und sprach zu ihm: Wo bist du? Und er sprach: Ich hörte deine Stimme im Garten und fürchtete mich; denn ich bin nackt, darum verstecke ich mich."[5]

Was der Sündenfall in Bölls Roman und heute bedeutet, ist leider nur zu eindeutig: Krieg, zerstörende und tötende Gewalt, resultierend aus dem Essen vom Baum jener Erkenntnis, die den Menschen technische Geräte erfinden und entwickeln ließ, die dann vornehmlich als Waffen zum Zerstören von Werten und zum Töten von Leben gebraucht wurden. An dieser Grenzerfahrung äußersten Ernstes schließen sich biblischer Schöpfungsbericht, Bölls Roman und unser heutiger Lesehorizont zusammen in der prinzipiellen Gewißheit: es geht um die – nackte – Existenz. Dies zu artikulieren, wird man dann auch existentialistisch nennen können.

Den Roman hauptsächlich bei seiner – freilich hochaktuellen und notwendigen – Botschaft zu nehmen, hieße ihn um Entscheidendes verkürzen. Er ist sehr kunstvoll gearbeitet, artistisch komponiert. Er besteht aus neun Kapiteln, die neun Episoden aus dem zweiten Weltkrieg erzählen. Die Zahl neun – für solche, die geheimwissenschaftliche Zahlenspekulationen lieben, aus dreimal der besonderen Zahl drei komponiert –, diese Zahl nun verführt auch ohne derartige geheimnisvolle Seitenverweise den Literaturwissenschaftler zu Spekulationen: Goethes idyllisches Revolutionsepos *Hermann und Dorothea* ist absichtsvoll in neun Gesänge gegliedert, die jeweils einer der neun Musen zugeordnet sind. Nun sperrt sich bei uns sicher manches bei dem Gedanken, Böll habe mit Goethe den zweiten Weltkrieg literarisch bannen und fixieren wollen. Sollte um 1950, also noch mitten in den Problemen der Nachkriegszeit, Böll nichts anderes im Sinn gehabt haben als *Hermann und Dorothea*, als es ihm darum ging, die wahnwitzigen Schrecken des modernen Massenvernichtungskrieges darzustellen? Es fällt uns schwer, derartiges anzunehmen, wir wollen es auch im germanistischen Interpretationswahn nicht behaupten. Bestehen bleibt aber das seltsame Phänomen, daß Goethes Epos und Bölls Roman in wichtigen Merkmalen aufeinander verweisen, wie gleich noch zu zeigen ist.

Mit dieser Gliederung stellt sich der Roman dar als eine Ringkomposition aus neun Kurzgeschichten. Er ist also der Struktur nach eine Vervielfachung derjenigen literarischen Form, mit der sich Böll vor diesem Roman schon einen Namen als Autor gemacht hatte, Kurzgeschichten, die immer wieder Szenen nach dem zweiten Weltkrieg und der Zeit kurz nach Kriegsende erzählen und zu einem großen Teil in dem Band *Wanderer, kommst du nach Spa. . .* gesammelt wurden. Nimmt man das Werk Wolfgang Borcherts hinzu, so erweist sich die Kurzgeschichte als d i e Form der deutschen erzählenden Literatur nach dem zweiten Weltkrieg. Die relative Selbständigkeit der Teile wird auch daran sichtbar, daß Böll einzelne Kapitel dieses Romans isoliert, zum Teil umgearbeitet an anderer Stelle publizierte. Ringkomposition solcher Einheiten ist der Roman darin, daß der Soldat Feinhals als Leitfigur durch alle neun Kapitel hindurch teils als Haupt- teils als Nebenperson anwesend ist und daß auch einige andere Figuren Klammerfunktion zwischen einzelnen Kapiteln haben. Es ergibt sich so eine Art *Reigen*-Effekt, zumal Feinhals im ersten und letzten Kapitel als Hauptfigur erscheint. Im mittleren, dem fünften Kapitel ist die Begegnung zwischen dem Soldaten Feinhals und der jüdischen Lehrerin Ilona ins Zentrum der Romanarchitektur gestellt, so wie etwa Conrad Ferdinand Meyer im architektonischen Zentrum seiner neunteiligen Sammlung der *Gedichte* im fünften Kapitel *Liebe* dieses Phänomen zur cella des Tempels macht oder wie eben im fünften und mittleren Gesang von *Hermann und Dorothea* der Titelheld seinen Entschluß zur Brautwerbung kundgibt. In Bölls Roman ist allerdings, der Absurdität des Weltkriegs- und Frontgeschehens konsequent entsprechend, dieser Liebe keinerlei äußere Realisierung vergönnt. Ilona wird nach Norden ins Konzentrationslager verfrachtet, Feinhals nach Süden in die vorderste Frontlinie.

Damit deutet dieses zentrale Kapitel ein wichtiges Strukturmerkmal aller anderen acht Teile und des gesamten Romans an: Die Kapitel sind in paralleler Bauart als idyllische Einheiten konzipiert, die jeweils mit einer Katastrophe abschließen. Der gesamte Roman ist so auf die spannungsreiche Dialektik von Idylle und Katastrophe gestellt. Die Idylle ist freilich jeweils eine von der bösen Art, eine unheimliche Scheinidylle, am ehesten vergleichbar mit dem unheimlich ruhigen Auge des Taifuns. Und das idyllische Moment wiederum ist doppelt gerechtfertigt, durch die geographische Situation und die spezifische Perspektive auf den Krieg. Die Handlung spielt meist, bis gegen Kapitelende, im ruhigeren Etappenabschnitt nicht weit hinter der Front. Und gemäß der zitierten Meinung der Brückenwirtin über den Krieg der Männer und gemäß der Gesamtperspektive des Romans, die den Krieg als chaotisch zerstörende und mörderische Veranstaltung der Banalität, Absurdität und Langeweile erscheinen läßt, ist die jeweils zunächst vorhandene Scheinidyllik Ausdruck des totalen ennuy, der vollkommenen nausée, jener Stumpfheit, Öde und Sinnlosigkeit militärischen und kriegerischen Daseins, das Böll auch in anderen Erzählungen und Romanen immer wieder herausstellt. Am Schluß dringt jeweils in diese Pseudoidyllen die eigentlich mörderische und brutale Gewalt des Krieges und der Zerstörung ein, wiederum vielfach provoziert durch Zufälle und Mißverständnisse, wie am Ende des Kapitels III, in dem es zur vollkommenen Zerstörung eines Frontlazaretts nach einer Zeit relativer Ruhe nur deshalb kommt, weil einer vom Lazarettpersonal versehentlich auf einen vorher dort schon lange bemerkten Blindgänger tritt, was die russischen Panzer auf der anderen Seite irrtümlich für einen Angriffsakt halten. Daraufhin schießen sie das Notlazarett in Grund und Boden, trotz der von dort gezeigten weißen Fahnen.[6]

Bölls trügerische Idyllen in diesem Roman, die sich schon während der ruhigen Phase jeweils als prekär, gefährdet oder verlogen darstellen, bevor sie zerfetzt werden, erweisen sich als das, was Jens Tismar als „gestörte Idyllen"[7] bezeichnet hat, entsprechend seiner Auffassung, daß schon von der nachklassischen Periode an und natürlich erst recht in der Moderne und Gegenwart unserer deutschen Literatur die Idylle das Bewußtsein ihrer eigenen Gefährdung oder gar Unmöglichkeit, das Bewußtsein des fundamentalen Schöpfungsrisses in sich trägt und mit sich führt, daß also Idylle, wenn überhaupt, nur noch als gestörte möglich und glaubwürdig ist.

Möglicherweise ist das Bewußtsein dieser Problematik so alt wie die Idylle selbst; vielleicht ist schon die Idylle Theokrits eine Art Gegenbeschwörung gegen die unidyllische Weltstadtrealität Alexandrias, wo er seine Hirtendichtungen schrieb. Ganz bestimmt aber hatten dieses Gefährdungsbewußtsein schon unsere beiden Weimarer Theoretiker und Praktiker der Idylle. Schiller verpflichtet in *Über naive und sentimentalische Dichtung* die Idylle, durch das Problembewußtsein gegenüber ihrer Gegenwart hindurch, „vorwärts nach Elysium", praktisch vorwärts zur Utopie. Und Goethe komponiert den Schöpfungsriß bewußt und konstitutiv ins Herz seiner epischen Idylle *Hermann und Dorothea* hinein in Gestalt der Französischen Revolution, die einen Strom von verzweifelten, durch den Krieg verarmten Flüchtlingen in die ruhige Heimat Hermanns spült, unter ihnen Dorothea, die sozusagen seine Kriegsbraut und dann seine Frau wird. Auch in *Hermann und Dorothea* also ganz zentral jene prinzipielle Dialektik von Idylle und Zerstörung und das Bewußtsein von der prekären Relativität der Ruhe und des Friedens. Diese Dialektik von Idylle und kriegerischem Chaos läßt abermals die erstaunliche Parallelität zwischen Bölls Roman und Goethes Epos in den Blick treten, erstaunlich eben deshalb, weil es so schwer fällt, an bewußt gesuchte Parallelen zu glauben. Freilich muß man auch sehen, daß Goethe und Böll diese Dialektik total verschieden auffangen und auflösen, Goethe in der erweitert behaupteten und neu erstrittenen Festigkeit bürgerlicher Ordnung, Böll in der vollkommenen Katastrophe noch am Rand des Friedens, wie am Schluß des Romans, wo Feinhals sozusagen in der letzten Kriegsminute von einer total sinnlosen letzten deutschen Verteidigungsgranate – ein wenig zu opernhaft effektvoll – auf den Stufen des Elternhauses getötet und vom Tuch der weißen Kapitulationsfahne zugedeckt wird wie ein von Delacroix gemalter Held.[8] Die Schlußkatastrophe des gesamten Romans und jeweils der Einzelkapitel ist bei Böll unweigerlich vorgegeben durch die zentrale Perspektive einer totalen und unausweichlichen existentiellen Absurdität des Geschehens Krieg. Der Roman ist so ein neunfaches Lehrstück auf die Unmöglichkeit wahrer Idylle, der Liebe und des Friedens dort, wo Waffen die Logik des Geschehens und das Bewußtsein bestimmen.

Zur chaotischen Absurdität jener Krankheit zum Tode, als die in Bölls Roman der Krieg erscheint, gehört das verrückte Phänomen, daß noch in der Sphäre äußerster Sinnlosigkeit und des vollkommen verwirklichten Chaos sozusagen schichtenspezifisch gelebt und gestorben wird. Die Klassenstruktur einer kapitalistischen Gesellschaft übersetzt sich problemlos in die Schichtenhierarchie der militärischen Ränge. So verläßt, in Kapitel III, der „Chef" als erster sein Notlazarett beim Heranrücken der gegnerischen Panzer, mit seiner schönen Frau und seinem Wagen, der vollgepackt ist mit den kostbarsten Vorräten, während die Schwerverwundeten hilflos im Lazarett zurückbleiben.[9] Zum einen erweist sich hier, daß Bölls Gesellschafts- und Kapitalismuskritik, die im Zusammenhang mit der Baader-Meinhof-Affäre so viel Aufsehen erregte,[10] keine spätere Entwicklung ist, sondern in seinem Werk von früh an angelegt erscheint und für Böll sich von Anfang an ergab als notwendige Konsequenz des Krieges und des Nationalsozialismus, als Teil der notwendigen Trauer und Buße, zum Teil von ihm selbst auch erklärt als ein Stück Familienerbe. Zum anderen ergibt sich, daß mit dieser Schichten- und Ranghierarchie der Krieg keineswegs „normaler", geregelter oder geordneter erscheint, im Gegenteil: dieses Moment dient nur zur Verstärkung der chaotischen Absurdität; es läßt die Banalität des totalen Chaos nur noch unsinniger, schauriger, grotesker und kompletter erscheinen und zugleich in Bölls Roman jenen oft beachteten Charakterzug des Deutschen satirisch hervortreten, der mit Vorliebe das Sinnlose und Grausame, Tod und Zerstörung aufs perfekteste administriert. „Der Tod ist ein Meister aus Deutschland." Beispiel dafür ist jener KZ-Kommandant Filskeit in Kapitel VII mit seinen Vorlieben für die Tötung von Juden, für den Rassegedanken, den Chorgesang und ein harmonisches Familienleben. Er plant, die neuangekommene Jüdin Ilona in seinen Lagerchor aus Häftlingen, die von der Vergasung vorerst ausgenommen sind, aufzunehmen. Als sie aber beim Probesingen mit katholischen Litaneien und liturgischen Gesängen Tiefenschichten in dem Gemütsmenschen Filskeit aufrührt, erschießt er sie eigenhändig, woraufhin der gesamte Lagerchor und danach alle Häftlinge niedergemacht werden[11] – die charakteristische Katastrophe nach der bösen Idylle um den Musikliebhaber. 1951 war übrigens der musisch sich veredelnde Nazi-Massenmörder noch nicht derart zum klischierten Topos verfestigt, wie das in den Jahrzehnten danach geschah. – Die strukturellen Ungleichheiten und Ungerechtigkeiten einer bürgerlichen und kapitalistischen Gesellschafts- und Wirtschaftsordnung zeigt der Roman noch in der höllischen Sinnlosigkeit des Krieges als voll intakt, sozusagen als das bis zuletzt Resistente, der Zerstörung Widerstehende, womit die Benachteiligung des einfachen Mannes und Soldaten noch unter diesen schlimmsten Bedingungen evident wird, womit aber zugleich auch dieses gesellschaftliche Gesamtsystem als komplett absurd und legitimationslos erscheint. Dieses sozialistisch orientierte Moment ist also bei Böll früh vorhanden, in ideell und zeitlich nicht allzu großer Entfernung von der Barmer Erklärung der evangelischen Kirche, vom Ahlener Programm der CDU und der Neukonzeption des Grundgesetzes der Bundesrepublik.

Noch in den Notlazaretten an der Front wird die Absurdität einer Klassengesellschaft und eines Rängemilitärs evident, wenn der am Kopf verwundete Oberst Bressen „Sekt – kühlen Sekt" in rhythmischen Intervallen verlangt im Wechsel mit dem rhythmisch geäußerten Wunsch „eine Frau – eine kleine Frau", wobei der Verdacht besteht, daß er das Trauma simuliert. Er verlangt damit nach Dingen, die unter damaligen Bedingungen typisch schichtenspezifisch vor allem den oberen Rängen und Klassen, den Kasinorängen, vorbehalten waren, daher läßt Böll die neben Bressen im Lazarett liegenden Soldaten niedrigen Ranges auch sehr drastisch gegen die lauten Phantasien des Obersten reagieren.[12] Böll läßt in diesem Roman keinen Zweifel daran, daß die zerstörerische Absurdität der Kriegsszenerie und die strukturelle Ungerechtigkeit einer auf Ungleichheit und Profit basierenden Gesellschaft unmittelbar zusammengehören, daß die erste von der zweiten produziert wird. Die in bestimmten Intervallen herausgestoßenen Phantasien des verwundeten Obersten Bressen sind Teil eines auffallenden Konstruktionssystems, zu dem eine ganze Reihe ähnlicher Elemente gehören. So das wiederholt registrierte Phänomen, daß der gleichfalls schwer kopfverletzte Haupt-

HEINRICH BÖLL: WO WARST DU, ADAM? (1951)

279

mann Bauer in rhythmischen Intervallen, die präzise in Sekunden angegeben werden, das Wort „Bjeljogorsche" phantasiert, einen slawischen Ortsnamen, der den Platz eines schweren Gefechts bezeichnet.[13] Die beiden Beispiele sind Indizien für die Tatsache, daß der gesamte Roman von Repetitionsstrukturen durchsetzt ist, durchzogen von Fäden und Netzen immer wiederkehrender Parolen, Leitvokabeln und Leitmotive, und zwar solcher, die das gesamte Kriegsgeschehen und darüberhinaus das Leben in dieser Zeit als ödes Sich-Reproduzieren der immer gleichen Vergeblichkeit und Absurdität erscheinen lassen, als Netzwerk des Stumpfsinns und mörderischer Langeweile, auch der totalen Verwundung der Zeit. Gleich im ersten Kapitel wird dieses Strukturmerkmal deklariert, wenn Feinhals und ein anderer Soldat in der vordersten Frontlinie sich über die ausgegebene Parole zu verständigen suchen: „'Kennst du die Parole?' 'Nein.' 'Sieg. Parole: Sieg.' Und er hatte leise wiederholt: 'Sieg, Parole Sieg', und das Wort schmeckte wie lauwarmes Wasser auf der Zunge."[14] Diese Parolen- und Stichwort-Netzwerke werden zum Indiz dafür, wie in Gesellschaften, die Krieg produzieren und führen, das Wort entwertet wird und degeneriert zur Parole, zum Befehl und Kommando, zum Code- und Kennwort für Eingeweihte, höchstens noch dazu gut, andere sinnlos in den Tod zu schicken, nicht einmal mehr fähig, die Sinnlosigkeit verbaler Kommunikation unter solchen Bedingungen auch nur zu kaschieren. Diese ineinander verschlungenen Parolenketten – die auch die weiteren Romane Bölls zumindest bis zu Billard um halbzehn meist in gesellschaftskritischer Orientierung durchsetzen – lassen das Gesamtgeschehen des Romans zunehmend als Ritual und Litanei erscheinen, als Repetition des ewig gleichen Sinnlosen, als Litanei des sinnlosen Lebens und Sterbens, des Tötens und Getötetwerdens, in genauer komplementärer Entsprechung zu der Tatsache, daß der Lagerkommandant Filskeit das einzig wahre und heilsorientierte Beispiel von Litanei, die katholischen Kirchengesänge der Jüdin Ilona, nicht aushält und zum Anlaß der Ermordung aller Häftlinge nimmt. Auch sichtbare Vorgänge und Geschehenspartikel erhalten diese Ritual- und Litaneien-Struktur, so etwa das absurde Schicksal der Brücke von Berczaba, die im Krieg gesprengt, später dann wiederaufgebaut und am Tage ihrer erneuten Vollendung wieder in die Luft gesprengt wird, als Sinnbild dessen, daß im Krieg nicht nur Menschen, sondern auch die Materialien dem gleichen sinnlosen Prozeß und Verschleiß ausgesetzt sind, wobei eben oft genug beides einander gleich geachtet wird. Als Ritual erlebt der Soldat Greck auch, wie auf dem Marktplatz einer ungarischen Stadt eine Händlerin nach Ende der Marktzeit ihren Stapel Aprikosen scheinbar über Stunden hinweg wieder einpackt: „Bei den Aprikosen ging es langsamer, sehr langsam: es war eine Frau, einzig allein eine Frau, die die Früchte einzeln anfaßte und vorsichtig in die Körbe legte. „Später, nachdem Greck auf der Schiffsschaukel des Marktes war, bemerkt er: „Links von ihm packte die Frau sorgfältig ihre Aprikosen ein; ihr Stapel schien nie abzunehmen." Aus dem Restaurant, in das er später geht, sieht er: „Die Frau mit den Aprikosen war jetzt bald fertig", und noch etwas später: „Der Aprikosenflecken draußen auf dem Markt war weg."[15] Hier ein Ritual des Lebens, eine Litanei des Bewahrens, die überdies exemplarisch anzeigt, daß die Vorgänge und Geschehensabläufe in diesem Roman eine auffallende Neigung zum Pantomimischen, zum lautlosen und stummen Ablauf haben. Aus der Perspektive derjenigen Figuren, vor denen solche Vorgänge ablaufen, haben sie Stummfilm-Charakter. Vorgang und beobachtende Figur sind wie durch eine schallschluckende Panzerglaswand voneinander getrennt, wie um anzuzeigen, daß in der absurden Szenerie des Krieges Teilhabe und Teilnahme, Kommunikation in fast jeder menschlichen Form unmöglich, daß totale Isolation aller von allen und allem Grundgesetz dieser sinnlosen Existenzform ist. Identifikation mit diesem Geschehen ist nicht möglich, man erlebt und erleidet es als Stummfilm, während man wie der Soldat Greck im Innern ganz woanders ist, in Gedanken zuhause, in der Kindheit.

Solche Details deuten an, wie der Roman, meist aus der Perspektive des gelangweilten, übermüdeten und angeekelten Soldaten, Vorgänge überwiegend optisch vor uns hinstellt. Gleich die ersten Worte des Romananfangs, eine Truppenmusterung aus der Perspektive eines der Gemusterten darstellend, demonstriert diese Dominanz des Optischen, das Sehen durch die Glaswand des ennuy: „Zuerst ging ein großes, gelbes, tragisches Gesicht an ihnen vorbei, das war der General. Der General sah müde aus. Hastig trug er seinen Kopf mit den bläulichen Tränensäkken, den gelben Malariaaugen und dem schlaffen, dünnlippigen Mund eines Mannes, der Pech hat, an den tausend Männern vorbei."[16] Auch der zeitliche Ablauf des Geschehens wird vielfach ins räumliche und damit ins Optische übersetzt. Beim Gang durch ein ungarisches Mädchengymnasium, das als Lazarett dient, wird das an Klassenfotos demonstriert, die in den Fluren hängen: „Im ganzen gesehen sah dieser Flur voller Mädchenbilder eintönig aus: sie sahen alle aus, diese Mädchen, wie Schmetterlinge mit etwas dunkleren Köpfen, präpariert und in großen Rahmen gesammelt. Es schienen immer dieselben zu sein, nur das große dunkle Mittelstück wechselte hin und wieder. Es wechselte 1932, 1940 und 1944. Ganz oben links am Ende des dritten Aufgangs hing noch der Jahrgang 1944, Mädchen in steifen, weißen Blusen, lächelnd und unglücklich, und in ihrer Mitte eine dunkle, ältere Dame, die ebenfalls lächelte und ebenfalls unglücklich zu sein schien."[17] Geschichte und Zeitgeschehen erscheinen optisch und werden räumlich. Diese Verräumlichung der Zeit ist als Signum des modernen Erzählens immer wieder beobachtet, beschrieben und gedeutet worden, in Romanen von Proust, Joyce, Thomas Mann, Virginia Woolf und auch in anderen Romanen Bölls; in manchen Beispielen wird sie gleichfalls von einem Geflecht der Leitmotive und Parolen zusätzlich gestützt, das – wie Thomas Mann sagt – das „Nunc stans" des Zeitlichen gegenüber dem Wechsel im Räumlichen sichtbar machen soll.

In *Wo warst du, Adam?* prägt dieses Moment über die Schauplatz-Konzeption den ganzen Roman. Er spielt an der Ostfront, in deren südlichem Abschnitt, das heißt auf dem Balkan. Von Kapitel zu Kapitel verlagert sich nun das Geschehen nach Westen, bis es am Schluß im rheinischen Heimatdorf von Feinhals und in den letzten Zeilen auf den Stufen seines Elternhauses angelangt ist. Das bedeutet nichts anderes, als daß ein historisch beherrschender Prozeß, nämlich der Niedergang des Dritten Reiches, das Schwinden der Macht und des Einflußgebietes der Nazis, optisch sinnfällig gemacht wird am unaufhaltbaren Westwärtsrücken der Ostfront und damit der Romanschauplätze, bis die Katastrophe am Schluß die

Herz- und Kernzone erreicht hat. Ein Reich schwindet. Und im kontinuierlichen Westwärtsrücken der Szene wird Kapitel für Kapitel die historische Niederlage des Hitler-Regimes erfahrbar.

So wie im Gesamtprozeß des Romans sich die räumliche Perspektive stetig verengt von der weiten Ferne des Balkans bis hin zum Heimatdorf, dem Elternhaus Feinhals' und der Türschwelle, leben auch die einzelnen Erzähleinheiten in vielen Fällen von der Verengung der Perspektive. Ein anfänglich gegebener Ausschnitt, der etwa in historischen Rückblicken bis zum Panorama erweitert werden kann, ein solcher Ausschnitt als idyllischer Raum verengt sich zusehends zur Schlußkatastrophe, die unter Ausblendung alles Umgebenden im Nahblick gegeben wird. Charakteristisches Beispiel ist auch hier das Kapitel VIII über die Schicksale der Brücke von Berczaba.

Insgesamt ergibt sich aus der stetigen Verlagerung des Schauplatzes und aus der jeweils wechselnden Dominanz der Figuren, die von Kapitel zu Kapitel unterschiedlich als Haupt- oder Nebenpersonen auftreten können, eine kunstvolle Polyperspektivik. Wie von Spiegeln umstellt, werden die Vorgänge vielfach reflektiert. Diesem Spiegelkreis entspricht die rondoähnliche Anordnung der wechselnden Personenkonstellationen, die, wie angedeutet, Ähnlichkeit mit dem Konfigurationsschema in Schnitzlers *Reigen* hat. Gerade im Zusammenhang mit einer solchen Choreographie des Personals ergeben sich immer wieder Vergleiche mit der Pantomime, einem grotesk-abstrakten Ballett oder grausig lächerlichen Stummfilmszenen. Den Schrecken des Themas entsprechend aber gibt sich die formale Struktur des Romans am ehesten als Totentanz zu erkennen – der Krieg als Knochenmann, der am Ende jeder idyllischen Erzähleinheit nach seinen Opfern greift, ganz am Schluß auch nach der Leitfigur Feinhals. Was in den Darstellungen des Mittelalters freilich deutlich seine religiöse Sinngebung demonstriert, ist in diesem Roman von 1951 nicht mit der gleichen Bestimmtheit deutbar. Man könnte erschließen, daß die Pseudo-Regisseure dieses Totentanzes, höhere Notwendigkeiten vortäuschend, im Dunkeln, im Hintergrund bleiben und andere für sich und ihre Interessen bluten lassen, daß sie aber schließlich selbst jenem Mechanismus, dessen Kontrolle ihnen allmählich entgleitet, zum Opfer fallen werden. An wenigen Stellen deutet der Roman versteckt oder indirekt an, daß es jenseits allen menschlichen Könnens einen Herrn dieses Totentanzes gibt: im Haeckerschen Motto, in dem der Mensch seinen Sündenfall Krieg als Alibi vor diesem Herrn benutzt, und im zentralen fünften Kapitel bei der Begegnung zwischen Feinhals und Ilona, wo es immer wieder darum geht, mit dieser Liebe zwischen einem deutschen Soldaten und einer katholischen ungarischen Jüdin „Gott eine Chance zu geben"[18], die dieser schwache Gott freilich nicht nutzt, wahrscheinlich aus Ohnmacht nicht. An ihn zu glauben, wäre hier nur möglich als äußerste Zuspitzung des „credo quia absurdum", womit sogar noch dieser religiöse Bereich in den chaotischen Kosmos des Absurden bei diesem Roman mit einbezogen wird.

Wie sehr dieser Roman Totentanz ist in dem fast mittelalterlichen Sinne, daß dem Tod eine genau zugemessene Macht über die Menschen eingeräumt wird, zeigt die zentrale Erkenntnis des Kapitels V: „das einzige, was wirklich Macht über sie hatte, war der Tod."[19] Auch der bibelnahe Titel nach den Aufzeichnungen eines Theologen weist in diese Richtung. So wie die Totentänze des Mittelalters auch als allegorische Reaktion auf die Erfahrungen des Krieges und der Pest, der Seuchen zu lesen sind, so wird der Böllsche Totentanz von 1951 mit dem zweiten Motto, dem von Saint-Exupéry, im Roman selbst gedeutet als Folge der Krankheit Krieg, der eine Seuche ist „wie der Typhus", ähnlich wie in einem anderen großen literarischen Zeugnis des europäischen Existentialismus vier Jahre vorher von Camus Krieg und Gewalt als *Die Pest* kenntlich gemacht werden. In solchen Büchern, zu denen noch Hermann Kasacks *Die Stadt hinter dem Strom* von 1947 zu zählen ist, haben wir die Totentänze unserer Jahrhundertmitte. Und wie es solchen Zeichensystemen zukommt, sind sie deutbar nach rückwärts als Archive historischer Erfahrungen und nach vorwärts in die Zukunft als Tafeln der Warnung. Es wäre gut, sie heute als ein *memento vivere in pace* zu lesen.[20]

Anmerkungen

Zitiert wird nach der Taschenbuch-Ausgabe des Romans: Heinrich Böll: *Wo warst du, Adam? Roman.* (Frankfurt/Main — Berlin: Ullstein, 1962. = Ullstein-Tb. Nr. 84) Zitiert als WwdA.

1 WwdA, S. 7.
2 WwdA, S. 120.
3 WwdA, S. 5.
4 WwdA, S. 5.
5 1. Mose 3, 9f.
6 WwdA, S. 49.
7 Jens Tismar: *Gestörte Idyllen. Über Jean Paul, Adalbert Stifter u. Thomas Bernhard. München* (Hanser) 1973.
8 WwdA, S. 154f.
9 WwdA, S. 39.
10 Heinrich Böll: *Freies Geleit für Ulrike Meinhof.* s. unter Anmerkung 20.
11 WwdA, S. 112f.
12 WwdA, S. 16.
13 WwdA, S. 28 u. passim.
14 WwdA, S. 13f.
15 WwdA, S. 50ff.
16 WwdA, S. 7.
17 WwdA, S. 66f.
18 WwdA, S. 77 u. 79.
19 WwdA, S. 77.
20 Konsultierte Sekundärliteratur:

Hans Joachim Bernhard: *Die Romane Heinrich Bölls. Gesellschaftskritik und Gemeinschaftsutopie.* Berlin (Ost) (Rütten & Loening) 1970
Hanno Beth (Hrsg.): *Heinrich Böll. Eine Einführung in das Gesamtwerk in Einzelinterpretationen.* Kronberg (Scriptor) 1975. Darin: Bernd Balzer: „Humanität als ästhetisches Prinzip — Die Romane Heinrich Bölls." S. 1-27

Heinrich Böll: *Freies Geleit für Ulrike Meinhof. Ein Artikel und seine Folgen.* Zusammengestellt von Frank Grützbach. Köln (Kiepenheuer & Witsch) 1972 = pocket 36

Klaus Jeziorkowski: „Wo warst du, Adam?" Artikel in: *Kindlers Literatur Lexikon.* Band 24: Nachträge. München (dtv) 1974. S. 11081.

Manfred Jürgensen (Hrsg.): Böll. Untersuchungen zum Werk. *Bern – München (Francke) 1975 = Queensland Studies in German Language and Literature* Bd. V

Werner Lengning (Hrsg.): *Der Schriftsteller Heinrich Böll. Ein biographisch-bibliographischer Abriß.* 5., überarb. Aufl. München (dtv) 1977

Werner Martin (Hrsg.): *Heinrich Böll. Eine Bibliographie seiner Werke.* Hildesheim – New York (Georg Holms) 1975

Marcel Reich-Ranicki (Hrsg.): *In Sachen Böll. Ansichten und Aussichten.* Köln – Berlin (Kiepenheuer & Witsch) 1968

Wilhelm Johannes Schwarz: *Der Erzähler Heinrich Böll. Seine Werke und Gestalten.* Bern – München (Francke) 1967

Hermann Stresau: *Heinrich Böll.* Berlin (Colloquium Verlag) 1964 = Köpfe des XX. Jahrhunderts Bd. 35

Text + Kritik. Heft 33: *Heinrich Böll.* München 1972

Günter Wirth: *Heinrich Böll. Essayistische Studie über religiöse und gesellschaftliche Motive im Prosawerk des Dichters.* Berlin (Ost) (Union Verlag) 1967

284

NORBERT ALTENHOFER

Wolfgang Koeppen: *Tauben im Gras* (1951)

Als einen „Roman, der Epoche macht",[1] begrüßte Karl Korn Koeppens im Herbst 1951 erschienene *Tauben im Gras*. Korn stand mit seinem Urteil nicht allein. Was von ihm und seinen Zeitgenossen als epochemachend empfunden wurde, läßt sich an den Titeln der 1951 und 1952 veröffentlichten Besprechungen ablesen: „Griff in die Gegenwart" (Hans Georg Brenner), „Ein dichterischer Zeitroman" (Wolfgang von Einsiedel), „Ein Roman aus unseren Tagen" (Axel Kaun), „Viele Geschicke weben neben dem meinen" (Gerhard F. Hering), „Neue Hoffnung für den Gegenwartsroman" (Walter Schürenberg), „Ein Dichter schreibt Zeitgeschichte" (Heinz Schöffler).[2] Daß ein Autor „in die Gegenwart griff", ließ schon aufhorchen; zum Ereignis wurde dies aber erst dadurch, daß „ein Dichter" es tat, dessen Beschwörung vieler nebeneinander existierender „Geschicke", wie G.F. Hering andeutet, zumindest von ferne an die poetische Welt eines Hugo von Hofmannsthal gemahnen konnte. Koeppen selbst, der kein literarischer Debütant war, sich allerdings nach der Publikation zweier Romane in den Jahren 1934 und 1935 aus dem literarischen Leben zurückgezogen hatte, sah sich eher als Nachgeborenen einer internationalen Tradition, die von anderer Art sei, „als unsere Traditionalisten sie sich vorstellen" und vor deren Hintergrund *Tauben im Gras* der Charakter eines „aufgestauten, eines zu spät verwirklichten Stilexperimentes"[3] zugesprochen werden müsse. Zwölf Jahre Nationalsozialismus und sechs Jahre literarischer „Kahlschlags"-Ideologie hatten genügend Überlieferung ausgelöscht, um dieses „Stilexperiment", das eigentlich nur Fortführung einer im Vormärz begründeten und im ersten Drittel des zwanzigsten Jahrhunderts zur Vorherrschaft gelangten Tradition des politisch-ästhetischen Avantgardismus war, deutschem Lesepublikum als einsame, epochemachende Tat erscheinen zu lassen.

„Gegenwart" bedeutete bei Koeppen in der Tat etwas anderes als im „Gegenwartsroman" der ersten sechs Nachkriegsjahre. *Tauben im Gras* war keine Parabel auf die moderne Welt der Technik und der Totalitarismen wie Kasacks *Die Stadt hinter dem Strom* (1946), Jüngers *Heliopolis* (1949), Andres' *Die Sintflut* (1949) und *Die Arche* (1951), Jens' *Nein – Die Welt der Angeklagten* (1950); keine Darstellung des Nationalsozialismus und seiner Vorgeschichte wie Anna Seghers' *Die Toten bleiben jung* (1949), von Salomons *Der Fragebogen* (1951), Richters *Sie fielen aus Gottes Hand* (1947) oder – in anderer Weise – auch Thomas Manns *Doktor Faustus* (1947); kein Kriegsroman wie Richters *Die Geschlagenen* (1949), Bölls *Wo warst du, Adam?* (1951); kein Heimkehrerroman wie Wiecherts *Missa sine nomine* (1950), Elisabeth Langgässers *Märkische Argonautenfahrt* (1950) oder Gerd Gaisers *Eine Stimme hebt an* (1950), sondern das erste epische Panorama der westdeutschen Restauration vor der Kulisse des kalten Krieges.

Als erster Romancier blieb Koeppen der Gegenwart so dicht auf der Spur, daß die Zeit der Niederschrift mit der des Romangeschehens zusammenfiel und die

Leser von der Gegenwart des Erzählers nur durch den Zeitraum getrennt waren, dessen es zur Drucklegung des Buches bedurfte. Unter inhaltlichen Aspekten hätte der Roman einem literarischen Genre zugeschlagen werden können, dem nach weitgehendem Konsens deutscher Literaturkritik (und Literaturgeschichtsschreibung) der Makel der Vordergründigkeit anhaftete: „Zeitgebundenen" Werken dieses Schlages war es vorbestimmt, schon der nächsten Lesergeneration aus den gleichen Gründen historisch überholt und ästhetisch obsolet zu erscheinen, aus denen sie sich den Zeitgenossen als aktueller und kühner künstlerischer Wurf präsentiert hatten.

Es ist nicht zu übersehen, daß Koeppen diesem Schicksal seines Werkes mit einer literarischen Strategie entgegenzuarbeiten suchte, die zumindest bei der Mehrzahl der Rezensenten als Anerkennung der d i c h t e r i s c h e n Leistung des Autors zu Buche schlug. Diesen Rang eines Klassikers der Nachkriegsliteratur hat der Roman im öffentlichen Bewußtsein behaupten können. Aus heutiger Sicht tritt seine Zeitgebundenheit jedoch weniger im Inhaltlichen, in seiner faktenbezogenen Aktualität also, zutage als in den formalen Gestaltungsmomenten, die von der Kritik der fünfziger Jahre als zeitlos-dichterisch gewertet wurden.

Bei näherem Zusehen ist Koeppens erzählerischer Umgang mit der Gegenwart weniger von einer politischen als einer existentialen Zeiterfahrung bestimmt. Schon der Kunstgriff, mit dem er, Anfangs- und Schlußsequenz verknüpfend, das im Präteritum berichtete epische Geschehen in die Gegenwart des Lesers überleitet, läßt diesen zum unmittelbar Betroffenen werden.[4] Die Fluchtdistanz, die er ihm mit der Vergangenheitsform der ersten Sätze noch einräumt – „Flieger waren über der Stadt, unheilkündende Vögel" (7) –, ist am Ende von der erzählten Zeit aufgezehrt; die Bedrohung hat den Leser eingeholt: „Am Himmel summen die Flieger. Noch schweigen die Sirenen" (270). Dieser Zusammenfall der epischen und realen Gegenwart löst noch eine andere Art der Zeiterfahrung aus als die der bloßen Aktualität: Angst. Schon der erste Abschnitt führt in mehrfacher Variation dieses Stichwort ein:

> Das Frühjahr war kalt. Das Neueste wärmte nicht. SPANNUNG, KONFLIKT, man lebte im Spannungsfeld, östliche Welt, westliche Welt, man lebte an der Nahtstelle, vielleicht an der Bruchstelle, die Zeit war kostbar, sie war eine Atempause auf dem Schlachtfeld, und man hatte noch nicht richtig Atem geholt [. . .]. Das Zeitungspapier roch nach heißgelaufenen Maschinen, nach Unglücksbotschaften, gewaltsamem Tod, falschen Urteilen, zynischen Bankrotten, nach Lüge, Ketten und Schmutz. Die Blätter klebten verschmiert aneinander, als näßten sie Angst. (8)

Dem korrespondieren die Schlußpassagen des Romans:

> Die Schlagzeilen standen, die Ratlosigkeit der Staatenlenker, die Bestürzung der Gelehrten, die Angst der Menschheit, die Glaubenslosigkeit der Theologen, die Berichte von den Taten der Verzweifelten waren vervielfältigungsbereit [. . .]. BEDROHUNG, VERSCHÄRFUNG, KONFLIKT, SPANNUNG. Komm-du-nun-sanfter-Schlummer. Doch niemand entflieht seiner Welt. Der

Traum ist schwer und unruhig. Deutschland lebt im Spannungsfeld, östliche
Welt, westliche Welt, zerbrochene Welt, zwei Welthälften, einander feind
und fremd, Deutschland lebt an der Nahtstelle, an der Bruchstelle, die Zeit
ist kostbar, sie ist eine Spanne nur, eine karge Spanne, vertan, eine Sekunde
zum Atem holen, Atempause auf einem verdammten Schlachtfeld. (270)

Die vom Erzähler vergegenwärtigte Zeit und die reale Zeit des Lesers sollen darin
identisch werden, daß beide als Atempause zwischen den Schlachten, im Modus
der Angst, erfahren werden. ‚*Tauben im Gras*‘ ist eine „Studie über die Angst"
nicht nur, weil die Figuren des Romans nahezu ausnahmslos an der „schrecklichen Krankheit des Jahrhunderts"[5] leiden und ihre Beziehungen untereinander
von ihr bestimmt werden, sondern weil der Erzählduktus selbst diese Erfahrung
nachzubilden sucht. In der Spanne zwischen zwei Katastrophen ist kein Raum für
eine Geschichte mit Anfang und Ende, in einer Atempause geht dem langen epischen Atem des traditionellen Erzählers die Luft aus. Sein Redefluß wird in eine
Folge disparater, simultan zu denkender Segmente zerlegt und auf verschiedene
Stimmen verteilt, deren innere Monologe und erlebte Reden sich jedoch wieder zu
einem „atemlosen", gehetzten erzählerischen Staccato vereinigen.

Obwohl der Text eine Fülle historisch-politischer und lebensgeschichtlicher Daten enthält, die eine Anamnese der individuellen wie der kollektiven Angst erlauben, wächst dieser im Ganzen des Werks der Status eines Existentials zu. Koeppen
folgt zeitgenössischen Philosophemen nicht nur darin, daß er Angst als eine Befindlichkeit auffaßt, die das Dasein vereinzelt: Die Einsamkeit seiner Gestalten
ist grenzenlos. Auch die wenigen Szenen des Glücks, die er als Erzähler zuläßt,
entwirft er als Akte der Befreiung, des Sich-selbst-Wählens aus dieser Erfahrung
der Vereinzelung heraus. Die Entscheidung des Obermusikmeisters der deutschen
Wehrmacht Behrend für das Tschechenmädchen Vlasta und seine Rettung durch
sie, Carlas Absage an den quälenden Traum von der „faulen Glückseligkeit" (210)
eines Lebens in Amerika und ihr „Glaube" an die Liebe des Negers Washington,
die Suche der Prostituierten Susanne nach ihrem von der Polizei verfolgten
schwarzen Odysseus und ihre ekstatische Vereinigung mit ihm: Sie alle sind vom
Erzähler gesetzte, nicht psychologisch vorbereitete spontane Handlungen „gegen
die Welt" (241). Daß die Motivation solcher Akte nicht mehr erzählerisch vermittelt werden kann und jeder Versuch einer Darstellung in Deklamation und Interpretation abgleiten muß, ist nicht nur Koeppen selbst, sondern auch der Kritik
entgangen; der ideologische Raster, der Szenen wie der Versöhnung Carlas mit ihrem schwarzen Freund zugrundelag, war zu zeitgemäß, als daß die Trivialität und
Unglaubwürdigkeit solcher Passagen hätte bemerkt werden können:

Was hielt ihn zurück? Warum nahm er nicht seine Mütze? Warum ging er
nicht? Vielleicht war es Trotz. Vielleicht war es Verblendung. Vielleicht
war es Überzeugung, vielleicht Glaube an den Menschen. Washington hörte
was Carla schrie, aber er glaubte ihr nicht. Er wollte das Band, das nun zu
reißen drohte, das Band zwischen Weiß und Schwarz, nicht lösen, er wollte
es fester knüpfen durch ein Kind, er wollte ein Beispiel geben, er glaubte an
die Möglichkeit dieses Beispiels, und vielleicht forderte auch sein Glaube

Märtyrer. Für einen Augenblick dachte er wirklich daran, Carla zu schlagen. Es ist immer die Verzweiflung, die prügeln will, aber sein Glaube überwand die Verzweiflung. Washington nahm Carla in seine Arme. Er hielt sie fest in seinen kräftigen Armen. Carla zappelte in seinen Armen wie ein Fisch in der Hand des Fischers. Washington sagte: „Wir lieben uns doch, warum sollen wir's nicht durchstehen?" (196)

Koeppen läßt Figuren und Situationen nie für sich sprechen; es gibt keinen inneren Monolog und keine erlebte Rede, aus denen nicht deutlich die Stimme des Autors tönte. Aus der Abtretung des individuellen Rederechts an den generalbevollmächtigten Erzähler, die noch als narratives Verfahren betrachtet werden könnte, entwickelt sich dabei eine weitergehende Tendenz, die den epischen Charakter des Werks selbst in Frage stellt: Die Ersetzung des Erzählers durch den Interpreten, der Anschauung durch die Weltanschauung. Im gesamten Roman findet sich kaum ein Bild, dem nicht sogleich die deutende subscriptio folgte. Koeppen erzählt in emblematischen Bild-und-Kommentar-Sequenzen. Die Formel, mit der Walter Jens in seiner Büchner-Preis-Rede Koeppens Temperament charakterisiert – „Melancholie und Moral"[6] – erweist sich auch in erzähltechnischer Hinsicht als treffend: Das Emblem kommt durch seine Doppelstruktur der Disposition des Melancholikers, die Welt als rätselvolles Konglomerat von Bild- und Sinnfragmenten wahrzunehmen, ebensosehr entgegen, wie der Neigung des Moralisten, dem anschaulichen Exempel eine generalisierende Auslegung in praktischer Absicht folgen zu lassen. Allerdings können die gegenläufigen Tendenzen nicht, wie Koeppen dies versucht, zugleich realisiert werden, ohne sich aufzuheben.
　In Titel und Motto des Romans ist diese widersprüchliche Struktur bereits angelegt. Das Bild von den Tauben im Gras erfährt durch die inscriptio, das Motto PIGEONS ON THE GRASS ALAS, eine erste Auslegung. Koeppen begnügt sich jedoch nicht damit, den im Klageruf ALAS angedeuteten Sinn erzählend einzuholen. Er expliziert ihn, indem er dem Romangeschehen Interpretationen (subscriptiones) implantiert, die nur notdürftig episch kaschiert sind. Zunächst dürfen die amerikanischen Lehrerinnen Titel und Motto historisch-politisch auslegen:

Die Lehrerinnen gingen über den großen Platz, eine von Hitler entworfene Anlage, die als Ehrenhain des Nationalsozialismus geplant war. Miss Wescott machte auf die Bedeutung des Platzes aufmerksam. Im Gras hockten Vögel. Miss Burnett dachte „wir verstehen nicht mehr als der Vogel von dem was die Wescott quatscht, die Vögel sind zufällig hier, wir sind zufällig hier, und vielleicht waren auch die Nazis nur zufällig hier, Hitler war ein Zufall, seine Politik war ein grausamer und dummer Zufall, vielleicht ist die Welt ein grausamer und dummer Zufall Gottes, keiner weiß warum wir hier sind, die Vögel werden wieder auffliegen und wir werden weitergehen [. . .]" (202f.)

In Edwins Rede schließlich wird das Zitat im Wortlaut aufgenommen und zum Gegenstand einer philosophisch-theologischen refutatio der Absurditätstheoreme des modernen atheistischen Existentialismus:

> Wie Tauben im Gras, sagte Edwin, die Stein zitierend, [. . .] wie Tauben im
> Gras betrachteten gewisse Zivilisationsgeister die Menschen, indem sie sich
> bemühten, das Sinnlose und scheinbar Zufällige der menschlichen Existenz
> bloßzustellen, den Menschen frei von Gott zu schildern, um ihn dann frei
> im Nichts flattern zu lassen [. . .] (254)

Auch der Bezug zur Szene der Lehrerinnen wird noch einmal explizit gemacht;
der Autor beugt sich über den eigenen Text wie ein Interpret über seine Belege:

> Miß Wescott hörte auf, die Rede mitzuschreiben. Hatte sie, was Edwin jetzt
> sagte, nicht schon einmal vernommen? Waren es nicht ähnliche Gedanken,
> die Miß Burnett auf dem Platz der Nationalsozialisten geäußert hatte, hatte
> nicht auch sie die Menschen mit Tauben oder mit Vögeln verglichen und ihr
> Dasein als zufällig und gefährdet geschildert? Miß Westcott blickte über-
> rascht auf Miß Burnett. War der Gedanke, daß der Mensch sich gefährdet
> und als Objekt des Zufalls empfand, so allgemein, daß ihn der verehrte Dich-
> ter und die viel weniger verehrte Lehramtskollegin fast gleichzeitig äußern
> konnten? (255)

Dieses Verfahren ist exemplarisch für einen Widerspruch, der nicht nur die Konstruktion der Handlung im Ganzen, sondern auch die Präsentation der Figuren im
einzelnen prägt. Der extrem anti-epische Charakter des Erzählens, den Lothar Baier an Koeppens *Der Tod in Rom* konstatiert hat, gilt schon für den ersten Roman
der Trilogie. Auch hier scheint „eine Art Horror vacui [. . .] zu herrschen, eine
Angst vor einem Mangel an Bedeutung; als könnten sich die Dinge ohne den len-
kenden Eingriff des Kommentars allzu selbständig machen und nicht vorgesehene
Bedeutungen annehmen, ist der Erzähler sofort dabei, sie ans Gängelband der Bedeutung zu nehmen, die er ihnen zugedacht hat."[7] Unter den Bedeutungen, die
auf diese Weise vom Erzähler-Interpreten „gesichert" werden, steht das Philoso-
phem von der Sinnlosigkeit des einzelnen Lebens und der Weltgeschichte an erster
Stelle.

Vielleicht erklärt dieser Sachverhalt Koeppens eigenes Unbehagen gegenüber den
„Übertreibungen" des Romans, dem er im Gespräch mit Horst Bienek 1961
Ausdruck verlieh.[8] Das „Stilexperiment" eines disparate Handlungssequenzen
montierenden Erzählens in der Nachfolge von Dos Passos' und Döblins Großstadt-
romanen verträgt sich schlecht mit dem hermeneutischen, den Sinn jedes Details
affirmierenden Gestus existentialistischer Seinsdeutungen, selbst wenn diese sich
mit Gesellschaftskritik und politischem Engagement verbinden. Der Antagonis-
mus dieser Tendenzen kann nicht als produktive Spannung oder ästhetische Ope-
rationalisierung von Widersprüchen aufgefaßt werden; die interpretierende Festlegung und Zentralisierung der Bedeutungen hebt jede Dispersion von „Sinn" auf,
die der entscheidende Gewinn der experimentellen Erzählform war.

Dieses experimentelle Erzählmodell wird nur auf der Ebene der äußeren Organisation der Fabel realisiert. Der Roman ist, wenn man die typographische Segmentierung des Textes zugrundelegt, in 102 Erzählsequenzen unterteilt, die die Ereignisse eines Tages (vom Läuten zur Frühmesse bis Mitternacht) zum Gegenstand

haben. Die Sequenzen stellen zwar zum Teil gleichzeitige Vorgänge dar, lassen sich jedoch zu – jeweils um bestimmte Protagonisten angeordneten – Handlungssträngen gruppieren, innerhalb derer die Chronologie gewahrt bleibt. Die meisten Sequenzen folgen nicht unverbunden aufeinander, sondern sind durch Sach- oder Wortelemente von bewußter Äußerlichkeit verknüpft, die stärker das Disparate als das Verbindende der Segmente akzentuieren. Treffen die Protagonisten parallellaufender Handlungen etwa an einer Kreuzung zufällig aufeinander, wird die Abfolge der Handlungssegmente durch den Rhythmus einer Verkehrsampel geregelt. Koeppen entwirft aber kein äußeres Ordnungssystem, in dem der technischen Regelung des Straßenverkehrs die Bedeutung einer Metapher zugewiesen wird. Häufiger stellt er die Verbindung zweier Sequenzen durch einen rein verbalen Anklang, die Wiederholung eines Stichwortes, her. Diese Techniken folgen keinem methodischen Konzept, außer der Grundregel, daß die Assoziationen dem Gesetz der räumlichen oder zeitlichen Kontinuität gehorchen, also nicht „bedeutungsvoll", nicht symbolisch sind.[9] Koeppen bevorzugt harte Schnitte. Die Verknüpfungen erzeugen durch ihre bewußte Zufälligkeit Irritation: Sie signalisieren einen Sinn, der sich sofort wieder entzieht.

Auf dieser Ebene erreicht der Roman eine Modernität, der sich die meisten thematisch vergleichbaren Nachkriegsromane nicht einmal annähern. Die Konstruktion der Fabel bildet ein Muster transitorischer und fragmentarischer Wahrnehmung nach, das der gesellschaftlichen Realität eines im politischen „Spannungsfeld" sich abspielenden ökonomisch-technischen Booms entspricht. Die Szenerie ist in einem für den deutschen Roman atypischen Ausmaß öffentlich; mit nur wenigen Ausnahmen spielt sich das Geschehen im Hauptstadtverkehr, in Hotels, Clubs und Gaststätten, im Pfandhaus oder in Geschäften, auf Partys oder in Vortragssälen, in Kirchen oder auf Sportplätzen ab. Die Kommunikation ist ubiquitär, aber anonym; Massenmedien wie Presse, Rundfunk und Film, technische Apparaturen wie Mikrofon, Lautsprecher und Telefon spielen eine wesentliche Rolle. Beschreibung, innerer Monolog, erlebte Rede und Erzählerkommentar sind durchsetzt von Schlagzeilen und Reklameslogans. Die Handlungsstränge werden zwar so „enggeführt", daß es „am Ende des Buches keine Romangestalt gibt, die nicht jeder anderen irgendwie begegnet oder zumindest durch gemeinsame 'Bekannte' verbunden wäre"[10], doch wirkt dieses Moment nur noch wie eine ferne ironische Reminiszenz an den integrativen Erzählnexus des traditionellen Romans. Auf dieser Ebene der formalen Organisation nähert sich der Roman der in Titel und Motto bezeichneten Erfahrung – Menschen wie „Tauben im Gras" – mimetisch, ohne Rekurs auf weltanschauliche Interpretationsraster.

Zwei Referenzsysteme liefern die Bedeutungen, mit denen diese offene Struktur aufgefüllt (und damit ihres spezifischen Charakters beraubt) wird: Moral und literarische Bildung. Semantisierung von Handlungselementen und Figuren durch mythische Analogien und literarische Zitate oder Parodien bestimmt das Verfahren vom ersten Satz des Romans an. Mythisches wird hier unter dem Aspekt seiner archaisch-zwanghaften Qualität adaptiert:

> Öl aus den Adern der Erde, Steinöl, Quallenblut, Fett der Saurier, Panzer
> der Echsen, das Grün der Farnwälder, die Riesenschachtelhalme, versunkene
> Natur, Zeit vor dem Menschen, vergrabenes Erbe, von Zwergen bewacht, gei-
> zig, zauberkundig und böse, die Sagen, die Märchen, der Teufelsschatz: er
> wurde ans Licht geholt, er wurde dienstbar gemacht. Was schrieben die Zei-
> tungen? KRIEG UM ÖL, VERSCHÄRFUNGEN IM KONFLIKT DER
> VOLKSWILLE, DAS ÖL DEN EINGEBORENEN, DIE FLOTTE OHNE
> ÖL, ANSCHLAG AUF DIE PIPELINE, TRUPPEN SCHÜTZEN BOHR-
> TÜRME, SCHAH HEIRATET, INTRIGEN UM DEN PFAUENTHRON,
> DIE RUSSEN IM HINTERGRUND, FLUGZEUGTRÄGER IM PERSI-
> SCHEN GOLF. Das Öl hielt die Flieger am Himmel, es hielt die Presse in
> Atem, es ängstigte die Menschen und trieb mit schwächeren Detonationen
> die leichten Motorräder der Zeitungsfahrer. (7)

Germanisch-christliche Mythologeme und Paläontologisches werden mit Technik
und Politik verquickt, so daß Geschichte als Rückkehr archaischer Zwänge, als dä-
monisierter Naturprozeß erscheint. Es bleibt dabei offen, ob die evozierte mythische Verstrickung das Gesetz der geschichtlichen und gesellschaftlichen Realität
selbst bezeichnen soll oder nur die Form, in der diese undurchschaubar gewordene Realität sich dem Bewußtsein aufdrängt. Die Grenze zwischen Affirmation und
Kritik mythischen Denkens ist fließend.

Es wäre durchaus möglich – und die moderne Literatur ist reich an entsprechenden Beispielen – diese Zweideutigkeit zu reflektieren und produktiv werden
zu lassen. Koeppens Umgang mit mythischen Elementen erweckt jedoch eher den
Eindruck der Beliebigkeit. Mythisches wird weder ernstgenommen, noch wird mit
ihm gespielt; es dient in der Regel nur dazu, bestimmten Figuren und Handlungs-
konstellationen eine vage Bedeutsamkeit zu verleihen. So bildet bei der Begegnung
des amerikanischen Kampffliegers Richard Kirsch mit einem deutschen Mädchen
der Ikarus-Mythos das archaische Substrat:

> Richard war zu Fuß gekommen; die Lieblinge der Götter kamen im Auto.
> Richard, sie sah es, war ein einfacher Soldat, wenn auch ein Flieger. Die
> Flieger waren natürlich etwas besseres als die gewöhnlichen Soldaten, der
> Ruhm des Ikarus erhöhte sie, aber die Tochter der Hausbesorgerin wußte
> nichts vom Ikarus. (152)

Richard Kirschs Bezug zu Ikarus wird nicht einsichtig; weder erfüllt er diese mythische Rolle, noch parodiert er sie. Auch für das Bewußtsein des Mädchens ist der
mythologische Zusammenhang irrelevant – sie „weiß nichts vom Ikarus". Das Zitat fungiert als reines Bildungsornament.

Solche Beliebigkeit rächt sich dort, wo der mythische Bezug auf ganze Handlungsstränge ausgedehnt wird und im Hinblick auf die Motive der Agierenden expli-
kative Funktionen übernimmt. Das Verhältnis der Prostituierten Susanne zu dem
Neger Odysseus folgt dem homerischen Muster; die Figuren werden schon beim
ersten Auftreten so eingeführt, obwohl der mythischen Konstellation auf der Ebene der Romanhandlung nichts entspricht. Sie existieren einzig im Bildungswissen
des Erzählers:

Susanne war Kirke und die Sirenen, sie war es in diesem Augenblick, sie war es eben geworden, und vielleicht war sie auch noch Nausikaa. Niemand im Lokal merkte, daß andere in Susannes Haut steckten, uralte Wesen; Susanne wußte nicht, wer alles sie war, Kirke, die Sirenen und vielleicht Nausikaa; die Törichte hielt sich für Susanne, und Odysseus ahnte nicht, welche Damen ihm in dem Mädchen begegneten. (185)

Die mythische Korrelation bleibt in allen folgenden Sequenzen erhalten und dient dort in erster Linie der Darstellung des Handlungszwangs, dem Susanne in ihrer Beziehung zu Odysseus unterliegt: „Es wäre klug gewesen, zu bleiben. [. . .] Aber da Susanne Kirke und die Sirenen und vielleicht noch Nausikaa war, mußte sie Odysseus folgen. Sie mußte ihm gegen alle Vernunft folgen." (193) In der vorletzten Sequenz dieses Handlungsstranges erfahren Odysseus-Susanne (Kirke, Sirenen, Nausikaa) eine weitere mythische Transformation. Beim Tanz verwandeln sie sich in „eine vierfüßige sich windende Schlange": „Die Schlange hatte vier Beine und zwei Köpfe, ein weißes und ein schwarzes Gesicht, aber nie würden die Köpfe sich gegeneinander wenden, nie die Zungen gegeneinander geifern: sie würden sich nie verraten, die Schlange war ein Wesen gegen die Welt." (240f.)
Mit solchen mythologischen Konstruktionen verstrickt sich der Erzähler in unlösbare Widersprüche. Das Agieren in mythischen Rollen soll zugleich ein bewußtloses, zwanghaftes Handeln und einen Akt der Freiheit: die Entscheidung für einander und „gegen die Welt" repräsentieren. Die mythische Parallele übernimmt hier die gleiche Funktion wie das existentialistische Pathos in der Vereinigungsszene zwischen Carla und Washington: Sie kompensiert rhetorisch ein Begründungsdefizit, das aus dem Versuch entsteht, den Bewegungen der Tauben im Gras generell Sinnlosigkeit zu attestieren, im einzelnen jedoch exemplarische Bedeutsamkeit und Verbindlichkeit zuzusprechen. Die absurden Zufallsmuster, die der experimentelle Erzähler Koeppen aus den Wegen und den Begegnungen seiner Figuren entstehen läßt, entziffert der gebildete Exeget Koeppen als magische Signaturen.
Nicht anders verfährt der Moralist. Die Welt ist sinnlos, die Wege der Menschen kommen nirgendwo her und führen nirgends hin, für den zeitkritischen Erzähler aber sind sie auf Schritt und Tritt mit moralischen Urteilen beschildert, die seine Unsicherheit verdecken und der drohenden Orientierungslosigkeit des Lesers zuvorkommen. Ausgangspunkt des Romans ist zwar eine radikale Inventur: Keine gesellschaftlich verbindliche ethische Norm hat den Nationalsozialismus, den Krieg und die Not der Nachkriegszeit überlebt. Der Erzähler partizipiert an dieser Ratlosigkeit aber nur im Hinblick auf den Begründungszusammenhang seiner Urteile, nicht im Hinblick auf diese selbst. Die Begründungslücke wird affektiv gefüllt: mit dem Ausdruck von Abneigung oder Sympathie. Moralische Entrüstung artikuliert sich fast ausnahmslos im Ausdruck physischen Ekels, der sich dem Leser so suggestiv vermittelt, daß er keiner Legitimation zu bedürfen scheint. Bei Nebenfiguren geraten die Beschreibungen des Erzählers zur Denunziation, gegen die es keinen Einspruch gibt, da keine Lebensgeschichte zur Überprüfung des Verdikts herangezogen werden kann. Der Wirt des Hotels, in dem Philipp übernachtet, wird mit einem Satz liquidiert:

Der Wirt fragte ihn: „Bleiben Sie noch?" Er fragte es grob, und seine kalten
Augen, todbitter im glatten ranzigen Fett befriedigter Freßlust, gesättigten
Durstes, im Ehebett sauer gewordener Geilheit, blickten Philipp mißtrauisch
an. (15)

Die Kinderfrau der kleinen Hillegonda führt der Erzähler als „derbe Person vom
Lande" ein, „in deren breitem Gesicht die einfache Frömmigkeit der Bauern böse
erstarrt war". Wenn sie „Hillegondas kleine Hand" drückt, so ist es „kein freund-
licher, beistehender Druck", sondern „der feste unerbittliche Griff des Wächters"
(12).
Eigenschaften und Handlungen der Personen haben „nicht die geringste Chance,
sich in einem epischen Raum zu entwickeln und zu ihrem Recht zu kommen.
Kaum sind sie beim Namen genannt, werden sie auch schon von dem ständig auf
dem Sprung liegenden interpretierenden, symbolsetzenden Bewußtsein des Erzählers ergriffen."[11] Koeppens ekelbesetzte Beschreibungen ertränken Dinge und
Personen in einer Flut physischer Attribute, die an predigthafte Wortkaskaden alter
Höllenvisionen erinnern; kaum erschaffen, verfallen die fiktiven Figuren schon der
Anklage ihres Schöpfers. So unvermittelt wie das Licht der Gnade auf die positiven Gestalten fällt – „Das Licht blendete, aber es reinigte und verklärte auch.
Carla und Washington hatten erleuchtete Gesichter" (209f.) –, umflackert die
bengalische Beleuchtung des Jüngsten Tages Negativgestalten wie den Schauspieler Alexander. In beiden Fällen tritt das Plädoyer an die Stelle der Erzählung. Für
Carla und Washington lautet der Spruch: Befreiung der Seelen und Verklärung
der Leiber, für Alexander: Ahndung der Erbschuld seines Soseins und Peinigung
des Fleisches:

Man verwechselte Alexander mit seinem Schatten. Es machte ihn schwind-
lig. Wer war er? Ein draufgängerisch-treu-sentimental-kühner-Helden-Poten-
ter? Er hatte es satt. Er war müde. Er war ausgeheldet. Er war wie ein ausge-
nommener Kapaun: fett und hohl. Sein Gesicht trug den Ausdruck von
Dummheit: es war abgeschminkt, es war leer. Sein Mund stand offen, und
durch das blendendweiße Gebiß der Jackettkronen drang ein Schnarchen
aus Dumpfheit und Übelkeit, aus träger Verdauung und mattem Stoffwechsel. Hundertsechzig Pfund Menschenfleisch lagen auf dem Sofa, noch hingen
sie nicht am Haken des Metzgers, aber für den Augenblick, da der Witz abge-
schaltet war, der Strom der Geistreichelei und des Witzelns, der in diesem
Leib die Funktionen der Seele übernommen hatte, war Alexander nicht
mehr als Metzgerfleisch und davon hundertsechzig Pfund. (181)

Unter dem Blick des weltanschaulich, mythologisch, moralisch interpretierenden
Erzählers erstarrt alles Reale zum bedeutungsvollen Zeichen. Wie fließend die
Grenze zwischen Zeichen und Klischee ist, belegt der wiederholte Rückgriff auf
stereotype Charakterisierungen, die dem Vorstellungsrepertoire des vom Autor
satirisch attackierten reaktionären Kleinbürgers und Provinzlers zu entstammen
scheinen. Modeschöpfer sind „feminine wohlriechende Herren, die ihre Vorführ-
puppen mitgebracht hatten, schöngewachsene Mädchen, die man ihnen unbesorgt

anvertrauen durfte" (S. 223). Küßt Emilia die Lippen der jungen, naiven, grünäu-gigen Amerikanerin Kay, denkt sie: „herrlich, so schmeckt die Prärie" (S. 190). Gelegentlich wird die Lust an degradierender Personencharakteristik zum Schluß der Passage noch von einer Intervention des schlechten Gewissens aufgefangen, wie in der Schilderung der Ganoven, die Odysseus und den Dienstmann Josef umschwärmen: „Maden am Speck, käsige Gesichter, hungrige Gesichter, Gesichter die Gott vergessen hatte, Ratten, Haifische, Hyänen, Lurche, kaum noch mit Menschenhaut getarnt, wattierte Schultern, karierte Jacken, dreckige Trench-coats, bunte Socken, Wulstsohlen unter den speckigen Wildlederschuhen, Karika-turen einer Revuefilmmode von drüben, arme Schlucker auch, Heimatlose, Ver-wehte, Opfer des Krieges." (46) Auf den Neger Odysseus werden – in durchaus wohlwollender Absicht – alle nur erdenklichen völker- und rassenpsychologi-schen Klischees gehäuft: „Night-and-day. Odysseus Cotton lachte. Er freute sich. Er schlenkerte seinen Koffer. Er zeigte kräftige strahlende Zähne. Er hatte Ver-trauen." (30) – „Sie gingen durch die Straßen, Odysseus voran, ein großer König, ein kleiner Sieger, jung, lendenstark, unschuldig, tierhaft [. . .]" (44). – „Josef zupfte seinen schwarzen Herrn am Ärmel: 'Mister vielleicht Bier trinken wollen? Hier sehr gutes Bier.' Er blickte hoffnungsvoll. 'Oh, Beer', sagte Odysseus. Er lachte, Bahama-Joe, das Lachen hob und senkte die breite Brust: Wellen des Mis-sissippi. Er schlug Josef auf die Schulter; der sackte in die Knie. 'Beer!' – 'Bier!' Sie gingen hinein [. . .]" (62f.)

In keinem Roman der Nachkriegszeit sind Kritik und Affirmation einer herr-schenden Mentalität so bis zur Ununterscheidbarkeit miteinander verschränkt. Eine Erklärung läßt sich vielleicht gewinnen, wenn man die Position ins Auge faßt, die der Autor Koeppen nach seinem eigenen Verständnis in der Nachkriegsgesell-schaft einnimmt und die er durch Projektion auf die Ebene der epischen Handlung auch dem Erzähler zuweist. Diese Perspektive wird schon mit den Eingangssätzen des Romans festgelegt:

> Flieger waren über der Stadt, unheilkündende Vögel. Der Lärm der Motoren war Donner, war Hagel, war Sturm. Sturm, Hagel und Donner, täglich und nächtlich, Anflug und Abflug, Übungen des Todes, ein hohles Getöse, ein Beben, ein Erinnern in den Ruinen. Noch waren die Bombenschächte der Flugzeuge leer. Die Auguren lächelten. Niemand blickte zum Himmel auf. (7)

Der Erzähler ist nicht Beobachter, sondern Zeichendeuter. Er rechnet sich je-doch weder den lächelnden Auguren zu, noch denen, die nicht zum Himmel auf-blicken. Weder vermag er die Ahnung des Unheils in positives Wissen oder in Macht umzuwandeln, noch versteht er es, seine Angst zu verdrängen, indem er den Blick auf das Nächstliegende richtet; daß er die apokalyptischen Zeichen als einzi-ger wahrzunehmen glaubt, bestätigt ihm nur seine Einsamkeit. Die Stimme des Er-zählers ist die des Propheten in der Wüste. Seine Botschaft ist in dem deplacierten Ausruf zusammengefaßt, mit dem der tablettensüchtige Schnakenbach Edwins Re-de über die Würde des euopäischen Geistes und die Geborgenheit des Menschen in Gottes Hand schrill durchkreuzt: „Schlaft nicht! Wacht auf! Es ist Zeit!" (227)

Koeppens deklamatorisches Pathos ist Antwort auf die Erfahrung der Deplaciertheit in einer von restaurativen Ideologien und Verdrängungsmechanismen beherrschten Nachkriegsgesellschaft. Vor einer zeichenhaft gewordenen Realität bricht das Vertrauen zur Anschauung als Basis der Verständigung zusammen; es entspricht dem tiefen Mißtrauen des Autors gegenüber den lesenden Zeitgenossen, daß er seinen Erzähler nicht mehr beobachten und berichten läßt, sondern seinen emblematischen Bildsequenzen interpretierende Texte unterlegt. Der Versuch, Fehldeutungen zu entgehen, erzeugt eine neue, für die ästhetische und kritische Qualität weiter Teile des Romans ruinöse Zweideutigkeit.

Tauben im Gras bleibt ein klassischer Text der westdeutschen Restaurationsepoche nicht im Sinne des Gelingens, sondern der Repräsentativität. Sein Scheitern beruht nicht auf literarischem Unvermögen, sondern auf einer traumatischen Erfahrung, von der Koeppen sich erst in der autobiographischen Erzählung *Jugend* von 1976 befreit. Die Diagnose seines Traumas stellt er sich allerdings schon in *Tauben im Gras,* an einer Stelle, die dem Schriftstellerkollegen Philipp gilt. Hier spricht er nicht als Mythologe, Moralist oder Prophet, auch nicht als Bauchredner von Figuren, deren Erfahrungen ihm fremd bleiben; hier spricht er als „Zeuge Koeppen"[12] in eigener Sache – und in einer Prosa, die Bildphantasie und kritische Selbstreflexion in unvergleichlicher Dichte zusammenbringt:

> Aber er, Philipp, stand [. . .] außerhalb dieses Ablaufs der Zeit, nicht eigentlich ausgestoßen aus dem Strom, sondern ursprünglich auf einen Posten gerufen, einen ehrenvollen Posten vielleicht, weil er alles beobachten sollte, aber das Dumme war, daß ihm schwindlig wurde und daß er gar nicht beobachten konnte, schließlich nur ein Wogen sah, in dem einige Jahreszahlen wie Signale aufleuchteten, schon nicht mehr natürliche Zeichen, künstlich listig errichtete Bojen in der Zeitsee, schwankendes Menschenmal auf den ungebändigten Wellen, aber zuweilen erstarrte das Meer und aus dem Wasser der Unendlichkeit hob sich ein gefrorenes, nichtssagendes, dem Gelächter schon überantwortetes Bild. (22)

Anmerkungen

Einfache Zahlenangaben im Text beziehen sich auf die Erstausgabe von „*Tauben im Gras"* (Stuttgart, Hamburg: Scherz & Goverts 1951).

1 Ulrich Greiner (Hrsg.): *Über Wolfgang Koeppen.* Frankfurt a.M. 1976, S. 287.
2 Ebenda, S. 287.
3 Horst Bienek: Werkstattgespräch. Ebenda, S. 249f.
4 Vgl. Georg Bungter in Greiner, a.a.O., S. 194.
5 Vgl. Marcel Reich-Ranicki in Greiner, a.a.O., S. 142.
6 Walter Jens: *Melancholie und Moral.* Stuttgart 1963.
7 Lothar Baier in Greiner, a.a.O., S. 225f.
8 Vgl. Anm. 3.

9 Dennoch gibt es gelegentliche Entgleisungen in einen bis zum Kalauerhaften
   überanstrengten Symbolismus, etwa den Übergang zwischen zwei Sequenzen
   auf S. 169:
   Die Händlerin lüftete die Käseglocke; die Zersetzung war schon fortgeschrit-
   ten; ein Fäulnisgestank erhob sich./ Philipp dachte an die Oderbrücke. Es
   war eine Brücke unter Glas. Der Zug fuhr über die Brücke wie durch einen
   gläsernen Tunnel. Die Reisenden erbleichten. Das Licht fiel wie durch Milch
   gefiltert in den Tunnel; aus der Sonne wurde ein blasser Mond. Philipp rief:
   „Jetzt sind wir unter der Käseglocke!" Philipps Mutter seufzte: „Wir sind
   wieder im Osten."

10 Georg Bungter in Greiner, a.a.O., S. 187.
11 Lothar Baier in Greiner, a.a.O., S. 225.
12 Marcel Reich-Ranicki: Der Zeuge Koeppen. In Greiner, a.a.O., S. 133ff.

JÜRGEN H. PETERSEN

Max Frisch: *Stiller* (1954)

Es besteht ein allgemeiner Konsens darüber, daß dem Schweizer Dichter Max Frisch, wiewohl er als Stückeschreiber schon vorher durchaus erfolgreich war, der eigentliche Durchbruch erst 1954 mit seinem Roman *Stiller* gelang. Zwar beherrschte das Werk nicht von vornherein die Bestseller-Listen, aber nach und nach und dann immer schneller fand es sein Publikum und wurde mit einiger Verzögerung einer der erfolgreichsten deutschsprachigen Romane der 50er Jahre. Die literarische Kritik begrüßte *Stiller* sofort als „großen Roman"[1], als „Ereignis"[2], ja als „eine der wenigen echten Sensationen"[3], die das Bücherjahr 1954 hervorgebracht habe. Auch die Forschung nahm sich des Werks mit ungewöhnlicher Intensität an und legte eine Vielzahl von Interpretationen vor.[4] Was hat es, so fragt man sich, mit einem Roman auf sich, der Lesepublikum, Kritik und wissenschaftliche Exegeten gleichermaßen herausfordert? Ist er repräsentativ für die Epoche, in der er erschien, für das Bewußtsein, für die Menschen, für die Gesellschaft seiner Zeit, oder realisiert er gar deren Kunstvorstellungen auf so ausgezeichnete Weise, daß diejenigen, die sich mit der literarischen Moderne befassen, in *Stiller* ein vorzügliches Untersuchungsobjekt erblicken müssen?

In der Tat haben die Kritiker des Romans auffallend häufig und nachdrücklich dessen Modernität hervorgehoben. Da ist nicht nur, wie man es auch sonst in Rezensionen lesen kann, beiläufig von Frischs „unpathetisch modernem Ton"[5] die Rede, vielmehr wird der Verfasser von *Stiller* als „moderner Autor"[6], ja als „hochmoderner, differenzierter Autor"[7] und schließlich sogar als Dichter der Moderne *par excellence* gerühmt: „Wo man von den Errungenschaften der modernen Erzählkunst spricht, wird man außer Proust und Joyce, außer Mann und Musil [. . .] auch den 'Stiller' nennen müssen."[8] Als hochmodern empfand man nicht nur das epische Verfahren, sondern ebenso die Erzählthematik: „Das Neue an diesem Roman des Schweizer Autors ist, daß hier der übrigens geglückte Versuch gemacht wird, 'unsere Welt zu dichten' in einer sprachlichen und metaphorischen Entsprechung unserer Bewußtseinslage."[9] Franz Schonauer äußert sich sogar noch rückhaltloser: „Dieser Roman ist ein großes Werk, groß, weil das moderne Bewußtsein sprachlich hier seinen Ausdruck gefunden hat."[10] Haerdter schließlich spricht von einer „faszinierenden Charakterstudie des modernen Menschen"[11] und Hartl rückt Stiller als „modernen Helden"[12] in den Mittelpunkt. Enthalten die Äußerungen der literarischen Kritik auch nur ein Körnchen Wahrheit, so müssen sich an „Stiller" Grundzüge der Moderne aufzeigen lassen, und zwar nicht nur solche, die Daseinsproblematik betreffen, sondern auch solche, die für die erzählerische Darstellbarkeit dieser Daseinsproblematik charakteristisch sind: „Die für einen gewissen Geist unserer Tage repräsentative Gestalt, Stiller, scheint wie von selber die moderne Form aus sich zu erzeugen und eigentlich erst zu legitimieren."[13]

Man hat das Verhältnis der Geschlechter in diesem Roman untersucht[14], man hat die Gesellschaftsproblematik[15] oder die existenzphilosophischen Momente[16] zum Gegenstand literaturwissenschaftlicher Analyse gemacht und ist dabei zu höchst unterschiedlichen, oft widersprüchlichen Ergebnissen gekommen.[17] Aber trotz aller Differenzen ist man sich darin einig, daß den thematischen Mittelpunkt des Romans die Frage nach der Identität des Individuums bildet: Wie findet der Mensch die Fähigkeit, sich anzunehmen und so einen Halt im Leben zu gewinnen? – Allein, diese Übereinstimmung zwischen den Interpreten führt keineswegs zu einer Harmonie der Interpretationen. Vielmehr tut sich sogleich eine neue Frage auf: Wodurch wurden denn personale Identität und Selbstannahme zu einem so tiefgreifenden Problem, daß ein als besonders modern empfundener, also doch der Bewußtseinssituation unserer Zeit offenbar ganz und gar entsprechender Roman gerade von dieser Schwierigkeit erzählt? Ist der Mensch der modernen Welt seiner selbst so unsicher geworden, daß er um seine Identität kämpfen muß? Und wenn es so mit ihm steht: Wo liegen die Gründe dafür?

Die Kritiker der ersten Stunde haben tatsächlich davon gesprochen, daß Stiller darum den modernen Menschen repräsentiere, weil sein Leben dessen Selbstentfremdung spiegle: „Die Selbstentfremdung des modernen Menschen mit sich selbst spiegelt sich in Stillers Doppelleben"[18], formulierte Karl Korn, und Schonauer meinte, es sei überhaupt der „charakteristische Zug des modernen Menschen [. . .], daß er zu sich Abstand gewinnen kann"[19]. Diese Distanz hat Stiller in der Tat gesucht und gefunden, und zwar zunächst dadurch, daß er vor sich selbst ebenso wie vor seinen Freunden, seinem Beruf, seiner Frau zu fliehen versucht.

Drei Grunderlebnisse gehen dieser Flucht voraus: das Versagen im Spanischen Bürgerkrieg, das Versagen als Künstler, das Versagen als Ehemann. In Spanien hatte Stiller ganz offensichtlich nicht nur aus politischer Überzeugung, sondern auch deshalb gekämpft, weil er sich bewähren und als Held erleben wollte. Doch damit mutet er sich mehr zu, als er zu leisten vermag, und auch im beruflichen bzw. im privaten Bereich überfordert er sich: Als Künstler möchte er reüssieren, Julika will er erlösen, aber er taugt weder zum Helden noch zum Künstler noch zum Liebhaber einer frigiden Frau. Der Leser des Romans fragt sich, warum Stiller seinem Leben wiederholt unlösbare Aufgaben stellt, und erhält von dem Protagonisten selbst eine höchst plausible Auskunft: „Ich bin ganz einfach nicht bereit, ein nichtiger Mensch zu sein."[20] Von seiner „Künstlerei" berichtet Stiller, sie habe in ihm zunächst die Hoffnung geweckt, sich „in Lehm oder Gips [. . .] verwirklichen zu können; aber diese Hoffnung währte nicht lang, und schon war der Ehrgeiz da, die Freude in Hinsicht auf Anerkennung, die Sorge in Hinsicht auf Geringschätzung"[21]. Wer sich mit der Begrenztheit seiner Möglichkeiten nicht abfinden kann, sucht sich offenbar Halt durch Anerkennung zu verschaffen, – und macht sich auf diese Weise von anderen abhängig, d.h. er lebt ein ihm ungemäßes, ein im strengen Sinn uneigentliches Leben. Gibt es keine andere Möglichkeit, einen Halt zu gewinnen? – An der eben zitierten Stelle, an der Stiller davon spricht, seine Nichtigkeit nicht akzeptieren zu können, findet sich eine merkwürdige Überlegung: „Ich hoffe eigentlich nur, daß Gott (wenn ich ihm entgegenkomme) mich zu einer ande-

ren, nämlich zu einer reicheren, tieferen, wertvolleren, bedeutenderen Persönlichkeit machen werde – und genau das ist es vermutlich, was Gott hindert, mir gegenüber wirklich eine Existenz anzutreten, das heißt erfahrbar zu werden. Meine
conditio sine qua non: daß er mich, sein Geschöpf, widerrufe."[22] Darin steckt –
ein wenig verklausuliert – der Gedanke, daß ein Mensch, der sein Dasein nicht als
von Gott empfangen und sich selbst somit nicht als unabänderliches Gottesgeschöpf verstehen kann, seine Nichtigkeit nicht erträgt und daher nach deren Überwindung durch Bewährung trachte: Überfordert Stiller sich deshalb, weil er im
Religiösen, im Metaphysischen keinen Halt findet? Sucht er sich ohne Unterlaß
zu verändern, weil er sein Wesen nicht als von Gott verhängtes Schicksal akzeptieren kann? Kompensiert er den Verlust metaphysischer Daseinsdimensionen mit
dem Versuch, im Leben Außerordentliches zustande zu bringen? – Die Fragen
sind an dieser Stelle wohl noch nicht zu entscheiden, wohl aber wird erkennbar,
daß Stiller durch Selbstüberforderung in die Selbstentfremdung getrieben wird,
wie es Rolf, der Staatsanwalt, formuliert.[23] Man lebt nicht das eigene, sondern
ein fremdes Dasein, wenn man sich nicht annehmen kann als derjenige, der man
ist. Wir unterliegen dann nämlich einem „Streben weg von unserem Selbst"[24]. Mit
Recht kann White über sein Stiller-Leben sagen: „Es ist aber nie mein Leben gewesen!"[25] Denn in der Tat existierte Stiller in Selbstentfremdung, weil er stets
anders sein wollte, als er sein konnte.

Der Kernsatz des Romans „Ich bin nicht Stiller"[26] besitzt also durchaus seine
Berechtigung, aber er besitzt sie auch noch aus einem anderen Grund. Denn Stiller, der vor dem Scheitern aller Versuche, seinem Dasein durch Bewährung einen
Halt zu geben, nach Amerika geflohen ist, hat, um die Flucht endgültig zu machen, einen Selbstmordversuch unternommen. Dieser mißlingt, doch zeitigt der
Vorfall entscheidende Folgen für Stillers Leben. Zweierlei erfährt er im Dämmer-
zustand des Verletzten: Einmal wird ihm bewußt, daß der selbst herbeigeführte
Tod keine Lösung, sondern – im Gegenteil – eine Bestätigung, ja Verewigung der
uneigentlichen Existenz, der Selbstentfremdung und des Versagens bedeutet: „Es
war, fade gesprochen, eine große Verblüffung, etwa wie wenn man von einer Mauer springen würde, um sich zu zerschmettern, aber der Boden kommt nicht, er
kommt nie, es bleibt beim Sturz, nichts weiter [. . .] ein Zustand vollkommener
Ohnmacht bei vollkommenem Wachsein, nur die Zeit ist weg, [. . .] die Zeit als
Medium, worin wir zu handeln vermögen; alles bleibt wie gewesen, nichts vergeht,
alles bleibt nun ein für allemal."[27] Aber auf der Schwelle zum Tod gewinnt Stiller
nicht nur diese Einsicht, sondern auch das Gefühl, erstmals zur Selbstannahme fähig zu sein: „Ich hatte ein Leben, das nie eins gewesen war, von mir geworfen.
Mag die Art, wie ichs gemacht hatte, lächerlich sein. Es blieb mir die Erinnerung
an eine ungeheure Freiheit: Alles hing von mir ab. Ich durfte mich entscheiden,
ob ich noch einmal leben wollte, jetzt aber so, daß ein wirklicher Tod zustande
kommt. [. . .] Ich hatte die bestimmte Empfindung, jetzt erst geboren worden zu
sein, und fühlte mich [. . .] bereit, niemand anders zu sein als der Mensch, als der
ich eben erst geboren worden bin, und kein anderes Leben zu suchen als dieses,
das ich nicht von mir werfen kann."[28] Indem Stiller das alte, uneigentliche Dasein
aufgibt und sich zu sich bekennt, überwindet er sich und nennt sich in diesem Sin-

ne mit vollem Recht nicht mehr Stiller, sondern eben White. White verzichtet auf das Rollenspiel des Spanienhelden, des Bildhauers, des Erlösers von Julika, er bekennt sich zu sich selbst, damit jedoch auch zu seiner Nichtigkeit, zu jener Begrenztheit, die jeder Mensch empfindet und die es ihm so schwer macht, sich anzunehmen. Wer sich im Sinne des Kierkegaard-Mottos selbst gewählt hat, ist wirklich isoliert, da er ganz bei sich ist und seinem Dasein nicht von außen Halt verschaffen kann. Wie, so muß man fragen, erträgt man die Begrenztheit, Hinfälligkeit, Nichtigkeit der eigenen Existenz wie des Lebens überhaupt?

Frisch läßt in der Tat keinen Zweifel daran aufkommen, daß es in seinem Roman nicht um Stillers „Nichtigkeit", sondern um die Leere menschlichen Daseins überhaupt geht. Inmitten eines kleinen Berichtes über eine Fahrt durch die Wüste von Chihuahua und den Besuch in einer Oase im ersten Heft der Aufzeichnungen findet sich folgende Passage: „Ein paar Indianer kamen heran, um unser Vehikel zu besichtigen, wortlos und schüchtern. Wieder Kakteen, dazu ein paar verdörrte Agaven, ein paar serbelnde Palmen, das war die Oase. Man fragt sich, was die Menschen hier machen. Man fragt sich schlechthin, was der Mensch auf dieser Erde eigentlich macht, und ist froh, sich um einen heißen Motor kümmern zu müssen."[29] Zweierlei geht daraus hervor: Das menschliche Leben hat keinen „höheren" Halt, wirkt letztlich sinn- und ziellos; und diese Wahrheit ist zudem nur dadurch zu ertragen, daß man sich ihr entzieht, d.h. daß man sich ablenkt durch das Alltägliche. Denn auf diese Weise verhindert man, daß einem die Wesenlosigkeit des Lebens bewußt wird. Selbst Rolf, der – wie noch zu zeigen ist – dem Metaphysischen keineswegs eine Absage erteilt, fragt sich, wie sein Freund ein Leben ohne die Zerstreuungen der Alltäglichkeit zu führen vermag: „Was macht der Mensch mit der Zeit seines Lebens? Die Frage war mir kaum bewußt, sie irritierte mich bloß. Wie hält Stiller es aus, so ohne gesellschaftliche oder berufliche Wichtigkeiten gleichsam schutzlos vor dieser Frage zu sitzen?"[30] Rolf selbst überwindet diese Schutzlosigkeit mit Hilfe seiner bürgerlichen Berufs- und Familienkarriere ebenso wie mit Hilfe seiner nicht tiefen, aber selbstverständlichen Religiosität. Schon während seiner Haftzeit notiert Stiller-White eine ganz und gar religiöse Äußerung seines Freundes: „'Ohne die Gewißheit von einer absoluten Instanz außerhalb menschlicher Deutung, ohne die Gewißheit, daß es eine absolute Realität gibt, kann ich mir freilich nicht denken', sagt mein Staatsanwalt, 'daß wir je dahin gelangen können, frei zu sein.' "[31] Diese Freiheit besteht in der Selbstwahl, von der im Kierkegaard-Motto die Rede ist, darin also, daß der Mensch mit sich selbst als einem nichtigen Wesen identisch wird. Die eigene Nichtigkeit wählt und akzeptiert jedoch nur derjenige, der darin auch einen Sinn erblicken kann, und dies wieder gelingt nur demjenigen, der sich – indem er sich als nichtiges Wesen bejaht – auch als Gottesgeschöpf annehmen darf und kann. Selbstannahme setzt insofern den Glauben voraus, andernfalls ist der Mensch überfordert. Diese Position Kierkegaards vertritt der Staatsanwalt auch im „Nachwort". Er notiert: „Wie aber sollen wir darauf verzichten können, wenigstens von unseren Nächsten erkannt zu werden in unserer Wirklichkeit [. . .] ? Es wird nie möglich sein ohne die Gewißheit, daß unser Leben von einer übermenschlichen Instanz gerichtet wird, ohne wenigstens die leidenschaftliche Hoffnung, daß es diese Instanz gebe."[32]

Später bedrängt er auch Stiller-White mit dieser Auffassung: „immer wieder hast du versucht, dich selbst anzunehmen, ohne so etwas wie Gott anzunehmen. Und nun erweist sich das als Unmöglichkeit. Er ist die Kraft, die dir helfen kann, dich wirklich anzunehmen."[33] Allein, hier predigt Rolf tauben Ohren, denn Stiller-White repräsentiert den unreligiösen, den un- oder nachmetaphysischen Menschen, der von Gott nicht mehr reden kann. Für ihn gilt Nietzsches Wort „Gott ist tot".

Denn Stiller-White bezeichnet sich offen als „Atheist"[34] und trägt später in sein Heft folgende Überlegung ein: „Wenn ich beten könnte, so würde ich darum beten müssen, daß ich aller Hoffnung, mir zu entgehen, beraubt werde."[35] Er hat den Bezug zur religiösen Dimension des Daseins verloren und zählt sich daher ohne Umschweife zu den Ungläubigen: „Ich bin nicht hoffnungslos genug. Ich hörte sie sagen: Ergib dich und du bist frei, dein Gefängnis ist gesprengt, sobald du bereit bist, daraus hervorzugehen als ein nichtiger und ohnmächtiger Mensch."[36] Später, in dem Gespräch mit dem Staatsanwalt, schlägt er sich sogar ausdrücklich und mehrfach auf die Seite der „Glaubenslosen"[37] und weist abermals darauf hin, daß er nicht in der Lage ist zu beten.[38] Heißt das, daß er der Selbstentfremdung nicht entgehen kann?

Im fünften Heft findet sich folgende Notiz: „die andern halten es für selbstverständlich, daß ich ein anderes Leben nicht vorzuweisen habe, und so halten sie, was ich auf mich nehme, für mein Leben. Es ist aber nie mein Leben gewesen! Nur insofern ich weiß, daß es nie mein Leben gewesen ist, kann ich es annehmen: als mein Versagen. Das heißt, man müßte imstande sein, ohne Trotz durch ihre Verwechslung hindurchzugehen, eine Rolle spielend, ohne daß ich mich selber je damit verwechsle, dazu aber müßte ich einen festen Punkt haben –"[39]. Gott kann diesen festen Punkt für Stiller-White nicht bilden. Wo aber ist er dann zu finden? – Wenn das alles Lebendige Transzendierende nicht in Betracht kommt, so kann es nur das Leben selbst sein, was uns Halt gibt; und wenn es uns nicht mehr darum gehen kann, uns – im wahrsten Sinne des Wortes – um Gottes willen anzunehmen, so vielleicht darum, die Selbstidentität um eines Menschen willen zu wählen. Frisch macht in seinem Roman deutlich, daß er in der Liebe des Geliebten jenen Halt erblickt, der es dem heutigen, nicht mehr religiösen Menschen allenfalls ermöglicht, sich selbst zu wählen.

Dem dient zunächst die Alex-Episode. Dieser junge, hochbegabte Pianist wurde mit seiner „Schwäche", seiner homosexuellen Veranlagung, nicht fertig. Er versucht sie – wie Stiller das Gefühl der eigenen Nichtigkeit – zu kompensieren. Deshalb braucht er den Erfolg „wie Sauerstoff, um leben zu können"[40]. Aber er scheitert wie Stiller. Was hätte ihn, der sich das Leben nahm, am Leben erhalten können? – „Hätte er damals einen Menschen getroffen, [. . .] der zeigte, wie man mit seiner Schwäche lebt"[41], so wäre Alex nicht verzweifelt: „Es hätte ihn jemand wirklich lieben müssen!"[42] Liebe nämlich heißt, sich kein Bildnis vom anderen machen, sondern ihn so annehmen, wie er ist. Das Bildnis-Motiv, aus dem *Tagebuch 1945 – 1949* übernommen und in *Stiller* mehrfach aufgegriffen[43], kommt auch im Zusammenhang mit jenem Identifizierungszwang zur Geltung, der Stiller jede Möglichkeit, sich zu wandeln, abspricht und ihm weder in direktem noch in übertragenem Sinn eine White-Identität zugesteht. So wie Alex durch

Liebe hätte gerettet werden können, so kann auch Stiller-White nur dann Halt gewinnen, wenn er geliebt wird. Darum kehrt er zurück: Er ist mit Julika noch nicht
„fertig geworden"[44] und sucht deshalb nochmals ihre Liebe.

Aus diesen Gründen heißt es in Stiller-White's geplanter Liebes- und Lebenserklärung gegen Ende des ersten Romanteils: „Und darum frage ich ja, ob du
glaubst mich lieben zu können [. . .] Alles, aber wirklich alles, was uns an Leben
noch möglich ist, hängt davon ab, ob wir, du und ich, über alles Gewesene hinaus
zu einer Begegnung kommen."[45] In der Atelier-Szene kann Stiller-White „nicht
glauben, daß Julika, wenn sie mich liebt, diese Farce mitspielen wird"[46] und ihn
als Stiller identifiziert. Ohne Unterlaß bedrängt er sie daher mit der Frage „Liebst
du mich?"[47] – und fügt in seiner Not hinzu: „nur darauf kommt es jetzt an, nur
auf dich, Julika, einzig und allein auf dich!"[48] Denn nur wenn die Frau, die er
lieben kann, ihn zu lieben vermag, kann Stiller-White den Halt finden, den er benötigt, um sich und die Nichtigkeit des Daseins zu ertragen.

Frischs Roman rückt keineswegs eine moderne Ehegeschichte in den Mittelpunkt. Vielmehr kommt mit der Darstellung der hochkomplizierten Beziehung
zwischen einem gebildeten Durchschnittsmann und einer sensiblen, frigiden Frau
der auf sich selbst zurückgeworfene, ja reduzierte Mensch unserer Tage zum Vorschein, dem die Leere der Existenz bewußt geworden ist, der im Metaphysisch-
Religiösen aber keinen Halt mehr gewinnen kann. Will er die Scheinhaftigkeit eines Daseins ablegen, das sich ständig überfordert und auf untaugliche Art bewähren möchte, will er der Selbstentfremdung durch Selbstannahme entgehen, so
bleibt ihm nichts weiter als das eigene Ich, an das er sich halten kann, – w e n n
er sich daran halten kann. Alex vermochte dies nicht und brachte sich um, da er
sich nicht mehr ertrug. Stiller-White versucht den einzigen Halt zu finden, der für
den modernen Menschen existieren kann: die Liebe der Geliebten. Gelingt dies
nicht, so sieht sich der Mensch vollständig isoliert, und so endet *Stiller* denn auch
mit dem in dieser Hinsicht eindeutigen Satz: „Stiller blieb in Glion und lebte
allein."[49]

Man hat den Roman, unter dem Eindruck des Doppelmottos, in christlich-religiösem Sinn gedeutet, und es ist ja in der Tat auffällig, wie stark Frisch in diesem
Roman mit christlichen Symbolen und mit christlichen Anspielungen arbeitet. Da
ist die Bildnis-Problematik, da will Stiller angeblich der „Erlöser" Julikas sein;
wiewohl als Atheist bekannt, liest Stiller-White die Bibel, nennt den Schrecken,
der ihm im Moment des mißglückten Selbstmordes das Gefühl der Freiheit durch
die Selbstwahl vermittelt, seinen „Engel" und hat keine Mühe, Rolfs Hinweis auf
die Notwendigkeit Gottes für den Akt der Selbstannahme zu protokollieren; und
selbst wenn er Zurückhaltung zeigt, z.B. gegenüber dem Staatsanwalt, der die Beziehung zwischen Stiller-White und Julia als „Kreuz" bezeichnet[50], oder wenn er
alles Religiöse abwehrt und sich mit Vehemenz zu den Ungläubigen zählt, so zeigt
sich darin gleichwohl ein Reflex auf christliches Denken. Baden irrt ja gar nicht,
wenn er formuliert: „Stiller demonstriert [. . .] das Elend des glaubenslosen Menschen"[51]. Aber das bedeutet keineswegs, daß der Glaube, daß das Religiöse und
Transzendente das letzte Wort und im Roman Frischs sozusagen Recht behält. Im
Gegenteil: Stiller-White endet in der Verzweiflung, die allerdings in seiner Unfähig-

keit gründet, an eine metaphysische Dimension des Lebens zu glauben; aber es ist
die Verzweiflung des Aufrichtigen, nämlich dessen, der uns zwar die Einsamkeit
des modernen Menschen präsentiert, uns deshalb aber keineswegs Religion als
Heilmittel empfiehlt. Die Äußerungen Stiller-Whites lassen keine andere Deutung
zu: „Was du meinst: Sein Wille geschehe! Gott hat es gegeben, und selig sind, die
es nehmen, und tot sind, die da nicht hören können wie ich, nicht lieben können
in Gottes Namen, [. . .] weil sie lieben wollen aus eigener Kraft [. . .] ja, sollen sie
sich besaufen, die Selbstherrlichen in ihrer Sünde wider die Hoffnung, die Ver-
stockten, die Glaubenslosen, die Gierigen, die da glücklich sein möchten, ja, sollen
sie sich besaufen und schwatzen, die nicht zerbrochen sein wollen in ihrem Hoch-
mut, die Glaubenslosen, die mit ihrer zeitlichen Hoffnung auf Julika!“[52]

Im Rahmen einer Ehegeschichte, so darf man jetzt wohl sagen, präsentiert uns
Frisch die Situation des modernen Menschen. Wenn auch die Philosophie, nicht
anders als Kunst- und Literaturwissenschaft, bisher kaum Anstalten gemacht hat,
das Wesen der Moderne zu umgrenzen, sondern genauso wie die anderen Wissenschaften von Modernität redet, als wüßte sie genau, wovon sie spricht, so gibt es
doch Erscheinungen, über deren Bedeutung für die Moderne man nicht streitet.
Wiewohl bisher ein zureichender Begründungszusammenhang nicht aufgewiesen
wurde, gilt es bei Kunstkritikern und Kunstinterpreten, bei Philosophen und Kul-
turhistorikern als ausgemacht, daß die Moderne, zumindest die „eigentliche" Moderne, im 19. Jahrhundert mit der beginnenden Herrschaft von Naturwissenschaft
und Technik ihren Durchbruch erlebt. Sie beraubt den Menschen aller festen
Orientierungspunkte, weil Weltanschauungen, weil religiöse „Wahrheiten" angesichts der Herstellbarkeit der Welt durch den Menschen mit Hilfe der Technik hinfällig geworden sind. Da der Mensch für die Existenz oder Nicht-Existenz der
Welt zuständig wird, haben alle höheren Seins-Gründe, haben die Götter, Gott,
das Absolute, ausgespielt. Nun setzt der Mensch seinem Handeln die Ziele selbst,
und er setzt damit auch die Werte und Normen fest. Einen vorgegebenen Sinn besitzt das Leben, besitzt die Welt nicht mehr. Die Marxsche Kritik an idealistischen
Denksystemen und Nietzsches Überwindung der Metaphysik in seiner Macht-
Philosophie ordnen sich hier ein, und zumal Nietzsche hat erkannt, daß mit der
Moderne auch die Heraufkunft des europäischen Nihilismus verbunden ist. Gewiß kann man den Übergang der Verfügungsgewalt über die Welt auf den Menschen auch anders, auch „positiv" ausdrücken. In diesem Fall ist von den sich öff-
nenden Chancen, Perspektiven und Möglichkeiten zu sprechen, die dem Menschen
zuwachsen und die ihn zwar einerseits irritieren und verunsichern mögen, ihm andererseits aber auch immer wieder neue Wege, neue Existenzvarianten eröffnen.
Und eben in dieser Hinsicht ist das Denken Kierkegaards ein Wegebereiter der
philosophischen Moderne, der Existenzphilosophie zumal, die sich in Frischs „Stiller" niederschlägt. Daß der Mensch entweder seine Existenzmöglichkeiten variiert
oder seine Wirklichkeit, also sich selbst findet, daß er wählen muß zwischen der
Selbstannahme einerseits und der Selbsterneuerung andererseits, wird schon bei
Kierkegaard als Zerreißprobe des Menschlichen dargestellt.[53] Daß dies aber für
den modernen Menschen, d.h. jetzt für den Menschen nach dem Ende der Metaphysik, zu noch größeren Identitätsproblemen führen muß, ergibt sich schon dar-

aus, daß er nach dem oben Gesagten das Verfügen über Lebensvarianten als das seiner kulturhistorischen Situation allein entsprechende Lebensgefühl ansehen muß; andererseits gibt es in der Moderne keine Instanz mehr, die seinen Sprung in die Selbstannahme, also in die Bejahung der eigenen Leere auffängt. So bleibt dem nach-metaphysischen Menschen nur die Verzweiflung, wenn er sich nicht in der Oberflächlichkeit der Selbstzerstreuung verlieren will (wie Sturzenegger und die übrigen Freunde Stillers) — oder die Liebe. Auch hinsichtlich der Frage, wie der Mensch in seiner Nichtigkeit aufgefangen werden kann, tritt also der Mensch an die Stelle Gottes: der Liebende ermöglicht es anstelle der sinngebenden Göttlichkeit, daß der ungläubig gewordene Mensch der Moderne sich und die Welt akzeptiert. So jedenfalls stellt es Max Frisch dar, und erst wenn man dies erkennt, gewinnt die verzweifelte Liebesgeschichte zwischen Stiller-White und Julika einen Sinn, der die heißen Diskussionen über die rechte Interpretation dieses Romans rechtfertigt. In der Tat hat man ja auch stets den allgemeinen, den „philosophischen" Hintergrund des Romans nachzuzeichnen versucht. Folgt man der oben vorgetragenen Überlegung noch ein Stückchen weiter, so kann man hinzufügen, daß die extreme Lage des modernen Menschen von Frisch auch nur mit Hilfe der extremen Beziehungen zwischen Stiller und einer frigiden Frau aufgedeckt und gestaltet werden kann. Denn hätte Frisch eine andere Konstellation gewählt, so wäre es zu irgendeinem *happy end* zweier Liebender gekommen. So aber zeigt sich die ganze Verzweiflung des Menschen, der keine metaphysischen Dimensionen des Lebens mehr erkennen kann und daher auf die Liebe der Geliebten angewiesen ist, wenn er die Daseinsleere ertragen und sich selbst annehmen soll.

Die verzweifelte Situation des Menschen der Moderne zu zeigen, dient auch die komplizierte, perspektivenreiche Darstellungsart Max Frischs. Sie ist, wie man schnell festgestellt hat[54], durch den Verzicht auf einen allwissenden oder gar omnipotenten Erzähler gekennzeichnet. In diesem Roman gibt es kein objektives, für die Wahrheit des Erzählten einstehendes episches Medium; an seine Stelle tritt vielmehr eine Fülle von erzählenden Personen, treten höchst subjektive Medien, deren Sehweise ihrerseits oftmals durch die einer weiteren Person gebrochen zur Geltung gelangt. So erfahren wir Stillers Lebensgeschichte durch White, der sich von sich (als Stiller) ja ausdrücklich und in aller Radikalität distanziert, d.h. der Leser erfährt von Stiller nur das, w a s White von ihm mitteilt, und er nimmt es auch nur so zur Kenntnis, w i e White es darstellt. Zudem hat White seine Kenntnis — angeblich — von Dritten , nämlich von Julika und von Rolf, so daß eine weitere Brechung wirksam wird. Wie es „wirklich" war, erfährt der Leser nicht. Auch Rolfs Geschichte gibt Stiller-White auf seine individuelle Weise wieder. Nicht anders steht es mit Sibylles Lebensbericht, der seinerseits die Erinnerungen Rolfs und Julikas teilweise korrigiert usf. Selbst die im ersten Teil gelegentlich zu findenden unmittelbaren Einlassungen Stiller-White's unterliegen einer Brechung dadurch, daß im „Nachwort" der Staatsanwalt berichtet, was er von seinem Freund hält und auf welche Weise — seiner Meinung nach — der neuerliche Lebensversuch zwischen Julika und ihrem Mann gescheitert ist. So erscheint der ganze Roman als ein Kaleidoskop vielfach subjektiv gebrochener Lebensgeschichten, als die multiperspektivische Darstellung[55] eines Lebensgeschehens, von dem

man nicht weiß, wie es wirklich abgelaufen ist. Dazu trägt auch die Fiktionalisie-
rung bei, die Stiller-White mit Hilfe seiner Erzählungen vornimmt. Denn die Geschichten, mit denen er seinen Wärter Knobel in Spannung hält, drücken ja seine
innere Erfahrung, drücken seine Schuldgefühle und Sehnsüchte aus, welche er auf
direktem Wege nicht auszusprechen vermag. Zu fragen ist, welche Funktion diese
Erzählweise erfüllt, in welchem Zusammenhang sie also mit der Erzählthematik
steht.

Der Verzicht auf den Einsatz eines allwissenden, objektiven Erzählers stellt zunächst einen Reflex auf den Verlust unbezweifelbarer Grundsätze, anerkannter
Wahrheiten, fester Welt- und Lebensprinzipien dar. Die Bedingtheit alles Denkens
und Handelns läßt sich zutreffend, d.h. realistisch eher durch die Etablierung eines
subjektiven, individuellen epischen Mediums ausdrücken. In Frischs *Stiller* findet
sich, wie gesagt, sogar eine mehrschichtig aufgetürmte Subjektivität, da die eine
Sehweise von einer anderen aufgehoben oder in Frage gestellt wird, welche ihrerseits einer Korrektur durch eine dritte Optik unterliegen kann. In „Stiller" dient
dieses Verfahren aber nicht einer Verunsicherung des Lesers über das faktisch Vor-
gefallene, sondern es verstärkt den Eindruck, daß der Protagonist – wie immer
man ihn sieht, wie immer man ihn erlebt hat und einschätzt – der Verzweiflung
anheimgegeben ist. Was Stiller-White über sich und seinen neuen Lebensversuch
notiert, läßt die Schwierigkeit des *homo modernus* ebenso erkennen wie das, was
Julika über ihre Beziehung zu Stiller berichtet; und auch wenn am Ende Rolf das
Wort erhält, so wird dem Leser doch nur klarer, was ihm zuvor bereits mit wach-
sendem Nachdruck bewußt wurde, nämlich daß Stiller, daß sich der hochbewußte
Mensch der Moderne letztlich in einer ausweglosen Situation befindet. Das multiperspektivische Erzählen dient hier also nicht der Relativierung des Faktischen,
sondern der Intensivierung des Thematischen.

Nicht anders steht es mit den zahlreichen Erzählungen Stiller-White's. Mit ihnen
macht der Untersuchungshäftling sich gewiß auch über die Neugier seines Wärters
lustig, die Geschichten haben durchaus unterhaltenden Wert, aber ihre Funktion
reicht doch darüber hinaus. Wenn Stiller-White sich als mehrfachen Mörder bezeichnet und Geschichten erfindet, in denen er als Mörder auftritt, so artikuliert
sich darin seine innere Verzweiflung, Julika „getötet", nämlich unglücklich und
unzugänglich gemacht zu haben. Andererseits stellen die Lügenerzählungen auch
Projektionen seiner Sehnsüchte, sozusagen mögliche und erhoffte, aber unver-
wirklichte Lebensvarianten dar, so etwa die Florence-Geschichte, wohl auch die
Erzählung von der Tabak-Plantage. Mit Hilfe dieser Erzählungen versucht sich
Stiller-White zu artikulieren, da er seine Wirklichkeit, wie er immer wieder betont, nicht ausdrücken kann. Es handelt sich hier um den oft erkennbaren und
wohl entscheidenden Kerngedanken im Gesamtwerk Frischs: die Realität eines
Menschen kann man nicht durch die Beschreibung seines tatsächlichen Lebens,
sondern nur unter Berücksichtigung seines ihm möglichen Lebens erfassen. Schon
das Drama *Santa Cruz* nimmt diesen Gedanken zum Thema, und in späteren Werken, vor allem in *Mein Name sei Gantenbein* und *Biografie: Ein Spiel*, rückt Frisch
diese Überlegung noch stärker in den Vordergrund. Werkgeschichtlich bildet *Stiller* also einen Dreh- und Angelpunkt. Die Präsentation unrealisierter Lebensmög-

lichkeiten, die hier noch eher beiläufig geschieht, wird in *Mein Name sei Gantenbein* zum poetischen Prinzip erhoben. Dort besteht der gesamte Roman aus solchen Projektionen eines ansonsten völlig unbestimmten Ich, das überhaupt nur dadurch Gestalt gewinnt, daß es unter dem Leitwort „Ich stelle mir vor" lauter imaginierte Lebensvarianten aneinanderreiht und miteinander verknüpft. Später hat auch Günter Grass auf das in *Stiller* erprobte multiperspektivische Erzählverfahren zurückgegriffen, nämlich im *Butt,* wenn er den Erzähler ebenfalls in alle möglichen Rollen schlüpfen und in ganz unterschiedlichen Zeiten Zeuge sein läßt, so daß das zentrale Ich auch in diesem Roman nicht als reale Figur umgrenzbar, sondern allenfalls in seinen Fiktionen und Projektionen erkennbar wird. Zumindest mittelbar, nämlich über den *Gantenbein-* Roman, hat *Stiller* auf Grass gewirkt, und auch die Romane *Schlußball* von Gerd Gaiser, *Bödelstedt oder Würstchen bürgerlich* von Kay Hoff oder *Zwei Ansichten* von Uwe Johnson sind kaum ohne das *Stiller-* Beispiel denkbar. Zumindest hat Frischs Roman das relativierende Erzählverfahren weiter verbreitet und im Schwange gehalten.

Hingegen erwies sich die Identitätsthematik als wenig wirksam. Sie muß, auch wenn Frisch selbst durchaus kein christlicher Autor ist, in engem Zusammenhang mit der oft christlich geprägten deutschen Nachkriegsliteratur gesehen werden. Nach der Ruinierung alles humanen Geistes im Dritten Reich sowie der nachgerade menschheitsgeschichtlichen Tragödie des Zweiten Weltkriegs suchte man Halt zu gewinnen, indem man sich auf die Tradition abendländischen Denkens besann. Dabei stieß man auf die Kirchen als intakte Institutionen und auf das Christentum als bewährte Grundhaltung. Auf diesem Wege entsprach man zugleich einem sich durchsetzenden restaurativen Lebensgefühl, – die Tatsache, daß sich viele europäische, durchweg konservative Parteien christlich nannten, ist ein charakteristisches Zeichen dafür. Die Literatur, insbesondere der Roman der Nachkriegszeit, griff ebenfalls auf diese Tradition zurück. Zwar muß hier noch manches erforscht werden, aber es kann kaum einem Zweifel unterliegen, daß die zunächst literarisch herrschenden Autoren Ernst Wiechert, Reinhold Schneider, Edzard Schaper, Elisabeth Langgässer, Gertrud von Le Fort und auch Heinrich Böll christlich geprägter Erzählkunst zum Durchbruch verhalfen. Kierkegaard wurde – gewiß nicht zu seinem Vorteil – in der Tat so etwas wie ein Mode-Philosoph der Zeit, weil er einerseits die sich nun mächtig durchsetzende Existenzphilosophie begründet und andererseits christliches Denken berücksichtigt hatte. Auch das höchst Privatistische des Erzählkerns in Frischs *Stiller,* die Entfaltung der Identitätsproblematik am Beispiel einer Ehegeschichte, entspricht dem literarischen Trend, der in den 50er Jahren herrschte. Mag man noch die Tatsache, daß von den Erschütterungen, die der Zweite Weltkrieg auslöste, in *Stiller* nichts zu spüren ist, auf die nationale Herkunft des Autors zurückführen, so ordnet sich der Verzicht auf eine Darstellung des durch die Naturwissenschaft, die Technik, die Atombombe gefährdeten Menschen der Moderne zugunsten einer Darstellung seiner intim-geistigen Nöte doch ganz und gar der literarischen Tendenz der Zeit ein. Wer versucht, Formen und Themen des gegenwärtigen Romans auf ihre Tradition zurückzuführen, wird deshalb wohl bei der Umgrenzung der heute verwendeten Erzähltechnik, nicht aber bei der heute im Vordergrund stehenden Erzählthematik auf *Stiller* als Vorbild und Quelle stoßen.

Anmerkungen

1 Christian Ferber, „Der Fluchtversuch des Herrn Stiller", in: *Materialien zu Max Frisch "Stiller"*, hg. v. Walter Schmitz, 2 Bde. (Ffm.: Suhrkamp Verlag 1978) Bd. 2, S. 450ff., hier: S. 450.

2 Robert Haerdter, „Mr. White und die Wahrheit", in: Schmitz: (=Anm. 1) S. 443ff., hier: S. 443.

3 Rudolf Goldschmit, „Die verlorene Identität", in: Schmitz (=Anm. 1) S. 425f., hier: S. 425.

4 Vgl. dazu Helmut Naumann, *Der Fall Stiller. Antwort auf eine Herausforderung. Zu Max Frischs "Stiller".* (o.O.: Schäuble Verlag 1978); dort auch eine ausführliche Bibliographie. Zur Einordnung des Romans in das Gesamtwerk s. Jürgen H. Petersen, *Max Frisch,* Sammlung Metzler 173 (Stuttgart: Metzler Verlag 1978).

5 Karl Schorn, „Ein Mann, der sich selbst sucht", in: Schmitz (= Anm. 1) S. 384ff., hier: S. 386.

6 Ebd.

7 Rudolf Goldschmit (= Anm. 3) S. 428.

8 Ebd.

9 Franz Schonauer, „Die Aufzeichnungen des Herrn Stiller", in: Schmitz (= Anmerkung 1) S. 396ff., hier: 397.

10 Ebd. S. 398.

11 Robert Haerdter (= Anm. 2) S. 446.

12 Edwin Hartl, „Nach vielen Jahren", in: Schnitz (= Anm. 1) S. 491f., hier: 492.

13 Emil Staiger, „Stiller", in: Schmitz (= Anm. 1) S. 391ff., hier: S. 394.

14 Vgl. dazu neben Naumann (= Anm. 4) vor allem Doris Fulda Merrifield, *Das Bild der Frau bei Max Frisch.* (Freiburg: Universitätsverlag Eckehard Becksmann, 1971); Gunda Lusser-Mertelsmann, *Max Frisch. Die Identitätsproblematik in seinem Werk aus psychoanalytischer Sicht,* Stuttgarter Arbeiten zur Germanistik (Stuttgart: Akademischer Verlag Hans-Dieter Heinz 1976); Doris Kiernan, *Existenziale Themen bei Max Frisch* (Berlin: de Gruyter 1978); Helmut Gross, „Die Kommunikation zwischen den Geschlechtern bei Max Frisch", in: Die Horen, 1978, H. 4, S. 33-44. Interessanterweise vertritt Fulda Merrifield den Standpunkt, daß Stiller am Mißlingen der Beziehung zu Julika kaum eine Schuld trifft, während Kiernan eher Julika verteidigt.

15 Vgl. dazu vor allem die entsprechenden Passagen in Manfred Jurgensens „Stiller"-Interpretation, in: M.J., *Max Frisch. Die Romane* (Bern u. München: Francke Verlag 1972, 21976) S. 62ff.

16 Vgl. dazu Doris Kiernan (= Anm. 14); Philipp Manger, „Kierkegaard in Max Frischs Roman 'Stiller' ", in: Schmitz (= Anm. 1) S. 220ff.; Hans Mayer, „Anmerkungen zu 'Stiller' ", in: Schmitz (= Anm. 1) S. 283ff.; Hans-Jürgen Baden, *Der Mensch ohne Partner. Das Menschenbild in den Romanen von Max Frisch* (= Das Gespräch H. 64, Wuppertal: Jugenddienst 1966); Wolfgang Stemmler,

Max Frisch, Heinrich Böll und Sören Kierkegaard (Diss. Phil. München 1972);
Jürgen Brummack, „Max Frisch und Kierkegaard", in: Text und Kontext 6,
Heft 1/2, Kopenhagen 1978, S. 388-400.
17 So sieht Baden (= Anm. 16) in Stiller ein Exempel dafür, daß der Mensch sich
ohne Gott nicht annehmen kann, Kiernan (= Anm. 14) erblickt in Stillers Alleinsein am Ende des Romans einen „Schritt in den Glauben" (S. 152), Manger
und Stemmler (= Anm. 16) lassen indes die Frage offen (weil sie auch durch
Frisch nicht beantwortet wird), ob Stiller den Sprung in ein religiöses Dasein
entsprechend Kierkegaards dreifach gefächerter Daseinsinterpretation unternimmt. Hans Mayer (= Anm. 16) hingegen ist der Auffassung, daß der Roman,
zumindest dessen zweiter Teil, das gewählte Motto widerlegt bzw. parodiert.
18 Karl Schorn (= Anm. 5) S. 386.
19 Franz Schonauer (= Anm. 9) S. 397.
20 Max Frisch, *Gesammelte Werke in zeitlicher Folge, Bd. 3*, (Ffm.: Suhrkamp
Verlag 1976), S. 671.
21 Ebd. S. 682.
22 Ebd. S. 671.
23 Ebd. S. 668.
24 Ebd. S. 669.
25 Ebd. S. 590.
26 Ebd. S. 361.
27 Ebd. S. 725.
28 Ebd. S. 727.
29 Ebd. S. 379.
30 Ebd. S. 743.
31 Ebd. S. 670.
32 Ebd. S. 751.
33 Ebd. S. 775.
34 Ebd. S. 590.
35 Ebd. S. 690.
36 Ebd.
37 Ebd. S. 769.
38 Ebd. S. 772.
39 Ebd. S. 590.
40 Ebd. S. 589.
41 Ebd. S. 588.
42 Ebd. S. 589.
43 Es wird zunächst durch die Überlegung des „Sanatoriums-Veteranen" aufgegriffen (S. 467), dann verwendet es auch Julika im Gespräch mit Stiller vor dessen Flucht (S. 499f.), einmal taucht es − in erlebter Rede ironisch gebrochen −
als Julika-Zitat in einer Suada des Verteidigers auf (S. 718), schließlich im
Nachwort des Staatsanwaltes, unverdeckt S. 749, verdeckt S. 779 („Stiller hätte sie von allem Anfang an nur als Tote gesehen [. . .]").
44 Max Frisch, *Werke*, Bd. 3 (= Anm. 20) S. 689.
45 Ebd.
46 Ebd. S. 707.
47 Ebd. S. 713.
48 Ebd.
49 Ebd. S. 780.

308 *JÜRGEN H. PETERSEN*

50 Ebd. S. 769.
51 Hans-Jürgen Baden (= Anm. 16) S. 17.
52 Max Frisch, *Werke* Bd. 3 (= Anm. 20) S. 769.
53 Vgl. dazu Sören Kierkegaard, *Die Krankheit zum Tode,* in: Gesammelte Werke, 24 u. 25. Abt. (Düsseldorf/Köln: Eugen Diederichs Verlag 1954). Hier zeigt er, daß der Mensch einerseits nicht ohne „Notwendigkeit", d.h. ohne jene Identität leben kann, die ihn auf ihn selbst festlegt, andererseits aber der freien Entfaltung durch immer neue Lebensmöglichkeiten bedarf: „Ein Selbst, das keine Möglichkeit hat, ist verzweifelt, und ebenso ein Selbst, das keine Notwendigkeit hat." (S. 32).
54 Vgl. dazu Karlheinz Braun, *Die epische Technik in Max Frischs Roman „Stiller" als Beitrag zur Formfrage des modernen Romans* (Diss. Ffm. 1959), Ausschnitte in Walter Schmitz (= Anm. 1) S. 83-94; Michael Butler, *The Novels of Max Frisch* (London/Wolff 1976), Ausschnitte in Walter Schmitz (= Anm. 1) S. 195-200; Walter Jens, „Erzählungen des Anatol Ludwig Stiller", in: Schmitz (= Anm. 1) S. 69-75.
55 Vgl. zu diesem erzähltechnischen Verfahren die systematische Darstellung von Volker Neuhaus, *Typen multiperspektivischen Erzählens,* Literatur und Leben NF 13 (Köln u. Wien: Böhlau Verlag 1971).

MICHAEL SCHÄFERMEYER

Martin Walser: *Ehen in Philippsburg* (1957)

I

„Kommt der Bauer in die Stadt, so sagt ihm alles: verschlossen."[1] Damit ist die Ausgangssituation Hans Beumanns, der zentralen Rahmenfigur in Martin Walsers 1957 erschienenem Roman *Ehen in Philippsburg*, gekennzeichnet. Untereinander und mit dem Romanrahmen nur locker verbunden sind die beiden Binnenhandlungen, als deren Protagonisten der Gynäkologe Dr. Benrath und der Rechtsanwalt Dr. Alwin fungieren. Der Schriftsteller Bertolt Klaff, organisatorisch den Beumann-Kapiteln zugeordnet, ist als Gegenfigur zu allen ausgeführten Personen konzipiert.

Nach Wolfgang Koeppens 1951-1954 erschienener Trilogie *Tauben im Gras, Das Treibhaus, Der Tod in Rom* ist Walsers Roman einer der ersten, die die Wirklichkeit der jungen Bundesrepublik Deutschland zum Gegenstand haben. Der Erzähler des Romans entwirft in den Figuren die Porträts der neuen Parvenüs, die zu Karrieristen degenerierten.[2] Sein Blick ist auf Einzelheiten gerichtet, deren objektiver Zusammenhang ihm problematisch ist. Solche Perspektive formuliert Martin Walser 1963 in dem Essay *Freiübungen:*

> „Das erste Positive: der Schreiber kümmert sich endlich ganz um sich selbst und wenn er sich aus dem Sattel gehoben hat, stellt sich heraus, daß er alle mitriß, die im Sattel saßen."[3]

In der folgenden Interpretation wird versucht, an den verschiedenen Verhaltensweisen der Figuren ihnen gemeinsame Strukturen zu entwickeln, aufgrund derer sie so und nicht anders handeln; die begriffliche Bestimmung solcher Strukturen ist das Ziel dieser Studie, weil sich an ihnen Erkenntnisse darüber gewinnen lassen, auf welche Weise die sich nach dem Krieg wieder formierende Gesellschaft funktioniert. Dementsprechend wird angestrebt, Handlungen und Personen durch das zu erläutern, was ihnen unausgesprochen an gesellschaftlichen Prinzipien zugrunde liegt.*

II

Der soeben erst examinierte Student der Zeitungswissenschaften Hans Beumann trifft, versehen mit einem Empfehlungsschreiben seines Professors, bei glühender

---

* Es handelt sich also bei dieser Arbeit eher um Prolegomena zu einer Interpretation als um eine ausgeführte Deutung. Dazu wäre die sprachliche Vermittlung der Thematik ins Zentrum der Kritik zu rücken, was den gegebenen Rahmen sprengen müßte.

Hitze in Philippsburg ein, um beim Chefredakteur der dort herausgegebenen „Weltschau" vorzusprechen. Das Gespräch kommt nicht zustande, und Beumann geht in ein Gartencafé. Obwohl er hofft, daß wegen der Hitze 'viele Schranken wegschmölzen' (vgl. S. 12), die seine Etablierung in einer neuen Umgebung erschweren, geschieht nichts dergleichen:

> „Beumann wollte diesen Tag nützen. Das war ein Tag, sich in Philippsburg seßhaft zu machen, ein Tag, der wie kein anderer geeignet schien, Gesellschaft zu bekommen. Aber es schien nur so. Niemand bat um seine Hilfe. So sehr er die Leute anschaute, keiner bot ihm an, 'du' zu sagen, keiner lobte den Schatten, den man gemeinsam genoß; Beumann blieb allein trotz der Hitze, die die ganze Stadt in ihren Zähnen hielt. Die Abstände wurden nicht kleiner." (12f.)

Schon auf den ersten Seiten des Romans ist die erzählerische Taktik in ihrem Verhältnis zum Mitgeteilten ganz entwickelt: Weder ein durchgängig auktoriales Erzählverhalten noch die Auslieferung des Erzählers ans Erzählte bestimmen den Roman. Der Erzähler bequemt sich den erzählten Figuren so an, daß er deren konkreter Erfahrung detailliert nachgeht, ohne aber mit ihnen zu verschmelzen. Auktoriale Elemente fügen sich nahtlos an style indirect libre, inneren Monolog oder indirekte bzw. direkte Rede. Durch diese erzählerischen Mittel erreicht er ein hohes Maß an Differenzierung, als deren Prinzip sich Genauigkeit erweist. Auch die Metaphorik des Erzählers dient solchem Prinzip.

> „Im Vorzimmer von Herrn Büsgen tändelten zwei Mädchen mit Schreibmaschinen. An ihren waagrecht schwebenden Armen hingen leicht wie Blüten die Hände, und von diesen hingen noch leichter die Finger herab, die auf den Tasten der Maschinen tanzten. Zwei Gesichter drehten sich gleichzeitig ihm zu und lächelten das gleiche Lächeln. [. . .] Ein Lautsprecher antwortete, Herr Beumann möge seine Philippsburger Adresse dalassen, man gebe ihm Bescheid, jetzt im Augenblick könne er leider nicht empfangen werden. Beumann sagte, eine Philippsburger Adresse müsse er sich erst beschaffen. Aber um ja nichts falsch zu machen, ließ er dann doch die Anschrift von Anne Volkmann im Vorzimmer des Chefredakteurs. Das war eine in Philippsburg beheimatete Studienkollegin. Sie hatte ihr Studium nicht beendet. Wahrscheinlich wohnte sie jetzt bei ihren Eltern. Er hätte sie sowieso früher oder später aufgesucht, um zu sehen, was aus ihr geworden war." (10)

Das ätherische und Zweckfreiheit signalisierende Bild der blütengleichen Hände, deren Finger tanzen, wird dadurch konterkariert, daß es sich auf den durch und durch funktionalen Vorgang des Maschineschreibens bezieht; die Zweckfreiheit ist zum Funktionieren verdinglicht. Dieser Befund wird sogleich von der automatischen, apersonalen Reaktion der Sekretärinnen bestätigt; ihr Lächeln hat jeden subjektiven Charakter verloren, gehört nicht ihnen, sondern ist Teil der Organisation des Büros genauso wie die Schreibmaschinen und Lautsprecher, der statt eines realen Menschen antwortet. Schon mit dieser kurzen Szene ist eines der zentralen

Themen des Romans angedeutet: die Auflösung unverwechselbarer Individualität in einen Apparat. Subjektivität als relative Autonomie, welche die Menschen in einem Jahrhunderte währenden Kampf gegen die Zufälligkeit und Bedrohung der Natur und gegen quasi naturhafte Institutionen – etwa die der Kirche – errungen hatten, Organ der Möglichkeit ihrer Freiheit, ist reduziert auf die Subordination des Individuums unter eine Organisation, deren Funktionieren ein Ich im Wege steht. Solche Auflösung des Ich bleibt nicht auf den Apparat beschränkt, in dem die Menschen eben nicht nur ihre Arbeitskraft, sondern auch sich selbst verkaufen;[4] sie ergreift auch die sogenannte Privatsphäre, in der die Personen weiter funktionieren. In diesem Bereich, in dem noch am ehesten zu erwarten wäre, daß die Personen dort ihr den Tag über geknechtetes Ich auslebten, sind die Figuren angesiedelt, in diesem Bereich folgt der Erzähler detailliert ihren Beobachtungen, Reflexionen und Reaktionen.

Bereits der erste Abschnitt des Romans kennzeichnet die Struktur der Wirklichkeitserfahrung Hans Beumanns:

„In einem überfüllten Aufzug schauen alle Leute aneinander vorbei. Auch Hans Beumann spürte sofort, daß man fremden Menschen nicht ins Gesicht starren kann, wenn man ihnen so dicht gegenübersteht. Er bemerkte, daß jedes Augenpaar sich eine Stelle gesucht hatte, auf der es verweilen konnte: auf der Zahl, die angibt, wieviel Personen der Aufzug tragen kann; auf einem Satz der Betriebsordnung; auf dem Stück Hals, das einem so dicht vor den Augen steht, daß man das Geflecht aus Falten und Poren noch nach Stunden aus dem Gedächtnis nachzeichnen könnte; auf einem Haaransatz mit etwas Kragen daran; oder auf einem Ohr, in dessen unregelmäßigen rosaroten Serpentinen man allmählich der kleinen dunklen Öffnung zutreibt, um darin den Rest der Fahrt zu verbringen. Beumann dachte an die Fische in den Hotelaquarien, deren reglose Augen gegen die Scheiben stehen oder auf der Flosse eines Schicksalsgefährten, der sich offensichtlich nie wieder bewegen wird." (9)

Mit der Generalisierung „alle Leute" setzt der Erzähler den Roman in Gang, doch schon der zweite und dritte Satz deuten an, daß die solcher Verallgemeinerung innewohnende Abstraktion nicht dem Erzähler umstandslos zugeordnet werden kann, sondern daß sie wie die Beobachtungen von Hans Beumann angestellt werden. Es handelt sich hier um einen Grenzfall, in dem autkoriale Erzählweise in style indirect libre übergeht; dies ermöglicht dem Erzähler, seinen Protagonisten indirekt zu Wort kommen zu lassen, ohne daß er sich aber mit diesem identifizierte; seine Distanz zu ihm ist zwar denkbar gering, aber groß genug, um ihn vorzuführen. Beumann „spürt" und „bemerkt" – aber nicht, daß *er* Menschen aus großer Nähe nicht anschauen kann, sondern daß *man* es nicht tut. Durch die unvermittelt einsetzende Generalisierung einer konkreten Erfahrung rückt Beumann sie, den Vorgang normalisierend, in die Distanz, von der aus eine Verunsicherung wegen seiner abstrahierenden Vorgehensweise gar nicht stattfinden kann. Von der Erfahrung, einem Menschen nicht ins Gesicht sehen zu können über die Isolierung einzelner Teile an ihm, die das Ensemble seiner Körperlichkeit auflöst und sie ihm

nur in solcher Verdinglichung erträglich zu machen scheint, verläßt Beumann in
seinem abstrahierenden Verfahren schließlich vollends den menschlichen Bereich:
Mit seinem Fisch-Vergleich rückt er das, was schon im zweiten Satz mittels Abstraktion nurmehr negativ als seine eigene Erfahrung erscheint, endgültig von sich
weg. An dieser Einleitung wird bereits deutlich, was sich im Verlauf des Romans
auch für die anderen Protagonisten erweist. Ihre Subjektivität, das heißt, ihre Individualität, ihr Ich, ist – durch die spezifische Konstellation der Themen und die
ihrer sprachlichen Artikulation vermittelt – bis auf Restbestände abgebaut. Im
Falle Beumanns erinnert einzig seine Fähigkeit, genau und distanziert zu beobachten, an so etwas wie Identität, die ihm als dem 'unehelichen Kind einer Bedienung,
dem im Dorf Kümmertshausen aufgewachsenen, familienlosen Einzelkind' (vgl.
S. 59) aufgezwungen worden war. Sie blieb ihm aber aufgesetzt: von selbstbewuß-
ter Abgrenzung gegen die Kümmertshausener war nie eine Spur, im Gegenteil: Er

> „hatte sich so lang um die einzelnen Höfe herumgedrückt, bis man ihn ir-
> gendwo mitmachen ließ [. . .]; ein Geschenk für ihn, wenn man ihn einlud,
> Hand anzulegen, wenn man mit ihm sprach oder gar mit ihm lachte; er hatte
> sich nie vorstellen können, daß man ihn irgendwo brauchen würde." (59)

Die subversive Kraft der genauen Beobachtung, die von seinem alter ago Bertold
Klaff bis zur letzten Konsequenz aufgebracht wird, ist Beumann fremd. Sie besteht in der skeptischen Perspektive auf die gesellschaftlichen Erscheinungen, denen ein immanenter, objektiver Sinn abgesprochen wird. Unter Klaffs Betrach-
tungsweise zerfällt ein Ganzes – etwa die Rede des Verwaltungsdirektors des
Philippsburger Staatstheaters Dr. Mauthusius (vgl. S. 290ff.) – in Teile die mit diesem Ganzen nicht vermittelbar sind. Ihr Zusammenhang entlarvt sich solchem
Blick als bloße Zutat der Individuen, als Konvention, die vor allem den Fortbe-
stand der Herrschaftsinteressen derjenigen sichert, die solche Konvention immer
wieder reproduzieren, indem sie sich an sie anpassen.[5] Diese Deutung, die einst-
weilen noch den Makel des Unausgewiesenen trägt, wird sich erhärten, wenn im
weiteren Verlauf der Studie die Figur Bertold Klaffs genauer analysiert wird. Im
Zusammenhang mit der nur rudimentären Personalität Hans Beumanns sei aber
schon jetzt darauf hingewiesen, daß Klaff die einzige Figur der *Ehen in Philippsburg* ist, die 'Ich' sagt – erzählerischer Reflex ihrer eigenen Identität. Beumann
dagegen benutzt seine Fähigkeit, genau hinzusehen, um herauszubekommen, was
seiner Etablierung in Philippsburg nützen könnte. Seine scheinbar unbegrenzte Anpassungsfähigkeit macht ihn für die städtische haute volée einsetzbar. Nachdem
die Anfrage nach einer Mitarbeit bei der 'Weltschau' unbeantwortet geblieben ist,
arriviert er durch die Beziehung zur Fabrikantentochter Anne Volkmann zum Herausgeber eines Industrie-Pressedienstes, für den er sich gut eignet, da er ein gläubi-
ges Werkzeug verschiedener Personen und Richtungen abgibt. Für die 'Linie' des
Blattes, dafür, daß nicht sich völlig widersprechende Interessen darin zu Wort
kommen, sondern nur solche, die den Markt für Rundfunkempfänger ausweiten
helfen, sorgt ohnehin der Produzent von Radioapparaten Volkmann, künftiger
Schwiegervater Beumanns. Eine Interpretation allerdings, die Beumann seinen

Opportunismus umstandslos vorwürfe, ihn wegen seiner verkommenen Subjektivität verurteilte, wäre verfehlt; auch der Erzähler gibt weder ihn noch sonst eine der zentralen Figuren preis. Ein solches Verhalten personalisierte auch nur das Problem, dessen exemplarischer Charakter, seine gesellschaftliche Geltung, gerade erwiesen werden soll. Dagegen führt der Roman im Wechsel von style indirect libre und auktorialem Erzählverhalten objektiv Beumanns Rechtfertigungsversuche wegen der Annahme der Arbeit vor. Dieser hält sich vor Augen, was er verlöre, wenn er den ihm angebotenen 'Job' nicht annähme.

> „In seinem Kopf spielten zehn Orchester gegeneinander, und er war der einzige Dirigent, der sie zum Einklang bringen sollte. Daß etwas von ihm abhing, daß er sich entscheiden konnte, oder wenigstens so tun konnte, als habe er die Wahl, so oder so zu entscheiden, das machte seinen Kopf heiß und seine Augen feucht, er spielte mit sich selbst ein pathetisches Spiel; er fühlte, wie seine Person Gewicht bekam, und er wollte diese Schwere auskosten [. . .], er wußte ja nicht, wie lange sie bei ihm blieb, ob er sie nicht schon im nächsten Augenblick wieder verlieren würde, ob er nicht schon gleich wieder der ziel- und richtungslose, leichthin pendelnde Zuschauer sein würde, der er bis jetzt gewesen war." (60f.)

In diesem Zusammenhang erinnert Beumann sich erregter gesellschaftskritischer Diskussionen mit ehemaligen Studienkollegen, und er fragt sich, „ob nicht auch sie eingesehen hatten, daß man das, was man nachts redet, nur redet, weil man es am Tag nicht vollbringen kann." (61) Auch hier erfüllt das indefinite Pronomen 'man' die gleiche Funktion wie am Anfang des Romans: Zugunsten der Chance, endlich 'dazuzugehören', löst er die Verbindlichkeit der Erfahrung solcher Gespräche in eine pointierte Formulierung auf. Deren Rechtfertigungscharakter, ihre Abstraktheit kommt zustande, weil Beumann den konkreten Inhalt dieser Diskussionen nicht mit seiner Entscheidung vermittelt. Es ist kennzeichnend für seine rudimentäre Subjektivität, daß er durchaus weiß, auf was er sich mit der Annahme des 'Jobs' einläßt — seine ideologischen Bedenken gipfeln sogar in dem Wort „Verrat" (61); ebenso kennzeichnend für das nur Rudimentäre daran aber ist die Folgenlosigkeit seiner kritischen Einsichten: Die Spannung zwischen diesen und den gesellschaftlichen Aussichten wird er am Ende des Romans ausschließlich zu deren Gunsten abgebaut haben. Unter diesem Aspekt relativiert sich das Urteil Roland H. Wiegensteins: „Beumann hat es eigentlich schon nach hundert Seiten geschafft, obgleich sein Autor ihn aus Gründen literarischer Ökonomie weiter mitschleppt und ihm die letzten Weihen erst spät zukommen läßt."[6]

Es geht in *Ehen in Philippsburg* nicht um Entwicklungen im Sinne des klassischen Bildungsromans; vielmehr steht die das Subjekt deformierende Wirkung verdinglichter gesellschaftlicher Normen im Mittelpunkt. Wenn also überhaupt noch am emanzipatorischen Gehalt von Wilhelm Meisters Bildungsprogramm festgehalten wird, das sich auf die Ausbildung der ganzen Person richtete, dann geschieht das nur durch das negative Verfahren, in dem die Verhinderungen solcher Ausbildung detailliert aufgezeigt werden.

Nicht nur Hans Beumann, sondern alle Personen — mit Ausnahme des schon erwähnten Schriftstellers Bertolt Klaff – bleiben deswegen schemenhaft, weil sie sich ihre Konturen von den Dingen einprägen lassen, weil sie ihr gesellschaftliches Gefüge nach dem Maß arbeitsteiliger und von Konkurrenz geprägter Produktion ausrichten. Folgerichtig beobachten sie der Erzähler und Beumann bis in die ganz dadurch bestimmte, scheinbar bloß private Sphäre der high and low society, genauer: *nur* da beobachten nie sie, denn der Bereich der Produktion kommt direkt gar nicht zur Sprache, vielmehr sind allein deren Auswirkungen aufs ehemals Private Gegenstand des Romans. Der überall gegenwärtige Wettbewerb ist ironisch noch pointiert, indem sogar das der Subordination unter dieses Prinzip eigentlich unverdächtige Wetter von ihm eingeholt wird. Frau Färber, Beumanns kleinstbürgerliche Vermieterin, beobachtet den „Rekordsommer [. . .] wie einen Zehntausendmeterläufer [. . .], der während seines Laufs einen Kurzstreckenrekord nach dem anderen bricht." (65) Trotz der allgegenwärtigen Konkurrenz und der daraus resultierenden Verstellung geht Beumann nicht völlig in beidem auf. Fast bis zum Schluß des Romans, dessen Rahmen die Beumann-Geschichte bildet, bewahrt er sich die Distanz zum Geschehen, ohne aber daraus Konsequenzen zu ziehen. Seine Verteidigung Bertolt Klaffs, dessen Hörspiel er in seinem Pressedienst überschwenglich rezensiert, ist nur auf dem Hintergrund der geistigen Verwandtschaft mit diesem radikalen Verweigerer verständlich. Beumann erreicht gegenüber Herrn Volkmann, daß die Rezension gedruckt wird. Sein Versuch aber, Klaff als ständigen Mitarbeiter durchzusetzen, scheitert.

> „Hans gestand sich ein, daß er Herrn Klaff diesen Mißerfolg ein bißchen gönnte. Er selbst hatte sich ja auch beugen müssen. Er hätte ja auch manchmal Lust verspürt, zu sagen und zu schreiben, was er dachte, aber man war schließlich naseweis und hochmütig, wenn man immer nur sich selbst zum Maßstab machte [. . .]." (93)

Zwar bewundert Beumann Klaffs unbeugsame Haltung, aber des Vorwurfs, den dieser schon durch seine Existenz zum Ausdruck bringt, erwehrt er sich durch doppelte Abstraktion: Unvermittelt vergleicht er sich mit ihm, und da das nicht ausreicht, ihn zu relativieren, abstrahiert er ihn im indefiniten Pronomen. Mit solchem Verfahren gelingt es Beumann, sich der konventionellen, gesellschaftlich approbierten Deutung der Phänomene anzupassen, der seine eigene genaue Beobachtung widerspricht. Von der kritischen Potenz des detaillierten Beobachtens, das den Einspruch des Subjekts gegen den sozialen Oktroi scheinbar von den Dingen selbst gestifteter Zusammenhänge markiert, erfährt der Leser nur durch Bertolt Klaff.

Diese Figur bleibt nicht deswegen schemenhaft, weil ihre Subjektivität zu wenig ausgeprägt wäre, sondern weil sie eine so starke Identität besitzt. Klaff fällt so eindeutig aus dem Romankonstrukt heraus, daß Renate Möhrmann gar von einer Kafka-Reminiszenz des Autors spricht.[7] In der Tat wirkt Klaff unter dem Aspekt der in diesem Roman objektiv konstruierten Physiognomie der Normalität fremd. Er ist die einzige ausgeführte Figur, die sich nicht einmal ansatzweise dem sozialen Anpassungsdruck beugt, sondern sich bis in die Konsequenz des Freitods hält. Dennoch erscheint sie nicht als Idealtyp, nicht als Identifikationsfigur, die durch den Roman den anderen Protagonisten und den Lesern gleichsam als Vorbild präsentiert würde. Wohl aber ist Klaff nur in Korrelation zu den anderen Figuren zu verstehen: als deren personifiziertes Über-Ich. Er verhält sich so, wie die anderen sich verhalten sollten, wenn dies nicht unter den gegebenen Umständen unmöglich wäre. Insofern ist er weniger Kritik an den Personen, als eine an den gesellschaftlichen Bedingungen in Philippsburg, die ein solches Verhalten real unmöglich machen. Er ist ein Märtyrer, aber wie allen Märtyrern haftet ihm etwas Unmenschliches und Abstraktes an. Die Aporie, mit dem Philippsburger Alltag fertig zu werden und trotzdem dagegen ein Ich zu entwickeln, wird ex negativo in Bertolt Klaff praktisch. Sein Tod weist darauf hin, wie gewaltsam die herrschenden Normen und Werte, der konventionelle Zusammenhang der Phänomene, in das Individuum eingreifen: Wer sich gegen sie stemmt, wer den Sinn des gesellschaftlichen Zusammenhangs bezweifelt, ist verurteilt. Auch Birga, die Frau des Gynäkologen Dr. Benrath, die von Walser nicht ausgeführte Parallelfigur zu Klaff, endet konsequenterweise im Freitod, der der letzte Protest des Subjekts gegen eine es verhindernde Wirklichkeit ist. Klaff führt die Hoffnungslosigkeit vor, auf der Kritik der beobachteten gesellschaftlichen Phänomene zu bestehen, sich nicht deren konventionell geprägtem Zusammenhang anzupassen. Insofern ist er der Hüter der Wahrheit, die nur noch negativ erscheinen kann, eben in der Ablehnung sozial approbierten Sinns, von dem Klaff weiß, daß er allein durch die Erfordernisse der Produktion, durch Verdinglichung subjektiver Regungen bestimmt und nur durch die Verstellung der Individuen aufrechtzuerhalten ist. Zur Erläuterung von Klaffs Vorgehen sei ein Teil seines Referats einer Rede zitiert, die sein Chef, der Verwaltungsdirektor des Philippsburger Staatstheaters, Dr. Mauthusius, hält, um für die politischen Ziele seiner Partei zu werben.

„Und noch hatten wir das Finale nicht erlebt. Es begann damit, daß er uns zurief, wir müßten uns 'innerlich wappnen!' Jetzt gehe es – und sein Ausdruck wurde furchtbar – 'hart auf hart'. Ich war so hingenommen, daß ich im Augenblick nicht wußte, wer oder was 'hart auf hart' gehe, und ich bin auch durch nachträgliche Überlegung nicht mehr bis zu dem Sinn dieser Ausdrucksweise vorgedrungen, aber daß damit Waffen gemeint waren, scheint mir sicher zu sein. Darin bestätigt mich jener Satz aus dem Finale, der mir wörtlich in den Ohren liegen blieb. 'Der unerbittliche Kampf der geistigen Waffen, getragen von der Allmacht der Liebe, wird den Sieg auf unsere Fahnen senken.' [. . .] Später brach Beifall los. Der Chef verharrte zusammengekrümmt am Rednerpult und ließ uns spüren, daß er diese tumultuarische Zustimmung nur widerwillig über sich ergehen ließ. Als er zufällig einmal zu mir herschaute, wuchs auch ich ihm beifallstoll entgegen. Mit heißen Händen verließ ich den Saal. Schon unter der Tür, sah ich noch Herrn Birkel: er war zur Bühne gestürmt, mit seinem gesunden Bein auf einen Stuhl gesprungen und stand nun, weithin glänzende Tränen im Gesicht, und schlug seine großen Hände in deutlichem Sondertakt dröhnend gegeneinander. Sein Mund zuckte unheimlich rasch auf und zu und entließ dabei jedesmal ein erschütterndes Bravo. Das zu überbieten, würde mir nie gelingen."
(293f.)

An diesem satirischen Referat wird Klaffs bedingungslos kritisches Verfahren deutlich. Er geht weniger auf den Inhalt der Rede ein als auf Rhetorik und Metaphorik des Redners, aber gerade durch den Blick auf formale Details entlarvt er das hohle Pathos, die Beliebigkeit des Gesagten. Er selbst gibt sich begeistert, läßt sich auf die Konkretionen der Rede ein, um seinem Chef, der ihm zu kündigen gedroht hat, zu gefallen. „Was soll ich tun, wenn ich entlassen werde? Ich rauche täglich zwanzig Zigaretten. [. . .] Jedem die Wahrheit sagen, das kann sich ein Raucher, der auf seine Zigaretten angewiesen ist, nicht leisten." (290) Gerade dadurch aber, daß er sich auf die Rede einläßt, muß er sie noch gründlicher destruieren, als wenn er sie sich erspart hätte. Er *kann* sich gar nicht mehr korrumpieren, muß die Wahrheit zum Ausdruck bringen. Die besteht aber nicht mehr in einem positiv formulierten Urteil, sondern in dem unverwandt auf die Einzelheiten gerichteten Blick, durch den die Lüge eines ihnen von sich aus anhaftenden Zusammenhangs offenkundig wird. An dieser Rede erweist sich darüber hinaus der Herrschaftscharakter konventionell gestifteten Sinns. Diejenigen, die ihn stiften, erwarten von den anderen nur Zustimmung. Wo sie verweigert wird, wo das Subjekt sich also gerade im Widerstand gegen solchen Sinnoktroi bewährt, ist es nicht mehr beherrschbar und wird für die Mächtigen unerträglich. Dazu ist keine Wortsprache nötig. Klaff wird für Dr. Mauthusius zu einer dauernden Gefahr, weil er wenig sagt, aber durch seine Geisteshaltung bis in die Gestik hinein Insubordination ausdrückt. Anscheinend ohne Absicht unterlaufen ihm verräterische Bewegungen, die deutlicher sind als Worte, deshalb auch weniger vereinnahmbar sind. Als Mauthusius ihn einmal fragt, was er in diesem Augenblick gerade gedacht habe, antwortet Klaff nichts und lächelt, weil er — scheinbar naiv — annimmt, sein Chef wolle lediglich seine Mimik und Gestik verfeinern und bedürfe eines Zuschauers.

> „Ich beschloß, das Zimmer zu verlassen. Er war jetzt doch so angeregt, daß er des Zuschauers nicht mehr bedurfte. Bevor ich die Tür schloß, wies ich noch mit einer schüchternen Hand zum Spiegel hin. Wahrscheinlich hat er auch das falsch verstanden. Ich hörte ihn noch schreien, als ich schon, vorsichtig gehend, unten an der Pforte angelangt war." (287)

Ein solches Subjekt, dem — wie unabsichtlich — durch genaue Selbstbeobachtung auch das Gefüge der äußeren Wirklichkeit zutiefst problematisch wird, kann sich darin nicht mehr zurechtfinden. Walter Huber hat darauf hingewiesen, daß Klaff stürbe, weil es ihm nicht gelinge, „aus seinem Problem der Selbstbeobachtung — 'Immer sind neue Gesichter unterwegs zu mir' [290] — eine Attitüde der Selbstbehauptung zu folgern, nämlich 'immer neue Gesichter anzuprobieren.' [Martin Walser. Erfahrungen und Leseerfahrungen. Frankfurt/M., [4]1977. S. 107][8]

> „Das Positive: Lange auf einen Fleck starren, bis alle bewerteten Unterschiede sich verwirren. Bis der Eindruck nicht mehr im Lexikon zu verifizieren ist. Die Eidechse, die durchs Blickfeld huscht, erlöst zwar, aber sie zerstreut auch. Also frischen Blick sammeln. Die Undurchschaubarkeit stellt sich bald wieder ein."[9]

Tatsächlich bleibt Klaffs Blick starr auf sich selbst und auf die ihn bedrängende äußere Wirklichkeit gerichtet.

Solche Negativität des Blicks, die Walser in dieser poetologischen Reflexion vom Schriftsteller fordert, eignet Klaff in besonders hohem Maße. Die lebenserhaltende Erlösung des Blicks durch die ihn ablenkende Eidechse schlägt Bertolt Klaff dagegen aus. Er kann seinen Blick von den Dingen nicht mehr abwenden, kann keine 'neuen Gesichter anprobieren', weil er nur das eine hat; mit dem allein aber vermag er nicht zu leben. Seine Weigerung, die Eidechse wahrzunehmen, kennzeichnet seinen Rigorismus und gleichzeitig die Abstraktheit dieser Figur. Mehr als den anderen Protagonisten des Romans ist ihr die Konstruktion abzulesen; das bedeutet nicht, daß sie deswegen objektiv weniger gelungen wäre, im Gegenteil: Nur durch sie wird verständlich, welcher Konsequenz die anderen Figuren ausweichen, wenn sie ihre Fähigkeit zu beobachten in den Dienst der Anpassung stellen. Verstellung, 'Mimikry', wie das in der den *Ehen in Philippsburg* folgenden Kristlein-Trilogie *(Halbzeit, Das Einhorn, Der Sturz)* heißt, ist sozial gefordert, kein individuelles Manko; der Deformation ist nur um den Preis des Todes auszuweichen. Rainer Nägele hat dies, rezeptionstheoretisch gewendet und die Person des Autors zuungunsten der Objektivität des literarischen Werks hervorhebend, so formuliert: Es sei Vorsicht geboten, „Figuren wie Hans Beumann und Anselm Kristlein in ihren Anpassungsprozessen von vornherein negativ zu sehen. Eindeutig negativ sind sie nur auf dem Hintergrund eines Erwartungshorizontes, der solches Verhalten als negativ verurteilt. Indem aber dieser Erwartungshorizont heraufbeschworen wird, gelingt Walser eine Gesellschaftskritik auf komplexerer Ebene. Unversöhnt nämlich wird der im Leser aktivierte Erwartungshorizont konfrontiert mit einer Gesellschaft, die ihn zwar im Überbau bestätigt, in der Praxis aber Anpassungsverhalten als Überlebensnotwendigkeit fordert."[10]

Der objektiv bedingten Deformation geht der Roman dort nach, wo sie wirkt: in den Personen. Rechtsanwalt Dr. Alwin ist der Prototyp des Karrieristen, der entschiedener als Beumann alles tut, was seiner Laufbahn nützen, und alles unterläßt, was ihr schaden könnte. Seine Fähigkeit, genau zu beobachten, die er mit allen in diesem Roman durchgeführten Personen teilt, ist durch und durch zur vom Karrierewillen geprägten 'Lagebeurteilung' geworden, in der die genaue Beobachtung und deren nahezu gleichzeitige interessegeleitete Auswertung zusammenfallen. Entsprechend funktioniert der Abstraktionsmechanismus bei Alwin noch perfekter als bei Beumann. Während dieser seine Beobachtungen entpersonifiziert, sie damit aus dem jeweiligen individuellen Zusammenhang löst und das Abstrakta enden läßt, die mit dem Konkreten jener nichts mehr zu tun haben, geht Alwin noch einen Schritt weiter: Nicht nur mißachtet er diesen spezifischen Zusammenhang, in dem das jeweils Besondere steht, sondern er ordnet es umstandslos seinem Interesse unter. Dem fremden Partikularen gibt er kein Pardon; vielmehr schlägt er es unverzüglich über den Leisten des eigenen Vorteils, wodurch es letztlich seiner Besonderheit verlustig geht und willkürlich verdinglicht wird. Die Anstrengungen der Individuen, ihren Vorteil gegen ein allgemeines Gesellschafts- oder Staatsinteresse durchzusetzen, weil sie dessen Abstraktheit gegenüber ihren Ansprüchen bemerken, sind aporetisch: Sie versuchen gegenseitig, sich um deren Erfüllung zu betrügen und bemerken nicht, daß diese damit auch für sie selbst unmöglich wird. Damit verlängert sich das ökonomische Konkurrenzprinzip ins Individuum. Es weiß, daß nur durch Mißachtung der Ansprüche anderer sein eigenes Fortkommen gesichert ist, und dies umso mehr, je rücksichtsloser es gegen die anderen Individuen vorgeht. Symptomatisch für solche Mechanik ist die Partyszene, in der Alwin den für seine politische Karriere wichtigen Chefredakteur Harry Büsgen sieht und augenblicklich eine Strategie der Annäherung entwirft, obwohl jener sich mit zwei anderen Gästen der Party unterhält (vgl. S. 288ff.). Vielleicht ist die Party deswegen – besonders in Walsers früher Prosa – sein bevorzugter Ort, zentrale Situationen anzusiedeln, weil dort die verdinglichende Abstraktion vom Besonderen nicht nur der unterschiedlichen Interessen, sondern auch von dem der zwischenmenschlichen Bezüge, der Verlust an Privatheit also, sich am konzentriertesten ereignet.

Im Vergleich zur Figur des Gynäkologen Dr. Benrath aber sind Beumann und Dr. Alwin erst Anfänger in der Kunst der Verstellung. Kennzeichnend für den Zusammenhang aller drei Figuren ist, daß zwar Alwin und Beumann in keinen direkten Kontakt miteinander treten, wohl aber jeder von beiden eine Beziehung zu Benrath hat. Alwin ist dessen Rechtsanwalt im Zusammenhang mit dem Tod Birga Benraths, und Beumann trifft ihn auf seiner ersten Party bei Volkmanns, wo er mit einer Mischung aus Ekel, sexueller Erregung und Unterwürfigkeit Benraths gynäkologischen Anekdoten zuhört.

„Beumann will Benrath sein."[11] So pointiert Erhard Schütz das Verhältnis der beiden und belegt diese Deutung mit der Bewunderung, die Beumann für den Gynäkologen empfindet. Schütz betont den moralischen Rigorismus Benraths, der im „Leiden an der Unentschiedenheit"[12] bestehe und dem Klaffs verwandt sei. Benrath, der bewunderte Insider, erweise sich am Ende „als der stets schon Außerhalbstehende. Darum ist er aber auch der einzige, dem es gelingt, sich zu erhalten, nicht auf sich zu verzichten, weil er sich entzieht – in den Schlaf, aus der Stadt."[13] Es scheint, daß Schütz in dieser Deutung der Negativität der Figur nicht genügend nachgeht. Zu unvermittelt sieht er in Benraths Lügensystem einen gegen die Philippsburger Gesellschaft gerichteten „Selbstentwurf" und kann deshalb auch dessen Flucht als gelungenes Entkommen aus der „Moral der Doppelmoral" deuten. Ein Selbstentwurf setzte aber, der vagen Erfahrung eines Selbst in der Philippsburger Gesellschaft entsprechend, dessen wie immer auch unbestimmte Vorstellung voraus, und genau diese fehlt Benrath in noch größerem Ausmaß als Beumann und Alwin. Er wird vom Erzähler „der wahre Schizophrene" (136) genannt, weil an ihm demonstriert wird, in welche Konsequenz die Verstellung mündet. Der völligen Assimilation des Subjekts an die Gesellschaft, wodurch es untergeht, entspricht der verzweifelte Versuch des zu seiner bloßen Form degenerierten Individuums, das zu realisieren, dessen Möglichkeit im Prozeß der sozialen Anpassung längst abhandengekommen ist – Glück. Es wird im Roman nicht positiv genannt, bildet aber den Handlungshintergrund aller dort gezeichneten neuen Parvenüs,[14] denen Glück gleichbedeutend ist mit Macht und Erfolg. An diesem 'Höheren', nach dem sie streben, an der Verdinglichung des durch Konkurrenzverhalten und Verstellung schlechterdings nicht Erreichbaren, wird deutlich, wie sehr sich die Individuen nach so etwas wie Glück sehnen und in welchem Ausmaß sie von dem, was sie schließlich dafür nehmen, Macht und Erfolg, darum betrogen werden. Dies 'Höhere' – wie Theodor W. Adorno formuliert – „verkörpert dem Faiseur stets zugleich die Utopie: noch die falschen Brillianten strahlen vom ohnmächtigen Kindertraum [. . .]·"[15] Benrath, der Macht, Erfolg und Reichtum genossen hat, versucht durch seine Beziehungen zu Cecile, das Glück zu erlangen, das ihm in seinem bisherigen Leben gefehlt hat. Er scheitert an der Unausweichlichkeit des Verstellungsprinzips, dem er selbst da nicht entrinnen kann, wo er den Betrug zu durchschauen scheint, mittels dieses Prinzips glücklich zu werden. Seine Erkenntnis, daß ein Mensch doch ganz anders werde, „wenn er sein darf, wie er ist, wenn er nicht in jedem Augenblick einen gedachten Anspruch zu erfüllen" (155) sich bemühe, steht ironisch in einem Zusammenhang, in dem das Mißlingen seines Befreiungsversuchs bereits offenkundig ist. Cecile und er haben die gleiche Sehnsucht nach unverstellter Kommunikation, aber die verzweifelte Vehemenz, mit der sie diesen Wunsch zum Ausdruck bringen, verweist um so deutlicher auf das Ausmaß der Verheerung. Beide gehen vollständig in dem auf, dem sie doch entkommen wollen – im Macht- und Erfolgsstreben sowie in deren Sicherung. An Benrath und Cecile wird der literarischen Kritik bemerkbar, wie der Roman demonstriert, daß gerade im Zustand völliger Entfremdung der Wunsch nach der erfüllten Totalität menschlicher Bezüge am nächsten liegt, daß der Griff nach den Sternen vorzugsweise im Nebel gewagt wird. Die Aussichtslosigkeit, der allgegenwärtigen Herrschaft wenigstens im privatesten Bereich zu entrinnen, findet im Benrath-Kapitel ihren prägnanten Ausdruck: „Er bat so gewaltsam, daß Cecile nachgeben mußte. Dann unterwarf er sich ihr. [. . .] Aber auch sie wollte nichts, als ihm unterworfen sein." (155) Macht und Erfolg als Garanten eines Glücks, dem schon von Anfang an die Entfremdung des Wegs eingeprägt ist, auf dem es erreicht werden soll, führen zu dessen immer verzerrterer Fratze. Anstatt glücklicherer Verhältnisse als in seiner Ehe mit Birga verdoppeln sich Verstellung und Verallgemeinerung zwischen Benrath und der Frau, die zu seiner 'Geliebten' wird, weil er unfähig ist zu lieben. Sein Bewußtsein von dieser Situation – artikuliert im style indirect libre – ist von der doppelten Verstrickung in den gesellschaftlichen Lügenzusammenhang bestimmt.

> „Benrath dachte, ein Mann, der seine Frau betrügt, ist das lächerlichste Wesen, das man sich vorstellen kann. Er wollte keine Geliebte haben. [. . .] Jetzt war sie doch seine Geliebte. Ein Verhältnis! Und er war auch so ein Männchen [. . .]." (136)
> „Diese Männchen sind anständig genug, auch sich selbst zu betrügen, und die, mit denen sie betrügen, dazu. Und von dieser lüsternen Gesellschaft hätte sich Benrath [. . .] gar zu gerne unterschieden gesehen." (137)

Es gelingt ihm nicht, den Brüchen in seinem Bewußtsein zu entkommen; unter dessen ständiger Beobachtung und Kontrolle vollführt er „fast mechanisch" (135) das 'Liebesspiel', das weder mit Liebe noch mit Spiel mehr etwas zu tun hat. Erst der Freitod seiner Frau reißt ihn aus dem Teufelskreis der Wiederholung des Immergleichen. Benrath analysiert, was er längst nicht mehr für sein Selbst hält – so begreift er seine Existenz als „Seelentheater" (181), sieht sich in allen Rollen agieren, sich auspfeifen und Beifall klatschen –, aber sein programmatischer Anspruch, daß der Tod seiner Frau Folgen haben müsse, wird vom Erzähler am Schluß des Benrath-Teils vorsichtig ironisiert: „Er schlief ein, nachdem er glaubte, lange genug über alles nachgedacht zu haben. Eine Schlaftablette wäre überflüssig gewesen." (196)[16]

In Benraths Doppelleben sind die Aussichten Beumanns und Alwins antizipiert. So gesehen, ist Benrath der Spiegel, in dem beide ihre Zukunft ablesen könnten. An diesem Schnittpunkt der Geschichten wird der Leerlauf, in den sie in doppelter Weise geraten werden, deutlich: Weil die Reste ihrer Subjektivität, mit denen sie aus der Mechanik der gesellschaftlichen Bestimmtheiten ausbrechen wollen, sich nicht ganz ausräumen lassen, versuchen sie die Realisierung des ihnen vorenthaltenen Glücks, was aber im Leerlauf eines wiederum auf Verstellung gegründeten ‘Verhältnisses’ erstickt. So erweist sich ihre Deformation als unausweichlich. Selbst der Versuch, die aus ihren Ehen vertriebene Privatheit als letztes Refugium gegen die allherschende Verdinglichung in eine ‘Liebschaft’ zu retten, scheitert an deren Betrugscharakter, daran, daß sie auch ihre ‘Geliebten’ nicht als Subjekte anzusehen imstande sind, weil sie selbst sich nicht als solche ansehen dürfen und können. Wie sehr der verdinglichende Blick auf die Frauen genau das an ihnen zerstört, was Männer wie Beumann, Alwin und Benrath doch in ihnen suchen, wird schon an Birgas Freitod deutlich, an Marga, der ehemaligen Sekretärin der ‘Weltschau’ und späteren Animierdame im Honoratiorenclub ‘St. Sebastian’, aber direkt demonstriert. Ihr Tagebuch, das – dem versteinernden Blick ihrer Kunden entzogen – Einblick in ihr Privates geben könnte, nachdem ihr Körper längst zur Ware geworden ist, verriete dem zufälligen Leser Beumann das Ausmaß der Zerstörung, wenn er nicht – ohne Blick dafür -- so sehr bereit wäre, das Gegenteil des Privaten fürs Private zu nehmen. In dieser von Gefühlen und Gedanken ausgeräumten Tagebuchlandschaft sind sogar die Traumsurrogate mit Preisschildern sorgfältig versehen:

```
„Kino mit Humphrey Bo.            1.60
1 Nagelbürste                     2.00
Tampax, Melabon                   2.35
Hutkofferreparatur                2.10
‘Endstation Sehnsucht’ und
‘Das Wunder des Malachias’        3.90
2 x Clo im ‘Boheme’               0,50" (334)
```

III

Die Interpretation hat an der Thematik der *Ehen in Philippsburg* die Aporien aufgezeigt, in die die handelnden Figuren durch Kritik am konventionellen Sinnzusammenhang der Philippsburger Gesellschaft (Klaff) oder durch Anpassung an sie

(Beumann, Alwin, Benrath) gleichermaßen geraten. Es stellte sich heraus, daß der Roman aus diesen Situationen keinen Ausweg anbietet, sondern sie in der Objektivität des literarischen Gebildes durch die Personen entwickelt und indirekt problematisiert.

Das zentrale erzähltechnische Problem der *Ehen,* dessen Reflexion in diesem Aufsatz zu kurz kommen mußte, sei schließlich wenigstens noch skizziert.

Thomas Beckermann etwa sieht zumindest in der Beumann-Geschichte einzig einen auktorialen Erzähler am Werk und attestiert dem gesamten Geschehen der Rahmenhandlung deshalb Konventionalität.

> „Auktorial wird ein Anpassungsprozeß berichtet, dessen Mechanik die Einbußen des Subjekts überspielt. Hans Beumann ist zu unbedeutend, als daß sich an ihm die Gesellschaft brechen könnte. Seiner Sprachlosigkeit steht die erzählerische Redegewandtheit gegenüber."[17]

Dem wird hier insofern widersprochen, als der Kritik das, was Beckermann durchgängig für auktoriales Erzählverfahren hält, mit im style indirect libre vorgetragenen Reflexionen Beumanns durchsetzt erscheint. Beumann ist offenbar nicht so reflexionslos, wie Beckermann meint. Dieser Einwand gegen jenen Befund entscheidet aber wohl noch nicht über die erzähltechnischen Schwierigkeiten, in die das Werk durch die zweifellos ausgiebige Verwendung eines auktorialen Erzählers gerät. Eine genaue Untersuchung, die den Roman von seiner erzählerischen Konstruktion her zu begreifen suchte, ist bisher über Ansätze nicht hinausgelangt; zu sehr stand die Thematik im Zentrum des literaturkritischen Interesses. Erst aus erzähltechnischer Perspektive aber ist eine adäquate Interpretation des Romans möglich, weil nur aus dieser Blickrichtung die Vermittlungsprobleme zwischen erzählerischer bzw. sprachlicher Darstellung und dem letztlich davon abhängigen gedanklichen Gehalt deutlich würden.

Anmerkungen

Die zitierten Stellen zu dem Roman werden im Text mit Seitenangaben aufgeführt. Zugrunde liegt die Ausgabe der Bibliothek Suhrkamp 527, Frankfurt/M., 1977.

1 Theodor W. Adorno, *Noten zur Literatur II.* Frankfurt/M., 1974. S. 139. (=Gesammelte Schriften. Bd. 11. Hg. Rolf Tiedemann)
2 Vgl. Renate Möhrmann, „Der neue Parvenü. Aufsteigermentalität in Martin Walsers *Ehen in Philippsburg."* In: *Basis. Jahrbuch für deutsche Gegenwartsliteratur.* Bd. 6 (1976). Hg. Reinhold Grimm und Jost Hermand. bes. S. 148ff. (Vgl. dazu weiter unten Anm. 14).
3 Martin Walser, *Erfahrungen und Leseerfahrungen.* Frankfurt/M., [4]1977. S. 98. (= es 109)

4 Besonders eindrucksvoll wird die Objektivierung der gesamten Person im Tauschvorgang an einer der beiden Sekretärinnen demonstriert, die Beumann später noch genauer kennenlern:. Vergleiche dazu in dieser Studie S. 177.

5 Der Glaube, daß der Zusammenhang der Phänomene ihnen selbst innewohne, ist philosophisch nachdrücklich durch Kant widerlegt worden. Berühmtestes literarisches Dokument dafür ist der sogenannte 'Chandos-Brief', den Hugo von Hofmannsthal 1902 veröffentlichte. Solche Erkenntnis darf jedoch nicht den Unterschied zwischen subjektiv gestiftetem Sinn und der Eigendynamik der Phänomene verwischen; sie verengte ihre eigene Perspektive sonst rationalistisch. Die erkenntnistheoretische Argumentation, die an diesem Unterschied festhält, kann hier nicht entwickelt werden. Wohl aber sei darauf hingewiesen, daß auch Martin Walser an ihm festzuhalten scheint, wenn er in einem Gespräch den Schriftsteller als ,,Sinngeber" ablehnt, dessen Aufgabe vielmehr darin sieht, ,,Detail für Detail möglichst genau sprachlich" herauszubringen und von einer ,,Bedeutung" spricht, die den Details selbst innewohne. (Vgl. Josef-Hermann Sauter, ,,Interview mit Martin Walser." In: *Neue deutsche Literatur.* 13 (1965) Heft 7. S. 99f.)

6 Roland H. Wiegenstein, ,,Gerichtstag über feine Leute." In: *Über Martin Walser.* Hg. Thomas Beckermann. Frankfurt/M., 1970. S. 24. (= es 407)

7 Vgl. Renate Möhrmann. a.a.O., (Anm. 2), S. 159.

8 Walter Huber, ,,Sprachtheoretische Voraussetzungen und deren Realisierung im Roman *Ehen in Philippsburg.*" In: *Über Martin Walser.* a.a.O., (Anm. 6), S. 202.

9 Martin Walser. a.a.O., (Anm. 3), S. 109.

10 Rainer Nägele, ,,Martin Walser. Die Gesellschaft im Spiegel des Subjekts". In: *Zeitkritische Romane des 20. Jahrhunderts. Die Gesellschaft im Spiegel der deutschen Literatur.* Hg. Hans Wagener. Stuttgart, 1975. S. 322.

11 Erhard Schütz, ,,Von Kafka zu Kristlein. Zu Martin Walsers früher Prosa". In: *Martin Walser.* Hg. Klaus Siblewski. Frankfurt/M., 1981. S. 69. (= stm 2003)

12 Ebda. S. 70.

13 Ebda. S. 70.

14 Vergleiche zu diesem Begriff den schon zitierten Aufsatz Renate Möhrmanns (Anm. 2). Sie deutet vor allem die Figuren Beumann und Alwin als neue Aufsteiger:
,,Der neue Parvenü ist lustlos geworden. Die Etappen seines Vorwärtsstrebens werden als ein Agglomerat von Lästigkeiten und das Ziel als ein vergoldetes Gefängnis empfunden. Der gründerzeitliche Aufstiegselan ist zum unumgänglichen Pflichtpensum herabgesunken. (. . .) Emporkommen ist kein Abenteuer mehr, sondern ist Mühsal geworden." (S. 154.)

15 Theodor W. Adorno, *Minima Moralia. Reflexionen aus dem beschädigten Leben.* Frankfurt/M., 1982. S. 282. (= Bibliothek Suhrkamp 236)

16 Walter Huber analysiert die Sprache im Benrath-Kapitel und kommt zu einem Ergebnis, das auch auf ein prinzipielles erzähltechnisches Problem des Romans verweist. Rhetorische und handlungsfaktische Manipulationen kennzeichneten die ,,schlüpfrige Redeweise Benraths, also seinen Gedankenbericht über das eigene Verhalten, das weitgehend erzähltechnisch verdeckt bleibt. Überspitzt gefolgert, entscheidet erst die so angesprochene Geschlechtsphantasie des Lesers über Identifikation bzw. Distanzierung von den Ansichten Benraths. Damit könnte dessen Selbstdarstellung, trotz ihrer ironischen Zeichnung, als soziolo-

gische und sexuelle Information buchstäblich rezipiert werden und als Bestätigung möglicher Leseerfahrung fungieren. Hier wiederholt sich das mehrfach erörterte Dilemma: Da bei einer er- (bzw. ich-)personalen Erzählperspektive auch Demaskierung tendenziell eine Anpassung des Lesers hervorruft, reicht für einen kritisch aufklärenden Anspruch die Verfremdung trivialer Vorlagen nicht aus (. . .)." [a.a.O. (Anm. 8), S. 207f.]

17 Thomas Beckermann, *Martin Walser oder die Zerstörung eines Musters. Literatursoziologischer Versuch über 'Halbzeit'.* Bonn, 1972. S. 111.

324

HANS DIETER ZIMMERMANN

Günter Grass: *Die Blechtrommel* (1959)

1. Zur Rezeption

Nach ungefähr zwanzig Jahren habe ich das Buch wieder in die Hand genommen, zögernd, weil ich fürchtete, daß sich der alte Lese-Eindruck nicht wieder einstellen würde. Doch er hat sich wiederholt. Obwohl ich über die Handlung des Romans unterrichtet war, vor einiger Zeit auch die Verfilmung des Romans gesehen hatte, packte mich das Buch wieder. Stärker als früher war jetzt meine Aufmerksamkeit auf die Einzelheiten gerichtet, auf die Darstellung mehr als auf die Handlung. Gerade in der Darstellung liegt wohl die Qualität dieses Romans, geht auch das Interesse der Leser meist auf die Handlung und auf deren ungewöhnlichen Helden Oskar.

Die Lebendigkeit des Romans kommt aus der großen anschaulichen Kraft der Darstellung. Jede einzelne Szene hat Leben; die Sprache ist bildhaft, frisch und unkonventionell. Die Ausbildung von Grass mag hierbei eine Rolle gespielt haben; nicht als Germanist hat er sich in Abstraktionen mit der Literatur befaßt, er hat sich als Graphiker, Zeichner, Bildhauer im Wahrnehmen und im Festhalten der Wahrnehmungen geübt, im anschaulichen Denken. Was in seinen politischen und theoretischen Äußerungen als Mangel auffallen mag, das ist gerade die Stärke des Schriftstellers Grass. Heute, da die Literatur der jüngeren Autoren nicht nur unter einem Mangel an gesellschaftlicher Erfahrung leidet, sondern mehr noch an einem Mangel an Wahrnehmung der äußeren und inneren Realität, kann gerade die anschauliche Kraft der *Blechtrommel* vorbildlich sein.

Als das Buch 1959 erschien, erregte es ja gerade wegen seiner deftigen Sprache Aufsehen. Von „barocker Sprachgewalt" war die Rede, was – bei aller Vorliebe von Grass für Gryphius, die vielleicht erst durch diese Vergleiche hervorgerufen wurde – nicht richtig ist. Der barocke Poet schöpfte aus einem vorgeschriebenen Formelschatz, Grass dagegen schuf sich selbst seinen Bilder- und Sprachschatz. Es waren damals auch die sogenannten obszönen Stellen des Buches, die für Aufsehen sorgten. Grass wurde als Pornograph angegriffen. Inzwischen ist die Porno-Welle über die Bundesrepublik hinweggegangen und die „obszönen" Stellen des Romans können jetzt als das betrachtet werden, was sie sind: erotische Szenen aus der Entwicklungsgeschichte des Helden, dessen Entwicklung eben das gesamte Leben umfaßt.

Die Position von Günter Grass als Schriftsteller und als Politiker mag von Buch zu Buch, von politischer Stellungnahme zu politischer Stellungnahme neu umstritten werden, sein erster Roman *Die Blechtrommel* ist in eine unanfechtbare Position eingerückt: er ist einer der repräsentativen und meisterhaften Romane der Nachkriegszeit und einer der meist gelesenen zugleich. Er ist ein Glücksfall der modernen Literatur, denn literarische Qualität verbindet er mit breiter öffentlicher Resonanz. Der Blechtrommler Oskar wurde zu einer quasi mythologischen

Figur, die im öffentlichen Bewußtsein Platz genommen hat und zur Bezeichnung von Typen und Situationen auch außerhalb des Romans Verwendung findet. Andere solche quasi mythologischen Figuren in der Literatur unseres Jahrhunderts wären etwa der K. von Franz Kafka oder der Schweijk von Jaroslav Hašek, Beispiele dafür, daß es auch der modernen Literatur gelingt, den engen Bezirk des eigentlich Literarischen zu überschreiten.

Natürlich hat im Falle Oskars auch die Verfilmung des Romans durch Volker Schlöndorff die Popularität gesteigert; doch Oskar war vorher schon eine Berühmtheit, das hat ja gerade den Anstoß zum Film gegeben.

2. Die Bildkraft der Sprache

Der mit dem „Oskar" preisgekrönte Film Schölndorffs teilt das Schicksal jeglicher Visualisierung von Literatur: wie gut sie auch immer sein mag, sie kann aus der sprachlichen Vorlage nur Teile ins andere Medium transponieren. Das sind meist Teile der Handlung; die Handlung wird in der Regel auf effektvolle Szenen reduziert. Ich habe mit Verblüffung beim Anschauen des Films festgestellt, daß er gerade die Szenen aus dem Roman brachte, die auch ich im Gedächtnis behalten hatte: also die effektvollen.

Was bei der Verfilmung eines Romans verloren geht, geht jedoch auch bei der Interpretation des Romans verloren: die Bildkraft der Sprache, die den Roman erst ausmacht. Auch die Interpretation wiederholt meist eine auf die wichtigen Szenen reduzierte Handlung, die sie auf ihren Problemgehalt hin untersucht. Es ist mir unmöglich, die anschauliche Kraft der Sprache von Grass in dieser Interpretation zu reproduzieren – außer durch Zitate – und zu erläutern – außer durch Nennung von Stilistica. Die Lebendigkeit des Romans wird mir hier verloren gehen. Ich werde ihn auf ein Handlungsgerüst reduzieren müssen und ihn auf Erzählweise und Problemgehalt abstrahieren müssen. Das sei jedem gesagt, der sich aufgrund der Interpretation allein einen Eindruck des Romans verschaffen will.

Grass hat sein poetisches Verfahren so beschrieben: „Ich habe einmal einem erklärt, wenn ich über Kartoffeln schreibe, meine ich Kartoffeln. Das hat der natürlich nicht geglaubt."[1] Die Beschreibung der Kartoffel ist ihm wichtig, nicht ein übergeordneter Sinn, dem er diese Beschreibung unterordnet und der die Kartoffel gewissermaßen um ihr Eigenleben brächte, weil sie nichts wäre als ein Mittel, das einem höheren Zweck diente. Die stilistischen Mittel, mit denen Grass die Eigenständigkeit der Dinge betont, aber auch ihr Eigenleben hervorruft, hat Günther Just aufgezählt; es sind drei, die jedoch im Grunde Variationen eines Mittels sind:
1. Der Mensch wirkt auf die Dinge ein, als seien diese lebendige Subjekte. Beispiel: „[. . .] als hätte alles, was da steif auf vier Füßen oder Beinen an den Wänden stand, erst das Geschrei und danach das hohe Wimmern der Lina Greff nötig gehabt, um zu neuem, erschreckend kaltem Glanz zu kommen."
2. Die Dinge wirken auf die Menschen ein, als seien sie lebendige Subjekte. Beispiel: „Stufen, Türdrücker verführten Oskar zu jeder Zeit."

3. Die Dinge bleiben lebendig unter sich. Beispiel: „Es war ein früher, reinlicher Oktobermorgen, wie ihn nur der Nordostwind frei vors Haus lieferte."[2]

3. Der Aufbau des Romans

Der Aufbau des Romans läßt sich einmal als ein geordnetes Nacheinander sehen, wie es sich dem Leser in der Lektüre darbietet, zum andern in einem Übereinander verschiedener Ebenen. Das Nacheinander ist vom Erzähler in drei Bücher eingeteilt, die wiederum in Kapitel unterteilt sind.

Den Überblick über den Roman zu erleichtern, habe ich die Kapitel der drei Bücher in der beiliegenden Tafel aufgeführt; ich habe sie in jedem Buch durchnummeriert; das erste Buch hat demnach 16 Kapitel, das zweite 18, das dritte nur 12. Der Roman beginnt mit der Markierung der Erzähler-Position Oskars, der in der Gegenwart des Romans als Insasse einer Heil- und Pflegeanstalt sein vergangenes Leben erzählt. Oskar beginnt seine Erzählung bei den Vorfahren, nämlich Großmutter und Großvater, und setzt sie dann kontinuierlich fort, ohne die Chronologie seiner Lebensgeschichte jemals zu verletzen.

Der Heirat seiner Eltern folgt seine Geburt, an seinem 3. Geburtstag stellt er das Wachstum ein und erhält die Trommel, die ihm seitdem treuer Begleiter ist; danach erhält er auch die Fähigkeit, Glas, auch aus großer Entfernung, zu zersingen. Damit ist er für den weiteren Lebensweg ausgerüstet; es folgen Kindergarten und Schule — die er schon am ersten Tag wieder verläßt —; die Ausbildung übernehmen dann Nachbarn. Nach dem Tode seiner Mutter findet er kurze Zeit im Nachbarn Herbert Truczinski einen mütterlichen Beschützer. Nach Herberts Tod und dem Selbstmord des jüdischen Spielzeughändlers, des Blechtrommel-Lieferanten Markus, endet das I. Buch mit der sogenannten Kristallnacht 1938, in der Juden verfolgt, Synagogen geschändet und jüdische Geschäfte demoliert wurden.

Das II. Buch bringt den Bericht vom Ende des Liebhabers und Cousins seiner Mutter, Jan Bronski, der nach der Verteidigung der polnischen Post in Danzig von den Deutschen hingerichtet wird. Oskar hat seine erste Liebesgeschichte mit Maria Truczinski, die dann seinen Vater Alfred Matzerath heiratet. Von deren Sohn Kurt spricht Oskar als von seinem Sohn. Eine Liebesgeschichte mit der Nachbarin Greff folgt. Oskar geht dann zum Theater, zum Fronttheater, wo er in einer Varieté-Nummer auftritt. Zum 3. Geburtstag seines Sohnes Kurt ist er wieder in Danzig. Beim Einmarsch der Russen Anfang 1945 stirbt sein Vater. Bei der Beerdigung seines Vaters beschließt Oskar, wieder zu wachsen. Das II. Buch endet mit der Fahrt von Danzig nach Westen.

Das III. Buch spielt nach dem Krieg in Düsseldorf. Oskar ist größer geworden, er hat einen Buckel, die Fähigkeit des Glaszersingens hat er verloren. Als Jazzmusiker, als Schlagzeuger, ist er tätig und als Malermodell. Er wird unschuldig eines Mordes für schuldig befunden und kommt als nicht zurechnungsfähig in die Anstalt, was ihm recht ist. Am Schluß des III. Buches, an Oskars 30. Geburtstag, ist die Gegenwart, von der aus Oskar sein Leben erzählt, von der Vergangenheit des

Erzählten eingeholt: der Endpunkt der Handlung, die im Roman erzählt wird, ist der Ausgangspunkt der Erzählung des Romans.

Damit bin ich schon bei dem Übereinander der Ebenen angelangt. Drei Ebenen sind zu unterscheiden: Die 1. Ebene ist die des *Erzählers 1*, sie meint den Erzähler des gesamten Romans, also auch den Erzähler, der den Oskar erzählt. Auf der 2. Ebene ist dann Oskar als Erzähler seiner Lebensgeschichte zu finden. Diese 2. Ebene des *Erzählers 2* ist zugleich die Ebene, auf der sich die *Handlung 1* ereignet: nämlich Oskars Aufenthalt in der Anstalt, seine Erlebnisse dort mit dem Wächter Bruno, der auch kurz zum Erzähler wird, dem Freund Vittlar, der ebenfalls kurz zum Erzähler von Oskars Leben wird, der Ärztin etc. Die 3. Ebene des Romans ist die der eigentlichen Lebensgeschichte Oskars, die der *Handlung 2*, sie beginnt vor Oskars Geburt mit der Zeugung seiner Mutter und endet mit Oskars 30. Lebensjahr.

Alle Kapitel des Romans, die ich in meiner Tafel mit einem „H 1" versehen habe, schildern mehr oder weniger ausführlich die Handlung 1, also den Aufenthalt Oskars in der Anstalt und seine dortigen Schreibanstrengungen. Gerade in den ersten Kapiteln des I. Buches wird diese Ebene ausgeführt, in Kapitel 9 fehlt sie erstmals und ab Kapitel 12 setzt sie dann aus. Einmal ist dann das Geschehen der Handlung 2 von solcher Wichtigkeit, daß es keine Unterbrechung duldet, zum andern ist bis dahin dem Leser deutlich genug ins Bewußtsein gebracht, mit welcher Erzählsituation er es zu tun hat: Oskar erzählt sein Leben.

Zu Beginn und am Ende des II. Buches wird die heutige Sicht des Erzählers Oskar wieder markiert und dann wieder am Ende des III. Buches. Natürlich gibt es immer wieder Stellen, an denen Oskar als Erzähler das Erzählen selber problematisiert, z.B. wenn er sich erst ins Gedächtnis rufen muß, was er erzählen will, er tut das meist mit Hilfe seiner Trommel. Dieses Problematisieren führt jedoch nie zu unüberwindlichen Schwierigkeiten. Oskar weiß gut Bescheid, nichts verschließt sich ihm, so daß er letztlich alles zu trommeln weiß und zu erzählen.

Die ironische Bemerkung des Erzählers am Anfang, heutzutage könne man keine Romane mehr erzählen, so stehe es in jedem modernen Roman, der nach dieser Bemerkung munter darauflos erzähle, diese Bemerkung trifft auch auf Oskars Erzählen zu. Dieser fiktive Erzähler, also der vom eigentlichen Erzähler des Romans vorgeschobene Erzähler Oskar, setzt aber doch hinter sein Erzählen ein Fragezeichen: hier berichtet einer zwar selbstbewußt und selbstsicher, aber doch aus seiner subjektiven Sicht. Und diese Sicht ist die eines Gnoms, eines zurückgebliebenen Kindes bzw. eines Irrenanstaltsinsassen. Doch wendet sich dieses Fragezeichen auch gegen die anderen, von denen Oskar berichtet. Wenn Oskar unter der Tribüne der Nazi-Kundgebung auf seine Blechtrommel schlägt, ist er zwar dem äußeren Anschein nach ein zurückgebliebenes Kind, doch in Wirklichkeit ist er vernünftiger als all die erwachsenen Idioten, die der Hitlerpartei nachlaufen bis in den blutigen Abgrund.

Der Leser des Romans weiß, daß Oskar höchst vernünftig ist, aber die anderen Figuren der Handlung des Romans wissen es nicht. So entsteht immer wieder der Bruch zwischen dem, was die anderen von Oskar halten und dem, was Oskar wirklich ist und denkt und was der Leser weiß, da Oskar es ihm mitteilt. Oskar ist ein

Besserwisser: er weiß vieles besser als die anderen Figuren seiner Lebensgeschichte und zwar nicht erst im Nachhinein als einer, der nachträglich seine Geschichte erzählt, sondern auch als einer, der schon damals tiefer blickte als die andern.

4. Eine Satire?

Ist *Die Blechtrommel* ein satirischer Roman? Ansätze dazu sind doch gegeben in der Haltung des besserwissenden Oskar, der das Verhalten der anderen durchschaut und dadurch der Kritik des Lesers ausliefert. Vergleicht man jedoch den Roman mit einem wirklich satirischen Roman, etwa mit *Der Untertan* von Heinrich Mann, fällt ins Auge, daß er kaum als satirischer Roman zu klassifizieren ist. Einmal fehlt die strikte Parteilichkeit des Erzählers, des Erzählers 1 und 2, die gegen eine bestimmte soziale Schicht geht, zum andern sind die einzelnen Figuren, auch wenn sie Nazis sind wie Oskars Vater und der Trompeter Meyn mit zu viel menschlicher Anteilnahme geschildert, als daß aus ihnen Zerrfiguren oder Typen werden könnten. Hier hat, meine ich, der Erzähler 1 dem Oskar ins Handwerk gepfuscht, wohltuend allerdings: denn Oskars kalte Zurückweisung seines Vaters Alfred, seine schroffe Ablehnung des pädophilen Pfadfindermeisters Greff führen nicht zur negativen Charakteristik dieser Figuren. Hier zeigt sich Grassens Verfahren, das jeder Kartoffel ihr Eigenleben zugesteht, als höchst menschlich, weil es auch jedem Menschen sein Eigenleben zugesteht, ihm also bei aller Ablehnung immer noch verständnisvoll begegnet. So ist Alfred Matzerath zwar der Typus des Kleinbürgers, der die Masse der Nazi-Anhänger stellt, aber er ist zugleich eine Individualität, die nicht ohne Güte ist – für Oskar etwa nach dem Tod der Mutter –, die nicht ohne Talent ist – im Suppen-Kochen etwa – kurz, die also nicht ohne Mitgefühl vom Erzähler 1 geschildert wird.

Wer eindeutig negativ bewertet wird, sind die namenlosen Nazis der Kundgebungen, die Oskar stört, sie sind eben ohne Gesicht, ohne Individualität, eine unüberblickbare Zahl von Dummköpfen. Wer eindeutig positiv bewertet wird, sind die Polen, auf deren Seite wohl eher das Herz des Erzählers 1 ist als das des meistens an sich selbst denkenden Oskar. Hier hat wieder der Erzähler 1 seinem fiktiven Erzähler Oskar in die Feder gegriffen, genauso wie in der Anteilnahme für das Schicksal der verfolgten Juden. Das große hymnische Kapitel am Ende des I. Buches „Glaube Hoffnung Liebe" ist das Werk des Erzählers 1, nicht das Oskars, genauso wie das ihm entsprechende große Kapitel „Desinfektionsmittel" am Ende des II. Buches. In beiden Fällen geht die sprachliche Darstellung über die sonst im Roman durchweg eingehaltene Stillage hinaus zu verstärktem Pathos, in Reihung, Wiederholung, Variation der Worte und Sätze. Nicht umsonst heißt in „Desinfektionsmittel" Gott ein Karussellbesitzer: das Karussell des Todes dreht sich hier in der durch die katholische Kirche angeregten litaneihaften Wiederholung. Der Tod im Krieg, der Tod im Konzentrationslager sind die Themen.

Sicher, Grass ergreift hier als Erzähler Partei für die Verfolgten und gegen die Verfolger, und die Schuld, von der Oskar manchmal spricht – Schuld am Tod seiner Mutter, am Tod seines Onkels Jan, am Tod seines Vaters, eine Schuld, die ja konkret kaum gegeben ist —, diese Schuld ist Ausdruck eines Schuldbewußtseins, das durch die Ereignisse der Nazizeit hervorgerufen wird. Aber wenn wir Nazis im Roman aus der Nähe kennenlernen, sind sie harmlose Mitläufer. Der Trompeter Meyn hat sogar unser Mitleid, wenn er nach dem Tod seines Freundes Herbert aus Verzweiflung seine vier Katzen tötet und deshalb aus der Partei geworfen wird.

Der Satiriker ergreift nicht nur Partei, er stellt auch an den Pranger; er weiß nicht nur, wer schuldig ist, sondern auch was besser zu machen wäre. Grass weiß in diesem Roman zwar von Schuld, aber er stellt nicht an den Pranger und er weiß nichts besser. Auch der Besserwisser Oskar ist keiner, der wirklich weiß, was denn zu tun sei. Er ist nur ein bißchen klüger als die andern, genug, um die andern in ihren täglichen Gewohnheiten zu durchschauen, doch nicht genug, um Durchblick durch das politische Geschehen zu erhalten.

5. Ein Entwicklungsroman?

Ist *Die Blechtrommel* ein Entwicklungsroman? Dazu gibt es genug Anhaltspunkte. Oskars Lebensweg wird von seiner Geburt bis zu seinem dreißigsten Jahr geschildert. Er vollzieht seine Entwicklung in wichtigen Stationen: er lernt das Leben der Erwachsenen kennen und nimmt Anteil daran; er geht in den Kindergarten; er geht zwar nicht zur Schule, aber er lernt Lesen; Rasputin und Goethes *Wahlverwandtschaften* sind seine ,,Bildungserlebnisse". Er lernt zu lieben, nach Maria bei der Nachbarin Greff und dann bei der gleich großen, gewissermaßen ebenbürtigen Liliputanerin Roswitha. Er geht schließlich einem Beruf nach: als Varieté-Künstler beim Fronttheater. Und er hat einen Lehrmeister: den Liliputaner Bebra. Schließlich will er sogar eine Familie gründen und ein bürgerliches Leben führen. Nur weil Maria seinen Heiratsantrag ablehnt, ist er gezwungen, Narr zu werden bzw. zu bleiben: ,,So wurde aus Yorick kein Bürger, sondern ein Hamlet, ein Narr." (B, 570) Seine Entwicklung ließe sich also durchaus als Lebenslauf in aufsteigender Linie sehen, wenn auch nicht als Aufstieg zu einer bürgerlichen Familie und bürgerlichen Karriere, so doch zu Einsicht und schließlich zu gelassener Resignation. Am Ende sieht Oskar mit einer gewissen Melancholie, aber doch gelassen auf sein vergangenes Leben zurück.

Eine Ähnlichkeit zu anderen Entwicklungsromanen, etwa Goethes *Wilhelm Meisters Lehrjahren*, wurde von Kritikern verschiedentlich gesehen. Die Ähnlichkeit ist zwar punktuell, aber die Punkte ergeben eine Linie: die Liebesgeschichten, die mehr sind als nur Liebesgeschichten, sondern Stationen des Reiferwerdens bei Wilhelm Meister wie bei Oskar; sodann die Liebe zur Kunst, zum Theater, die allerdings bei Oskar von anderer Art ist als bei Wilhelm; dann der immer wieder in die Handlung eintretende Meister, bei Oskar ist es Bebra, bei Wilhelm der Abbé mit seiner Gesellschaft vom Turm.

Der Unterschied in der Kunstausübung der beiden ist jedoch erheblich, nicht nur weil Wilhelm schließlich von der Kunst weg- und zu einem bürgerlichen Beruf hingeführt wird, zum Chirurgus, während Oskar Narr ist und Narr bleibt. Für Os-

kar ist auch das Theater anders als für Wilhelm nur sehr begrenzt ein Bildungserlebnis. Er ist schon fertiger Künstler, wenn er die Trommel in die Hand bekommt
und wenn er die Fähigkeit des Glaszersingens erhält. Für ihn ist die Kunst kein
Handwerk, das der Künstler lernen muß, dabei sich selbst, seine Anlagen rundum
ausbildend. Oskar ist sogleich fix und fertig, er kann schon alles und er lernt nicht
mehr dazu. Auch als Jazzmusiker macht er nur von dem Trommeln Gebrauch, das
er schon als Dreijähriger virtuos beherrschte. Lediglich als Steinmetz erlernt er
handwerkliche Fähigkeiten, aber es sind nicht solche, die ihn innerlich irgendwie
weiterbrächten.

Die Kunst als Bildungsinstrument entfällt in *Die Blechtrommel.* Die Trommel
ist zudem mehr als ein Instrument der Kunst, sie ist auch ein Mittel der Selbstthe-
rapie – Oskar beruhigt sich damit –, ein Mittel des Protests – Oskar wehrt sich
damit gegen die anderen, genauso mit seinem Glaszersingen – und ein Mittel der
Erforschung der Realität. Oskar befragt die Trommel, die ihm Antwort gibt. Hier
hat das Ding Trommel sein Eigenleben, es „erzählt" und wird dadurch von einer
Kunst – der Musik – in eine andere als Metapher für Schreiben transponiert: in
die Literatur.

Als Schriftsteller ist Oskar genauso von Anfang an fertig wie als Trommler: er
benötigt nur weißes Papier und Füllfederhalter, und schon kann er schreiben. Die
Ansicht, unter der die Kunst im Roman erscheint, ließe sich auf die Sentenz bringen: entweder man hat es oder man hat es nicht. Erzieherische Kräfte werden der
Kunst kaum zugetraut.

Es gibt im Roman – und auch das unterscheidet ihn von einem Entwicklungsroman wie *Wilhelm Meisters Lehrjahre* – eine Gegenbewegung gegen die aufsteigen-
de Entwicklungslinie: Oskar ist nicht nur als Künstler von Anfang an fertig, auch
als Mensch ist er es, wenigstens teilweise. Er kommt auf die Welt und sieht und
weiß sogleich alles, so daß er später bis ins Detail das Geburtszimmer beschreiben
kann. Er sei eben gleich ganz wachen Geistes gewesen, meint er.

Hier dürfen wir natürlich den augenzwinkernden Erzähler 1 hinter seinem Oskar
sehen. Die Fiktion, alles werde von Oskar erzählt, bringt es mit sich, daß Oskar
auch seine Geburt erzählt, daß er also von Anfang an alles gewußt und gesehen
haben muß. Warum muß aber Oskar dann lesen lernen? Warum ist ihm das dann
nicht auch schon mitgegeben?

Die „Besserwisserei" Oskars ist vor allem eine Folge seiner Funktion als Erzähler
seiner eigenen Lebensgeschichte: wegen dieser Funktion muß er alles, worüber er
zu berichten hat, genauer sehen als die andern; ein wenig Abglanz vom „allwissenden" Erzähler hat er doch. Deshalb erhält er seine herausragende Rolle in der
Handlung, weil er zugleich der Erzähler der Handlung ist; er ist zugleich in der
Handlung dominierend als Held und zugleich außerhalb der Handlung als deren
Erzähler.

Eine alte literarische Erzählfigur hat Grass außerordentlich glücklich als Hand-
lungsfigur umgesetzt: als handelnder Held hat Oskar bereits die nötigen Anlagen
des Erzählers. Einerseits weiß Oskar alles besser, andererseits bleibt er als dreijäh-
riges Kind im äußeren Wachstum zurück; das gibt ihm die einzigartige Erzählper-

spektive. Er ist immer nahe dabei, selbst unter dem Tisch ist er geduldet, und er ist immer hellen Bewußtseins.

Deshalb leidet, meine ich, das III. Buch des Romans unter dem Wachstum Oskars. Im III. Buch ist er ein Erwachsener, wenn auch nur 1 Meter 21 bzw. dann 1 Meter 23 groß und mit Buckel, aber die einzigartige alte Perspektive hat er nicht mehr. Dem III. Buch fehlt allerdings auch die düstere Beleuchtung, die alle Ereignisse der zwei ersten Bücher durch den Hintergrund der Verfolgungen der Nazizeit und der Zerstörungen des Krieges erhalten. Wenn dieser Hintergrund auch einmal nicht ausgesprochen wird, so ist er doch immer anwesend, nämlich im Gedächtnis des Lesers. Der III. Band dagegen handelt vom – wie es heißt – „Biedermeier" des Aufbaus nach dem Kriege; da ist alles harmloser und blasser.

6. Ein historischer Roman?

Goethes *Wilhelm Meisters Lehrjahre* spielt in der Zeit vor der französischen Revolution, das ist angedeutet, aber die politischen Ereignisse sind ausgespart. Grass dagegen schrieb mit der *Blechtrommel* einen „Entwicklungsroman" vor historischem Hintergrund. Die Historie spielt in erheblichem Maße mit, so daß *Die Blechtrommel* auch als „historischer Roman" zu lesen wäre. In der Art anderer historischer Romane werden schließlich auch hier tatsächliche Ereignisse mit fiktiven Personen verbunden. Die Jahreszahlen, die ich bei meiner Übersicht des Roman-Aufbaus angefügt habe, zeigen die Parallelität von Oskars Lebensgeschichte und der allgemeinen Geschichte. Was Oskar erzählt, ist nicht nur sein eigenes Leben und das seiner Familie, dieses Leben ist zugleich exemplarisch für das Leben, das damals viele lebten.

Von der Historie werden viele Ereignisse in Oskars Leben unmittelbar motiviert. Der Tod des Großvaters schon, der auf der Flucht vor der deutschen Polizei wahrscheinlich ertrank, ist Auswirkung der Politik auf die Familie. Der Großvater war Pole und hat aus Nationalgefühl die Mühle eines Deutschen in Brand gesteckt. Der Tod von Oskars Mutter ist dagegen privat motiviert: sie stirbt aus Ekel über die Art, wie Aale geangelt wurden. Sie begeht eine Art Selbstmord, denn sie ißt so lange Fisch, bis sie an Gelbsucht stirbt. Ist es der Ekel über ihre Dreiecksbeziehung mit Alfred Matzerath und Jan Bronski oder hat ihr Tod einen anderen Grund? Jedenfalls ist es kein politischer.

Der Tod von Jan Bronski dagegen ist ein politischer Mord. Die Verteidigung und die Kapitulation der polnischen Post in Danzig ist das historische Ereignis, das am ausführlichsten im Roman dargestellt wird, selbst der Untergang der Stadt Danzig Anfang 1945 wird dagegen weniger ausführlich geschildert. Ebenso ist der Tod des Vaters politisch motiviert. Beim Einmarsch der Russen verschluckt er sein Parteiabzeichen und erstickt daran. Die Übersiedlung der Familie nach Westen ist natürlich ebenfalls Ergebnis der politischen Ereignisse.

Andererseits ist die Beziehung Oskars zu Maria, die Heirat von Maria und Oskars Vater, Marias Ablehnung von Oskars Heiratsantrag nicht politisch motiviert, sondern privat.

In der Handlung des Romans ist also nicht nur ein familiäres Vordergrund-Geschehen von einem politischen Hintergrund-Geschehen zu unterscheiden, das familiäre Vordergrund-Geschehen selber ist noch einmal nach seiner zweifachen Motivation zu trennen: es gibt eine private Motivation und eine politische, die selten gleichzeitig auftreten, sondern in der Regel alternativ. Ein wichtiges familiäres Ereignis ist entweder politisch oder privat begründet.

Der Tod von Herbert Truczinski ist nicht politisch begründet, sondern privat. Freilich zeigt sich hier, daß „privat" keine ganz zutreffende Bezeichnung für diese Begründung ist. Herbert stirbt durch geheimnisvolle Umstände; wie seine Vorgänger wird er als Museumswächter das Opfer einer weiblichen Gallionsfigur.

Der Tod des Spielzeughändlers Markus dagegen ist politisch begründet: Markus begeht Selbstmord, als in der „Kristallnacht" die Nazis sein Geschäft zerstören. Gerade hier wird die enge Verbindung von Politischem und Privatem, die der Erzähler 1 immer wieder herstellt, offensichtlich: in Markus nehmen die Nazis Oskar seinen Blechtrommel-Lieferanten weg.

Den Roman nur als historischen Roman zu interpretieren, hieße ihn auf einen Handlungsstrang einengen, genauso wie seine ausschließliche Interpretation als Entwicklungsroman ihn auf einen Aspekt festlegen würde. Grass selbst gab einen guten Hinweis für die Einordnung des Romans in die literarische Tradition: „Das Buch steht in einem ironisch-distanzierten Verhältnis zum deutschen Bildungsroman. Es kommt, und das betrifft nun mich und meine Affinität, sehr stark von jener europäischen Romantradition her, die vom pikaresken Roman herreicht mit all seinen Berechnungen . . . , da ist der erste große Roman Grimmelshausens."[3]

Mit dem pikaresken Roman, vor allem mit Grimmelshausens *Simplicissimus,* hat *Die Blechtrommel* jedoch nicht nur die Erzählhaltung gemeinsam, also die Distanz des Erzählers, der sich aus dem Getriebe der Welt zurückgezogen hat und nun über sein hinter ihm liegendes Leben in der Welt berichtet. Eine wichtige Gemeinsamkeit zum *Simplicissimus* liegt auch darin, daß beide Romane die blutigen Wirren der Zeit in ihre Handlung einbeziehen: das ist der dreißigjährige Krieg im *Simplicissimus* und das ist der zweite Weltkrieg in der Blechtrommel. Das historische Panorama gibt den beiden Romanen ihre Welthaltigkeit, eine Welthaltigkeit, die überhaupt erst die Weltflucht ihrer Helden begründet.

7. Ein phantastischer Roman?

Einige Elemente des Romans gehen über den Bereich dessen, was wir aufgrund unserer Realitätserfahrungen für wahrscheinlich halten, entschieden hinaus. Oskars Künste, sein Wachstum zu bremsen und das Glas zu zersingen, sind „märchenhafte" Fähigkeiten. Diese Elemente deuten auf die Erbschaft des phantastischen Romans ebenso wie Meister Bebra, der immer im rechten Augenblick auftaucht und als Liliputaner zu einer Oskar geistesverwandten Gruppe gehört, die mehr weiß als die anderen Menschen und mehr vermag als sie.

Nachdem Oskar bemerkt, was seine Mama mit seinem Onkel Jan donnerstags zusammenführt, stimmt er seinen Protestgesang an, dem die Fensterscheiben des Danziger Theaters zum Opfer fallen, und im Kapitel danach trifft er zum ersten Mal den Meister Bebra. Das zweite Mal trifft er ihn im Kapitel nach Mamas Tod, das dritte Mal nach dem Verlust Marias, der Geburt des Konkurrenten Kurt und dem Selbstmord Greffs. Diesmal folgt Oskar dem Meister zum Fronttheater. Das letzte Mal begegnet Oskar Bebra gegen Ende des III. Buches, bevor er seine Laufbahn als unschuldig Schuldiger in der Anstalt beendet. Also immer dann, wenn eine entscheidende Station in seinem Lebensweg zu bewältigen ist, kommt ihm Meister Bebra zu Hilfe.

Wenigstens eine doppelte Aufgabe hat dieser Meister im Ablauf des Romans: einmal dient er Oskar als klügerer Gesprächspartner, der ihm das Geschehene zu verarbeiten hilft und ihm zuredet, seine Laufbahn fortzusetzen, zum andern ist Bebra ein Künstler, wie Oskar einer sein könnte, wie er aber keiner sein will. Bebra ist ein Meister des Kompromisses, der trotz seiner Ablehnung der Nazis seine Vorteile aus deren Herrschaft zieht und auch nach dem Kriege wieder erfolgreich mitmischt.

Goethes *Wilhelm Meisters Lehrjahre* trug an der Erbschaft des sogenannten Bundesromans, einer Spielart des phantastischen Romans, die gegen Ende des 18. Jahrhunderts in Blüte stand. Schillers *Geisterseher* ist das prominenteste deutsche Exemplar dieser Art. Die geheimnisvolle Gesellschaft vom Turm, die Wilhelm Meister leitet, so daß am Schluß alle Umwege als richtiger Weg zum richtigen Ziel erscheinen, ist ein solcher Geheimbund, der, über der Roman-Handlung stehend, alle Fäden in der Hand hält. Der Bund gibt allen Merkwürdigkeiten schließlich eine Erklärung und allem Geschehen letztlich einen Sinn.

Nicht so bei Grass. Ansätze des Bundes sind zwar auch da in der Gruppe der Liliputaner mit ihrem Meister Bebra, aber der Sinn ist verloren gegangen. Die Reste des Phantastischen, die in Meister Bebra noch spuken und in Oskars märchenhaften Gaben, sind nur noch Kritik oder Protest. Gegen Bebra wendet sich Kritik, weil er den kompromittierten Künstler darstellt, der entgegen eigener Einsicht sich einfügt. Und Oskars Fähigkeiten dienen seinem Protest gegen die Welt der Erwachsenen, sind aber letztlich doch Ausdruck seiner Hilflosigkeit.

Auch die religiösen Elemente des Romans weisen in dieselbe Richtung wie die phantastischen. Zweimal besucht Oskar Jesus in der Herz-Jesu-Kirche. Das erste Mal legt er dem Jesusknaben vergeblich die Trommel in die Hand, er trommelt nicht. Das zweite Mal trommelt er und ruft sogar Oskar an, als dieser die Kirche verläßt. Doch das, was Oskar herausforderte, läßt ihn nun kalt. Die Jünger, die er, dem Beispiel Jesu folgend, um sich sammelt, sind die Jungen der räuberischen Stäuberbande, die ausdrücklich keinem guten Zwecke untertan sind und die Wirren des Kriegsendes nur für den eigenen Vorteil ausnutzen, auch dies ein Protest gegen die Erwachsenen.

Oskar ähnelt dem Jesusknaben auf dem Schoß der Maria in der Kirche, sein Onkel Jan ähnelt dem ans Kreuz geschlagenen Jesus in der Kirche, Maria Truczinski ähnelt der Gottesmutter, Oskars Großmutter heißt wie die Jesu Anna, sein Großvater heißt wie der Pflegevater Jesu Joseph. Als Chef der Räuberbande nennt Oskar sich Jesus.

Hat das alles eine tiefere Bedeutung? Mir scheint, daß der Katholik Grass hier mit den oft gehörten Namen und Begebenheiten der biblischen Geschichte spielerisch und blasphemisch umgeht. Die Gotteslästerung bleibt im Rahmen des erlernten Glaubens, wenn auch als dessen Negation oder – besser – Perversion. Oskar folgt der Stimme Satans – auch dies eine Vorstellung, die im Rahmen des überlieferten Glaubens bleibt – er folgt dem Bösen, aber auch das ist nicht so ernst gemeint, denn seine Übeltaten bleiben geringfügig, sind letztlich kleinere Sünden wie Diebstahl oder Mundraub.

Die Perversion der christlichen Glaubenswelt hat allerdings eine Konsequenz, die über das Spielerische hinausgeht: die Glaubenswelt wird ins Absurde, ins Unglaubwürdige und ins Irdische verdreht, damit wird sie um ihren jenseitigen Bezug gebracht, der eine höhere Ebene über allem Geschehen der Handlung des Romans abgeben könnte: eine Ebene, auf der doch noch sinnvoll erscheinen könnte, was in der Handlung selbst unsinnig ist. Ein solcher Sinn wird durch die Perversion beseitigt.

Einmal gibt es aber doch eine ernsthafte religiöse Auseinandersetzung, nämlich im Kapitel „Desinfektionsmittel", in dem Gott als erbarmungsloser Betreiber des Todeskarussells angegriffen wird. Diese Anklage gegen Gott, mit dem Tod der Kinder im Kriege begründet, hat ein Pendant in Jean Pauls berühmter „Rede des toten Christus vom Weltgebäude herab, daß kein Gott sei" aus dem Anhang seines Romans *Siebenkäs*. Hier wie dort wird Gott angeklagt, dem Tode unschuldiger Kinder tatenlos zuzusehen. Diese Anklage gegen Gott, tendenziell atheistisch, setzt doch immer noch dessen Existenz voraus. Wo niemand ist, ist niemand anzuklagen. So ist auch Grass in seiner Negation des Glaubens, in seiner Perversion des Glaubens immer noch im Zirkel des Glaubens festgehalten.

8. Zurück zu den Müttern

Wenn die Welt so ist, wie sie hier erscheint, wenn eine andere Welt, ein besseres Jenseits nicht zu erwarten ist wie etwa in Grimmelshausens *Simplizissimus,* was bleibt dann? Oskar weiß es von Anfang an: „Einsam und unverstanden lag Oskar unter den Glühbirnen, folgerte, daß das so bleibe, bis sechzig, siebenzig Jahre später ein endgültiger Kurzschluß aller Lichtquellen Strom unterbrechen werde, verlor deshalb die Lust, bevor dieses Leben unter Glühbirnen anfing." (B, 51/52) Wenn das von Anfang an feststeht, gibt es nur eine Konsequenz: zurück in den Mutterleib. Oskar hat deshalb sofort den „Wunsch nach Rückkehr in meine embryonale Kopflage". Leider hat die Hebamme ihn schon abgenabelt. (B, 52)

So ist Oskars Weg seit seiner Geburt ein Weg zurück zu den Müttern. Sein Versuch, das Stadium des dreijährigen Kindes festzuhalten, also wenigstens den Schutz der mütterlichen Rockschöße sich zu bewahren, ist auch unter diesem psychologischen Aspekt zu sehen: Oskars Infantilität, die sich immer neue Mütter sucht. Da ist seine Großmutter Anna, unter deren vier Röcke er gerne schlüpft, sie ist eine Art Ur-Mutter, dann seine eigene schöne Mama Agnes, dann seine Stiefmutter Maria, dann die Nachbarinnen: „Mutter Truczinski" und die beiden

Pflegemütter Gretchen Scheffler, bei der er lesen lernt, und Lina Greff, bei der er lieben lernt. In den Krankenschwestern sieht er immer wieder Ersatzmütter. Das tragische Ende seiner Mutter-Beziehungen bringt jenes Kapitel im III. Buch, in dem er das leere Zimmer der Krankenschwester Dorothea durchstöbert, im Schrank sitzt wie einstmals, als er seiner Mutter und deren Liebhaber Jan lauschte, aber das Zimmer und das Bett sind diesmal leer. (B, 604ff.)

Auffallend ist Oskars Beziehung zu diesem Onkel Jan, dem Liebhaber seiner Mutter, den er als seinen Vater anerkennen will, mit dem er sich manchmal sogar identifiziert, aber nicht mit seinem amtlichen Vater Alfred Matzerath. Sicher ist in der Dreiecksbeziehung Agnes – Alfred – Jan eine Allegorie angedeutet, in der die Mutter als Stadt Danzig figuriert, die sowohl von den Deutschen -- Matzerath – als auch von den Polen -- Bronski -- umworben wird. Die Mutter stirbt vor dem Einmarsch der Nazis, das ist das Ende des alten Danzig; der Vater stirbt beim Einmarsch der Russen, Danzig gehört seitdem nicht mehr den Deutschen.

Doch auffallend ist die Wiederholung der Dreiecksbeziehung, was über diese Allegorie hinausführt. Schon die Großmutter hatte einen ersten geliebten Mann, den Joseph, nach dessen Tod sie den weniger geliebten Gregor heiratete. Die Mutter Agnes dann liebt ihren Cousin Jan, heiratet aber den Alfred Matzerath. Die Stiefmutter Maria ist zunächst Oskars Geliebte, bevor sie Alfred heiratet. Deren Kind Kurt ist eine Wiederholung von Oskar insofern, als auch hier die Vaterschaft umstritten ist: wie Oskar meint, Jan sei sein Vater, nicht Alfred, so meint er, Kurt sei sein Sohn, nicht der Alfreds.

Die dreimalige Dreiecksbeziehung läßt sich sehr hübsch im Sinne des psychoanalytischen Ödipus-Komplexes deuten. Also: Oskar will mit seiner Mama schlafen, identifiziert sich deshalb mit dem Liebhaber Jan und wiederholt diese Wunsch-Situation bei der Stiefmutter Maria, die ihm der Vater wieder wegnimmt, so wie er zuvor ihm seine Mutter Agnes wegnahm. Nach dem Tode seines Vaters will Oskar dann doch die Maria heiraten, erst als sie ablehnt, ist er endgültig gezwungen, den Narren zu spielen.

Die Beziehungen der Personen sind hiermit richtig erfaßt, doch die Deutung dieser Beziehungen ist nicht richtig, so meine ich jedenfalls und kann mich dabei auf Oskar Matzerath und Günter Grass stützen. Das Primat des Sexuellen, das von der orthodoxen Psychoanalyse vertreten wird, bestreite ich entschieden: zumindest für diesen Roman gilt es nicht. Das Sexuelle ist hier vielmehr nur Ersatz für anderes, Ersatz für Mutterliebe und Mutterschoß. Nicht das sexuelle Verlangen ist der Antrieb von Oskars Infantilität, sondern sein kindliches Verlangen ist der Antrieb des Sexuellen. Die sexuellen Beziehungen sind nur Ersatz für Oskars einzigen tiefen Wunsch: zurück unter die Röcke der Ur-Mutter zu kriechen, zurück in den Mutter-Schoß.

Ist das Psychologie? Oder ist das nicht doch Religion? Keine christliche zwar, obwohl in der katholischen Gottesmutter Maria noch Altes figuriert, sondern eine heidnische, eine slawische oder germanische Religion, die die Mutter als Gottheit verehrt, deren Schoß Ursprung und Ende zugleich ist.[4] „Wer nimmt mich heut' unter die Röcke? Wer stellt mir das Tageslicht und das Lampenlicht ab? Wer gibt mir den Geruch jener gelblich zerfließenden, leicht ranzigen Butter, die meine Großmutter mir zur Kost, unter den Röcken stapelte, beherbergte, ablagerte und mir einst zuteilte, damit sie mir anschlug, damit ich Geschmack fand.

Ich schlief ein unter den vier Röcken, war den Anfängen meiner armen Mama ganz nahe und hatte es ähnlich still, wenn auch nicht so atemlos wie sie in ihrem zum Fußende hin verjüngten Kasten." (B, 201)

Anmerkungen

Die Blechtrommel wird in der Erstausgabe (Luchterhand-Verlag, Darmstadt — Berlin — Neuwied, 1959) zitiert. (B. und Seitenzahl).

1 Zitiert nach Volker Neuhaus: *Günter Grass.* (Sammlung Metzler 179, Stuttgart 1979), S. 22. — Das ist eine gute Einführung in das Werk von Günter Grass mit einer Bibliographie aller Werke von Grass bis zum ,,Treffen in Telgte", 1978, und der Sekundärliteratur zu Grass.
2 Zitiert nach V. Neuhaus, a.a.O., S. 14.
3 Zitiert nach V. Neuhaus, a.a.O., S. 35.
4 Diese Mutter-Gottheit ist auch ein Leitmotiv in ,,Der Butt". Siehe den Aufsatz des Verfassers: ,,Der Butt und der Weltgeist". In: *Diskussion Deutsch*, 9, 1982.

Handlungsablauf

I. Buch

	vor dem 1. Weltkrieg	1923, 1924	1927	1936/7
I, 1 Großmutter, Großvater (H 1)	(H 1) I, 2 Tod des Großvaters	(H 1) I, 3 Heirat der Eltern, Geburt	(H 1) I, 4 Dreiecksbeziehung, Nachbarn, 3. Geburtstag	(H 1) I, 5 Blechtrommel, Glas zersingen
1930 (H 1) I, 6 Kindergarten Schule	(H 1) I, 7 Lesen lernen	(H 1) I, 8 Mit Mama bei Markus, Protestgesang	1934 I, 9 Vater wird Nazi (H 1) Meister Bebra (1), Nazi-Kundgebung	I, 10 Schaufenster zersingen
(H 1) I, 11 1. Besuch bei Jesus	I, 12 Aale angeln	1937 I, 13 Mamas Tod	I, 14 Meister Bebra (2), Roswitha, Herbert Truczinski	1938 I, 15 Herberts Tod
Niv. 1938 I, 16 Selbstmord des Markus, „Kristallnacht"				

Handlungsablauf

II. Buch

Sept. 1939

(H 1) II, 1 Angriff auf poln. Post

II, 2 Verteidigung der poln. Post

Okt. 1939

II, 3 Kapitulation der poln. Post

(H 1) II, 4 Hinrichtung Jans, Grab Jans

II, 5 Maria Truczinski

1940

II, 6 Oskar und Maria

1941

II, 7 Vater heiratet Maria

Juni 1941

II, 8 Geburt Kurts

Okt. 1941

II, 9 Oskar und Idna Greff Selbstmord Greffs

II, 10 Meister Bebra (3), Fronttheater

II, 11 Im Atlantikwall (1), Roswithas Tod

Juni 1944

II, 12 Kurts 3. Geburtstag, 2. Besuch bei Jesus, Jesus trommelt und ruft

Ende 1944

II, 13 Stäuber-Bande

Jan. 1945

II, 14 Gefangennahme Freispruch

II, 15 Tod des Vaters, Ende des Krieges

II, 16 Fajngold, O. wächst wieder

(H 1) II, 17 Krieg und KZ

Sommer 1945

(H 1) II, 18 Fahrt nach Westen

III. Buch

1947	1948	1949			
III,1 Oskar als Steinmetz	III,2 Maria lehnt Oskars Heiratsantrag ab	III,3 Oskar als Maler-Modell	III,4 Als Untermieter	III,5 Schwester Dorothea	III,6 Gründung der Jazzband
(H 1) III,7 Vergeblicher Versuch mit Dorothea	III,8 Oskars Erfolge als Trommler	III,9 Am Atlantikwall (2)	III,10 Meister Bebra (4), Ringfinger	III,11 Flucht und Verhaftung	

1954

III,12 (H 1) Oskar ist 30 und in der Heilanstalt

340

LOTHAR KÖHN

Christa Wolf: *Nachdenken über Christa T.* (1968)

„Sie kam von Gott weiß woher" (18)[1] – dieser merkwürdige Satz über Christa
T.'s Ankunft in der Heimatstadt der Ich-Erzählerin während der letzten Kriegs-
jahre bezeichnet ein Grundmuster des Erzählens bei Christa Wolf, zumal wenn
man das Folgende hinzunimmt: „Ich wollte an einem Leben teilhaben, das solche
Rufe hervorbrachte [. . .]" (16) Das Ersehnte, Rettende („Leben": individuell und
umfassend zugleich) tritt in eine problematische Realität ein als Möglichkeit der
Veränderung, die scheitern kann. Wie bei Anna Seghers soll die Botschaft eines
anderen Lebens Inkommensurables behalten; aber Anna Seghers konnte die unbe-
zweifelbare „Kraft der Schwachen" im epischen Bericht aufheben, es bedurfte da
kaum der Trauerarbeit, die epische Totale vermochte noch das Unzerstörbare zu
bewahren *(Das siebte Kreuz, Die Toten bleiben jung).* Daß Christa Wolfs Werk in
der Aufnahme einer Konstellation zugleich deren Reflexionsstufe darstellt und
darin zunehmend ausweist, die Lebensimmanenz des Sinnes sei denn doch zu sehr
beschädigt, sie sei zu einer problematischen „Potentialität" geworden[2], bindet
ihr Werk an die Grundstruktur modernen Erzählens, deren negierenden Formen
sie bisher durch jene erinnernd-rettende Intention entgangen ist, die reflexiv auf
das Ganze einer neuen Wirklichkeit zielt.[3] Retten aber kann man nur (W. Benjamin zu variieren sei erlaubt), wo die historischen Irrwege Sprache geworden sind,
die das Individuum untrennbar an die Vergangenheit binden. „Lebenslänglich.
Kein leeres Wort", heißt es in *Nachdenken* (38), und: „Wo habt ihr bloß alle gelebt?"[4] fragt ein befreiter KZ-Häftling in zwei Texten Christa Wolfs.

Den „wahrscheinlich meistrezensierten und -diskutierten deutschen Roman der
jüngsten Zeit" nannte Mohr das Buch bereits 1971.[5] Wenige Bücher haben in der
DDR-Erzählprosa so deutlich nachgewirkt; abzulesen bei W. Heiduczek, U. Plenz-
dorf, B. Reimann, G. Tetzner, in literarischen Gegenentwürfen wie *Auf der Suche
nach Gatt* (E. Neutsch), und, so seltsam es klingt, spürbar in einem Lebenslauf wie
dem Maxie Wanders[6]. Interpreten des Romans haben sehr schnell erkannt, daß
man das „dynamische" Erzählverfahren des Buches, seinen thematischen Gehalt
als „Erfahrungsmodell" und die im Erzählen angelegten Leserbezüge zusammen-
sehen muß.[7] Aber ist *Nachdenken* überhaupt ein Roman? Christa Wolfs drittes
Buch hat keinen Untertitel, der sein Genre bezeichnete. Es erschien 1969, wurde
in der DDR zunächst nur in wenigen hundert Exemplaren ausgeliefert, in höheren
Neuauflagen erst 1973/74, als die bundesdeutschen Auflagen das hundertste Tausend wohl schon überschritten hatten[8]. Die Autorin hatte 1968 in einem 'Selbstinterview' von einer „Erzählung" gesprochen[9]. Während die westdeutschen Rezensenten, an vergleichbare Texte von Uwe Johnson oder Max Frisch gewöhnt,
kurzerhand von einem „Roman" schrieben, drückte sich das Erstaunen über diese
Prosaform in den ersten DDR-Besprechungen viel unmittelbarer aus. Zwischen
„Biographie" der Christa T. und „Erzählung", zwischen „Tatsachenbericht" und
„Kunstwerk" hat H. Kähler die Lesarten des Buches angesiedelt und dann zwei

Beschreibungen angeboten: Die aus den Erzählfragmenten rekonstruierte Lebensgeschichte der Christa T. einerseits, den eigentlichen Erzählvorgang, der diese Fragmente vermittelt, andererseits. Dieser Erzählvorgang ist in sich erzähltypologisch wiederum mehrdimensional. Kähler sprach 1968 von einer „lyrischen" Ich-Erzählerin, Haase bemerkte pikiert „ein krauses Gedanken-Rankenwerk"[10]. Gemeint war der Rollenwechsel der Ich-Erzählerin, der inzwischen genau analysiert worden ist[11]. Dabei ist deutlich geworden, daß hier nicht nur eine autobiographische Erzählerin reflexiv, lyrisch oder eben narrativ sprechen kann, sondern daß sie versuchsweise zur auktorialen Erzählerin werden oder sich als „periphere" Erzählerin[12] in Christa T., aber gelegentlich auch in andere Figuren hineinversetzen kann. Zudem gibt es so etwas wie „schwebende Aussagen" (Thomassen), die keiner typologischen Koordinate eindeutig zuzuordnen sind. Auf der Ebene des Erzählvorgangs betreibt das Buch jene „Dynamisierung der Erzählsituation"[13], die für viele moderne Erzähltexte kennzeichnend ist und innerhalb der DDR-Literatur vor allem von Bobrowski, aber auch von Hermann Kant und im Ansatz von Christa Wolf selbst bereits erprobt worden war. Auflösung des Eindeutigen also schon in der narrativen Struktur. Auffallend ist freilich, gerade wenn man Christa Wolfs Erzählen mit dem Bobrowskis vergleicht, die eminente Bedeutung des rein Reflexiven, die sich vom Nachdenken über die Schwierigkeiten des Erzählens unvermittelt zum Aphoristischen, ja Essayistischen wandeln kann, das wiederum eher Vieldeutiges und Widersprüchliches akzentuiert.

Solche Mittel der Literarisierung scheinen den Tatsachenbericht als Genre von vornherein auszuschließen wie sie auch die „Biographie" nicht als fertiges Werk, sondern als literarisches Problem präsentieren. Dennoch hat die Autorin darauf verwiesen, daß eine Frau wie Christa T. gelebt hat und „zu früh" verstorben ist, daß sie, die Autorin, sich schreibend „gegen diesen Tod wehren" wolle[14]. Ist also die Ich-Erzählerin mit der Autorin identisch, geht es um die Biographie der wirklichen Christa T., wird hier gar keine „Fiktivkommunikation" hergestellt, sondern eine „Sachkommunikation"?[15] Gewiß nicht, dafür gibt es genügend Belege im Buch, auch in Aussagen Christa Wolfs, beispielsweise im „Selbstinterview" (1963). Aber – dies ist wesentlich – die Fragen können und sollen vom Leser gestellt werden.

Christa Wolf hat so etwas wie eine Erzähltheorie entwickelt, die nicht widerspruchsfrei ist, weil sie gerade die Grenze von Autor (Produktion) und literarischem Werk (Fiktion) bedenkt. Ihr Wahrheitskriterium eben jener literarischen Gebilde, die man denn doch Fiktion zu nennen geneigt ist, siedelt sie im Autor an, den sie oft nicht klar vom (fiktiven) Erzähler trennt. Schon in *Lesen und Schreiben* (1968) ist vom „Erzähler" als der „Koordinate der Tiefe, der Zeitgenossenschaft" die Rede, wenige Seiten später heißt es: „Denn es ist schwierig, unverwandt und unbedingt wahrhaftig von den eigenen Erfahrungen auszugehen. Dies, manchmal als Gewissensprüfung für den Autor hingestellt [. . .]".[16] Und im Interview mit Hans Kaufmann (1973) bezieht sich die Rede von der „subjektiven Authentizität", die in der Literatur Wahrhaftigkeit verbürgen soll, unverhüllt auf den Autor[17]. Andererseits ist kaum zu bestreiten, daß die Fiktivkommunikation „die Bedeutung der Intention des Autors" hinter den Text zurücktreten läßt.[18]

Mögen die dichtungslogischen Fragen ungelöst sein, so kann sich der Leser an den Text selbst halten, in dem sie reflektiert werden – und zwar mit dem Resultat, daß das „Werk *als* Werk (...) die Verweigerung einer eindeutigen Antwort" ist[19]. Man könnte also das Buch zusammen mit westdeutscher Prosa dem Thema „Zitat und Montage" zuordnen[20]. Zweifellos hat Christa Wolfs Prosa auf eigene Weise an der Krise des Fiktionalen teil; diese macht im 20. Jahrhundert unter widersprüchlichen Vorzeichen eine Entwicklung anscheinend rückgängig, die im 18. zugunsten der Fiktion als autonomem Modus der 'Wahrheit' entschieden schien. Anders als in der dokumentarischen Montage oder Materialcollage aber, die von der Gewalt und Übermacht der wirklichen Dinge her die Fiktion sprengen, soll hier gerade die Subjektivität, ja Individualität gerettet werden, und sei es nur noch als unverstellt-empirische, bruchstückhafte. In *Nachdenken* nimmt diese Absicht die Montage-Elemente in Dienst. Der Leser muß damit rechnen, daß er dem Text mit einem homogenen Modus der „Kommunikation" nicht mehr gerecht wird. So vollzieht er das in der Figur Christa T. und im Erzählen zweifach gespiegelte Verhältnis von „Leben" und literarischem Schreiben gleichsam dichtungslogisch nach („daß ich nur schreibend über die Dinge komme", 122; „daß sie längst nicht mehr auf ihren Skizzen bestand, sondern auf diesen rohen Steinen", 202). Über das individuelle Leben als endliches und einmaliges läßt sich offenbar nur authentisch reden, der Tod sprengt jede Fiktion auf[21] – und die Erzählerin/Autorin vermag die Fiktion im Blick auf das 'wirkliche' Ganze und seine Zukunft nur so wiederherzustellen, daß die Brüche erkennbar bleiben. Zu Gorkis Wort von der halb realen, halb phantastischen Existenz des Menschen bemerkt Christa T.: „Unsere moralische Existenz ist es, nichts anderes." (143)

„Nun also der Tod." (223) Der letzte, zwanzigste Abschnitt setzt mit dem Thema ein, das schon am Anfang des Buches die Reflexionen der Ich-Erzählerin bewegt. Da freilich geht es nicht nur um den Tod der Christa T., sondern um mehr: Um ein Weiterleben der Verstorbenen im Hier und Heute. Das scheint möglich im Medium eines erfindend-zitierenden Erinnerns der Erzählerin, die sich bewußt geworden ist, daß der Endgültigkeit des Todes noch ein zweiter folgen kann: Die erstarrte Erinnerung der Lebenden, die jenen „Versuch" der Christa T., „man selbst zu sein", noch einmal zunichte macht, wenn das Bilderverbot mißachtet wird. Indem die Ich-Erzählerin mit sich und mit anderen Zeugen der Toten in ein neues Gespräch eintritt, kann zweierlei glücken: Sich selbst und die andere, schon fremd gewordene Gestalt aus der Erstarrung zu lösen, sie „weiterzudenken" (8) und sie jener Vorstellung von Wirklichkeit zu gewinnen, die für die Christa Wolf der sechziger Jahre fast so wesentlich ist, wie sie es für Bertolt Brecht war: „Veränderung". (8) Nachvollziehbar wird das für den Leser allerdings nur dann, wenn der Dialog mit ihm so gelingt, wie er zwischen der Erzählerin und der Verstorbenen gelingen muß: Ihm muß einsehbar werden können, daß jene Behauptung gilt: „Sie braucht uns nicht [. . .] wir brauchen sie." (9) Man hat deshalb den Gestus solchen Erzählens, des „Erfindens", wie es immer wieder heißt, und seiner Rücknahme, der Mischung von echter und fiktiver Dokumentation mit offen fiktionalem Erzählen zurecht auch als Haltung historischen Erkennens beschrieben, die Sinn nicht verordnen, sondern in Frage und Antwort hermeneutisch freisetzen muß.[22] Die Erzählerin unterstellt dabei Christa T. dasselbe Verfahren, das auch sie erprobt. Die Figur des sterndeutenden „Generals" etwa, der Christa T. allerlei Glück, aber auch einen frühen Tod voraussagt, sie erfand „ihn mit der besten Absicht, genau zu sein, objektiv zu sein, des Generals Rede mit seinen Worten niederzuschreiben", und auf der Reflexionsebene der Ich-Erzählerin heißt es: „Ich nehme mir heraus, sie zu korrigieren und erfinde mir meinen General selbst." (102)

„Die geschlossene Form wäre das letzte, was ihn (oder uns) interessieren könnte."[23] Von Max Frisch ist die Rede, und sein Name wurde neben dem von Uwe Johnson in Rezensionen genannt, als *Christa T.* 1969 in Westdeutschland erschienen war und man dort nach Anregern suchte.[24] *Mein Name sei Gantenbein* war ja 1963 veröffentlicht worden, um nur dies zu nennen. Und es gibt unverkennbare Berührungspunkte: Daß das menschliche Leben sich „am einzelnen Ich" vollzieht oder verfehlt (Frisch) und dies im literarisch Dargestellten manifest werden muß; daß literarisches Schreiben seine Wahrheitsgarantie in der „subjektiven Authentizität" des Autors hat und darin begründete Zweifel an der Fiktion (Christa Wolf). Es ist kein Zufall, daß für Christa Wolf der Frisch der Tagebücher überzeugender wirkt, aber so sehr sie seine Zweifel am Fiktionalen und an der Erfindung teilt, so gegensätzlich sind die Motive. Das „Gespielte", so Frisch 1965 in seiner Schillerpreis-Rede, „hat einen Hang zum Sinn, den das Gelebte nicht hat."[25] Die Erzählerin in *Christa T.* teilt diese Furcht nur insoweit, als das Gespielte, also Fiktive, das Gelebte verfehlen könnte – die Erinnerungsarbeit („besinnt man sich darauf, Arbeit an sie zu wenden", verhinderte dann, „daß sie sich zu erkennen gibt". (9) Gelebten oder zukünftig lebbaren Sinn freizulegen, ist das Ziel des Nachdenkens über eine Frau, die sich dort dem Spiel entzieht, wo ihr Tod das Leben ein für allemal verwehrt. Erfinden, literarisches Schreiben überhaupt ist in diesem Buch immer so etwas wie reflexive Potenzierung der Wirklichkeit[26], Gegenbild nur in einer bestimmten Phase des Erzählten (inhaltlich gesehen ist es die erste Hälfte der fünfziger Jahre) und da zugleich für Christa T. Gefahr der Flucht. Nicht also: Mein Name sei Gantenbein, der vergebliche Versuch, in einem Erzählen, das sich selbst beständig aufhebt, der Falle sozialer Rollen- und Sinnmuster zu entkommen, sondern Nachdenken über eine Verstorbene, deren fragmentarischem Lebensversuch das Erzählen verändernden Sinn ablesen könnte.

Was Christa Wolfs Erzählprogramm von Maximen Frischs trennt, verband sie (zumindest 1968) mit Brecht: Ihr Insistieren auf „eingreifender Schreibweise" (an anderer Stelle verwendet sie den nur scheinbar paradoxen Begriff „epische Prosa"[27]) und die Kategorie der Veränderung. Daß da niemals ausschließlich so etwas wie subjektive Innerlichkeit gemeint ist, setzt ein Wirklichkeitsverständnis, eine „anthropologische" Einsicht voraus, die Brecht im Anschluß an Marx einmal so formulierte: „die kleinste gesellschaftliche Einheit ist nicht der Mensch, sondern zwei Menschen. Auch im Leben bauen wir uns gegenseitig auf."[28] Marxens Satz, das Individuum sei „das gesellschaftliche Wesen", scheint so wenig wie für Brecht für Christa Wolf eine Binsenwahrheit zu sein[29], denn alle ihre Texte bezeichnen die Dimension des Sozialen, der sinnlichen Wirklichkeitserfahrung als wesentlichen Ort der Sinnerfahrung. „Der Entwurf, sinnvoll zu leben in bezug auf die anderen", lautet ein Satz der Autorin[30]. Christa T.'s Dasein war dadurch bestimmt, daß sinnvolles Leben in bezug auf die anderen immer nur punktuell gelang. Davon wird noch die Rede sein. „Aber sie hatte auch erfahren, daß das wirkliche Material sich stärker widersetzt als Papier und daß man die Dinge, solange sie im Werden sind, unerschütterlich vorwärtstreiben muß." (202) Deutungen des Buches, die kategoriale Subjektivität oder thematisch genauer, Individualität von diesem Bezug zum „anderen" trennen, sei es vorwurfsvoll, wie in einem Teil der DDR-Kritik, sei es von einem psychologischen Ansatz her, engen Erzählprogramm und Erzählen Christa Wolfs ein – so wichtig sie im einzelnen sind.[31] Denn im Blick auf Brecht ist zu wiederholen, daß die literarische Erschließung der Wirklichkeit von der 'Kategorie Individuum' ausgeht, nicht von sozialer Dialektik, daß solcherart Veränderung einen mehrdimensionalen Prozeß meint, der ganz wesentlich Vorgänge des Bewußten und Vorbewußten einschließt, aber kaum direkte Handlungsalternativen anbietet wie Brechts offene Dramaturgie. Nicht die Erzählerin oder Christa T. allein sind indes Hauptfiguren des Textes, sondern, so merkwürdig es klingt, die Kommunikation zwischen ihnen als literarisch-öffentlicher Vorgang, die Reflexion also. Es gibt nur eines, das gleichwertig wäre: Eine Wirklichkeit, die des „halbphantastischen" Gesprächs mit dem Boten eines veränderten Lebens nicht mehr bedürfte. Aber dieser Bezug auf das wirklich „Ganze" gehört ja zu Thema und Struktur des Buches selbst.

So könnte man das Buch auch einen Zeitroman nennen. Und zwar analog zu Thomas Manns Bemerkungen zum *Zauberberg* in einem mehrfachen Sinne, „einmal historisch, indem er das innere Bild einer Epoche [. . .] zu entwerfen versucht, dann aber, weil die reine Zeit selbst sein Gegenstand ist"[32]. Natürlich ist das zu hoch gegriffen, und es ist schief. Denn ein schmaler Band kann niemals die Extensität eines Epochenromans annehmen – aber er kann doch versuchen, auf intensivem Wege Strukturen einer Epoche aufzudecken. Auch geht es nicht um die reine Zeit, sondern um die erinnernde Verarbeitung gelebter Zeit. Beides ist an Subjektivität, ja Individualität gebunden: Die Arbeit der Erinnerung an die Ich-Erzählerin, die erlebte und gelebte Zeit an sie selbst und die Figur, über die nachgedacht wird – Christa T. Das erinnernde Erzählen hält sich in groben Zügen an die Chronologie eines anderen Lebens, das nur bruchstückhaft erzählt wird, mit Vor- und Rückgriffen, ein Fragment im Verlauf und im frühen Ende, das sich dennoch zu einer lückenhaften Biographie summiert, die sich nacherzählen ließe und von den Interpreten auch nacherzählt worden ist[33]. Aber so etwas wie Kontinuität gibt es eigentlich erst auf einer abstrakteren Ebene: Im Nachdenken der Ich-Erzählerin, die nicht an der pragmatischen Oberfläche des Geschehens interessiert ist, das sie durch Reflexionen und Assoziationen aufbricht, dessen Chronologie sie nicht wahren kann, weil es ihr um Deutung zu tun ist. Der Zeitroman erscheint also in der Form des biographischen Erinnerungsromans, und er berührt sich darin mit einem der „Archetypen" des modernen deutschen Romans überhaupt: mit dem Bildungsroman als (Jugend-)Geschichte des suchenden Helden. Es läßt sich leicht zeigen, daß zentrale Momente dieser Romanart die Struktur zahlreicher DDR-Romane der fünfziger und sechziger Jahre bestimmen, oft freilich in nur scheinbar nachbürgerlichen, in Wirklichkeit gleichsam archaischen Formen.[34] Die für den „bürgerlichen" Bildungsroman bezeichnende Spannung zwischen der Sinnsuche des (individuellen) Helden und der abweisenden Wirklichkeit, der Momente eines erfüllenden Lebenssinnes nur mühsam abzuringen sind, wird in diesen Romanen dadurch gelöst, daß der dargestellten Wirklichkeit ein umfassender Lebenssinn unterlegt ist, der das Neue der im Aufbau befindlichen sozialistischen Gesellschaft spiegeln soll. Man hat zu Recht (und ganz unkritisch) von sogenannten „Ankunftsromanen" gesprochen[35]. Christa Wolfs Buch scheint nun die Struktur des bürgerlichen Bildungsromans wiederherzustellen und zwar auf einem Niveau, das gerade die in der Moderne verstärkten Züge der Romanart aufnimmt[36]: Die Lebenskurve der Hauptfigur wird gleichsam auf einer höheren Ebene reflektiert, so daß der erinnernde Erzählvorgang zum eigentlichen Ort der Sinnfrage wird. Auf dieser „Reflexionsstufe" kann das Individuum sehr wohl als „gesellschaftliches Wesen" ausgelegt werden.

Die inhaltlich-thematische Struktur des Buches bestimmen dabei nicht schlichte Oppositionen. Das zu verhindern ist nicht zuletzt die Aufgabe des erinnernden Erzählens. Versteht man Christa T. als Zeitroman, so kann er keineswegs das „innere Bild einer Epoche" im Sinne Thomas Manns sein. Da er 1944 einsetzt, bis etwa 1938 zurückgreift, erst mit dem dritten Kapitel 1951 erreicht, wiederum die unmittelbare Nachkriegszeit rückblickend einholt, dann bis zum 17. Kapitel einzelne Episoden der fünfziger Jahre vergegenwärtigt, schließlich vom 18. Kapitel an die frühen sechziger berührt – da also die erzählte Zeit vom Faschismus bis in eine sozialistische Gesellschaft hineinführt, die ihre Aufbauphase (vom historischen Kontext her gesehen) hinter sich haben soll, müßte der Zeitroman einen Epochenbruch markieren. Das geschieht auch, und es geht dabei nicht ohne Formeln und Topoi ab, wenn am Besonderen das Allgemeine verdeutlicht werden soll. Da ist, in den Nachkriegsjahren, der „junge sowjetische Leutnant", da sind Gorki und Makarenko, da ist später jene längere Szene, die „drüben", im Westen also, angesiedelt wird, „wo die anderen, wo entgegengesetzte Entwürfe von allem [. . .] hergestellt werden". Wäre dies alles plan heruntererzählt, so hätte man nichts anderes vor sich als ein bekanntes Abschieds- und Ankunftsmuster, das durch die Distanz der jungen Christa T. vom Nazismus bereits vorbereitet ist. Sie braucht da, anders als vorangegangene Romanfiguren von Loest, Noll, de Bruyn oder Fühmann nicht erst den „Abschied" zu erkämpfen. Ebensowenig die Erzählerin; das sollte in Kindheitsmuster (1976) anders werden, wo Christa T. als blasse Neben- und Gegenfigur erscheint und das Entwicklungsschema des Abschieds überhaupt in Frage gestellt wird. Was von diesem Modell bleibt und explizit mit keiner Silbe aufgehoben wird, ist jene Zusicherung der Erzählerin anläßlich der Makarenko-Lektüre Christa T.'s: „Ja, so wird es sein. Dies ist der Weg zu uns selber. So wäre diese Sehnsucht nicht lächerlich und abwegig, so wäre sie brauchbar und nützlich." (41) Da soll der Anfang eines „Anderen" markiert werden, der – um es in dialektischem Vokabular zu sagen – „an sich" die individuelle Sinnfrage in die Sinnperspektive eines neuen Ganzen einmünden ließe. Christa Wolf hat das 1968 so kommentiert: „Die tiefe Wurzel der Übereinstimmung zwischen echter Literatur und der sozialistischen Gesellschaft sehe ich eben darin: Beide haben das Ziel, dem Menschen zu seiner Selbstverwirklichung zu verhelfen."[37] Daß dies im Nachdenken auf der Ebene der erzählten Entwicklungsgeschichte Christa T.'s als Ziel gelten soll, wird dem Leser unmißverständlich klar gemacht; daß es unerreichtes, also erzählerisch antizipiertes Ziel bleibt, ebenfalls. Strukturell hat das zur Folge, daß in der „an sich" neuen Periode nach dem Kriege sich die Spannung zwischen individueller Sinnperspektive und der dargestellten Lebenswirklichkeit ebenfalls erneuert.

Aber auch da gilt es den Zeit- und Bildungsroman in *Nachdenken* in wichtigen Momenten genau zu lesen. Und Momente sind es in der Tat, Episoden, Erzählerkommentare, leitmotivische Szenen, aus denen der Leser sich die Zusammenhänge, die Darstellung der fünfziger Jahre nunmehr, rekonstruieren muß. Was ihnen fehlt, ist Eindeutigkeit. Etwa in Sätzen wie diesem: „Blau! ruft er ganz verzweifelt. Das alte Hemd! Hätt' ich gewußt, ich hätte mich vollständig anders . . . Vollständig ist Ihr Lieblingswort? fragte Christa T." (50) Zwei Leitmotive sind da im Spiel, Symbole des Zieles[38], wenn man will: Die Farbe „Blau" – es ist ein Topos schon der frühen DDR-Literatur, daß sie als blaues Hemd der FDJ vorkommt (32), aber dann, bezeichnend für Christa Wolf, als Anna-Seghers-Zitat und als Blau des Himmels zugleich: „diese unerträgliche Sehnsucht nach dem wirklichen Blau, aber ich hole es mir, jetzt" (39). Anna Seghers' Erzählung 'Das wirkliche Blau' ist 1967 erschienen. Politik, Literatur, poetische Sensibilität des Subjekts sind so bildhaft verknüpft, aber nicht eindeutig geworden. Das Leitwort „vollständig" führt den Leser zu einem der wichtigsten Erzählerkommentare, der Grundwidersprüche eher umschreibt als benennt. „Die Idee der Vollkommenheit hatte uns erfaßt" (67); nicht das ist es also, was Christa T. von der sich verändernden Wirklichkeit der DDR trennt. Was es war, bleibt nun ebenfalls merkwürdig unbestimmt. Wer nach massiven Hinweisen, etwa nach dem Namen Stalins oder den Ereignissen von 1953 sucht, wird enttäuscht. Leser, die auf die Appellstruktur des Textes nicht mit historischen Vorinformationen eingehen können, werden an der dargestellten Wirklichkeit vor allem jene Züge ausmachen, die im Abschnitt, der zustimmend von der „Idee der Vollkommenheit" spricht, mit dem Wort „Exerzitien" signalisiert werden. Belege dafür könnte man auch der frühen DDR-Literatur entnehmen; beliebiges Beispiel aus Karl Mundstocks Aufbauroman *Helle Nächte* (1952): „Da ist Gerda, sie singt auf der Baustelle! [. . .] 'Stell dir vor', sagt sie, 'in einem Jahr stehn hier Häuser, jeder hat ein Badezimmer. [. . .] Da ist er, der neue Mensch!' "[39] In *Nachdenken* ist zugleich von der „Welt der Phantasielosen", der „Tatsachenmenschen" die Rede (66f), später von den „schrecklich strahlenden Helden der Zeitungen", eine Metaphorik der Erstarrung, des ideologischen Positivismus, der autoritären Gläubigkeit. Erzählerisch nicht aufgehoben ist das „Ansich" des anderen Lebens, die Idee nicht nur einer neuen Welt, sondern die Behauptung ihres möglichen Beginns („Es gibt sie, und nicht nur in unseren Köpfen, und damals fing sie für uns an", 66). Verfehlt ist der Weg. Demgegenüber nun Christa T., die in diesen Jahren zu schreiben beginnt, der aber keineswegs nur oppositionelle Motive einer zunehmend individuellen Sinnsuche zugeordnet sind. Gewiß: „Phantasie", „romantische Verkleidung", „Selbstbehauptung" und „Selbstentdeckung" (73) im Schreiben, schließlich „Krankheit" (70). Hinzu kommen freilich ganz andere Schlüsselworte. So wie sich Christa T. bemüht, dem Alltag von Studium und Beruf gerecht zu werden, so heißt es von ihr: „Wirklichkeitshungrig saß sie in ihren Seminaren" (74). Und während auf der einen Seite die Zeitungs-helden als „neue Menschen" verehrt werden, beginnt sie über diese Formel wie über das Wort „Veränderung" nachzudenken.

Jener Vorstellung des umfassenden Neubeginns, die für die Jahre um 1950 in das Buch eingegangen ist, laufen kontinuierliche Motive der Dissonanz entgegen. Das „Ich bin anders" der Christa T. (73), chronologisch zugeordnet dem Anfang der fünfziger Jahre, erscheint zuerst in der Endphase der NS-Zeit: „ICH, denkt das Kind, ICH bin anders." (30) Die Tonio-Kröger-Reminiszenz der Zigeuner im grünen Wagen ist diesem motivischen Satz auch äußerlich nicht zufällig beide Male assoziiert. Thematisch scheint dem vor allem eine Kontinuität der Barbarei zu ent-sprechen — nicht freilich auf der Ebene des Gesellschaftlich-Strukturellen oder gar Politischen, sondern nur punktuell beleuchtet in Episoden gefühlloser Gewalt ge-genüber wehrlosen Geschöpfen. Jenes frühe Erlebnis der Christa T., wie der Päch-ter einen Kater „an die Stallwand knallt" (28), wird später in ähnlichen Zusam-menhängen immer wieder heraufbeschworen, in den Jahren der Nachkriegszeit und in den fünfziger Jahren, wo es deutlich mit dem Motiv eines brutalen Prag-matismus verknüpft ist (139).

Keine Frage, da ist manches eher verborgen als ausgesprochen, was einer Autorin keine Ruhe lassen konnte, deren Apriori „subjektive Authentizität" sein soll. Und weiter: Motive der Kontinuität auf der einen Seite, auf der anderen die Andeutung eines erneuten Wandels in den fünfziger Jahren, verknüpft mit den Ereignissen in Ungarn 1956. Was sich da ereignet, wird wiederum keineswegs einsinnig, partiell geradezu apologetisch umschrieben, das „Hohngelächter" der „westlichen Rund-funkstationen" zurückgewiesen. Dennoch: Desillusionierung, Ernüchterung des Denkens und Wissens, Verlust falscher Ideale, die sich als Schein erweisen — das Bild der gelöschten Bühnenscheinwerfer veranschaulicht das. „Ja, ein plötzlicher Lichtwechsel hatte stattgefunden, vorausgesehen hatten wir ihn nicht." Das alles bleibt ganz auf Bewußtseinsformen beschränkt, ein Zugewinn an realistischer Sicht auf die „Wahrheit" („die Hinwendung zu den Dingen, wie sie wirklich sind"). Christa T. wird da von der Erzählerin durchaus einbezogen („sie, wir alle" 168f.).

Daß nun im letzten Drittel des Buches eine Dimension des Zeitromans, so wie sie bisher an 'epochalen' Motiven erläutert worden ist, weithin entschwindet, muß man zunächst einmal festhalten. Es ist auffällig, daß sich das Erzählen nun auf die Figur Christa T. konzentriert, ihre Ehe, Kinder, ihren Versuch, ein Haus zu bauen, das unvollendet bleibt und so Thema und Struktur des Fragmentarischen noch einmal vor Augen stellt. Man könnte das so verstehen: Der illusionslose Bezug zur Wahrheit, wie er im historischen Kontext des Jahres 1956 bewußt geworden ist, kann nur subjektiv erprobt, gelebt werden. So macht denn die Erzählerin deut-lich, daß mit Christa T. eine bezeichnende Veränderung vor sich gegangen ist (14. Kapitel); sie ist bereit, ja begierig, sich auf die Wirklichkeit, die ganz private freilich, einzulassen („Sie schuf sich noch einmal neu [. . .] das größte irdische Ver-gnügen", 155), ohne die „Vision" (im Gegensatz zur ideologischen Illusion) ihres nicht formulierbaren Lebenssinnes zu verlieren. Das heißt nichts anderes, als daß sie Veränderung, Experiment, die Kategorie der Möglichkeit durchhält (vgl. 199,

215). Die Erzählerin scheut sich nicht, das Wort „Leben" als Formel unmittelbaren Werdens einzusetzen (199, 213 u.ö.). Zu solchem Leben aber gehören Krankheit und Tod – auf andere Weise als jene erste „Krankheit" Christa T.'s, die Verweigerung der Anpassung. Also schließlich doch die viel diskutierte „Privatisierung", Rücknahme der Spannung von Zeitroman und Bildungsroman ins fast Beliebige des privaten „menschlichen" Alltags? Es ist gezeigt worden[40], daß man damit vereinfacht; unübersehbar bleibt natürlich die Korrektur jener aufs große Ganze gerichteten „Irrtümer", der antizipierten und ideologisch gewordenen „Vollkommenheit", zu der Christa T. als Figur Distanz gewahrt hatte. In dieser Figur, für die, so die Erzählerin, „der Wunsch unpassend ist, sie irgendwo für immer ankommen zu sehen" (216), sind nun aber jene Kategorien der „Veränderung" verkörpert, die eigentlich das gesellschaftliche Ganze bewegen sollten. Man wäre versucht zu sagen: restlos, wenn auch manchmal hilflos verkörpert, gäbe es nicht die Ebene der Erzählerin. Erst hier wird sie „nach außen" weitergegeben: Über den impliziten Leser an den empirischen.

Noch einmal die Ich-Erzählerin also. Erzählendes Ich und erlebendes, „gegenwärtig" sich erinnerndes und Freundin der Christa T. Das erlebende Ich entwickelt sich zur Einstellung des erzählenden, dies aber erläutert seine offen-hermeneutische Haltung bereits im einleitenden Programm – es entwickelt sich im Grunde nicht mehr. Es ist ständig präsent, in seinem Sprechen kreuzen sich die Stimmen. So gibt es auch Andeutungen der eigenen Entwicklung, bezogen auf Christa T. Davon war die Rede. Zu wiederholen ist, daß Christa T. eine „andere" bleibt, zu der die Erzählerin bis zum Schluß in ihrem aneignenden Sprechen Distanz wahrt, wahren muß – würde sie doch sonst über die tote Freundin verfügen (7), die sich ja „zu erkennen geben" soll (9). „Die Beziehungen zwischen 'uns' – der Christa T. und dem Ich-Erzähler – rücken ganz von selbst in den Mittelpunkt", so Christa Wolf im „Selbstinterview".[41] So ist die Erzählerin im mehrfachen Sinne die Stimme des Lebens, hierin ganz einig mit Christa T.'s Wirklichkeitsverlangen. „Nichts kann man sich wünschen, als an den wirklichen Freuden und den wirklichen Leiden seiner Zeit teilzuhaben. Vielleicht hat sie sich das zuletzt gewünscht [. . .]" (232).

Ist dies thematisch gesehen die bedeutsamste Annäherung, so lag die größte Ferne der ebenfalls fragmentarisch berichteten Entwicklung des „erlebenden" Erzähler-Ich in jenen frühen fünfziger Jahren; das erzählende Ich muß sich da als „wir" dem „sie" der Christa T. konfrontieren. „Sie zweifelte ja, inmitten unseres Rauschs der Neubenennungen [. . .]" (46) „Warum habe ich sie damals nicht vermißt?" (92) Nun erinnernd der „Vision" gerecht zu werden, mit der Christa T. damals den Gedanken der „Vollkommenheit" vor den Idolen und Apparaten zu bewahren suchte, bedeutet für die Erzählerin selbst Trauerarbeit. Zu verwerfen hatte sie freilich nur die Entfremdung in „Rausch" und Apparat, nicht den Gedanken der „neuen Welt" an sich. Insofern ist das erinnernde Erzählen ein rettendes im doppelten Sinne: Die offene Vision Christa T.'s und die Idee der möglichen „Vollkommenheit" des Ganzen sind im Erzählen aufzuheben. Keinesfalls wird man dem Buch also gerecht, wenn man seine „utopische" Intention nur im offen-dialogischen Erzählverfahren sieht, in der leeren Struktur gewissermaßen –

dies Erzählen hat ein Thema, dem der Gedanke historischer Bewegung unterlegt ist. Daß sich die rettende Sinnkonstitution im Erzähler-*Ich*, also im reflektierenden Subjekt vollzieht und nicht in einer ausgefabelten Handlung, die vorgibt, die Totalität des „Neuen" pragmatisch widerzuspiegeln, ist freilich entscheidend. Die aufrichtige Subjektivität des Erzählens ermöglicht es so dem Leser, Unabgeschlossenheit des Sinnes im Blick auf die „Vision" der Vollkommenheit auch noch dort zu entdecken, wo der Erzählgestus Anweisungscharakter erhält: Die „neue Welt" (66) existiert für die Erzählerin als objektiv-reale Möglichkeit (Bloch), man könnte auch sagen als „Setzung". Denn die Erzählstruktur insgesamt signalisiert ja nichts eigentlich Neues, wenn sie auch das seit dem 18. Jahrhundert Vertraute in einer bezeichnenden Variante gibt: Die Erzählerin spricht der Zeit (zuletzt in Gestalt des einzelnen Lesers)[42] ihren Sinn von der unabgeschlossenen Entwicklungsgeschichte eines Individuums her zu und bewahrt diese Geschichte so davor, als Desillusionsroman enden zu müssen.

In seiner Motiv-Bildstruktur enthält das Buch eine Vielzahl von Hinweisen, die das noch einmal belegen. Man könnte mit Bloch von Allegorien des Weges und von Symbolen der Vollendung sprechen. Solche Allegorien, die mehrdeutig vorausweisen, wären etwa Christa T.'s Versuche, in der Dichtung nicht nur rettende Distanz zum erstarrend-barbarischen Leben zu wahren, sondern deren „Poesie" zitierend oder spielerisch ins Leben zurückzuholen. Tonio Krögers Zigeuner im grünen Wagen, die Liebe zu Klingsor oder Kostja, in deren poetischen Namen Novalis und Dostojewski der ideologischen „Wirklichkeit von Namen" (46) entgegengehalten werden (der Ehemann heißt später bezeichnenderweise „Justus"); die Arbeit über Storm, deren Zitate deutlich machen, daß für Christa T. Dichtung immer auch Zeichen noch verfehlten Lebens ist; das Kostümfest, vielleicht nur erfunden, auf dem Christa T. als La Roche-Fräulein von Sternheim erscheint, um ein gefährdetes Frauenleben vorzustellen (150).

Allegorien des Weges mag man auch die nicht sonderlich originelle Farbmetaphorik nennen, die in ihren Kontexten freilich höchst anspielungsreich Phantasie und „Wirklichkeit" in Beziehung bringt. Daß „blau" bei den Farben im Zentrum steht, daneben auch grün und gelegentlich rot vorkommen, ist angesichts der poetisch-politischen Geschichte dieser Farben kein Zufall. Natürlich ist da vieles dem Leser überlassen – aber der Text provoziert Deutungen. Etwa in den Schlußpassagen: „In zwei, drei Stunden werden wir uns trennen. Sie wird mir den roten Mohn ins Auto reichen, den sie unterwegs gepflückt hat." (235) Von Christa T.'s rotem Blut war zuvor die Rede, das die Krankheit zerstört (232). Leben und Weiterleben, der Zeit unterworfen, der Mensch als Naturwesen – aber auch als politisches Wesen? („Rote Armee", 37) Die Farbmetaphorik leitet eher zum „Leben" hin als zur Geschichte, zur Mehrdimensionalität des Daseins und seiner Unabgeschlossenheit. („Leben, erleben, freies großes Leben!" 46) Man sollte diesen Grundduktus im Erzählen der Christa Wolf, bisweilen kommt er hier stilistisch etwas banal daher, nicht lebensphilosophisch mißverstehen. „Und dasselbe [Blau] noch einmal, sagte Christa T., wenn du in den See siehst, nur mit etwas Grün untermischt." (232) Das ist noch Natur, nicht Gesellschaft, aber erblickt von einem menschlichen Auge.

Natürlich gehört hierher die „Trompete" der Christa T., frühes Motiv eines besonderen Individuums, das vernommen werden will und so von der Erzählerin schon früh verstanden wurde („Ich hab dich mal Trompete blasen sehen, vor achtzehn Jahren." 215). Das Bild des Sterns auch, „Sternkind – kein Herrnkind" (24), das entschiedener als Farbmetaphern historisch-gesellschaftliche Konnotationen trägt („das wissenschaftliche Zeitalter", die „Spur der neuen Sterne" am Horizont, 180). Schließlich die Lichtmetaphorik überhaupt, beginnend beim „kalten Licht", in dem Christa T. und die Ich-Erzählerin vor der Hermann-Göring-Schule stehen (20), über jenen politischen „Lichtwechsel" des Jahres 1956 (168) bis zu einer Szene im letzten Kapitel, die man den Symbolen der Vollendung zurechnen könnte.

Man hat von antizipierten 'Idyllen' geschrieben[43]. Das mag auch hier gelten, obwohl nichts eindeutig antizipiert, vielleicht aber alles von der Erzählerin nur imaginiert ist. Es ist ein Moment erfüllter Gegenwart, ganz subjektiv, Christa T. in ihrem Zimmer. „Der Mond kam über dem See hoch, sie konnte lange am Fenster stehen und zusehen, wie er sich im Wasser spiegelte." (230) Wieder ein abgegriffenes Bild, dafür aber befrachtet mit nicht nur literarischer Tradition: der Blick aus dem Fenster, innen und außen, Dunkelheit und Licht, das Gestirn und sein Spiegelbild im Wasser. Christa T. denkt an ihr ungeborenes Kind, seine Zukunft. „Sie lagen ruhig atmend, Gesicht gegen Gesicht, die letzten Stunden der Nacht; und zwischen ihnen das Kind, das das Licht der Welt noch nicht erblickt hatte."[44] Man kann diese Schlußsätze aus Anna Seghers' *Die Toten bleiben jung* assoziieren, das „war so einfach, so verständlich und wirklich", heißt es bei Christa Wolf. Ihre Szene läßt indes auch noch die Dimensionen der Erfahrung und der Zeit verschwimmen – und das ist bedeutsam: „Träumte sie denn jetzt? Oder erinnerte sie sich, viel später, an diese Nacht? Was gewesen war und vielleicht niemals sein würde, floß zusammen und machte diese Nacht." (230) In der Tat: Ein Zeitroman in mehrfachem Sinne; diese Szene führt noch einmal in seinen „innersten Bezirk" (Hermann Lenz). Ihr ist denn auch eine zweite an die Seite zu stellen, ein Gespräch zu Silvester – die Jahreswende als Zeitmotiv kehrt mehrfach wieder. Figuren der (erlebten) Vergangenheit und Gegenwart finden sich zusammen, darunter auch Pragmatiker („Blasing [. . .] preßte wie immer seine schwarze Mappe an sich", 209). Ein vergänglicher Moment der erfüllten Kommunikation, zwischen Streit und Jux, in der die eigene Vergangenheit zur erzählbaren „Geschichte" wird. „Wir meinten aber, was alle betrifft, kann einem selbst nicht viel anhaben" (209). Gewiß ist das „schwebende Gleichgewicht" einer solchen Szene schwer zu erzählen, und es gelingt hier auch nicht eigentlich. In ihrem Mittelpunkt jedenfalls steht Christa T., die das Gespräch anregt und in ihm „das Beispiel" abgibt „für die unendlichen Möglichkeiten, die noch in uns lagen." (211) Alles dies aber ist vielleicht nur eine Deutung, Reflexion der Erzählerin. Erlebte Zeit, Gefühle, „die innere Natur" werden „in dem Maße kommunikativ verflüssigt und transparent gemacht wie Bedürfnisse über ästhetische Ausdrucksformen [. . .] sprachfähig erhalten werden können."[45]

So „führte sie mehrere Zeiten mit sich [. . .], und was in der einen unmöglich ist, gelingt in der anderen. Von ihren verschiedenen Zeiten aber sagte sie heiter:

Unsere Zeit." (221) Diese Gleichzeitigkeit des Ungleichzeitigen ist kein nunc
stans, sondern ein dynamisches „Multiversum" (Bloch). Es erscheint in *Christa T.*
nicht ontologisch, als „Eigenschaft der materialen Welt", sondern als „Erfahrung", die an Subjekte gebunden ist. Die Autorin hat diese Erfahrung, einen abge-
nutzten Terminus aus der Debatte über den sozialistischen Realismus umdeutend,
„Tiefe" genannt.[46] Ihr steht die „Macht der stärksten Nicht-Utopie" entgegen,
der Tod[47], den die Erzählerin mit einem Hoffnungsbild aufheben will, das aber
letztlich vom Tod des Individuums auch zerstört wird. Hier stellt sich der schärfste
Zweifel an der Verwandlungskraft der Fiktion ein, von hier geht auch eine andere
Zeitstruktur aus: „Wann soll man leben, wenn nicht in der Zeit, die einem gegeben ist?" (90) Die leitmotivische Frage „Wann, wenn nicht jetzt?", mit der das
Buch schließt, hat auch die Bedeutung, der Zeitlichkeit und Endlichkeit des Individuums wegen das Unmögliche erfüllten, je gegenwärtigen Lebens zu verlangen.
Nicht mehr in verlogener Naivität freilich, die ein neues Leben als schon wirkliches ausgibt, sondern rettend-reflexiv, als „erinnerte Zukunft"[48], die immer von
der Enttäuschung bedroht bleibt und die „Kraft" verlangt, „Noch nicht" zu sagen (220). Es ist, wenn man will, das Analogon zur „Kraft der Schwachen" in
Christa T.

„Wann, wenn nicht jetzt?" (235) Christa Wolf hat Literatur immer auch auf ihre
Wirkung hin bedacht; sie steht damit in der Tradition nicht zuletzt marxistischer
Literaturtheorien. Davon war die Rede. So konnte sie 1968 von „epischer Prosa"
als „Mittel [. . .], nicht als Selbstzweck" sprechen. Mittel weniger der rationalen
Erkenntnis oder des Handelns freilich, sondern, emphatisch genug klingt es, „um
seelische Kräfte freizusetzen" und damit „Zukunft in die Gegenwart hinein vor-
zuschieben." Wenn man liest, daß für sie „Ausbeutergesellschaften", gar jede faschistische Ordnung damit beginnen, „das Individuum auszulöschen", so muß man
annehmen, daß dessen Selbstverwirklichung die Legitimationsgrundlage der „sozialistische[n] Gesellschaft" ist.[49] So wäre denn die scheinbar private Wendung der
fragmentierten Lebensgeschichte der Christa T. noch vom Kontext her zu beleuchten: Was in der Biographie als Rückzug erscheint, „Madame Bovary" (195) in der
DDR, scheinbar anachronistisch, dies der Öffentlichkeit Entzogene wurde durch
Christa Wolfs Buch zu einem Politikum, das wiederum der breiteren Öffentlichkeit
vorenthalten, in der DDR erst nach 1971 eigentlich freigegeben wurde. Was das
Buch nur für die fünfziger Jahre andeutet, setzte die Wirklichkeit der späten sechziger fort – die Realität lieferte die Konkretion des im Text Ausgesparten. Die
blockierte Rezeption erwies das „Experiment" (Chr. Wolf) des Zeitromans als gelungen, wenn auch ex negatione. Zumal seit dem VII. Parteitag der SED (1967)
war die Debatte um die politischen, wirtschaftlichen und kulturellen Perspektiven
geprägt vom forcierten Vertrauen in die 'rationale' systemtheoretische Steuerung
gesellschaftlicher Vorgänge einerseits, vom Theorem einer angeblich bereits existierenden „sozialistischen Menschengemeinschaft" andererseits. Die ideologisch
verschanzten „Tatsachenmenschen" gaben nach wie vor den Ton an. Die Frage
„Und schafft nicht auch Nachdenken Tatsachen?" (74) war ihnen in der hier vorgetragenen Form nicht zuzumuten, denn es war die Frage nach der letzten Legitimation ihres Handelns. Daß diese Frage zunächst individuellen Lebenssinn meint

und damit jedes „System" durchbricht, möchte das Buch an Christa T. zeigen[50]; daß der Versuch der Selbstverwirklichung zugleich über das Individuum hinausgreift, manifestiert sich im verstehenden Erzählen selbst, das schon als öffentliches Sprechen und Ansprechen in jedem Leser das Ganze erreichen will. So ließe sich das „Noch nicht" des Buches durchaus im Blick auf jene Antizipation eines zukünftigen Gesellschaftszustandes deuten, „worin die freie Entwicklung eines jeden die Bedingung für die freie Entwicklung aller"[51] sein soll – Freiheit des Individuums immer begriffen als die eines „gesellschaftlichen Wesens." Wenn die optimistische Emphase, die dabei trotz allem das Erzählen prägt, den Leser nicht immer überzeugt, so hat das seinen Grund in einem Verdacht, der auch das Werk der Autorin voranzutreiben scheint: die Vergangenheit könnte die Zukunft schon verschlungen haben, und dies möchte umso klarer werden, je „tiefer" die aufrichtige Arbeit der Erinnerung vorstoße, um Ursachen des Scheiterns zu ergründen. Bislang hat Christa Wolf noch immer Spuren eines anderen Lebens entdeckt und schreibend zu retten versucht: Zu schreiben kann ja „erst beginnen, wem die Realität nicht mehr selbstverständlich ist."[52]

Anmerkungen

1 Christa Wolf, *Nachdenken über Christa T.* (Neuwied-Berlin: Luchterhand, 1969); Seitenzahlen hier und im folgenden in Klammern.
2 Vgl. Hans Blumenberg, „Wirklichkeitsbegriff und Möglichkeit des Romans", in: H.R. Jauß (Hrsg.), *Nachahmung und Illusion* (= Poetik und Hermeneutik I; München: Wilhelm Fink, 2. Aufl. 1969), S. 10-26.
3 Vgl. dazu u.a. meine Hinweise: „Erinnerung und Erfahrung", in: *Text + Kritik* 46: Christa Wolf (1975), S. 14-25; S. 21f. sowie: Andreas Huyssen, „Auf den Spuren Ernst Blochs. Nachdenken über Christa Wolf", in: *Basis*. Bd. 5 (1975), S. 100-116. – Die neuere Diss. (Salzburg 1979) von Klaus Renoldner, *Utopie und Geschichtsbewußtsein. Versuche zur Poetik Christa Wolfs* (Stuttgart: Heinz, 1981) betont gegenüber der geschichtsphilosophischen Dimension die literarische 'Struktur' als 'Ort' der Utopie; dagegen ist nichts zu sagen, solange Substanz und Intention des Werkes nicht zur leeren Negation der Wirklichkeit umgedeutet und der beständige Verweis auf Geschichte nicht eliminiert werden. In der Erzählprosa ist diese Substanz gewiß reflexiv, nicht 'fundamentalistisch' strukturiert.
4 Christa Wolf, *Kindheitsmuster* (Darmstadt-Neuwied: Luchterhand, 1977), S. 51, 386; vgl. „Blickwechsel" (1970), in: Ch. W., *Lesen und Schreiben*. Aufsätze und Prosastücke (Darmstadt-Neuwied: Luchterhand, 1972), S. 46.
5 Heinrich Mohr, „Produktive Sehnsucht. Struktur, Thematik und politische Relevanz von Christa Wolfs 'Nachdenken über Christa T.'", in: *Basis*. Bd. 2 (1971) S. 191-234; S. 191. – An älteren Beiträgen ist besonders zu verweisen auf das Christa-Wolf-Kapitel in: Manfred Jäger, *Sozialliteraten*. Funktion und Selbstverständnis der Schriftsteller in der DDR (Düsseldorf: Bertelsmann, 1973). Vgl. im übrigen Alexander Stephan, *Christa Wolf* (München: C.H. Beck, 2. Aufl. 1979) und Stephans Forschungsbericht: *Christa Wolf* (= Beiheft zu Amsterda-

mer Beitr.; Amsterdam: Rodopi, 1980); Manfred Behn (Hrsg.), *Wirkungsgeschichte von Christa Wolfs 'Nachdenken über Christa T.'* (Königstein: Athenäum, 1978).

6 Vgl. Maxie Wander, *Leben wär' eine prima Alternative.* Tagebuchaufzeichnungen und Briefe. Hrsg. von Fred Wander (Berlin-Neuwied: Luchterhand, 8. Aufl. 1981).

7 Vgl. die ausführliche Analyse von Christa Thomasssen, *Der lange Weg zu uns selbst. Christa Wolfs Roman 'Nachdenken über Christa T.' als Erfahrungs- und Handlungsmuster* (Kronberg: Scriptor, 1977).

8 Vgl. Behn, S. 6ff.

9 *Lesen und Schreiben* (= Anm. 4), S. 76-82; S. 76.

10 Behn, S. 29ff., 40.

11 Vgl. Thomassen; Jürgen Nieraad, „Pronominalstrukturen in realistischer Prosa. Beobachtungen zu Erzählebene und Figurenkontur bei Christa Wolf", in: *Poetica.* Bd. 10 (1978), S. 485-506 (auch zu *Kindheitsmuster*).

12 Franz K. Stanzel, *Theorie des Erzählens* (Göttingen: Vandenhoeck, 1979), S. 262f.

13 Stanzel, S. 88ff.

14 „Selbstinterview", in: *Lesen und Schreiben* (= Anm. 4), S. 76.

15 Johannes Anderegg, „Fiktionalität, Schematismus und Sprache der Wirklichkeit. Methodologische Überlegungen", in: *LiLi.* Beiheft 6: Erzählforschung 2. Hrsg. von W. Haubrichs (1977), S. 141-160; S. 152.

16 *Lesen und Schreiben* (= Anm. 4), S. 216.

17 „Die Dimension des Autors. Gespräch mit Hans Kaufmann" (1973), in: *Lesen und Schreiben.* Neue Sammlung. Essays, Aufsätze, Reden (Darmstadt-Neuwied: Luchterhand, 2. Aufl. 1981), S. 68-99; S. 75.

18 Anderegg, S. 153.

19 Thomassen, S. 32.

20 Manfred Durzak, „Zitat und Montage im deutschen Roman der Gegenwart", in: M.D. (Hrsg.), *Die deutsche Literatur der Gegenwart. Aspekte und Tendenzen* (Stuttgart: Reclam, 1971), S. 211-229.

21 Entscheidend ist dabei nicht so sehr, daß die Aussage „wirklich gestorben" auch fiktional verstanden werden könnte, sondern daß in ihr nochmals unüberhörbar Trauer um die „andere" laut wird. „Trauer kann nur dort entstehen, wo ein Individuum der Einfühlung in ein anderes Individuum fähig gewesen ist. Dieses andere Wesen bereicherte mich durch sein Anderssein (...)" (Alexander und Margarete Mitscherlich, *Die Unfähigkeit zu trauern* [München: R. Piper 1977], S. 39). Das ist auch gegenüber Bernhard Greiners Versuch zu bemerken, Christa T. als „Projektionsgestalt für einen verselbständigten Anteil des Erzählerich" und *Nachdenken* gleichsam als Fortsetzung von *Kindheitsmuster* (1976) in die fünfziger Jahre hinein zu deuten. Dazu ist, schlicht gesagt, jenes Buch nicht radikal genug, und dieses enthält nicht umsonst einen Stalin-Traum – als Wiederholungszwang („Was dann kommt, kennst du ja, es ist wieder dieser Beerdigungszug." *Kindheitsmuster* [= Anm. 4], S. 287). – B.G., „Die Schwierigkeit, 'ich' zu sagen: Christa Wolfs psychologische Orientierung des Erzählens", in: *DVjs.* 55 (1981), S. 323-342; S. 336.

22 Vgl. Herbert Kaiser, „Christa Wolf: 'Nachdenken über Christa T.' Erzählen als Modell geschichtlichen Interpretierens", in: *Lit. f. Leser* (1978), H. 3, S. 200-213.

23 Christa Wolf, „Max Frisch, beim Wiederlesen oder: Vom Schreiben in Ich-Form", in: *Text + Kritik* 47/48: Max Frisch (1975), S. 7-12; S. 12.
24 Vgl. das Namensregister bei Behn.
25 Max Frisch, „Schillerpreis-Rede", in: M.F., *Öffentlichkeit als Partner* (Frankfurt/M.: Suhrkamp, 1967), S. 90-99; S. 98.
26 Vgl. Bernhard Greiners Anregung, aus solchen Intentionen eine genuine Analogie zur Romantik herauszulesen. Ob man dazu nicht auch die *Metaphysik* des Schelling-Erben Bloch voraussetzen müßte (was für Chr. Wolf problematisch ist), wäre zu fragen: „'Sentimentaler Stoff in fantastischer Form': Zur Erneuerung frühromantischer Tradition im Roman der DDR (Christa Wolf, Fritz Rudolf Fries, Johannes Bobrowski)", in: J. Hoogeveen/G. Labroisse (Hrsg.), *DDR-Roman und Literaturgesellschaft* (= Amsterdamer Beitr. z. neueren Germanistik. Bd. 11/12, 1981), S. 249-328.
27 „Die Dimension" (= Anm. 17), S. 75; „Lesen und Schreiben" (1968) (= Anm. 4) S. 181-220; S. 207.
28 Bertolt Brecht, „Kleines Organon für das Theater", in: B.B., *GW*. Bd. 16 (Frankfurt/M.: Suhrkamp, 1967), S. 688.
29 Karl Marx, *Die Frühschriften*. Hrsg. von S. Landshut (Stuttgart: Kröner, 1953), S. 238; vor diesem Hintergrund der Beitrag von Zbigniew Swiatlowski, „'Nachdenken über Christa T.' von Christa Wolf. Versuch einer literaturgeschichtlichen Standortbestimmung", in: *Germ. Wrat.* 32 (1978), S. 13-26.
30 Max Frisch (= Anm. 23), S. 11.
31 Vgl. Greiner (= Anm. 21).
32 Thomas Mann, *Der Zauberberg*. Roman (Frankfurt/M.: G.B. Fischer, 1962), S. XI.
33 Z.B. von H. Kähler, in: Behn, S. 29ff; Thomassen.
34 Vgl. Winfried Taschner, *Tradition und Experiment. Erzählstrukturen und -funktionen des Bildungsromans in der DDR-Aufbauliteratur* (Stuttgart: Heinz, 1981).
35 Seit dem Erscheinen von Brigitte Reimanns 'Ankunft im Alltag' (1961) wird der Begriff verwendet (etwa von Alfred Kurella). Wichtig dann der Aufsatz von Dieter Schlenstedt, „Ankunft und Anspruch. Zum neueren Roman in der DDR", in: *SuF* 18 (1966), S. 815-835; 'Nachdenken' würde Schlenstedt zufolge den 'Anspruch' des einzelnen zur Sprache bringen.
36 Vgl. etwa: Monika Schrader, *Mimesis und Poiesis. Poetologische Studien zum Bildungsroman* (Berlin-New York: de Gruyter, 1975).
37 *Lesen und Schreiben* (= Anm. 4), S. 77f.
38 Einem Versuch Greiners folgend (= Anm. 26) nehme ich die Begriffe Symbol und Allegorie im Sinne Blochs auf: Allegorie bezeichnet mehrdeutig den in „Zerbrochenheit befindlichen Sinn" des Weges, Symbol die transparente „Einheit des Sinnes" als „Ankunft". Wiederum wäre darauf zu achten, daß für Bloch in den Bildern „das objektive Bedeuten" des Weltprozesses selbst begegnet, während 'Nachdenken' reflexiv-erzählend darauf verweist. (Ernst Bloch, *Das Prinzip Hoffnung*. Bd. 1 [Frankfurt/M.: Suhrkamp, 1970], S. 200-203). – Später hat Bloch zwischen (säkularer) Allegorie und (religiösem) Symbol noch deutlicher unterschieden: *Experimentum mundi – Frage, Kategorien des Herausbringens, Praxis* (Frankfurt/M.: Suhrkamp, 1975).
39 Karl Mundstock, *Helle Nächte*. Roman (Halle/S.: Mitteldeutscher Verlag, 1952), S. 30.

40 Etwa von Mohr, Jäger, Köhn, Thomassen.
41 „Selbstinterview" (= Anm. 4), S. 77.
42 Vgl. „Lesen und Schreiben" (= Anm. 27), S. 218: „ein ganz persönliches Interesse an sich selbst" täte der „Menschheit not. Das heißt: dem einzelnen, dem, an den die Prosa sich wendet."
43 Vgl. Mohr (= Anm. 5).
44 Anna Seghers, *Die Toten bleiben jung.* Roman (Darmstadt-Neuwied: Luchterhand, 1980), S. 452.
45 Jürgen Habermas, *Zur Rekonstruktion des Historischen Materialismus* (Frankfurt/M.: Suhrkamp, 1976), S. 88.
46 *Lesen und Schreiben* (= Anm. 4), S. 185.
47 Bloch, *Prinzip*, S. 1297ff.
48 „Lesen und Schreiben" (= Anm. 27), S. 217ff; „Über Sinn und Unsinn von Naivität" (1973), in: *Lesen und Schreiben* (= Anm. 17), S. 56-67.
49 „Lesen und Schreiben", S. 207f; S. 218.
50 Da kann es schwer fallen, Christa Wolfs Versuche 'dialektisch' zu nennen, wenn sie auch die radikale 'hermeneutische' Individualisierung des Sinnproblems bislang nicht mitvollzogen hat, wie sie etwa Manfred Frank an Schleiermacher, Sartre, Derrida und Lacan zeigt: *Das Sagbare und das Unsagbare. Studien zur neuesten französischen Hermeneutik und Texttheorie* (Frankfurt/M.: Suhrkamp, 1980). Aber das 'Gespräch' der 'Prosa' vermag sehr wohl die „geschlossene Sprache", die „autoritäre Ritualisierung der Rede" aufzubrechen (Herbert Marcuse, *Der eindimensionale Mensch. Studien zur Ideologie der fortgeschrittenen Industriegesellschaft* [Darmstadt-Neuwied: Luchterhand, 16. Aufl. 1981], S. 210).
51 Karl Marx, *Frühschriften*, S. 548.
52 „Lesen und Schreiben" (= Anm. 27), S. 207.

ARMIN AYREN

Siegfried Lenz: *Deutschstunde* (1969)

Werke des Geistes sind mit geistigen Mitteln faßbar, beschreibbar. Wie aber den Ungeist darstellen, zumal den einer ganzen Epoche, und zwar so, daß es nicht auf ein billiges, im Nachhinein allzu billiges Besserwissen hinausläuft? Wie Hitler, den Nationalsozialismus, die Judenvernichtung, den Zweiten Weltkrieg und die Voraussetzungen dafür begreifen und begreiflich machen? Die wissenschaftliche Beschäftigung mit dieser Aufgabe ist noch längst nicht abgeschlossen; ja es scheint, daß sie erst in den letzten Jahren richtig in Gang gekommen ist, vor allem was die deutsche Beteiligung daran betrifft. Wahrscheinlich ist der Abstand einer Generation nötig, damit aus Verdrängung der Versuch einer ehrlichen Auseinandersetzung werden kann.

Es muß deshalb überraschen (und diese Überraschung spricht für ein gewandeltes Bewußtsein), wenn man heute, beim Nachlesen, feststellt, daß Siegfried Lenz' Roman *Deutschstunde* bei seinem Erscheinen im Jahre 1968 von mehreren Kritikern als „verspätet" bezeichnet wurde.[1] Der große Erfolg des Romans schien diese Kritiker freilich zu widerlegen. Er überraschte den Autor, den Verlag und die Kritik gleichermaßen. Lenz hatte mit 5000 Exemplaren gerechnet; schon nach wenigen Wochen waren 75 000 Exemplare verkauft; heute beträgt die Gesamtauflage aller deutschen Ausgaben anderthalb Millionen.

Deutschstunde wurde in mehr als zwanzig Sprachen übersetzt und hat Siegfried Lenz nach Böll und Grass zum international bekanntesten deutschen Gegenwartsautor gemacht, freilich auch Erwartungen geweckt, denen Lenz mit seinen seitdem erschienenen Büchern kaum mehr gerecht werden konnte.

Nun war Erfolg noch nie eine Qualitätsgarantie – wäre er es, die besten lebenden deutschen Autoren hießen Konsalik und Simmel. Allzu großer Erfolg macht bedeutende Autoren eher mißtrauisch. Und so erscheint es heute ganz angemessen, daß *Deutschstunde* zunächst neben enthusiastischem Lob (Helmut de Haas in der *Welt der Literatur* vom 19.9.1968: „Siegfried Lenz hat sein Meisterwerk geschrieben") auch extreme Verrisse erntete (Franz Schonauer in der *Weltwoche* vom 18.10.1968: „Interesse will beim Leser sich nicht einstellen"). Denn inzwischen hat sich die Beurteilung aus größerem zeitlichen Abstand ungefähr in der Mitte zwischen Zustimmung und Ablehnung eingependelt: Anerkennung mit Einschränkungen und Vorbehalten ist am häufigsten anzutreffen. Dagegen fällt auf, daß sich die Kritik in den Jahren 1968 und 1969 vorwiegend mit den Formfragen beschäftigte, die der Roman aufwarf, mit seiner Sprache, seiner Struktur, den Erzählebenen, seiner epischen Breite, und darüber die Absichten des Autors vernachlässigte, der zwar in seinem neuen Werk schriftstellerisch gegenüber seinen früheren Romanen und Erzählungen gereift erschien, die *Deutschstunde* jedoch kaum in erster Linie geschrieben haben dürfte, um seine erzähltechnischen Fortschritte zu demonstrieren. Daß der Roman „eminent politisch"[2] sein wollte und auch war, wurde weitgehend übersehen und verdrängt, und wo man sich mit diesem Aspekt beschäftigte, waren die Meinungen gespalten. Sie entzündeten sich an der Frage, ob es sinnvoll und erlaubt sei, „die Strukturen eines ganzen Zeitalters gleichsam in einer Nußschale sichtbar werden zu lassen."[3]

Namhafte Kritiker werteten dies positiv. So meinte Wolfgang Rainer: „Unser schlechtes historisches Gewissen in eine martialische SS-Uniform zu stecken und darüber die moralische Peitsche zu schwingen ist leichter als eine Zeit zu erzählen und die Taten sich selbst richten zu lassen. Taten nicht im Denkmalsformat. Deutsches Wesen und Unwesen wächst nicht auf Schlachtfeldern und Massengräbern; es nistet in redlichen Bürgerhäusern und fleißigen Klassenzimmern. Der neue Roman von Siegfried Lenz erhebt sich schon thematisch hoch über das Genre literarischer Vergangenheitsbewältigung, weil er die Bewußtseinslücke zwischen Plötzensee und Auschwitz mit unheldischem Leben erfüllt und die Frage von Gehorsam und Widerstand aus den legendären Sphären des Über- und Untermenschlichen zurückruft in den unheroischen deutschen Alltag. Lenz entzieht sein Thema den kriegerischen Haupt- und Staatsaktionen. Er verlegt es in den Windschatten des Weltgeschehens, in die verschlafene Heimatfrontidylle eines norddeutschen Küstenorts."[4] Ähnlich Jürgen P. Wallmann: „Es ist beachtenswert, daß Siegfried Lenz die Geschichte von der kleinbürgerlich-sturen Pflichterfüllung bis zum bitteren Ende, diese Parabel vom Fluch des Kadavergehorsams, der so viel Unglück über Deutschland gebracht hat und noch immer bringt, nicht an einem grellen Modellfall darstellt, also nicht am Beispiel eines brutalen SS-Mannes oder KZ-Wärters. Lenz hat das überdimensionale Thema am Rande des Weltschehens angesiedelt; er begnügt sich mit einem Einzelfall, bevorzugt die leise Andeutung [. . .], verlegt die Dramatik in Nebensätze."[5]

Eben dies empfanden andere Kritiker als Mangel. So wie man Max Frisch vorgeworfen hatte, er habe in seinem Stück *Andorra* die verheerenden Auswirkungen von Intoleranz im allgemeinen und Judenhaß im besonderen ausgerechnet an einer Hauptfigur demonstriert, die gar nicht Jude sei, sei damit dem konkreten Judenmord ausgewichen und habe nicht konsequent genug „ernst gemacht", indem er den Millionen von tatsächlichen Fällen einen konstruierten Fall vorgezogen habe, der die Problematik aufweiche – so hielten einige Kritiker Lenz nun vor, es gehe ihm mehr ums Geschichtenerzählen, ums beschauliche Ausmalen von Genreszenen, um Landschaftsbeschreibung statt um die Bloßlegung der Wurzeln von Faschismus und falscher Pflichterfüllung. Diese Einwände sind auch heute noch häufig anzutreffen; sie finden sich vor allem in Literaturgeschichten für die Schule[6] und literarischen Lexika. In *Kindlers Literatur-Lexikon* schreibt Peter Laemmle: „Durch die breit angelegte Schilderung der Landschaft und der Naturvorgänge, überhaupt der atmosphärischen Details, gerät der Roman auf weiten Strecken in Gefahr, episch auszuufern und sich von seinem eigentlichen Thema zu entfernen". Und später: „Der Roman versteht sich als literarische Vergangenheitsbewältigung. Lenz hantiert dabei mehr mit moralischen als mit politischen Kriterien. Den Anteil der bürokratischen Handlanger des Dritten Reichs, die Banalität ihrer Verbrechen hat beispielsweise Hannah Arendt in ihrem Essay 'Eichmann in Jerusalem' sehr viel genauer analysiert."[7]

Noch entschiedener formuliert haben solche Bedenken Hartmut Pätzold („Daß gerade dieses Buch unerwarteterweise zu einem Bestseller avancierte, hat wohl seinen wichtigsten Grund in der entschlossen durchgeführten Privatisierung der dargestellten gesellschaftlichen Vorgänge. Dieses Verfahren trägt nämlich — beabsichtigt oder nicht — zu einer erheblichen Entschärfung des vom Erzähler in die Berichterstattung eingebrachten sozial- und zeitkritischen Engagements bei")[8], und Manfred Durzak in seinem Interview mit Lenz und dem darauffolgenden Essay[9] Abschnitt 8 - 10 seines Interviews sind überschrieben mit „Die politische Dimension", „Tendenz zur Idyllisierung?" und „Psychologisierung statt politischer Darstellung?" Im Essay werden die kritischen Fragen nocheinmal sentenzenhaft zusammengefaßt. Auf Lenz' Antwort: „Weltliteratur ist dem überschaubaren Ort verpflichtet, setzt Nähe voraus. [. . .] Das Große wird im Kleinen transparent; [. . .] die Welt erweitert sich durch die beispielhafte Erforschung eines — vergleichsweise — winzigen Bezirks. [. . .] Die Provinz im weitesten Sinne ist eine entscheidende Bedingung der Weltliteratur"[10], wendet Durzak ein: „[. . .] während sich Joyces Dublin, Faulkners Jefferson City, [. . .] Bölls kölnisches Rheinland [. . .] zu topographischen Brennpunkten der Welt wandeln und im epischen Gleichnis die Dimensionen der Welt hereinholen, verrät die Provinz von Lenz einen Hang zur Idylle. Die Vitalität des Geschichtenerzählens erscheint mitunter als Vorwand für das Fabulieren, das sich solcherart zu verselbständigen droht."[11] Und indem er nocheinmal beklagt, daß die Handlung „fern von Massenaufmärschen und Konzentrationslagern, aber auch vom Massenelend in den bombardierten Großstädten in der Endphase des Kriegs, verlegt in den Windschatten der damaligen Zeitgeschichte sich abspielt",[12] fragt er: „Hat Lenz nicht, so gesehen, das tatsächliche Ausmaß der im Nationalsozialismus begangenen Greueltaten für den von diesem Thema ja noch unmittelbar betroffenen Leser [. . .] auf ein erträgliches Maß reduziert, das Grauen also neutralisiert und damit auch die Schuldfrage akzeptabel gemacht?"[13]

Dieser Vorwurf ist seitdem immer wieder aufgegriffen worden. „Man muß Lenz heute vielleicht zu Recht den Vorwurf machen, daß, um einen barocken Topos abzuwandeln, die Pille der 'Deutschstunde' so sehr verzuckert war, daß die Mehrzahl der Patienten die Arznei darin nicht bemerkt hat"[14], sagt Hans Wagener, und Hartmut Pätzold meint, daß Lenz' „Selbstverständnis als Vertreter einer engagierten Literatur ein stark in den Bereich des Moralischen und Privaten verschobener Begriff des Politischen zugrundeliegt."[15] Er behauptet, „die von Lenz betriebene unsachgemäße Vermischung und Identifizierung von Moral und Politik" verhindere „gleichermaßen die Entwicklung praktikabler Lösungsmodelle für primär politische wie für primär moralische Konfliktsituationen"[16].

Dem muß man ganz einfach entgegenhalten: Kann ein Roman solche Lösungsmodelle überhaupt liefern? Und angenommen, er könnte — darf man einem Autor zum Vorwurf machen, wenn er nicht auf solche Lieferung aus ist, sondern sich mit der Darstellung von Gegebenem bescheidet und es dem Leser überläßt, ob er aus der Lektüre etwas lernt oder nicht?

Pätzolds Forderung führt ihn zu fundamentalen Fehlschlüssen: „Indem Lenz in seinen vermeintlich zeit- und gesellschaftskritischen Romanen und Erzählungen politische Auseinandersetzungen auf ethische Konflikte reduziert, erliegt er der selbstbetrügerischen Suggestion allgemein menschlicher Werthaltungen und Grundbefindlichkeiten und vergißt, daß es in der Moral immer nur um das Verhältnis zwischen einzelnen, niemals aber um die Strukturierung der Gesellschaft im ganzen gehen kann."[17]

Das ist unrichtig. Zwar verzichtet politische Praxis in der Tat weitgehend auf die Anwendung moralischer Grundsätze, aber da sie sich trotzdem ständig darauf beruft, könnte sie sie auch durchaus anwenden oder, in einer noch zu schaffenden Gesellschaftsform, zu deren Anwendung gezwungen werden. Auch hat es solche Modelle in der Geschichte vorübergehend schon gegeben, und daß sie nie lange dauerten, beweist ihre Untauglichkeit nicht grundsätzlich.

Ist nicht ein Roman wie *Deutschstunde* ein Appell, sittliche Normen wie zum Beispiel eigenverantwortliches Handeln im täglichen Leben zu praktizieren, jenem täglichen Leben, das aus einer Vielzahl von Verhältnissen einzelner zueinander besteht und so insgesamt zur Gesellschaft wird? Konkret gesprochen: Hätten nicht Tausende, ja vielleicht Millionen von Menschen im Dritten Reich wie Jepsen gehorcht statt gedacht, das Naziregime hätte sich nicht durchsetzen können. Deshalb handelt es sich in der *Deutschstunde* eben nicht um eine „entschlossen durchgeführte Privatisierung der dargestellten gesellschaftlichen Vorgänge", die zu einer „Entschärfung"[18], wo nicht gar zur Verharmlosung und Idyllisierung führt, sondern umgekehrt um den Versuch, die verheerenden Folgen einer falschen Pflichtideologie zu zeigen, indem dargetan wird, daß und wie weit diese Ideologie bis in die hintersten Winkel und bis in die privatesten Beziehungen dringen konnte.

Wageners Vorwurf der „Verzuckerung" träfe weit eher auf einen Romancier wie Kempowski zu, der sich in einem 1981 mit Lenz geführten Gespräch selbst zu diesem Prinzip bekannt hat: „Wie könnte man heute noch einen Roman über die Nazizeit schreiben und von diesem Roman erwarten, daß er je gekauft würde, wenn man die bittere Pille nicht – sagen wir mal: mit einer süßen Kuvertüre überzieht, bevor man sie den Menschen zu schlucken gibt?"[19]

Neben Lenz' Antworten auf die Fragen von Durzak, die nachzulesen sich lohnt und auf die Durzak nicht entschieden genug eingegangen ist, muß darauf vor allem eines angeführt werden: Es sind doch beileibe nicht die am ungeschminktesten vorgehenden Darstellungen, welche damit auch die stärksten Wirkungen erreichen. Auch in der Literatur erzielen homöopathische Dosen oft ebensoviel wie die geballte Ladung. Sodann: Man kann eine wissenschaftliche Untersuchung wie die von Hannah Arendt und einen Roman weder von den Absichten noch von den Wirkungen her gegeneinander ausspielen. Lenz sagt das selbst: „Wissenschaft und Literatur sind auf andere Sachverhalte aus, auf andere Bestätigung und Beglaubigung. Auf der einen Seite also Erkenntnisse, die zu einer Gesetzmäßigkeit führen, oder zu gesetzmäßiger Bestimmbarkeit von Sachverhalten, und auf der anderen Seite bei der Literatur das ewig Schwebende, Ambivalente, das Ungewisse einer Erfahrung, die einmal aufblitzt und sich sofort wieder entzieht, mit anderen Worten, hier sind zwei Erkenntnismuster oder Erkenntniswege, die sich jeweils anderer Mittel bedienen und zu zwangsläufig anderen Resultaten führen."[20]

Um es noch einmal zu sagen: Wie könnten die katastrophalen Wirkungen einer bestimmten Ideologie deutlicher gemacht werden als dadurch, daß gezeigt wird, wie sie bis in die entlegensten Orte dringt und in den Hirnen und Herzen normaler, durchaus nicht nur unsympathischer Kleinbürger Deformationen verursacht, die, in einem ganzen Volk addiert, ein inhumanes Regime erst möglich machen? Eichmann oder Heydrich als Romanfigur – da ließe sich erstens einwenden, daß solche Realität in der Fiktion nur abgeschwächt wird, und zweitens, daß der monströse Einzelfall unzulässig verallgemeinert werde. Aber ein Jens Ole Jepsen: das ist der ansonsten harmlose Dutzendmensch, der Mitläufer, der andere für sich denken und sich von ihnen befehlen läßt und, schlimm genug, bei der Ausführung der Befehle das beste Gewissen hat. Wenn ein anonymer Befehl aus Berlin genügt, einen Polizeiposten im nördlichen Deutschland dazu zu bringen, seinen Jugendfreund, der ihm sogar einmal das Leben gerettet hat, zu schikanieren und zu verfolgen, wenn die abstrakte Idee einer Pflicht dem Staat gegenüber (der sich offenbar nicht zu legitimieren braucht – es genügt, daß er besteht) dazu führt, daß Vater Jepsen seinen Sohn Klaas verstößt und ihn später der Militärpolizei ausliefert, weil dieser sich durch Selbstverstümmelung dem Heeresdienst entzieht, daß Jepsen seiner Tochter die Ehe mit einem „minderwertigen" Menschen verbietet und es später als Schande empfindet, daß sie dem Maler zu einem Halbakt Modell gestanden hat, daß der Polizeiposten seine vermeintliche Pflichterfüllung auch nach dem 1945 erfolgten Zusammenbruch weiter betreibt – dann, so meine ich, wird dadurch einiges deutlich, zumindest was die bis heute immer wieder als unerklärlich bezeichnete Gefolgschaftstreue der meisten Deutschen im Dritten Reich betrifft. Ich kenne keine theoretische Abhandlung, durch die ich über diesen Punkt mehr erfahren hätte.

Schon eher ließe sich einwenden, daß dieser Einzelfall am Rande des Reichs in Details doch allzusehr als Modellfall angelegt sei und dadurch manchmal konstruiert wirke. In der Tat erscheint die rotblonde Frau Jepsens klischeehaft gesehen, sind die Figuren insgesamt vielleicht zu sehr nach dem Schema Gut-Böse gezeichnet. Man könnte Lenz vorhalten, daß er sich „nicht um die psychischen, durch Erziehung und provinzielle Enge vermittelten Ursachen für das Verhalten von Siggis Vater kümmert."[21] Fragt sich nur, ob Lenz das überhaupt je gewollt hat. Die psychologische Motivierung der Taten des Jens Ole Jepsen aus provinzieller Enge hätte aus dem Polizeiposten Rugbüll doch eben den Einzelmenschen gemacht, um den es Lenz nicht ging, weil er nicht das Besondere, sondern das Allgemeine, genauer: das Verallgemeinerbare darstellen wollte. Nicht was an landschaftlich Bedingtem, etwa an holsteinischer Dickköpfigkeit hinzukam, war wichtig – das liefert bestenfalls etwas Lokalkolorit und realitätsgesättigten Hintergrund. Nein, wichtig war, was einen Allgäubauern oder einen Kumpel im Ruhrgebiet ebenso hätte handeln lassen. Es ist, man muß es so kraß vergröbernd sagen, das Deutsche im Deutschen. Und von daher trägt der Roman seinen Titel auch völlig zu Recht.

Wäre Siggis Vater die Figur eines ausländischen Romans, etwa eines englischen oder französischen, dann hätte es unter der Vielzahl der Interpretationen sicher auch eine gegeben, die Charakterveranlagung und Verhalten des Polizisten als im medizinischen Sinn abnorm gedeutet hätte. Sogar das von Lenz einigermaßen rätselhaft stehengelassene Motiv des „Schichtig-Kiekens" würde sich einem Persönlichkeitsbild gut einfügen, wie es z.B. Dietrich Langen in seinem Buch *Psychotherapie* von „diskordant-normalen zwanghaften Persönlichkeiten" gibt: Sie sind „sehr verbreitet und oft besonders da geschätzt, wo berufliche Anforderungen an Pünktlichkeit, Ordnungsliebe und Pflichtbewußtsein gestellt werden". Sie sind „übertrieben gewissenhaft, genau, pünktlich, korrekt und kommen in entsprechenden Situationen schwer aus dieser Haltung heraus."[22] Einen Versuch in dieser Richtung gibt es sogar: Jepsens Pflichtfetischismus sei „als eine größtenteils unbewußte 'psychopathologische' Ausdrucksform der den Dithmarschern und Friesen zugeschriebenen Westküstenmentalität darzustellen."[23] Nun hat Lenz in der Person des Jens Ole Jepsen gewiß keinen individuellen Krankheitsfall schildern wollen und einen typischen höchstens in dem Sinne, daß der Kadavergehorsam und die Pflichterfüllung um jeden Preis deutsche Krankheiten sind, Eigenschaften zumindest, die man außerhalb Deutschlands für abnorm halten muß. Zwar soll hier nicht der Eindruck erweckt werden, als sei es ein ausschließlich deutsches Übel, wenn die Idee der Pflichterfüllung verabsolutiert wird und dann statt positiver negative Auswirkungen zeigt.

> Ich schlief und träumte,
> das Leben sei Freude.
> Ich erwachte und sah, das Leben ist Pflicht.
> Ich handelte, und siehe: die Pflicht ward Freude!

Diesen Spruch Rabindranath Tagores nennt Margarete Hannsmann in ihrem Buch *Der helle Tag bricht an,* das sich mit ihrer Nazi-Kindheit befaßt, „siebenmal verflucht"[24], was sich allerdings möglicherweise auf die Auslegung dieses Spruchs durch den Vater der Romanheldin bezieht. Aber es ist wohl nicht zu bestreiten, daß der kategorische Imperativ Kants und die Idee der Pflicht, wie sie Schiller und Hegel daraus ableiteten, sich vom „moralischen und ästhetischen Begriff in Richtung auf eine oberflächlich interpretierte staatsbürgerliche (Un-)Tugend"[25] verschoben hat, und daß diese Verschiebung so nur in Deutschland geschehen konnte: „Im Hintergrund steht auch die mit den preußischen Königen des 18. Jahrhunderts beginnende Anwendung des Begriffs auf das Verhältnis des Untertanen, speziell des Beamten, dem Staat gegenüber, der im Zuge der Hegelschen Staatsvergottung des 19. Jahrhunderts immer absolutere Züge annimmt."[26]

Was ist typisch deutsch? Sieht man einmal von oberflächlich-karikierenden Darstellungen, wie man sie in Kabarett und Film antreffen kann und wo, im Ausland, der Deutsche entweder als bayrischer Lederhosen- und Sandalendepp mit Wadlstrümpfen, Gamsbarthut, Bierkrug und Würsten oder als überkorrekter preußischer Beamter oder Offizier mit abgehackt klingender Sprache auftritt, dann sind es vor allem zwei Eigenschaften, die der Ausländer als deutsch empfindet: Gründlichkeit und Autoritätsgläubigkeit. Beide verkörpert der Polizeiposten Rugbüll. Gründlichkeit hat ihre positiven Seiten – man denke an das lange als Gütesiegel gehandelte „made in Germany" – aber sie wird dem Ausländer da suspekt, wo sie sich mit anderen Eigenschaften verbindet und diese steigert, etwa mit Ordnungsliebe, mit dem Sauberkeitsfimmel deutscher Hausfrauen, mit der fatalen Neigung, in Diskussionen jedes Thema möglichst erschöpfend zu behandeln — zusammen ergibt das oft Sturheit, Unfähigkeit, das Leben gelassen zu nehmen. Fast nur negativ sehen kann der Ausländer die deutsche Autoritätsgläubigkeit. Es gibt sie auch meines Wissens so ausgeprägt sonst nirgends. Der Deutsche hat eine fatale Neigung, sich bei allem, was er tut, auf andere zu berufen. Im Grunde verrät dies einen fundamentalen Mangel an Selbstbewußtsein und damit auch an der Fähigkeit, eigenverantwortlich zu denken und zu handeln. Ein gesundes, natürliches Selbstbewußtsein, das in sich ruht, sich nicht in nationalen Größenwahn steigert und dem Volk nach Niederlagen flugs wieder eingeredet werden muß („Wir sind wieder wer!"), haben die Deutschen kaum je besessen. Das hängt wohl mit den stets fluktuierenden Grenzen zusammen, die ein sicheres Gefühl für das, was deutsch ist, schon geographisch nie aufkommen ließen. Das Bedürfnis, sich bei allem, was man tut, abzusichern, reicht von der Zitatenfreudigkeit deutscher Gelehrter, die erst so recht froh sind, wenn sie ihre eigenen Gedanken mit Klassikerzitaten untermauern können, bis zum bedingungslosen Gehorsam des Subalternen, der jeden Befehl ausführt, auch den unmenschlichsten, nur weil's Befehl ist: Die droben werden schon wissen, was sie tun. Man sehe sich deutsche Geschichte seit Bismarck an: Wirklich wohl haben sich die Deutschen immer nur dann gefühlt, wenn an der Spitze des Staats ein starker Mann stand, einer, bei dem sie das Gefühl haben konnten: Der weiß, was er will. Mit ein Grund, warum wir uns mit der Demokratie so schwer tun (und weshalb auch, in der *Deutschstunde,* die alten Strukturen des Dritten Reichs, die sich z.B. in den Aufsatzthemen zeigen, ungehindert weiterwirken), ist dieser Untertanengeist, das innerliche Strammstehen, der Blick nach oben. Das Volk will gar nicht herrschen. Der da oben soll es tun. Zeigt ein Bundeskanzler menschliche Schwächen, und sei es auch nur im Privatleben, so muß er gehen; er muß wissen, was er *will. Was* er will, spielt dabei absurderweise eine sekundäre Rolle. Auch Hitler wußte, was er wollte. Es ist schwer vorstellbar, daß Hitler sich in einem anderen europäischen Land so lange an der Macht hätte halten können. Als De Gaulle (der hier nicht mit Hitler auf eine Stufe gestellt werden soll) das Parlament entmachten und allein regieren wollte, wurde er zu seiner Überraschung abgewählt — soviel Macht wollten ihm die Franzosen nicht zugestehen.

In den Prozessen gegen ehemalige KZ-Kommandanten tauchte als Entschuldigungsversuch immer wieder dieses Argument auf: Es wäre gar nicht möglich gewesen, Befehle von oben nicht auszuführen; wer sich geweigert hätte, wäre selbst hingerichtet worden. Daß dies falsch ist, weiß man heute. Die unmenschlichen Folterungen und Morde, die Himmler, Heydrich usw. befahlen, waren nur ausführbar, weil sich genügend willige Befehlsempfänger dazu bereitfanden. Ein Terrorsystem, das zum Schluß mit nackter Gewalt regieren kann, braucht zu Beginn stets Anhänger, die als Mitläufer oder auch nur als Schweigende seine Entstehung fördern oder zumindest dulden, und es braucht eine bestimmte Anzahl von Helfern, die von der Richtigkeit dessen, was sie tun, nicht unbedingt überzeugt sein müssen — es genügt, daß sie das Nachdenken darüber aus falschem Pflichtgefühl oder später aus Angst verdrängen.

Lenz, das wurde schon gesagt, zeigt im Polizisten Jepsen einen solchen Menschen. Was Jepsen in und mit seiner Familie anstellt, wie er nicht nur den Maler am Malen hindern will, sondern seine eigenen Kinder zerstört — fast zu modellhaft führt dies vor, welche Folgen der Untertanengeist selbst am Rande des eigentlichen Geschehens zeitigen kann.

Wie wenig wir Deutschen seit Ende des Zweiten Weltkriegs in dieser Hinsicht dazugelernt haben, wie tief der fatale Pflichtbegriff noch immer in uns verwurzelt, ist — auch das führt Lenz vor, und sein Roman ist deshalb so aktuell, weil sich daran bis heute nichts geändert hat. Die Pflichterfüllung als absoluter, vom Inhalt abstrahierbarer Wert geistert nach wie vor durch pädagogische Richtlinien, Rahmenverlautbarungen und Lektürekanons. War nicht die Affäre Filbinger eine schreckliche Demonstration dafür, wie jemand bis heute nicht einsehen kann, daß er einem falschen Pflichtbegriff gehorchte und auch Gehorsam verschaffte, daß er, als es dafür längst zu spät war, noch Gesetzen zur Geltung verhalf, deren Unrechtscharakter einzusehen seine Aufgabe gewesen wäre? Man wirft ja Lenz oft vor, er habe seinen Roman zu sehr am Rande des Eigentlichen angesiedelt. Hätte er, wie etwa Thomas Bernhard, in *Vor dem Ruhestand* (1980) oder Rolf Hochhuth in *Juristen* (1979), sich einen Filbinger zur Hauptfigur gewählt — wäre dann ebenso beklemmend deutlich geworden, wes Geistes Kind die oft sind, die uns — auch heute noch — regieren?

Nein, wir haben unsere Deutschstunde noch immer abzusitzen, oder besser: wir hätten — denn wir tun es ja nicht. Der Maler Nansen mit seiner Einschätzung dessen, was Pflicht ist und was ein falscher Pflichtbegriff anrichten kann[27], ist noch immer der Ausnahmedeutsche, als Künstler ein Fremder in seinem Land, wie ja überhaupt das Verhältnis der Deutschen zu ihrer geistigen Elite — man erinnere sich an Beschimpfungen wie „Pinscher", „Ratten und Schmeißfliegen", die nicht aus der Nazizeit stammen, sondern aus jüngerer Vergangenheit — nach wie vor mehr als problematisch ist. Siggi versteht seinen überdimensionalen Aufsatz als Strafarbeit, als eine auch in dieser Ausführlichkeit notwendige Aufarbeitung von Vergangenem, und Lenz läßt keinen Zweifel daran, wie dies gemeint ist: daß diese Besinnung von vielen Deutschen zu leisten wäre. Starre Pflichtauffassung ist ein Teil deutschen Wesens, nicht erst seit dem Nationalsozialismus. Auch die Katastrophe des Zweiten Weltkriegs brachte hierin kein Umdenken. Lenz hat in seinen „Mutmaßungen über die Wirkung von Literatur"[28] die Möglichkeiten des Schriftstellers, die Welt zu verändern, eher pessimistisch beurteilt. In der Tat — sie sind gering, aber sie bestehen. Hochhuth hat es uns ins Gedächtnis gerufen. „Nicht verändern ist sein Metier, sondern durch Darstellung ans Licht bringen — so definiert sich sein Handeln. [. . .] Dieses Handeln ist nicht zu allererst auf Wirkung aus, es besteht im Aufdecken, im Verdeutlichen, vielleicht im Überführen — jedenfalls besteht es darin, Fragen zu stellen."[29] Nicht *zu allererst* — aber doch auch. Und schließlich: auch Fragen stellt man ja, um Antworten zu bekommen, und sind Antworten nie Wirkungen? Lenz will keine Provokation, wie er wiederholt sagte, er will mit dem Leser ein Einverständnis herstellen.

Möglich, daß dies ein frommer Wunsch bleibt, daß Provokation besser wäre. Die vielen Leser der *Deutschstunde*, nimmt man sie einmal als „Einverstandene" – haben sie sich, haben sie das geistige Klima in Deutschland geändert? Wie auch immer, *Deutschstunde* ist, ähnlich wie Heinrich Manns Roman *Der Untertan* (1918), der ehrenwerte Versuch, nach einer Katastrophe ein paar Einsichten zu vermitteln: Wie es zu dieser Katastrophe kommen konnte und wie es, bleiben diese Einsichten ungenutzt, wieder zu einer ähnlichen wird kommen können. *Der Untertan* hat nicht verhindern können, daß es im Zweiten Weltkrieg den dort abschreckend geschilderten gedankenlos-inhumanen Typ von Offizier wieder gab, und wenn man heute das Wiedererstarken neokonservativer Tendenzen in der Bundesrepublik bis hin zum Rechtsradikalismus, der auch in der Weimarer Republik zuerst gewaltig unterschätzt wurde, beobachtet, dann bleibt nur das Fazit, daß der große Erfolg der *Deutschstunde* politisch wirkungslos blieb. Fast möchte man vermuten, daß die meisten Leser nicht begriffen, was sie da lasen. Aber auch das wäre ja keineswegs neu – hat nicht das Bürgertum dem entlarvenden Spiegelbild, das ihm Brecht in der *Dreigroschenoper* vorhielt, frenetisch zugejubelt? Vielleicht erhalten die schon erwähnten Einwände Pätzolds, der Lenz eine unsachgemäße Vermischung von Moral und Politik[30] vorwirft, in diesem Zusammenhang etwas Gewicht zurück. Ich vermute allerdings andere Gründe für diesen Tatbestand. Daß der Roman so verschieden aufgenommen wurde, daß er trotz seines unerwartet großen Erfolgs vielfach mißverstanden wurde und nicht oder kaum jenen Intentionen diente, die Lenz hinterher in Interviews und anderen Äußerungen erläuterte, hängt, so glaube ich, hauptsächlich damit zusammen, daß der Roman formale und strukturelle Schwächen hat, die als solche meist erst dann erscheinen, wenn man von der beabsichtigten politischen Wirkung ausgeht und ihr Nichteintreten analysiert. Die meisten Interpreten haben, so scheint mit, dabei den Fehler begangen, jeweils nur einzelne solche Schwächen herauszustellen, eben jene, die sie besonders störten. Es dürfte sich aber eher so verhalten, daß erst das Zusammenwirken ganz verschiedener und jeweils für sich genommen kaum gravierender Mängel eine dem Roman und seiner Wirkung abträglichen Schwäche ergibt. Wenn solche Mängel im folgenden genannt werden, sollte dabei nicht der Eindruck entstehen, als sei der Roman als Ganzes mißlungen. Vielmehr fallen diese Schwächen erst dadurch ins Gewicht, daß der Roman tatsächlich noch besser sein könnte – man muß es, angesichts der bedeutenden sprachlichen wie kompositorischen Leistung Lenz' und vor allem im Hinblick auf den zeitgeschichtlichen Stellenwert des Romans bedauern, daß er das Meisterwerk, das de Haas in ihm sah, nicht ist. Warum nicht? Da ist zunächst die Erzählperspektive mit ihren weitreichenden Konsequenzen. Zahlreiche Kritiker bemängelten, daß man den Stil, in dem erzählt wird (auch wenn der Roman nicht mit Siggis Aufzeichnungen identisch ist), sodann das phänomenale Erinnerungsvermögen des Erzählers, vor allem aber die überaus geschickte, nicht lineare, sondern Zeitebenen kunstvoll verflechtende Gliederung und Darbietung des umfangreichen Stoffs einem Zwanzigjährigen, der von Erinnerungen bedrängt und überflutet wird, nur mit Mühe oder eben doch nicht zutraut, ihm „die Erzählkunst und Sprachgewalt seines zum Roman ausgeweiteten Aufsatzes nicht so recht abnehmen kann"[31]. Daneben wurde die wenig wahrscheinliche Allgegenwart Siggis beanstandet. In der Tat greift Lenz zu allerhand Tricks, um glaubhaft erscheinen zu lassen, daß Siggi alles, was er erzählt, selbst miterlebt oder beobachtet haben kann: „Bei seiner Erinnerungsfahrt in die Vergangenheit hat er Mühe, sich als allgegenwärtiger Erzähler auf dem jeweiligen Schauplatz zu legitimieren."[32] Einmal, so hat Durzak Lenz vorgehalten, durchbricht Lenz diese Erzählhaltung des allgegenwärtigen Ich-Erzählers auch bewußt, nämlich im achten Kapitel, wo eine Situation berichtet wird, die Siggi nicht selbst erlebt hat.

Mir erscheint müßig, darüber zu streiten, ob man darin tatsächlich einen Mangel sehen muß. Erzähler früherer Jahrhunderte haben sich in dieser Hinsicht ganz andere Freiheiten genommen, ohne daß ihre Werke deshalb schlecht erzählt wirken. Allerdings ist die Bedeutung einer durchgehaltenen Erzählperspektive erst im 18. Jahrhundert erstmals erkannt (und von Wieland in seinen Briefromanen gewürdigt) worden; erst in unserem Jahrhundert wurde sie, vor allem durch die Forschungen zu Kafkas Erzählstandpunkt, auch den Autoren recht bewußt. Gravierender ist, daß Lenz eine komplizierte Konstruktion der zeitlichen Verhältnisse wählt, die auf den ersten Blick Bewunderung erregt, bei genauerem Hinsehen jedoch nicht immer überzeugen kann.

Siggi ist, als er seine Strafarbeit im Jahre 1953 beginnt, 20 Jahre alt; er beendet sie 1954 im Alter von 21 Jahren. Die Zeit, über die er schreibt, umfaßt den Zeitraum von 1943 bis 1953. Im Jahre 1943 ist Siggi also 10 Jahre alt. Lenz selbst war, als er den Roman 1964 begann, 38 Jahre alt; er hat nach eigenen Angaben vier Jahre daran gearbeitet. „Der Autor, an der Schwelle der Vierziger, erzählt eine Zeit, die er selbst als 17-28-Jähriger erlebt hat, aus dem Abstand eines Jahrzehnts"[33], macht seinen Siggi aber um sieben Jahre jünger als er selbst, versetzt ihn in die Jahre 1953-54 und läßt ihn von da aus retrospektiv erzählen[34].

Das bringt zunächst die nicht immer ganz bewältigte Schwierigkeit mit sich, daß einem Zehnjährigen von einem fast Vierzigjährigen nicht nachträglich die Gedanken und Empfindungen eines Zwanzigjährigen unterschoben werden dürfen. Auch andere Autoren sind an solchen Konstellationen gescheitert, am auffälligsten vielleicht Thomas Bernhard in seinen fünfbändigen Kindheits- und Jugenderinnerungen, während Romane wie *Der Grüne Heinrich* oder, um ein Beispiel aus der Gegenwart zu wählen, *Das Glück beim Händewaschen* von Joseph Zoderer[35], ein in ähnlichem Milieu spielendes Buch, zeigen, daß die Aufgabe durchaus lösbar ist.

Lenz gelingen Passagen, wo der Leser wirklich das Gefühl hat, einem zehn- oder zwölfjährigen Jungen zuzuschauen, aber beim Bestreben, sich in einen Menschen dieses Alters hineinzuversetzen, hat der Autor auch zu Mitteln gegriffen, die aufgesetzt und gewaltsam wirken, so wenn die Kindperspektive durch kindliche Übertreibungen glaubhaft gemacht werden soll[36]. Solche Elemente wirken umso unglaubwürdiger, da ja ansonsten mit einer Präzision beobachtet und erzählt wird, die einem Zehnjährigen kaum zu Gebote stehen dürfte. Auch einem noch so sprachgewandten Zwanzigjährigen traut man, wie bereits erwähnt, die Lenzsche Sprachkunst nicht zu. Lenz selbst hat seine ersten Romane zum Teil in einem schwülstigen, heute kaum noch genießbaren Stil geschrieben. Auch wenn der Roman *Deutschstunde* nicht mit dem Inhalt von Siggis Heften identisch ist, wenn vielmehr Siggi gewissermaßen dem Leser erzählt, was er niederschreibt, und dabei viel über seine Zweifel bei diesem Unterfangen und überhaupt über die Art, den Stoff anzuordnen, einfließen läßt — dieser erzähltechnisch so genial wirkende Trick ändert nichts daran, daß da jemand erzählt, der so nicht erzählen könnte, weil seine Erzählweise psychologisch wie künstlerisch das Fassungs- und Ausdrucksvermögen eines Zwanzigjährigen übersteigt.

Das ist bekanntlich ein uraltes Problem, und Lenz ist, so meine ich, in Ehren daran gescheitert. Wie läßt der Autor seine Figuren sprechen? Etwa im Dialekt, um einer größeren Realitätstreue willen? So, wie sie in Wirklichkeit sprächen, oder so, wie es der Autor im Romanganzen mit dessen eigenen Gesetzen für gut hält? Selbst bei Thomas Mann sprechen viele Personen so preziös, wie der Autor selbst sprach. Wenigen Schriftstellern ist es wie Elias Canetti gelungen, ihren Personen eine „akustische Maske" aufzusetzen.

Man hat Lenz' Sprache der *Deutschstunde* gerühmt, hat festgestellt, daß sie, vor allem im Vergleich zu seinen früheren Romanen, dichter und prägnanter geworden sei — zu Recht. Nur — es ist eben die Sprache eines Schriftstellers auf der Höhe seines Könnens. Eine bewußte Anpassung an die stilistischen Möglichkeiten eines Zwanzig- oder gar Zehnjährigen hätte wohl bedeutet, daß der ganze Roman (mit Ausnahme weniger Passagen wie der, in denen aus Mackenroths Arbeit zitiert wird) einfacher, gleichsam primitiver hätte geschrieben werden müssen. Das Dilemma liegt also in der Wahl der Hauptperson und ihrer Perspektive. Hätte sich Lenz völlig in seinen Siggi hineinversetzt und „aus ihm heraus" gesprochen, dann wären vermutlich die politischen Intentionen des Autors noch undeutlicher geworden, als man dies dem Roman ohnehin schon vorwirft, und der Roman wäre dann vielleicht in der Tat „harmlos" oder „idyllisch" geworden.

Allerdings wohl auch kürzer. Und das hätte ihm bestimmt nicht geschadet. So glaubwürdig es psychologisch sein mag, daß Siggi zunächst, überflutet von Erinnerungen, gar nicht schreiben und dann kein Ende finden kann, so schwer tut sich der Leser, zu akzeptieren, in welcher gemütvollen Breite Siggi dann erzählt und schreibt. Sollte Lenz damit beabsichtigt haben, dem deutschen Leser klarzumachen, daß er es sich mit seiner Deutschstunde, also mit der schwierigen Aufgabe der Vergangenheitsbewältigung, seiner von der Geschichte aufgegebenen Strafarbeit nicht zu leicht machen, sie nicht zu rasch abtun dürfe, so stünden hier pädagogische Absicht und künstlerische Ausführung in keinem guten Verhältnis. Vielleicht liegt das an den Schwierigkeiten des bewußt pädagogischen Romans (sofern *Deutschstunde* einer sein soll) — er war, von Fénelons *Télémaque* und Rousseaus *Emile* bis zu den raren Beispielen von heute im Grunde immer ein langweiliger Roman, und langweilig wird *Deutschstunde* stets da, wo sie allzu ausführlich, allzu breit erzählt ist.

Hinzu kommt, daß Siggi mit der Abfassung seines „Aufsatzes" ja keine andere Absicht verfolgt, als, mehr für sich selbst denn für den Deutschlehrer oder den Direktor, Vergangenes heranzuholen und so seinen Standort zu bestimmen — ohne Erfolg, denn er weiß bei der Entlassung nicht, was er tun soll. Die Absicht, einen Roman zu schreiben, hatte er nie, und daß aus der Niederschrift der Strafarbeit quasi ein Roman geworden ist, kann man bewundern oder auch als künstlich empfinden. Mir erscheint diese Konstruktion nicht sehr überzeugend. Der Zwanzigjährige als der überlegene Arrangeur seiner ihn doch überfordernden Erinnerungen — ist das derselbe Siggi, der doch enorme Schwierigkeiten hat, sich in der Wirklichkeit zurechtzufinden und diesen Schwierigkeiten seinen Aufenthalt in der Jugendstrafanstalt verdankt? Wer so alles durchschaut, müßte der nicht auch den eigenen, doch recht groben Defekt durchschauen können?

Nun hat freilich Hannelore G. Martinez einen ganzen Aufsatz darüber geschrieben, daß Siggi ein unzuverlässiger Erzähler sei und mitnichten mit Lenz gleichgesetzt werden dürfe; seine Perspektive sei keineswegs die des Autors. Doch mißbraucht sie ihren Ansatz leider dazu, Siggis Vater fast reinzuwaschen und dafür den Maler Nansen zum Sündenbock zu machen, so daß der originelle Blickwinkel dann doch zu einer wiederum schiefen Sicht führt.[37]

Aber auch wenn Siggis Sprache nicht mit Lenz' Sprache identisch ist — es bleibt festzustellen, daß die oft breite, behagliche, detailversessene Erzählweise, die so gar nicht an Lenz' früheres Vorbild Hemingway, sondern eher an Fontane erinnert, bürgerlich, ja dort, wo sie nicht von stilistischen Einfällen profitiert, mitunter auch spießbürgerlich wirkt (,,Der breite, kahlköpfige Mann, der noch bei Eisgang badete, der so rot anlaufen konnte, daß es, wenn auch nicht in der ganzen Schule, so doch zumindest in einem Klassenzimmer, mollig warm wurde . . .“[38]) und zur beabsichtigten Kritik an negativen Auswirkungen der Denk- und Verhaltensweise deutschen Bürgertums denkbar untauglich erscheinen muß: ,,Man kann sagen, daß der (potentiellen) Macht der Lenzschen Literatur dessen Sprache im Wege steht.“[39] Wenn der Vorwurf berechtigt ist, *Deutschstunde* könne falsch gelesen, gründlich mißverstanden werden, könne ebenso wie dem gesellschaftskritischen und geistig regen auch dem — im negativen Sinne — affirmativen und passiven Leser entgegenkommen, dann trägt dazu die Erzählweise, die solche Mißverständnisse fördert, erheblich bei.

Besonders heftige Kritik ist an der Art geübt worden, wie Lenz seine Figuren zeichnet. Von Laemmles Einwänden gegen eine Charakterisierung, die zu sehr nach dem Schema Gut-Böse verlaufe, war schon die Rede, auch davon, daß Siggis Vater doch wohl so handle, wie er es tut, weil pädagogische und provinzielle Enge ihn geprägt hätten.

Nun kann man freilich darüber streiten, ob es sinnvoll gewesen wäre, den Charakter des Jens Ole Jepsen durch seine Erziehung zu begründen, von der wir ja im Roman nichts erfahren. Das hätte bedeutet, daß Lenz viel weiter ausholen und einen regelrechten Generationenroman hätte schreiben müssen. Wie so oft übt hier jemand an einem Buch Kritik, weil das Buch nicht seinen Erwartungen entsprach, läßt aber dabei außer acht, daß der Autor womöglich ganz anderes vorhatte. Eine Herleitung der Jepsenschen Verhaltensweise aus ganz bestimmten Gegebenheiten etwa in der Kindheit des Polizisten hätte nicht in Lenz' Absicht liegen können, der doch einen Menschen zeichnen wollte, welcher stellvertretend für Millionen steht, obwohl oder gerade weil er auch mit individuellen Zügen ausgestattet wird. Einer dieser Züge, vielleicht der auffälligste, ist die Gabe des ,,Schichtig-Kiekens“, die die verschiedensten Auslegungen erfahren hat. Laemmle hält es für ein blindes Motiv, das im weiteren Verlauf nichts einbringt; andere Interpreten vermuten, daß

Jepsen später Nansens Bilder aufspüre, sei auf diese Gabe zurückzuführen (obwohl dies Lenz nirgends sagt). Warum kam niemand auf die Vermutung, daß Lenz ganz einfach vermeiden wollte, daß seine Figuren allzu klischeehaft wirkten, nur Demonstrationsobjekte seien statt lebendige Menschen? Merkwürdig, wie Kritiker immer darauf aus sind, Autoren nachzuweisen, sie hätten Motive eingeführt und dann nichts draus gemacht, sie wohl gar einfach vergessen, und nicht bedenken, daß Leben ja auch so ist – in welcher Biographie werden je alle Fäden wieder aufgenommen und verbunden?[40]

Der schon erwähnte, trotz seiner Einseitigkeit und Übertreibung lesenswerte Aufsatz von Hannelore G. Martinez zeigt, wie anders man Jepsen auch sehen kann, wie rasch man sich auf eine Deutung festgelegt hat, die aus Siggis Vater nur den borniertem Pflichterfüller macht. Aber gerade wenn nicht nur eine Demonstrationspuppe, sondern ein durchaus komplex gesehener Mensch mit seinen Schwächen, aber auch guten Seiten der Verführung einer Ideologie so sehr verfallen kann   gerade dann erst wird die Gefährlichkeit dieser Ideologie überzeugend dargestellt.

Ähnlich komplex ist auch der Maler Nansen angelegt. Liest man den Roman als eine Schilderung der Konfrontation von Geist und Macht, dann muß Nansen als der positive Kontrahent zu Jepsen erscheinen. Aber taugt er dazu wirklich immer? Hannelore G. Martinez führt eine Menge Stellen an, die das Gegenteil zu beweisen scheinen. Auch wenn man berücksichtigt, daß sie alles wegläßt, was nicht zu ihrer These paßt, so ergibt sich doch ein Charakterbild von bemerkenswerter Ambiguität.

Im übrigen hat sich die Kritik an dieser Figur besonders festgebissen, und wie Laemmle im Falle des Polizisten zeigt sich Nansen gegenüber so mancher Interpret voreingenommen, beurteilt den Roman nach seinen erfüllten oder nicht erfüllten Lesererwartungen. Manfred Bosch zum Beispiel hätte es offenbar gern gesehen, wenn Nansen sich kämpferisch gegen den Nationalsozialismus zur Wehr gesetzt hätte, statt sich, ähnlich wie Christoph Meckels Vater Eberhard, während des Dritten Reichs in eine Art innerer Emigration zurückzuziehen und das Ende der Ungeist-Epoche abzuwarten.[41] Nur – wo steht, daß es Aufgabe des Künstlers sein muß, sich politisch zu engagieren? Man weiß, wie Brecht den Schluß seines *Galileo Galilei* unter dem Eindruck der Atombombenexplosion von Hiroshima umgeschrieben hat. Was zuerst als Schlauheit des Wissenschaftlers erschien, der widerrief, um weiterforschen zu können, erscheint im endgültigen Schluß als Feigheit – die Wahrheit zu sagen wäre wichtiger gewesen. Aber erstens besteht ein Wesensunterschied zwischen Wissenschaftler und Künstler – die Werke des Künstlers dienen nie in gleicher Art dem Bösen, und zweitens ist es noch lange nicht ausgemacht, daß sich nicht auch für Galileis ursprüngliche Haltung die besseren Gründe finden lassen: mich überzeugen sie mehr als nutzloser Heroismus. Was hätte die Nachwelt von einem Märtyrer Nolde gehabt? Wen interessiert heute noch die politische Einstellung eines François Villon? Es interessiert nur noch, daß er Lieder geschrieben hat, die ihn überlebten.

Der Künstler steht, darauf braucht hier nicht weiter eingegangen zu werden, in einem besonderen Verhältnis zur Gesellschaft, einem Verhältnis, das ihm erlauben muß, sein Werk allen anderen Interessen überzuordnen. Man mag es für wenig glücklich halten, daß Lenz in einem Roman, der sonst nur erfundene, wenn auch typisierte Figuren enthält, einen Maler auftreten läßt, der so stark an eine reale Person angelehnt ist. Mehr Realität erhält der Roman dadurch kaum. Aber vielleicht wäre ein nur erfundener großer Maler Klischee geblieben, hätte weniger Stellenwert beanspruchen können, und es wäre etwas Künstliches dabei herausgekommen. Die Problematik der Nansen-Figur liegt ja nicht darin, daß sie nur halb fiktiv ist, sondern im Ablenkungseffekt, der viele Leser dazu verführt, sich für den Grad an Übereinstimmung mit Nolde zu interessieren und darüber Lenz' Intentionen zu vergessen.

Fazit: Die so sehr divergierenden, einander zum Teil widersprechenden Urteile über den Roman *Deutschstunde* zeigen zumindest eins: daß es sich um kein flaches, leicht abzutuendes Buch handelt, um keins, das sich nach einmaliger Lektüre erledigt. Je nach dem Interpretationsstandpunkt können Schwächen auch als Stärken gesehen werden.

Wenn uns Deutschen immer wieder vorgeworfen wird – und leider zu Recht –, wir hätten es an Vergangenheitsbewältigung fehlen lassen, wir hätten aus den unseligen Zeiten des Dritten Reichs zu wenig gelernt, dann darf, kann und muß man (so wie die Männer des 20. Juli 1944 für den deutschen Widerstand stehen) auf Lenz und seinen Roman *Deutschstunde* verweisen: Wer will, findet in ihm ein Lehrbuch, das, recht gelesen, helfen könnte, Fehler, die schon einmal begangen wurden und die wir kaum erkannt haben, nicht mehr zu begehen.

Anmerkungen

1 So Manfred Durzak, *Gespräche über den Roman* (Frankfurt/M.: Suhrkamp, 1976), S. 211: „. . . ein sprödes Buch, das zudem dem literarischen Trend, der in ähnlich gelagerten Büchern zum Ausdruck kommt, um einige Jahre hinterherzuhinken schien." Oder Jürgen P. Wallmann, *Der Künstler und der Polizist,* in: Der Tagesspiegel (8.12.68): „Die Deutschstunde . . . ist in Wirklichkeit eine Geschichtsstunde: ein weiterer Versuch, für die gegenwärtige Generation die Vergangenheit aufzuarbeiten, Typisches aufzuzeigen; ein Versuch, der freilich ein wenig spät kommt . . ."
2 Durzak, a.a.O., S. 195: Äußerung von Lenz.
3 Klappentext der Originalausgabe.
4 Wolfgang Rainer, *Die tödlichen Freuden der Pflicht,* in: Stuttgarter Zeitung (Sonderbeilage zur Buchmesse 1968).
5 Wallmann, a.a.O.
6 Z.B. in Gerhard Fricke/Mathias Schreiber, *Geschichte der deutschen Literatur* (Paderborn: Schöningh 1974), S. 408; oder: *Deutsche Literaturgeschichte* (hrsg. von einem Verfasserkollektiv, Stuttgart: Metzler 1979), S. 488f., u.a.
7 *Kindlers Literatur Lexikon* Bd. XII, (Darmstadt: Wissenschaftliche Buchgesellschaft, 1974), S. 10614f.
8 Hartmut Pätzold, *Zeitgeschichte und Zeitkritik im Werk von Siegfried Lenz,*

in: Text + Kritik 52, Zweite erweiterte Auflage 1982 (München 1982), S. 12.

9 Durzak, a.a.O.

10 Durzak, a.a.O., S. 206f.

11 Durzak, a.a.O., S. 207.

12 ebd. S. 211.

13 ebd.

14 Hans Wagener, *Die Heimat des Siegfried Lenz: zwischen Idylle und Ideologie*, in: Text + Kritik 52, Zweite erw. Auflage 1982 (München 1982), S. 62.

15 Pätzold, a.a.O., S. 9f.

16 ebd. S. 10.

17 ebd. S. 10.

18 ebd. S. 12.

19 Alfred Mensak (Hrsg.), *Über Phantasie* (Hamburg: Hoffmann und Campe, 1982), S. 153.

20 Martin Gregor-Dellin, *Gespräch mit Siegfried Lenz*, in: Text und Kritik 52, [2]1982, S. 3.

21 Laemmle, *Kindlers Literatur Lexikon*, S. 10615.

22 Dietrich Langen, *Psychotherapie* (München: dtv, [2]1971), S. 46.

23 Pätzold, a.a.O., S. 15.

24 Margarete Hannsmann, *Der helle Tag bricht an/Ein Kind wird Nazi*, (Hamburg: Knaus 1982) S. 188.

25 Hans Wagener, *Siegfried Lenz* (München: Beck [3]1979), S. 54.

26 ebd.

27 „Es kotzt mich an, wenn ihr von Pflicht redet. Wenn ihr von Pflicht redet, müssen sich andere auf etwas gefaßt machen" (S. 68 der Originalausgabe), oder: „Wenn du glaubst, daß man seine Pflicht tun muß, dann sage ich dir das Gegenteil: man muß etwas tun, das gegen die Pflicht verstößt. Pflicht, das ist für mich nur blinde Anmaßung." (ebd. S. 154).

28 in: *Festreden zum zweihundertjährigen Bestehen des Verlags Hoffmann und Campe* (Hamburg: Hoffmann und Campe, 1981), S. 11-26.

29 ebd. S. 25f.

30 Pätzold, a.a.O., S. 9f.

31 Fricke/Schreiber, a.a.O., S. 408.

32 Deutsche Literaturgeschichte (Metzler), a.a.O., S. 489.

33 Albrecht Weber, *Siegfried Lenz, Die Deutschstunde* (München: R. Oldenbourg Verlag, [3]1975. Vgl. dort das Kapitel „Die Erzählperspektive", S. 29-38.

34 ebd. Auch andere Interpreten haben auf diese komplizierte Zeitebenen-Struktur mehrfach hingewiesen.

35 Joseph Zoderer, *Das Glück beim Händewaschen*, Roman (München: Hanser Verlag, 1982).

36 Vgl. dazu Hans Wagener, *Siegfried Lenz* (München: Beck [3]1979), S. 64f.

37 Hannelore G. Martinez, *Kleinbürgerliches Selbstbewußtsein und Kunstfreiheit in Siegfried Lenz' „Deutschstunde"*, in: Text + Kritik 52, [2]1982, S. 43-51.

38 Deutschstunde, Originalausgabe S. 351.

39 Manfred Bosch, *Der Sitzplatz des Autors Lenz oder Schwierigkeiten beim Schreiben der Wahrheit*, in: Text + Kritik 62, [2]1982, S. 18.

40 Ähnlich hat Peter Wapnewski (Deutsche Zeitung, Nr. 11, 1978) Martin Walser vorgeworfen, er habe in seiner Novelle *Ein fliehendes Pferd* blinde Motive verwendet; man halte zum Schluß „nicht wenige lose Enden in der Hand". Siehe

dazu meine Entgegnung in: Neue Deutsche Hefte, Jahrgang 25, Heft 2, 1978, S. 360.

41 Christoph Meckel, *Suchbild. Über meinen Vater* (Düsseldorf: Claassen 1980).

372

KARLHEINZ ROSSBACHER

Thomas Bernhard: *Das Kalkwerk* (1970)

Thomas Bernhard ist ein Solitär in der Gegenwartsliteratur; er ist auch der einzige lebende österreichische Schriftsteller, der Schule gemacht hat.
Im Jahre 1969 schrieb Ingeborg Bachmann über ihn: „Hier ist es, das Neue. Es ist nicht brauchbar, noch nicht brauchbar, integrierbar auch nicht [. . .]".[1] Mit seinem umfangreichen Oeuvre ist Bernhard inzwischen zwar weniger neu, aber noch immer nicht integrierbar. So wie er z.B. in Gesprächen kaum zu fassen ist − so mancher Interviewer hat das schon erfahren −, so entzieht er sich auch dem Etikettierbedürfnis der Literaturgeschichte.[2] Daß er „fern von modischer Aktualität"[3] schrieb und schreibt, bescheinigten ihm auch aufgebrachte Gegner. Auch darf die Frage nach der Deutbarkeit seiner Werke durchaus ernsthaft gestellt werden.[4] Es fällt auf, daß von keinem anderen Autor der Gegenwart die Rezensenten und Verfasser von Aufsätzen sich so viele Textzitate als Titel aufzwingen lassen wie von Bernhard.[5] Schimmert aus solchen Titelgebungen heraus, daß Bernhard es letztlich immer noch selber am besten sagt? Wer überhaupt liest Thomas Bernhard und was für Lesewirkungen sind anzusetzen? Diese Fragen stehen im Grunde hinter allen erregten Debatten, die besonders 1970, im Jahr des Romans *Das Kalkwerk* und der Verleihung des Büchner-Preises an den Autor, geführt wurden. Die Positionen der Interpretation sind schon mehrfach dargelegt worden,[6] auf ihre Dokumentation wird hier verzichtet. Zu fragen bleibt zum Beispiel: Was ging vor sich und in wem, wenn in einem Bibliotheksexemplar von *Frost* die Sätze „Das Schlachthaus ist *das* Schulzimmer und der Hörsaal. Die einzige Weisheit ist Schlachthausweisheit!" fett unterstrichen und am Rande mit jener Art von Rufzeichen versehen sind, wie sie der lückenlosen Zustimmung zu entfahren pflegen? Kann man damit rechnen, daß der Trotz des Lesers verläßlich genug sich einstellt und sein daraus entstehender Widerstand nach der Lektüre eine ganz andere Welt gegen die Bernhards entwirft oder zumindest ersehnt?[7]
Diese Fragen sind auf dem Wege einer Interpretation nicht zu beantworten. Sie gehören in die empirische Leseforschung und wären auch dort noch schwer genug zu beantworten. Ein allgemeiner Faktor von Bernhards Wirkung scheint allerdings belegbar zu sein, weil er auch bei grundsätzlich kritischen Stellungnahmen nie fehlt: Es ist die eigentümliche Faszination, die von seinem Stil ausgeht. Da ist von „suggestivem Zwang" die Rede,[8] von einer „zwingenden Macht", die den Leser „oftmals gegen seinen Willen" in Bann schlage,[9] von einer Mischung aus Betroffenheit und Abneigung", aus der sich ein Kritiker durch einen bewußten Akt zu befreien genötigt sieht.[10] Wie kein anderer Autor der Gegenwart scheint Bernhard auch Leser zu haben, die mit seinen radikalen Inhalten wenig zu tun haben wollen und doch während der Lektüre gefesselt sind. Ist etwa die folgende Frage/ Antwort umfassend genug gesetzt? „Aber woher käme die faszinierende Anziehungskraft der sprachlich entworfenen Formen der gesellschaftlichen Entfrem-

dung, wenn sie nichts mit den Entfremdungsformen in unserer gesellschaftlichen Wirklichkeit zu tun hätten?"[11] Wir lesen doch anderswo ebenfalls von solcher Entfremdung, von Negation, Krankheit, Verfall — konstitutive Züge der modernen Literatur, wie sie seit dem Zürcher Literaturstreit 1967 diskutiert werden. Warum scheinen wir ausgerechnet bei Bernhard in der Rolle des Famulanten/Erzählers in *Frost* zu sein, der, je länger er sich mit dem Maler Strauch beschäftigt, desto tiefer, im Sog der Sätze, in dessen Vorstellungswelt gezogen wird?

Als Interpretation versteht sich der folgende Versuch nur innerhalb eines herabgestuften Anspruchs von Interpretation. Es soll vor allem um die Beschreibung einiger Werkmerkmale gehen, die als wahrscheinliche Auslöser der besonderen Wirkung von Bernhard-Lektüre gelten können, wenn auch nicht in einem vorhersagbaren Sinne für jeden Leser.

Es ist, einer Aussage Bernhards folgend, wiederholt und mit Recht auf seine Sprach-Künstlichkeit hingewiesen worden.[12] Dies ist unerläßlich, um der Deutungsbasis eines unangemessenen Abspiegelungs-Realismus zu begegnen. Von ihm gingen seinerzeit die Verfasser von Leserbriefen an die *Salzburger Nachrichten,* die sich über die Darstellung der Pongauer Landbevölkerung in *Frost* empörten, ebenso aus wie Marcel Reich-Ranicki.[13] Ist aber andererseits wirklich alles künstlich? So wie Bernhards Landschaften — die im übrigen nach *Frost* immer spärlicher beschrieben werden — zwar künstlich bis surreal aufgeladen sind, aber auf eine reale Komponente verweisen,[14] so verweisen auch andere verkünstlichte Textmerkmale auf einen alltagsrealen Ursprung. Eine entsprechend verallgemeinerte These: Formen gesprochener Sprache gehen in die unverwechselbar individuelle und künstliche Sprachwelt des Thomas Bernhard ein und verweisen von dort immer noch auf ihre Herkunft. Wir erkennen bei Bernhard nicht so sehr eine direkt gespiegelte Erfahrungswirklichkeit wieder, sondern Sprechweisen, mit denen wir uns in dieser Erfahrungswirklichkeit bewegen. In diesem Modus des Sprechens sind gestaltet: Erscheinungsweisen der Entfremdung und Isolation in unserer Gesellschaft, die die Mehrzahl der Leser in dieser Überschärfung kaum je erfährt, darin aber doch eigene Lebensproblematik wiedererkennt; Erfahrungen oder auch nur Ahnungen von Todverfallenheit, die in unserer Gesellschaft verdrängt werden; Negation falscher Optimismen, wie sie manche Leitbilder unseres öffentlichen Lebens prägen; das Absurde als Konsequenz der Haltung, den Verlust von Lebenssinn anzuerkennen und trotzdem zu leben bzw. zu schreiben. Der Modus, in dem darüber gesprochen wird, ist stark musikalisch geprägt, und diese Musikalität ist ebenfalls ein wesentlicher Faktor der besagten Faszination.[15]

Der Roman *Das Kalkwerk* hat, wie andere Romane Bernhards auch, kein herkömmliches Geflecht von Handlungssträngen. Den erzählbaren Kern kann man mit den Worten des Arztes in dem drei Jahre zuvor erschienenen Roman *Verstörung* wiedergeben: „Es sei bekannt, daß sich Menschen auf einmal, an einem entscheidenden Wendepunkt in ihrem Leben, der ihnen philosophisch vorkommt, einen Kerker ausfindig machen, den sie dann aufsuchen und in welchem sie ihr Leben dann einer wissenschaftlichen Arbeit oder einer poetisch-wissenschaftlichen Faszination widmen. Und daß solche Menschen immer ein ihnen anhängliches Geschöpf in diesen Kerker hinein mitnehmen. Und meistens richten sie, zuerst

immer langsam, dieses von ihnen in ihren Kerker mitgenommene Geschöpf und
dann sich selbst früher oder später zugrunde." (47) Zu Beginn des Romans ist das
Zugrunderichten schon geschehen, er hat sie getötet, und der Roman versucht,
über mehrere (Nicht-)Gewährsmänner bzw. Gasthausgerüchte die Tat und die
zu ihr führenden Vorgänge zu rekonstruieren. Vermittler ist ein stark in den Hintergrund gedrängter Versicherungsagent als Ich-Erzähler. Zu Anfang dieses ohne
Absatz durchlaufenden Romans wird die Erwartung aufgerufen, es handle sich um
einen Psychoschocker mit kriminalistischer Rekonstruktion. Aber diese Erwartung
wird bald zerstört, und gerade durch die Übersteigerung des Gerichtsprotokoll-
Stils wird das Vorantreiben vordergründiger Aufdeckung nachrangig. Die „Zeugen" Wieser und Fro, zwei Verwalter, auf die sich der Ich-Erzähler beruft, haben
keine selbständige Einsicht, keinen direkten Zugang in das Leben der Konrads gehabt. Auch was in den Gasthäusern Laska, Gmachl und Lanner gesprochen wird,
bleibt nachgeordnet. Viel bedeutsamer ist, daß die entscheidenden und quantitativ
überwiegenden Vermittlungen über Konrad laufen. Er ist es, der formuliert (hat),
was Wieser und/oder Fro dem Erzähler erzählen. Sie können wenig aussagen, was
sie nicht von Konrad wissen. *Das Kalkwerk,* das ohne die mehrfache Brechung des
Gesagten ein expressionistisch anmutender Verzweiflungsausbruch sein müßte, ist
eigentlich ein einziger riesiger, aus der Distanz gehaltener Monolog mit verteilten
Wiedergabe-Rollen. Die Erzählposition drückt aus: Durch direkte Anschauung und
Beschreibung („showing") erfaßt man nichts mehr, deshalb das Verbalspiel „über
die Bande" („telling" von „telling"). Bernhard verläßt sich ja nie auf einen allwissenden Erzähler, aber auch nicht auf eine für ihn fragwürdige Authentizität eines
Ich-Erzählers.[16] Was in seinen Dramen am Zerbrechen der Sprachform zu zeigen
versucht wurde,[17] zeigt sich im *Kalkwerk* als Zerbrechen einer Erzählposition: die
Vereinzelung des Individuums, dessen unaufhörlichem Kopfgemurmel Stimmen
verliehen werden. Es wird unverwechselbare Sprachgestalt, was thematisch auch
für andere Gegenwartsliteratur gilt: Die Personen sind überperzeptiv beim Wahrnehmen, aber unfähig beim Handeln, z.B. beim Schreiben einer Studie über das
Gehör. Bei Ludwig Wittgenstein[18] steht im Konjunktiv: „Wenn die Menschen immer nur in ihrem Innern zu sich selbst sprächen, so täten sie schließlich nur dasje-
nige beständig, was sie heute auch manchmal tun." Thomas Bernhards Gestalten
tun es immer. Sie tun es im Sprachgestus des unablässigen Behauptens, kein Gegenüber hindert sie daran.

Dieses monologische Sprechen entfacht sich an einem „Empfindlichkeitswort"
(*Verstörung,* 85), kreist durch Wiederholung um es und moduliert sich zum nächsten.[19] Es ist eine Folge von Sprach-Entzündungen des Denkens. Der zweite, parallel dazu laufende Vorgang ist themenprägend: Bernhard schreibt in Haupt-
Wortfeldern von Tod, Leben, Krankheit, Wissenschaft.[20] Nach den Werken der
60er Jahre kommen immer stärker Kunst, Mathematik, Naturwissenschaft, Analyse (Sezieren, Auflösungen) und Kombination (spielerisch, um dann zertrümmern
zu können) hinzu. Die besonderen sprachlichen Verfahren bringen alles mit allem
in einen Zusammenhang,[21] der radikaler Negation unterworfen wird. Das führt zu
einer literarischen Relativitätstheorie, als Metapher verstanden: Aus einer absoluten Höhe ist alles gleich groß, gegenüber der Geschwindigkeit des Lichts ver-

schwinden die Unterschiede zwischen Schnecke und Gepard, vor einem absoluten Wert wird alles gleich (un-)gültig, vor dem Tod, auf den der Naturvorgang unaufhaltsam hindrängt, ist alles, auch das Widersprüchliche, „naturgemäß", um ein Schlüsselwort Bernhards zu verwenden. Dies wiederum führt dazu, daß Gegensätze bei Bernhard zur Scheindialektik tendieren, da sie, vor das Absolutum gesetzt, nicht mehr fähig sind, auf ein Drittes zu verweisen,[22] oder dieses Dritte ist eine Katastrophe. So ist das Kalkwerk sowohl Idylle als auch Kerker (das Gemeinsame ist die hermetische Abgeschlossenheit); die Konrad ist, da sie uns nur durch den Konrad vermittelt wird, keine Gegensatzgröße, mit der Konsequenz, daß sie von ihm auf brutale Weise abhängig gemacht wird; die Lieblingslektüren der beiden, die sie einander aufzwingen — Kropotkin kontra Novalis —, sind Zeichen für verschiedene geistige Welten, die einander im Text als Zeichen lahmlegen. (Es ist die Frage, ob, vom Leser her gesehen, immer der umfangreiche Gehalt, für den die beiden Namen stehen, mitgedacht werden kann, also Anarcho-Kommunismus, Sonderung des einzelnen als Voraussetzung für Zusammenschluß ohne Abhängigkeiten bei Kropotkin — was für das Verhältnis der Eheleute nur als Ironie gelten könnte —, und Überwindung aller Sonderung auf einen Universalismus aller Beziehungen hin bei Novalis.)

Vor dem Absolutum Tod verschwindet auch der Gegensatz von Geschichte/Gesellschaft und Natur. Bernhards berühmter Satz „Alles wird immer über den Tod gesprochen",[23] der grammatisch analog zu einem Satz wie „Alle Züge fahren immer über X" zu verstehen ist, läßt Bewegung zu, zentriert sie aber auf sich, auf die große Ruhe. Geschichte verläuft nicht auf ein ihr eigenes Ziel, Gesellschaft entwickelt sich nicht auf einen antizipierten Zustand hin. Im Stück *Am Ziel* hat Bernhard dafür das Bild von Ebbe und Flut verwendet und meint damit, wie z.B. auch im Stück *Der Weltverbesserer,* das Immergleiche in Geschichte, Gesellschaft, Politik: „Fallen wir dem Herrschenden in den Rücken / sitzt schon der nächste da / und es ist der gleiche." (83)

Da sich zwischen Geburt und Tod kein existentieller Sinn schiebt, verbringen viele von Bernhards Gestalten ihr Leben damit, die Sinnsuche zu beschwören. Einerseits wird durch Konzentration auf ein großes Werk die Möglichkeit von Sinngebung noch gesetzt, andererseits wird enthüllt, daß Sinn nicht auffindbar ist. Konrad in *Das Kalkwerk* ist Vorgänger vieler ähnlicher Figuren, deren Monologe mit „Reden über", nicht mit „Darstellung von" gefüllt werden. „Wovon wir reden, ist unerforscht", sagte Bernhard in der Büchnerpreis-Rede.[24] Roithamer im Roman *Korrektur,* der seine musikwissenschaftlichen Kenntnisse immer nur behauptet, sie aber nicht vorzeigt, demonstriert diesen Satz ebenso wie der Weltverbesserer, der von der Wirkung des großen Traktats über die Verbesserung der Welt nur spricht, nicht aber seinen Inhalt darlegen kann. Schlechthin alle Lebenswerke, auf die sich Bernhards Figuren werfen, sind entweder früher einmal gelungen, jetzt aber unauffindbar oder zerstört, oder sie kommen nicht aus ihren Köpfen in die Wirklichkeit.[25] Bei Bernhard ist die Mitte leer, aber sie beherrscht als „der einzige Gedanke" die scheiternde Person und ihre scheiternden sozialen Beziehungen.[26]

Wo aber Sinn bzw. Zielsetzungen nicht inhaltlich formuliert werden können, setzt sich monomanische Methodik an deren Stelle. Konrad zieht sich mit seiner Frau in das Kalkwerk zurück, um eine Studie über das Gehör zu Papier zu bringen. Das Kalkwerk wird also auch zu einem Laboratorium. Allerdings wird der Charakter der Wissenschaft, die Konrad und andere Figuren Bernhards betreiben, nie als eine präzisierte Tätigkeit vermittelt.[27] Die „urbantschitsche Methode", nach der Konrad seine Frau mit Hörexperimenten quält, hat mit einem Fachbuch über methodische Hörübungen für Schwerhörige nichts zu tun.[28] Man kann solche Methodik als ein durchgehendes Zeichen für den Gegensatz von erhöhter Tätigkeit und herabgesetzter Leistung, d.h. als bis zur Irritation gesteigerte Kopftätigkeit bei nicht mehr gelingendem, potentiell entfremdungsaufhebendem Handeln betrachten.[29] *Das Kalkwerk* ist vom Gedanken der Plötzlichkeit beherrscht, aber es ist nicht die sinnliche Wahrnehmungskategorie Plötzlichkeit, wie sie an expressionistischen Gedichten beobachtet worden ist,[30] und mit deren Versprachlichung sich neue Existenzbedingungen der modernen Zivilisation beschreiben lassen. Vielmehr steht dahinter, daß sich ein Sinn menschlicher Bemühung nicht Schritt für Schritt erarbeiten läßt, sondern auf einen Schlag in Erscheinung treten soll. Liegt schon in dieser Erwartung eine Skepsis gegenüber Denk- und Praxismodellen der Aufklärung, so ist die Plötzlichkeit, mit der Sinn- und Ziellosigkeit in die Welt von Bernhards Personen einbricht, vollends eine Absage an evolutionäres Denken. Konrad, der von der Vorstellung beherrscht ist, „seinen Kopf urplötzlich von einem Augenblick auf den anderen auf das rücksichtsloseste um — und also die Studie auf das Papier zu kippen", wie es im letzten Satz heißt, bringt statt dessen, ebenso plötzlich, seine Frau ums Leben. Das Plötzliche ist fast immer das Tödliche, zumindest aber kennzeichnet es die Erfahrung der Sinnlosigkeit und des Scheiterns. Mit dem negativ Plötzlichen löscht Bernhard alle Hoffnungen auf Plan-, Mach- und sonstige -barkeiten. In ihm schießt die nicht durchschaubare Dimension der menschlichen Existenz an die Oberfläche.

Die gründliche Einsamkeit in einem „Jeder-für-Sich", das Umkippen von kleinen Geborgenheitsräumen in negative Idyllen, die unermüdliche, sisyphusartige Geistesanstrengung und das Scheitern, das ihr beharrlich folgt, diese Merkmale Bernhardscher Prosa verweisen auf die Grunderfahrung des Absurden. Diese Erfahrung, zum Wissen — und fast möchte man sagen: zum Vorsatz — gesteigert, hält sich bei Thomas Bernhard mit beträchtlicher Hartnäckigkeit. Es ist nützlich, wenn auch nicht kausal erklärend, Albert Camus' Beschreibungen des Absurden mit korrespondierenden Äußerungen Bernhards, frühen wie späteren, zu vergleichen.

In die späten fünfziger Jahre, so legen es die Veröffentlichungen nahe, fällt eine Wende in Bernhards Schaffen. Der 1954 in einem Salzburg-Band veröffentlichte Text „Nacht in Salzburg",[31] quer zur feuilletonistischen Intention des Bandes geschrieben, spricht von einem „guten Land", fordert auf, die Stadt mit einem anderen Menschen gemeinsam zu durchwandern, spricht vom Mönchsberg als einem Ort, wo einem „gute Gedanken" kommen können. Du-Bezüge zeigen auch noch Gedichte in dem Band *In hora mortis,* wenn auch in der ritualisierten Form der Litanei des „O Herr" (16). Der Ich-Sprecher richtet noch Fragen, auf die eine Antwort nicht grundsätzlich ausgeschlossen erscheint, und ein Grundton ist der verzweifelnder Frömmigkeit. Gleichzeitig zeigen andere Gedichte aus jener Periode schon den Ton des vergeblichen Fragens.[32] Am eindeutigsten datiert, nämlich 1959/60, und nunmehr unmißverständlich, spricht ein Gedicht aus *Ave Vergil* (56f) die Sprache jener Erfahrungen, die zur Schlüsselerfahrung des Absurden führen. Es heißt „Karakorum / Mönchsberg", und es zeigt einen endgültigen Bruch mit Natur, Stadt, Gesellschaft an: Schon der Titel verweist auf die eisige Höhe der Isolation, mit dem zweithöchsten Gebirge der Welt wird der Salzburger Hausberg gleichgesetzt, der kein guter Ort mehr ist, wie noch fünf Jahre zuvor. Die Folge ist „das Gespräch mit einer Materie, die nicht antwortet", wie Bernhard es 1970, im Erscheinungsjahr von *Das Kalkwerk,* in der autobiographischen Skizze „Drei Tage" (89) formuliert hat. „Wenn du fragst, weiß niemand wo du bist / keiner hat dich jemals gesehen, noch gehört / nicht der Baum kennt deinen Namen, nicht die Stadt/ [. . .] Wenn du fragst, wird der Winter antworten / er weiß nichts, nichts der Bürgermeister / nichts der Landeshauptmann in der Residenz / nicht einmal unter den Hunden bist du Gesprächsthema [. . .]*" (Ave Vergil,* 56).

Albert Camus hat es in *Der Mythos von Sisyphos,* in Reflexionssprache, so formuliert: „Das Absurde entsteht aus dieser Gegenüberstellung des Menschen, der fragt, und der Welt, die vernunftwidrig schweigt".[33] Was im weiteren bei Camus unter „Verfremdung" gefaßt ist, meint nicht den literaturtheoretischen Begriff nach Brecht, sondern Entfremdung: „[. . .] die Wahrnehmung, daß die Welt 'dicht' ist, die Ahnung, wie sehr ein Stein fremd ist, undurchdringbar für uns, und mit welcher Intensität die Natur oder eine Landschaft uns verneint [. . .]"[34] Diese Grunderfahrung − sie hat im übrigen in Nikolaus Lenau einen frühen Betroffenen gefunden („Der Wind ist fremd, du kannst ihn nicht umfassen / Der Stein ist tot [. . .]"[35]) hat bei Bernhard viele Facetten. Daß es bei ihm immer wieder Naturwissenschaftler gibt, die eine sich immer wieder von ihnen abwendende Natur durch Erforschen „umfassen" wollen, wurzelt ebenso in dieser Grunderfahrung, wie das notwendige Scheitern dieser Figuren in dem Versuch, die Feindseligkeit der Natur aufzuheben. Der Autor Bernhard weiß allerdings, wie Camus, daß aus dieser Lage die wissenschaftliche Denkbewegung nicht herausführt: „Ich begreife: wenn ich die Erscheinungen wissenschaftlich fassen und aufzählen kann, dann kann ich damit noch nicht die Welt einfangen", denn: „Die Welt entgleitet uns; sie wird wieder sie selbst [. . .]".[36]

Auch andere Parallelen zwischen Bernhard und Camus sind frappierend. Der Tod „als einzige Realität"[37] beherrscht auch die Erkenntnis des Absurden, beider Berufung auf Kierkegaard gehört hierher, die Fixierung auf die Todverfallenheit der menschlichen Natur, gegen die sich das Denken vergeblich sträubt: „Wir gewöhnen uns ans Leben, ehe wir uns ans Denken gewöhnen: Bei dem Wettlauf, der uns dem Tode täglich etwas näherbringt, hat der Körper unwiderruflich den Vorsprung."[38] Bei Bernhard kommen natürlich die bekannten eskalierenden Faktoren mit besonderem Stellenwert hinzu: Krankheit, Verzweiflung, Verdichtungen von Sinnlosigkeit. Auch die 'Plötzlichkeit' hat eine Parallele, wenn Camus davon spricht, daß das Gefühl der Absurdität „einen beliebigen Menschen an einer beliebigen Straßenecke anspringen" könne.[39] Wenn es wiederum an anderer Stelle heißt, daß es für den absurden Menschen nicht mehr um Erklärungen und Lösungen, sondern um Erfahrungen und Beschreibungen gehe, an deren Anfang eine „scharfsichtige

Gleichgültigkeit" stehe,[40] so könnte dies als Motto über die letzten Seiten von *Der Keller* gestellt sein und fände in Interviewsätzen Bernhards seine Abstützung.[41]

Thomas Bernhards Prosa ist allerdings nicht auf den philosophischen Begriff des Absurden zu reduzieren und ist weit mehr als eine individualistische Umsetzung der Reflexionssprache Camus'. In seinem unverwechselbaren Stil liegen auch die stärksten Wirkungspotentiale. Sprachbewegungen als Gedankenbewegungen haben Interpreten mit Recht immer schon mehr beschäftigt als übergreifende strukturelle Textabläufe, „Sprachverhalte" mehr als „Sachverhalte",[42] Bernhards „Berichterstattung von Worten" mehr als die von Ereignissen.[43]

Konrad räsoniert über die Tatsache, daß „die Wörter ruinieren, was man denkt" (115). Dies ist eine Aussage über die Gebundenheit des Denkens an Sprache; sie beklagt, daß Denken Sprache nicht übersteigen kann. Die Position ist orientiert an Ludwig Wittgensteins Sprachphilosophie und der Idee von Sprachform als Denkform. Aber auch der andere Aspekt der Wittgensteinschen Sprachphilosophie ist gegenwärtig, wenn Konrad, von dem es heißt, daß er Wittgensteins Sätze mit Vorliebe zitiere (153), im Hinblick auf seine Schwierigkeiten mit der Studie sagt: „Ich gehe die ganze Zeit in meinem Zimmer hin und her, in diesem meinem Problem hin und her" (120). Hier wird Denkform über Sprachform als Handlungsform reflektiert, das Sprachspiel vertritt ein Handlungsspiel, aber man landet wieder beim absurden Denken, wenn alle Bemühungen Konrads nicht mehr ergeben als ein fruchtloses Hin- und Hergehen als „Handeln".

Die Bernhardsche Sprachkünstlichkeit, so sagten wir am Anfang, sollte nicht Anlaß sein, von jeder Verankerung dieser künstlichen Sprachwelt in der Umgangssprache des Alltags, besser gesagt: in deren Sprachspielen, abzusehen; vielmehr sollte man sich von der Mutmaßung leiten lassen, Bernhards faszinierende Wirkung habe etwas mit dieser Verankerung zu tun. Wenn es wirklich so sehr eine „hermetisch in sich geschlossene Kunstwelt" ist,[44] warum kommen Leser dann leichter, als Kritiker oft behaupten, und zahlreicher, als es Bernhards Gegnern lieb ist, „hinein"? Künstlich sind auch dadaistische Texte, ohne daß sie dieselbe Art von Wirkung beanspruchen können.

Alltagssprachliche Redeformen, die in der Verkünstlichung zu Stilistika werden, sind: Das Räsonieren in Übertreibungen und Superlativen; das Zetern, Wettern und Sich-in-etwas-Hineinreden; der Schimpfmonolog, in dem sich Sprache ohne dialogisches Gegenüber im Kopf bewegt; die topische Argumentation vom Typ „Jedes Ding hat zwei Seiten und beide können richtig sein"; der All-Satz und die Ausschließlichkeitsaussage, die der alltäglichen Vorurteilsbildung zugrundeliegen; vor allem die Wiederholung von Reiz- und Empfindlichkeitswörtern in Situationen der Betroffenheit, der Verzweiflung, der Ratlosigkeit, aber auch als Zeichen eines Zustandes der Irritation bzw. der Überreiztheit, in dem Redseligkeit sowohl auf Erschöpfung als auch auf Wachheit deuten kann.

Im *Kalkwerk* zeigt die Übertreibung mehrere Aspekte, die auch anderswo bei Bernhard vorkommen. Beinahe der Kindersprache angenähert, taucht sie auf als „Hunderte und Tausende von Einrichtungsgegenständen" (31), die mit Schleppkähnen beim Einzug ins Kalkwerk zu übersiedeln waren, als „Hunderte und Tau-

sende von Briefen und Ansichtskarten" (205), als „an die hunderttausende Male",
die Konrad seine Frau zur Konzentration aufgefordert habe (102), an die „hunderte und tausende Male", die Konrad zum Abfassen der Studie angesetzt habe
(55). Die Zahl ist Zeichen für beziehungslose Höchststeigerung: ihre adjektivische
Entsprechung ist der Superlativ, häufig als nachgestellter. „Der Fachleutedilettantismus sei der peinlichste" (64); „Während in den Köpfen aller Menschen das Ungeheuerlichste sei, sei auf ihren Papieren doch immer nur das Kläglichste, Lächerlichste, Erbärmlichste" (67). In Beispielen wie diesen, deren Zahl Legion ist, zeigt
sich, wie Bernhard auf verschiedenen Ebenen der Sprache, angewendet auf verschiedene grammatische Kategorien, seine Radikalität inszeniert. Der Superlativ
leugnet Abstufung, Gradierung, Kompromisse, Mittelwege; er ist damit eine grammatisch-ästhetische Entsprechung zu Bernhards radikaler Verweigerung einer evolutionären Weltsicht.

Mit einem ähnlichen „Alles oder nichts" hängt zusammen, was man den Vollständigkeitswahn nennen könnte, der bei Sprechern/Erzählern auftaucht, die
nichts raffen können, sondern zwanghaft schrittweise vorgehen müssen. So wie
Sancho Pansa in seiner Geschichte von einem Schäfer, der mit seinem Boot 300
Schafe über einen Fluß rudern möchte, aber nur für jeweils eines Platz hat, sich
daran macht, den Einzelvorgang 300mal zu erzählen, so inszeniert Bernhard Gedankenvorgänge ebenfalls häufig in Schritten. Statt zu sagen „Ich zweifelte an der
Zahlungswilligkeit des Bankdirektors" heißt es von Konrad (über Bericht Wiesers):
„In der Gesichtsmiene des Direktors ist nicht klar auszumachen: gibt er mir Geld,
oder gibt er mir kein Geld, einmal denke ich: er gibt, einmal: er gibt nicht, dann
denke ich wieder: er gibt, dann wieder: er gibt nicht" (178). Mit Einschränkung
kann man sagen, daß Bernhards Prosa viele Regeln für schriftlichen Stil nicht passieren würde, aber gerade deshalb nahe an gesprochene Sprache heranreicht; die
fast durchgängige Verwendung des Perfekts als Erzähltempus im *Stimmenimitator*
sei in diesem Zusammenhang erwähnt.

Ein weiterer Aspekt von Bernhards Sprache hängt ebenfalls damit zusammen,
daß Alltagssprachliches zum rekurrenten und damit stilhaltigen Merkmal verdichtet wird. Es geht dabei um die sogenannte „topische Argumentation", mit der wir
uns öfter, als uns bewußt ist, durch den Alltag manövrieren: „Man kann nicht alles
haben", „Lehrjahre sind keine Herrenjahre", „Jedes Ding hat zwei Seiten", „Das
Leben ist kein Honiglecken".[45] Bernhard liebt es, seinen Personen solche Sätze in
den Mund zu legen: „Ein klarer Kopf ist alles"; „nichts beruhigt so wie Stricken";
„Die Ehe ist kein Heilmittel" (*Weltverb.*, 63, 69, 43). Die Struktur des „Alles ist
x" bzw. „y ist nichts als z" ist ein Merkmal Bernhardschen Denkens. Die Wirkung
solcher Strukturen ist Reduktion von Komplexität, ist das Gegenteil von Differenzierung, Abstufung, Entwicklung, ist somit Radikalität. Dieses Sprachsubstrat ist
verzahnt mit dem Superlativ, mit dem Alles-oder-nichts, mit der Übertreibung,
mit der Scheu vor der Raffung. Solche „Alles-ist"-Sätze sind auch als „Nichts-als"-
Sätze zu formulieren. Für Konrad ist „die ganze Welt nichts als Ablenkung (von
der Studie)" (173); das meint, daß ihm alle Welt Ablenkung ist – und die Studie
kann daher, als eine in der Welt zu schreibende, gar nicht geschrieben werden. In
einer solchen Denkweise sind Gegensätze Scheingegensätze: „Das Kalkwerk sei ja

auch nur von der Ostseite her zu erreichen und das sei merkwürdig, daß das Kalkwerk nur von der Ostseite her zu erreichen sei, aber auch wieder gar nicht merkwürdig, soll Konrad zu Wieser gesagt haben, einerseits sei das merkwürdig, andererseits gar nicht merkwürdig, alles sei einerseits merkwürdig, andererseits überhaupt
nicht merkwürdig [. . .]" (21). Alles ist zugleich das eine oder = und das andere.
Dieser Zug an Bernhard ist natürlich schon beschrieben worden;[46] für die besondere Wirkung ist es wichtig, sich an Bernhards Neigung, immer neue Bereiche der
Verallgemeinerung zu unterwerfen und in eine potentiell unendliche Gleichset-
zungsoperation einzugliedern, zu erinnern. Unter solchen Voraussetzungen wird
bei Bernhard die Tautologie zur großen Wahrheitsform. In seinem Beitrag zum
Goethe-Jahr 1982 mit dem Titel „Goethe schtirbt"[47] sagt Bernhard von Goethe,
er habe Ludwig Wittgensteins *Tractatus logico-philosophicus* unter dem Kopfpolster
liegen, und besonders wichtig sei ihm der Satz [es handelt sich um 4.461. Anm.
K.R.]: „Die Tautologie hat keine Wahrheitsbedingungen, denn sie ist bedingungslos wahr [. . .]". Zieht man 4.462 hinzu, so ergibt sich, daß Bernhard von den von
Wittgenstein unter 4.46 angeführten Extremfällen von Wahrheitsaussagen fasziniert ist, nicht aber von den dazwischenliegenden. „Tautologie und Kontradiktion
sind nicht Bilder der Wirklichkeit. Sie stellen keine mögliche Sachlage dar. Denn
jene läßt jede mögliche Sachlage zu, diese keine." Bernhard beseitigt auch noch
diesen Unterschied durch seine Scheindialektik.

Im All-Satz und in der Ausschließlichkeitsaussage demonstriert Bernhard das
Baugesetz dessen, worauf im Alltagsdiskurs die Vorurteile aufruhen. Die Wirkung
ist psychologischer Art und lautet „reduction of uncertainty". Mit ihr schließen
wir jene unserer Räsonnements ab, in denen wir die Schwebe zwischen Erkenntnis
und Ungewißheit nicht aushalten, weil Ungewißheit Angst erzeugt. Es kennzeichnet nun den Grad der Verstörung Konrads und seiner früheren und späteren Gefährten im Werk Bernhards, daß auch der massive Gebrauch der vorgeblich angst-
lösenden „nothing-else-but-isms" sie nicht beruhigt. Das Kopfgemurmel in ihnen
geht weiter. Thomas Bernhards Gestalten kommen erst im Tode zur Ruhe.

Wie man sich in etwas hineinreden kann, so kann man sich in etwas hineinschrei-
ben: „Aber ich, soll Konrad gesagt haben, habe keine Gemeindefunktion inne, ich
habe überhaupt keine Funktion inne, schon gar nicht eine Gemeindefunktion,
schon das Wort Funktion hasse er, nichts hasse er tiefer als das ihm jedesmal beim
Anhören Ekel verursachende Wort Funktionäre, allerdings, soll Konrad gesagt haben, da er die Menschen hasse, hasse er naturgemäß auch die Funktionäre, denn
heute ist ja jeder Mensch Funktionär, alle seien Funktionäre, alle funktionierten,
es gibt keine Menschen mehr, es gibt nur noch Funktionäre [. . .]" (22). Das ist
Geschimpfe im Kopf, wenn ein Gegenüber fehlt. Es ist Zetern und Wettern, das einem Urteil zum Wahrheitsanspruch dadurch verhelfen will, daß es oft genug wiederholt wird. Es ist das Sprachverhalten des Stadtneurotikers bei Woody Allen,
der gehend sich in etwas hineinredet, der an der Ampel auf Rot wartend redet, der
das unaufhörliche Sprachticken im Kopf nicht mehr abstellen kann. Das jeweilige
Reizwort, in diesem Falle „Funktionär", ist einerseits (Ent-)Zünder solchen
Schimpfgemurmels, andererseits die einzig mögliche Vergegenständlichung der
Isolation in diesem Augenblick. „Die Wörter, mit denen wir aus Verlassenheit

im Gehirn hantieren", sagt Bernhard in seiner Büchnerpreis-Rede,[48] seien auch „die Wörter, an die wir uns anklammern, weil wir aus Ohnmacht verrückt und aus Verrücktheit verzweifelt sind." Von hier aus werden die Litaneien bei Bernhard verständlich. Sie wirken als säkularisierte Form der bannenden Beschwörung von Dingen und Sachverhalten. Dreizehnmal wird, auf zwei Seiten des *Kalkwerks,* Fro als „mein lieber Fro" angerufen, im weiteren verlagert sich die Litanei ans Ende der Sätze — „und so fort" (133ff). Der Stilzug der Wiederholung, ob nun der beschwörenden Litanei angenähert oder dem Gezeter, ob als Umsetzung von Handlungslähmung ins Sprechen von „Überlebens-Sätzen"[49] oder als Redselig-keit durch Überreizung, hat seine Entsprechung in alltäglicher Rede. Nirgendwo wird das deutlicher als in Bernhards Dialekt-Minidrama *A Doda* (Ein Toter), in dem zwei Frauen nachts auf der Straße auf eine vorgebliche Leiche stoßen: „Schaugn S schaugn S / kemman S schaugn S / da liegt was / a Doda / Schaugn S / a Mensch / segn S / da liegt a Mensch / da schaugn S / da / zwischen de zwoa Bam da / schaugn S / segn S da [. . .]". Die Szene steht, als Dialektszene, zwischen Ex-periment und Sprachnaturalismus; sie ist nicht Sprachspielerei allein, sondern ver-mittelt auch kritischen Inhalt, denn der „Dode" entpuppt sich als eine Rolle von Hakenkreuzplakaten, die der Mann der einen Frau plakatieren hätte sollen. Formt man diese Szene in Hochsprache um, wie sie Bernhard sonst immer verwendet, so steigt die Künstlichkeit schlagartig an, und man kommt zu den bekannten Merk-malen seines Individualstils. Liest man dagegen die Szene laut im Dialekt, erlebt man eine Überraschung: Die Sprache klingt naturalistisch und in diesem Sinne situationsangemessen. Die „typisch Bernhardsche Wiederholung" wird weniger typisch. Wenn Menschen Stille und Angst vertreiben und eine besondere Situation bannen wollen, fixieren sie sich auf Wiederholungen.

Alois Eder hat auf einen Ansatz hingewiesen, der, von der Psycholinguistik her, die Redeweise von Bernhards Personen zwischen Künstlichkeit und realer Wahr-scheinlichkeit anzusiedeln vermag.[50] Bernhards Personenreden zeigen demnach Charakteristika der sogenannten Perseveration. Dieser Begriff weist auf das vom Normalen abweichende Beharren seelischer Inhalte im Bewußtsein, wobei die Abweichung auf Verstörungszustände verweist. „Es ist, als funktionierte jene wohltätige Dämpfung des Kurzzeitgedächtnisses nicht mehr, die überflüssige Infor-mationen zugunsten neuer unterdrückt, und die perseverierenden Reizworte stek-ken jeden Folgezustand des Bewußtseins mit den Irritationen des vergangenen an." Was im normalen Erzählen vor sich geht — nur das vom Sprecher emotional als wichtig Bewertete wird durch Wiederholung hervorgehoben —, funktioniert in Bernhards Personen nicht mehr. Konrad scheint infolge einer unendlichen Perseve-ration alles und jedes die Studie und das Leben Betreffende im Kopf gespeichert zu haben. Daher das quälende Bedürfnis, die Studie urplötzlich und zur Gänze aufs Papier zu kippen.

Mit Recht ist immer wieder auf die Sprachmusik in Bernhards Werk hingewiesen worden. Sie ist ein wesentliches Element seiner Wirkung, und zwar sowohl auf großstruktureller als auch — wichtiger — auf der Ebene der Satz-auf-Satz-Rezep-tion.[51] In diesem Zusammenhang wird auch immer wieder auf Bernhards Satz aus *Watten* (86) von der „völlig durchinstrumentierten Partitur Wahnsinn" verwiesen. Die biographischen Beziehungen Bernhards zu Musik und Musikausbildung sind bekannt. „Ich schlag ja immer, wenn ich oben spreche, unten mit der Fußspitze den Takt [. . .]. Das ist eine Kontrapunktik, muß ja sein, ich bin ja ein musikalischer Mensch [. . .].“[52]

Es ist trotz aller offenkundigen Musikalität nicht ganz einfach, die Beziehung zur Sprache schlüssig herzustellen, weil eine anerkannte Metasprache nötig wäre. Immerhin sind aber Rhythmus, Variation, Kontrapunkt und Leitmotivtechnik ausreichend verständliche, gemeinsame Begriffe. Die oben zitierte Stelle mit dem Ausfall gegen die Funktionäre (Kw 22) wirkt sowohl als Verdichtung von Leitmotiven in Leitwörtern, als auch als Variation von Monotonie. Verfolgte man den Text weiter, käme man auf den Begriff der Modulation, weil, wie in einem Tonart-Wechsel, die nächste Leitwort-Verdichtung folgt. Der Vorgang verzahnt sich häufig mit Kontrapunktik und Variation: „Während ich früher nicht wehrlos in die Gedanken hineingegangen bin, gehe ich jetzt völlig wehrlos in die Gedanken hinein [. . .]. Jetzt seien sein Gehirn und sein Kopf voreingenommen, befangen, während sie früher nicht voreingenommen, die unbefangensten gewesen wären“ (116). Wenn sich erster und zweiter Teil der Phrasierung auf verschiedene Personen verteilen, so kann man vom Kleinmodell eines „concertos“ sprechen: „In das Kalkwerk! habe er immer wieder gedacht, in das Kalkwerk, in das Kalkwerk! während seine Frau an nichts anderes gedacht habe als nur: nach Toblach zurück, zurück nach Toblach!“ (23). Auch die andauernde Entgegensetzung der Leit-Namen Kropotkin und Novalis, zu denen gar keine Inhalte vermittelt werden, gehorcht konzertanter Inszenierung. Alles ist, aus dem Nachhinein, Scheindialektik, Litanei, Leitwortwiederholung, Reden über identische Handlungen. Allsommerliche Reise ans Meer, Analogien zu Ebbe und Flut, regelmäßiges Anhören von Ravels 'Bolero' verwandeln das Stück *Am Ziel* in ein Musikstück ähnlich eben diesem Bolero. Konsequente Monotonie, Variation des Identischen, Steigerung lediglich in der Lautstärke, Abbruch im schrillen Akkord: Es gibt, wenn man *Das Kalkwerk* so betrachtet, erstaunliche Analogien: Die urbantschitsche Methode, das Stricken und Auftrennen der Fäustlinge, das Mostholen, die Bemühung um die Studie.

Der Rolle des Musikalischen wird man nicht gerecht, wenn man es von einem „eigentlichen“ Inhalt abgelöst betrachtet. Man käme zwangsläufig zu dem Urteil, daß die Musik „leider“ die Radikalität abmildere, daß diese gegen jene positiv ausgespielt werden müßte. Auf Bernhards Stil trifft zumindest für einen guten Teil zu, daß „the medium the message“ ist. Im Musikalischen enthält Bernhards Werk eine ästhetische Einheit stiftende Qualität, die dem Zerfall und der Auflösung im Inhaltlichen, der Zerlegung des Lebens in die nicht mehr sinngebundenen Teile, entgegensteht. „Die absurde Welt läßt sich nur ästhetisch rechtfertigen.“[53]

Was nun läßt sich, nach der Beschreibung der Wirkungsfaktoren, summierend über den Roman und Bernhards Werk sagen? Ihn in eine Alternative von Gesellschaftsaffirmation und veränderungsorientierter Gesellschaftskritik einzuordnen fällt schwer. Die weitgehende Negation gebiert noch nicht die Veränderung.[54]

Bernhards hier bereits erwähnter Text „Goethe schtirbt“ wurde zusammen mit einem anderen abgedruckt, in dem über ein Treffen von drei Germanisten anläßlich einer Goethe-Tagung im Jahre 1949 in London berichtet wird.[55] Ohne Absprache oder Vorwissen habe sich erwiesen, daß alle drei die Bedeutung Goethes für sich selbst so zusammenfaßten: Natur − Idee − Tätigkeit − Liebe. Wenn man, Thomas Bernhard lesend, zwischendurch auf diese Aussage stößt, so meint man, es sei von einer anderen Welt die Rede. Nichts wird von Bernhard radikaler in Frage gestellt als diese Begriffe als Werte. Die Natur haßt er und sieht sie als Schnellstraße zum Tode; Ideen gibt es nicht als Vorentwürfe besseren Lebens, sondern nur als 'leere Mitte'; der Liebe begegnet man bei ihm als längst vergangene Stufe der menschlichen Beziehungen, bevor der Haß und die Verzweiflung kamen; und die Tätigkeit gleicht der Goethes nur im Wortlaut: Rastlos tun die Personen etwas, aber ohne Ziel, denn das Scheitern ist vorweggenommen. Figuren, die bald sehr, bald weniger deutlich ahnen, daß Sinngebungen zerbrechlich sind und daß dahinter die Fragwürdigkeit beginnt, kennt man auch aus früherer Literatur. Aber zu ihnen markiert Bernhard einen riesigen Abstand. „Wer sagte nicht jeden Tag: 'Eigentlich eine sehr fragwürdige Geschichte.' [. . .] Drei Seidel beruhigen jedesmal [. . .]; es geht überhaupt nicht ohne 'Hilfskonstruktionen' [. . .]"[56] Bernhard hingegen hat die Hilfskonstruktionen Theodor Fontanes abgeräumt. Zwischen ihm und dem Leben mit solchen Stützen liegt die Erkenntnis des Absurden. „(Der Mensch) wägt seine Chancen, er rechnet mit der spätesten Zukunft, mit seiner Pensionierung oder mit der Arbeit seiner Söhne [. . .] Aber nach der Begegnung mit dem Absurden ist alles erschüttert."[57] Bernhard gestaltet diese Erschütterung als gründliche Verstörung.[58] Aus ihr soll entstehen die Skepsis gegen alles, was die menschliche Ratio in einen irrational verlaufenden Fortschritt einspannen möchte. Dabei erweist sich Bernhard als ahnungsvoller Querschläger gegenüber falschen Sicherheiten, er stößt die Leser auf die Erkenntnis von Verdrängungen, deren massivste den Tod betrifft. Als Das Kalkwerk erschien, waren Absagen an kollektive Euphorien noch nicht so gängige Münze wie heute, und Skepsis gegenüber der Politisierbarkeit des Menschen ebenfalls nicht.[59] Ob man allerdings der Zerstörung solcher Illusionen ein „unwillentlich revolutionäres" Moment zuschreiben kann,[60] bleibt eine Frage.

Anmerkungen

Thomas Bernhards Werke werden nach folgenden Ausgaben zitiert (die Seitenangaben erfolgen in Klammern nach den Zitaten im Text, in Einzelfällen in Fußnoten).

In hora mortis. Salzburg 1958; *Verstörung* (1967), Frankfurt/M: 1979; *Ungenach.* Frankfurt/M. 1968 (= e.s. 279); *Watten.* Frankfurt/M. 1969 (= e.s. 353); *Das Kalkwerk.* Roman (1970). Frankfurt/M. 1976 (= suhrk. taschenbuch 128); *Drei Tage.* In: *Der Italiener* (1971). München: dtv 1973, S. 78-90; *Korrektur.* Frankfurt/M.: Suhrkamp 1975; Die Salzburger Stücke = *Der Ignorant und der Wahnsinnige, Die Macht der Gewohnheit.* Frankfurt/M. 1975 (= suhrk.taschenbuch 257); *Der Keller.* Salzburg: Residenz 1976; *Minetti,* Frankfurt/M.: Suhr-

kamp 1977: *Der Atem.* Salzburg: Residenz 1978; *Der Stimmenimitator.* Frank-
furt/M.: Suhrkamp 1978; *Der Weltverbesserer.* Frankfurt/M.: Suhrkamp 1979:
A Doda. Für zwei Schauspielerinnen und eine Landstraße. In: *Die Zeit.* Nr. 51.
12.12.1980. S. 40; *Am Ziel.* Frankfurt/M. Suhrkamp 1981; *Ave Vergil* (1959/60).
Frankfurt/M.: Suhrkamp 1981.

1 Ingeborg Bachmann: „Thomas Bernhard. Ein Versuch" (Entwurf). In: I.B.:
   Werke, Bd. 4. München, Zürich: Piper 1978. S. 363.
2 Wendelin Schmidt-Dengler: „Thomas Bernhard." In: *Deutsche Literatur der
   Gegenwart in Einzeldarstellungen.* Bd. II. Hrsg. von Dietrich Weber. Stuttgart
   1977. S. 73 (= Kröners Taschenausgabe 383).
3 Hans Christoph Buch: „Negative Idylle." In: *Der Monat* 22 (1970), S. 111.
4 Wendelin Schmidt-Dengler: „Elf Thesen zum Werk Thomas Bernhards". In:
   Studien zur Literatur des 19. und 20. Jahrhunderts in Österreich. FS f. A.
   Doppler. Hrsg. von J. Holzner, M. Klein, W. Wiesmüller. Innsbruck 1981,
   S. 233.
5 Dies gleichzeitig auch als Erwähnung eines Teils der Literatur über Bernhard:
   Josef Donnenberg: „In der Finsternis wird alles deutlich" – *Über Thomas
   Bernhard.* In: German Studies in India, Bd. 4 (Dez. 1980). Nr. 4. S. 215-221:
   ders.: „Gehirnfähigkeit der Unfähigkeit der Natur". Zu Sprache, Struktur und
   Thematik von Thomas Bernhards Roman 'Verstörung'. In: *Peripherie und Zentrum.* Hrsg. von G. Weiss und K. Zelewitz. Salzburg u.a. 1971. S. 13-42; Herbert Gamper: „Einerseits Wissenschaft. Kunststücke andererseits." Zum Theater Thomas Bernhards. In: *Text u. Kritik. Thomas Bernhard.* Heft 43 (Juli
   1974). S. 9-21; ders.: „Eine durchinstrumentierte Partitur Wahnsinn". In: An-
   neliese Botond (Hrsg.): *Über Thomas Bernhard,* Frankfurt/M. 1970, S. 130-
   136 (= ed. suhrk. 401); Hans Höller: „Es darf nichts Ganzes geben" und „In
   meinen Büchern ist alles künstlich". Eine Rekonstruktion des Gesellschaftsbil-
   des von Thomas Bernhard aus der Form seiner Sprache. In: Manfred Jurgensen
   (Hrsg.): *Bernhard. Annäherungen.* Bern und München: Francke 1981. S. 45-
   63; Wendelin Schmidt-Dengler: „Der Tod als Naturwissenschaft neben dem Leben, Leben". In: Botond (Hrsg.), diese Anm., S. 34-40; Uwe Schweikert: „Im
   Grunde ist alles, was gesagt wird, zitiert". Zum Problem von Identifikation und
   Distanz in der Rollenprosa Thomas Bernhards. In: *Text u. Kritik.* diese Anm.
   S. 1-8.
6 Z.B. von J. Donnenberg: „Zeitkritik bei Thomas Bernhard". In: *Zeit- und Gesellschaftskritik in d. österr. Lit. d. 19. u. 20. Jhs.* Wien 1973. S. 115-143: Si-
   gurd Paul Scheichl: „Nicht Kritik, sondern Provokation. Vier Thesen über
   Thomas Bernhard und die Gesellschaft". In: *Studi Tedeschi* 22 (1979), H.1,
   S. 101-119; ferner Ausschnittsdokumentationen in Jens Dittmar (Hrsg.): *Thomas Bernhard. Werkgeschichte.* Frankfurt/M. 1981 (= suhrk.taschenb. 2002).
7 Reinhard Baumgart in: *konkret* 5/1971. S. 55-57.
8 Donnenberg, „In der Finsternis [. . .]" Anm. 5. S. 216.
9 Schweikert, Anm. 5, S. 1.
10 Peter Laemmle: „Stimmt die 'partielle Wahrheit' noch? Notizen eines abtrün-
   nigen Thomas Bernhard-Lesers". In: *Text u. Kritik* Anm. 5, S. 45.
11 Hans Höller: *Kritik einer literarischen Form. Versuch über Thomas Bernhard.*
   Stuttgart 1979 (= Stuttg. Arbeiten zur Germanistik/Salzburger Reihe 1), S. 2;
   vgl. auch, mit einem anders gefaßten Begriff von Entfremdung, Karin Bohnert:

Ein Modell der Entfremdung. Eine Interpretation des Romans „Das Kalkwerk"
von Thomas Bernhard. Wien 1976.

12 „In meinen Büchern ist alles künstlich". In: *Drei Tage,* S. 82.

13 In: Botond (Hrsg.), Anm. 5, S. 96.

14 Josef Donnenberg: „Thomas Bernhard und Österreich. Dokumentation und Kommentar". In: *Österreich in Geschichte und Literatur,* 1970, Mai-Heft, S. 241.

15 Ein Thema, das die Bernhard-Kritik spaltet, kann hier nicht behandelt werden. Es ist die Frage, wie eng oder wie allgemein sich Bernhard in seinen Werken auf Österreich bezieht. Dazu vgl. Donnenberg, Anm. 14. Einerseits wird behauptet, daß Bernhard nur innerhalb eines austriakischen Rahmens verständlich werde. Andererseits wird darauf abgehoben, daß österreichisches Ambiente bei Bernhard nur Beispielcharakter habe für ein umfassendes Bild der Welt. So wichtig es ist, nicht alles bei Bernhard voreilig zum Bild allgemeiner menschlicher Befindlichkeit zu erklären, so wichtig ist es, bei Bernhards Osterreise-Bezügen nicht stehenzubleiben. Zu Bernhards Schauplätzen schlage „ein spezifischer Lokalton nicht zu Buche" (Jens Trismar: *Gestörte Idyllen.* München 1973, S. 107); dazu auch Gerhard P. Knapp in ÖGL 15 (1971), S. 348, wo der synekdochische Charakter Österreichs bei Th. B. hervorgehoben wird.

16 Vgl. auch Bernhard Sorg: *Thomas Bernhard.* München: Beck & Text + Kritik 1977, S. 139 (= Autorenbücher 7).

17 Höller, „Es darf [. . .]", Anm. 5.

18 Ludwig Wittgenstein: *Philosophische Untersuchungen.* Frankfurt/M. 1971, S. 138 (= suhrk. taschenbuch 14).

19 Vgl. Herbert Gamper: *Thomas Bernhard.* München: dtv 1977, S. 26 (= Dramatiker des Welttheaters).

20 Schmidt-Dengler, „Der Tod als [. . .]", Anm. 5. S. 34.

21 Deshalb ist es gerade bei Thomas Bernhard fast unmöglich, sich interpretatorisch auf ein einziges Werk zu beschränken. Dies gilt auch für den vorliegenden Aufsatz.

22 Vgl. Sorg. Anm. 16, S. 150.

23 Thomas Bernhard: „Der Wahrheit und dem Tod auf der Spur". In: *Neues Forum* XV, Mai 1968, S. 347.

24 Hier zit. aus: Anton Kräftli, „Die Wörter, an die wir uns anklammern", In: *Aargauer Tagblatt.* 27.11.1970. Abdruck in: *Büchner-Preis-Reden 1951-1971.* Stuttgart: Reclam 1972. S. 215f.

25 Zu diesem Thema, am Beispiel von „Die Macht der Gewohnheit", vgl. Karlheinz Rossbacher: „Quänger-Quartett und Forellenquintett. Prinzipien der Kunstausübung bei Adalbert Stifter und Thomas Bernhard". Erscheint in einem Sammelband zu Thomas Bernhard, hrsg. von D. Goltschnigg u.a., Athenäum-Verlag, 1983.

26 Vgl. den gleichnamigen Abschnitt bei Gamper, Anm. 19.

27 Schmidt-Dengler, „Der Tod als [. . .]", Anm. 5, S. 39.

28 Hinweis von Jens Tismar. Anm. 15, S. 134 auf ein Werk von Victor Urbantschitsch, *Über methodische Hörübungen und deren Bedeutung für Schwerhörige.* Wien 1899.

29 Vgl. Sorg, Anm. 16, S. 53.

30 Vgl. H. Höller: *Die Eisenbahnfahrt im expressionistischen Gedicht.* Unveröff.

MS; die Behandlung der Plötzlichkeit in Anlehnung an K.H. Bohrer uns S. Ledanff.
31 In: Josef Kaut (Hrsg.): *Salzburg von A-Z*. Salzburg. Wien: Alpen-Verlag 1954, S. 208f.
32 Z.B. aus *Unter dem Eisen des Mondes*. Köln 1958, S. 50: „Kein Gebet / wird mich am Abend / trösten / und kein Baum / verstehn". M. Mixner in: „Vom Leben zum Tode. Die Einleitung des Negations-Prozesses im Frühwerk von Thomas Bernhard." In: Jurgensen (Hrsg.), Anm. 5, S. 50 erwähnt den Lyrikband *Die Irren – die Häftlinge*, Klagenfurt 1962, als die entscheidende Wende bei Bernhard; die Gedichte datieren aus der Zeit nach 1956/57.
33 Albert Camus: *Der Mythos von Sisyphos*. Ein Versuch über das Absurde (1942) Dt. 1956. rowohlts deutsche enzyklopädie. 1959, S. 29. Im folgenden Camus, MvS.
34 Camus, MvS, S. 17f.
35 Aus Lenaus Doppelsonett „Einsamkeit". Vgl. dazu Karlheinz Rossbacher: „Lenaus Doppelsonett „Einsamkeit". In: *Peripherie und Zentrum*. FS für A. Schmidt. Hrsg. von G. Weiss und K. Zelewitz. Salzburg 1971. S. 269-283.
36 Camus, MvS, S. 22 und S. 18.
37 Camus, MvS, S. 52.
38 Camus, MvS, S. 13.
39 Camus, MvS, S. 15.
40 Camus, MvS, S. 80.
41 „Mein besonderes Kennzeichen heute ist die Gleichgültigkeit, und es ist das Bewußtsein der Gleichwertigkeit alles dessen, das (!) jemals gewesen ist . . ."; *Servus* und *es ist alles egal*, hatte er zum Abschluß gesagt, als ob ich das gesagt hätte"; *Der Keller*, 166.
42 W. Schmidt-Dengler: „Von der Schwierigkeit, Thomas Bernhard zu lesen. Zu Thomas Bernhards 'Gehen' ". In: Jurgensen (Hrsg.). Anm. 5, S. 133.
43 Claudio Magris: „Geometrie und Finsternis. Zu Thomas Bernhards 'Verstörung'." In: *Etudes Germaniques* 33 (1978). S. 284. Dazu u.a. auch: Maier in Botond (Hrsg.), Anm. 5, S. 18f. über die Sprachform im Bild konzentrischer Kreise; dagegen – und überzeugender – Lederer im selben Band, S. 56 im Bild der Verbindung von Kette und Kreisform, also Spirale.
44 Schweikert, Anm. 5, S. 3.
45 Vgl. *Terminologie zur neueren Linguistik*. Zus. gestellt von Werner Abraham u.a. Tübingen 1974. S. 463 (= Germanist. Arbeitshefte, Erg. reihe 1).
46 Z.B. von Schmidt-Dengler, Der Tod als [. . .]", Anm. 5. S. 35f; Gamper, Anm. 19, S. 27.
47 *Die Zeit*, Nr. 12, 19.3.1982, S. 42.
48 S. Anm. 24.
49 Urs Widmer: „Ablenken von der Angst". In: *FAZ*. 13.10.1970.
50 Alois Eder: „Perseveration als Stilmittel moderner Prosa. Thomas Bernhard und seine Nachfolge in der österreichischen Literatur". In: *Studi Tedeschi* 22 (1979), H. 1. S. 77ff, 84f. unter Berufung auf Joseph Grimes bzw. William Labov und Joshua Waletzky: Narrative Analysis – Oral Versions of Personal Experience. In: June Helm (ed.): Essays on the Verbal and Visual Arts. Seattle 1964.
51 Der Aufgabenstellung bei Sorg, Anm. 16, die Rolle der Musik bei Bernhard zu untersuchen, hat sich am bislang ausführlichsten M. Jurgensen unterzogen:

„Die Sprachpartituren des Th. B.", in: Jurgensen (Hrsg.), Anm. 5, S. 99-122.
52 Th. B.: „Monologe auf Mallorca. Gestaltung von Christa Fleischmann", FS 2, 11.2.1981. In: *ORF-Nachlese 4* (1981), S. 7.
53 Albert Camus: *Tagebücher 1935-1951.* Reinbek 1972. S. 160 (= rororo 1474).
54 Scheichl. Anm. 6, S. 102: „Die bloße Äußerung des Abscheus vor der Gesellschaft kann nicht sinnvoll als Kritik bezeichnet werden."
55 Erich Trunz: „Die Liebe, die Tat, die Idee, Ein Gespräch über Goethe im Jahr 1949". In: *Die Zeit.* Nr. 12. 19.3. 1982. S. 40.
56 Theodor Fontane: *Effi Briest.* München 1968. S. 294.
57 Camus. MvS, S. 51.
58 Minetti, S. 25: „Die Welt will unterhalten sein / aber sie gehört gestört".
59 Günter Blöcker: „Wie Existenznot durch Sprachnot glaubhaft wird. Preisrede auf Thomas Bernhard." In: *Merkur* 24 (1970), S. 1185.
60 Magris, Anm. 43, S. 295.

RAINER NÄGELE

Peter Handke: *Wunschloses Unglück* (1972)

> Doch es kehret umsonst nicht
> Unser Bogen, woher er kam.
> (F. Hölderlin)

1. Schwierigkeiten über einen Text zu schreiben

Ehe man zu schreiben beginnt, gibt es eine Sprache, gibt es Codes, Begriffe, Schemata, Konventionen. Handkes Poetik wie seine Schreibweisen sind Widerstand gegen solche Vorgaben. Doch wer das schreibt, findet sich bereits im Dickicht der Klischees und Sprachformeln von der irritierenden, widerständigen Aufgabe der Literatur.[1] Was die poetisch-literarischen Texte abzuwehren suchen, drängt den kritischen Texten sich wieder auf.

Es hilft nichts, dem einfach auszuweichen. Wer über literarische Texte schreibt, schreibt am Kontext der Literatur mit, und die Konstellation allzu gefügiger und, wie Handke gelegentlich schreibt, „leicht fertiger" Formeln sind Teil davon. Man kann damit beginnen, sie zur Kenntnis zu nehmen. Es wäre dies eine Annäherung an den Text: „Nun ging ich von den bereits verfügbaren Formulierungen, dem gesamtgesellschaftlichen Sprachfundus aus [. . .]" (S. 42).[2] Eine solche Annäherung wird problematisch und paradox zugleich erscheinen: problematisch, weil sie die strikte Trennung von kritischem und erzählerischem Text aufhebt, paradox, weil die griffigen Formeln den Text entfernen, statt ihn zu nähern. Beides aber bringt uns in die nächste Nähe dessen, was Handkes Erzählung tut, so daß eine solche Schreibweise nicht bloß über den Text spricht, sondern von ihm handelt.

Es geht, hier und in Handkes Text, um das Verhältnis einer bestimmten, eigensinnigen Existenz — einer Person, eines Textes — zum sowohl bestimmten als auch unbestimmten Allgemeinen, das als Gesellschaft, als Sprache, als Literaturbetrieb auftritt. Dieses Verhältnis hat in der Feuilletonkritik und in der Literaturgeschichtsschreibung seit den sechziger Jahren als Opposition von Subjektivität und Innerlichkeit gegen Sachlichkeit, Objektivität und politisches Engagement sich festgeschrieben. Kaum ein literaturhistorischer Text über die 70er Jahre unterläßt es, die 'neue Innerlichkeit' und 'neue Subjektivität' der politischen Literatur der sechziger Jahre entgegenzusetzen.[3] Ob diese Geschichte polemisch, positiv oder neutral zur Darstellung kommt, signalisiert jeweils ideologische Positionen, deren Differenz jedoch unbedeutend ist gegen die gemeinsame implizite Ideologie, die zur Konstruktion einer solchen Opposition führt. Subjektivität, Innerlichkeit, Ichbezogenheit erscheinen ohne Begriffsarbeit austauschbar und als immer schon vorausgesetzte Bekannte.[4]

Es gibt doch Subjektivität? Vielleicht; aber wer sie zu lesen verstünde, angenommen sie wäre lesbar, dürfte Schwierigkeiten haben, daraus eine Geschichte, eine

Tendenz oder gar Tendenzwende zu konstruieren. Es gibt doch Symptome, Häufungen bestimmter Schreibweisen? Gewiß: Tagebücher, Ich-Erzählungen, Autobiographien und autobiographische Romane, Gestus der Ehrlichkeit: „Das ist ein aufrichtiges Buch . . ."[5] Mit etwas Belesenheit in der Gegenwartsliteratur läßt sich leicht ein eindrucksvoller Katalog von Namen und Titeln mit den passenden Symptomen zusammenstellen. Bloß darf die Belesenheit nicht ins Lesen verfallen, sonst beginnen die Symptome eine Sprache zu sprechen, in der ganz andere Subjekte sich versprechen. Die Tagebücher und Autobiographien, statt Subjektivität, Ich und Individualität in selbstbehauptender Dreieinigkeit zu verschmelzen, könnten sie in Frage stellen; die ehrlichen Sätze sich als Gestus, Rolle oder Selbsttäuschung erweisen.[6] Das Material, das die Symptome zur Literaturgeschichtsschreibung liefert, sind höchst selten die Texte und deren konfliktreiche immanente Verschlingung und Bewegung, sondern, was sich scheinbar fixieren läßt: Titel, Texttypen, Namen, Sätze von Schreibenden über ihr Schreiben und schließlich der gespenstische Zirkel, in dem ein Kritiker ein Dutzend andere zitiert, um zu beweisen, daß alle von Subjektivität reden, daß wir also im Zeitalter der neuen Subjektivität leben.

Immanent-systematische Probleme der Literaturgeschichtsschreibung verschränken sich mit spezifischen Konstellationen des gegenwärtigen Literaturbetriebs. Immanent ist ein gewisser Widerspruch zwischen dem, was der aufmerksamen Lektüre sich aufdrängt und der Konstruktion von Geschichte. Dieser Widerspruch besteht aber nicht in der bloß oberflächlichen Entgegensetzung eines unvermittelt Individuellen gegen das Allgemeine. Daraus entsteht nur der falsche Gegensatz von 'Textimmanenz' und gesellschaftlich-historisch orientierter Literaturkritik, wie sie in den fünfziger und sechziger Jahren und teils noch bis heute ideologische Fronten bildete. Dagegen plädierte bereits Peter Szondi für eine Vermittlung von Textimmanenz und Geschichte.[7] Folgt man nun aber diesem hermeneutischen Pfad und verzichtet darauf, ein phantomhaft unvermitteltes Individuelles einem ebenso phantomhaft konstruierten Allgemeinen entgegenzusetzen, so erscheint der Konflikt auf einer andern Ebene: im Modus der Vermittlung selbst. Diese stellt sich nämlich bei geduldiger Lektüre – hier hilft nur noch die Katachrese – als verknotet und durchlöchert zugleich heraus, so daß es niemals möglich ist, an irgendeiner Stelle in der Mikrobewegung des Textes das Individuelle oder das Allgemeine zu bestimmen. Nur die Makrobewegung des Textes erzeugt den Schein eines homogenen Zusammenhangs. Was also die Lektüre in Frage stellt, ist die Homogenität des Zusammenhangs, auf den die dominante Form der Geschichtsschreibung sich beruft, indem sie ihn nachträglich konstruiert.

Die homogene Geschichte braucht ein homogenes Subjekt. Grammatisch tritt es meist als „man" in den Literaturgeschichten auf: „Hatte man bisher den entsagungsbereiten Positivisten als vorbildlich empfunden, so begeisterte man sich jetzt für den anspruchsvollen Erzieher [. . .]"[8] „Man spricht in eigener Sache: In der Tat gehört das autobiographische Genre zu den florierenden schon seit Anfang der sechziger Jahre."[9] Was mich an diesen Beispielen interessiert, ist nicht die Geste der Verallgemeinerung an sich, die ihren heuristischen Wert hat, sondern die reflexive Grammatik, die dem künstlichen grammatischen Subjekt reflexive Tätigkeit zuschreibt: man begeistert sich, man spricht in eigener Sache. Beide Sätze sprechen von der Ablösung einer sachlichen, naturalistischen bzw. politisch-gesellschaftlich orientierten Zeit durch eine Zeit, in der „man" „sich" dem Subjektiven zuwendet.[10] Die Grammatik der Sätze aber sagt etwas anderes, indem sie als Subjekt das Über-Subjektive, Über-Individuelle setzt. Die Sätze, die so 'Subjektivität' konstruieren, lösen sich nicht einfach in einen Widerspruch auf, aber sie stellen ein Problem, an dem der Begriff *sich* abarbeiten müßte.

Solche Arbeit trifft auf den Widerstand bestimmter Konstellationen des Literaturbetriebs und gesellschaftlicher Zwänge. Sie reichen von den institutionalisierten Zwängen des Rezensionsbetriebs, möglichst schnell, möglichst viele *zitierbare* Formeln und Sätze über Texte zu produzieren, zu immanenten angstbesetzten ideologischen Zwängen. Zwar gab es besonders nach 1965 eine intensive Selbstreflexion und Selbstkritik innerhalb der Literaturkritik.[11] Aber die Form dieser Selbstkritik war an der Produktion neuer Ängste und Tabus, die sich *gegen* die Texte richteten, beteiligt. Aus dem Bedürfnis, die gesellschaftlich-relevanten Aspekte der Literatur zur Sprache zu bringen, die in der vermeintlichen Textimmanenz der fünfziger Jahre weitgehend ausgespart waren, entwickelte sich eine intensive Angst gegen jede Versenkung in Texte. Nicht nur gedankenlose Ideologen und selbstherrliche Kritikerpäpste schrieben (und schreiben weiterhin) an der Textblindheit, sondern auch sensibilisierte Leser und Schriftsteller treten aus Schuldgefühlen über vermeintlich 'bürgerliche' Verhaltensweisen die Flucht nach 'außen' an. Die Politisierung der sechziger Jahre war aber ihrerseits keineswegs der bloße Widerspruch zu Subjektivität und Innerlichkeit, sondern mitmotiviert von einer Sensibilisierung von Subjekten, die an den Zuständen litten, ehe sie dieses Leiden undialektisch in der strammen gesellschaftskritischen Analyse versteckten.

Was als Analyse sich gibt, kann auch ihr Gegenteil sein: Abwehr und Widerstand gegen die Insistenz dessen, was in den Texten anspricht. Wo jemand insistent *sich* auf die Verkettung der Gedanken, der Assoziationen, auf das Gleiten der Signifikanten einläßt, ist die Kritik schnell mit psychiatrischem Vokabular bereit. „Monomanie"[12] heißt die 'kritische' Ausgrenzungsvokabel, weil nichts den kritischen und akademischen Betrieb mehr stört und irritiert als die Intensität eines Denkens, das den Bahnungen der gleitenden Signifikanten und Assoziationsketten auch da folgt, wo sie unbequem werden. Die Psychiatrie ist bis heute der Ort, wo das ausgegrenzt wird, was die institutionelle und gesellschaftliche Sicherheit bedroht, weil es deren konstitutiver Ab-Grund ist.

2. Vor-Sätze: Zu Handkes Poetik

Die von eingen Kritikern zur Psychose erklärte Anstrengung der Wahrnehmung und der poetischen Verfahrensweise ergibt eine Kontinuität in der Diskontinuität von Handkes Werk. Die Differenz zwischen der sprachexperimentellen frühen Prosa und den späteren Erzählungen seit der *Angst des Tormanns beim Elfmeter* ist der Effekt einer Poetik, die um der Heimkehr zu 'sich selbst' willen die immer erneute Trennung vom Bekannten (und deshalb Unbekannten) verlangt. In der Dialektik dieser Poetik ist Beisichbleiben schon Selbstverlust. Das ist das Grundthema von Handkes Kritik an Karin Strucks *Die Mutter:* „Sie ist anders geworden – indem sie schreibt wie früher. Das Höchstpersönliche von 'Klassenliebe' hat sie in der 'Mutter' als Rolle angenommen [. . .]. Das Höchstpersönliche als Schema."[13] Darin ist kondensiert lesbar eine Kritik an der Konstruktion von Subjektivität aus Symptomen wie 'Ich-sagen', Bekenntnisliteratur, Tagebüchern usw. Alle diese Symptome sagen nichts aus über den Status von Subjektivität, weil Subjektivität gerade nicht an einem Signifikanten sich bildet, sondern in der jeweiligen Differenz einer bestimmten Konstellation. Vorsatz des Schreibenden ist für Handke, in immer neuen Ansätzen, diese Differenz aufscheinen zu lassen. Schriftsteller sind Menschen, „für die es keine vorgegebene Erkenntnis, nichts Selbstverständliches, nichts in den Mund Gelegtes und bereits zu Ende Gedachtes geben darf",[14] die „von Anfang an alles, was der Fall ist – das vorinterpretierte System von Tatsachen, das als 'Welt' auftritt – entwirklichend fremd erleb(en)."[15]

Indem solche Sätze herausgenommen und für sich zitiert werden, werden sie freilich sogleich zu ideologischen Sätzen verdinglicht. Sie sind für sich genommen unwahr, weil sie tun, als gäbe es ein Sprechen ohne die Vorgabe der Sprache, der Codes und der interpretatorischen Horizonte der „Welt". Wahr werden solche Sätze als Resultat eines Prozesses der Reflexion, die ausgehend von der vorgegebenen „Welt" diese zersetzt, erschüttert, um in einer neuen Reflexion zu 'ihr', die nun nicht mehr dieselbe ist, zurückzukehren und sie als neue in einer neuen Sprache erfahrbar zu machen.[16] Die Poetik arbeitet an der Dialektik der Wiederholung sich ab. Poetik als Revolution der Sprache und Wahrnehmung dreht, wie alle Revolution, sich auch um den Wortsinn des Umdrehens 'desselben' herum. Nur indem dasselbe wiederkehrt, gibt es Wiederholung und Identität, indem 'es sich' aber wiederholt, ist es nicht mehr dasselbe. Das gilt, wie Marx im Aufsatz über den *18. Brumaire* gezeigt hat, auch für gesellschaftliche Revolutionen.

Handkes Poetik bleibt nicht bei der Bewegung der Verfremdung, des Unbekanntmachens des Bekannten stehen. Sie will darüber hinaus, genauer: schon darin das Neue als Gegenbild positiv hervorbringen. Damit unterscheidet Handkes Poetik sich von Adornos Ästhetik und negativer Dialektik, mit der sie den Gestus der radikalen Verfremdung teilt. Adorno setzt trauernd das Bildverbot für Utopie, um sie zu retten vor der Verdinglichung und Verzerrung. Handke will das jubelnde Bild einer neuen Welt, das Menschenmögliche aus den Ruinen der alten herausschreiben. So ist der Schriftsteller für ihn „jemand, der für andere die verdrängten und unterdrückten Wünsche und Befürchtungen seiner Epoche [. . .] formuliert",[17] einer, der wie Stifter „eine künftige Wirklichkeit" vorbereitend entwirft.[18] Es sollen daraus „befreiende, sachliche VISIONEN" vom Leben der Menschen" hervorgehen.[19] Die Sätze der Kunst wollen „eine Menschenmöglichkeit erscheinen" lassen[20] und die Wünsche beflügeln „zu sich entfaltenden Vorstellungen."[21]

Daß eine solche Poetik Risiken eingeht, liegt auf der Hand. Vom Konflikte verdrängenden rosigen Kitsch bis zum zähnebleckenden Krokodillächeln positiven Denkens stehen alle nur denkbaren Fallen einer affirmativen Kultur weit offen.

Die schlimmste Falle aber ist wahrscheinlich der kritische Abwehrgestus selbst mit der ängstlichen Frage, wohin das denn führen könnte, was allemal die Frage erübrigt, was eine spezifische Arbeit und Konstellation *tut*. Die scheinbare politische und moralische Besorgnis verbirgt die Unfähigkeit und Unwilligkeit, sich auf irgend etwas wirklich einzulassen.[22] Daß das Risiko utopischer Bilder und Sprache zum Kitsch oder nur noch Preziösen führen können, befreit nicht von der Arbeit des Prüfens am Einzelnen.

3. Zum Text: „Wunschloses Unglück"

Im Rückblick auf das bisher erschienene Corpus von Handkes Schriften, zeichnet aus dieser Nachträglichkeit eine bestimmte Konstellation sich ab: die gewaltsamen, schmerzlichen Trennungen der frühen Sprachexperimente, die Abschied nehmen wollen von der vertrauten Sprache, den vertrauten Schemata des Erzählens und Arrangierens, führen in einem weiten Bogen scheinbar dahin zurück, wovon sie sich losrissen. Eine solche Rückkehr kommt freilich nicht mehr dort an, von wo sie ausging.[23] Was sich in der Bewegung der Form als Trennung und Rückkehr beschreiben läßt, hat sich unterdessen auch explizit als thematischer Bogen zumindest des Erzählwerks ausgeprägt: von den Trennungen, Fluchten, Abschieden wendet die Thematik zunehmend der Heimkehr sich zu. Freilich ist es, wie der Titel einer neueren Erzählung lautet, eine *Langsame Heimkehr*.[24] Und noch mit *Über die Dörfer*, einer Art Festspiel der Heimkehr, ist unabsehbar, wo die Ankunft statthaben wird.

In dieser Bewegung und Konstellation nimmt *Wunschloses Unglück* eine besondere Stellung ein. Formal wurde die Erzählung vielfach nicht nur als Rückkehr zum Erzählen begrüßt, sondern sogar zum 'realistischen' Erzählen. Thematisch sind Trennung und Heimkehr hier aufs intensivste verwoben: der Tod der Mutter bewirkt schmerzliche Trennung für den Sohn und gleichzeitig seine besuchsweise Rückkehr zum Ort, der Fremde und Heimat in einem ist.[25]

Das Ineinander von Trennung und Rückwendung zum Ort bei sich, der im günstigsten Fall Heimat sein kann, beginnt im Schreibakt selbst, wenn jemand über und von sich schreibt. Was an jedem Schreiben teil hat, von sich wegschreibend über sich schreiben, erscheint hier zugespitzt als Gattungsproblem: (Auto-)Biographie oder Fiktion? Die Bezeichnung „Erzählung" entscheidet nicht fürs eine oder andere. Erzählt wird von einem 'realen' Referenten mit dem Namen Handke über eine 'reale' Person, dessen Mutter. Indem nun aber dieser reale Referent mit Namen Handke in der realen Welt als Autor literarischer Texte bekannt ist, bewirkt die Realbeziehung selbst schon eine Literarisierung. Der Name ist Name eines literarischen Effekts. Der professionelle Literaturkritiker könnte sich das Problem erleichtern, indem er es umgeht und einfach vom „Erzähler" schreibt. Dieser in der Literaturwissenschaft übliche Kunstgriff hat seine Berechtigung als Kritik an einer naiven Identifizierung von Autor und Erzähler, führt aber, mechanisch angewandt, zu einer ebenso naiven bloßen Umkehrung, die die Reflexion auf die Konstellation von Erzähler und Autor ausschaltet. Sie geht von der Voraussetzung aus, es gebe einerseits eine reale selbstidentische Person 'Autor' und andererseits eine fiktive selbstidentische Figur 'Erzähler'. Vergessen wird dabei, daß die fiktive Figur buchstäblicher Effekt eines schreibenden Körpers und dieser Körper in der Tätigkeit des Autors Effekt und Moment des Schreibens ist.

Handkes Erzählung beginnt wenigstens zweimal, zum zeiten Mal auf Seite 12 bewußt die Arbitrarität alles Beginnens artikulierend: „Es begann also damit . . .“ Voraus gehen fünf Seiten Text, in denen nachträglich zum Erzählten die Voraussetzungen für diese Nachträglichkeit und die Verwicklungen von Erzählen und Erzähltem sich verknoten. „Es“ beginnt aber auch schon davor, denn „es“ ist zunächst konkret ein Buch, das leicht und schön gedruckt in meiner Hand liegt, ehe ich es lese, mit einem farbigen Schutzumschlag, auf dem der photographierte Autor in einer Landschaft steht. Der Autor ist doppelt in dieser Landschaft, vorne als Name in den Himmel über der Landschaft geschrieben, auf der Rückseite in photographierter Körperlichkeit unter einem Grasrand in einer Grube stehend. Name und Bild des Autors sind bereits als Zeichen in die Ökonomie des Buchmarkts eingesetzt. Die photogenen Suhrkampköpfe, auch als Poster aufhängbar, haben das Autorbild als Markenzeichen technisch perfektioniert. Das Markenzeichen wirkt durch seine Wiedererkennbarkeit, seine unveränderliche Identität, und die Suhrkampköpfe sagen, was es mit der Identität auf sich hat.

Handkes Bild zitiert diesen Kontext der Zeichen und setzt eine kleine Differenz zu den Suhrkampköpfen:[26] das Bild zeigt den ganzen Körper in der Grube (im Grab? im Raum der toten Mutter?). Es geht zunächst bloß um die Differenz. Würde sie nur einmal wiederholt, wäre sie schon voll aufgegangen im Markenzeichen. Der Titel enthält noch einmal diese Geste der Wiederholung und der Differenz: er zitiert eine Redewendung – wunschlos glücklich – und kehrt sie um. Vielleicht spricht auch von ferne Musils Ulrich bzw. Anders mit, der in einem Entwurf zum *Mann ohne Eigenschaften* über den Freund Walter sagt: „Ja, jetzt sitzt er fest, hat keine Kraft mehr, sich noch einmal zu verändern, ist zufrieden unglücklich“.[27] Ein Bob Dylan Motto variiert das Thema: „He not busy being born is busy dying“. Oder ist es vielleicht nicht das Thema, das diesen Satz zum Motto macht, sondern die Tatsache, daß da einer in flüssiger Lebens- und Sterbensweisheit die Initialen seines Namens stottert: b-b-b-b- -d (bob dylan)? *Peter Handke* weiß es oder weiß es nicht, jedenfalls fügt er ein zweites Motto an, das gezeichnet ist mit *Patricia Highsmith*. Ihre drei Sätze enthalten keine Lebensweisheit: Es sind reine Berichtsätze, Zeitangaben mit einer Magie, von der man nicht zu sagen weiß, woher sie kommt: „Dusk was falling quickly. It was just after 7 P.M., and the month was October“. Es gibt eine Tradition der Literaturkritik, die solche Sätze im O-wie-schön-ist-das-Ton analysiert, indem sie verzweifelt stotternd nach seriösen Begründungen für den Spracheffekt sucht: hört doch die wunderbare Korrespondenz zwischen der rhythmischen Kadenz dieser Sätze und dem, was sie beschreiben! Wie aber, wenn solche Effekte aus ganz unseriösen Gründen kämen? Oder als Summe konfliktgeladener, vielleicht überhaupt unvereinbarer Momente des Sprechens zwischen imaginärem Sinn und den sinnlichen Effekten vor allem Sinn? (Es kann sein, daß man solche Sätze auswendig weiß und doch plötzlich das Bedürfnis hat, sie zu *lesen*).

Titel, Motto, Umschlag, Buch bilden eine Signatur, die das vereint, was im Sprechen, Schreiben, in der Körperlichkeit der Buchstaben, des Buchs und des schreibenden Subjekts mit deren Effekten als Zeichen, Ware, Name und Sinn zusammentrifft, Zusammenhang vorspielend, ohne doch zum Schließen zu kommen. Freilich so überdeterminiert sind die Verknüpfungen zwischen den verschiedenen Momenten des Texts, daß immer ein *über*zeugender Zusammenhang sich konstruieren läßt, auch konstruiert sein will. Was diese überdeterminierte Signatur gibt, ist gewissermaßen die konfliktreiche Grammatik des Textes.

Es ist eine Grammatik, die zwischen Determinierung und Zufall unentscheidbar schwankt, wie das Genre dieser Erzählung im Konflikt zwischen der vom Autor und seiner Grammatik konstruierten Komposition und der Faktizität des Geschehens sich verwickelt. Die Überdetermination dieser Konstellation schlägt in einer Episode durch. Handke erzählt, wie er („ich") zur Beerdigung kommt und einen Briefaufgabeschein mit der Nummer 432 im Handtäschchen der Mutter findet. Es ist die Nummer des eingeschriebenen Briefs, in dem sie ihm ihr Testament geschickt hat. Auf dem Postamt, von wo der Brief abging, liegt noch die Rolle der Einschreibeetiketts und Handke bemerkt, daß die Nummer jetzt bei 442 angelangt ist und seit dem Brief der Mutter also 9 weitere Einschreiben von diesem Postamt gingen. 442 wird der zehnte sein. Was der Autor nicht sagt, ist, daß die Quersumme der beiden Zahlen 9 bzw. 10 ergibt, eine Koinzidenz ohne jede Konsequenz, mathematischer Eigensinn der Zahlen und grundlos wie das Bemerken der Zahlen selbst, vielleicht unter der Rubrik VERMISCHTES einzuordnen.

Dort, in der Kategorie, die von der Unzulänglichkeit der Ordnungsprinzipien zeugt, wird der Tod der Mutter als Selbstmord einer 51 jährigen Hausfrau berichtet. Handkes Text beginnt mit einem fremden Zitat, weniger Geste der Distanzierung als Konstatieren der schon gesetzten Distanz: der Tod der Mutter kam zuerst als *Nachricht,* nach der der Schreibende sich richtet im Versuch, schreibend aus der Nachricht Erfahrung zu machen. Das Schreiben wird doppelt begründet: im Bedürfnis und in einer Willensanstrengung. Wie kann aber das, was Bedürfnis ist, der Anstrengung bedürfen? Vom Bedürfnis heißt es, daß es „so unbestimmt" sei, daß „eine Arbeitsanstrengung nötig sein wird, damit ich nicht einfach, wie es mir gerade entsprechen würde, mit der Schreibmaschine immer den gleichen Buchstaben auf das Papier klopfe" (7). Das Bedürfnis geht also auf ein 'Schreiben' ganz anderer Art als die Arbeitsanstrengung aus. Das, was spontan mir entspricht, ist kein Sprechen, sondern die reine mechanische Wiederholung eines Buchstabens: Textmaschine ohne Text. Das Spontane ist alles andere als Ausdruck individueller Subjektivität. „Zur Spontaneität zurückkehren hieße zu den Stereotypen zurückkehren, aus denen unsere 'Tiefe' gemacht ist."[28] Die Arbeitsanstrengung erst skandiert die leere, mechanische Anschlagbewegung, hemmt sie, arrangiert sie, kurz: bringt artikulierten Text hervor, dessen sinnige Fügungen aber immer bedroht bleiben von der Sinnlosigkeit des Drängens des stotternden Buchstabens. Bob Dylans allzu sinnige Sentenz hat das im Motto schon vorgestottert.

Diese Bedrohung erscheint auf der semantischen Ebene als Entsetzen und Schrecken bedingt durch plötzliche Leerstellen, die in Form aller möglichen 'Losigkeiten' gedrängt auf den ersten zwei Seiten erscheinen: Sprachlosigkeit (7), kopfloses Dösen (7), fühllos (8), widerstandslos (8), schmerzlos (8), gegenstandslos (8), sinnlos (8). Eine Leerstelle löst die andere auf und die nächste aus: die „stumpfsinnige Sprachlosigkeit" wird „kopfloses Dösen", das gelegentlich in einen Zustand übergeht, in dem ein klarer Kopf erscheint, aber nur, um den ganzen Körper aufzulösen: „Der Kopf ganz klar [. . .] Es ist ein Entsetzen, bei dem es mir wieder gut geht: endlich keine Langeweile mehr, ein widerstandsloser Körper, keine anstrengenden Erfahrungen, ein schmerzloses Zeitvergehen" (8). Wenn hier Schreiben als Therapie versucht wird (und davon ist ausdrücklich die Rede S. 7 u. 92), und wenn Therapie in der Heilung des Schmerzes besteht, so fällt sie hier zusammen mit der Auflösung des Körpers ins Widerstandslose. Dies aber wäre, da das Wesen des Körpers Widerstand ist, der verweste Körper.

Die Rede ist von etwas, das es schon nicht mehr gibt: „Das ist jetzt vorbei, jetzt habe ich diese Zustände nicht mehr. Wenn ich schreibe, schreibe ich notwendig von früher, von etwas Ausgestandenem, zumindest für die Zeit des Schreibens" (10). Aber haben diese Zustände eine andere Existenz als die in der Zeit des Schreibens und dann als Geschriebene? „Indem ich sie beschreibe, fange ich schon an, mich an sie zu erinnern" (9). Beschreiben produziert die Erinnerung als Entäußerung: „Ich beschäftige mich literarisch, wie auch sonst, veräußerlicht und versachlicht zu einer Erinnerungs- und Formuliermaschine" (10). Die „Zustände" 'selbst' sind Leerstellen zwischen der stereotypen Wiederholungsmaschine 'innen' und der Schreibmaschine 'draußen': „Hin und wieder hatte ich eben 'Zustände': die tagtäglichen Vorstellungen, ohnedies nur die zum zigsten Male hergeleiteten Wiederholungen jahre- und jahrzehntealter *Anfangs*vorstellungen, wichen plötzlich auseinander, und das Bewußtsein schmerzte, so leer war es darin auf einmal geworden" (10). Wie jeder Text setzt auch dieser sich zusammen aus Typen und Leerstellen.

„Es begann also damit, daß meine Mutter vor über fünfzig Jahren im gleichen Ort geboren wurde, in dem sie dann auch gestorben ist" (12). Mit diesem zweiten Einsatz der Erzählung scheint eine neue Erzählweise sich durchzusetzen: versachlicht, objektiviert. Aber die Versachlichung ist Sache des schreibenden Subjekts und seiner Sprache, von der auch es geschrieben wird. „Es begann . . .". Da wo "es" beginnt, hat es längst schon begonnen: „Praktisch herrschten noch die Zustände von vor 1848" (12). Wieder ist von „Zuständen" die Rede, aber diese sind jetzt nicht mehr die eines Subjekts, sondern gesellschaftliche Verhältnisse. Dasselbe scheint nicht dasselbe. Was haben die herrschenden Zustände mit den Zuständen, die einer hat, zu tun? Sie sind markiert durch die Differenz des Orts, den das Subjekt einnimmt. Es ist eine Frage des Habens, des Eigentums. Die herrschenden Zustände hat man nicht, sie haben einen. Die herrschenden Zustände sind eine Frage der Eigentumsverteilung: Besitzer sind Adel und Kirche. Diesen herrschenden Zuständen lassen sich aber die Zustände, die man hat, nicht einfach entgegensetzen, es ist nicht einfach Sache einer grammatischen Umkehrung. Adel und Kirche haben keine Zustände, sie haben Grund und Boden. Sie haben Macht. Wer Zustände hat, hat nach dem Sprachgebrauch einen höchst fragwürdigen Besitz, er hat vor allem sich selbst *nicht*. So beschreibt ja auch Handke seine Zustände als Bewußtseinsleere und bemerkt, daß er sie gerade dann nicht hat, wenn er sie beschreibt.

Ein Bogen spannt sich von den Zuständen, die das schreibende Subjekt hatte (schreibend aber nicht hat) zu den herrschenden Zuständen, in die die Mutter hineingeboren wird. Es gibt eine Gleichheit in beiden: die Leere an der Stelle des Subjekts. Aber die beiden Leerstellen haben unterschiedliche Valenz. Die Zustände, die einer hat, sind Bruchstellen in den herrschenden Zuständen, potentielle Stellen, wo Subjektivität sich nachträglich feststellen kann: wo es war, soll ich werden.

Dort, wo es für die Mutter begann, ist der Ort einer durch die herrschenden Zustände verhinderten Ichwerdung (der Mutter) und der Versuch einer nachgeholten anderen Ichwerdung, der des schreibenden Subjekts. Für die Mutter ist der Ort, wo es begann, zuletzt auch der Ort des Todes. Dazwischen Trennungen, zwischen Trennungen und scheinbarer Heimkehr zaghafte Versuche, sich zu behaupten. Bis weit in den Text hinein tritt die Mutter immer wieder in der grammatischen Form des „man" auf, wenn 'sie' handelt. Man tut dies, man tut das. („Das tut man nicht" ist auch in der Gegend, wo ich aufgewachsen bin, heute noch eine geläufige Redensart). Spät erst kommen Momente trotziger Selbstbehauptung: „Allmählich kein 'man' mehr; nur noch 'sie'" (68). Es ist aber eine Selbstbehauptung nach der Auslöschung der Wünsche: ihre Statur ist Haltung: „Sie gewöhnte sich außer Haus eine würdige Miene an, schaute auf dem Beifahrersitz in dem Gebrauchtwagen, den ich ihr gekauft hatte, streng geradeaus" (68).

Handkes Genauigkeit im Schreiben und Beobachten (eine mühsam gelernte und immer wieder prekär gefährdete Kunst) folgt den Verschlingungen der Subjektivität bis in ihre Paradoxe hinein. Er läßt keine einfachen sentimentalen Gegensätze von Entfremdung und Selbstgefühl zu. In der privaten und, wie es scheint, 'unentfremdeten' Situation sitzt die Mutter in 'ihrem' Auto neben dem Sohn, aber auf dem Beifahrersitz, nicht am Steuer, und behauptet sich in starrer Haltung: Körper gewordene Maske. Andererseits zeigen sich Momente eines 'Selbstgefühls' zur Zeit des Austrofaschismus unter den Bedingungen der politischen Massenbewegungen, wo sie 'sich' fühlt, indem sie aus sich herausgeht: „Diese Zeit half meiner Mutter, aus sich herauszugehen und selbständig zu werden" (24). Wo ist da die 'wahre' Subjektivität?

Wo immer sie ist oder sein soll – vielleicht ist 'sie' nirgends als im Sollen – sie dauert nicht. Im letzten Sommer findet der Schreibende sie radikal entäußert: „Es war eine Pein zu sehen, wie schamlos sie sich nach außen gestülpt hatte" (72). So ist sie in der Tat 'aus sich herausgegangen'. In der Tat? Genauer muß man sagen: im Sehen des sich schreibenden Subjekts. Aber ehe wir dieser Verschlingung folgen, gehen wir einer andern Spur nach: drinnen/draußen. Als Ort des Subjekts wird gewöhnlich das Innere angenommen. 'Neue Subjektivität' und 'neue Innerlichkeit' sind im literaturkritischen Vokabular zu austauschbaren Begriffen geworden. Handke, der Autor der *Innenwelt der Außenwelt der Innenwelt* (1969) macht es sich nicht so leicht damit. Innen/außen sind Kategorien des Raums und der sinnlichen Anschauung, setzen das Außen nicht nur voraus, sondern sind 'draußen' im Raum gesetzt. In diesem 'Draußen' lokalisiert Handke auch zunächst die Innen-Erfahrung der Mutter: „Regen – Sonne, draußen – drinnen: die weiblichen Gefühle wurden sehr wetterabhängig, weil 'Draußen' fast immer nur der Hof sein durfte und 'Drinnen' ausnahmslos das eigene Haus ohne eigenes Zimmer" (18). Damit ist die Ökonomie von innen/außen von vornherein gestört: 'draußen' ist kein wirkliches Draußen, 'drinnen' kein wirkliches Drinnen. Diese Bewegung einer gestörten Außenwelt, die kaum zur 'Welt' wird, in eine gestörte Innenwelt ohne konsolidiertes Innen hat ihre Gegenbewegung: „Gerade die hellichten Tage wurden gespenstisch, und die Umwelt, im lebenslangen täglichen Umgang aus den Kinderalpträumen nach außen geschwitzt und damit vertraut gemacht, geisterte wieder durch die Gemüter als unfaßbare Spukerscheinung" (30). Die Konstitution der Grenze von innen/außen ist gleichzeitig ihre Aufhebung und erzeugt damit den Effekt des unheimlich Heimlichen.

Diese Geschichte handelt auch von Gespenstern, in ihnen ver- und entkörpert sie sich. Schon früh ist von der 'gespenstische[n] Bedürfnislosigkeit' des Großvaters die Rede (14). „Zustände aus einer Gespenstergeschichte", heißt es später (45), und hier ist schon fast unentscheidbar geworden, wessen Zustände es sind, die der Mutter oder die des Erzählers. Die Mutter sieht vor Schmerzen Gespenster (71) und wird selbst in den Augen des Sohns noch vor ihrem Tod, zum „Geist" (75). Die wiederkehrenden Gespenster, *revenants,* wie sie im Französischen heißen, markieren schmerzliche Stellen der Trennung und Versuche der Heilung. Gespenster müssen in mechanisch-zwanghaften Intervallen wiederkehren, bis sie ihre Ruhe finden. Die ruhelosesten sind die, um die niemand trauert. Gelungene Trauerarbeit beschwört und bannt sie endlich.

Handkes Erzählung ist auch ein Stück Trauerarbeit, unabgeschlossen und in diesem spezifischen Sinne nicht gelungen. „Es stimmt nicht, daß mir das Schreiben genützt hat" (92). Therapeutisches Gelingen und literarisches sind jedoch nicht identisch. Aber was heißt hier schon 'gelingen'? Für die Trauerarbeit ist das Ziel relativ einfach: die Anerkennung des Verlustes, Abzug der Libido vom verlorenen Objekt des Begehrens, Freiwerden für neue 'reale' Objekte. Ästhetische Phänomene haben eine besondere Affinität zur Trauerarbeit, ihr Ziel aber ist unbestimmter. Es wäre denkbar, daß ihre gelungenste Wirkung gerade in der Umkehr der Trauerarbeit läge: die Wunden der Trennung offenzuhalten, statt sie zu schließen. Aber auch das kann nicht ganz wahr sein, denn kaum ließe ästhetische Wirkung als Glück sich erfahren, wäre nicht auch ein Moment der Heilung in ihr, zumindest ein Versprechen davon.

Handkes Erzählung ist ein Stück Literatur, das von der Trauerarbeit handelnd die darin sich abspielenden Prozesse zum Modell eines Weltverhältnisses umschreibt. Wenn für Handke, das sich schreibende und geschriebene Subjekt, das Schreiben nichts nützt, hat das mit seiner spezifischen Stellung im Schreiben und Geschriebenen zu tun: er nimmt nämlich die im Text selbst kritisierte Position des unvollkommenen Lesers ein: die Position der Identifikation. So erscheint die Mutter als Leserin, die „jedes Buch als Beschreibung des eigenen Lebens" las (63). Eine indirekte Kritik folgt in der Brechtschen Geste des 'nicht-sondern': „Freilich las sie die Bücher nur als Geschichten aus der Vergangenheit, niemals als Zukunftsträume" (63f.). Nicht die Identifikation an sich gerät so ins kritische Licht, sondern die Identifikation mit sich als vergangener Person. Insofern aber reale Identität die verdinglichte Summe vergangener Zustände ist, die Zukunft aber nur mögliche Identität, geht es doch um Identifikation an sich, zumindest um die Identifikation, an der auch das schreibende Subjekt des Textes sich abarbeitet.

Handke schreibt sich mehrfach in den Text ein: als schreibendes Subjekt, das sich beim Schreiben zusieht und darüber schreibt (das schreibend-geschriebene Subjekt) und als Subjekt und Teil in der Geschichte der Mutter. Dabei fällt eine merkwürdige Diskrepanz auf: während das Ich als schreibend-geschriebenes in der Form der Reflexion immer wieder erscheint, taucht das geschriebene Subjekt der Geschichte der Mutter nur höchst spärlich auf. Zuerst lesen wir von ihm in der Begegnung mit dem Vater (27); in der Geschichte der Mutter tritt er eigentlich erst gegen Ende ihres Lebens auf, und die wenigen Begegnungen mit ihr handeln von Trennung und Unverhältnis: sie sitzt starr neben ihm auf dem Beifahrersitz, er überläßt sie „sich selber" (80). Nur einmal, in der gemeinsamen Lektüre, scheint so etwas wie eine Beziehung auf, aber auch die ist höchst gebrochen. Schauplatz der Begegnung ist Geschriebenes. Sonst nur noch ein paar Ding-Erinnerungen an die Kindheit (33).

Die wirkliche Beziehung zur Mutter, zu ihrer Geschichte und ihrem Körper, beginnt eigentlich erst nach ihrem Tod im Schreiben, auf dem Schauplatz der Schrift. Darin hat die Geschichte als Erzählung ihren Grund, wie auch die Nutzlosigkeit des Schreibens für das schreibend-geschriebene Subjekt: dieses hat sich nämlich zu tief in das Geschriebene hineingeschrieben. Die Sätze können „ein Abstandnehmen bloß behaupten" (92). Das Gespenst, die Mutter, ihr verwesender Körper kehrt wieder als der eigene Körper: „Noch immer wache ich in der Nacht manchmal schlagartig auf [. . .] und erlebe, wie ich bei angehaltenem Atem vor Grausen von einer Sekunde zur andern leibhaftig verfaule" (92). Das Entsetzen, von dem mehrfach auf den ersten Seiten die Rede ist, erscheint so wieder in der innigst-entsetzlichen Objektivation des Subjekts im verfaulenden Leib der Mutter: „das interesselose, objektive Entsetzen" (93). Der Sohn, vom Innern der Mutter abgeschnitten, Teil jener „im lebenslangen Umgang aus den Kinderangstträumen nach außen geschwitzten" Umwelt, kehrt in seinen Angstträumen dahin zurück. Je mehr die Mutter im Leben, im Tod und schließlich im Text 'sich' nach außen stülpt, desto mehr stülpt der Schreibende sich in sie, ihren Körper und in das ihn repräsentierende Corpus des Textes. Auf dem Schauplatz eines Textes findet auch, kurz vor dem Tod der Mutter, die Identifikation mit ihr und ihrem Körper ihr' Vorspiel. Der Sohn sieht den Körper der Mutter „verrenkt, zersplittert, offen, entzündet, eine Gedärmeverschlingung" (72). Was aber so den äußersten Abstand zu schaffen scheint, daß er „nicht mehr näher zu treten wagte", führt ihn der Verschlingung der Blicke angesichts des zerstückelten Körpers zur imaginären Identifikation über einen Text: „Und sie schaute von weitem zu mir her, mit einem Blick, als sei ich, wie Karl Rossmann für den sonst von allen erniedrigten Heizer in Kafkas Geschichte, ihr GESCHUNDENES HERZ" (72/73).

Phantasmatische und buchstäbliche Lektüre verschlingen sich zu einem fast unentwirrbaren Knoten: Der Erzähler findet die Mutter auf dem Bett liegend „mit einem so trostlosen Ausdruck, daß ich ihr nicht mehr näher zu treten wagte". Der Körper wird sogleich als *Ausdruck,* als Sprechendes gelesen. Dieses Gelesene ist eine merkwürdige Mischung von Verneinung des Körperlichen in der radikalsten

Körperlichkeit: „die fleischgewordene animalische Verlassenheit". Der Ausdruck, was der materielle Körper spricht, seine Metapher, wird auf seine materielle Bedeutung reduziert, der Ausdruck *ist* der nach außen gedrückte und gestülpte Körper, verdichtet noch in seinen Gedärmen, deren Funktion die Assimilation und Verwerfung des in den Körper Eingeführten ist. Diese Reduktion der Metapher 'Ausdruck' auf ihre körperlich-materielle Bedeutung ist ihrerseits aber nicht der wirkliche, damals äußerlich noch ganz daliegende Körper der Mutter, sondern die phantasmatische Lektüre dieses Körpers durch den entsetzten Blick des Erzählers. Diesem Blick antwortet der Blick der Mutter und verschlingt sich zu einer Textlektüre, freilich mit Differenz. Bei Kafka kann man lesen: „Der Heizer sah nach dieser Antwort zu Karl hinunter, als sei dieser sein Herz, dem er stumm seinen Jammer klage."[29] Es fällt auf, daß nicht, wie zu vermuten wäre, die kapitale Großbuchstäblichkeit in Handkes Text mit dem Kafka-Text identisch ist, sondern daß ein Teil davon bereits interpretierende Lektüre ist. Was textlich-buchstäblich identisch ist, ist außer dem Herzen eine grammatische Funktion: „als sei", die die Arbeit des identifizierenden und damit immer verschiebenden Lesens bezeichnet.

Die Lektüre treibt den Sohn körperlich von der Szene weg („Erschreckt und verärgert bin ich sofort aus dem Zimmer gegangen"), um ihn auf einer andern Szene mit der Mutter zu vereinigen: „Seit dieser Zeit erst nahm ich die Mutter richtig wahr [. . .]. Jetzt drängte sie sich mir leibhaftig auf, sie wurde fleischlich und lebendig" (73). Der Sohn hat den zerfallenen Körper der Mutter sich einverleibt. Aber die einverleibte Mutter läßt sich nicht einfach zum Objekt einer Wahrnehmung und Geschichte machen: sie drängt sich auf und bedroht den Körper des Sohns. Es drängt sich eine andere Kafka-Geschichte auf: *Das Urteil,* wo der Sohn aus dem Zimmer des Vaters wegstürzend dessen Gesetz tödlich in sich mitträgt.[30] Handke bringt seine Geschichte nicht zu einem solchen Schluß. Vielleicht bewahrt er sie und sich davor, indem er sie zu keinem Schluß bringt. Er schiebt den zerstückelten Körper auf den Text ab, der in fragmentarisch lose Notizen ausmündet. Der letzte Satz ist ein Versprechen auf andere Texte: „Später werde ich über das alles Genaueres schreiben."

Sind wir nun mit unserer Lektüre nicht bei jener Art psychiatrischer Diagnose angelangt, die wir anfangs kritisieren? Die Differenz ist schmal, aber wichtig: es geht nicht um eine Diagnose über Handkes Verhältnis zu seiner Mutter, sondern um die Beschreibbarkeit einer Konfiguration. Diese Konfiguration ist im Text lesbar als verschlungenes Verhältnis von realem Körper, phantasmatischem Körper und Textkörper.[31] Indem Handkes Text den Verschlingungen folgt, erzählt er nicht einfach eine singuläre Geschichte, sondern inszeniert in dieser Geschichte ein Verhältnis, das in den Literaturdebatten der Gegenwart häufig als die vereinseitigte Dichotomie von Wirklichkeit und Fiktion erscheint. Meine Beschreibung dieser Inszenierung ist mehr nicht als ein Ansatz, die Verwicklungen dieses Verhältnisses in seiner triangulären, nicht dualen, Konstellation wenigstens anzudeuten. Die Beschreibung dieser Verwicklungen ist immer wieder auf Blockierungen gestoßen, auf Knoten, die sich nicht aufdröseln ließen. Und immer wieder traf die Lektüre auf Stellen, wo der Sinn abstürzte. Schreckmomente, die auch in Handkes Text ins Bild gebracht werden: „Die Vorstellung bildet sich gerade und merkt plötzlich, daß es ja nichts mehr zum Vorstellen gibt. Darauf stürzt sie ab, wie eine Zeichentrickfigur, die bemerkt, daß sie schon die längste Zeit auf der bloßen Luft weitergeht" (98f.). So muß ich, fürchte ich, mit einer doppelten Textidentifikation enden, jener Geste, die sich als die gefährlichste und prekärste erwiesen hat. „Später werde ich über das alles Genaueres schreiben."

Anmerkungen

1 Ein ähnliches Problem formuliert Volker Bohn: „*Wunschloses Unglück* in der Absicht zu interpretieren, ein weiteres Mal den Nachweis für die Virulenz der diversen Krisen ehrwürdigen Alters – der Romankrise, der Erzählkrise, der Sprachkrise usw. – zu erbringen, dürfte fruchtlos sein." V.B., „'Später werde ich über das alles Genaueres schreiben'. Peter Handkes Erzählung *Wunschloses Unglück* aus literaturtheoretischer Sicht", in: *Germanisch-Romanische Monatsschrift* N.F. 26 (1976), S. 356-379; Zitat: S. 368.
2 Alle Seitenangaben im Text beziehen sich auf die erste Ausgabe des Romans: Peter Handke, *Wunschloses Unglück* (Salzburg: Residenz Verlag, 1972).
3 Zusammenfassend dazu vgl. Helmut Kreuzer, „Neue Subjektivität. Zur Literatur der siebziger Jahre in der Bundesrepublik Deutschland", in: M. Durzak, *Deutsche Gegenwartsliteratur. Ausgangspositionen und aktuelle Entwicklungen* (Stuttgart: Reclam, 1981), S. 77-106; Peter Beicken, „'Neue Subjektivität': Zur Prosa der siebziger Jahre", in: P.M. Lützeler u. E. Schwarz, *Deutsche Literatur in der Bundesrepublik seit 1965* (Königstein/Ts.: Athenäum, 1980), S. 164-181. Zur Problematik der Konstellation 'Subjektivität' und 'Realismus' vgl. Rainer Nägele, „Geschichten und Geschichte. Reflexionen zum westdeutschen Roman", in: M. Durzak, *Deutsche Gegenwartsliteratur*, S. 234-251.
4 Ausnahmen wie die von Hegel her arbeitende Untersuchung von Edgar Piel, *Der Schrecken der wahren Wirklichkeit. Das Problem der Subjektivität in der modernen Literatur* (München: C.H. Beck, 1978) sowie die von Schleiermacher und dem französischen Poststrukturalismus ausgehende Arbeit von Manfred Frank, *Das individuelle Allgemeine* (Frankfurt a.M.: Suhrkamp, 1977) haben die geläufige Literaturkritik bisher nur wenig berührt. Das führt gelegentlich zu grotesken Resultaten, etwa wenn ein namhafter Germanist das Zitieren von Derrida und Lacan unter den Symptomen der neuen Subjektivität aufführt. Differenzierter geht in bezug auf Handkes *Wunschloses Unglück* der in Anm. 1 zitierte Aufsatz von Volker Bohn vor, der vor allem den Scheingegensatz von experimenteller Literatur und existenziell-subjektivem Schreiben auseinandernimmt.
5 Montaigne-Zitat als Motto zu Max Frischs Erzählung *Montauk* (Frankfurt a.M.: Suhrkamp, 1975).
6 Zur grundsätzlichen Problematik von Autobiographie und Subjektivität vgl. Rainer Nägele, „Das Imaginäre und das Symbolische. Von der Anakreontik zum Schleiersymbol", in: *Goethezeit. Festschrift für Stuart Atkins*. Hrsg. v. G. Hoffmeister (Bern/München: Francke, 1981), S. 45-63.
7 Programmatisch heißt es in den Vorlesungen zum Lyrischen Drama des Fin de Siécle vom Wintersemester 1966: „Darum bedeutet die Versenkung ins einzel-

ne Werk, die Interpretation, nicht den Auszug aus der Historie, und die neunzehnfünfziger und -sechziger Jahre werden dem Wissenschaftler später vielleicht als die Zeit erscheinen, in der Interpretation und Geschichte miteinander vermittelt wurden." P. Szondi, *Das Lyrische Drama des Fin de siècle. Studienausgabe der Vorlesungen* Bd. 4 (Frankfurt a.M.: Suhrkamp, 1975), S. 17.

8 Jost Hermand u. Richard Hamann, *Stilkunst um 1900* (München: Nymphenburger Verlagshandlung, 1973), S. 84.

9 Kreuzer, „Neue Subjektivität" (Anm. 3), S. 79.

10 Auf die „differenzierten Funktionen", die der Gebrauch des „man" in Handkes Erzählung einnehmen kann, macht Volker Bohn aufmerksam: Bohn, „'Später werde ich über das alles Genaueres schreiben' " (Anm. 1), S. 375f.

11 Vgl. dazu Jörg Drews, „Die Entwicklung der westdeutschen Literaturkritik seit 1965", in: *Die deutsche Literatur der Bundesrepublik seit 1965* (Anm. 3), S. 258-269.

12 M. Durzak lobt *Wunschloses Unglück*, weil hier die „Tendenz zum monomanischen Narzißmus" gebannt sei: *Gespräche über den Roman* (Frankfurt a.M.: Suhrkamp, 1976), S. 362. Handkes Denken und Schreiben in der Sprache erscheint als „monomanisches Insistieren auf der Frage, wo die Menschen mit Hilfe von Kommunikation ihre Alltagswirklichkeit einrichten", so B. Hüppauf, „Peter Handkes Stellung im Kulturwandel der sechziger Jahre", in: M. Jürgensen (Hrsg.), *Handke, Ansätze, Analysen, Anmerkungen* (Bern/München: Francke, 1979), S. 11. Derselbe Autor etwas später: „Bis zur Obsession und sprachlichen Manie gesteigert, erscheint die Zergliederung der erlebten Wirklichkeit ..." (Ibid., S. 33).

13 Die Rezension erschien zuerst im *Spiegel* (17. März 1975); wieder abgedruckt in: P. Handke, *Das Ende des Flanierens* (Frankfurt a.M.: Suhrkamp, 1980), S. 49-55.

14 *Ende des Flanierens* (Anm. 13), S. 20.

15 Ibid., S. 22.

16 Es ist ein Prozeß, wie ihn bis in die letzten Verzweigungen Hölderlins poetischer Entwurf zur Verfahrensweise des poetischen Geistes zu entwickeln versucht.

17 *Ende des Flanierens* (Anm. 13), S. 18.

18 Ibid., S. 25.

19 Ibid., S. 64.

20 Ibid., S. 102.

21 Ibid., S. 103.

22 Der Gestus hat weitreichende ideologische und politische Implikationen. Die scheinideologiekritische Begrifflichkeit, die vor den Konsequenzen der neuen Subjektivität, Innerlichkeit und des neuen Irrationalismus warnt, verhindert gerade eine wirkliche Arbeit am Verhältnis von „Geschichte und Eigensinn".

23 Darauf weist auch Walter Weiss hin: „Vielleicht haben wir es hier weniger mit einer Rückkehr zum alten Realismus als mit einem neuen Realismus zu tun.' W. Weiss, „Peter Handke 'Wunschloses Unglück' oder Formalismus und Realismus", in: *Austriaca. Beiträge zur österreichischen Literatur*. Festschrift für Heinz Politzer (Tübingen: Niemeyer, 1975), S. 445. Vgl. auch: Rosmarie Zeller, „Die Infragestellung der Geschichte und der neue Realismus in Peter Handkes Erzählungen", in: *Sprachkunst 9* (1978), S. 115-140.

24 P. Handke, *Langsame Heimkehr* (Frankfurt a.M.: Suhrkamp, 1979).

25 Zur Problematik der 'realen' Heimat und deren Verwandlung ins In-Bild vgl. Handkes „Persönliche Bemerkungen zum Jubiläum der Republik", in: *Ende des Flanierens* (Anm. 13), S. 56-59, wie auch seine Bemerkung zu Kellers *Martin Salander* im Aufsatz über Hermann Lenz: „Martin Salander von Gottfried Keller, wo die Titelfigur nach langer Abwesenheit in das sich erstreckende Land schaut und dabei erlebt, wie alle Schichten der Vergangenheit dieses In-Bild erst hervorbringen . . ." (Ibid., S. 61).

26 Die Erzählung erschien zuerst beim Residenz-Verlag, erst später, ohne Umschlagbild, als Suhrkamp Taschenbuch.

27 R. Musil, *Gesammelte Werke in 9 Bänden* (Reinbek: Rowohlt, 1978), Bd. 5, S. 1713.

28 Roland Barthes, *Das Reich der Zeichen* (Frankfurt a.M.: Suhrkamp, 1981), S. 74.

29 F. Kafka, *Sämtliche Erzählungen*. Hrsg. v. Paul Raabe (Frankfurt a.M.: Fischer, 1970), S. 40.

30 Es wäre zu überlegen, welche Implikationen die Übertragung des Vater-Sohn-Verhältnisses bei Kafka (das auch die Konstellation im *Heizer* markiert) in das Mutter-Sohn-Verhältnis mit sich bringt.

31 Heinz Weinmann nimmt die Figur des Körpers in bezug auf Handkes Theater auf: Heinz Weinmann, „peter handke: la fin de la re-présentation", in: *Jeu* 6 (1977), S. 80-88.

Personenregister

**Von Lessing bis
Botho Strauß –
wichtige deutsche
Dramen auf einen Blick**

**Briefe als per-
sönliche Lebens-
zeugnisse und
Dokumente
einer politisch
und gesellschaft-
lich bewegten
Epoche**

384 Seiten,
geb. DM 29,80

576 Seiten,
geb. DM 68,–

**Der Wegbereiter der
klassischen modernen
Erzählkunst**

225 Seiten,
kt. DM 38,–

**Ein Plädoyer für die Nachdenk-
lichkeit in einem sich
zerfasernden Kulturbetrieb**

180 Seiten,
kt. DM 28,–

Athenäum Verlag

Athenäum · Hain

Gilbert Reis
Musils Fragen nach der Wirklichkeit

Diskurs – Forschung zur
deutschen Literatur Band 3
533 Seiten, kt. DM 58,–

Ein Versuch, Musils dichterische
Entwicklung konsequent als genau
umschriebenes „sachliches Problem" darzustellen.
In einer chronologischen Folge
von Einzelinterpretationen, die vom
„Törleß" bis zum „Mann ohne
Eigenschaften" reichen, wird die
dichterische Form beschrieben
und die Differenz zwischen dichterischer und begrifflicher Aussage
herausgearbeitet.

Lukas Rüsch
Ironie und Herrschaft

Untersuchungen zum Verhältnis
von Herr und Knecht in Robert
Walsers Roman „Der Gehülfe"

Forum Academicum Literaturwissenschaft Band 57
240 Seiten, kt. DM 58,–

Was im Roman auf den ersten
Blick als spielerisches-assoziatives,
mitunter unscharfes Erzählen erscheint, entpuppt sich bei genauerem Hinsehen als raffiniert ironi-
sches Erzählkonzept.

Norbert Mecklenburg
Erzählte Provinz

Regionalismus und Moderne im
Roman
312 Seiten, kt. DM 68,–

Der neue Regionalismus ist eine
Bewegung, die menschliche
Grundbedürfnisse gegenüber der
modernen Gesellschaft der Metro-
polen und Apparate vertritt. Vor
diesem aktuellen Hintergrund
untersucht Norbert Mecklenburg
Romane, die von Provinz erzählen,
und fragt kritisch, ob sie nostalgisch in eine heile Welt fliehen
oder utopisch auf eine bessere
hinweisen.

Herbert Tiefenbacher
**Textstrukturen des Entwicklungs- und Bildungs-
romans**

Zur Handlungs- und Erzählstruktur
ausgewählter Romane zwischen
Naturalismus und Erstem Weltkrieg

Forum Academicum Literaturwissenschaft Band 54
260 Seiten, kt. DM 42,–

Diese Studie ist ein wichtiger Beitrag zu gattungstheoretischen
Grundfragen. Sieben neuere
Romane von Hesse, Ernst, Was-
sermann, Musil, Kafka und Heinrich Mann, aus der Zeit zwischen
1900 und 1914, wurden als Beispiel ausgewählt.

Athenäum · Hain

Regina Baltz-Balzberg
**Primitivität der Moderne
1895–1925**
am Beispiel des Theaters
Literatur in der Geschichte –
Geschichte in der Literatur
Band 8
208 Seiten, kt. DM 69,–

Eine Auseinandersetzung mit den
herrschenden Kunstauffassungen
der Jahrhundertwende untersucht
u.a. an Theaterstücken von
Wedekind, Schnitzler, Scheerbart,
Morgenstern, Kaiser, Döblin,
Kokoschka, Heym, Sternheim,
Brecht, Musil und anderen.

Ralf-Peter Märtin
Wunschpotentiale

Geschichte und Gesellschaft in
den Abenteuerromanen von
Retcliff, Armand, May
Literatur in der Geschichte –
Geschichte in der Literatur
Band 10
236 Seiten, kt. DM 72,–

In der vorliegenden Arbeit wird versucht, die Beschaffenheit und
Qualität der literarischen Wunschträume exakt zu bestimmen. Wie
aus dem Mißverhältnis zwischen
wirklicher und gewollter Lebensgeschichte Wunschpotentiale entstehen wird an den Autoren und
Romanen: Sir John Retcliff
„Puebla", Armand „In-Mexiko" und
Karl May „Waldröschen" gezeigt.

Rüdiger Wischenbart
**Der literarische Wiederaufbau
in Österreich 1945–1949**
Am Beispiel von sieben
literarischen und kulturpolitischen
Zeitschriften
Literatur in der Geschichte –
Geschichte in der Literatur
Band 9
156 Seiten, kt. DM 45,–

Große Ambitionen, eine Flut von
Zeitschriftengründungen, die
Suche nach kulturpolitischen
Orientierungen, Rückgriffe auf Traditionen aus der Zeit der Ersten
Republik und anfängliche, zumeist
zaghafte Innovationsversuche
einer jungen Generation von
Autoren.
Die vorliegende Arbeit unternimmt
erstmals den Versuch den Literaturbetrieb dieser „Zwischenzeit"
nachzuzeichnen, seine bestim-
menden Strömungen und Entwicklungen.

Kurt Bartsch/Dietmar Goltschnigg/
Gerhard Melzer (Hrsg.)
In Sachen Thomas Bernhard
212 Seiten, kt. DM 34,–

Thomas Bernhard, selbsternannter
Außenseiter der gegenwärtigen
deutschsprachigen Literaturszene,
hat wie kaum ein anderer Schriftsteller heftige Raktionen hervorgerufen. Dieser Sammelband will eine
etwas nüchternere Tonart in die Diskussion bringen und Bilanz ziehen.

Athenäum

Geschichte der deutschen Literatur vom 18. Jahrhundert bis zur Gegenwart

Herausgegeben von Viktor Žmegač

Drei Bände.
Band I: 1700–1848
2 Teile. 812 Seiten, geb. DM 68,–

Band II: 1848–1918
544 Seiten, geb. DM 55,–

Band III: Von 1918 bis in die heutige Zeit.
Etwa 650 Seiten, ca. DM 68,–

Diese Bände bieten sowohl thematische Zusammenfassungen über Tendenzen des literarischen Lebens der einzelnen Epochen wie auch sorgfältige Einzelinterpretationen herausragender Werke.
Schwerpunkte bilden erstmalig in einer Literaturgeschichte systematisch dargestellte Beziehungen zwischen der Literatur und den gesellschaftlichen Wirkungsabsichten der Autoren.

„Die vorliegenden Bände gehören ohne Zweifel zu den wichtigsten Publikationen zur deutschen Literaturgeschichte seit langem . . . Es wäre zu wünschen, daß ‚Der Žmegač' bald zu den selbstverständlichen Standardwerken unserer Bibliotheken gehört."

DIE ZEIT

89730032

Geschichte der deutschen Literatur von den Anfängen bis zum Beginn der Neuzeit

Herausgegeben von Joachim Heinzle

Drei Bände.
Band II: Vom hohen zum späten Mittelalter
2 Teile. Etwa 450 S., geb. DM 78,–

Band I: Von den Anfängen zum hohen Mittelalter
Herbst 1985

Band III: Vom späten Mittelalter zum Beginn der Neuzeit
Herbst 1984

Das unter Mitarbeit internationaler Fachleute herausgegebene Werk vermittelt einen umfassenden Überblick über die Geschichte der deutschen Literatur von den Anfängen im 8./9. Jahrhundert bis zum Beginn der Neuzeit im 16. Jahrhundert. Dabei werden zum ersten Mal in einer fortlaufenden Darstellung des literarischen Geschehens dieses Zeitraums sozialgeschichtliche Fragestellungen konsequent berücksichtigt.
Literarische Texte werden nicht mehr nur unter gattungsmäßigen Aspekten gesehen, sondern es wird exemplarisch dargelegt, daß und in welcher Weise hinter der Literatur des Mittelalters häufig Interessen gesellschaftlicher Gruppen standen, die die Möglichkeiten des geschriebenen Wortes für ihre Zwecke benutzten.